개념플러스 특강

중학 과학 3

Book ❶ 진도책

교재 구성과 사용법

교재 구성

Book ❶ 진도책

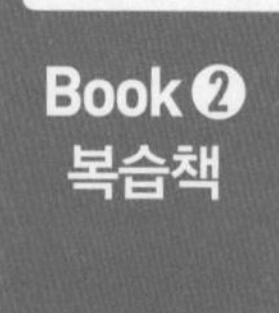

Book ❸ 정답과 해설

기초 공사를 탄탄히!!
중등 개념은 고등까지 연결되기 때문에 중요한 건 다들 알고 있지?
지금 배우는 개념들은 나중에 고등학교 통합과학에서도
유용하게 쓸 수 있는 탄탄한 기초가 되어 줄 거야!

Book ❶ 진도책

1 핵심 용어로 워밍업!

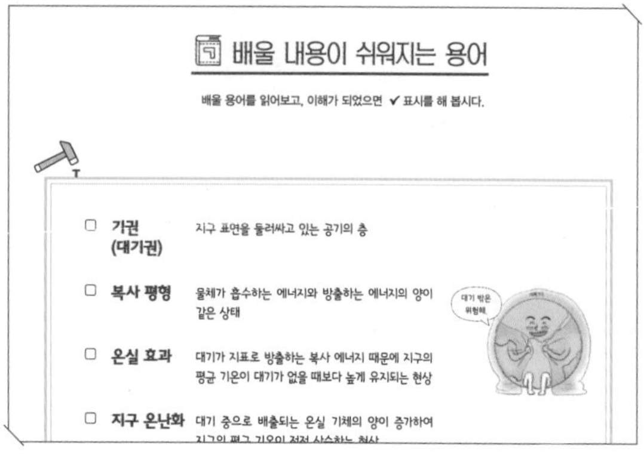

배울 내용이 쉬워지는 용어

배울 용어를 읽어보고, 이해가 되었으면 ✔ 표시를 해 봅시다.

- ☐ 가권 (대기권) 지구 표면을 둘러싸고 있는 공기의 층
- ☐ 복사 평형 물체가 흡수하는 에너지와 방출하는 에너지의 양이 같은 상태
- ☐ 온실 효과 대기가 지표로 방출하는 복사 에너지 때문에 지구의 평균 기온이 대기가 없을 때보다 높게 유지되는 현상
- ☐ 지구 온난화 대기 중으로 배출되는 온실 기체의 양이 증가하여

배울 내용이 쉬워지는 용어

공부를 시작하기에 앞서 대단원의 핵심 용어를 가볍게 훑어보자. 배울 내용의 이해가 훨씬 빨라질 거야.

2 잘 정리된 내용 정리로 탄탄하게 개념 학습!

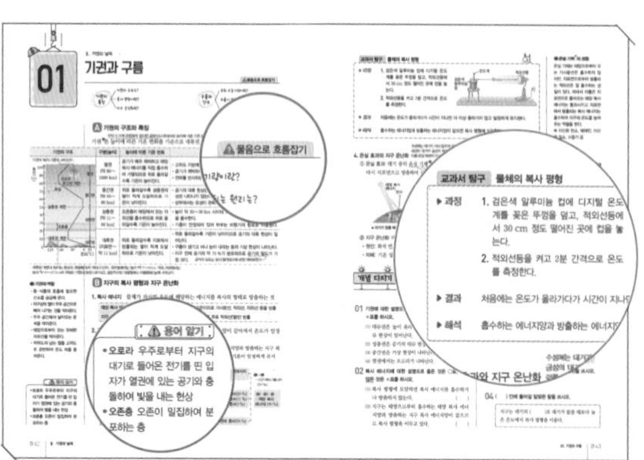

물음으로 흐름잡기

질문으로 먼저 핵심을 점검하자. 이 단원에서 무엇을 공부해야 하는지 방향을 알려 줄 거야.

개념 정리 & 용어 알기 & 교과서 탐구

교과서의 내용과 용어를 차근차근 공부하자. 이때 교과서에 나온 중요한 탐구는 꼭 보고 가자. 이해하기 쉽게 잘 정리된 교과서 내용을 술술 읽어 나가다 보면 개념이 차오르는 게 느껴질 거야.

Book ❷ 복습책

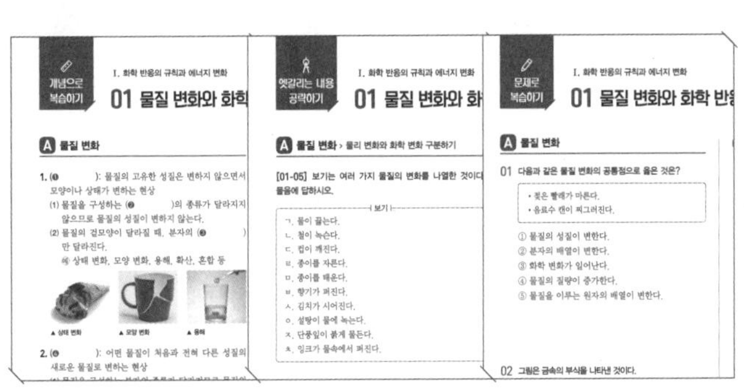

개념으로 복습하기

오랫동안 기억하려면 반복이 중요해! 배운 내용을 눈으로 정리하고 필수 개념들은 스스로 채우면서 개념을 되새겨 보자.

헷갈리는 내용 공략하기

어려운 내용은 아니지만, 암기가 필요하거나 반복적인 학습이 필요한 내용을 집중적으로 연습해 보자.

문제로 복습하기

문제로 한 번 더 복습하면서 새는 개념 없이 꽉 묶어 두자.

Book ❸ 정답과 해설

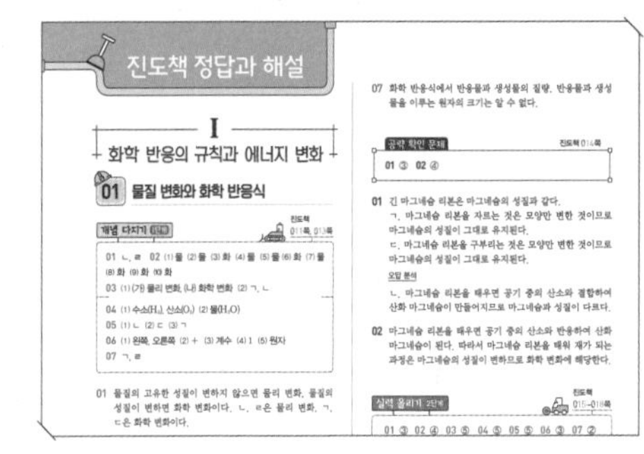

의구심이 남지 않는 친절한 풀이

한 번 틀린 문제를 다시 틀리지 않으려면 왜 틀렸는지 아는 게 중요해. 오답 분석으로 잘못 이해하고 있는 내용은 없는지 확인할 수 있도록 도와줄게. 자료 분석으로 더 자세한 해설도 제공할 거야! 서술형 문제는 모범 답안, 해설, 채점 기준표까지 친절하게 알려줄게!

3 까다로운 내용, 어려운 내용은 집중적으로 공략!

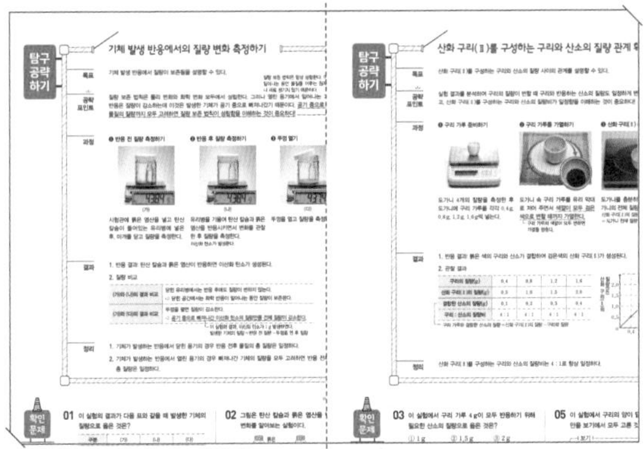

공략하기

중요한 탐구와 자료, 계산 문제는 꼭 나오기 마련! 언제 마주쳐도 당황하지 않게 집중적으로 공부하자. 내용을 익힌 후 문제까지 풀어보고 나면 두려울 것이 없겠지?

4 계단을 오르듯이 차근차근, 단계별 문제 풀기

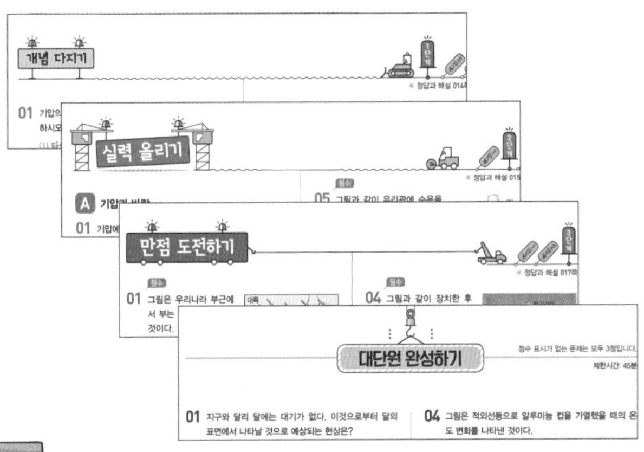

개념 다지기 (1단계)

OX 문제, 줄긋기, 빈칸 채우기, 단답형 등 기본 문제로 핵심 개념을 다져볼까? 기초가 제일 중요해!

실력 올리기 (2단계)

시험에 자주 출제되는 문제들로 실전 연습 좀 해 볼까?
꼼꼼하게 실력을 쌓자!

만점 도전하기 (3단계)

고난도 문제로 나의 실력을 더 향상시켜 볼까? 어려운 문제를 풀면서 자신감을 키워봐!

대단원 완성하기

대단원 학습을 마쳤으니 실전처럼 점검해 볼 거야. 점차 중요해지는 서술형 문제까지 꽉 잡아 확실하게 성적을 올려보자!

차례와 학습 진행표

학습 진행률(%)

0 25 50 75 100

I 화학 반응의 규칙과 에너지 변화

II 기권과 날씨

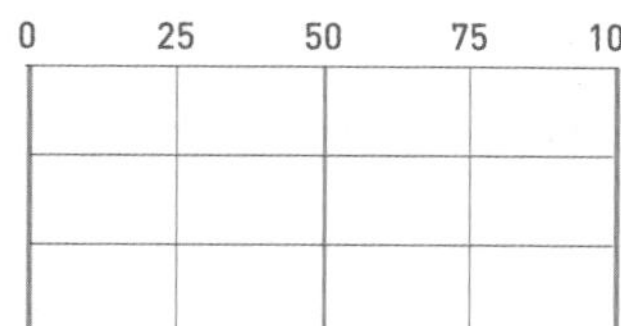

III 운동과 에너지

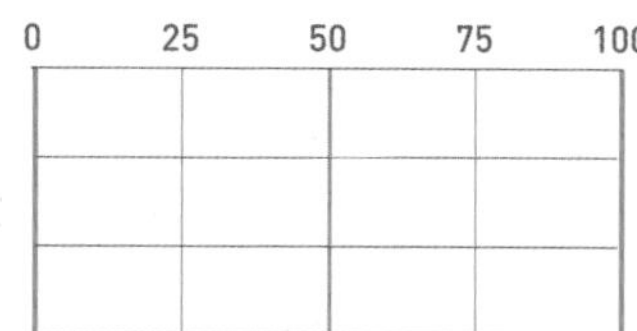

IV 자극과 반응

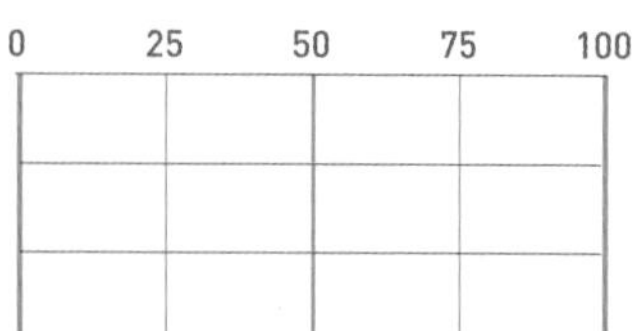

오늘은 어디까지 공부했어?
공부가 끝난 후 학습한 만큼 형광펜으로 채워서
어디까지 공부했는지 확인해 보자.

학습 진행률 표시 방법

0 25 50 75 100

학습 진행률(%)

0 25 50 75 100

내 교과서와 비교하기

대단원	중단원	개념풀 특강	동아	미래엔	비상	천재
Ⅰ 화학 반응의 규칙과 에너지 변화	01. 물질 변화와 화학 반응식	010~019	013~019	014~025	012~020	013~023
	02. 화학 반응의 규칙	020~029	023~032	026~037	026~035	027~040
	03. 화학 반응에서의 에너지 출입	030~035	034~038	038~045	040~045	043~047
Ⅱ 기권과 날씨	01. 기권과 구름	042~051	049~069	056~073	052~077	056~083
	02. 기압과 날씨	052~061	070~083	074~085	078~093	084~101
Ⅲ 운동과 에너지	01. 운동	068~077	092~105	098~115	098~111	108~121
	02. 일과 에너지	078~087	106~117	116~127	112~123	122~135
Ⅳ 자극과 반응	01. 감각 기관	094~103	126~139	138~147	128~139	142~155
	02. 신경계와 호르몬	104~113	140~159	148~162	140~155	156~173

대단원	중단원	개념풀 특강	동아	미래엔	비상	천재
Ⅴ 생식과 유전	01. 생식	120~129	168~187	174~189	160~173	180~201
	02. 유전	130~139	188~205	190~203	174~191	202~223

대단원	중단원	개념풀 특강	동아	미래엔	비상	천재
Ⅵ 에너지 전환과 보존	01. 역학적 에너지의 전환과 보존	146~155	214~223	214~219	196~205	230~237
	02. 전기 에너지의 발생과 전환	156~163	224~239	220~235	206~219	238~247

대단원	중단원	개념풀 특강	동아	미래엔	비상	천재
Ⅶ 별과 우주	01. 별	170~179	248~259	246~255	224~235	254~263
	02. 은하와 우주	180~189	260~273	256~271	236~259	264~279

대단원	중단원	개념풀 특강	동아	미래엔	비상	천재
Ⅷ 과학 기술과 인류 문명	01. 과학 기술과 인류 문명	194~200	282~295	282~295	264~276	286~295

I

화학 반응의 규칙과 에너지 변화

배울 내용이 쉬워지는 용어

배울 용어를 읽어보고, 이해가 되었으면 ✔ 표시를 해 봅시다.

- ☐ **물리 변화** 물질이 가진 고유한 성질은 변하지 않으면서 모양이나 상태 등이 변하는 현상
- ☐ **화학 변화** 처음 물질과는 전혀 다른 성질의 새로운 물질로 변하는 현상

- ☐ **화학 반응** 화학 변화가 일어나는 과정
- ☐ **화학 반응식** 화학식을 이용하여 화학 반응을 나타내는 식
- ☐ **화합물** 두 가지 이상의 원소가 결합하여 생성된 물질

- ☐ **질량 보존 법칙** 화학 반응이 일어날 때 반응 전 물질의 총 질량과 반응 후 물질의 총 질량이 항상 같음
- ☐ **일정 성분비 법칙** 두 가지 이상의 물질이 반응하여 한 화합물을 생성할 때 화합물을 구성하는 성분 원소 사이에는 일정한 질량비가 성립함

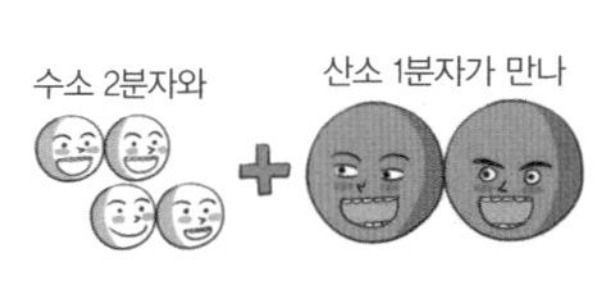

- ☐ **기체 반응 법칙** 일정한 온도와 압력에서 기체가 반응하여 새로운 기체를 생성할 때 반응하는 기체와 생성되는 기체의 부피 사이에 간단한 정수비가 성립함
- ☐ **발열 반응** 화학 반응이 일어날 때 주위로 에너지를 방출하는 반응
- ☐ **흡열 반응** 화학 반응이 일어날 때 주위로부터 에너지를 흡수하는 반응

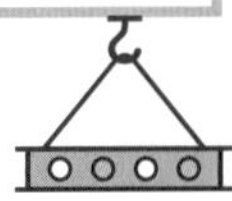

Ⅰ. 화학 반응의 규칙과 에너지 변화

01 물질 변화와 화학 반응식

물음으로 흐름잡기

물질 변화 — 물리 변화란? / 화학 변화란?

화학 반응식 — 화학 반응이란? / 화학 반응식이란?

A 물질 변화

1. 물리 변화❶ 물질이 가진 고유한 성질은 변하지 않으면서 모양이나 상태 등이 변하는 현상

① 물리 변화가 일어날 때 물질을 구성하는 분자•의 종류가 달라지지 않으므로 물질의 성질이 변하지 않는다. – 분자는 물질의 성질을 나타내는 가장 작은 입자이므로, 분자가 변하지 않으면 물질의 성질도 변하지 않는다.

② 물질의 겉모양이 달라질 때, 분자의 배열만 달라진다.

③ **물리 변화의 예:** 상태 변화, 모양 변화, 용해•, 확산•, 혼합 등

아이스크림이 녹는다. └상태 변화	컵이 깨진다. –모양 변화	설탕을 물에 넣으면 녹는다. –용해	잉크가 물속으로 퍼진다. └확산

2. 화학 변화❷ 처음 물질과는 전혀 다른 성질의 새로운 물질로 변하는 현상

① 화학 변화가 일어날 때 물질을 구성하는 분자의 종류가 달라지므로 물질의 성질이 변한다.

② 물질을 구성하는 원자의 배열이 달라진다.

③ **화학 변화의 예:** 연소•, 부식, 앙금• 생성, 부패•, 발효•, 광합성, 호흡 등

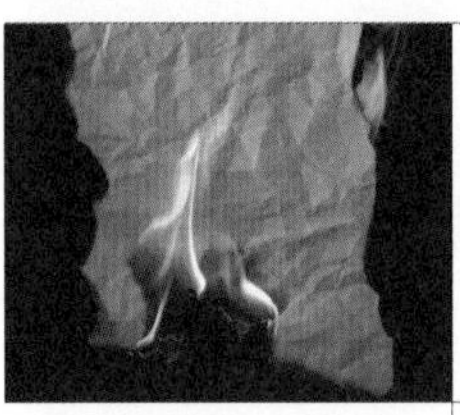			
종이를 태운다. –연소	철이 녹슨다. –부식	딸기가 빨갛게 익는다.	사과가 오래되면 썩는다. –부패

④ 화학 변화가 일어났다는 증거가 되는 현상

색깔, 냄새, 맛 등의 변화	열과 빛 발생	기체 발생	앙금 생성
깎아 놓은 사과의 색이 변한다.	메테인이 연소하여 열과 빛이 발생한다.	달걀 껍데기는 묽은 염산과 반응하여 기체가 발생한다. (이산화 탄소)	염화 나트륨 수용액과 질산 은 수용액이 반응하면 흰색 앙금이 생성된다. (염화 은)

❶ 물리 변화의 예
- 얼음이 녹는다.
- 종이를 자른다.
- 깡통이 찌그러진다.
- 젖은 빨래가 마른다.
- 물을 끓이면 수증기가 된다.
- 향수를 뿌리면 향기가 퍼진다.
- 드라이아이스의 크기가 작아진다.
- 가는 철을 뭉쳐 강철 솜을 만든다.
- 촛불 주위의 양초가 녹아 촛농이 된다.

❷ 화학 변화의 예
- 김치의 맛이 시어진다.
- 양초가 타며 열과 빛을 발생한다.
- 가을이 되면 단풍잎이 붉게 물든다.
- 발포정을 물에 넣으면 기포가 발생한다.
- 흰색 설탕을 오래 가열하면 갈색으로 변한다.

용어 알기
- **분자** 물질의 성질을 나타내는 가장 작은 입자
- **용해** 용매에 용질이 녹는 현상
- **확산** 입자가 스스로 운동하여 퍼져나가는 현상
- **연소** 물질이 산소와 빠르게 결합하면서 열과 빛을 내는 현상
- **앙금** 물에 녹지 않는 고체 물질
- **부패** 미생물에 의해 유기물이 분해되어 인간에게 해로운 물질이 생성되는 현상
- **발효** 미생물에 의해 유기물이 분해되어 인간에게 이로운 물질이 생성되는 현상

3. 물리 변화와 화학 변화의 비교❸ 탐구 공략하기 014쪽

구분	물리 변화	화학 변화
입자 모형	물 분자 / 수증기 ← 물리 변화 (상태 변화 (물의 기화)❹) — 물 분자 / 물	화학 변화 (물의 전기 분해) → 산소 분자, 수소 분자 / 수소+산소
물질의 성질	물질의 성질이 변하지 않는다. ⇨ 분자의 종류는 변하지 않고 분자의 배열만 달라지기 때문	물질의 성질이 변한다. ⇨ 분자를 이루는 원자의 배열이 달라져 분자의 종류가 변하기 때문
변하는 것	• 분자의 배열	• 원자의 배열 • 분자의 종류 • 물질의 성질
변하지 않는 것	• 원자의 배열, 종류와 개수 • 분자의 종류와 개수 • 물질의 성질과 총 질량	• 원자의 종류와 개수 • 물질의 총 질량

❸ 혼합물과 화합물

두 가지 이상의 물질이 섞여서 혼합물을 만드는 과정은 물리 변화, 두 가지 이상의 물질이 반응하여 화합물을 만드는 과정은 화학 변화에 해당한다.

❹ 물의 기화

물이 기화하면 분자 사이의 거리는 멀어지지만 분자의 종류는 달라지지 않는다. 따라서 물의 기화는 물질의 성질이 변하지 않는 물리 변화이다.

물리 변화는 **분자**의 배열이 변하고 **화학** 변화는 **원자**의 배열이 변한다.
→ 배열 변화는 물분, 화원

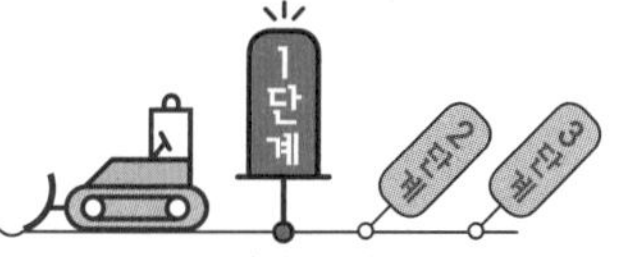

★ 정답과 해설 002쪽

01 물리 변화에 해당하는 것만을 보기에서 모두 골라 기호를 쓰시오.

| 보기 |
ㄱ. 철이 녹슨다. ㄴ. 종이를 접는다.
ㄷ. 종이를 태운다. ㄹ. 철사를 구부린다.

02 다음의 여러 가지 물질의 변화 중에서 물리 변화에 해당하는 것은 '물', 화학 변화에 해당하는 것은 '화'라고 쓰시오.

(1) 물이 끓는다. ( )
(2) 채소를 썬다. ( )
(3) 양초가 탄다. ( )
(4) 종이를 자른다. ( )
(5) 향기가 퍼진다. ( )
(6) 철이 붉게 녹슨다. ( )
(7) 빈 음료수 캔을 찌그러트린다. ( )
(8) 프라이팬 위에서 고기가 익는다. ( )
(9) 가을이 되면 단풍잎이 붉은색으로 변한다. ( )
(10) 흰색 설탕을 오래 가열하면 갈색으로 변한다. ( )

03 그림은 물질의 변화를 모형으로 나타낸 것이다. 다음 물음에 답하시오.

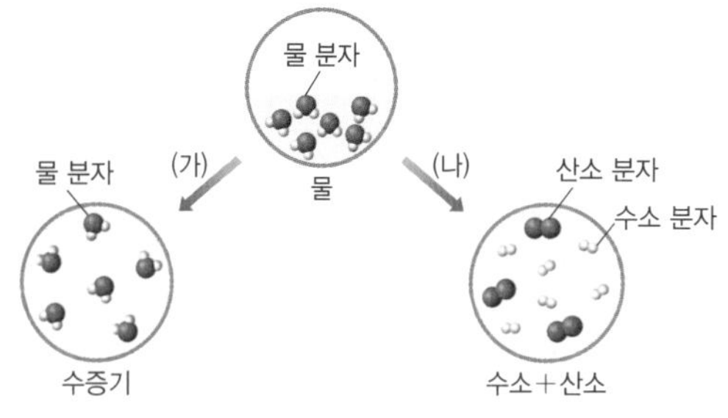

(1) (가)와 (나)에 해당하는 변화의 종류를 각각 쓰시오.
(가): ( ) (나): ( )

(2) (나)의 변화가 일어나는 동안 변하는 것만을 보기에서 모두 골라 기호를 쓰시오.

| 보기 |
ㄱ. 물질의 성질 ㄴ. 분자의 종류
ㄷ. 원자의 개수 ㄹ. 원자의 종류

01 물질 변화와 화학 반응식

⑤ 화학 반응의 종류

- 화합: 두 가지 이상의 물질이 결합하여 하나의 새로운 물질을 생성하는 반응
  ㉥ 수소+산소 ⟶ 물
- 분해: 한 가지 물질이 두 가지 이상의 물질로 나뉘는 반응
  ㉥ 산화 은 ⟶ 산소+은
- 치환: 두 물질이 반응할 때 한 물질의 구성 입자가 다른 물질의 구성 입자와 자리를 바꾸는 반응
  ㉥ 아연+염화 수소(염산) ⟶ 수소+염화 아연

⑥ 화학식

물질을 이루는 원자의 종류와 개수를 원소 기호로 나타낸 식

㉥ 산소: O_2, 이산화 탄소: CO_2

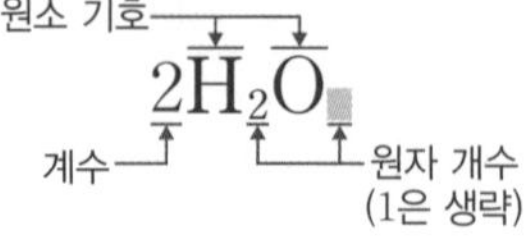

⑦ 여러 가지 화학 반응식

- 염화 수소의 생성 반응
  $H_2+Cl_2 \longrightarrow 2HCl$
- 과산화 수소의 분해 반응
  $2H_2O_2 \longrightarrow 2H_2O+O_2$
- 메테인●의 연소 반응
  $CH_4+2O_2 \longrightarrow CO_2+2H_2O$
- 염화 나트륨과 질산 은의 반응
  $NaCl+AgNO_3 \longrightarrow NaNO_3+AgCl$
- 마그네슘과 묽은 염산의 반응
  $Mg+2HCl \longrightarrow MgCl_2+H_2$

용어 알기

- **계수** 화학 반응식에서 화학식 앞에 쓰는 숫자
- **메테인** 도시가스의 주성분으로 화학식은 CH_4이다.

B 화학 반응식

1. 화학 반응⑤ 화학 변화가 일어나는 과정

① 화학 반응이 일어나면 물질을 이루는 원자의 종류와 개수는 변하지 않지만, 원자의 배열이 달라져 새로운 물질이 생성된다.

㉥ 물의 생성 반응 모형

수소 + 산소 ⟶ 물

2. 화학 반응식 화학식⑥을 이용하여 화학 반응을 나타낸 식 – 화학 반응을 모형으로만 표현하면 복잡한 화학 반응을 나타내기 어려우므로 화학식을 이용하여 간단히 나타낼 수 있다.

① 반응물과 생성물

- 반응물 : 화학 반응이 일어나기 전의 물질
  ㉥ 물의 생성 반응에서 반응물: 수소, 산소
- 생성물 : 화학 반응을 통해 새롭게 만들어진 물질
  ㉥ 물의 생성 반응에서 생성물: 물

② 화학 반응식을 나타내는 방법⑦

단계	예	설명
[1단계] 반응물과 생성물의 이름으로 화학 반응 표현하기	수소 + 산소 ⟶ 물 (반응물 / 생성물)	• 반응물은 화살표의 왼쪽, 생성물은 화살표의 오른쪽에 쓴다. • 반응물이나 생성물이 여러 가지인 경우에는 +로 연결한다.
[2단계] 반응물과 생성물을 화학식으로 표현하기	$H_2 + O_2 \longrightarrow H_2O$ (수소 / 산소 / 생성물)	• 각 물질별 화학식 HH=수소(H_2), OO=산소(O_2) HOH=물(H_2O)
[3단계] 반응 전후 원자의 종류와 개수가 같도록 계수 맞추기	$H_2 + O_2 \longrightarrow H_2O$ 수소 + 산소 ⟶ 물 $H_2 + O_2 \longrightarrow 2H_2O$ 반응물에 산소 원자가 2개이므로 물 분자를 2개로 만들어야 산소 원자의 개수가 같아진다. 수소 + 산소 ⟶ 물 $2H_2 + O_2 \longrightarrow 2H_2O$ 생성물에 수소 원자가 4개이므로 수소 분자를 2개로 만들어야 수소 원자의 개수가 같아진다. 수소 + 산소 ⟶ 물	• 화살표 양쪽에 있는 원자의 종류와 개수가 같아지도록 화학식 앞의 계수●를 맞춘다. • 계수는 가장 간단한 정수비로 나타내며, 계수가 1일 때는 생략한다.
[4단계] 반응 전후 원자의 종류와 개수가 같은지 확인하기	$2H_2 + O_2 \longrightarrow 2H_2O$ 수소 + 산소 ⟶ 물	(아래 표 참조)

원자의 종류	반응 전	반응 후
수소	4	4
산소	2	2

③ 화학 반응식으로 알 수 있는 것[8]

- 반응물과 생성물의 종류, 반응물과 생성물을 이루는 분자의 종류와 개수, 원자의 종류와 개수, 분자 수의 비를 알 수 있다.
- 원자의 상대적 질량[9]을 안다면 반응물과 생성물의 질량 관계를 알 수 있다.

  ㉯ 메테인의 연소 반응

화학 반응식	반응물	생성물
	$CH_4 + 2O_2 \longrightarrow CO_2 + 2H_2O$	
반응 모형	메테인 + 산소	→ 이산화 탄소 + 물
물질의 종류	메테인, 산소	이산화 탄소, 물
분자의 종류와 개수	메테인 분자 1개, 산소 분자 2개	이산화 탄소 분자 1개, 물 분자 2개
원자의 종류와 개수	수소 원자 4개, 탄소 원자 1개 산소 원자 4개	수소 원자 4개, 탄소 원자 1개 산소 원자 4개
계수비 = 분자 수의 비	계수비=메테인 : 산소 : 이산화 탄소 : 물=1 : 2 : 1 : 2=분자 수의 비	
질량 관계	수소 원자 4개×1=4 탄소 원자 1개×12=12 산소 원자 4개×16=64	수소 원자 4개×1=4 탄소 원자 1개×12=12 산소 원자 4개×16=64

└반응 전후의 원자의 종류와 개수가 같으므로 반응 전후의 총 질량은 일정하다.

└원자 1개의 상대적 질량은 수소 1, 탄소 12, 산소 16이다.

⑧ 화학 반응식으로 알 수 없는 것

- 원자의 크기, 모양, 질량
- 반응물과 생성물의 질량

⑨ 원자의 상대적 질량

탄소의 질량을 12로 정하고, 이 값과 비교하여 다른 원자의 질량을 상대적으로 나타낸 것으로 원자량이라고 한다.

⑩ 암모니아가 생성되는 반응의 화학 반응식과 입자 모형

$N_2 + 3H_2 \rightarrow 2NH_3$

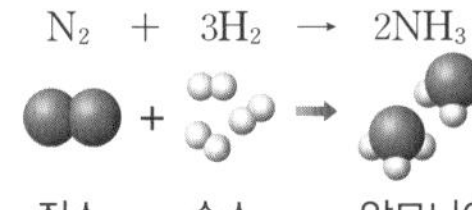

질소 : 수소 : 암모니아의 계수비 =1 : 3 : 2=분자 수의 비

→ 계수비와 분자 수의 비가 같다.

개념 다지기

★ 정답과 해설 002쪽

04 다음은 수소와 산소가 반응하여 물이 생성되는 반응의 화학 반응식을 나타낸 것이다.

$$2H_2 + O_2 \longrightarrow 2H_2O$$

반응물과 생성물을 찾아 모두 쓰시오.

(1) 반응물: (   )

(2) 생성물: (   )

05 다음의 화학 반응에 해당하는 화학 반응식만을 보기에서 골라 기호를 쓰시오.

보기

ㄱ. $H_2 + Cl_2 \longrightarrow 2HCl$

ㄴ. $2H_2 + O_2 \longrightarrow 2H_2O$

ㄷ. $CH_4 + 2O_2 \longrightarrow CO_2 + 2H_2O$

(1) 물의 생성 반응: (   )

(2) 메테인의 연소 반응: (   )

(3) 염화 수소의 생성 반응: (   )

06 다음은 화학 반응식을 나타내는 방법이다. (   ) 안에 들어갈 알맞은 말을 쓰시오.

(1) 반응물은 화살표의 (   ), 생성물은 화살표의 (   )에 나타낸다.

(2) 반응물 또는 생성물 사이는 (   )로 연결한다.

(3) 분자의 개수는 화학식 앞에 (   )로 나타낸다.

(4) 화학식의 계수가 (   )일 때는 생략할 수 있다.

(5) 화학 반응식이 완성되면 반응 전후에 (   )의 종류와 개수가 같은지 확인한다.

07 화학 반응식으로 알 수 있는 것만을 보기에서 모두 골라 기호를 쓰시오.

ㄱ. 반응물과 생성물의 종류

ㄴ. 반응물과 생성물의 질량

ㄷ. 반응물과 생성물을 이루는 원자의 크기

ㄹ. 반응물과 생성물을 이루는 분자의 종류와 개수

탐구 공략 하기

마그네슘 변화 관찰하기

목표 마그네슘 리본을 잘랐을 때와 태웠을 때 성질 변화를 비교할 수 있다.

공략 포인트 마그네슘 리본을 자르는 것은 모양이 변하므로 물리 변화에 해당하고, 마그네슘 리본을 태우는 것은 마그네슘이 연소하면서 성질이 변하므로 화학 변화에 해당한다. 마그네슘의 성질이 변하지 않으면 물리 변화, 성질이 변하면 화학 변화로 구분하는 것이 중요하다!

└ 물리 변화와 화학 변화를 구분하는 기준은 성질 변화의 여부이다.

과정

❶ 마그네슘 리본 준비하기

(가) 긴 마그네슘 리본
(나) 작게 자른 마그네슘 리본
(다) 마그네슘 리본이 타고 남은 재

같은 길이의 마그네슘 리본을 3개 준비하여 (가)~(다)와 같이 만든다.

마그네슘 리본을 태울 때 나오는 강한 빛을 직접 보지 않는다.

❷ 전류가 흐르는지 관찰하기

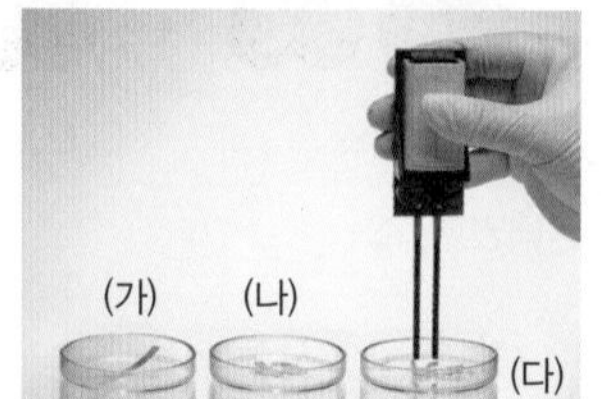

(가)~(다)에 각각 간이 전기 전도계를 대고 전류가 흐르는지 관찰한다.

❸ 묽은 염산 떨어뜨리기

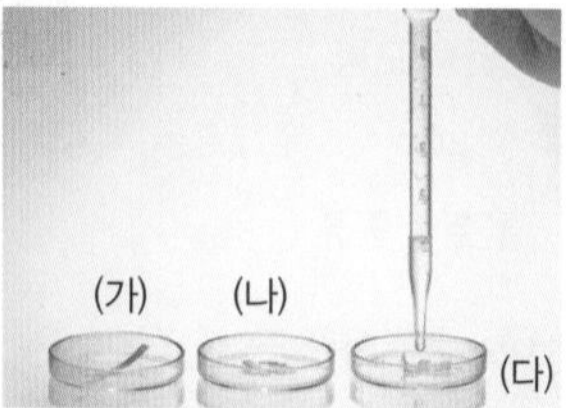

(가)~(다)에 각각 묽은 염산을 몇 방울 떨어뜨리고 생기는 변화를 관찰한다.

결과

1. 관찰 결과

구분	(가)	(나)	(다)
전류의 흐름	흐름	흐름	흐르지 않음
묽은 염산과의 반응	기체 발생	기체 발생	반응하지 않음

2. 결과 비교

(가)와 (나)는 모두 전류가 흐르고, 묽은 염산과 반응하므로 (가)와 (나)의 성질이 같다. 그러나 (다)는 전류가 흐르지 않고, 묽은 염산과 반응하지 않으므로 (가), (나)와 (다)의 성질은 다르다.

➡ 마그네슘 리본은 크기가 변해도 마그네슘의 성질을 그대로 가지고 있으므로, 마그네슘 리본을 자르는 과정은 물리 변화에 해당한다. 마그네슘 리본이 타고 남은 재는 마그네슘과 성질이 다르므로, 마그네슘 리본을 태우는 과정은 화학 변화에 해당한다.

정리

1. 마그네슘 리본을 잘라도 마그네슘의 성질은 변하지 않는다. ⇨ 물리 변화

2. 마그네슘 리본을 태우면 마그네슘의 성질이 변한다. ⇨ 화학 변화($2Mg + O_2 \longrightarrow 2MgO$)

확인 문제

✱ 정답과 해설 002쪽

01 이 실험의 (가) 긴 마그네슘 리본과 성질이 같은 것만을 보기에서 모두 고른 것은?

보기
ㄱ. 마그네슘 리본을 자른 것
ㄴ. 마그네슘 리본을 태운 것
ㄷ. 마그네슘 리본을 구부린 것

① ㄱ ② ㄴ ③ ㄱ, ㄷ
④ ㄴ, ㄷ ⑤ ㄱ, ㄴ, ㄷ

02 그림은 마그네슘 리본을 태워서 재를 만드는 과정을 나타낸 것이다. 이에 대한 설명으로 옳지 않은 것은?

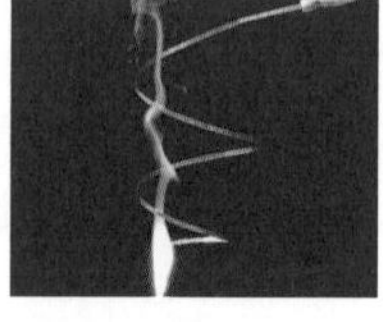

① 마그네슘 리본의 성질이 변한다.
② 마그네슘 리본의 원자 배열이 변한다.
③ 마그네슘 리본이 공기 중의 산소와 반응한다.
④ 마그네슘 리본을 태우는 과정은 물리 변화에 해당한다.
⑤ 마그네슘 리본과 마그네슘 리본이 타고 남은 재는 서로 다른 종류의 물질이다.

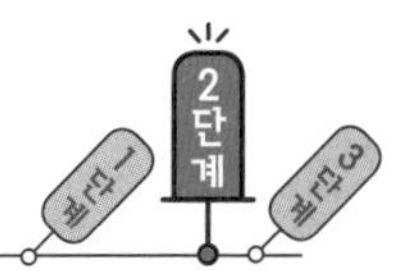

정답과 해설 002쪽

A 물질 변화

필수

01 다음 중 물리 변화에 해당하는 것은?

① 쇠못이 녹슨다.
② 단풍이 붉게 물든다.
③ 향수 냄새가 퍼져나간다.
④ 김치가 익어서 신맛이 난다.
⑤ 사과를 깎아 놓으면 갈색으로 변한다

필수

02 그림은 설탕이 물에 녹아 설탕물이 되는 과정을 나타낸 것이다.

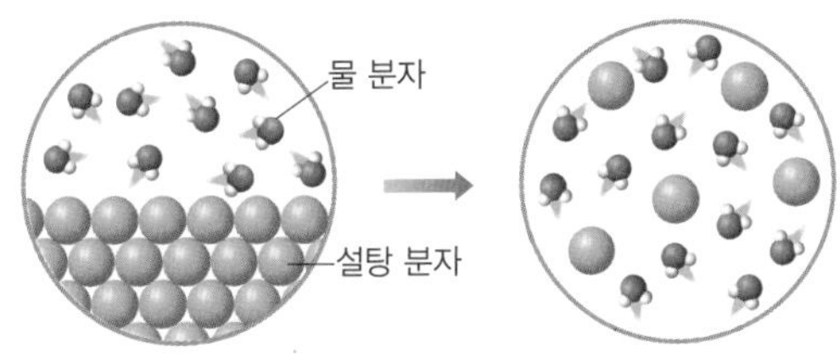

이에 대한 설명으로 옳지 않은 것은?

① 물의 성질이 그대로 유지된다.
② 설탕의 성질이 그대로 유지된다.
③ 물과 설탕의 분자 배열이 변한다.
④ 물과 설탕의 원자 배열이 변한다.
⑤ 설탕이 물에 녹는 과정은 물리 변화이다.

03 그림의 물질 변화에 대한 설명으로 옳지 않은 것은?

(가)

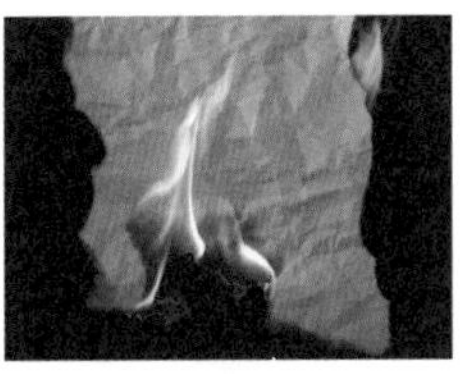
(나)

① (가)는 물질의 상태만 변한다.
② (가)는 물리 변화가 일어난다.
③ (나)는 물질의 성질이 변한다.
④ (나)는 물질을 이루는 원자들의 배열이 달라진다.
⑤ (가)와 (나)는 모두 처음과 다른 새로운 물질로 변한다.

필수

04 다음 설명과 관계있는 물질의 변화로 옳은 것은?

> 물질을 구성하는 원자의 배열이 달라진다.

① 종이를 접는다.
② 유리컵이 깨진다.
③ 아이스크림이 녹는다.
④ 물에 설탕을 넣고 저으면 설탕이 녹는다.
⑤ 달걀 껍데기에 식초를 부으면 거품이 생긴다.

05 다음에서 설명하는 변화를 나타낸 반응이 아닌 것은?

> • 처음과는 다른 새로운 물질이 생성된다.
> • 분자를 구성하는 원자들의 배열이 달라진다.

① 황 + 철 ⟶ 황화 철
② 수소 + 산소 ⟶ 물
③ 과산화 수소 ⟶ 물 + 산소
④ 염소 + 수소 ⟶ 염화 수소
⑤ 암모니아 + 물 ⟶ 암모니아수

필수

06 다음은 설탕으로 과자를 만드는 과정을 나타낸 것이다.

> (가) 설탕을 국자에 넣고 가열하면서 모두 녹인다.
> (나) 녹은 설탕이 갈색으로 변할 때, 베이킹 소다를 넣고 저으면 부풀어 오른다.
> (다) 내용물을 모양 틀에 부어 굳힌다.

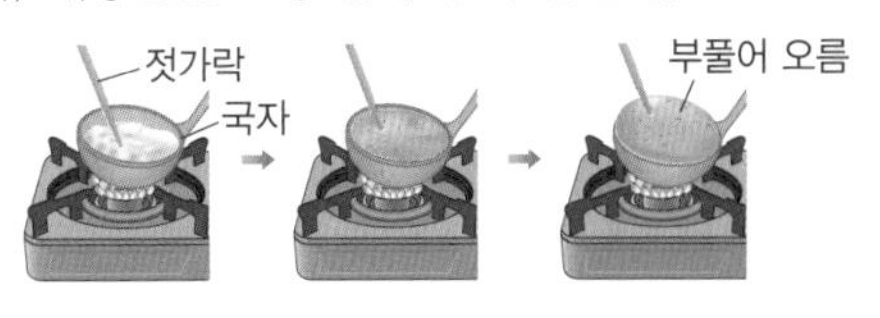

(가)~(다)를 물리 변화와 화학 변화로 옳게 구분한 것은?

	물리 변화	화학 변화
①	(가)	(나), (다)
②	(나)	(가), (다)
③	(가), (다)	(나)
④	(나), (다)	(가)
⑤	(가), (나), (다)	없음

[07-09] 그림은 물질의 변화를 모형으로 나타낸 것이다.

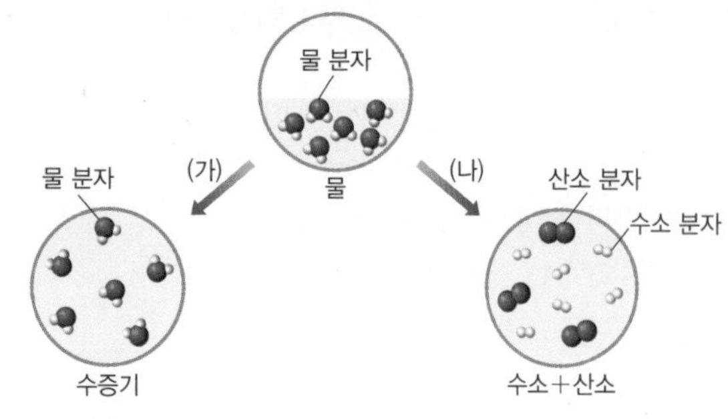

필수

07 이 모형의 (가)와 (나)에 해당하는 물질 변화를 옳게 짝 지은 것은?

	(가)	(나)
①	물리 변화	물리 변화
②	물리 변화	화학 변화
③	화학 변화	물리 변화
④	화학 변화	화학 변화
⑤	화학 변화	상태 변화

08 이 모형의 물질 변화와 같은 종류의 변화를 옳게 짝 지은 것은?

① (가) – 나무가 탄다.
② (가) – 철이 녹슨다.
③ (나) – 젖은 빨래가 마른다.
④ (나) – 음료수 캔이 찌그러진다.
⑤ (나) – 달걀을 삶으면 단단해진다.

필수

09 이 모형에 대한 설명으로 옳지 않은 것은?

① (가)에서 분자의 배열이 변한다.
② (나)에서 원자의 배열이 변한다.
③ (가)의 결과, 물 분자의 성질은 반응 전과 같다.
④ (나)의 결과, 물 분자의 성질은 반응 전과 같다.
⑤ (가), (나)에서 원자의 종류와 개수는 변하지 않는다.

필수

10 표는 긴 마그네슘 리본, 자른 마그네슘 리본, 마그네슘 리본이 타고 남은 재를 이용한 실험 결과의 일부를 나타낸 것이다.

구분	긴 마그네슘 리본	자른 마그네슘 리본	마그네슘 리본이 타고 남은 재
색깔	은백색	은백색	흰색
전류 흐름	흐름	흐름	(　　)
묽은 염산 반응	기체 발생	(　　)	(　　)

이에 대한 설명으로 옳지 않은 것은?

① 마그네슘 리본을 자르면 성질이 변한다.
② 마그네슘 리본을 태우면 성질이 변한다.
③ 마그네슘 리본이 타고 남은 재는 전류가 흐르지 않는다.
④ 자른 마그네슘 리본에 묽은 염산을 떨어뜨리면 기체가 발생한다.
⑤ 마그네슘 리본이 타고 남은 재에 묽은 염산을 떨어뜨리면 반응하지 않는다.

서술형

11 그림은 금속 활자를 만드는 과정을 나타낸 것이다.

(가) 쇳물 만들기　(나) 쇳물 굳히기　(다) 활자 다듬기

(가)~(다)에서 물리 변화가 일어난 것을 모두 고르고, 그 까닭을 서술하시오.

정답과 해설 002쪽

B 화학 반응식

필수

12 화학 반응에 대해 설명으로 옳은 것은?

① 화학 반응이 일어날 때 원자의 종류가 변한다.
② 화학 반응이 일어날 때 원자의 개수가 변한다.
③ 화학 반응이 일어날 때 원자의 배열이 변한다.
④ 화학 반응이 일어날 때 분자의 배열이 변하지 않는다.
⑤ 화학 반응 결과 새로운 물질이 생성되지 않는다.

13 화학 반응식에 대한 설명으로 옳지 않은 것은?

① 화학식을 이용하여 화학 반응을 나타낸 식이다.
② 화학 반응이 일어나기 전의 물질을 반응물이라고 한다.
③ 화학 반응을 통해 새롭게 만들어진 물질을 생성물이라고 한다.
④ 반응물은 화살표의 왼쪽, 생성물은 화살표의 오른쪽에 쓴다.
⑤ 화학 반응식의 계수비는 각 물질의 질량비와 같다.

필수

14 화학 반응식을 나타내는 순서를 옳게 나열한 것은?

(가) 반응물과 생성물을 화학식으로 나타낸다.
(나) 화살표 양쪽에 있는 원자의 종류와 개수가 같도록 화학식 앞에 계수를 쓴다.
(다) 반응물을 왼쪽, 생성물을 오른쪽에 쓰고, 그 사이에 화살표를 넣는다.

① (가) - (나) - (다)　② (가) - (다) - (나)
③ (나) - (가) - (다)　④ (다) - (가) - (나)
⑤ (다) - (나) - (가)

필수

15 다음은 에탄올의 연소 과정을 나타낸 화학 반응식이다.

$C_2H_5OH + (㉠)O_2 \longrightarrow (㉡)H_2O + (㉢)CO_2$

㉠~㉢에 들어갈 계수를 옳게 짝 지은 것은?

	㉠	㉡	㉢
①	1	2	1
②	2	2	1
③	2	2	3
④	2	3	2
⑤	3	3	2

16 다음은 메테인과 산소가 반응하여 물과 이산화 탄소가 생성되는 반응을 나타낸 것이다.

메테인(CH_4)+산소(O_2) $\longrightarrow$ 물(H_2O)+이산화 탄소(CO_2)

이 반응을 화학 반응식으로 옳게 나타낸 것은?

① $CH_4 + O_2 \longrightarrow H_2O + CO_2$
② $CH_4 + 2O_2 \longrightarrow H_2O + CO_2$
③ $CH_4 + 2O_2 \longrightarrow 2H_2O + CO_2$
④ $2CH_4 + 2O_2 \longrightarrow H_2O + CO_2$
⑤ $2CH_4 + 2O_2 \longrightarrow 2H_2O + CO_2$

필수

17 다음 화학 반응식에 대한 설명으로 옳지 않은 것은?

$2H_2 + O_2 \longrightarrow 2H_2O$

① 생성물은 물이다.
② 반응물은 수소와 산소이다.
③ 반응 전후의 총 원자의 개수는 일정하다.
④ 반응 전후의 총 분자의 개수는 일정하다.
⑤ 수소 분자 2개당 산소 분자 1개가 반응한다.

18 다음 화학 반응식에 대한 설명으로 옳은 것은?

$$X_2 + 2Y_2 \longrightarrow 2XY_2$$

① 반응물의 총 원자의 개수는 3개이다.
② 생성물의 총 분자의 개수는 6개이다.
③ X원자 2개와 Y원자 2개가 반응한다.
④ 반응에 참여한 원자는 총 세 종류이다.
⑤ X_2 분자 1개를 반응시키기 위해서 Y_2 분자 2개가 필요하다.

19 다음은 화학 반응식을 나타낸 것이다. ㉠, ㉡에 공통으로 들어갈 물질의 화학식과 이름을 옳게 짝 지은 것은?

(가) $2H_2O_2 \longrightarrow 2($ ㉠ $) + O_2$
(나) $CaCO_3 + 2HCl \longrightarrow CaCl_2 + ($ ㉡ $) + CO_2$

① H_2 - 수소
② O_2 - 산소
③ N_2 - 질소
④ H_2O - 물
⑤ NH_3 - 암모니아

20 화학 반응식을 옳게 표현한 것은?

① $C + O_2 \longrightarrow CO_2$
② $H_2O \longrightarrow H_2 + O$
③ $N_2 + H_3 \longrightarrow 2NH_3$
④ $Mg_2 + O_2 \longrightarrow 2MgO$
⑤ $CH_4 + O_2 \longrightarrow H_2O + CO_2$

필수

21 그림은 반응 모형을 나타낸 것이다.

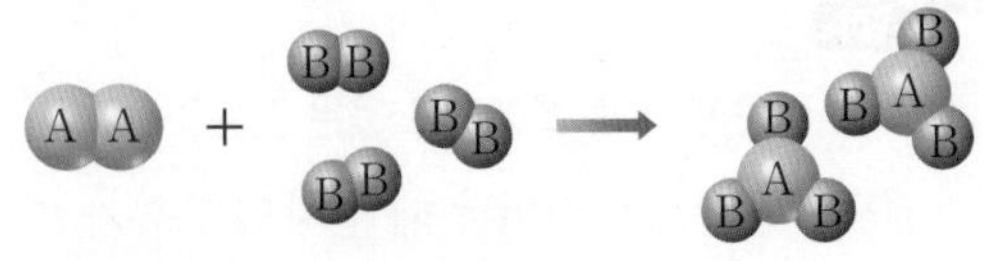

화학 반응식으로 옳게 표현한 것은?

① $A_2 + B_6 \longrightarrow A_2B_6$
② $A_2 + 2B_3 \longrightarrow 2AB_3$
③ $A_2 + 3B_2 \longrightarrow 2AB_3$
④ $2A + 3B_2 \longrightarrow 3AB_2$
⑤ $2A + 6B \longrightarrow 2AB_6$

22 다음은 화학 반응을 설명한 것이다.

식물은 이산화 탄소(CO_2)와 물(H_2O)을 흡수하여 엽록소에서 광합성을 통해 포도당($C_6H_{12}O_6$)과 산소(O_2)를 만든다.

이 반응을 화학 반응식으로 옳게 나타낸 것은?

① $CO_2 + H_2O \longrightarrow C_6H_{12}O_6 + O_2$
② $CO_2 + 6H_2O \longrightarrow C_6H_{12}O_6 + 4O_2$
③ $6CO_2 + 6H_2O \longrightarrow C_6H_{12}O_6 + 6O_2$
④ $C_6H_{12}O_6 + O_2 \longrightarrow CO_2 + H_2O$
⑤ $C_6H_{12}O_6 + 6O_2 \longrightarrow 6CO_2 + 6H_2O$

필수

23 화학 반응식으로 알 수 있는 사실이 아닌 것은?

① 반응물과 생성물의 종류
② 물질을 이루는 분자의 개수
③ 물질을 이루는 원자의 종류
④ 반응물과 생성물의 분자 수의 비
⑤ 반응물과 생성물을 이루는 원자의 크기

만점 도전하기

정답과 해설 004쪽

필수

01 보기의 물질 변화를 물리 변화와 화학 변화로 옳게 구분한 것은?

보기
ㄱ. 탄산음료의 뚜껑을 열면 거품이 발생한다.
ㄴ. 파란 잉크를 떨어뜨린 물이 파랗게 변한다.
ㄷ. 흰색 설탕을 오래 가열하면 갈색으로 변한다.
ㄹ. 달걀껍데기에 식초를 떨어뜨리면 거품이 생긴다.

	물리 변화	화학 변화
①	ㄱ, ㄴ	ㄷ, ㄹ
②	ㄱ, ㄷ	ㄴ, ㄹ
③	ㄱ, ㄹ	ㄴ, ㄷ
④	ㄴ, ㄷ	ㄱ, ㄹ
⑤	ㄴ, ㄹ	ㄱ, ㄷ

필수

02 다음은 우리 주변에서 일어나는 물질 변화의 예를 나타낸 것이다.

- 금속이 산소와 반응하여 녹이 생겼다.
- 종이를 태웠더니 열과 빛이 발생하였다.
- 상처 부위에 과산화 수소를 바르면 거품이 발생한다.

이와 같은 변화가 일어나는 동안 변하지 않는 것만을 보기에서 모두 고른 것은?

보기
ㄱ. 물질의 성질　　ㄴ. 분자의 종류
ㄷ. 원자의 개수　　ㄹ. 원자의 종류

① ㄱ, ㄴ　② ㄱ, ㄷ　③ ㄴ, ㄷ
④ ㄴ, ㄹ　⑤ ㄷ, ㄹ

필수

03 그림은 (가)가 연소하여 물과 이산화 탄소를 생성하는 반응을 모형으로 나타낸 것이다.

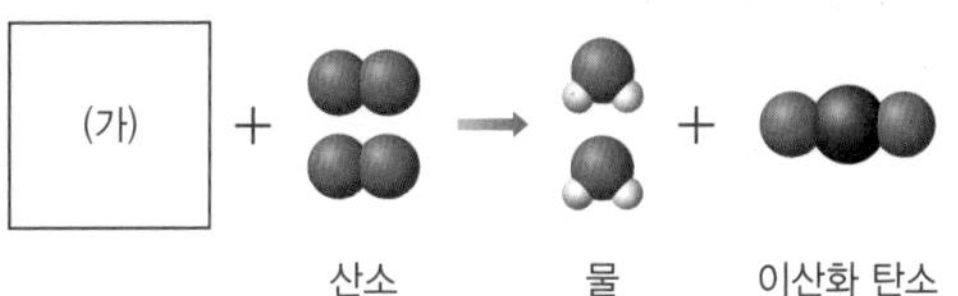

이에 대한 설명으로 옳은 것만을 보기에서 모두 고른 것은?

보기
ㄱ. (가)를 이루는 총 원자의 개수는 2개이다.
ㄴ. (가)는 탄소와 수소로 이루어진 화합물이다.
ㄷ. 반응 모형을 완성하기 위해 필요한 (가)의 분자 수는 1개이다.

① ㄱ　② ㄷ　③ ㄱ, ㄴ
④ ㄴ, ㄷ　⑤ ㄱ, ㄴ, ㄷ

신유형

04 다음은 자동차 에어백의 원리를 설명한 것이다.

자동차가 충돌하면 충격 감지기가 작동하여 점화기에 전기적인 신호를 보낸다. 점화기에서 열이 발생하면 아자이드화 나트륨(NaN_3)이 순식간에 나트륨(Na)과 질소(N_2)로 분해되는 반응이 일어난다. 이때 발생한 질소 기체가 에어백을 부풀게 한다.

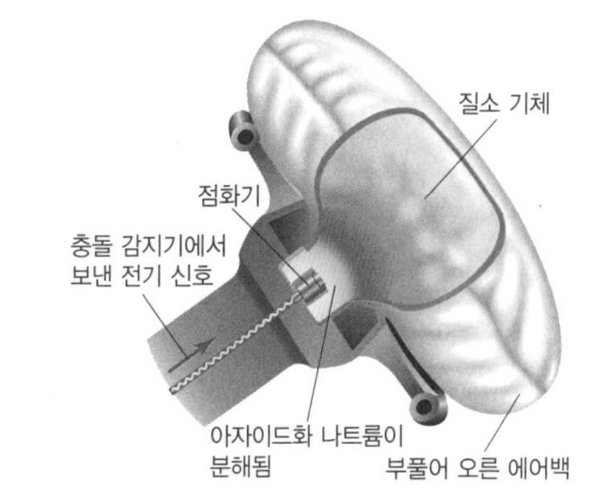

밑줄 친 부분에 해당하는 화학 반응식을 쓰시오.

I. 화학 반응의 규칙과 에너지 변화

화학 반응의 규칙

물음으로 흐름잡기

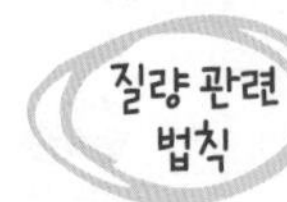

질량 보존 법칙이란?

일정 성분비 법칙이란?

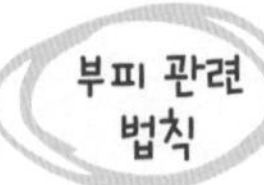

기체 반응 법칙이란?

A 질량 보존 법칙

1. 질량 보존 법칙(라부아지에[1], 1772년) 화학 반응이 일어날 때 반응 전 물질의 총 질량과 반응 후 물질의 총 질량은 항상 같다.

> 반응물의 총 질량 = 생성물의 총 질량

① 질량 보존 법칙이 성립하는 까닭: 화학 반응이 일어날 때 물질을 구성하는 원자의 배열만 달라질 뿐 원자의 종류와 개수는 변하지 않기 때문 – 물질의 총 질량은 일정하다.

② 질량 보존 법칙의 적용 범위[2]: 물리 변화와 화학 변화 모두에서 성립한다.

2. 화학 반응 전후 질량 변화

① 앙금 생성 반응에서의 질량 변화[3]

화학 반응	염화 나트륨 수용액과 질산 은 수용액이 반응하여 흰색 앙금인 염화 은과 질산 나트륨이 생성된다. $NaCl$ + $AgNO_3$ → $AgCl$ + $NaNO_3$ NaCl 염화 나트륨, $AgNO_3$ 질산 은, AgCl 염화 은, $NaNO_3$ 질산 나트륨 (질산 은 수용액, 염화 은)
질량 변화	용기의 밀폐 여부에 관계없이 반응 전후 물질의 총 질량은 일정하다.
	(염화 나트륨+질산 은)의 질량=(염화 은+질산 나트륨)의 질량

② 기체가 발생하는 반응에서의 질량 변화[4] 탐구 공략하기 024쪽

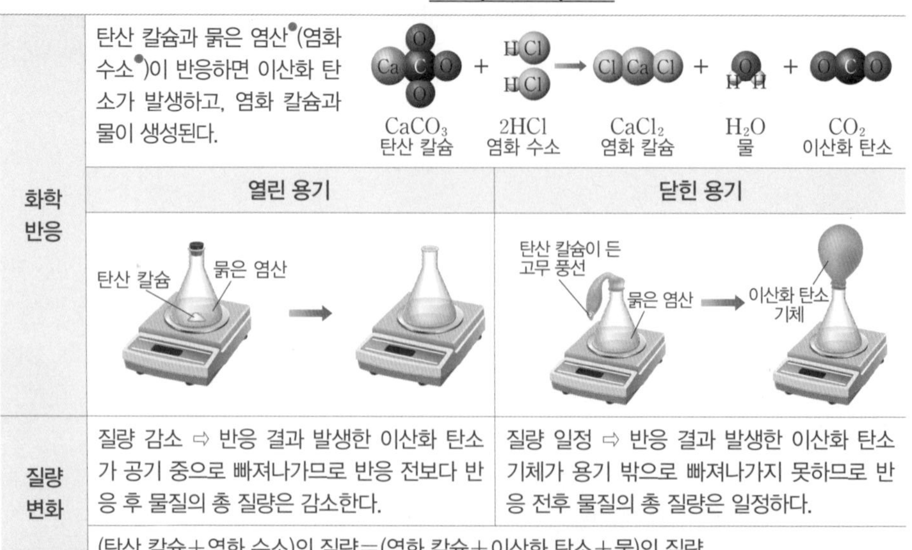

	열린 용기	닫힌 용기
질량 변화	질량 감소 ⇨ 반응 결과 발생한 이산화 탄소가 공기 중으로 빠져나가므로 반응 전보다 반응 후 물질의 총 질량은 감소한다.	질량 일정 ⇨ 반응 결과 발생한 이산화 탄소 기체가 용기 밖으로 빠져나가지 못하므로 반응 전후 물질의 총 질량은 일정하다.
	(탄산 칼슘+염화 수소)의 질량=(염화 칼슘+이산화 탄소+물)의 질량	

❶ **라부아지에(1743~1794)**
프랑스의 과학자로서 근대 화학의 아버지라고 불리며 1772년에 질량 보존 법칙을 발표하였다.

❷ **물리 변화에서의 질량 보존 법칙**
상태 변화나 용해와 같은 물리 변화가 일어날 때는 물질을 이루는 분자의 배열은 변하지만 분자를 이루는 원자의 종류나 개수가 일정하기 때문에 질량이 변하지 않는다.

❸ **앙금 생성 반응 예**
- 탄산 나트륨+염화 칼슘 ⟶ 탄산 칼슘↓(흰색 앙금)+염화 나트륨
- 아이오딘화 칼륨+질산 납 ⟶ 아이오딘화 납↓(노란색 앙금)+질산 칼륨

❹ **기체가 발생하는 반응 예**
- 마그네슘+묽은 염산 ⟶ 염화 마그네슘+수소↑
- 탄산 칼슘+묽은 염산 ⟶ 염화 칼슘+물+이산화 탄소↑
- 과산화 수소 ⟶ 물+산소↑
- 탄산수소 나트륨 ⟶ 탄산 나트륨+물+이산화 탄소↑

용어 알기
- **염산** 염화 수소 기체를 물에 녹인 용액
- **염화 수소** 수소와 염소가 반응하여 만들어진 기체

③ 연소 반응에서의 질량 변화

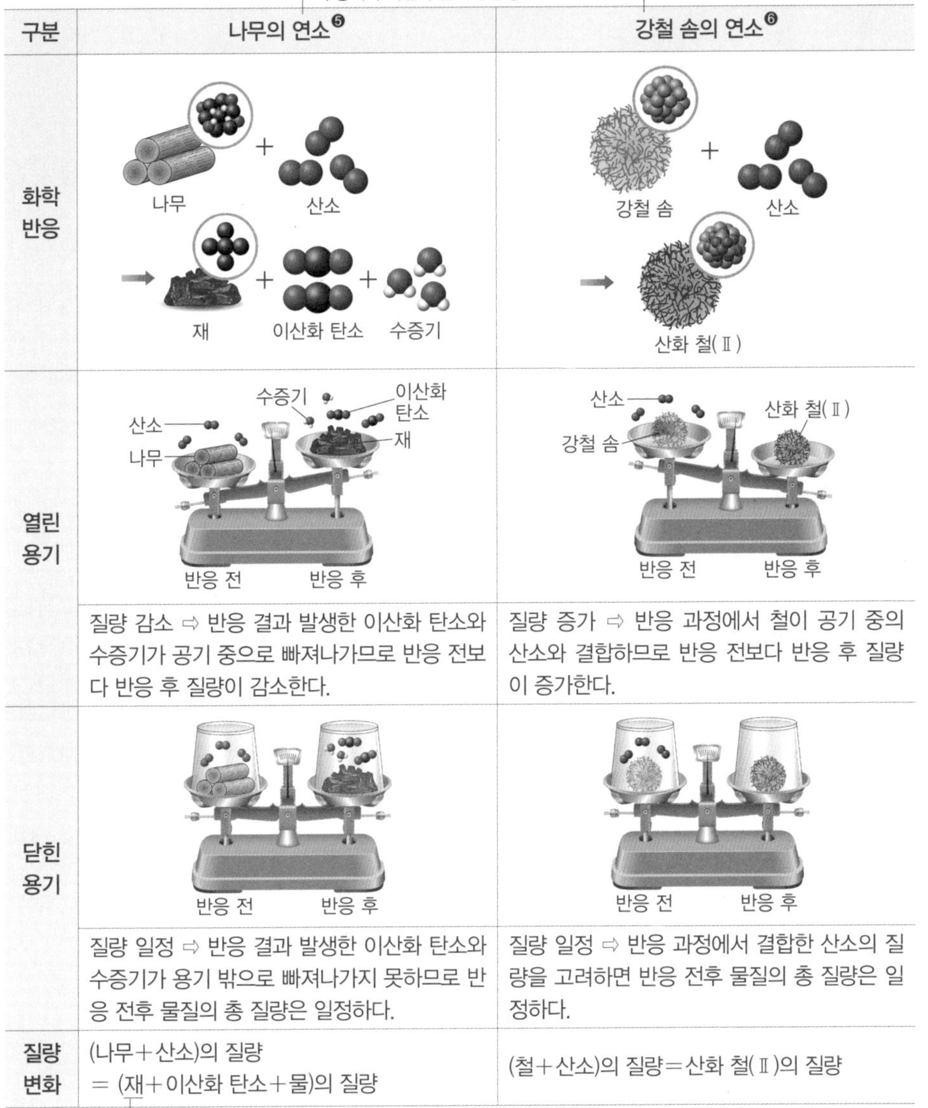

구분	나무의 연소❺	강철 솜의 연소❻
	나무, 숯, 양초를 연소시키면 반응 결과 수증기와 이산화 탄소가 발생한다.	철, 구리, 마그네슘 등의 금속을 연소시키면 반응 과정에서 산소와 결합한다.
화학 반응	나무 + 산소 → 재 + 이산화 탄소 + 수증기	강철 솜 + 산소 → 산화 철(Ⅱ)
열린 용기	(그림: 산소, 나무, 수증기, 이산화 탄소, 재 / 반응 전, 반응 후)	(그림: 산소, 강철 솜, 산화 철(Ⅱ) / 반응 전, 반응 후)
	질량 감소 ⇨ 반응 결과 발생한 이산화 탄소와 수증기가 공기 중으로 빠져나가므로 반응 전보다 반응 후 질량이 감소한다.	질량 증가 ⇨ 반응 과정에서 철이 공기 중의 산소와 결합하므로 반응 전보다 반응 후 질량이 증가한다.
닫힌 용기	(그림: 반응 전, 반응 후)	(그림: 반응 전, 반응 후)
	질량 일정 ⇨ 반응 결과 발생한 이산화 탄소와 수증기가 용기 밖으로 빠져나가지 못하므로 반응 전후 물질의 총 질량은 일정하다.	질량 일정 ⇨ 반응 과정에서 결합한 산소의 질량을 고려하면 반응 전후 물질의 총 질량은 일정하다.
질량 변화	(나무+산소)의 질량 = (재+이산화 탄소+물)의 질량	(철+산소)의 질량=산화 철(Ⅱ)의 질량

나무가 연소하고 남은 재는 나무보다 질량이 작다.

❺ 나무의 연소
공기 중에서 나무를 태우면 질량이 감소한다. 그 까닭은 나무와 결합하여 더해진 산소의 질량보다 반응 후 생성되어 공기 중으로 빠져나간 이산화 탄소와 수증기의 질량이 더 크기 때문이다. 그러나 반응한 산소의 질량과 생성된 이산화 탄소와 수증기의 질량을 모두 고려하면 반응 전후 물질의 총 질량은 일정하다.

❻ 금속의 연소
공기 중에서 강철 솜을 태우면 질량이 증가한다. 그 까닭은 강철 솜에 결합한 산소의 질량이 더해지기 때문이다. 그러나 반응한 산소의 질량까지 모두 고려하면 반응 전후 물질의 총 질량은 일정하다.

열린 용기에서 연소 반응을 하면 나무의 질량은 감소하고, 강철 솜의 질량은 증가한다.

⚠ 용어 알기
- **강철 솜** 철을 아주 가늘게 만들어 뭉쳐 놓은 것

정답과 해설 005쪽

01 질량 보존 법칙에 대한 설명으로 옳은 것은 ○표, 옳지 않은 것은 ×표를 하시오.

(1) 화학 반응이 일어날 때 반응물의 총 질량과 생성물의 총 질량은 같다. ( )

(2) 물리 변화는 질량 보존 법칙이 성립하지 않는다. ( )

(3) 앙금이 생성되는 반응에서는 질량 보존 법칙이 성립하지 않는다. ( )

(4) 화학 반응에서 질량이 보존되는 까닭은 반응 전후에 물질을 이루는 원자의 종류와 개수가 변하지 않기 때문이다. ( )

02 열린 용기에서 보기의 반응이 일어날 때 반응 후 질량이 감소하는 것만을 모두 골라 기호를 쓰시오.

> ㄱ. 탄산 나트륨에 염화 칼슘을 넣어 반응시킨다.
> ㄴ. 강철 솜을 연소시키면 산화 철(Ⅱ)이 생성된다.
> ㄷ. 묽은 염산에 마그네슘 조각을 넣어 반응시킨다.
> ㄹ. 나무를 연소시키면 열과 빛을 내면서 타고 재가 남는다.

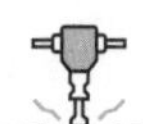

B 일정 성분비 법칙

1. 일정 성분비 법칙(프러스트[7], 1799년) 두 가지 이상의 물질이 반응하여 한 화합물*을 생성할 때 화합물을 구성하는 성분 원소 사이에는 일정한 질량비가 성립한다.

① 일정 성분비 법칙이 성립하는 까닭: 화합물을 구성하는 원자 수의 비가 항상 일정하기 때문[8]

② 일정 성분비 법칙의 적용 범위: 혼합물에서는 성립하지 않고, 화합물에서만 성립한다.

③ 같은 종류의 원소로 이루어진 화합물이라도 구성하는 원자 수의 비가 다르면 다른 종류의 화합물이므로 구성 원소의 질량비도 다르다.

혼합물은 두 종류 이상의 물질이 섞여 있는 것이며, 성분 물질이 섞이는 비율이 일정하지 않다. 따라서 혼합물은 일정 성분비 법칙이 성립하지 않는다.

2. 화합물을 구성하는 성분 원소의 질량비

① 물 분자와 과산화 수소 분자에서 수소와 산소의 질량비[9]

(원자 1개의 상대적 질량: 수소=1, 산소=16)

분자 모형	구성 원소	원자의 개수	원자의 개수비	질량비
물	수소	2개	수소 : 산소=2 : 1	수소 : 산소=(2×1) : (1×16) =2 : 16=1 : 8
	산소	1개		
과산화 수소	수소	2개	수소 : 산소=2 : 2 =1 : 1	수소 : 산소=(1×1) : (1×16) =1 : 16
	산소	2개		

물이 생성되는 반응에서 수소와 산소는 항상 1 : 8의 질량비로 결합한다.

② 여러 가지 화합물의 질량비

(원자 1개의 상대적 질량: 수소=1, 탄소=12, 질소=14, 산소=16)

구분	이산화 탄소	암모니아
분자 모형		
원자의 개수비	탄소 : 산소=1 : 2	질소 : 수소=1 : 3
질량비	탄소 : 산소=(1×12) : (2×16) =12 : 32=3 : 8	질소 : 수소=(1×14) : (3×1) =14 : 3

탐구 공략하기 025쪽

③ 산화 구리(Ⅱ)를 구성하는 성분 원소의 질량비[10]: 구리를 가열하면 구리와 공기 중의 산소가 4 : 1의 질량비로 반응(결합)하여 산화 구리(Ⅱ)가 생성된다. ─ 산화 구리(Ⅱ)를 비롯한 화합물을 구성하는 원소의 질량비는 항상 일정하다.

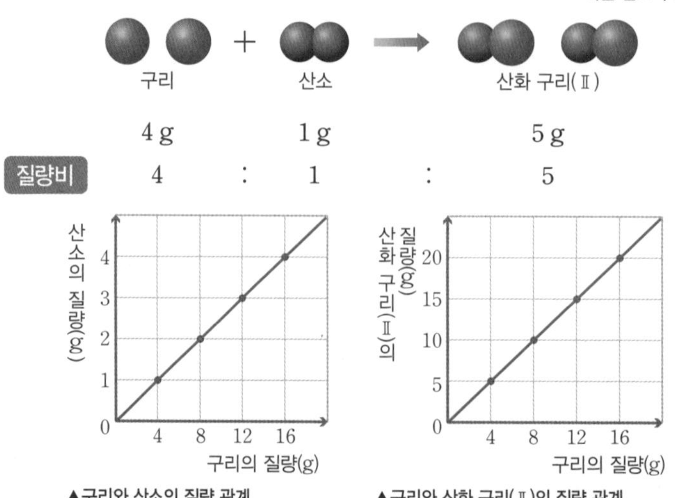

▲구리와 산소의 질량 관계 ▲구리와 산화 구리(Ⅱ)의 질량 관계

---

[7] 프루스트(1754~1826)
프랑스의 과학자로서 다양한 화합물에 관한 연구를 통해 일정 성분비 법칙을 발견하였다.

[8] 원자의 개수비와 질량비
원자는 질량이 있으며, 원자의 종류에 따라 질량이 다르다. 원자의 종류에 따라 질량이 일정하기 때문에 개수비가 일정하면 질량비도 일정하다.

[9] 물과 과산화 수소
물 분자는 수소 원자 2개, 산소 원자 1개로 이루어져 있고, 과산화 수소 분자는 수소 원자 2개, 산소 원자 2개로 이루어져 있다. 그러므로 같은 원소로 이루어진 화합물이라도 성분 원소의 질량비가 다르면 다른 물질이다.

[10] 산화 마그네슘을 구성하는 성분 원소의 질량비
마그네슘을 가열하면 마그네슘과 산소가 3 : 2의 질량비로 반응하여 산화 마그네슘이 생성된다.
마그네슘+산소 ⟶ 산화 마그네슘=3 : 2 : 5

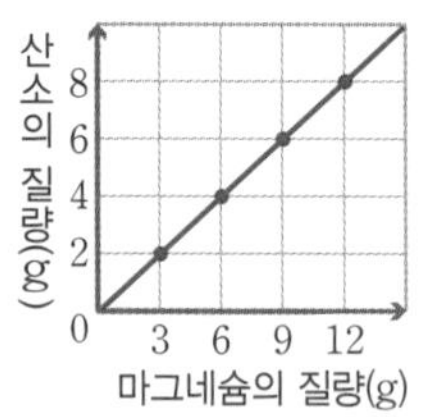

▲ 마그네슘과 산소의 질량 관계

용어 알기
* 화합물 두 가지 이상의 원소가 결합하여 생성된 물질

C 기체 반응 법칙

온도와 압력에 따라 기체의 부피가 변하기 때문에 일정한 온도와 압력이라는 조건에서만 기체 반응 법칙이 성립한다.

1. 기체 반응 법칙(게이 뤼삭[11], 1808년) 일정한 온도와 압력에서 기체가 반응하여 새로운 기체를 생성할 때 반응하는 기체와 생성되는 기체의 부피 사이에는 간단한 정수비가 성립한다.

① **수증기 생성 반응에서 기체의 부피 관계:** 일정한 온도와 압력에서 수소 기체와 산소 기체가 반응하여 수증기를 생성할 때 반응한 수소와 산소 기체, 생성된 수증기의 부피비는 2 : 1 : 2로 일정하다.

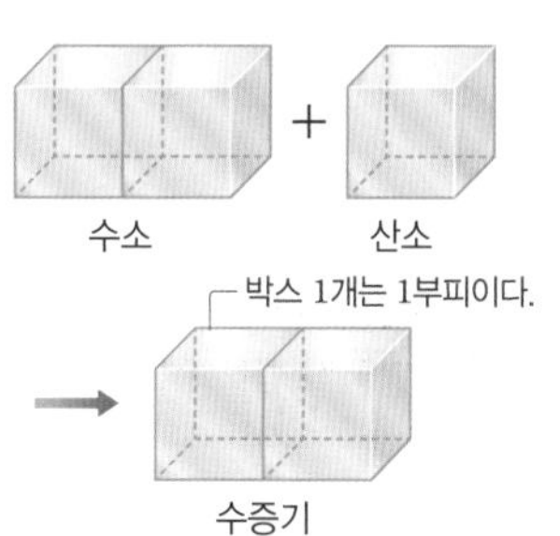

반응 전 기체의 부피(L)		반응 후 남은 기체의 종류와 부피(L)	반응한 기체의 부피(L)		생성된 수증기의 부피(L)
수소	산소		수소	산소	
2	3	산소, 2	2	1	2
4	2	0	4	2	4
6	1	수소, 4	2	1	2
수소 : 산소 : 수증기의 부피비			2	: 1 :	2

② **기체 반응 법칙이 성립하는 까닭[12]:** 온도와 압력이 같을 때 모든 기체는 같은 부피 속에 같은 수의 분자가 들어 있기 때문에

③ **기체 반응 법칙의 적용 범위:** 반응물과 생성물이 기체인 경우에만 성립한다.

④ **기체 사이의 반응에서 부피와 화학 반응식의 계수의 관계[13]:** 기체의 부피비는 화학 반응식의 계수비와 같다.

⑤ **기체 사이의 반응에서 부피와 분자 수의 관계:** 기체의 부피비는 분자 수의 비와 같다.

반응	모형	구분	비
수증기 생성 반응	수소 $2H_2$ + 산소 O_2 ⟶ 수증기 $2H_2O$	계수비	2 : 1 : 2
		분자 수의 비	2 : 1 : 2
		부피비	2 : 1 : 2
암모니아 생성 반응	질소 N_2 + 수소 $3H_2$ ⟶ 암모니아 $3NH_3$	계수비	1 : 3 : 2
		분자 수의 비	1 : 3 : 2
		부피비	1 : 3 : 2

→ 기체 사이의 반응에서 부피비는 분자 수의 비, 계수비와 같다.[13]

기체 사이의 반응에서 기체의 부피비 = 기체 분자 수의 비 = 화학 반응식의 계수비이다.

⑪ 게이 뤼삭(1778~1850)

프랑스의 과학자로서 몇 가지 기체의 반응에 관한 실험을 바탕으로 1808년에 기체 반응 법칙을 발표하였다.

⑫ 아보가드로 법칙(아보가드로, 1811년)

기체 반응 법칙을 설명하기 위해 아보가드로가 제안한 가설이며, 그 내용은 '온도와 압력이 같은 모든 기체는 같은 부피 속에 들어있는 분자의 개수가 같다.'이다. 이후 이 가설은 법칙이 되었다.

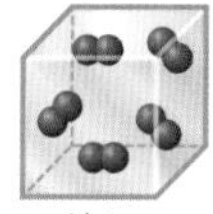
산소

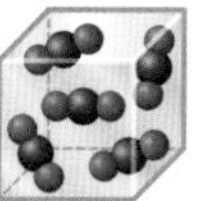
이산화 탄소

⑬ 여러 가지 기체 사이의 반응에서 부피와 분자 수의 관계

• 염화 수소의 생성 반응

수소 : 염소 : 염화 수소의 부피비 = 1 : 1 : 2 = 분자 수의 비

• 이산화 질소의 생성 반응

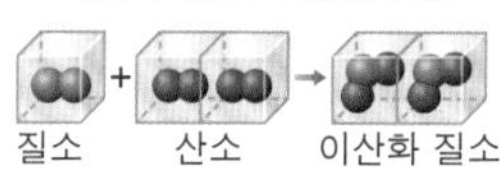

질소 : 산소 : 이산화 질소의 부피비 = 1 : 2 : 2 = 분자 수의 비

★ 정답과 해설 005쪽

03 일정 성분비 법칙이 성립하는 물질을 보기에서 모두 골라 기호를 쓰시오.

보기		
ㄱ. 물	ㄴ. 공기	ㄷ. 우유
ㄹ. 소금물	ㅁ. 암모니아	ㅂ. 이산화 탄소

04 다음에서 설명하는 법칙을 쓰시오.

(1) 화합물을 구성하는 성분 원소의 질량비는 일정하다. (   )

(2) 온도와 압력이 일정할 때, 반응하는 기체와 생성되는 기체의 부피 사이에는 간단한 정수비가 성립한다. (   )

탐구 공략 하기

기체 발생 반응에서의 질량 변화 측정하기

목표

기체 발생 반응에서 질량이 보존됨을 설명할 수 있다.

공략 포인트

질량 보존 법칙은 물리 변화와 화학 변화 모두에서 성립한다. 그러나 열린 용기에서 일어나는 기체 발생 반응은 질량이 감소하는데 이것은 발생한 기체가 공기 중으로 빠져나갔기 때문이다. 공기 중으로 빠져나간 물질의 질량까지 모두 고려하면 질량 보존 법칙이 성립함을 이해하는 것이 중요하다!

질량 보존 법칙은 항상 성립한다. 어떠한 변화가 일어나는 동안 물질을 이루는 원자가 없어지거나 새로 생기지 않기 때문이다.

과정

❶ 반응 전 질량 측정하기

(가)

시험관에 묽은 염산을 넣고 탄산 칼슘이 들어있는 유리병에 넣은 후, 마개를 닫고 질량을 측정한다.

❷ 반응 후 질량 측정하기

(나)

유리병을 기울여 탄산 칼슘과 묽은 염산을 반응시키면서 변화를 관찰한 후 질량을 측정한다.

이산화 탄소가 발생한다.

❸ 뚜껑 열기

(다)

뚜껑을 열고 질량을 측정한다.

결과

1. 반응 결과: 탄산 칼슘과 묽은 염산이 반응하면 이산화 탄소가 생성된다.
2. 질량 비교

(가)와 (나)의 결과 비교	닫힌 유리병에서는 반응 후에도 질량이 변하지 않는다. ⇨ 닫힌 공간에서는 화학 반응이 일어나는 동안 질량이 보존된다.
(가)와 (다)의 결과 비교	뚜껑을 열면 질량이 감소한다. ⇨ 공기 중으로 빠져나간 이산화 탄소의 질량만큼 전체 질량이 감소한다.

이 실험의 결과, 이산화 탄소가 1 g 발생하였다.
발생한 기체의 질량＝반응 전 질량－뚜껑을 연 후 질량

정리

1. 기체가 발생하는 반응에서 닫힌 용기의 경우 반응 전후 물질의 총 질량은 일정하다.
2. 기체가 발생하는 반응에서 열린 용기의 경우 빠져나간 기체의 질량을 모두 고려하면 반응 전후 물질의 총 질량은 일정하다.

정답과 해설 005쪽

01 이 실험의 결과가 다음 표와 같을 때 발생한 기체의 질량으로 옳은 것은?

구분	(가)	(나)	(다)
질량(g)	500	500	498

① 1 g ② 2 g ③ 3 g
④ 4 g ⑤ 5 g

02 그림은 탄산 칼슘과 묽은 염산을 반응시켜 질량의 변화를 알아보는 실험이다.

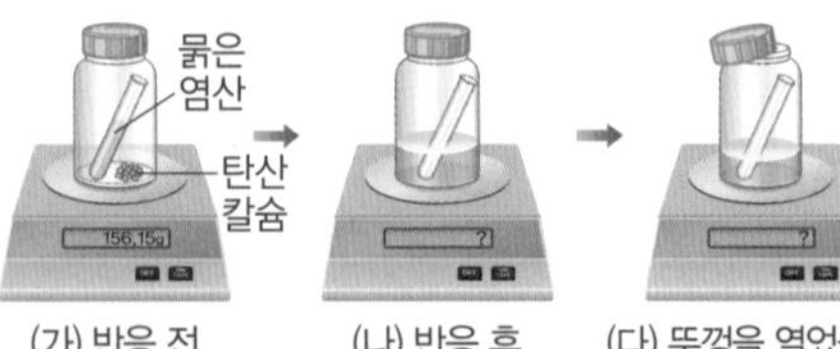

(가) 반응 전 (나) 반응 후 (다) 뚜껑을 열었을 때

(가)～(다)의 질량 크기를 옳게 비교한 것은?

① (가)＞(나)＞(다) ② (가)＝(나)＞(다)
③ (가)＞(나)＝(다) ④ (가)＝(나)＝(다)
⑤ (가)＜(나)＜(다)

탐구 공략 하기

산화 구리(Ⅱ)를 구성하는 구리와 산소의 질량 관계 확인하기

목표

산화 구리(Ⅱ)를 구성하는 구리와 산소의 질량 사이의 관계를 설명할 수 있다.

공략 포인트

실험 결과를 분석하여 구리의 질량이 변할 때 구리와 반응하는 산소의 질량도 일정하게 변한다는 사실을 알고, 산화 구리(Ⅱ)를 구성하는 구리와 산소의 질량비가 일정함을 이해하는 것이 중요하다!

과정

❶ 구리 가루 준비하기

도가니 4개의 질량을 측정한 후 도가니에 구리 가루를 각각 0.4 g, 0.8 g, 1.2 g, 1.6 g씩 넣는다.

❷ 구리 가루를 가열하기

도가니 속 구리 가루를 유리 막대로 저어 주면서 색깔이 모두 검은색으로 변할 때까지 가열한다.

└ 구리 가루의 색깔이 모두 변하면 가열을 멈춘다.

❸ 산화 구리(Ⅱ) 측정하기

도가니를 충분히 식힌 다음 각 도가니의 전체 질량을 측정한다.

산화 구리(Ⅱ)의 질량 = 도가니 전체 질량 − 도가니의 질량

결과

1. 반응 결과: 붉은 색의 구리와 산소가 결합하여 검은색의 산화 구리(Ⅱ)가 생성된다.

2. 관찰 결과

구리의 질량(g)	0.4	0.8	1.2	1.6
산화 구리(Ⅱ)의 질량(g)	0.5	1.0	1.5	2.0
결합한 산소의 질량(g)	0.1	0.2	0.3	0.4
구리 : 산소의 질량비	4 : 1	4 : 1	4 : 1	4 : 1

구리 가루와 결합한 산소의 질량 = 산화 구리(Ⅱ)의 질량 − 구리의 질량

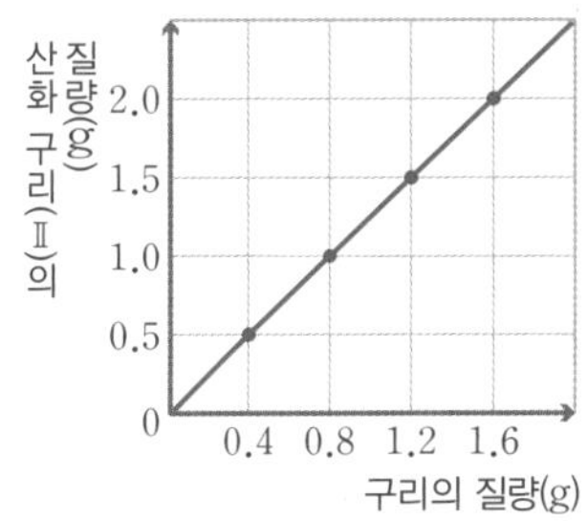

정리

산화 구리(Ⅱ)를 구성하는 구리와 산소의 질량비는 4 : 1로 항상 일정하다.

✱ 정답과 해설 005쪽

확인 문제

03 이 실험에서 구리 가루 4 g이 모두 반응하기 위해 필요한 산소의 질량으로 옳은 것은?

① 1 g ② 1.5 g ③ 2 g
④ 2.5 g ⑤ 3 g

04 이 실험에서 산화 구리(Ⅱ) 5 g을 만들기 위해 필요한 구리의 질량으로 옳은 것은?

① 1 g ② 2 g ③ 3 g
④ 4 g ⑤ 5 g

05 이 실험에서 구리의 양이 달라져도 변하지 않는 것만을 보기에서 모두 고른 것은?

| 보기 |
ㄱ. 구리와 결합하는 산소의 질량
ㄴ. 생성되는 산화 구리(Ⅱ)의 질량
ㄷ. 구리와 반응하는 산소의 질량비

① ㄱ ② ㄷ ③ ㄱ, ㄴ
④ ㄴ, ㄷ ⑤ ㄱ, ㄴ, ㄷ

A 질량 보존 법칙

필수

01 질량 보존 법칙에 대한 설명으로 옳은 것은?

① 물리 변화에는 적용되지 않는다.
② 기체 발생 반응에서 성립하지 않는다.
③ 반응물의 총 질량은 생성물의 총 질량과 같다.
④ 앙금 생성 반응에서 생성물의 총 질량이 증가한다.
⑤ 반응 전후의 분자의 종류와 개수가 같으므로 성립한다.

필수

02 그림은 염화 나트륨 수용액과 질산 은 수용액의 반응에서 질량 변화를 알아보기 위한 실험이다.

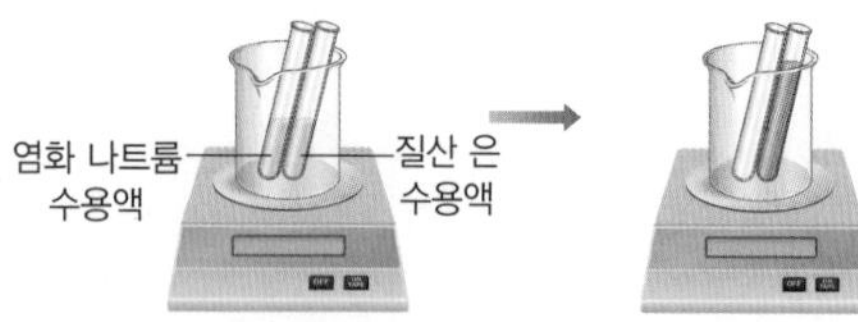

이 실험 결과에 대한 설명으로 옳은 것은?

① 기체가 발생한다.
② 전체 질량은 일정하다
③ 노란색 앙금이 생성된다.
④ 전체 이온의 개수가 증가한다.
⑤ 전체 원자의 개수가 증가한다.

03 열린 공간에서 반응시켰을 때, 반응 전후의 질량이 일정한 반응만을 보기에서 모두 고른 것은?

보기
ㄱ. 과산화 수소의 분해 반응
ㄴ. 마그네슘과 묽은 염산의 반응
ㄷ. 탄산 나트륨과 염화 칼슘의 반응
ㄹ. 아이오딘화 칼륨과 질산 납의 반응

① ㄱ, ㄴ ② ㄷ, ㄹ ③ ㄱ, ㄴ, ㄷ
④ ㄴ, ㄷ, ㄹ ⑤ ㄱ, ㄴ, ㄷ, ㄹ

필수

04 그림과 같이 묽은 염산이 담긴 삼각 플라스크에 탄산 칼슘이 든 고무 풍선을 씌운 후, 묽은 염산과 탄산 칼슘을 반응시켰다. 이에 대한 설명으로 옳지 않은 것은?

① 반응 결과 풍선이 부풀어 오른다.
② 반응 결과 이산화 탄소가 발생한다.
③ 반응 결과 삼각 플라스크 안의 질량은 증가한다.
④ 반응 후 풍선을 제거하면 질량이 감소한다.
⑤ 반응 결과 삼각 플라스크 안에는 푸른색 염화 코발트 종이를 붉게 변화시키는 물질이 생성된다.

05 표는 공기 중에서 나무와 강철 솜의 연소 전후 질량을 측정한 결과를 나타낸 것이다.

물질	나무의 질량(g)	강철 솜의 질량(g)
연소 전	10	10
연소 후	8	12

이에 대한 설명으로 옳은 것만을 보기에서 모두 고른 것은?

보기
ㄱ. 나무가 연소하면 기체가 발생한다.
ㄴ. 강철 솜과 반응한 산소의 질량은 2 g이다.
ㄷ. 반응물과 생성물을 모두 고려하면 두 연소 반응은 질량 보존 법칙이 성립하지 않는다.

① ㄴ ② ㄷ ③ ㄱ, ㄴ
④ ㄱ, ㄷ ⑤ ㄱ, ㄴ, ㄷ

필수 서술형

06 열린 용기에서 강철 솜과 나무를 연소시킬 때의 질량 변화와 그 까닭을 서술하시오.

B 일정 성분비 법칙

필수

07 일정 성분비 법칙이 성립하는 반응만을 보기에서 모두 고른 것은?

보기
ㄱ. 수소+산소 → 물
ㄴ. 질소+수소 → 암모니아
ㄷ. 암모니아+물 → 암모니아수
ㄹ. 마그네슘+산소 → 산화 마그네슘

① ㄱ, ㄴ ② ㄷ, ㄹ ③ ㄱ, ㄴ, ㄷ
④ ㄱ, ㄴ, ㄹ ⑤ ㄴ, ㄷ, ㄹ

필수

08 그림은 이산화 탄소의 분자 모형을 나타낸 것이다.

이산화 탄소를 구성하는 탄소와 산소의 질량비(탄소 : 산소)는? (단, 원자 1개의 상대적 질량은 탄소 12, 산소 16이다.)

① 1 : 2 ② 3 : 4 ③ 4 : 3
④ 3 : 8 ⑤ 8 : 3

필수

09 그림은 구리 가루가 산소와 반응할 때의 질량 관계를 나타낸 것이다.

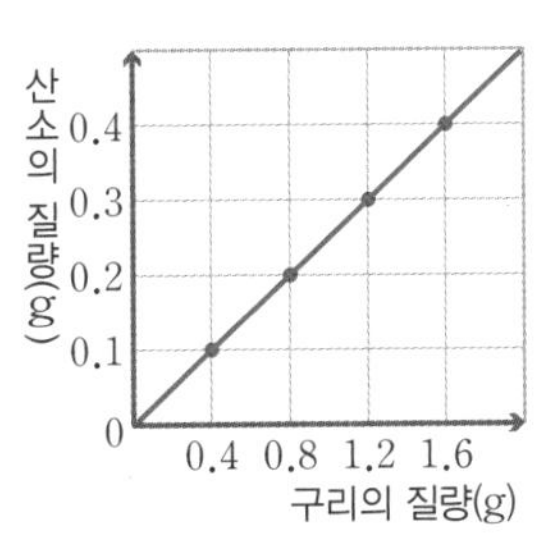

이에 대한 설명으로 옳은 것만을 보기에서 모두 고른 것은?

보기
ㄱ. 구리와 산소는 1 : 4의 질량비로 반응한다.
ㄴ. 구리와 산소가 반응하여 산화 구리(Ⅱ)가 생성된다.
ㄷ. 산화 구리(Ⅱ)를 만들 때, 구리 10 g이 완전히 반응하기 위해서는 산소 2.5 g이 필요하다.

① ㄴ ② ㄷ ③ ㄱ, ㄴ
④ ㄱ, ㄷ ⑤ ㄴ, ㄷ

[10-12] 표는 수소와 산소를 반응시켜 물을 합성할 때, 반응하는 두 기체의 질량 관계를 나타낸 것이다.

실험	반응 전 기체의 질량(g)		반응 후 남은 기체의 종류와 질량(g)
	수소	산소	
Ⅰ	1	4	수소, 0.5
Ⅱ	1	8	없음
Ⅲ	2	8	㉠
Ⅳ	2	㉡	산소, 2

필수

10 ㉠에 해당하는 물질의 종류와 질량을 옳게 짝 지은 것은?

	물질의 종류	질량(g)
①	수소	1
②	수소	2
③	산소	1
④	산소	2
⑤	산소	10

11 ㉡에 해당하는 산소의 질량으로 옳은 것은?

① 8 g ② 10 g ③ 14 g
④ 16 g ⑤ 18 g

필수

12 다음의 수소와 산소를 완전히 반응시킬 때 가장 많은 물이 생성되는 경우는?

	수소(g)	산소(g)
①	3	20
②	3	40
③	4	25
④	4	35
⑤	5	30

C 기체 반응 법칙

필수

13 그림은 질소 기체와 수소 기체가 반응하여 암모니아 기체가 생성되는 반응을 분자 모형으로 나타낸 것이다.

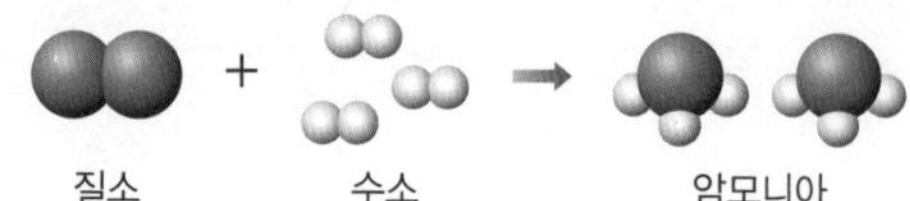

이에 대한 설명으로 옳은 것만을 보기에서 모두 고른 것은?

| 보기 |
ㄱ. 반응하는 질소와 수소의 분자 수의 비는 1 : 3이다.
ㄴ. 반응이 일어나는 동안 분자의 종류와 개수는 변하지 않는다.
ㄷ. 반응이 일어나는 동안 원자의 종류와 개수는 변하지 않는다.

① ㄱ ② ㄴ ③ ㄱ, ㄴ
④ ㄱ, ㄷ ⑤ ㄴ, ㄷ

필수

14 그림은 일정한 온도와 압력에서 일산화 탄소 기체와 산소 기체가 반응하여 이산화 탄소 기체를 생성하는 반응을 모형으로 나타낸 것이다.

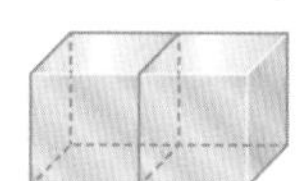
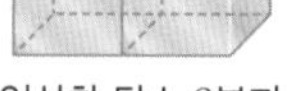
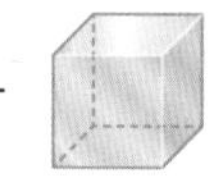
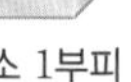
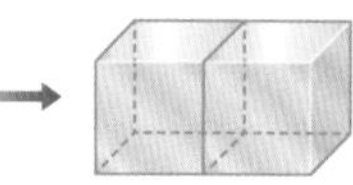

일산화 탄소 2부피 + 산소 1부피 → 이산화 탄소 2부피

이에 대한 설명으로 옳은 것만을 보기에서 모두 고른 것은?

| 보기 |
ㄱ. 이 반응은 기체 반응 법칙이 성립한다.
ㄴ. 일산화 탄소 4 L가 완전히 반응하기 위해서 산소 2 L가 필요하다.
ㄷ. 일산화 탄소 두 분자가 산소 한 분자와 완전히 반응하면 이산화 탄소 두 분자가 생성된다.

① ㄴ ② ㄷ ③ ㄱ, ㄴ
④ ㄱ, ㄷ ⑤ ㄱ, ㄴ, ㄷ

[15-16] 표는 일정한 온도와 압력에서 수소와 염소가 반응하여 염화 수소를 생성할 때 반응하는 기체의 부피를 나타낸 것이다.

실험	반응 전 기체의 부피(L)		반응 후 남은 기체의 종류와 부피(L)
	수소	염소	
Ⅰ	1	2	염소, 1
Ⅱ	2	2	없음
Ⅲ	3	2	(가)
Ⅳ	4	(나)	수소, 1

필수

15 (가)와 (나)에 들어갈 기체의 종류와 부피를 옳게 짝 지은 것은?

	(가)	(나)
①	수소, 1	3
②	수소, 1	4
③	수소, 2	3
④	염소, 1	3
⑤	염소, 1	4

16 이 반응의 부피비를 참고하여 화학 반응식을 옳게 나타낸 것은?

① $H_2 + Cl_2 \longrightarrow 2HCl$
② $H_2 + Cl_2 \longrightarrow H_2Cl_2$
③ $2H + 2Cl \longrightarrow 2HCl$
④ $H_2 + 2Cl_2 \longrightarrow 2HCl_2$
⑤ $2H_2 + Cl_2 \longrightarrow 2H_2Cl$

필수

17 화학 반응식의 계수비로부터 반응하는 기체들 사이의 부피비를 알 수 있는 화학 반응만을 보기에서 모두 고른 것은? (단, C(탄소)는 고체이다.)

| 보기 |
ㄱ. $C + O_2 \longrightarrow CO_2$
ㄴ. $2H_2 + O_2 \longrightarrow 2H_2O$
ㄷ. $N_2 + 3H_2 \longrightarrow 2NH_3$

① ㄱ ② ㄷ ③ ㄱ, ㄴ
④ ㄴ, ㄷ ⑤ ㄱ, ㄴ, ㄷ

정답과 해설 007쪽

필수

01 그림은 구리 가루와 숯가루를 각각 가열하는 과정을 나타낸 것이다.

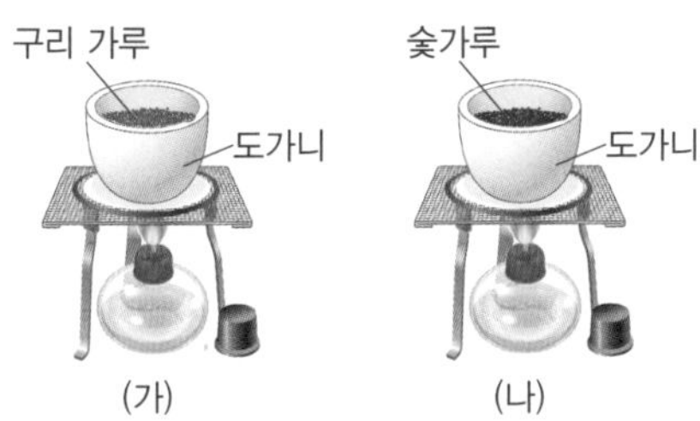

이에 대한 설명으로 옳은 것만을 보기에서 모두 고른 것은?

보기
ㄱ. (가)와 (나)는 모두 산소와 결합한다.
ㄴ. (가)와 (나)는 가열할수록 모두 질량이 증가한다.
ㄷ. 반응물과 생성물을 모두 고려하면 (가)와 (나)는 질량 보존 법칙이 성립한다.

① ㄴ ② ㄷ ③ ㄱ, ㄴ
④ ㄱ, ㄷ ⑤ ㄱ, ㄴ, ㄷ

필수

02 그림은 산화 철과 산화 마그네슘을 이루는 원소들의 질량비를 나타낸 것이다.

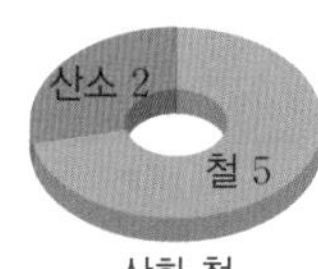

산화 철

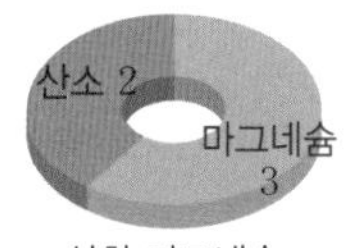

산화 마그네슘

산화 철 35 g에 포함된 철의 질량(A)과 산화 마그네슘 35 g에 포함된 마그네슘의 질량(B)을 옳게 짝 지은 것은?

	(A)	(B)
①	10 g	14 g
②	14 g	10 g
③	21 g	25 g
④	25 g	21 g
⑤	35 g	35 g

신유형

03 표는 탄소와 산소로 이루어진 분자 (가)와 (나)의 분자 모형과 각각의 분자를 구성하는 원소의 질량을 나타낸 것이다.

구분	(가)	(나)
분자 모형	(분자 모형)	(분자 모형)
구성 원소 질량	총 28 g 탄소 12 g, 산소 16 g	총 44 g 탄소 12 g, 산소 32 g

이에 대한 설명으로 옳은 것만을 보기에서 모두 고른 것은?

보기
ㄱ. (가)를 구성하는 탄소와 산소의 질량비는 3 : 4이다.
ㄴ. (가)와 (나)는 같은 원소로 이루어져 있으므로 같은 물질이다.
ㄷ. 탄소 12 g과 산소 12 g이 완전히 반응하여 (나)가 생성되면 탄소가 남는다.

① ㄱ ② ㄴ ③ ㄱ, ㄴ
④ ㄱ, ㄷ ⑤ ㄴ, ㄷ

필수

04 표는 기체 A와 B가 반응하여 새로운 기체 C를 생성할 때 기체 A와 B 사이의 부피 관계를 나타낸 것이다.

실험	반응 전 기체의 부피(L)		반응 후 남은 기체의 종류와 부피(L)	생성된 기체 C의 부피(L)
	A	B		
Ⅰ	10	6	B, 1	10
Ⅱ	25	12	A, 1	24

이 기체 반응의 예로 적당한 것만을 보기에서 모두 고른 것은?

보기
ㄱ. $H_2+Cl_2 \longrightarrow 2HCl$
ㄴ. $N_2+3H_2 \longrightarrow 2NH_3$
ㄷ. $2CO+O_2 \longrightarrow 2CO_2$

① ㄴ ② ㄷ ③ ㄱ, ㄴ
④ ㄱ, ㄷ ⑤ ㄱ, ㄴ, ㄷ

Ⅰ. 화학 반응의 규칙과 에너지 변화

화학 반응에서의 에너지 출입

⚠ 물음으로 흐름잡기

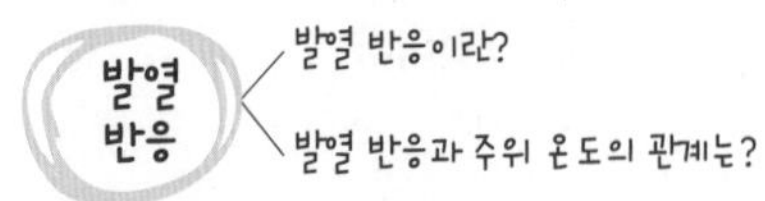

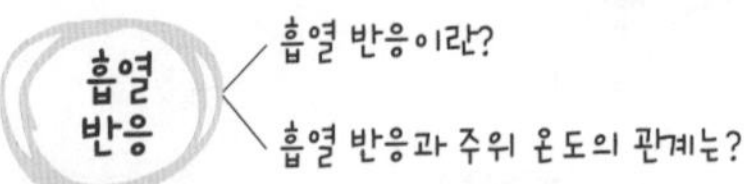

A 화학 반응에서의 에너지 출입

물질의 상태가 변할 때 에너지가 출입하는 것처럼 화학 반응이 일어날 때에도 에너지가 출입한다.

1. 화학 반응에서의 에너지 출입 화학 반응에서 반응물과 생성물은 고유의 에너지를 가지고 있다. 반응이 일어날 때 이 에너지의 차이만큼 에너지를 방출하거나 흡수한다.

2. 발열 반응 화학 반응이 일어날 때 주위로 에너지를 방출하는 반응

반응물 ⟶ 생성물 + 에너지

① 발열 반응이 일어날 때: 반응이 일어나는 쪽에서 주위로 에너지를 방출하므로 주위의 온도가 높아진다.❶ – 반응물의 에너지 > 생성물의 에너지

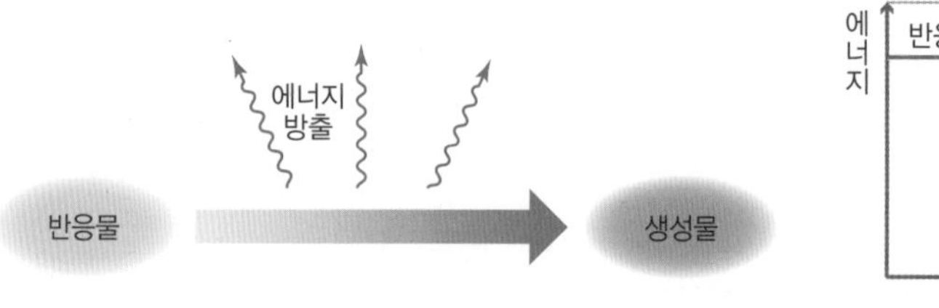

② 발열 반응의 예: 연소 반응, 금속이 녹스는(부식) 반응, 금속과 산의 반응, 산과 염기의 반응, 호흡❷, 산이나 염기가 물에 녹는 과정 등 – 예 산화 칼슘이 물에 녹는 과정

▲ 연소 반응할 때 열에너지와 빛에너지를 방출한다.

▲ 금속이 녹스는 반응이 일어날 때 에너지를 방출한다.

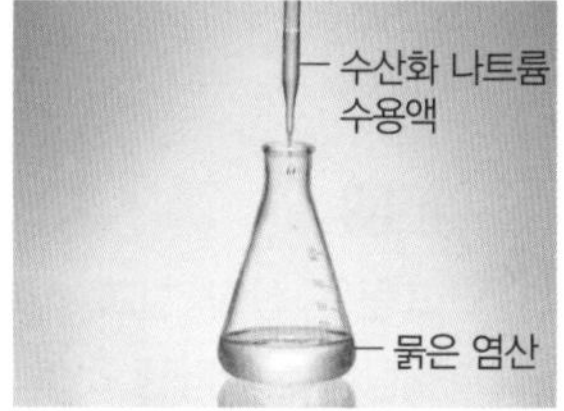

▲ 염산(산●)과 수산화 나트륨(염기●) 수용액이 반응할 때 열에너지를 방출한다.

3. 흡열 반응 화학 반응이 일어날 때 주위로부터 에너지를 흡수하는 반응

반응물 + 에너지 ⟶ 생성물

① 흡열 반응이 일어날 때: 반응이 일어나는 쪽에서 주위의 에너지를 흡수하므로 주위의 온도가 낮아진다.❸ – 반응물의 에너지 < 생성물의 에너지

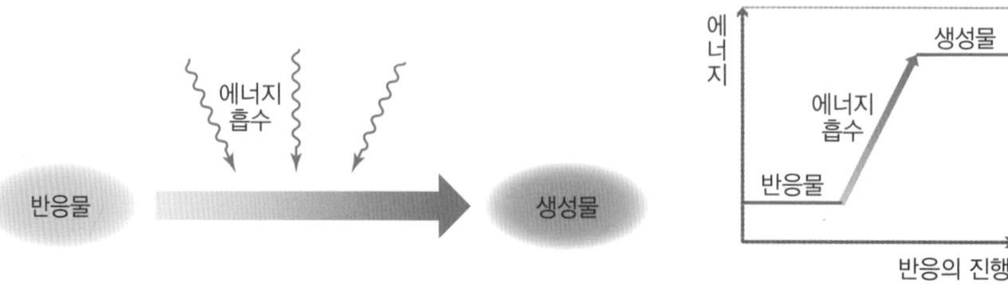

---

❶ 에너지 방출과 주위의 온도 변화
화학 반응이 일어나는 동안 반응이 일어나는 쪽에서 주위로 에너지를 방출하므로 주위의 온도가 높아진다.

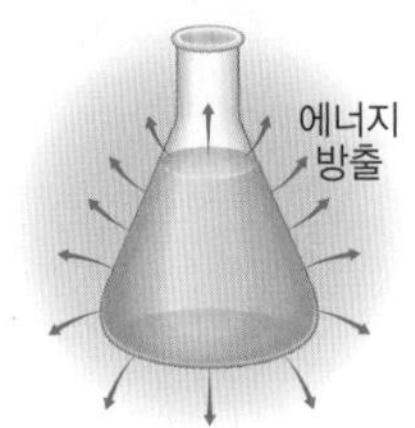

❷ 호흡
우리가 호흡할 때에도 발열 반응이 일어나는데, 포도당과 산소가 반응할 때 방출하는 에너지는 체온 유지, 운동 등 생명 활동을 하는 데 쓰인다.

❸ 에너지 흡수와 주위의 온도 변화
화학 반응이 일어나는 동안 반응이 일어나는 쪽에서 주위의 에너지를 흡수하므로 주위의 온도가 낮아진다.

⚠ 용어 알기
- **산** 푸른색 리트머스 종이를 붉게 만드는 물질
- **염기** 붉은색 리트머스 종이를 푸르게 만드는 물질

② 흡열 반응의 예: 광합성, 탄산수소 나트륨의 열분해 반응, 물의 전기 분해 반응❹, 수산화 바륨과 염화 암모늄의 반응, 질산 암모늄이 물에 녹는 과정, 소금이 물에 녹는 과정 등

▲ 식물이 광합성을 할 때 빛에너지를 흡수한다.

▲ 수산화 바륨과 염화 암모늄이 반응할 때 열에너지를 흡수한다.

▲ 물이 전기 에너지를 흡수해 수소와 산소로 분해되면서 기포가 발생된다.

❹ 분해 반응

열분해나 전기 분해는 주변에서 가해 준 열 또는 전기 에너지를 흡수하여 일어나는 흡열 반응이다.

반응	에너지 출입	주위 온도
발열 반응	방출	상승
흡열 반응	흡수	하강

B 화학 반응에서 출입하는 에너지의 활용 탐구 공략하기 032, 033쪽

우리는 일상생활에서 화학 반응이 일어날 때 출입하는 에너지를 유용하게 활용한다.

구분	활용	원리
발열 반응	손난로	손난로에 들어 있는 철이 공기 중의 산소와 반응할 때 주변으로 에너지를 방출하여 손난로가 따뜻해진다. (철이 녹스는 현상과 같다.)
	난방이나 요리	연료가 연소❺할 때 방출하는 열에너지를 이용하여 난방을 하거나 요리를 한다.
	염화 칼슘(제설제)	염화 칼슘과 물이 반응할 때 방출하는 에너지로 주위 온도가 높아져 눈을 녹인다.
흡열 반응	베이킹파우더	베이킹파우더의 주성분인 탄산수소 나트륨이 열에너지를 흡수하면서 분해되어 이산화 탄소 기체를 생성하므로 빵이 부풀어 오른다.
	냉찜질 주머니	질산 암모늄과 물이 반응할 때 에너지를 흡수하여 주변의 온도가 낮아지므로 열을 내리거나 통증을 완화시킨다.

❺ 화석 연료의 연소 반응

연료+산소 ⟶ 물+이산화 탄소+에너지

가스나 휘발유 등 화석 연료의 연소 반응은 빛과 열에너지를 방출하는 대표적인 발열 반응이다.

정답과 해설 008쪽

01 다음 ( ) 안에 들어갈 알맞은 말을 쓰시오.

(1) 발열 반응은 화학 반응이 일어날 때 주위로 에너지를 ( )하는 반응이다.

(2) 발열 반응이 일어나면 주위의 온도가 ( ).

(3) ( ) 반응은 화학 반응이 일어날 때 주위의 에너지를 흡수하는 반응이다.

(4) 흡열 반응이 일어나면 주위의 온도가 ( ).

02 발열 반응이 일어나는 예를 보기에서 모두 고르시오.

보기
ㄱ. 연소 반응
ㄴ. 금속의 부식 반응
ㄷ. 금속과 산의 반응

03 흡열 반응이 일어나는 예를 보기에서 모두 고르시오.

보기
ㄱ. 광합성
ㄴ. 물의 전기 분해
ㄷ. 산과 염기의 중화 반응

04 다음 ( ) 안에 들어갈 알맞은 말을 고르시오.

겨울철 쌓여 있는 눈에 염화 칼슘을 뿌리면 눈이 빨리 녹는다. 그 까닭은 염화 칼슘이 물에 녹으면서 에너지를 (방출, 흡수)하므로 주변의 온도가 (낮아지기, 높아지기) 때문이다.

탐구 공략 하기

손난로 만들기

목표 에너지를 방출하는 화학 반응을 이용한 손난로를 만들 수 있다.

공략 포인트 에너지의 출입에 따른 주위의 온도 변화를 알고 열이 발생하는 반응에 의해 주변의 온도가 높아지는 것을 이해하는 것이 중요하다!

과정

❶ 재료 준비하기

철 가루, 숯가루, 소금, 질석을 준비한다.

❷ 재료 섞기

비커에 철 가루, 소금, 숯가루를 각각 1숟가락씩 넣고 질석을 2숟가락 넣은 후 잘 섞는다.

❸ 재료 담기

비커에 들어 있는 물질을 모두 부직포 봉투에 넣고, 물을 1숟가락 넣은 후 입구를 막아 손난로를 만든다.
열 봉합기를 사용할 경우 화상을 입지 않도록 주의한다.

❹ 관찰하기

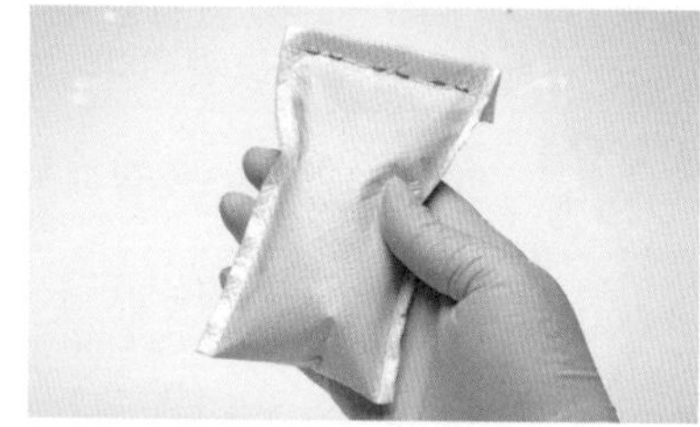

완성한 손난로를 흔들어 열이 발생하는지 관찰한다.

결과 손난로를 흔들면 뜨거워진다.
➡ 철 가루가 공기 중의 산소와 결합하여 산화 철이 되면서 열에너지를 방출한다.

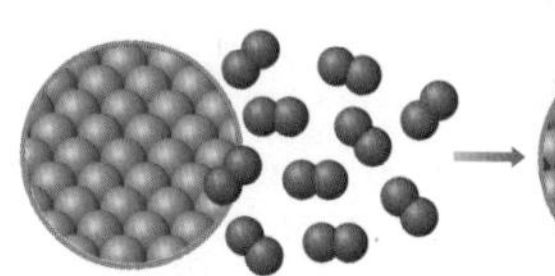
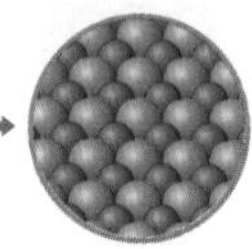

철(Fe) 산소(O_2) 산화 철(Fe_2O_3)

정리 손난로 안에서 일어나는 반응(철의 산화 반응)은 발열 반응임을 알 수 있다.

확인 문제

★ 정답과 해설 008쪽

01 이 실험에서 손난로를 만들 때 부직포를 사용한 까닭으로 옳은 것은?

① 손난로를 빨리 식히려고
② 공기 중의 산소가 안으로 들어가게 하려고
③ 내용물과 봉투 사이의 마찰을 크게 하려고
④ 안에 있는 물이 밖으로 새어 나오게 하려고
⑤ 안에 있는 철 가루가 밖으로 새어 나오게 하려고

02 그림은 철 가루가 들어 있는 발열 깔창의 모습을 나타낸 것이다. 발열 깔창이 발을 따뜻하게 하는 원리를 에너지 출입과 관련지어 서술하시오.

탐구 공략 하기

손 냉장고 만들기

목표 에너지를 흡수하는 화학 반응을 이용한 냉각 장치를 만들 수 있다.

공략 포인트 에너지의 출입에 따른 주위의 온도 변화를 알고 열을 흡수하는 반응에 의해 주변의 온도가 낮아지는 것을 이해하는 것이 중요하다!

과정

❶ 물과 질산 암모늄을 각각 담기

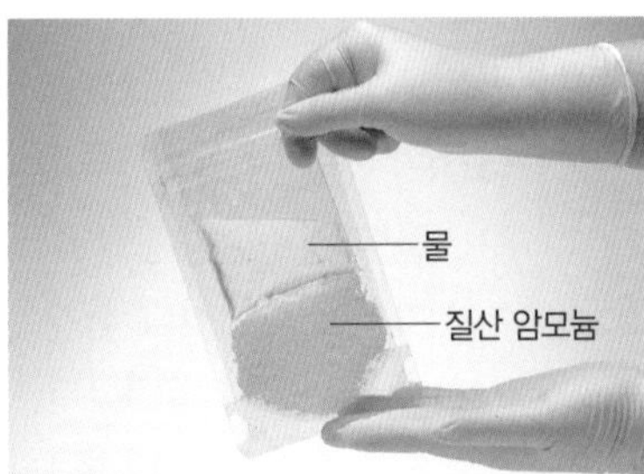

지퍼 백에 물을 $\frac{1}{2}$ 정도 넣고 입구를 닫는다. 한약용 투명 봉지에 질산 암모늄을 $\frac{1}{5}$ 정도 넣는다.

❷ 밀봉하기

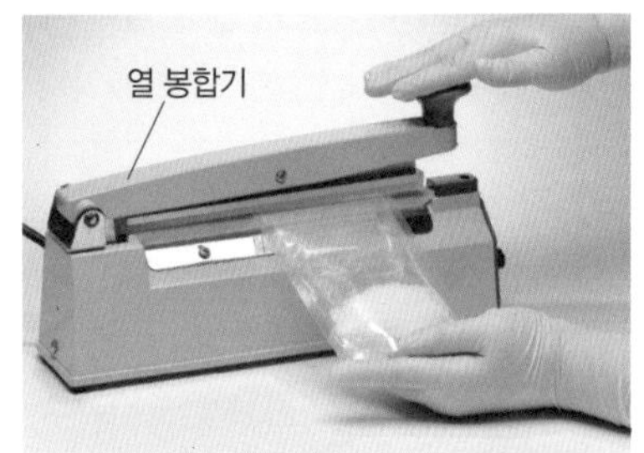

질산 암모늄이 들어 있는 한약용 봉지에 물이 들어 있는 지퍼 백을 넣고 열 봉합기로 한약용 봉지의 입구를 밀봉한다.
열 봉합기를 사용할 때 화상을 입지 않도록 주의한다.

❸ 물과 질산 암모늄 섞기

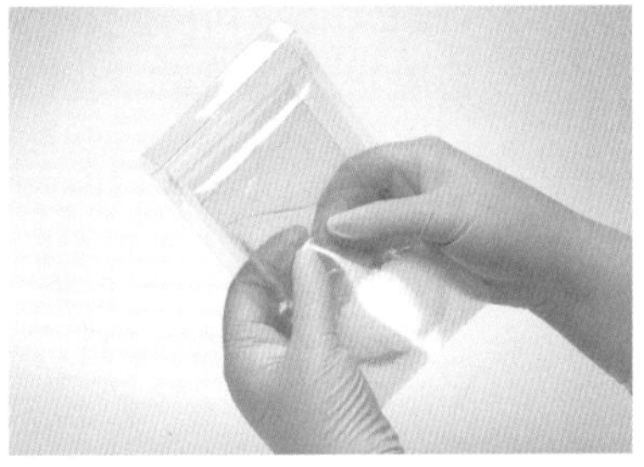

지퍼 백을 손으로 눌러 물이 나오게 한 다음, 물과 질산 암모늄이 섞이게 한다.

❹ 관찰하기

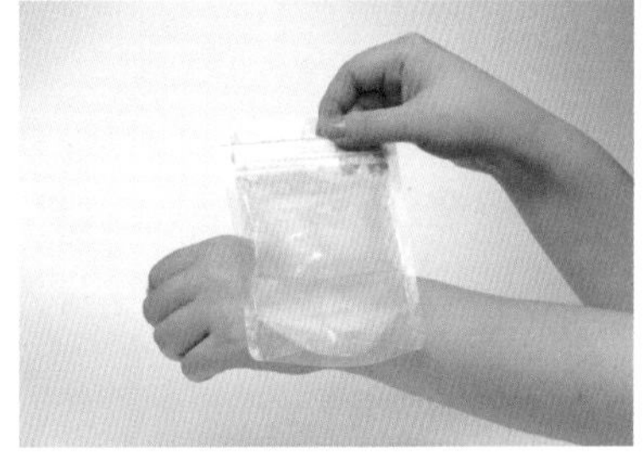

봉지를 손등에 대어 보면서 봉지에서 나타나는 변화를 관찰한다.
차가운 정도를 알아본다.

결과 물과 질산 암모늄이 섞이면 차가워진다.
➡ 질산 암모늄이 물에 녹으면서 열에너지를 흡수한다.

정리 손 냉장고 안에서 일어나는 반응(질산 암모늄의 용해)은 흡열 반응임을 알 수 있다.

확인 문제

★ 정답과 해설 008쪽

03 이 실험에서와 같은 에너지의 출입이 일어나는 현상으로 옳은 것은?

① 나무를 태운다.
② 황산을 물에 녹인다.
③ 달걀 껍데기에 식초를 떨어뜨린다.
④ 묽은 염산과 수산화 나트륨을 반응시킨다.
⑤ 수산화 바륨과 염화 암모늄을 반응시킨다.

04 그림은 질산 암모늄과 물이 들어 있는 냉찜질 주머니의 모습을 나타낸 것이다. 냉찜질 주머니가 피부를 시원하게 하는 원리를 에너지 출입과 관련지어 서술하시오.

A 화학 반응에서의 에너지 출입

01 다음은 화학 반응에서의 에너지 출입에 대한 설명이다.

> 상태 변화와 마찬가지로 화학 변화가 일어날 때도 에너지를 방출하거나 흡수한다. 그중 (㉠) 반응은 화학 반응이 일어나는 동안 물질이 에너지를 방출하여 주위의 온도가 (㉡) 반응이다.

㉠, ㉡에 들어갈 알맞은 말을 옳게 짝 지은 것은?

	㉠	㉡
①	발열	높아지는
②	발열	낮아지는
③	발열	유지되는
④	흡열	높아지는
⑤	흡열	낮아지는

필수

02 그림은 아연과 묽은 염산의 반응을 나타낸 것이다.
이와 같은 에너지의 출입이 일어나는 반응으로 옳은 것은?

아연
묽은 연산

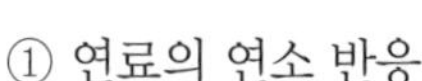

① 연료의 연소 반응
② 식물의 광합성 작용
③ 물의 전기 분해 반응
④ 탄산수소 나트륨의 열분해 반응
⑤ 수산화 바륨과 염화 암모늄의 반응

03 다음과 같은 반응에 해당하는 예가 아닌 것은?

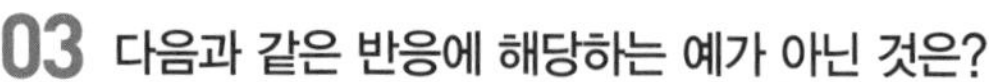

> 반응물 ⟶ 생성물＋에너지

① 종이가 탄다.
② 철문이 녹슨다.
③ 쇠못을 식초에 담근다.
④ 식물이 광합성을 한다.
⑤ 베이킹파우더에 식초를 떨어뜨린다.

필수

04 그림 (가)는 묽은 염산과 마그네슘의 반응, (나)는 묽은 염산과 수산화 나트륨 수용액의 반응을 나타낸 것이다.

(가) (나)

(가)와 (나)의 공통점으로 옳은 것은?

① 물이 생성된다.
② 기체가 발생한다.
③ 물리 변화가 일어난다.
④ 주변의 온도가 내려간다.
⑤ 주변으로 에너지를 방출한다.

필수

05 다음은 수산화 바륨과 염화 암모늄의 반응에서 열의 출입을 알아보는 실험을 나타낸 것이다.

[실험 과정]
① 나무판 위에 물을 조금 붓고 그 위에 삼각 플라스크를 올려놓는다.
② 삼각 플라스크에 수산화 바륨과 염화 암모늄을 넣고 젓는다.

[실험 결과]
삼각 플라스크가 나무판에 달라붙었다.

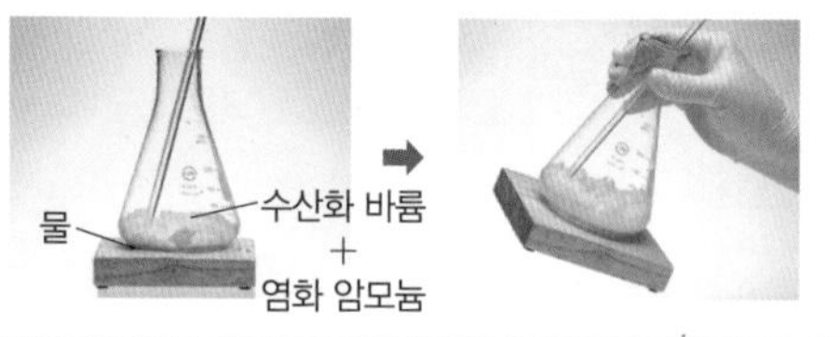

이에 대한 설명으로 옳은 것만을 보기에서 모두 고른 것은?

보기
ㄱ. 물이 얼면서 주변의 에너지를 흡수한다.
ㄴ. 삼각 플라스크 밖에서 안으로 에너지가 이동한다.
ㄷ. 수산화 바륨과 염화 암모늄의 반응은 흡열 반응이다.

① ㄱ　② ㄷ　③ ㄱ, ㄴ
④ ㄴ, ㄷ　⑤ ㄱ, ㄴ, ㄷ

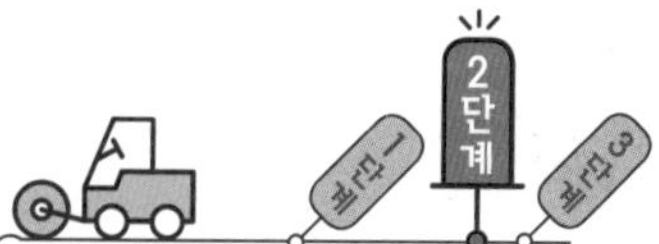

만점 도전하기

정답과 해설 009쪽

06 그림은 물의 전기 분해 과정을 나타낸 것이다.

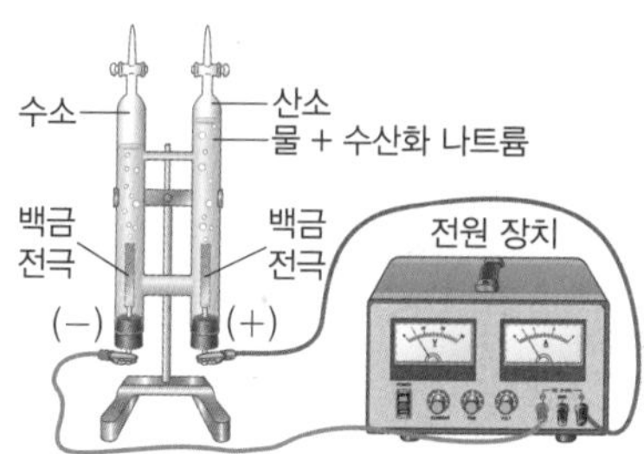

이와 같은 에너지의 출입이 일어나는 예로 옳은 것은?

① 연료가 탄다.
② 자전거에 녹이 생긴다.
③ 소금이 얼음물에 녹는다.
④ 달걀 껍데기에 식초를 떨어뜨린다.
⑤ 베이킹파우더에 식초를 떨어뜨린다.

B 화학 반응에서 출입하는 에너지의 활용

필수

07 다음은 철 가루를 이용하여 손난로를 만드는 과정을 나타낸 것이다.

❶ 비커에 철 가루, 소금, 숯가루를 각각 1숟가락씩 넣은 후 질석을 2숟가락 넣고 잘 섞는다.
❷ 비커에 들어 있는 물질을 모두 부직포 봉투에 넣은 후 물을 1숟가락 넣는다.
❸ 부직포 봉투의 입구를 밀봉한다.
❹ 완성된 손난로를 흔들어 준다.

❶  ❷ 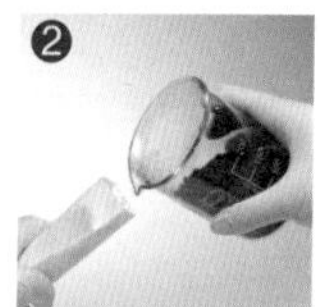 ❸ 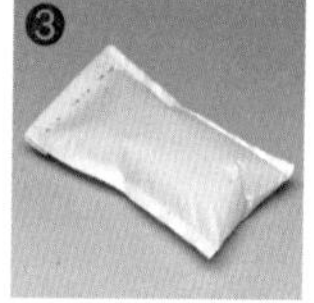

이에 대한 설명으로 옳은 것만을 보기에서 모두 고른 것은?

보기
ㄱ. 철은 공기 중의 질소와 반응한다.
ㄴ. 손난로에서 일어나는 반응은 발열 반응이다.
ㄷ. 손난로에서 일어나는 반응으로 주변의 온도가 높아진다.

① ㄴ ② ㄷ ③ ㄱ, ㄴ
④ ㄱ, ㄷ ⑤ ㄴ, ㄷ

필수

01 그림 (가)는 산화 칼슘과 물의 반응을 이용한 휴대용 발열 도시락이고, (나)는 나트륨과 물의 반응을 이용한 조리용 발열 팩이다.

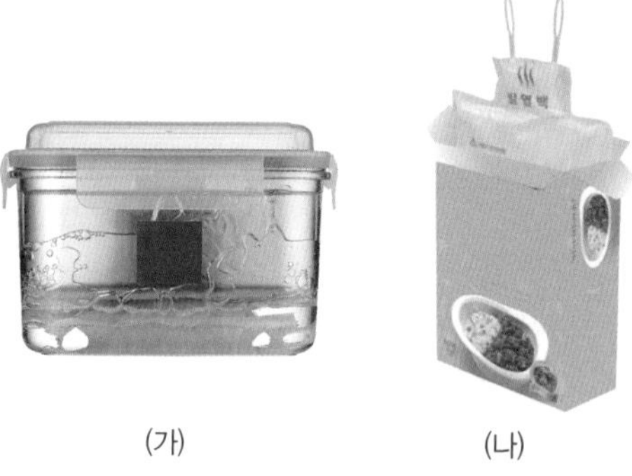

(가) (나)

이에 대한 설명으로 옳은 것만을 보기에서 모두 고른 것은?

보기
ㄱ. (가)의 화학 반응식은
$$CaO+H_2O \longrightarrow Ca(OH)_2$$이다.
ㄴ. (나)의 화학 반응식은
$$2Na+H_2O \longrightarrow Na_2O+H_2$$이다.
ㄷ. (가)와 (나)는 반응이 일어나는 동안 에너지를 흡수한다.

① ㄱ ② ㄷ ③ ㄱ, ㄴ
④ ㄴ, ㄷ ⑤ ㄱ, ㄴ, ㄷ

필수

02 그림은 주성분이 탄산수소 나트륨인 베이킹파우더를 이용하여 만든 빵의 단면을 나타낸 것이다.

이에 대한 설명으로 옳은 것만을 보기에서 모두 고른 것은?

보기
ㄱ. 빵의 구멍은 발생한 이산화 탄소에 의해 만들어진다.
ㄴ. 탄산수소 나트륨이 분해될 때 에너지를 방출한다.
ㄷ. 탄산수소 나트륨의 열분해 반응 후 생성물의 에너지는 탄산수소 나트륨의 에너지보다 크다.

① ㄱ ② ㄴ ③ ㄱ, ㄷ
④ ㄴ, ㄷ ⑤ ㄱ, ㄴ, ㄷ

대단원 완성하기

점수 표시가 없는 문제는 모두 3점입니다.

제한시간: 45분

01 물리 변화의 예로 옳은 것을 보기에서 모두 고른 것은?

보기
ㄱ. 쇠못이 녹슨다.
ㄴ. 김치가 시큼해진다.
ㄷ. 얼음이 녹아 물이 된다.
ㄹ. 나프탈렌이 점점 작아진다.

① ㄱ, ㄴ ② ㄱ, ㄷ ③ ㄴ, ㄷ
④ ㄴ, ㄹ ⑤ ㄷ, ㄹ

02 다음은 어떤 물질 변화의 예이다.

- 설탕을 태우면 검게 변한다.
- 깎아 놓은 사과가 갈색으로 변한다.
- 달걀 껍데기에 식초를 떨어뜨리면 거품이 발생한다.

이와 같은 변화가 일어날 때 달라지는 것을 보기에서 모두 고른 것은?

보기
ㄱ. 원자의 수 ㄴ. 원자의 배열
ㄷ. 원자의 종류 ㄹ. 물질의 성질
ㅁ. 분자의 종류

① ㄱ, ㄷ ② ㄴ, ㄹ ③ ㄴ, ㅁ
④ ㄴ, ㄹ, ㅁ ⑤ ㄷ, ㄹ, ㅁ

03 그림은 물의 변화를 모형으로 나타낸 것이다.

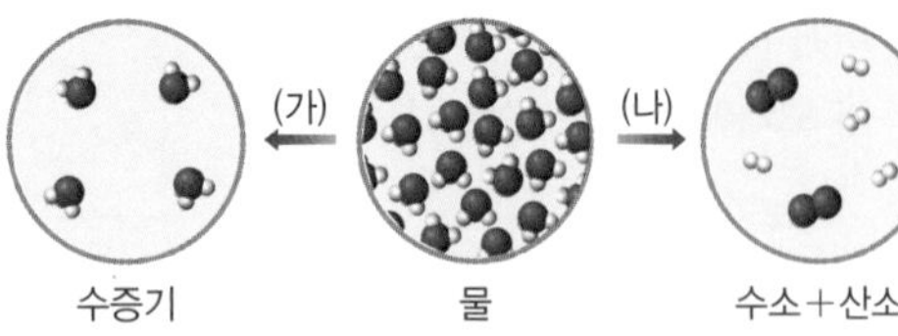

이에 대한 비교로 옳은 것은?

	(가)	(나)
① 변화의 종류:	물리 변화	화학 변화
② 성질의 변화:	변함	변하지 않음
③ 분자의 종류:	변함	변하지 않음
④ 원자의 종류:	변하지 않음	변함
⑤ 원자의 배열:	변하지 않음	변하지 않음

04 그림 (가)는 메테인이 연소하는 반응, (나)는 드라이 아이스가 승화하는 모습을 모형으로 나타낸 것이다.

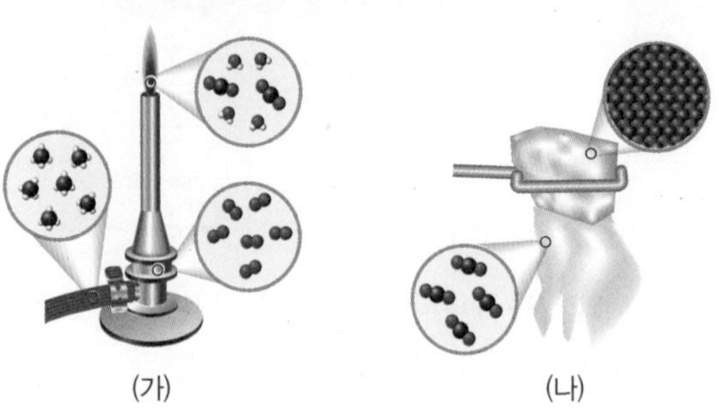

(가) (나)

이에 대한 설명으로 옳지 않은 것은?

① (가)에서 빛과 열이 발생한다.
② (가)에서 원자의 배열이 변한다.
③ (나)에서 물질의 상태가 변한다.
④ (나)에서 물질의 성질이 변한다.
⑤ (가)와 (나) 모두 원자의 종류와 수는 변하지 않는다.

05 다음 화학 반응식에 대한 설명으로 옳지 않은 것은?

메탄올($2CH_3OH$)+산소($3O_2$) ⟶ 이산화 탄소($2CO_2$)+물($4H_2O$)

① 메탄올의 연소 반응이다.
② 반응 전후의 질량이 보존된다.
③ 반응 전후의 총 분자의 개수는 같다.
④ 반응에 참여한 수소 원자는 총 8개이다.
⑤ 석회수를 뿌옇게 흐리는 물질이 생성된다.

06 다음 화학 반응식의 ㉠~㉢에 들어갈 계수를 옳게 짝 지은 것은?

C_2H_5OH+(㉠)O_2 ⟶ (㉡)H_2O+(㉢)CO_2

	㉠	㉡	㉢
①	1	2	1
②	2	2	1
③	2	2	3
④	2	3	2
⑤	3	3	2

정답과 해설 009쪽

07 그림은 묽은 염산에 탄산 칼슘 조각을 넣었을 때 나타나는 변화를 나타낸 것이다.

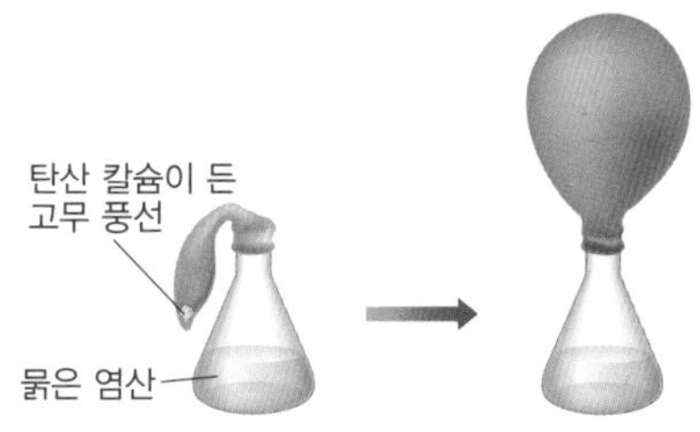

이에 대한 설명으로 옳은 것만을 보기에서 모두 고른 것은?

보기
ㄱ. 반응 전보다 반응 후에 총 질량이 감소한다. ㄴ. 이산화 탄소 기체가 발생하여 풍선이 부푼다. ㄷ. 삼각 플라스크 안에서 화학 변화가 일어난다.

① ㄱ ② ㄴ ③ ㄱ, ㄴ
④ ㄱ, ㄷ ⑤ ㄴ, ㄷ

08 그림은 구리 가루와 숯가루를 각각 넣고 공기 중에서 가열하는 모습을 나타낸 것이다.

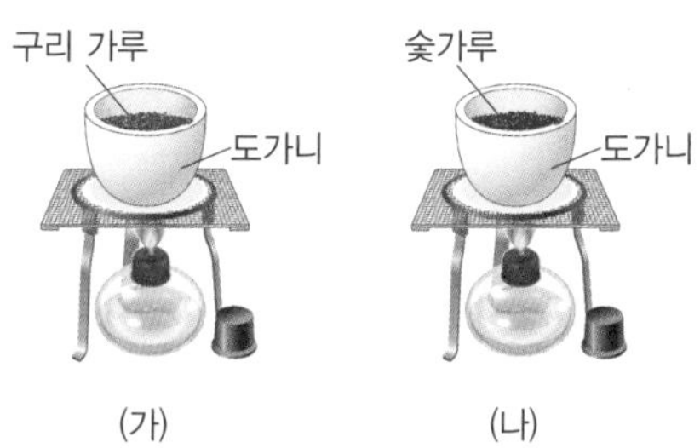

(가)와 (나) 도가니의 질량 변화를 옳게 짝 지은 것은?

	(가)	(나)		(가)	(나)
①	일정	일정	②	증가	증가
③	증가	감소	④	감소	증가
⑤	감소	감소			

09 열린 공간에서 반응 후 질량이 변하지 않는 경우로 옳은 것은?

① 강철 솜의 연소 반응
② 과산화 수소의 분해 반응
③ 탄산수소 나트륨의 분해 반응
④ 마그네슘과 묽은 염산의 반응
⑤ 염화 나트륨 수용액과 질산 은 수용액의 반응

10 일정 성분비 법칙이 성립하는 물질을 보기에서 모두 고른 것은?

보기	
ㄱ. 물	ㄴ. 공기
ㄷ. 설탕물	ㄹ. 산화 구리
ㅁ. 염화 나트륨	ㅂ. 이산화 탄소

① ㄴ, ㄷ ② ㄱ, ㄴ, ㄷ ③ ㄴ, ㄷ, ㅂ
④ ㄹ, ㅁ, ㅂ ⑤ ㄱ, ㄹ, ㅁ, ㅂ

11 그림은 산화 철을 이루는 철과 산소의 질량 관계를 나타낸 것이다.

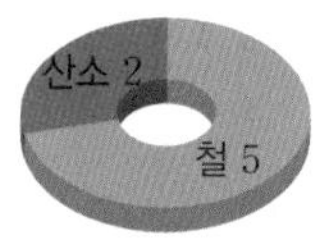

산화 철 14 g을 이루는 철과 산소의 질량(g)을 옳게 짝 지은 것은? (4점)

	철의 질량(g)	산소의 질량(g)
①	5	2
②	5	9
③	7	7
④	10	2
⑤	10	4

12 그림은 같은 종류의 금속 가루 1.0 g, 2.0 g을 각각 도가니에 넣고 가열하면서 시간에 따른 질량의 변화를 나타낸 것이다. 이에 대한 설명으로 옳은 것만을 보기에서 모두 고른 것은? (4점)

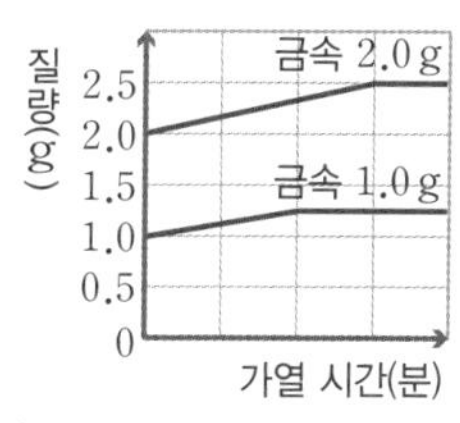

보기
ㄱ. 금속이 산소와 결합하여 질량이 증가한다. ㄴ. 금속과 산소는 4 : 5의 질량비로 결합한다. ㄷ. 금속의 질량이 클수록 완전히 반응하는 데 걸리는 시간이 증가한다.

① ㄴ ② ㄷ ③ ㄱ, ㄴ
④ ㄱ, ㄷ ⑤ ㄱ, ㄴ, ㄷ

13 그림은 구리와 산소가 반응하여 산화 구리(Ⅱ)를 생성할 때 구리와 산소의 질량 관계를 나타낸 그래프이다.

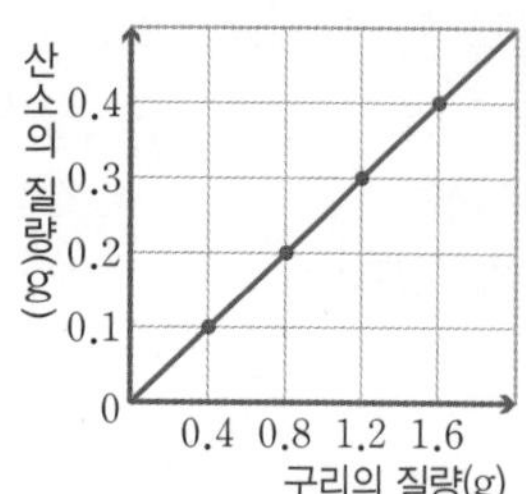

이 반응에서 구리의 질량이 증가해도 변하지 않는 것은?

① 산화 구리(Ⅱ)의 질량
② 구리와 반응하는 산소의 질량
③ 반응하는 구리와 산소의 질량비
④ 반응하는 구리와 산소의 총 질량
⑤ 구리와 산소가 반응하는 데 걸리는 시간

14 순수한 물에 수산화 나트륨을 약간 넣고 그림과 같이 장치하여 전류를 흘려주었다.

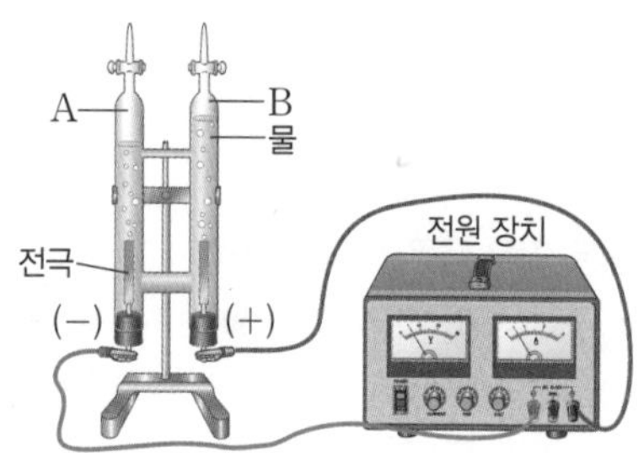

이에 대한 설명으로 옳은 것을 보기에서 모두 고른 것은? (4점)

보기
ㄱ. 화학 반응식은 $2H_2+O_2 \longrightarrow 2H_2O$이다.
ㄴ. 생성된 기체의 부피비(A : B)는 2 : 1이다.
ㄷ. A에서 발생하는 기체에 불을 가까이 가져가면 '퍽' 소리를 내며 탄다.

① ㄱ ② ㄴ ③ ㄱ, ㄷ
④ ㄴ, ㄷ ⑤ ㄱ, ㄴ, ㄷ

15 표는 일정한 온도와 압력에서 기체 A와 B가 반응할 때 기체의 부피 관계를 나타낸 것이다.

실험	반응 전 기체의 부피(L)		반응 후 남은 기체의 종류와 부피(L)
	A	B	
Ⅰ	2	4	(가)
Ⅱ	3	3	(나)
Ⅲ	4	2	없음

(가)와 (나)에 들어갈 기체의 종류와 부피를 옳게 짝 지은 것은? (4점)

	(가)	(나)
①	A, 1	A, 1
②	A, 1	B, 2
③	B, 1	A, 1
④	B, 2	A, 1.5
⑤	B, 3	B, 1.5

16 그림은 일정한 온도와 압력에서 일산화 탄소와 산소가 반응하여 이산화 탄소를 생성하는 반응을 모형으로 나타낸 것이다.

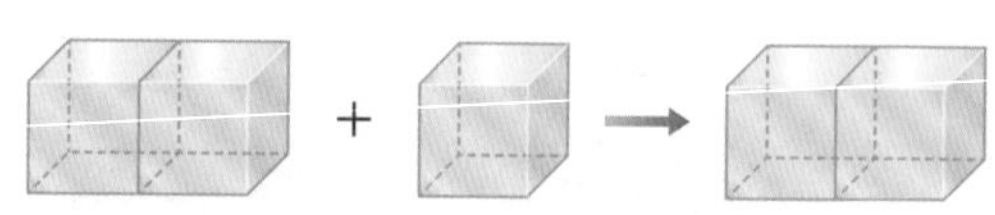
일산화 탄소 2부피 산소 1부피 이산화 탄소 2부피

일산화 탄소 4 L와 산소 4 L가 완전히 반응할 때 생성되는 이산화 탄소의 부피(L)로 옳은 것은?

① 1L ② 2L ③ 3L
④ 4L ⑤ 5L

17 그림은 화학 반응에서의 에너지 변화를 나타낸 것이다. 이와 같은 에너지의 출입이 일어나는 현상으로 옳은 것은? (4점)

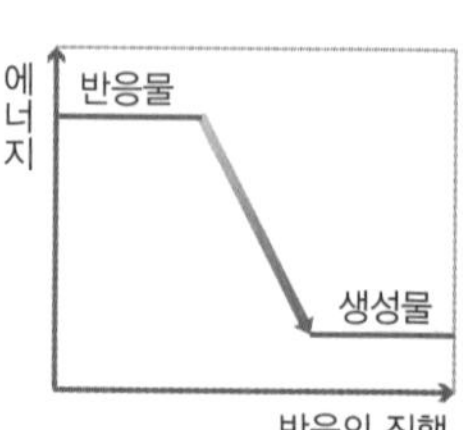

① 쇠못을 식초에 담근다.
② 식물이 광합성을 한다.
③ 소금이 얼음물에 녹는다.
④ 질산 암모늄이 물에 녹는다.
⑤ 베이킹파우더의 성분이 분해되어 빵이 부푼다.

정답과 해설 009쪽

서 / 술 / 형 / 문 / 제

18 그림은 설탕이 물에 녹아 설탕물이 되는 과정을 나타낸 것이다.

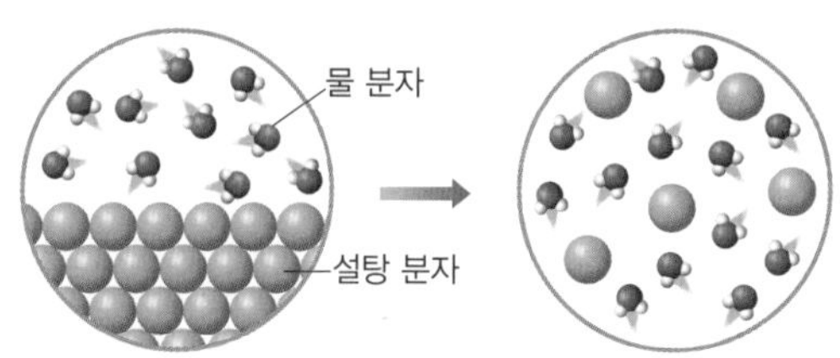

이 현상에서 나타나는 변화의 종류를 쓰고, 그 까닭을 물질의 성질과 관련지어 서술하시오. (6점)

19 다음은 에탄올의 연소 반응을 화학 반응식으로 나타낸 것이다.

> 에탄올(C_2H_5OH)＋산소(O_2)
> ⟶ 물($3H_2O$)＋이산화 탄소($2CO_2$)

이 화학 반응식에서 잘못된 부분을 찾아 고치고, 그 까닭을 서술하시오. (6점)

20 그림은 염화 나트륨 수용액과 질산 은 수용액이 반응하여 흰색 앙금인 염화 은과 질산 나트륨이 생성되는 과정을 나타낸 입자 모형이다.

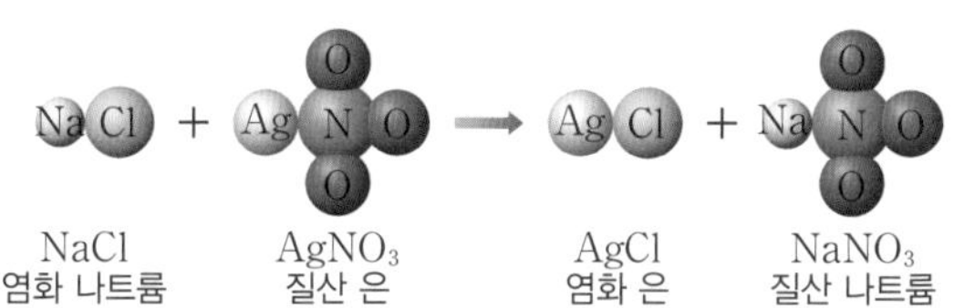

이 반응이 일어나는 동안 전체 질량의 변화를 쓰고, 그 까닭을 서술하시오. (8점)

21 그림과 같이 막대 저울의 양 끝에 같은 질량의 강철 솜을 달고 수평을 맞춘 후 오른쪽 강철 솜을 가열하였다.

막대 저울이 기우는 쪽을 고르고, 그 까닭을 서술하시오. (8점)

22 그림은 수소와 산소로 이루어진 물과 과산화 수소의 분자 모형을 나타낸 것이다.

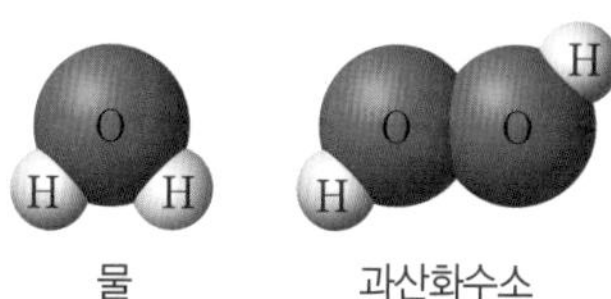

두 화합물의 성질이 같은지 또는 다른지 그 여부를 판단하고, 그 까닭을 서술하시오. (8점)

23 그림과 같이 물을 적신 나무판 위에 수산화 바륨과 염화 암모늄을 넣은 삼각 플라스크를 올려놓고 반응시켰다.

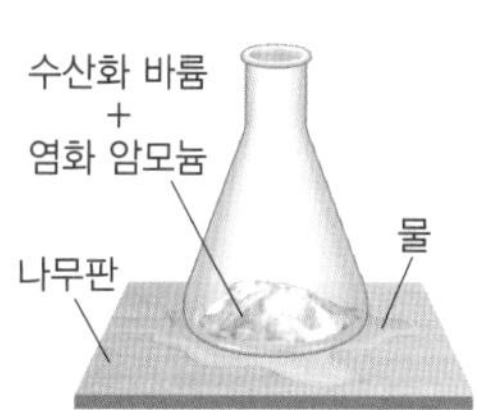

나무판에서 일어나는 변화를 쓰고, 그 까닭을 에너지의 출입과 관련지어 서술하시오. (8점)

Ⅱ

기권과 날씨

배울 내용이 쉬워지는 용어

배울 용어를 읽어보고, 이해가 되었으면 ✔ 표시를 해 봅시다.

- ☐ **기권(대기권)** 지구 표면을 둘러싸고 있는 공기의 층
- ☐ **복사 평형** 물체가 흡수하는 에너지와 방출하는 에너지의 양이 같은 상태
- ☐ **온실 효과** 대기가 지표로 방출하는 복사 에너지 때문에 지구의 평균 기온이 대기가 없을 때보다 높게 유지되는 현상
- ☐ **지구 온난화** 대기 중으로 배출되는 온실 기체의 양이 증가하여 지구의 평균 기온이 점점 상승하는 현상
- ☐ **포화 수증기량** 포화 상태의 공기 1 kg에 들어 있는 수증기의 양을 g으로 나타낸 것
- ☐ **이슬점** 공기 중의 수증기가 응결하기 시작할 때의 온도
- ☐ **상대 습도** 현재 기온에서의 포화 수증기량에 대한 실제 수증기량의 비를 백분율로 나타낸 것
- ☐ **기단** 공기 덩어리가 장시간 한 지역에 머물러 지표면의 영향으로 온도와 습도가 비슷해진 커다란 공기 덩어리
- ☐ **전선** 성질이 다른 두 기단이 만나서 형성된 전선면과 지표면이 만나는 경계선
- ☐ **폐색 전선** 한랭 전선이 온난 전선보다 이동 속력이 빨라 두 전선이 겹쳐져서 형성된 전선
- ☐ **정체 전선** 세력이 비슷한 두 기단이 반대 방향에서 확장하여 만날 때 크게 움직이지 않고 한 곳에 오래 머물러 있는 전선

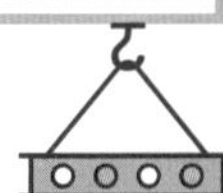

Ⅱ. 기권과 날씨

기권과 구름

물음으로 흐름잡기

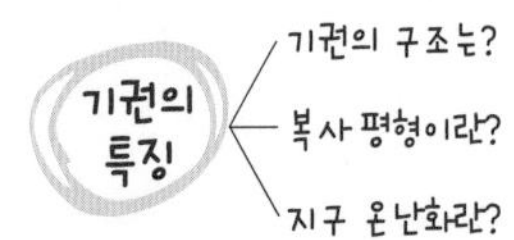

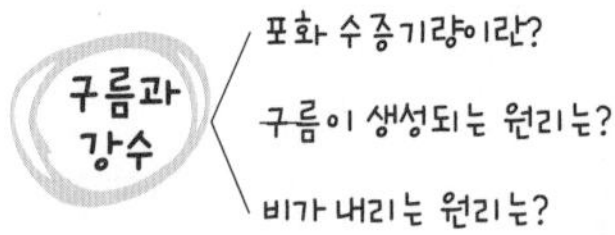

A 기권의 구조와 특징

만약 지구에 오존층이 없다면 금성이나 화성처럼 높이에 따른 기온 분포에 따라 기권이 2개의 층으로 구분될 것이다.

기권❶은 높이에 따른 기온 변화를 기준으로 대류권, 성층권, 중간권, 열권으로 구분한다.

기권의 구조

기권의 최저 기온이 나타난다.

높이(km): 0, 10, 20, 30, 40, 50, 60, 70, 80, 90, 100
온도(℃): −120, −80, −40, 0, 20
열권 / 오로라 / 중간권 계면 / 유성 / 중간권 / 성층권 계면 / 성층권 / 오존층 / 대류권 계면 / 대류권

대류권 계면의 높이는 장소와 계절에 따라 차이가 난다. 극지방에서는 높이 약 7∼9 km, 적도 지방에서는 높이 약 10∼17 km로 저위도 지방이 높게 나타나고, 일반적으로 겨울철보다 여름철에 높게 나타난다.

구분(높이)	높이에 따른 기온 변화	특징
열권 (약 80∼1000 km)	공기가 매우 희박하고 태양 복사 에너지를 직접 흡수하여 가열되므로 위로 올라갈수록 기온이 높아진다.	• 고위도 지방에서는 오로라가 나타나기도 한다. • 공기가 희박하여 낮과 밤의 기온 차가 매우 크다. • 전파를 반사하는 전리층이 있다.
중간권 (약 50∼80 km)	위로 올라갈수록 성층권의 열이 적게 도달하므로 기온이 낮아진다.	• 공기의 대류 현상은 일어나지만, 수증기가 거의 없어 기상 현상은 나타나지 않는다. • 상부에서는 유성이 관측되기도 한다.
성층권 (약 11∼50 km)	오존층이 태양에서 오는 자외선을 흡수하므로 위로 올라갈수록 기온이 높아진다.	• 높이 약 20∼30 km 사이에 오존층이 있어 태양의 자외선을 흡수한다. • 기층이 안정되어 있어 하부는 비행기의 항로로 이용된다.
대류권 (지표면∼약 11 km)	위로 올라갈수록 지표에서 방출되는 열이 적게 도달하므로 기온이 낮아진다.	• 위로 올라갈수록 기온이 낮아지므로 공기의 대류 현상이 일어난다. • 구름이 생기고 비나 눈이 내리는 등의 기상 현상이 나타난다. • 지구 전체 공기의 약 75 %가 분포하므로 공기의 밀도가 가장 크다. 공기의 밀도는 높이 올라갈수록 점점 희박해진다.

B 지구의 복사 평형과 지구 온난화

1. 복사 에너지 물체가 자신의 온도에 해당하는 에너지를 복사의 형태로 방출하는 것

태양 복사 에너지	태양은 표면 온도가 약 6000 ℃의 고온이므로 가시광선, 적외선, 자외선 등을 방출
지구 복사 에너지	지구는 표면 온도가 약 15 ℃의 저온이므로 주로 적외선(열)만 방출

2. 복사 평형 물체가 흡수하는 에너지와 방출하는 에너지의 양이 같아져서 온도가 일정하게 유지되는 현상

3. 지구의 복사 평형 지구는 태양으로부터 흡수하는 태양 복사 에너지양과 방출하는 지구 복사 에너지양이 같으므로 복사 평형을 이루고 있다. ➡ 지구의 평균 기온이 일정하게 유지

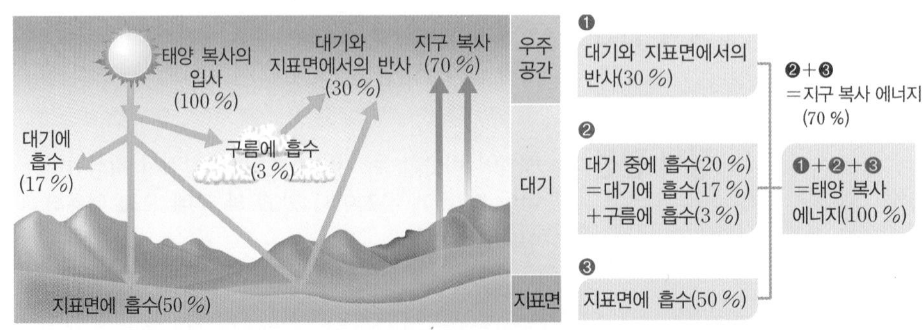

❶ 기권의 역할

- 동·식물의 호흡에 필요한 산소를 공급해 준다.
- 지구상의 열이 우주 공간으로 빠져 나가는 것을 막아준다.
- 우주 공간에서 날아오는 운석을 막아준다.
- 태양으로부터 오는 유해한 자외선을 막아준다.
- 저위도의 남는 열을 고위도로 운반하여 온도 차를 줄여준다.

용어 알기

- **오로라** 우주로부터 지구의 대기로 들어온 전기를 띤 입자가 열권에 있는 공기와 충돌하여 빛을 내는 현상
- **오존층** 오존이 밀집하여 분포하는 층

교과서 탐구 물체의 복사 평형

▶ 과정 1. 검은색 알루미늄 컵에 디지털 온도계를 꽂은 뚜껑을 덮고, 적외선등에서 30 cm 정도 떨어진 곳에 컵을 놓는다.

2. 적외선등을 켜고 2분 간격으로 온도를 측정한다.

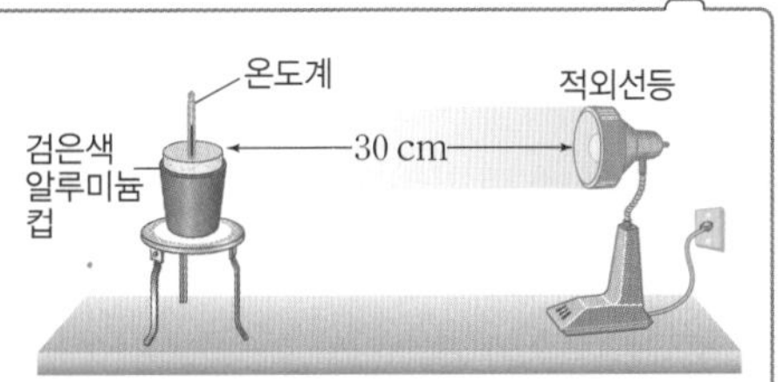

▶ 결과 처음에는 온도가 올라가다가 시간이 지나면 더 이상 올라가지 않고 일정하게 유지된다.

▶ 해석 흡수하는 에너지양과 방출하는 에너지양이 같으면 복사 평형에 도달한다.

4. 온실 효과와 지구 온난화

수성에는 대기가 거의 없지만 금성은 주로 이산화 탄소로 이루어진 두꺼운 대기가 있다. 따라서 금성의 대기가 금성의 표면에서 방출하는 복사 에너지를 흡수하여 금성 표면으로 재방출하고 이를 금성 표면이 다시 흡수하므로 표면 온도가 수성보다 높다.

① 온실 효과: 대기 중의 온실 기체[2]가 지표면에서 방출하는 복사 에너지를 흡수하였다가 다시 지표면으로 방출하여 지구의 온도를 높이는 효과

수증기를 제외하고 이산화 탄소의 농도가 가장 높다.

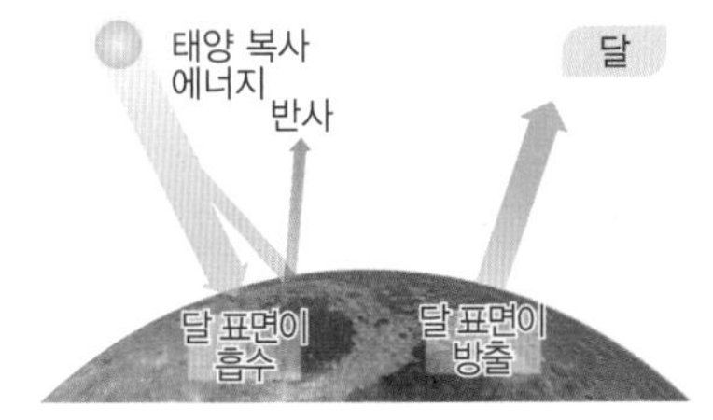

▲ 대기가 없을 때의 복사 평형

▲ 대기가 있을 때의 복사 평형

② 지구 온난화: 대기 중 온실 기체의 양이 증가하여 지구의 평균 기온이 상승하는 현상[3]

- 원인: 화석 연료의 과다 사용으로 이산화 탄소 배출량 증가, 무분별한 숲의 파괴와 개발 등
- 피해: 기온 상승, 해수면의 높이 상승, 기상 이변, 사막화 현상 등

❷ **온실 기체**[•]**의 성질**

온실 기체는 태양으로부터 오는 가시광선은 흡수하지 않지만, 지표면으로부터 방출되는 적외선은 잘 흡수하는 성질이 있다. 따라서 이들은 지표면으로 들어오는 태양 복사 에너지는 통과시키고 지표면에서 방출되는 복사 에너지는 흡수하여 지구의 온도를 높여 주는 역할을 한다.

㉠ 이산화 탄소, 메테인, 이산화 질소, 수증기 등

❸ **이산화 탄소 농도와 평균 기온의 변화**

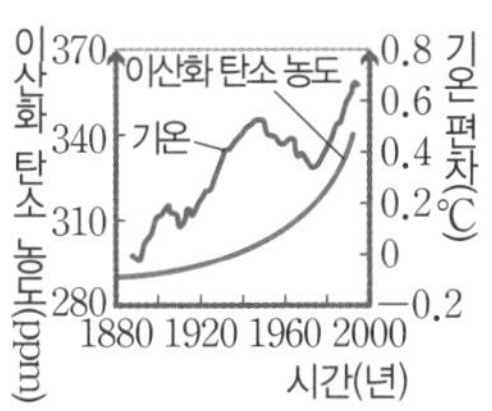

용어 알기

- **온실 기체** 온실 효과를 일으키는 기체

개념 다지기

정답과 해설 011쪽

01 기권에 대한 설명으로 옳은 것은 ○표, 옳지 않은 것은 ×표를 하시오.

(1) 대류권은 높이 올라갈수록 기온이 낮아지며, 대류 현상이 일어난다. ( )

(2) 성층권은 공기의 대류 현상이 일어난다. ( )

(3) 중간권은 기상 현상이 나타난다. ( )

(4) 열권에서는 오로라가 나타난다. ( )

02 복사 에너지에 대한 설명으로 옳은 것은 ○표, 옳지 않은 것은 ×표를 하시오.

(1) 복사 평형에 도달하면 복사 에너지를 흡수하거나 방출하지 않는다. ( )

(2) 지구는 태양으로부터 흡수하는 태양 복사 에너지양과 방출하는 지구 복사 에너지양이 같으므로 복사 평형을 이루고 있다. ( )

03 그림은 지구에 출입하는 에너지를 나타낸 것이다.

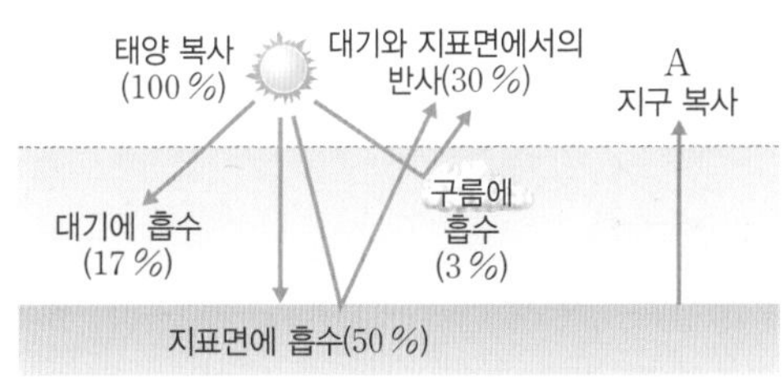

지구에서 방출하는 지구 복사 에너지양(A)을 쓰시오.

04 ( ) 안에 들어갈 알맞은 말을 쓰시오.

지구는 대기의 ( )로 대기가 없을 때보다 높은 온도에서 복사 평형을 이룬다.

C 포화 수증기량과 상대 습도

1. 증발과 응결❹

① 증발: 물 표면에서 물이 수증기로 변해 공기 중으로 날아가는 현상❺ – 증발은 기온이 높고 상대 습도가 낮으며, 바람이 강하게 불 때 잘 일어난다.

② 응결: 공기 중의 수증기가 냉각되어 물방울로 변하는 현상❺

2. 포화 수증기량 포화 상태의 수증기보다 더 많은 양의 수증기가 포함되면 과잉된 수증기가 물방울로 응결한다.

① 포화 상태: 공기가 포함할 수 있는 수증기량에는 한계가 있는데, 이때 공기가 수증기를 최대한 포함한 상태이다.

② 포화 수증기량: 포화 상태의 공기 1 kg 속에 포함된 수증기량(g) ➡ 기온이 높아질수록 포화 수증기량은 증가한다.

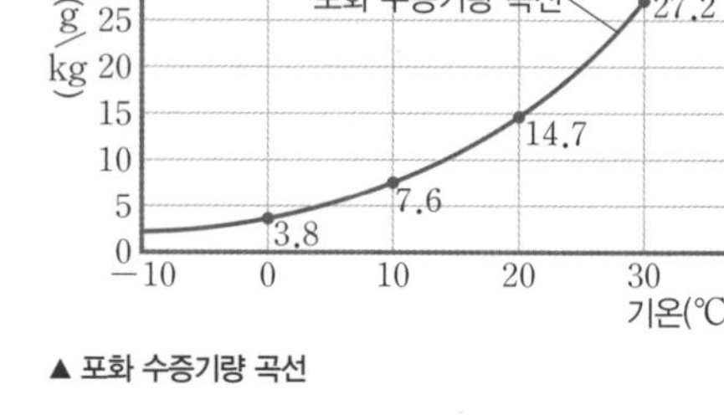

▲ 포화 수증기량 곡선

3. 이슬점❻ 공기가 냉각되어 수증기의 응결이 일어나기 시작하는 온도 ➡ 공기 중에 포함된 수증기량이 많을수록 이슬점은 높다. – 현재 수증기량은 이슬점에서의 포화 수증기량과 같다.

4. 상대 습도 공기의 습한 정도를 백분율(%)로 나타낸 것

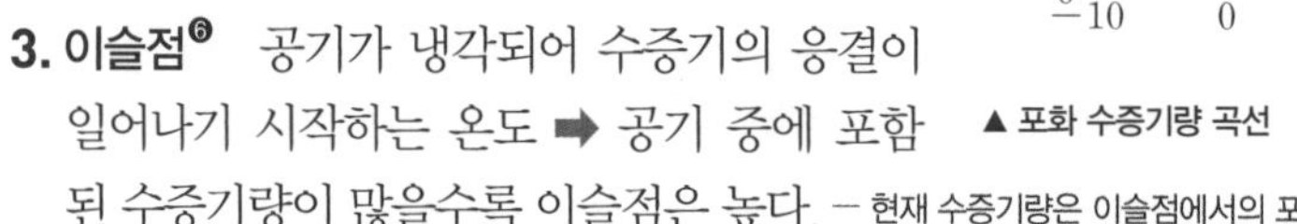

$$\text{상대 습도(\%)} = \frac{\text{현재 공기 중의 실제 수증기량(g/kg)}}{\text{현재 기온에서의 포화 수증기량(g/kg)}} \times 100$$

맑은 날	기온과 상대 습도의 변화가 거의 반대로 나타난다.
흐린 날	기온과 상대 습도의 변화가 맑은 날보다 작게 나타난다.
비 온 날	공기 중에 수증기가 많기 때문에 상대 습도가 거의 100 %이다.

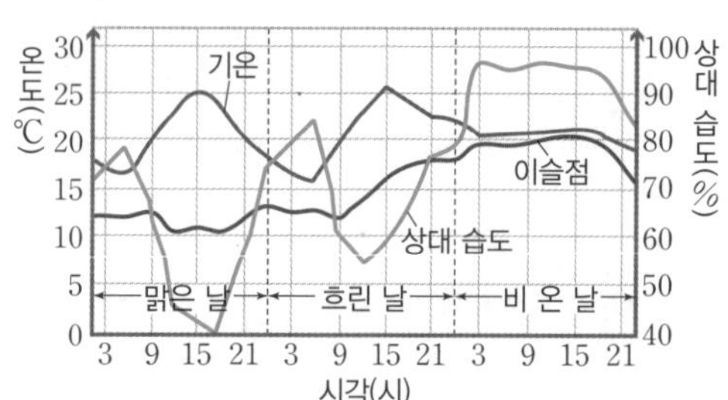

▲ 날씨에 따른 기온, 이슬점, 상대 습도의 변화

D 구름과 강수

1. 구름의 생성 과정 탐구 공략하기 046쪽

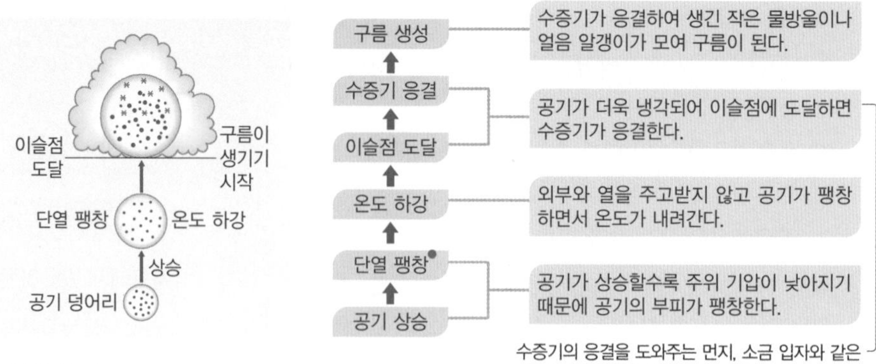

2. 구름의 분류

적운형 구름
- 위로 두껍게 솟아오른 모양
- 상승 기류가 강할 때 생성
- 좁은 지역에 소나기

층운형 구름
- 옆으로 얇게 퍼진 모양
- 상승 기류가 약할 때 생성
- 넓은 지역에 이슬비

---

❹ 물 분자의 출입 모형

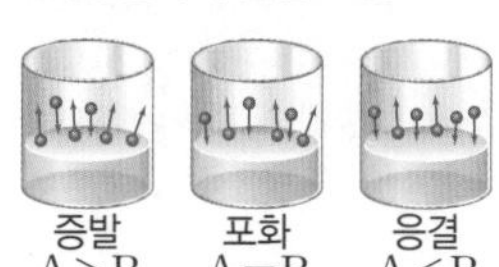

- A: 수면에서 나가는 물 분자
- B: 수면으로 들어오는 물 분자

❺ 증발과 응결 현상의 예

- 증발의 예: 젖은 빨래가 마른다, 컵에 담아둔 물이 줄어든다.
- 응결의 예: 찬 음료수 병의 표면에 물방울이 맺힌다, 풀잎에 이슬이 맺힌다.

❻ 이슬점 측정 실험

물을 넣은 알루미늄 컵에 얼음이 담긴 시험관을 넣고 가만히 저을 때 컵의 표면에 물방울이 맺히면서 뿌옇게 흐려지는 순간 물의 온도가 이슬점이다. ➡ 컵의 표면에 물방울이 맺히는 것은 컵 주변의 공기가 냉각되어 응결이 일어나기 때문이다.

공기 A를 포화시키는 방법

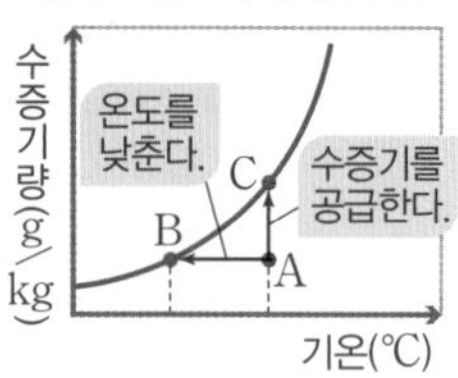

공기 A의 온도를 B까지 낮추거나, 수증기를 C까지 공급해 준다.

⚠ 용어 알기

- **단열 팽창** 외부로부터 열의 출입이 없이 부피가 팽창함으로써 공기 덩어리 내부의 온도가 하강하는 현상

3. 구름이 생성되는 경우

① 지표면이 불균등하게 가열될 때

② 저기압의 중심으로 공기가 모여들 때

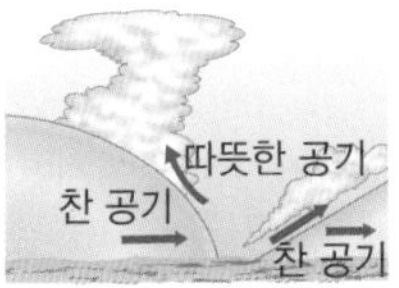

③ 찬 공기와 따뜻한 공기가 만날 때

④ 공기가 산의 경사면을 타고 올라갈 때

4. 강수[7] 과정

강수 이론	빙정설(고위도나 중위도 지방)	병합설(열대나 저위도 지방)
눈[8]과 비의 생성 모습	얼음 알갱이, 수증기, −40 ℃, 0 ℃, 물방울, 빗방울, 물방울, 비, 지표면 / 0 ℃ 이하에서 얼지 못한 물을 과냉각 물방울이라고 한다.	0 ℃, 큰 물방울, 빗방울로 성장, 물방울, 빗방울, 지표면
강수 과정	구름 속의 얼음 알갱이(빙정)에 수증기가 달라붙어 커지면 아래로 떨어진다. ➡ 떨어지던 얼음 알갱이가 녹으면 비, 녹지 않으면 눈이 된다.	구름 속의 크고 작은 물방울들이 서로 충돌하여 합쳐져 커지면 비가 되어 내린다.

❼ 강수의 양

강우량 (mm)	지표에 내린 비의 양
강설량 (mm)	지표에 내린 눈을 녹여 잰 양
강수량 (mm)	비나 눈, 우박 등을 녹여 잰 모든 강수의 양
적설량 (cm)	지표에 쌓인 눈의 깊이를 자로 잰 양

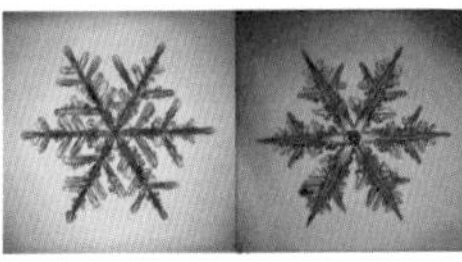

❽ 눈의 결정 모양

눈의 결정은 기본적으로 육각형의 구조이지만, 구름 속의 기온이나 수증기량에 따라 다양하게 나타난다.

개념 다지기

1단계 2단계 3단계

★ 정답과 해설 011쪽

05 포화 수증기량에 대한 설명으로 옳은 것은 ○표, 옳지 않은 것은 ×표를 하시오.

(1) 포화 상태는 공기가 수증기를 최대한 포함한 상태이다. ( )

(2) 포화 수증기량은 기온이 높아질수록 많아진다. ( )

(3) 포화 수증기량은 현재 수증기량이 많을수록 많아진다. ( )

06 그림은 포화 수증기량 곡선을 나타낸 것이다.

(1) A~D 공기의 포화 수증기량 크기를 비교하시오.

(2) A~D 공기의 이슬점 크기를 비교하시오.

(3) A~D 공기의 상대 습도 크기를 비교하시오.

07 다음은 구름의 발생 과정에 대한 설명이다. ( ) 안에 들어갈 알맞은 말을 쓰시오.

(1) 공기 덩어리가 외부와 열교환 없이 부피가 팽창하여 온도가 낮아지는 과정을 ( )이라고 한다.

(2) 구름이 생성되기 위해서는 공기의 ( ) 운동이 필요하다.

(3) 상승 기류가 강할 때는 ( )형 구름이, 상승 기류가 약할 때는 ( )형 구름이 생성된다.

08 그림은 고위도나 중위도 지방에서 발달한 구름의 모습이다. 다음의 설명은 A~C층 중 무엇에 해당하는지 쓰시오.

(1) 얼음 알갱이로만 이루어졌다. ( )

(2) 물방울과 얼음 알갱이가 함께 존재한다. ( )

(3) 얼음 알갱이의 크기가 성장하는 구간이다. ( )

탐구 공략 하기

구름 발생 실험하기

목표 구름이 생성되는 원리를 설명할 수 있다.

공략 포인트 가압 장치의 뚜껑을 열면 페트병 내부 공기의 부피는 팽창하고(단열 팽창), 이로 인해 페트병 내부의 온도가 내려가 포화에 도달하므로 수증기의 응결이 일어나 페트병 내부가 뿌옇게 흐려진다는 것이 중요하다!
(포화 수증기량은 기온이 높을수록 증가하므로 기온이 하강하면 이슬점에 도달하여 수증기의 응결이 일어난다.)

과정

❶ 페트병에 액정 온도계 넣기

페트병에 물을 조금 넣고 액정 온도계를 넣은 다음 간이 가압 장치가 달린 뚜껑을 닫는다.

❷ 가압 장치를 누른 후 변화 관찰하기

뚜껑에 달린 간이 가압 장치를 여러 번 누른 다음 페트병 내부의 온도를 측정한다. (온도가 올라간다.)

❸ 단열 팽창 후 변화 관찰하기

뚜껑을 열어 페트병 내부의 공기를 팽창시키면서 온도를 측정하고, 페트병 내부에서 일어나는 변화를 관찰한다. (뿌옇게 흐려진다.)

❹ 향의 연기를 이용하여 실험하기

페트병에 향 연기를 조금 넣은 후 과정 ❷~❸을 반복하면서 페트병 내부에서 일어나는 변화를 관찰한다. (더 뿌옇게 흐려진다.)

결과

1. 가압 장치를 여러 번 누른 다음 페트병 내부의 온도를 확인하면 페트병 내부의 온도는 상승한다.
2. 뚜껑을 열어 페트병 내부의 공기를 팽창시키면 페트병 내부는 뿌옇게 흐려지며 페트병 내부의 온도는 하강한다. 그리고, 향 연기를 넣었을 때 더 뿌옇게 흐려진다.

정리 공기를 단열 팽창시키면 온도가 낮아지고 수증기가 물방울로 응결하여 페트병 내부가 뿌옇게 흐려진다. 이때 향 연기처럼 작은 입자가 있으면 응결이 더 쉽게 일어난다.

★ 정답과 해설 011쪽

01 위 실험에 대한 설명으로 옳은 것은 ○표, 옳지 않은 것은 ×표를 하시오.

(1) 가압 장치를 누르면 외부의 공기가 페트병 내부로 들어오면서 단열 팽창이 일어난다. ( )

(2) 가압 장치를 누르면 페트병 내부의 온도는 하강한다. ( )

(3) 가압 장치를 열면 페트병 내부에 있던 공기의 부피는 팽창한다. ( )

(4) 가압 장치를 열면 페트병 내부의 온도는 하강한다. ( )

(5) 위 실험에서 향 연기를 넣으면 페트병 내부에서 일어나는 변화를 더욱 뚜렷하게 볼 수 있다. ( )

02 그림은 둥근 플라스크에 물을 약간 넣고 향 연기를 넣은 후 연결된 주사기의 피스톤을 갑자기 밀거나 당기는 실험을 한 것이다. 알맞은 말을 고르시오.

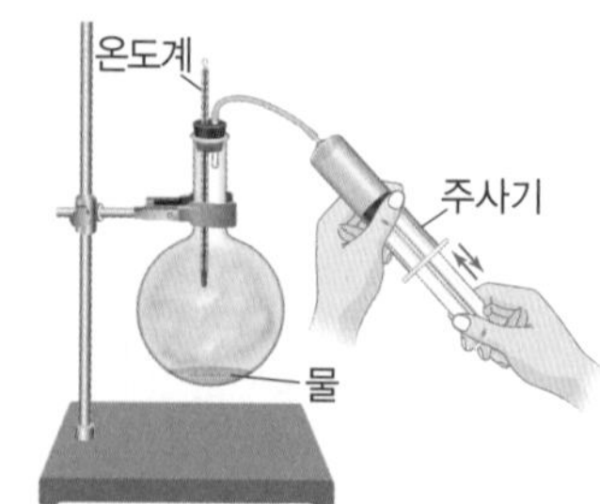

피스톤을 밀 때	부피 변화	(1) (수축, 팽창)
	온도 변화	(2) (하강, 상승)
피스톤을 당길 때	부피 변화	(3) (수축, 팽창)
	온도 변화	(4) (하강, 상승)

★ 정답과 해설 012쪽

A 기권의 구조와 특징

01 지구의 대기에 대한 설명으로 옳은 것만을 보기에서 모두 고른 것은?

보기
ㄱ. 지표에서 높이 약 10 km까지 분포한다.
ㄴ. 높이 올라갈수록 대기는 점차 희박해진다.
ㄷ. 중간에 오존이 모여있는 층이 존재한다.
ㄹ. 대기로 둘러싸인 구간을 대류권이라고 한다.

① ㄱ, ㄴ ② ㄱ, ㄷ ③ ㄴ, ㄷ
④ ㄴ, ㄹ ⑤ ㄷ, ㄹ

02 기권의 역할에 대한 설명으로 옳지 않은 것은?

① 태양에서 오는 자외선을 흡수한다.
② 운석이 지구에 충돌하는 것을 막아준다.
③ 저위도와 고위도의 온도 차이를 줄여준다.
④ 지구 표면이 풍화나 침식되는 것을 막아준다.
⑤ 지구의 열이 우주 공간으로 빠져나가는 것을 막아준다.

필수
03 기권은 지표로부터 대류권, 성층권, 중간권, 열권의 4개 층으로 구분한다. 이와 같이 기권을 구분하는 기준으로 옳은 것은?

① 기온 변화 ② 기압 변화
③ 밀도 변화 ④ 수증기량 변화
⑤ 공기의 성분 변화

필수
04 대류권에서 높이 올라갈수록 기온이 낮아지는 까닭은?

① 오존층이 존재하고 있기 때문이다.
② 기체의 양이 급격히 줄어들기 때문이다.
③ 기체의 밀도가 급격히 줄어들기 때문이다.
④ 기체들이 고르게 섞여 있지 않기 때문이다.
⑤ 지표가 방출하는 에너지가 높이 올라갈수록 적게 도달하기 때문이다.

[05-06] 그림은 기권을 높이에 따라 4개의 층으로 구분하여 나타낸 것이다.

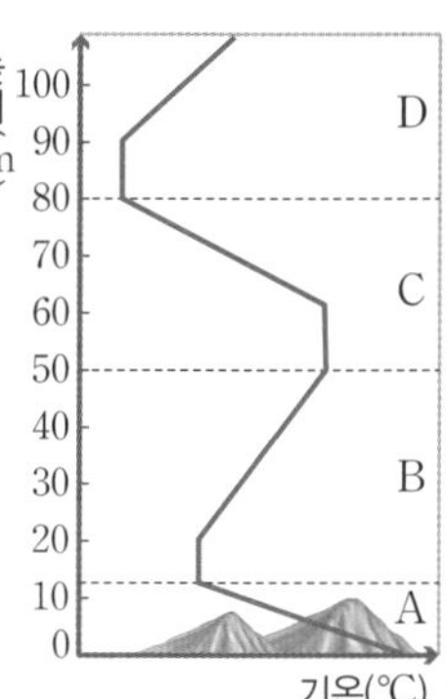

05 A~D층 중 기층이 안정되어 있어 장거리 비행기의 항로로 이용되는 층의 기호와 이름을 쓰시오.

필수
06 C층에 대한 설명으로 옳은 것은?

① 오존층이 분포한다.
② 매우 안정한 층이다.
③ 공기의 대류 현상이 일어난다.
④ 극지방 상공에 오로라가 나타난다.
⑤ 구름, 비, 눈 등의 기상 현상이 나타난다.

07 다음 글의 ㉠~㉢에 들어갈 말을 옳게 짝 지은 것은?

열권에서는 위로 올라갈수록 기온이 (㉠)한다. 그 까닭은 열권에서는 공기가 매우 (㉡)하고, 주로 (㉢)에 의해 가열되기 때문이다.

	㉠	㉡	㉢
①	상승	희박	지구 복사 에너지
②	상승	희박	태양 복사 에너지
③	상승	조밀	태양 복사 에너지
④	하강	희박	지구 복사 에너지
⑤	하강	조밀	태양 복사 에너지

신유형
08 그림은 지표에서 위로 올라가면서 관측한 여러 현상들을 나타낸 것이다.

(가) 오존층

(나) 번개

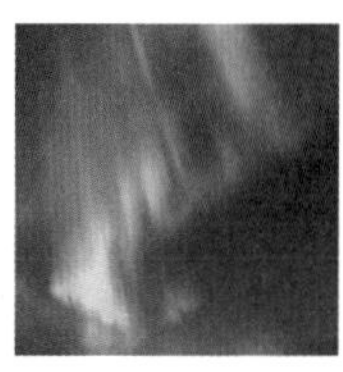
(다) 오로라

지표 위로 올라가면서 먼저 관측한 것부터 순서대로 기호를 쓰시오.

B 지구의 복사 평형과 지구 온난화

09 지구는 태양 복사 에너지를 계속 받고 있지만 더 이상 뜨거워지지 않고 연평균 기온이 일정하게 유지되고 있다. 이와 같은 현상이 일어나는 원인을 알아보기 위한 실험을 하려고 할 때 준비해야 할 실험 장치로 옳은 것은?

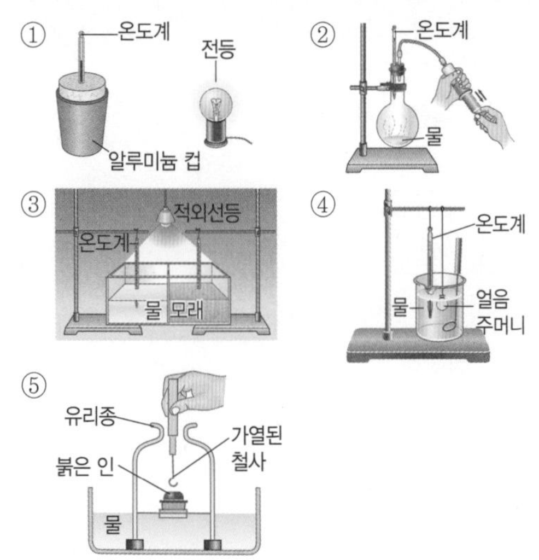

[10-11] 그림과 같이 장치하고 적외선등을 켠 후, 2분 간격으로 알루미늄 컵 내부의 온도를 측정하였다.

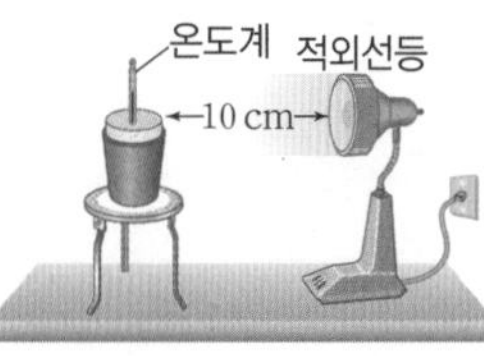

필수

10 알루미늄 컵 내부의 온도 변화를 옳게 나타낸 것은?

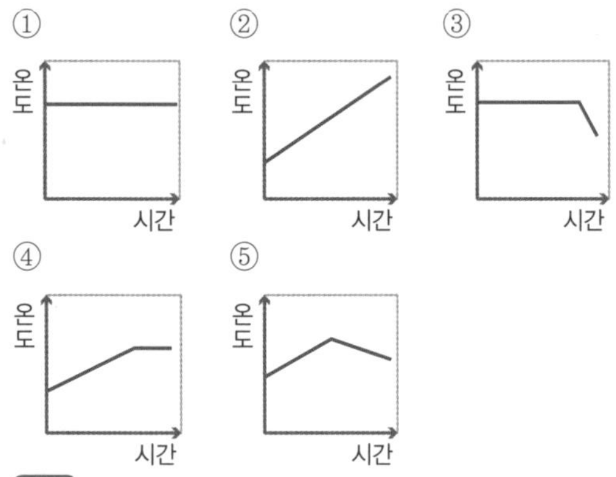

필수

11 위 실험에 대한 설명으로 옳은 것만을 보기에서 모두 고르시오.

보기
ㄱ. 일정 시간이 지난 후 컵은 복사 평형에 도달한다. ㄴ. 온도가 상승하는 동안 컵은 복사 에너지를 방출하지 않는다. ㄷ. 거리가 멀수록 더 낮은 온도에서 복사 평형이 이루어진다.

12 지구가 복사 평형을 이루고 있기 때문에 나타나는 현상은?

① 극지방에서 오로라를 관측할 수 있다.
② 지구의 연평균 기온이 일정하게 유지된다.
③ 대류권 계면의 높이가 계절에 따라 달라진다.
④ 대기 대순환의 방향이 항상 일정하게 나타난다.
⑤ 지표면에서 높이 올라갈수록 공기는 점차 희박해진다.

필수

13 그림은 지구에 출입하는 에너지를 나타낸 것이다.

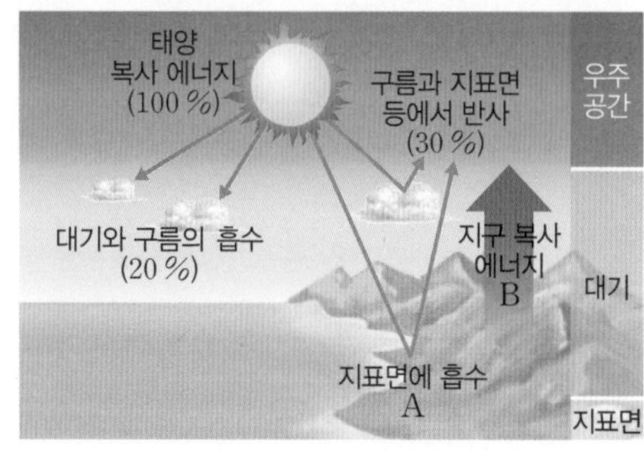

지구에 도달하는 태양 복사 에너지를 100 %라고 할 때, A, B의 양은 각각 몇 %인지 쓰시오.

14 온실 효과를 일으키는 온실 기체만을 보기에서 모두 고르시오.

보기
ㄱ. 산소　　ㄴ. 질소　　ㄷ. 수증기 ㄹ. 메테인　　ㅁ. 이산화 탄소

필수

15 온실 기체에 대한 설명으로 옳은 것만을 보기에서 모두 고른 것은?

보기
ㄱ. 온실 기체 중에서 메테인의 농도가 가장 높다. ㄴ. 온실 기체의 양이 많아지면 지구 온난화가 발생한다. ㄷ. 온실 기체는 지표가 방출하는 복사 에너지를 흡수한다. ㄹ. 화석 연료를 많이 사용하면 대기 중에 온실 기체의 양이 감소한다.

① ㄱ, ㄴ　② ㄱ, ㄷ　③ ㄴ, ㄷ
④ ㄴ, ㄹ　⑤ ㄷ, ㄹ

정답과 해설 012쪽

C 포화 수증기량과 상대 습도

16 주변에서 볼 수 있는 다음과 같은 현상들 중에서 물의 증발과 관계있는 것은?

① 높은 하늘에 구름이 생긴다.
② 새벽에 풀잎에 이슬이 맺힌다.
③ 이른 아침에 강가에 안개가 낀다.
④ 컵에 담아둔 물이 점점 줄어든다.
⑤ 샤워를 한 후 욕실 거울 표면이 뿌옇게 흐려진다.

17 표는 어느 지역에서 시각에 따라 기온, 상대 습도, 풍속을 측정하여 기록한 것이다.

측정 시각	10시	12시	14시	16시	18시
기온(℃)	22	22	22	17	17
상대 습도(%)	55	55	70	70	55
풍속(m/s)	1	3	3	3	1

빨래가 가장 잘 마를 것으로 예상되는 시각은?

① 10시　② 12시　③ 14시
④ 16시　⑤ 18시

필수

18 그림과 같이 두 개의 페트리 접시에 물을 가득 담고 한쪽은 수조로 덮고, 다른 쪽은 덮지 않은 채로 며칠 동안 놓아두었다.

(가)

(나)

이에 대한 설명으로 옳은 것만을 보기에서 모두 고른 것은?

| 보기 |
ㄱ. 줄어든 물의 양은 (나)가 (가)보다 많다.
ㄴ. 며칠 후 (가) 접시에서는 들어오고 나가는 물 분자의 수가 같다.
ㄷ. 공기 속에 포함될 수 있는 수증기의 양에는 한계가 있다.

① ㄱ　② ㄷ　③ ㄱ, ㄴ
④ ㄴ, ㄷ　⑤ ㄱ, ㄴ, ㄷ

필수

19 그림은 기온과 포화 수증기량의 관계를 나타낸 것이다. 이에 대한 설명으로 옳지 않은 것은?

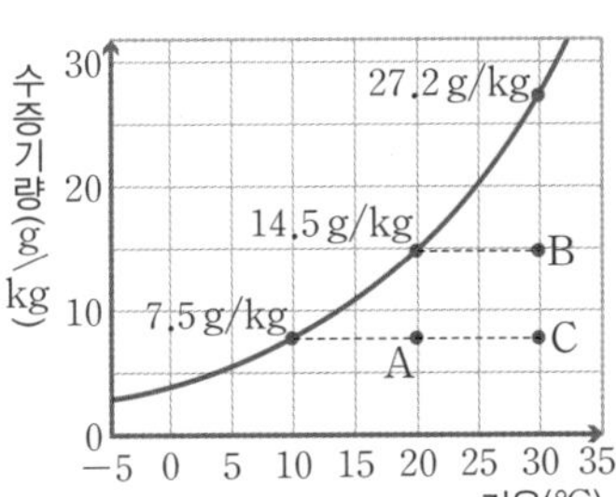

① A와 C 공기의 이슬점은 같다.
② B와 C 공기의 포화 수증기량은 같다.
③ B 공기의 온도를 20 ℃로 낮추면 포화 상태가 된다.
④ B 공기 1 kg의 온도를 10 ℃로 낮추면 7.0 g의 수증기가 응결한다.
⑤ C 공기가 포화되기 위해서는 27.2 g/kg의 수증기를 더 공급해야 한다.

신유형

20 표는 기온과 포화 수증기량의 관계를 나타낸 것이다.

기온(℃)	8	10	12	14	16	18
포화 수증기량(g/kg)	8.1	9.4	11.2	12.6	14.0	16.2

초저녁에 기온이 18 ℃이고, 상대 습도가 50 %일 때 다음 날 아침 풀잎에 이슬이 맺혔다. 밤사이에 기온은 최대 몇 ℃ 이하로 내려갔는가? (단, 밤사이에 공기 중의 수증기량은 일정하다.)

① 8 ℃　② 10 ℃　③ 12 ℃　④ 14 ℃　⑤ 16 ℃

21 이슬점에 대한 설명으로 옳지 않은 것은?

① 공기 중의 수증기가 포화되는 온도이다.
② 수증기가 응결하기 시작하는 온도이다.
③ 기온이 낮아지면 이슬점도 낮아진다.
④ 공기 중의 수증기량이 많아지면 이슬점이 높아진다.
⑤ 이슬점에서의 포화 수증기량은 현재 수증기량과 같다.

22 기온과 상대 습도, 이슬점의 일변화에 대한 설명으로 옳은 것은?

① 맑은 날은 상대 습도가 높다.
② 흐린 날은 이슬점이 낮다.
③ 비 오는 날은 상대 습도의 일변화가 작다.
④ 맑은 날은 기온과 상대 습도의 변화가 대체로 일치한다.
⑤ 흐린 날은 포화 수증기량이 증가하기 때문에 맑은 날보다 상대 습도가 높다.

D 구름과 강수

23 그림과 같은 구름 발생 장치에서 공기 펌프를 충분히 압축시킨 후 밸브를 열어 주었다. 이때 실험 장치 내부에서 일어나는 현상에 대한 설명으로 옳은 것은?

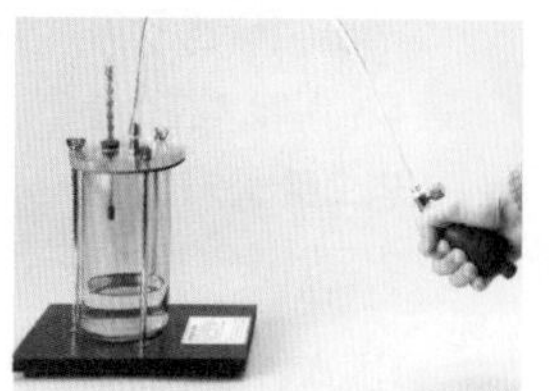

① 공기의 압력은 증가한다.
② 공기의 부피는 줄어든다.
③ 공기의 온도는 내려간다.
④ 공기의 포화 수증기량은 증가한다.
⑤ 실험 장치 내부는 점점 맑아진다.

필수

24 그림 (가)와 (나)는 서로 다른 구름을 나타낸 것이다.

(가)

(나)

이에 대한 설명으로 옳은 것만을 보기에서 모두 고르시오.

보기
ㄱ. (가)는 층운형 구름, (나)는 적운형 구름이다.
ㄴ. (가)와 (나)를 구분하는 기준은 구름의 높이이다.
ㄷ. 공기의 상승 운동은 (나)보다 (가)에서 활발하다.

필수

25 공기가 상승하여 구름이 생기는 경우로 옳지 않은 것은?

①

②

③

④

⑤

필수

26 그림은 수직으로 발달한 구름의 모습을 나타낸 것이다. 이에 대한 설명으로 옳지 않은 것은?

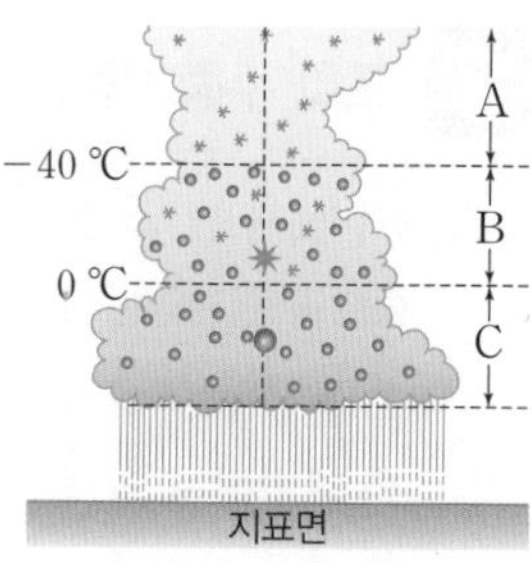

① 고위도나 중위도 지방에서 발달하는 구름이다.
② A층은 얼음 알갱이, C층은 물방울로 이루어져 있다.
③ B층에서는 수증기에 물방울이 달라붙어 눈이 된다.
④ B층에서 만들어진 눈이 내려오다 녹으면 비가 된다.
⑤ 이와 같은 과정으로 비와 눈이 만들어진다는 이론을 빙정설이라고 한다.

서술형

27 그림은 공기가 상승하여 구름이 생성되는 과정을 나타낸 것이다. 구름의 생성 과정을 다음의 용어를 모두 사용하여 서술하시오.

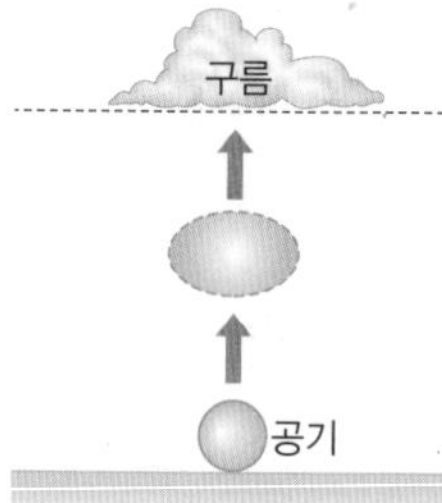

• 기압	• 부피	• 팽창	• 온도
• 이슬점	• 수증기	• 응결	• 구름

필수 서술형

28 그림은 열대나 저위도 지방의 구름 속에서 빗방울이 성장하여 비가 내리는 모습을 나타낸 것이다. 이때 비는 어떤 과정을 거쳐 만들어지는지 구체적으로 서술하시오.

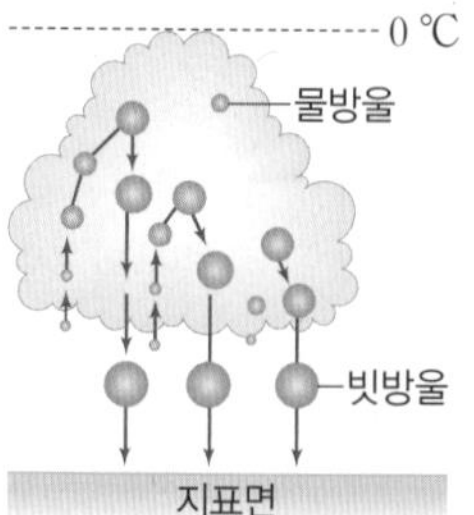

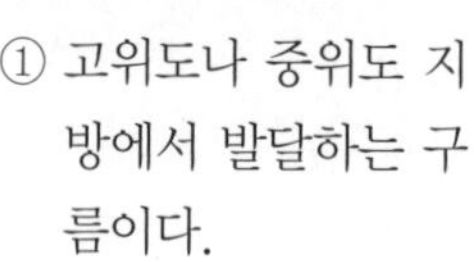

★ 정답과 해설 013쪽

필수

01 **기권에 대한 설명으로 옳지 않은 것은?**

① 기권은 지구계를 이루는 구성 요소이다.
② 기권은 여러 가지 기체가 섞여 있다.
③ 기권에서 공기의 밀도는 높이와 관계없이 고르게 분포한다.
④ 기권은 높이에 따른 기온 변화를 기준으로 4개의 층으로 구분한다.
⑤ 기권은 지표면에서 높이 약 1000 km까지의 공기층을 말한다.

필수

02 **그림은 지구의 기권을 4개 층으로 나타낸 것이다.**

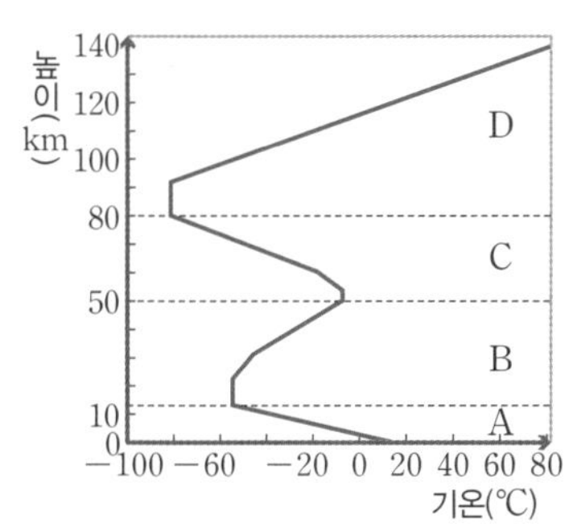

A~D층과 관련된 내용을 옳게 짝 지은 것은?

	A	B	C	D
①	기상 현상	오존층	오로라	유성
②	기상 현상	오존층	유성	오로라
③	기상 현상	유성	오존층	오로라
④	오존층	오로라	기상 현상	유성
⑤	오존층	유성	오로라	기상 현상

필수 서술형

03 **그림은 지구에 출입하는 에너지를 나타낸 것이다.**

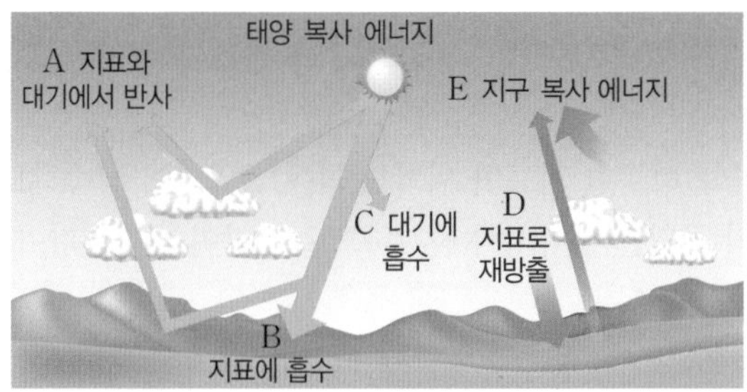

A~E 중 지구 온난화와 가장 관계 깊은 에너지의 출입 과정을 고르고, 그 까닭을 서술하시오.

[04-05] 그림은 기온과 포화 수증기량의 관계를 나타낸 것이다.

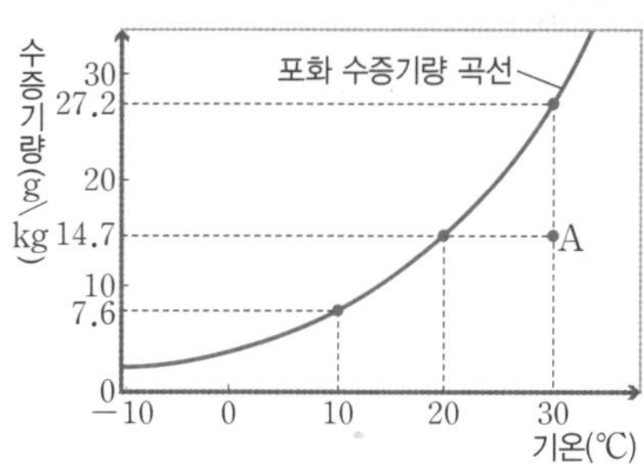

04 **A 공기의 포화 수증기량과 이슬점을 각각 쓰시오.**

필수

05 **A 공기 1 kg을 10 ℃로 냉각시킬 때 응결되는 수증기의 양(g)으로 옳은 것은?**

① 7.1 g
② 9.4 g
③ 10.6 g
④ 13.1 g
⑤ 21.0 g

필수

06 **그림 (가)와 같이 액정 온도계, 물과 향 연기를 조금 넣고 간이 펌프로 입구를 막은 페트병을 펌프로 눌러 압축시킨 후, (나)와 같이 펌프를 열어주었다.**

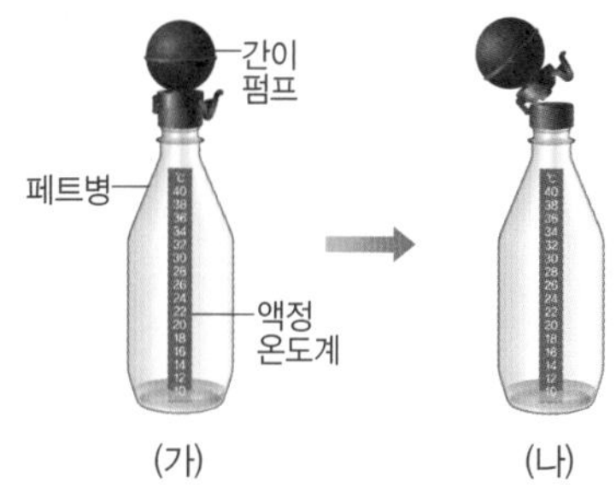

(나) 페트병 내부의 변화에 대한 설명으로 옳지 않은 것은?

① 페트병 내부의 온도는 내려간다.
② 페트병 내부는 처음보다 맑게 변한다.
③ 향 연기는 수증기의 응결을 돕는 역할을 한다.
④ 구름의 생성 원리를 알아보기 위한 실험이다.
⑤ 펌프를 열면 페트병 내부에 있던 공기의 부피는 늘어난다.

신유형

07 **구름 입자의 평균 지름은 0.02 mm이고, 빗방울의 평균 지름은 2 mm이다. 구름 입자가 몇 개 이상 모여야 하나의 빗방울이 될지 쓰시오.**

Ⅱ. 기권과 날씨

기압과 날씨

물음으로 흐름잡기

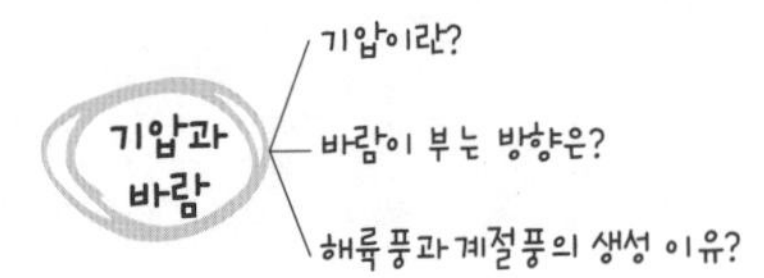

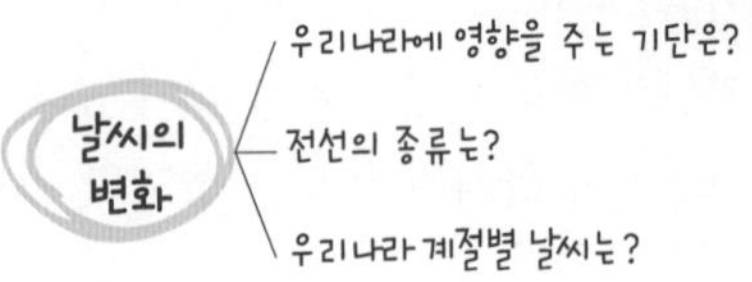

A 기압과 바람

1. 기압(대기압)

① 기압: 공기의 무게에 의해 생기는 압력* ➡ 기압의 크기는 단위 넓이당 작용하는 공기 기둥의 무게와 같다.

기압의 방향❶	기압이 작용하는 증거	기압을 못 느끼는 까닭
위, 아래, 옆 등 사방에서 작용	• 비행기가 이륙할 때 귀가 멍해진다. • 타이어에 공기를 넣으면 팽팽해진다. • 빈 음료수 팩 속의 공기를 빼면 찌그러진다.	기압과 같은 크기의 압력이 몸 안에서 바깥쪽으로 작용하기 때문

② 기압의 측정: 토리첼리가 수은을 이용하여 기압의 크기를 측정하였다.

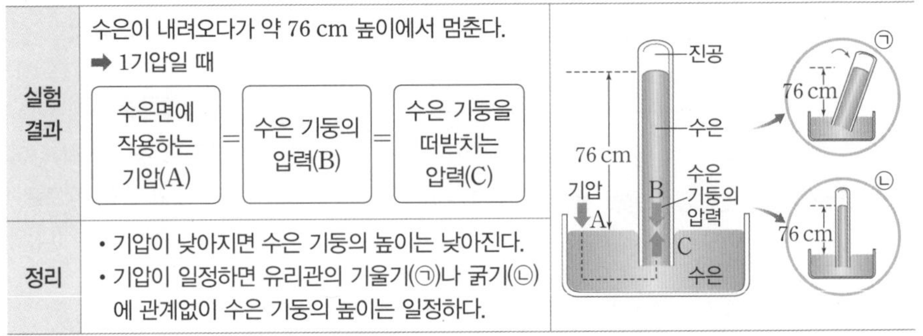

실험 결과	수은이 내려오다가 약 76 cm 높이에서 멈춘다. ➡ 1기압일 때 수은면에 작용하는 기압(A) = 수은 기둥의 압력(B) = 수은 기둥을 떠받치는 압력(C)
정리	• 기압이 낮아지면 수은 기둥의 높이는 낮아진다. • 기압이 일정하면 유리관의 기울기(㉠)나 굵기(㉡)에 관계없이 수은 기둥의 높이는 일정하다.

③ 기압의 크기❷: 1기압=약 76 cmHg=약 1013 hPa❸=물기둥 약 10 m의 압력

④ 기압의 변화: 공기는 계속 이동하므로 기압은 시간과 장소에 따라 변한다.

• 높이에 따른 기압: 높이 올라갈수록 공기가 희박해지고(위로 갈수록 공기의 밀도가 감소), 공기 기둥의 길이가 짧아지므로 기압은 낮아진다. ㉠ 높은 산 위에서는 과자 봉지가 부풀어오르거나 밥이 설익는다.

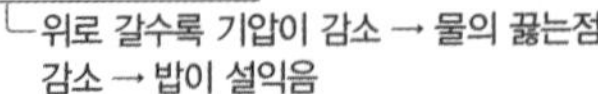

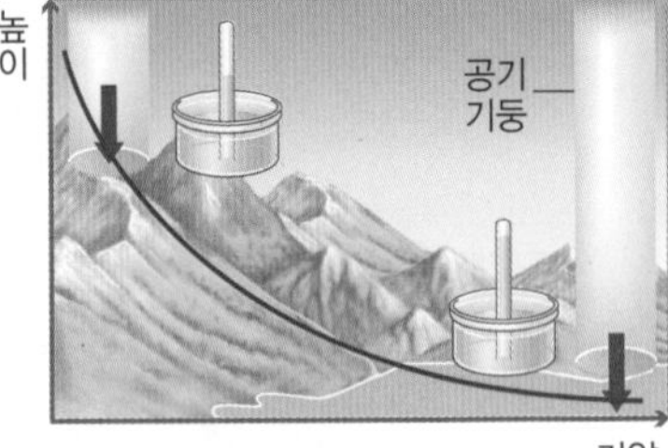

▲ 높이에 따른 기압의 변화

2. 바람 기압이 높은 곳에서 낮은 곳으로 공기가 이동하는 현상

① 지표면의 불균등 가열과 기압 변화: 따뜻한 지표면 위의 공기는 가열되어 상승하므로 기압이 낮아지고, 찬 지표면 위의 공기는 냉각되어 하강하므로 기압이 높아진다.

② 바람의 생성: 지표면이 불균등하게 가열되면 기압 차이가 생겨 차가운 지표면에서 따뜻한 지표면 쪽으로 바람이 분다.

③ 바람의 세기: 두 지점의 기압 차이가 클수록 바람은 더 세게 분다.

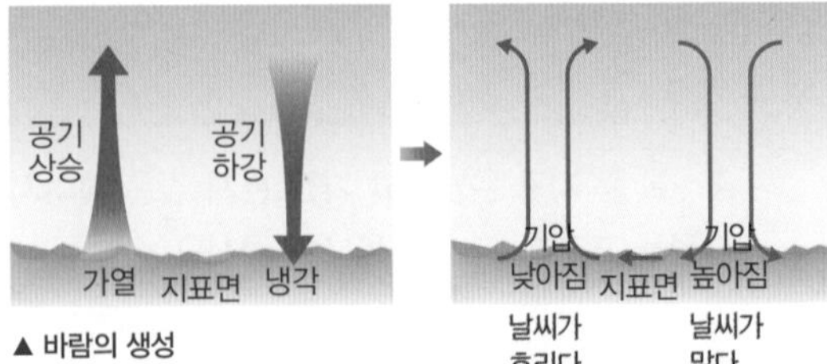

▲ 바람의 생성

❶ 기압의 방향

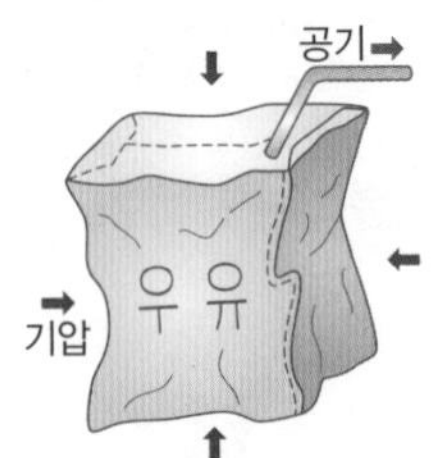

우유팩에 빨대를 꽂아 빨거나, 물이 조금 담긴 알루미늄 캔을 가열한 후 입구를 막고 찬물 속에 넣으면 캔이 사방으로 찌그러지는데, 이는 기압이 모든 방향에서 작용하기 때문이다.

우리 주변에서 기압을 이용한 예: 빨대, 흡착판, 진공청소기 등

❷ 1기압의 크기

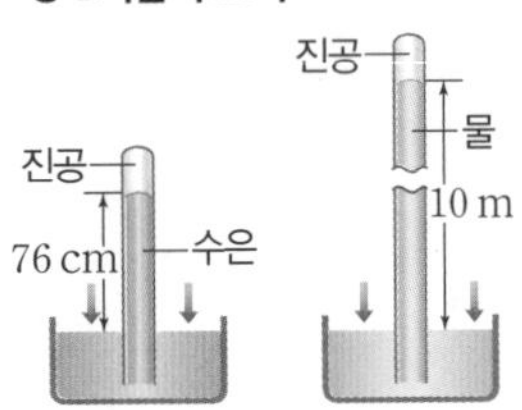

1기압=수은 기둥 약 76 cm의 압력=물기둥 약 10 m의 압력

❸ 1 hPa

1 hPa은 100 Pa(파스칼)을 말하며, 1 Pa은 1 m²의 면적에 1 N의 힘이 작용할 때의 압력이다.

용어 알기

• 압력 두 물체가 접촉면을 경계로 하여 서로 그 면에 수직으로 누르는 힘

3. 해륙풍과 계절풍 탐구 공략하기 056쪽

해륙풍과 계절풍의 공통점과 차이점
1. 공통점: 생성 원인(대륙과 해양의 비열* 차이)이 같다.
2. 차이점: 바람이 부는 주기가 서로 다르다.

① 해륙풍: 해안에서 하루를 주기로 부는 바람❹

해풍	구분	육풍
낮	부는 때	밤
바다 → 육지	바람 방향	육지 → 바다
육지>바다	기온	육지<바다
육지<바다	기압	육지>바다

▲ 해풍

▲ 육풍

② 계절풍: 대륙과 해양 사이에서 1년을 주기로 부는 바람

남동 계절풍	구분	북서 계절풍
여름	부는 때	겨울
해양 → 대륙	바람 방향	대륙 → 해양
대륙>해양	기온	대륙<해양
대륙<해양	기압	대륙>해양

▲ 남동 계절풍

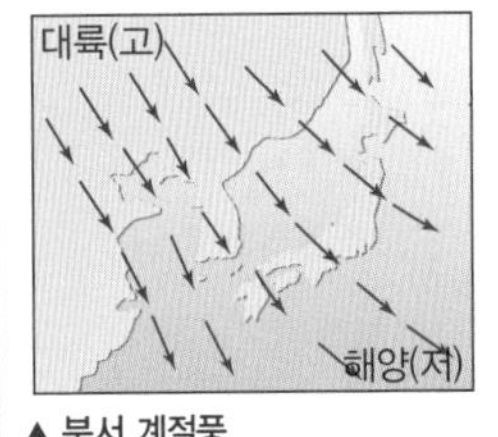

▲ 북서 계절풍

❹ 해풍과 육풍
- 날씨가 맑고 화창할수록 육지의 가열과 냉각이 뚜렷하므로 해풍과 육풍도 더 잘 발달한다.
- 일반적으로 해풍이 육풍보다 강하게 분다. 그 까닭은 육지와 바다의 온도 차이가 밤보다 낮에 더 크기 때문이다.

용어 알기
- **비열** 물질 1 g의 온도를 1 ℃ 올리는 데 필요한 열량(에너지)

개념 다지기

정답과 해설 014쪽

01 기압의 증거로 옳은 것은 ○표, 옳지 않은 것은 ×표를 하시오.

(1) 타이어에 공기를 넣으면 팽팽해진다. ( )
(2) 빈 음료수 팩의 공기를 빼면 찌그러진다. ( )
(3) 모래는 물보다 빨리 가열되고 냉각된다. ( )

02 기압에 대한 설명으로 옳은 것은 ○표, 옳지 않은 것은 ×표를 하시오.

(1) 수은 기둥 약 76 cm에 해당하는 대기 압력을 1기압이라고 한다. ( )
(2) 1기압은 약 1013 hPa과 같다. ( )
(3) 토리첼리 실험에서 유리관의 기울기를 기울이면 수은 기둥의 높이가 낮아진다. ( )
(4) 토리첼리 실험에서 가는 유리관을 사용하면 수은 기둥의 높이가 높아진다. ( )
(5) 높이 올라갈수록 기압은 낮아진다. ( )
(6) 같은 높이에서도 장소에 따라 기압은 변한다. ( )

03 그림은 바람이 부는 원리를 나타낸 것이다.

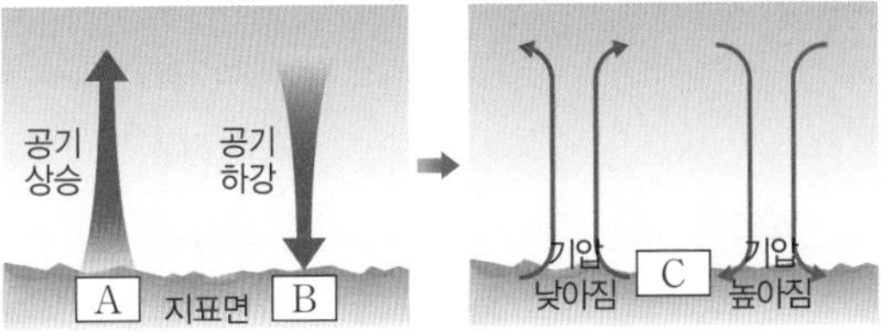

A, B에 알맞은 말을 쓰고, 지표 부근의 바람 방향(C)을 화살표로 표시하시오.

04 각 그림에 해당하는 것을 골라 ○표 하시오.

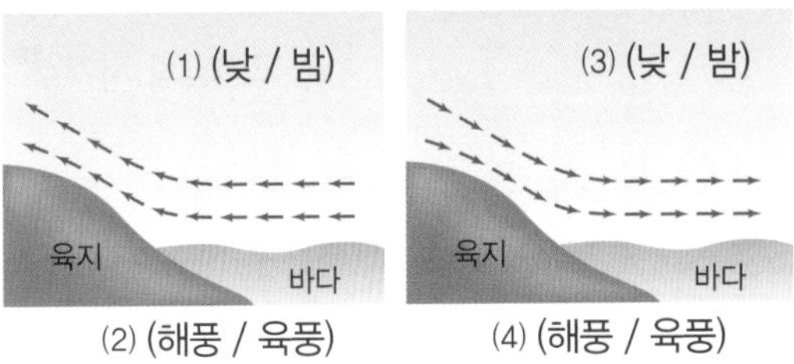

02 기압과 날씨

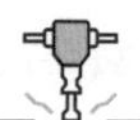

B 날씨의 변화

1. 기단
한 장소에 오랫동안 머물러 있어 기온과 습도 등이 비슷해진 큰 공기 덩어리

① 기단의 성질: 기단은 발생한 장소에 따라 성질이 다르다.⑤

발생 장소	해양	대륙	고위도	저위도
성질	습하다.	건조하다.	차다.	따뜻하다.

지구는 구형이므로 고위도로 갈수록 태양의 고도가 낮아져서 지표면의 온도가 낮아진다. 따라서 고위도에서 발원한 기단은 차다.

② 우리나라에 영향을 주는 기단

기단	성질	계절
양쯔강 기단	온난 건조	봄, 가을
오호츠크해 기단	저온 다습	초여름(장마철)
북태평양 기단	고온 다습	여름
시베리아 기단	한랭 건조	겨울

2. 전선
① 전선과 전선면: 성질이 다른 두 기단이 만날 때 생기는 경계면을 전선면이라고 하고, 전선면이 지표면과 만나서 생기는 경계선을 전선이라고 한다.
전선면은 항상 찬 공기 쪽으로 기울어진다.

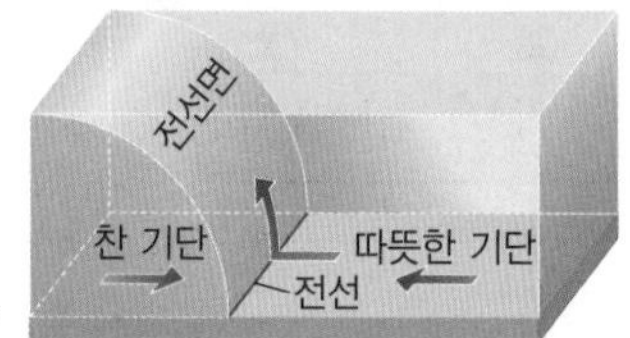

전선과 전선면 ▶

② 전선의 종류

한랭 전선	▲▲▲	찬 공기가 따뜻한 공기를 파고들면서 밀어 올릴 때 형성
온난 전선	●●●	따뜻한 공기가 찬 공기를 타고 오를 때 형성
폐색 전선	▲●▲●	이동 속도가 빠른 한랭 전선이 온난 전선을 따라가 겹쳐질 때 형성
정체 전선⑥	▼●▼	두 기단의 세력이 비슷하여 오랫동안 한 곳에 머물 때⑦ 형성

③ 한랭 전선과 온난 전선의 특징 비교
찬 공기와 따뜻한 공기가 만날 때 따뜻한 공기가 찬 공기 위를 타고 상승하므로 구름이나 비는 항상 찬 공기 쪽으로 나타난다.

전선		한랭 전선	온난 전선
모습		적운형 구름, 찬 공기, 따뜻한 공기, 한랭 전선	따뜻한 공기, 층운형 구름, 찬 공기, 온난 전선
전선면의 기울기		급하다.	완만하다.
구름 / 비의 형태		적운형 / 좁은 지역에 소나기	층운형 / 넓은 지역에 이슬비
이동 속도		빠르다.	느리다.
전선 통과 후	기온	하강	상승
	기압	상승	하강
	풍향	남서풍 → 북서풍	남동풍 → 남서풍

3. 고기압과 저기압⑧

고기압	저기압
주위보다 기압이 높은 곳으로, 북반구에서는 바람이 시계 방향으로 불어 나가고, 하강 기류가 생긴다. ➡ 맑은 날씨가 나타난다.	주위보다 기압이 낮은 곳으로, 북반구에서는 바람이 시계 반대 방향으로 불어 들어오고, 상승 기류가 생긴다. ➡ 흐리거나 비가 내린다.

⑤ 기단의 변질
기단이 이동하면 이동한 지역의 지표면의 영향을 받아 아래쪽부터 그 성질이 변한다.

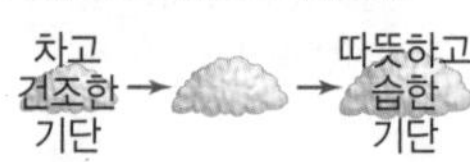

암기! 기단의 성질

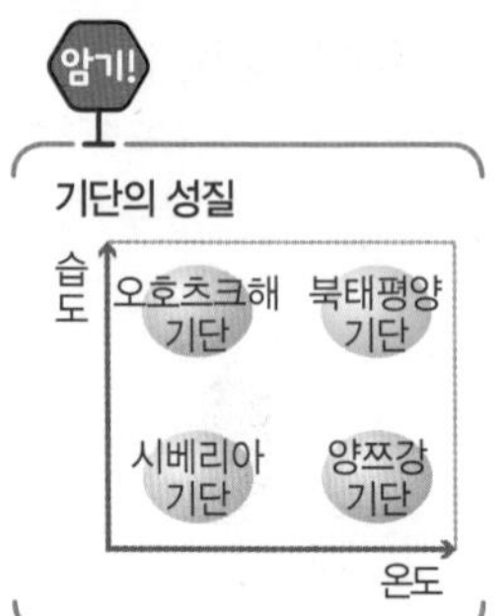

⑥ 정체 전선의 형성

⑦ 장마 전선
초여름에 장마가 계속되는 것은 습기가 많은 오호츠크해 기단과 북태평양 기단이 우리나라 상공에서 만나 정체 전선(장마 전선)을 형성하기 때문이다.

⑧ 고기압과 저기압

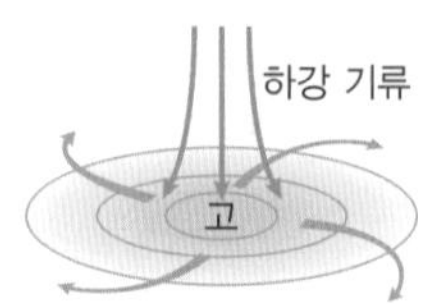

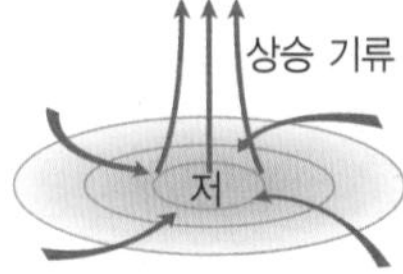

4. 온대 저기압 중위도 지방에서 발달하는 저기압으로, 온난 전선과 한랭 전선을 동반

구분	A 지역	B 지역	C 지역
위치	한랭 전선의 뒤쪽	한랭 전선과 온난 전선 사이	온난 전선의 앞쪽
기온	낮다.	높다.	낮다.
날씨	좁은 지역에 소나기	맑다.	넓은 지역에 이슬비
풍향	북서풍	남서풍	남동풍

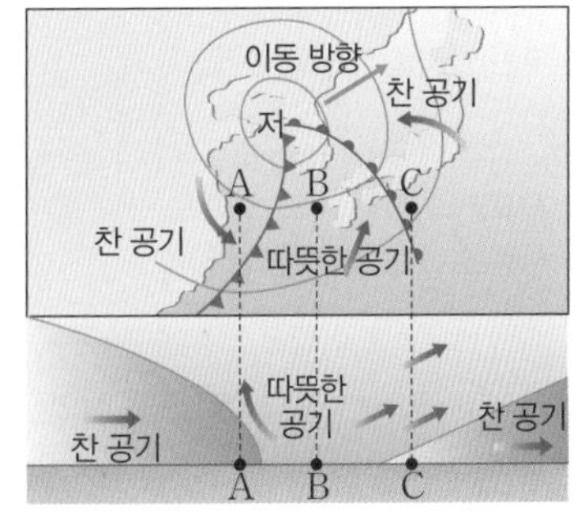

❾ 이동성 고기압
봄·가을에 발생하는 규모가 작은 고기압으로, 이동성 고기압이 통과할 때는 날씨가 맑지만 그 뒤에 저기압이 뒤따라오므로 날씨 변화가 심하다.

5. 우리나라의 계절별 날씨의 특징

봄·가을	• 이동성 고기압❾과 저기압이 자주 통과하여 날씨 변화가 심하다. • 봄: 황사 현상, 꽃샘추위 • 가을: 높고 파란 하늘, 늦가을에 첫서리
초여름(장마)	• 6월 말~7월 말 사이에 나타난다. • 두 기단의 세력이 비슷하여 장마 전선을 형성한다. (장마 전선: 북태평양 기단과 오호츠크해 기단이 만나 형성된다.)
여름	• 남고북저형 기압 배치(남쪽의 해양이 고기압, 북쪽의 대륙이 저기압) • 남동 계절풍(해양 → 대륙) • 무더위, 열대야* 현상, 태풍❿ 통과
겨울	• 서고동저형 기압 배치(서쪽의 대륙이 고기압, 동쪽의 해양이 저기압) • 북서 계절풍(대륙 → 해양) • 한파, 폭설, 삼한사온*

❿ 열대 저기압(태풍)
열대 지방의 해수면에서 수증기와 열을 공급받아 발생하는 저기압으로, 전선을 동반하지 않는다.

▲ 봄 · 가을

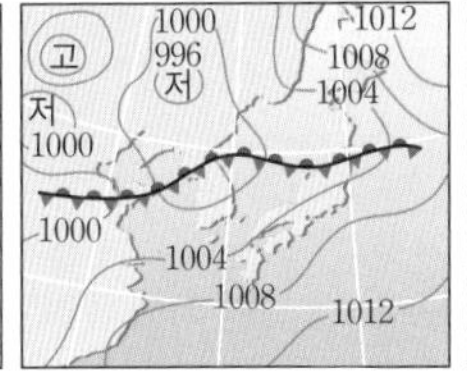
▲ 초여름(장마)

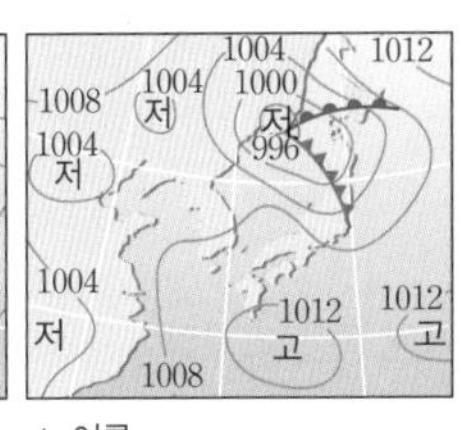
▲ 여름

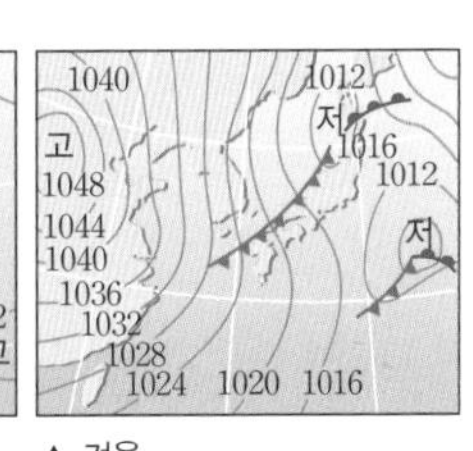
▲ 겨울

용어 알기
• **열대야** 밤에도 기온이 25 ℃ 이상인 덥고 습한 날씨
• **삼한사온** 겨울철에 3일은 춥고, 4일은 따뜻한 날씨가 반복되는 현상으로, 시베리아 기단에 의해 나타남

개념 다지기

정답과 해설 014쪽

05 기단에 대한 설명으로 옳은 것은 ○표, 옳지 않은 것은 ×표를 하시오.

(1) 공기가 한 장소에 오래 머물 때 형성된다. ( )
(2) 기온과 습도가 비슷한 큰 공기 덩어리이다. ( )
(3) 기단은 다른 지역으로 이동해도 성질이 변하지 않는다. ( )
(4) 대륙에서 발생한 기단은 습하다. ( )

06 우리나라에 영향을 주는 기단과 그 특징을 옳은 것끼리 연결하시오.

(1) 양쯔강 기단 • • ㉠ 온난 건조한 날씨
(2) 오호츠크해 기단 • • ㉡ 무덥고 습한 날씨
(3) 북태평양 기단 • • ㉢ 춥고 건조한 날씨
(4) 시베리아 기단 • • ㉣ 저온 다습한 날씨

07 표의 ㉠~㉢에 들어갈 알맞은 말을 쓰시오.

구분	한랭 전선	온난 전선
기울기	(㉠).	완만하다.
이동 속도	빠르다.	(㉡).
구름	(㉢)	층운형

08 그림은 어느 계절에 우리나라 부근의 일기도를 나타낸 것이다.

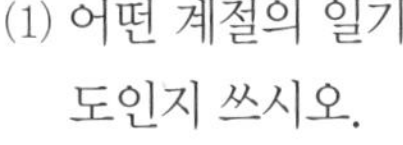

(1) 어떤 계절의 일기도인지 쓰시오.
(2) 이 계절에 우리나라 날씨에 가장 큰 영향을 주는 기단을 쓰시오.

탐구 공략 하기

바람의 발생 원리 알아보기

목표

바람이 부는 원리를 설명할 수 있다.

공략 포인트

바람은 지표면의 가열 속도 차이(지표면의 비열 차이 때문에 발생)에 의해 불게 됨을 이해하고, 이때 바람은 기압이 높은 곳에서 낮은 곳으로 분다는 사실을 아는 것이 중요하다!

과정

❶ 그림과 같이 장치한 후 10분 동안 적외선등을 켜서 온도 변화를 측정하면서 향 연기의 움직임을 관찰한다.

❷ 이후 적외선등을 끄고 10분 동안 온도 변화를 측정하면서 향 연기의 움직임을 관찰한다.

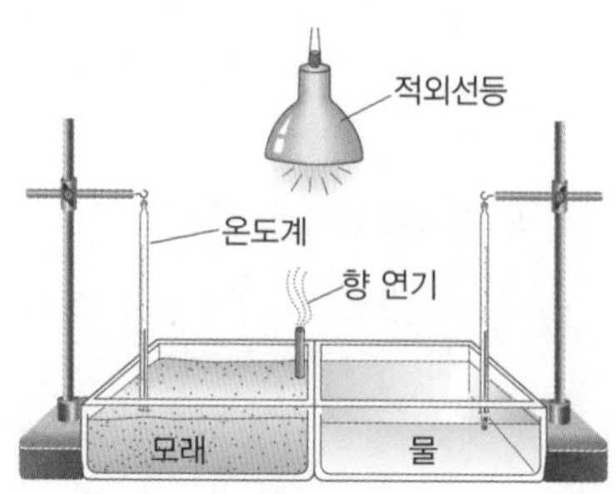

결과

모래는 물보다 비열이 작기 때문에 빨리 가열되고 빨리 냉각된다.

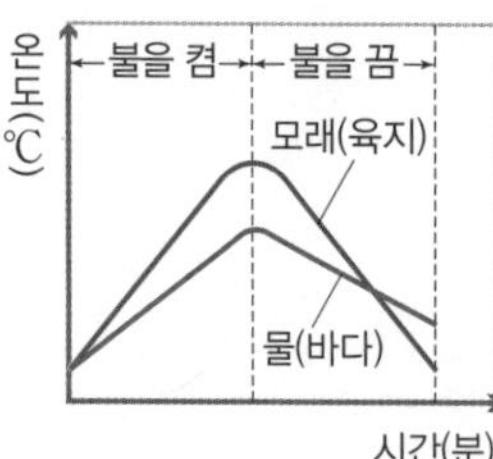

구분	적외선등을 켰을 때	적외선등을 껐을 때
온도 변화	모래가 물보다 빨리 가열된다.	모래가 물보다 빨리 냉각된다.
향 연기의 움직임	물 → 모래 쪽으로 이동한다.	모래 → 물 쪽으로 이동한다.

정리

1. 가열된 지표면 쪽은 저기압, 냉각된 쪽은 고기압이 형성되므로 찬 지면 쪽에서 따뜻한 지면 쪽으로 바람이 불게 된다.
2. 해안 지방에서 낮에는 육지가 바다보다 빨리 가열되어 바다에서 육지 쪽으로 해풍이 분다.
3. 해안 지방에서 밤에는 육지가 바다보다 빨리 냉각되어 육지에서 바다 쪽으로 육풍이 분다.

확인 문제

★ 정답과 해설 014쪽

01 위 실험과 관련된 다음 물음에 답하시오.

(1) 적외선등을 켰을 때 모래와 물 중 온도가 더 빨리 상승하는 것은 무엇인지 쓰시오.

(2) 적외선등을 켰을 때 향의 연기는 어느 방향으로 움직이는지 쓰시오.

(3) 적외선등을 껐을 때 모래와 물 중 온도가 더 빨리 하강하는 것은 무엇인지 쓰시오.

(4) 적외선등을 껐을 때 향의 연기는 어느 방향으로 움직이는지 쓰시오.

(5) 이 실험과 같은 원리로 해안 지방에서 하루를 주기로 부는 바람을 무엇이라고 하는지 쓰시오.

02 칸막이를 한 수조의 양쪽 칸에 더운물과 얼음물이 담긴 팩을 넣은 후, 수조의 가운데에 향불을 놓았다.

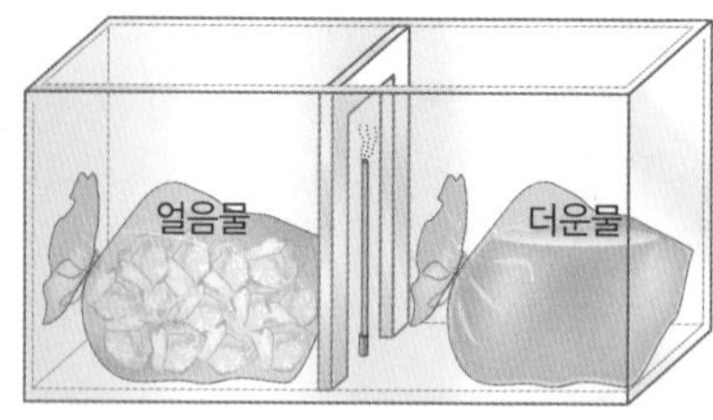

이 실험에 대한 설명으로 옳은 것은 ○표, 옳지 않은 것은 ×표를 하시오.

(1) 향의 연기는 더운물 쪽에서 얼음물 쪽으로 이동한다. ( )

(2) 더운물 쪽에는 저기압, 얼음물 쪽에는 고기압이 형성된다. ( )

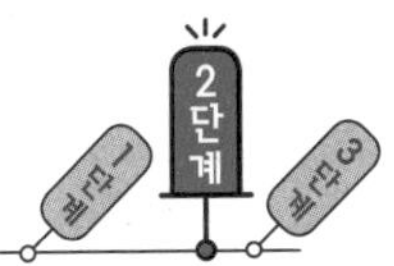

정답과 해설 015쪽

A 기압과 바람

01 기압에 대한 설명으로 옳은 것만을 보기에서 모두 고른 것은?

보기
ㄱ. 공기의 무게 때문에 생기는 압력이다.
ㄴ. 기압의 단위는 주로 hPa을 사용한다.
ㄷ. 기압은 항상 위에서 아래로 작용한다.
ㄹ. 기압은 장소나 시간에 따라 다르게 나타난다.

① ㄱ, ㄴ ② ㄱ, ㄹ ③ ㄴ, ㄷ
④ ㄱ, ㄴ, ㄹ ⑤ ㄴ, ㄷ, ㄹ

02 기압을 이용한 도구가 아닌 것은?

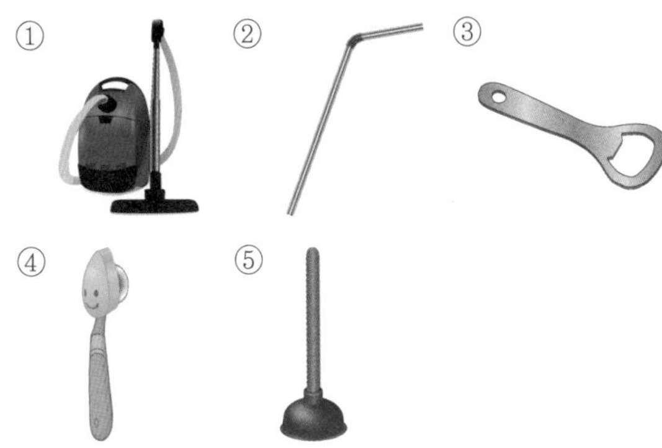

[03-04] 그림은 알루미늄 캔에 물을 조금 넣고 가열한 후, 뚜껑을 테이프로 붙이고 찬물 속에 알루미늄 캔을 넣고 식혔을 때의 모습을 나타낸 것이다.

서술형
03 위 실험에서 알루미늄 캔이 찌그러진 원인을 서술하시오.

---

04 이 실험의 결과와 관계있는 현상은?

① 물을 가열하면 끓는다.
② 맑은 날 새벽 풀잎에 이슬이 맺힌다.
③ 물은 항상 높은 곳에서 낮은 곳으로 흐른다.
④ 풍선에 공기를 넣으면 질량이 조금 증가한다.
⑤ 뜨거운 밥을 넣은 그릇의 뚜껑을 닫아두면 식은 후 뚜껑이 잘 열리지 않는다.

필수
05 그림과 같이 유리관에 수은을 가득 채우고 수은이 담긴 수조에 유리관을 거꾸로 세운 후 수은 기둥의 높이를 측정하였다. 이 실험에 대한 설명으로 옳은 것만을 보기에서 모두 고른 것은?

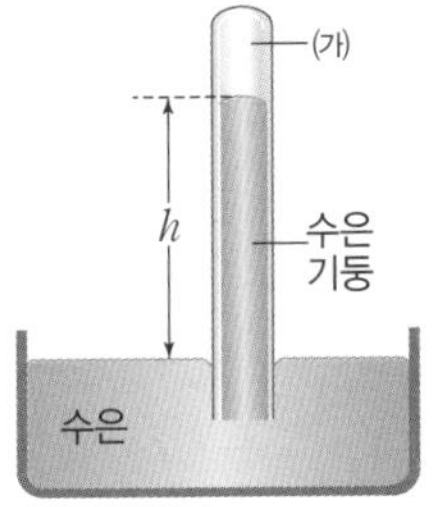

보기
ㄱ. (가)는 공기가 없는 진공 상태이다.
ㄴ. 1기압일 때 수은 기둥의 높이 h는 70 cm이다.
ㄷ. 기압이 높아지면 수은 기둥의 높이는 낮아진다.

① ㄱ ② ㄴ ③ ㄱ, ㄷ
④ ㄴ, ㄷ ⑤ ㄱ, ㄴ, ㄷ

필수
06 유리관에 수은을 가득 채우고, 수은이 담긴 수조에 거꾸로 세웠더니 그림과 같은 결과가 나타났다.

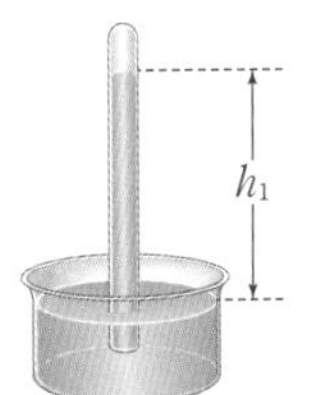

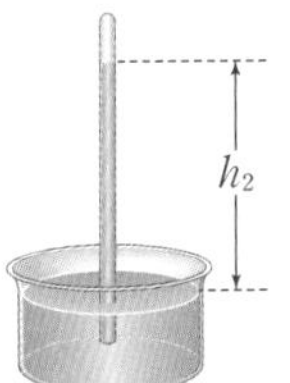

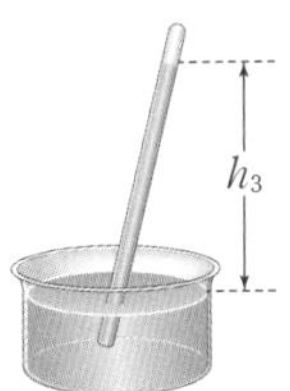

수은 기둥의 높이 h_1, h_2, h_3의 크기를 옳게 비교한 것은?

① $h_1>h_2>h_3$ ② $h_1=h_2>h_3$ ③ $h_1>h_2=h_3$
④ $h_1=h_2=h_3$ ⑤ $h_1<h_2<h_3$

07 높이에 따른 기압의 크기 변화를 옳게 설명한 것은?

① 기압은 높이에 관계없이 일정하다.
② 기압은 높이 올라갈수록 급격히 증가한다.
③ 기압은 높이 올라갈수록 일정하게 낮아진다.
④ 기압은 높이 올라갈수록 일정하게 증가한다.
⑤ 기압은 높이 올라갈수록 급격히 낮아지다가 높은 고도에서는 기압의 감소율이 작아진다.

필수

08 바람이 부는 방향에 대한 설명으로 가장 적절한 것은?

① 기온이 높은 지역에서 낮은 지역으로 분다.
② 기압이 높은 지역에서 낮은 지역으로 분다.
③ 위도가 높은 지역에서 낮은 지역으로 분다.
④ 수증기량이 많은 지역에서 적은 지역으로 분다.
⑤ 상대 습도가 높은 지역에서 낮은 지역으로 분다.

필수

09 그림 (가)와 (나)는 해안에서 낮과 밤에 부는 바람을 순서 없이 나타낸 것이다.

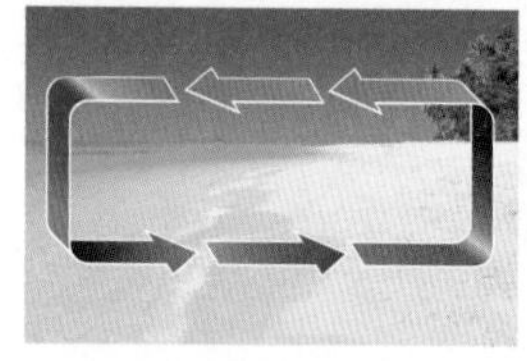
(가)

(나)

(가)와 (나)에 대한 설명으로 옳지 않은 것은?

① (가)는 해풍이다.
② (나)는 주로 밤에 부는 바람이다.
③ (가)에서 지표면의 온도는 바다가 육지보다 높다.
④ (나)에서 지표 부근의 기압은 육지가 바다보다 높다.
⑤ (가)와 (나)는 하루를 주기로 부는 바람이다.

10 해안에서는 보통 낮과 밤에 부는 바람의 방향이 다르다. 그 까닭에 대한 설명으로 옳은 것은?

① 바다의 면적이 육지보다 넓기 때문에
② 육지의 기압이 바다에 비해 더 높기 때문에
③ 바다는 육지보다 온도 변화가 더 빠르기 때문에
④ 육지가 바다보다 빨리 가열되고 냉각되기 때문에
⑤ 바다는 육지에 비해 날씨 변화가 더 빈번하기 때문에

필수

11 그림과 같이 칸막이를 한 수조의 한쪽 칸에는 더운물을 넣고 다른 쪽 칸에는 얼음물을 넣은 다음 가운데에서 향을 피웠다.

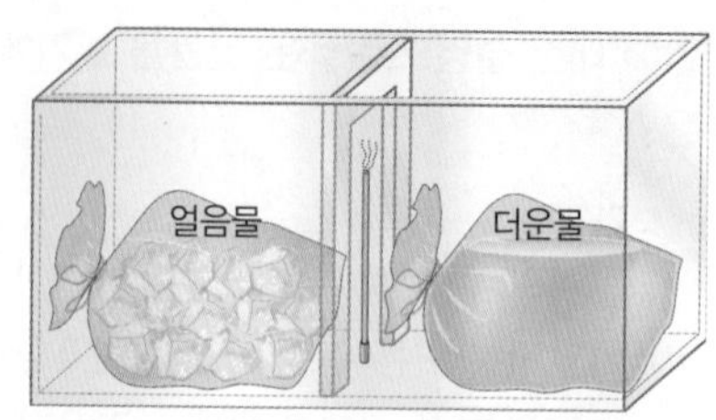

이 실험에서 향 연기의 이동 방향과 기압의 크기를 옳게 짝 지은 것은?

	향 연기의 이동 방향	기압의 크기
①	얼음물 → 더운물	더운물 = 얼음물
②	얼음물 → 더운물	더운물 > 얼음물
③	얼음물 → 더운물	얼음물 > 더운물
④	더운물 → 얼음물	더운물 > 얼음물
⑤	더운물 → 얼음물	얼음물 > 더운물

필수

12 그림 (가)와 (나)는 어느 해안에서 낮과 밤에 관측한 바람의 방향을 나타낸 것이다.

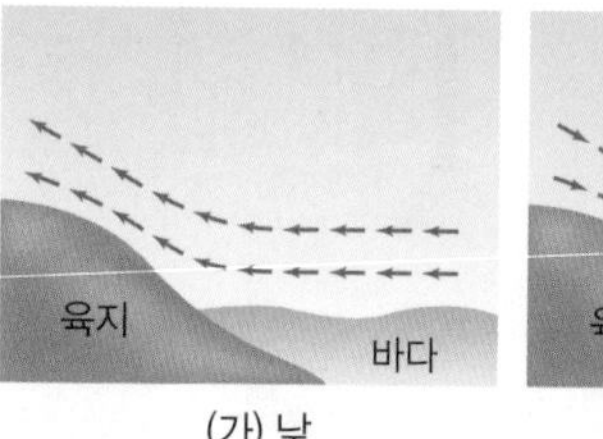

(가) 낮

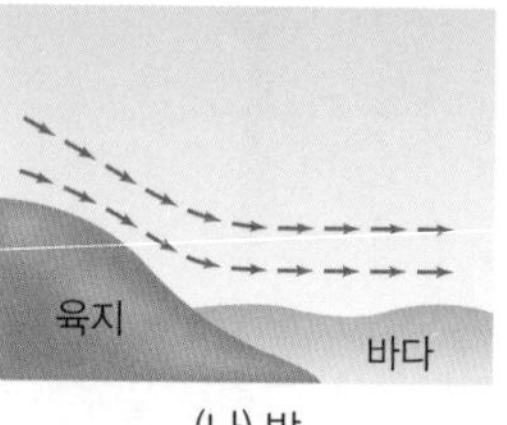

(나) 밤

이에 대한 설명으로 옳은 것만을 보기에서 모두 고른 것은?

보기
ㄱ. (가)일 때 해풍, (나)일 때 육풍이 분다.
ㄴ. (가)일 때 육지에서 공기가 하강한다.
ㄷ. (나)일 때 육지의 기압이 바다보다 높다.

① ㄱ　② ㄴ　③ ㄱ, ㄷ
④ ㄴ, ㄷ　⑤ ㄱ, ㄴ, ㄷ

13 우리나라 부근에서는 여름철에는 남동 계절풍이 불고, 겨울철에는 북서 계절풍이 분다. 이와 같은 계절풍과 해륙풍의 공통점은?

① 생성 원리　② 바람의 규모
③ 바람의 주기　④ 바람이 부는 시기
⑤ 바람이 부는 지역

정답과 해설 015쪽

B 날씨의 변화

[14-16] 그림은 우리나라 날씨에 영향을 주는 기단을 나타낸 것이다.

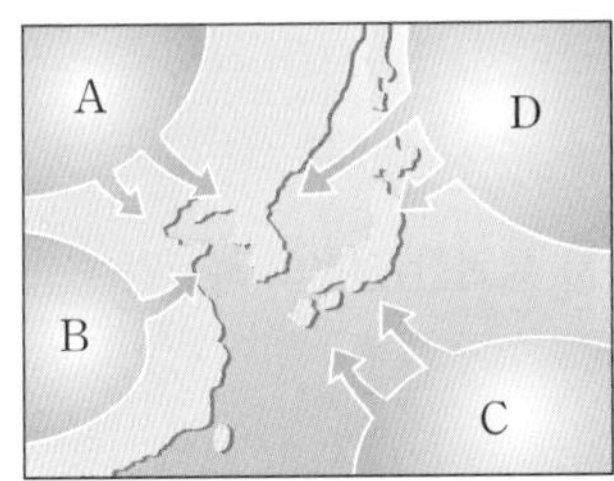

14 A 기단이 우리나라를 거쳐 일본 쪽으로 이동할 때 기온과 습도의 변화를 옳게 짝 지은 것은?

	기온	습도
①	변함없다.	변함없다.
②	높아진다.	낮아진다.
③	높아진다.	높아진다.
④	낮아진다.	높아진다.
⑤	낮아진다.	낮아진다.

필수

15 위 그림에 대한 설명으로 옳지 않은 것은?

① A와 B는 습도가 낮은 기단이다.
② B와 C는 온도가 높은 기단이다.
③ C와 D는 초여름에 장마 전선을 형성하는 기단이다.
④ A는 겨울철의 춥고 건조한 날씨에 영향을 주는 기단이다.
⑤ D는 봄철에 우리나라 날씨에 가장 큰 영향을 주는 기단이다.

16 그림과 같은 일기도가 나타나는 계절에 우리나라 날씨에 가장 큰 영향을 주는 기단을 고르고, 그 명칭을 쓰시오.

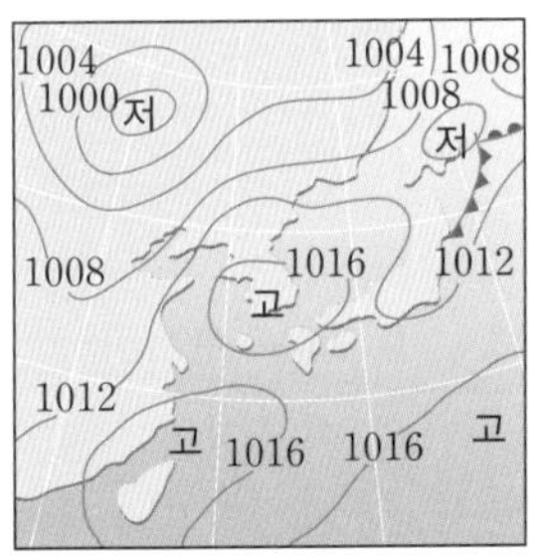

필수

17 그림과 같이 장치한 후 칸막이를 천천히 들어 올리면서 찬물과 따뜻한 물의 움직임을 살펴보았다. 이 실험을 통하여 알 수 있는 사실만을 보기에서 모두 고른 것은?

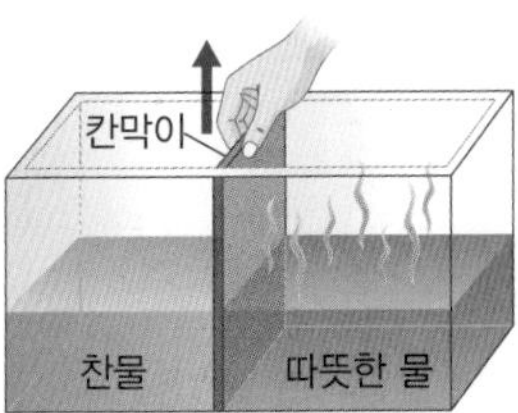

보기
ㄱ. 전선의 생성 원리를 알아보기 위한 것이다.
ㄴ. 칸막이를 들어 올리면 따뜻한 물은 위로, 찬물은 아래로 움직인다.
ㄷ. 따뜻한 기단과 찬 기단이 만나면 전선면은 따뜻한 기단 쪽으로 기울어질 것이다.

① ㄱ ② ㄴ ③ ㄷ ④ ㄱ, ㄴ ⑤ ㄱ, ㄷ

18 그림은 찬 공기 덩어리와 따뜻한 공기 덩어리가 만났을 때의 모습을 나타낸 것이다.

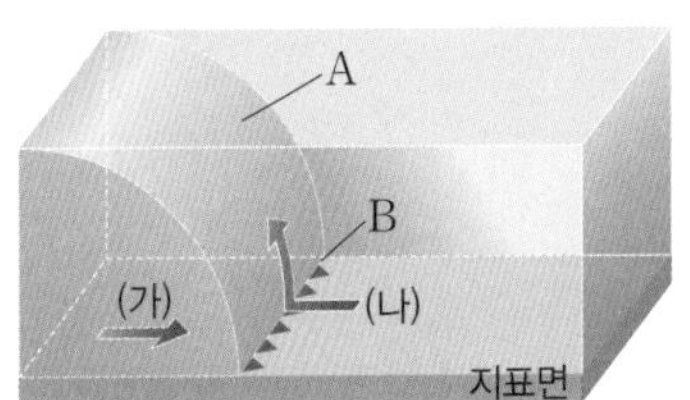

이에 대한 설명으로 옳은 것만을 보기에서 모두 고른 것은?

보기
ㄱ. A는 전선면, B는 전선이다.
ㄴ. (가)는 따뜻한 공기, (나)는 찬 공기이다.
ㄷ. 그림의 전선은 폐색 전선에 해당한다.

① ㄱ ② ㄴ ③ ㄷ ④ ㄱ, ㄴ ⑤ ㄱ, ㄷ

19 그림은 어떤 전선의 기호를 나타낸 것이다. 이 전선에 대한 설명으로 옳은 것은?

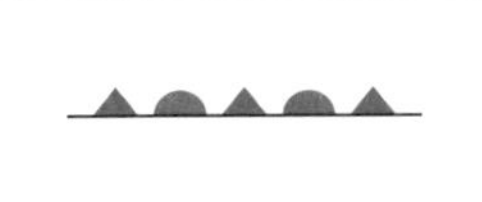

① 한 장소에 오랫동안 머물러 있는 전선이다.
② 우리나라의 장마철에 자주 나타나는 전선이다.
③ 두 전선이 겹쳐지게 되어 형성되는 전선이다.
④ 따뜻한 공기가 찬 공기 위로 올라가면서 생긴 전선이다.
⑤ 찬 공기가 따뜻한 공기 밑으로 파고들면서 생긴 전선이다.

필수

20 그림은 두 종류의 전선의 단면을 나타낸 것이다.

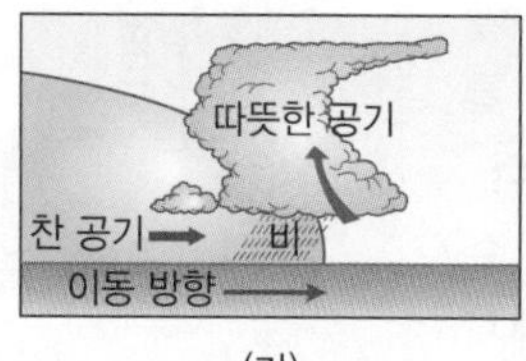

(가)

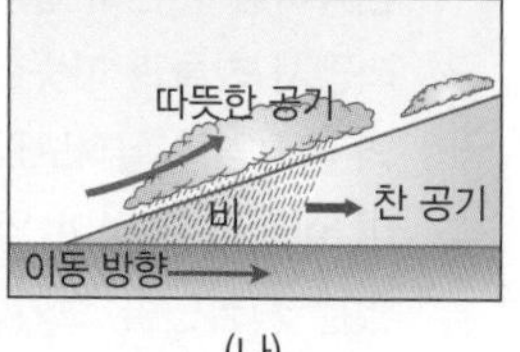

(나)

(가), (나) 두 전선을 옳게 비교한 것은?

	(가)	(나)
① 전선의 종류	온난 전선	한랭 전선
② 구름의 모양	층운형	적운형
③ 비의 형태	이슬비	소나기
④ 이동 속도	빠르다.	느리다.
⑤ 통과 후 기온	높아진다.	낮아진다.

[21-22] 그림은 어느 날 우리나라 부근에 전선이 통과할 때의 모습을 나타낸 것이다.

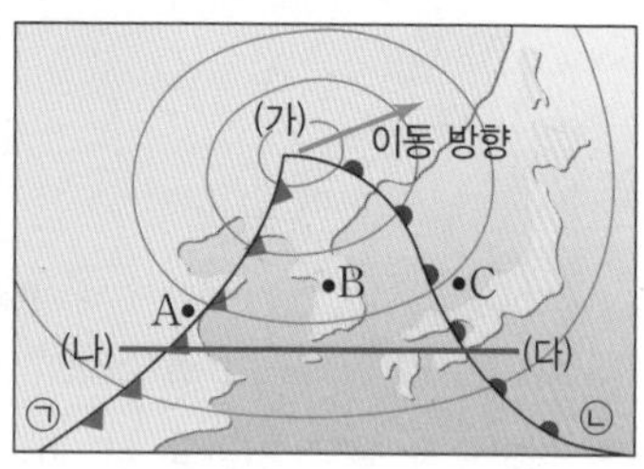

21 (나)~(다) 방향의 수직 단면도로 옳은 것은?

①

②
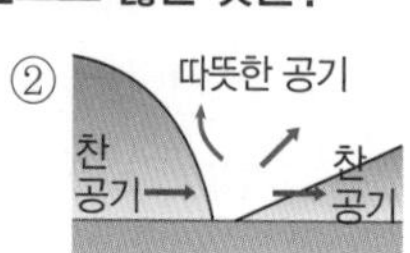

③
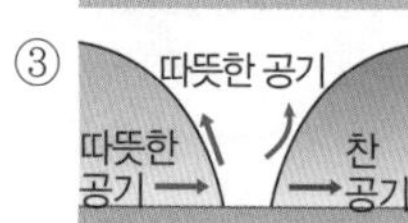

④
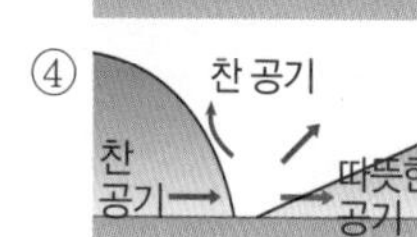

⑤
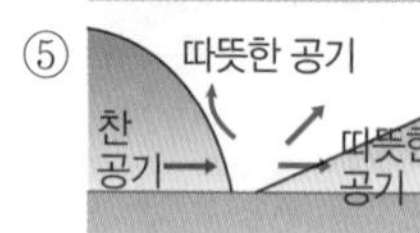

필수

22 위 그림에 대한 설명으로 옳은 것은?

① (가)는 열대 저기압 중심이다.
② ㉠은 온난 전선, ㉡은 한랭 전선이다.
③ A 지역에서는 층운형 구름이 발달한다.
④ B 지역은 A나 C 지역에 비해 기온이 높다.
⑤ C 지역에서는 짧은 시간 동안 비가 내린다.

필수 서술형

23 표는 어느 관측소에서 3시간 간격으로 측정한 기상 자료이다.

시각(시)	9	12	15	18	21
풍향	SW	SW	SW	NW	NW
풍속(m/s)	3	5	5	8	5
기온(℃)	15	22	22	17	13

이 관측소를 통과한 전선의 종류와 통과한 시간에 대해 서술하시오.

신유형

24 그림은 어느 계절에 우리나라 부근의 일기도를 나타낸 것이다.

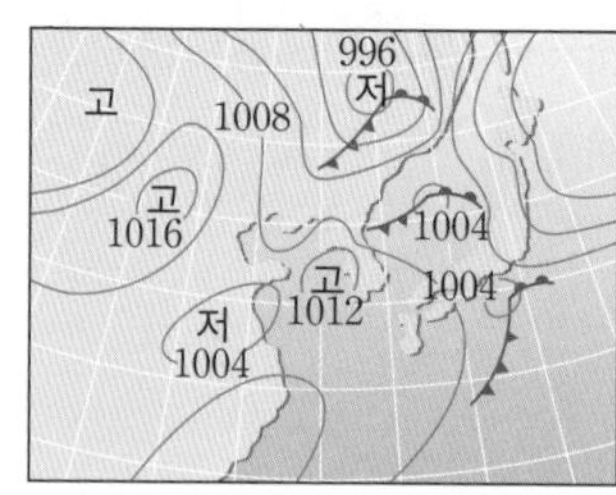

이 계절에 우리나라 날씨의 특징과 관계 없는 현상은?

① 열대야
② 꽃샘추위
③ 황사 현상
④ 이동성 고기압
⑤ 양쯔강 기단

필수

25 계절에 따른 우리나라 날씨의 특징으로 옳지 않은 것은?

① 봄에는 이동성 고기압과 저기압의 영향으로 날씨 변화가 심하다.
② 초여름에는 우리나라 주변에 장마 전선이 형성되어 오랫동안 비가 내린다.
③ 여름에는 서고동저형의 기압 배치가 형성되고, 삼한사온 현상이 나타난다.
④ 가을에는 높고 파란 하늘을 볼 수 있고, 늦가을에는 첫서리가 내린다.
⑤ 겨울에는 시베리아 고기압의 영향으로 한파가 발생하고 북서 계절풍이 분다.

만점 도전하기

정답과 해설 017쪽

필수

01 그림은 우리나라 부근에서 부는 계절풍을 나타낸 것이다. 이 계절풍의 풍향과, 이와 같은 계절풍이 불 때 대륙과 해양의 기온과 기압을 옳게 비교한 것은?

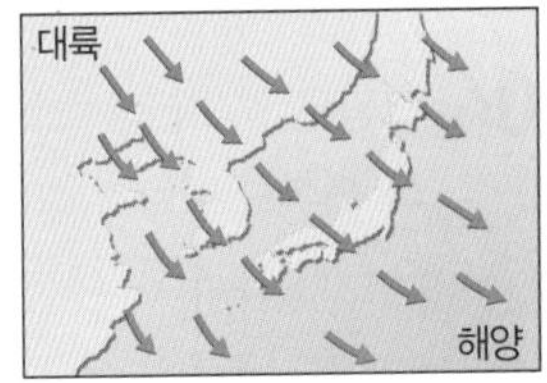

풍향	기온	기압
① 북서풍	대륙<해양	대륙>해양
② 북서풍	대륙>해양	대륙<해양
③ 남동풍	대륙<해양	대륙>해양
④ 남동풍	대륙>해양	대륙<해양
⑤ 남서풍	대륙<해양	대륙>해양

02 그림은 어느 날 우리나라 부근의 등압선도를 나타낸 것이다. A 지점에서 부는 바람의 방향과 기류를 옳게 나타낸 것은?

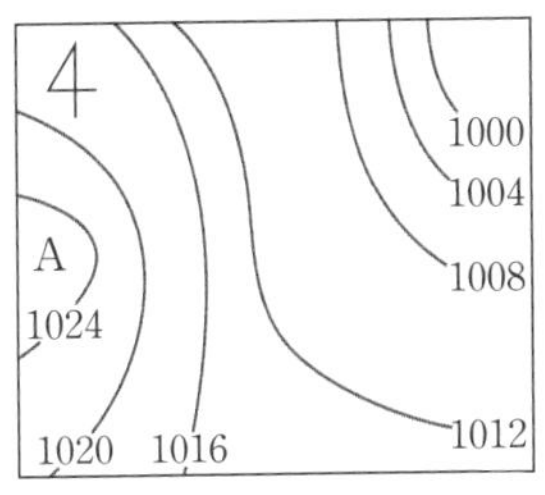

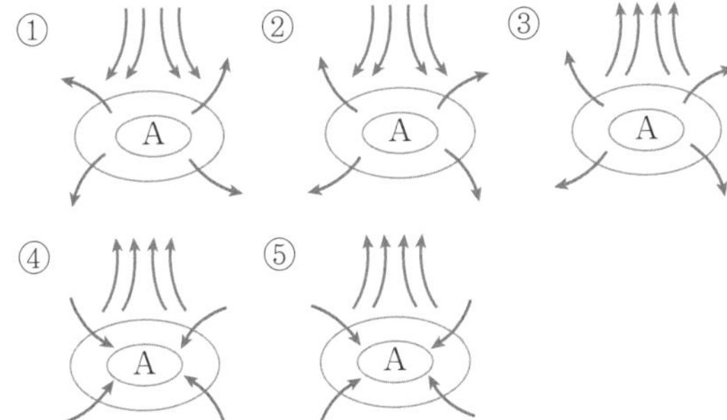

필수

03 그림은 어느 날 우리나라 부근의 일기도를 나타낸 것이다. A 지역에서의 바람, 비, 기온 등의 날씨 변화를 예측하여 ㉠~㉤에 들어갈 알맞은 말을 쓰시오.

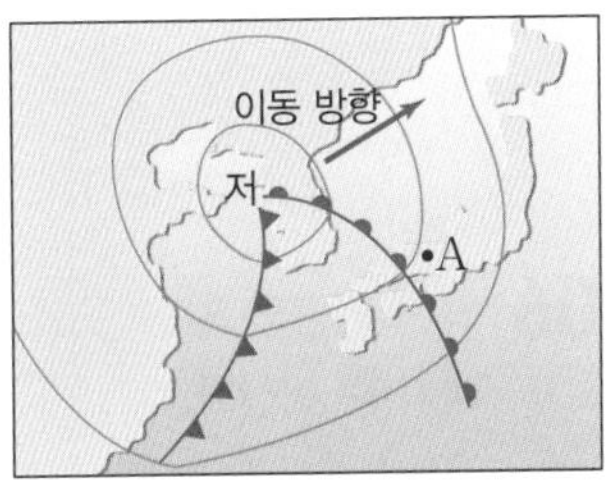

구분	현재	온난 전선 통과 후	한랭 전선 통과 후
바람	남동풍	(㉠)	(㉡)
비	(㉢)	맑다.	(㉣)
기온	낮다.	(㉤).	낮아진다.

필수

04 그림과 같이 장치한 후 적외선등으로 모래와 물을 10분 동안 가열하고 냉각시키면서 온도 변화를 측정하였다. 이 실험에서 모래와 물의 온도 변화를 옳게 나타낸 그래프는?

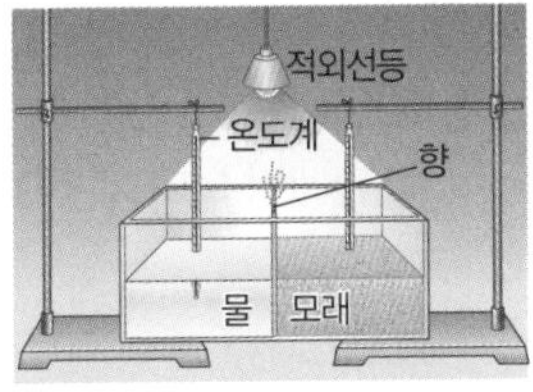

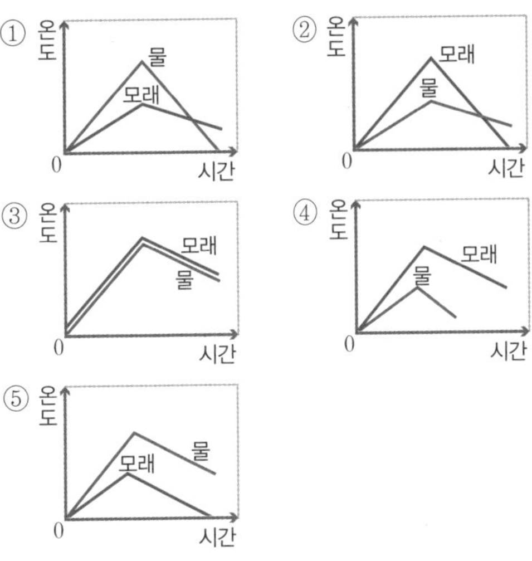

신유형

05 다음은 어느 날 신문의 일기 예보에 실린 생활 지수를 나타낸 것이다.

• 난방 지수: 90
• 운동 지수: 40
• 불조심 지수: 80
• 외출 지수: 50

이와 같은 생활 지수가 자주 나타나는 계절의 일기도로 볼 수 있는 것은?

①
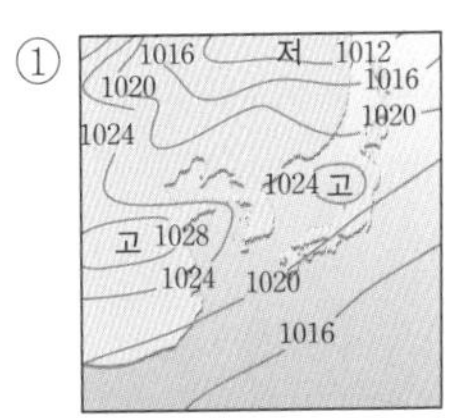

②
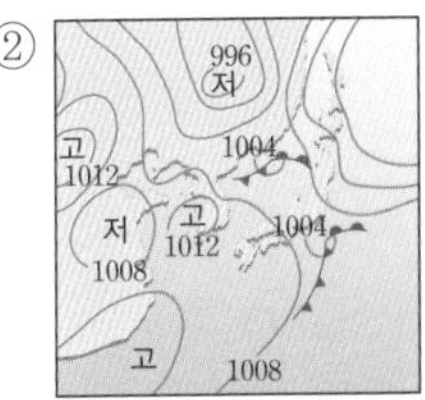

③
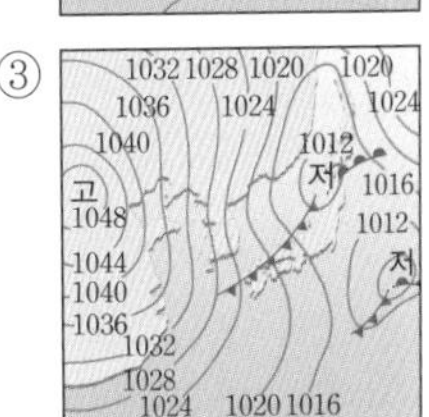

④
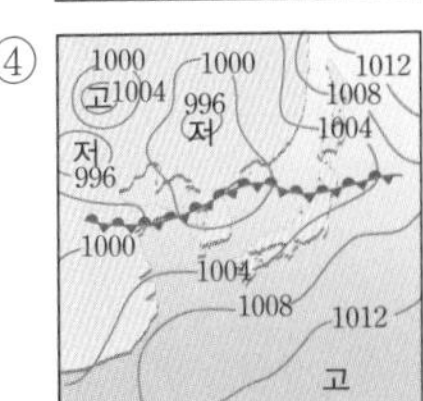

⑤
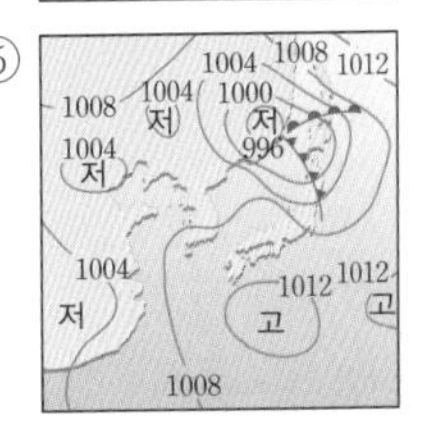

점수 표시가 없는 문제는 모두 3점입니다.

제한시간: 45분

01 지구와 달리 달에는 대기가 없다. 이것으로부터 달의 표면에서 나타날 것으로 예상되는 현상은?

① 햇빛이 비추지 않는다.
② 밤낮의 온도 차가 없다.
③ 물체가 아래로 떨어지지 않는다.
④ 태양의 자외선이 들어오지 않는다.
⑤ 구름, 비, 눈 등의 기상 현상이 없다.

02 그림은 기권을 4개의 층으로 구분하여 나타낸 것이다.

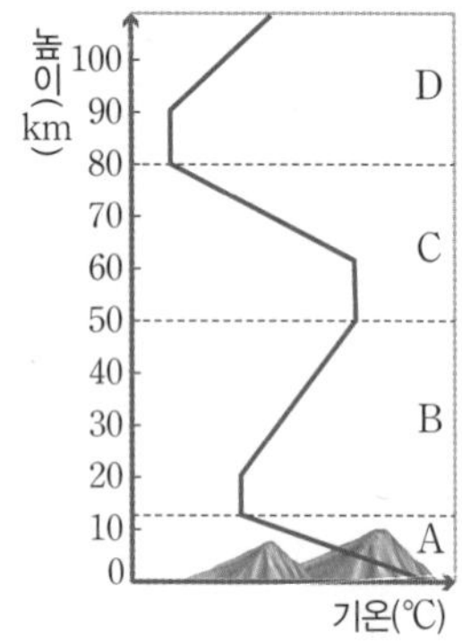

A~D 각 층에 대한 설명으로 옳은 것만을 보기에서 모두 고르시오.

보기
ㄱ. A: 대류 현상과 기상 현상이 나타난다.
ㄴ. B: 기층이 안정되어 있어 하부는 장거리 비행기의 항로로 이용한다.
ㄷ. C: 상부는 기권 중 기온이 가장 낮으며, 유성이 많이 관측된다.
ㄹ. D: 낮과 밤의 기온 차가 거의 나타나지 않는다.

03 지표에서 높이 20~30 km 사이에 분포하며, 자외선을 흡수하여 지구의 생명체를 보호하는 층의 이름을 쓰시오.

04 그림은 적외선등으로 알루미늄 컵을 가열했을 때의 온도 변화를 나타낸 것이다.

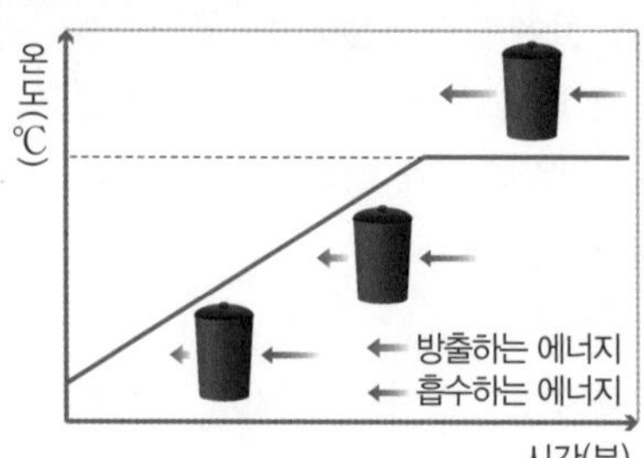

이 실험에서 알루미늄 컵이 더 높은 온도에서 복사 평형을 이루게 하는 방법으로 옳은 것은?

① 알루미늄 컵의 뚜껑을 열고 실험한다.
② 적외선등의 빛을 더 약하게 조정한다.
③ 크기가 더 큰 알루미늄 컵으로 실험한다.
④ 알루미늄 컵을 비닐봉지 등을 이용하여 감싼다.
⑤ 적외선등과 알루미늄 컵 사이의 거리를 멀게 한다.

05 금성과 지구는 크기가 거의 비슷하며, 태양으로부터의 거리는 금성이 지구보다 훨씬 가깝다. 만일 다른 조건은 같은 상태로 지구가 금성의 위치로 옮겨진다고 가정할 때 지구의 복사 평형에 미치는 영향에 대한 설명으로 옳은 것만을 보기에서 모두 고른 것은?

보기
ㄱ. 흡수하는 태양 복사 에너지양이 증가한다.
ㄴ. 방출하는 지구 복사 에너지양이 증가한다.
ㄷ. 흡수하는 태양 복사 에너지만큼 지구 복사 에너지를 방출하므로 지구의 평균 온도는 변하지 않는다.

① ㄱ ② ㄴ ③ ㄷ ④ ㄱ, ㄴ ⑤ ㄱ, ㄴ, ㄷ

06 최근 인간의 활동에 의한 화석 연료의 대량 사용으로 대기 중 이산화 탄소의 양이 증가하고 있다. 그 결과 지구에서 일어나는 현상으로 옳지 않은 것은?

① 지구의 기온이 상승한다.
② 추운 곳에 사는 생물이 멸종한다.
③ 사막화가 진행되고 황사 현상이 심해진다.
④ 해수면이 낮아져서 육지의 면적이 넓어진다.
⑤ 가뭄, 홍수, 태풍 등의 기상 이변이 심해진다.

정답과 해설 017쪽

07 그림은 기온과 포화 수증기량의 관계를 나타낸 것이다.

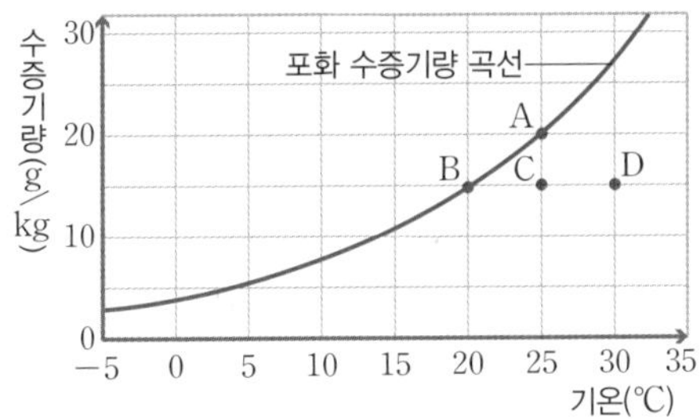

이에 대한 설명으로 옳은 것은?

① A 공기는 불포화 상태이다.
② A와 C 공기의 이슬점은 같다.
③ B 공기의 상대 습도는 100 %이다.
④ C와 D 공기의 포화 수증기량은 같다.
⑤ D 공기는 C 공기보다 상대 습도가 높다.

08 표는 기온과 포화 수증기량의 관계를 나타낸 것이다.

기온(℃)	5	10	15	20	25
포화 수증기량(g/kg)	5.4	7.5	10.0	14.5	20.0

기온이 25 ℃인 공기의 온도가 15 ℃가 되면서 이슬이 맺히기 시작하였다. 이 공기의 온도가 25 ℃일 때 상대 습도는 몇 %인지 쓰시오.

09 그림은 실험실 공기의 이슬점을 측정하기 위해 장치한 것이다.

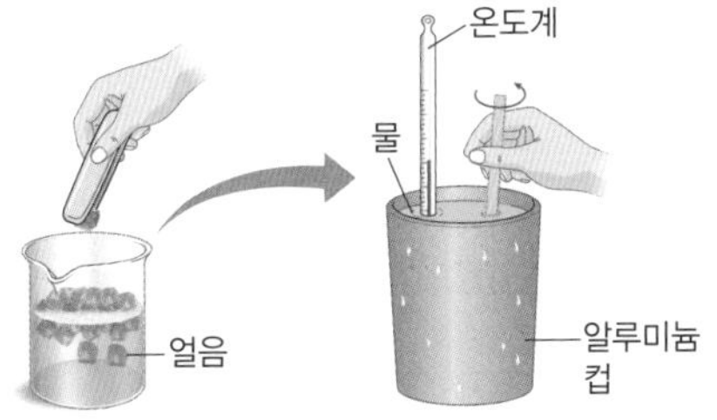

이 실험에서 이슬점에 해당하는 것은?

① 얼음의 온도
② 물의 처음 온도
③ 실험실 공기의 처음 온도
④ 컵의 표면에 물방울이 맺히기 시작하는 순간 물의 온도
⑤ 컵의 표면에 물방울이 맺히기 시작하는 순간 공기의 온도

10 그림과 같이 둥근 바닥 플라스크 안에 물과 향의 연기를 넣고 주사기를 연결하였다. 주사기의 피스톤을 빠르게 잡아당길 때 플라스크 내부에서 일어나는 변화만을 보기에서 모두 고른 것은?

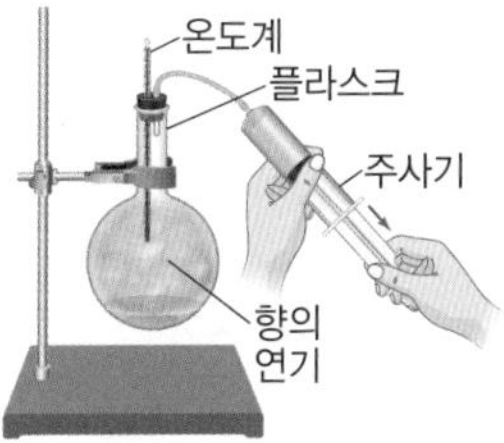

보기
ㄱ. 뿌옇게 흐려진다.
ㄴ. 상대 습도가 증가한다.
ㄷ. 포화 수증기량이 증가한다.
ㄹ. 온도가 낮아져서 이슬점에 도달한다.
ㅁ. 플라스크 속의 수증기량이 증가한다.

① ㄱ ② ㄱ, ㄹ ③ ㄱ, ㅁ
④ ㄱ, ㄴ, ㄹ ⑤ ㄴ, ㄷ, ㅁ

11 일상생활에서 일어나는 현상 중 구름이 만들어지는 원리와 같은 것은?

① 휴대용 버너에서 뷰테인 가스로 음식을 요리하다 보니 가스통이 차가워지면서 표면에 물방울이 맺혔다.
② 추운 날 버스에 올라타니 안경이 뿌옇게 흐려졌다.
③ 뜨거운 목욕탕 천장에 물방울이 맺혔다.
④ 비가 오는 날 빨래가 잘 마르지 않아 선풍기를 틀었더니 빨래가 빨리 말랐다.
⑤ 냉장고에 있던 차가운 음료수병을 꺼냈더니 병 표면에 물방울이 맺혔다.

12 다음은 우리나라에서 일어나는 강수 과정을 설명한 것이다. 밑줄 친 말 중 옳지 않은 것은?

우리나라와 같은 ①중위도 지방에서 높이 발달한 구름 속에는 물방울과 얼음 알갱이가 섞여 있다. 이때 ②물방울에 수증기가 달라붙어서 커지면 ③눈이 되고, 이것이 내려오다 따뜻한 공기층을 지나면 ④비가 되어 내린다. 이와 같은 강수 이론을 ⑤빙정설이라고 한다.

13 기압이 작용하는 증거로 적당하지 <u>않은</u> 것은?

① 타이어에 공기를 넣으면 팽팽해진다.
② 낮에 하늘을 보면 파란색으로 보인다.
③ 풍선이 위로 올라가면 부피가 팽창한다.
④ 빈 음료수 팩의 공기를 빼면 찌그러진다.
⑤ 주사기 끝을 막고 손으로 누르면 피스톤이 잘 들어가지 않는다.

14 높이에 따른 기압의 변화를 옳게 나타낸 그래프는?

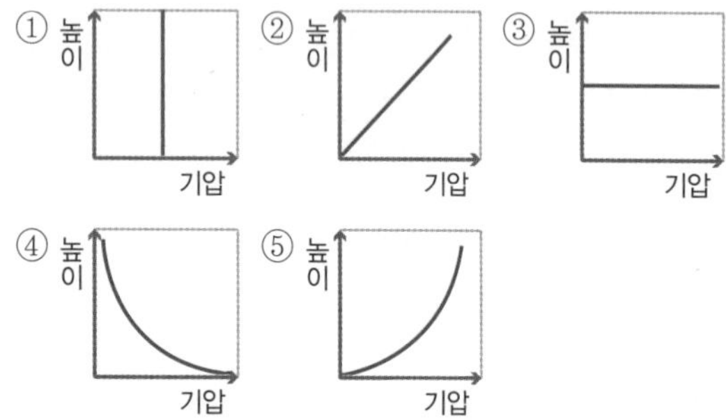

15 그림은 어느 전선의 수직 단면도이다. 이 전선에 대한 설명으로 옳은 것은? (정답 2개)

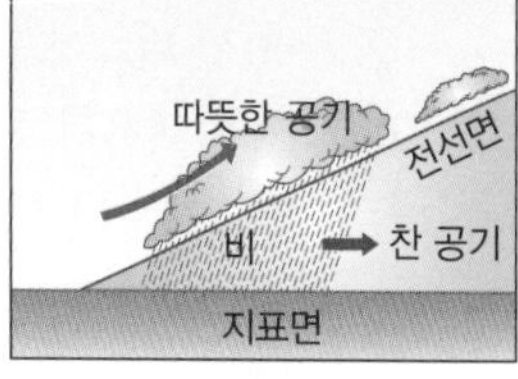

① 한랭 전선이다.
② 적운형 구름이 발달한다.
③ 이슬비가 오랫동안 내린다.
④ 전선의 이동 속도가 느리다.
⑤ 전선이 지나고 나면 추워진다.

16 그림과 같은 일기도가 자주 나타날 때 많이 판매될 것이라 예상되는 상품에 해당하는 것은?

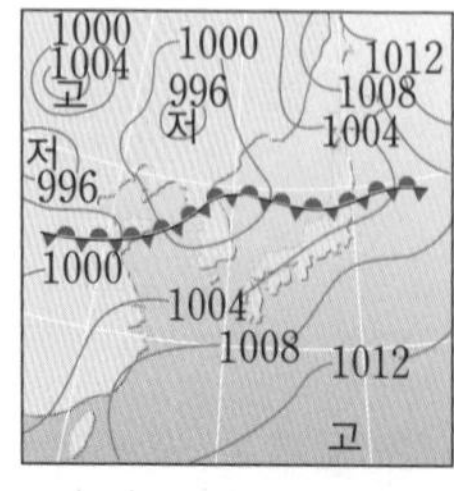

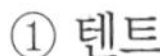

① 텐트 ② 우산
③ 빙과류 ④ 전열기
⑤ 에어컨

17 그림은 며칠 간격으로 우리나라 주변의 일기도를 나타낸 것이다.

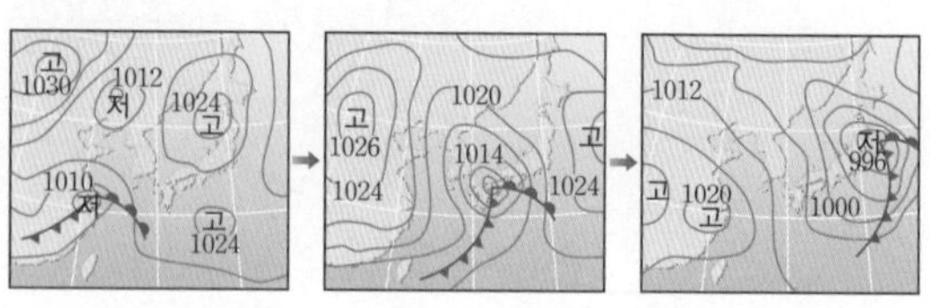

이에 대한 설명으로 옳은 것만을 보기에서 모두 고른 것은?

| 보기 |
ㄱ. 한랭 전선의 이동 속도가 온난 전선보다 빠르다.
ㄴ. 온대 저기압이 이동함에 따라 정체 전선이 만들어진다.
ㄷ. 이 기간 동안 우리나라 남쪽으로 온대 저기압이 지나갔다.

① ㄱ ② ㄴ ③ ㄷ ④ ㄱ, ㄷ ⑤ ㄱ, ㄴ, ㄷ

18 그림 (가)는 어느 계절에 우리나라 주변의 일기도를, (나)는 우리나라 날씨에 영향을 주는 기단을 나타낸 것이다.

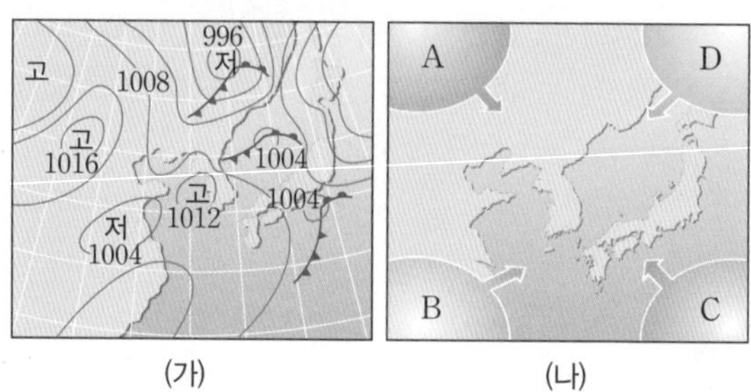

(가) (나)

그림 (가)와 같은 일기도가 나타나는 계절을 쓰고, 이때 우리나라 날씨에 가장 큰 영향을 주는 기단을 그림 (나)에서 골라 쓰시오.

19 보기는 계절별 우리나라 날씨의 특징을 설명한 것이다.

| 보기 |
ㄱ. 남동 계절풍이 분다.
ㄴ. 삼한사온 현상이 나타난다.
ㄷ. 황사 현상과 꽃샘추위가 나타난다.
ㄹ. 장마 전선이 형성되어 많은 비가 내린다.

봄철부터 순서대로 옳게 나열한 것은?

① ㄱ－ㄴ－ㄷ－ㄹ ② ㄴ－ㄹ－ㄷ－ㄱ
③ ㄷ－ㄱ－ㄹ－ㄴ ④ ㄷ－ㄹ－ㄱ－ㄴ
⑤ ㄹ－ㄷ－ㄱ－ㄴ

★ 정답과 해설 017쪽

서 / 술 / 형 / 문 / 제

20 장거리 비행기는 흔히 기층이 안정되어 있는 고도 11 km 이상의 성층권 하부를 항로로 이용하고 있다. 성층권에서 기층이 안정적인 까닭을 서술하시오. (6점)

21 다음은 지구 온난화를 설명한 글이다.

> 산업 혁명 이후 인류가 사용하는 화석 연료의 양은 점점 증가했다. 그 결과 대기 중에 이산화 탄소와 같은 온실 기체의 농도가 증가하면서 지구의 평균 기온이 상승하였다.

지구 온난화가 지속될 때 나타날 수 있는 피해 현상을 2가지 이상 서술하시오. (6점)

22 표는 수성과 금성의 특징을 비교한 것이다.

구분	수성	금성
태양으로부터의 거리(지구=1)	0.4	0.7
표면 온도	약 427 ℃	약 477 ℃

금성은 수성보다 태양으로부터의 거리가 더 멀지만 표면 온도가 더 높은 까닭을 서술하시오. (6점)

23 주전자의 물이 끓을 때 나온 김을 플라스크에 모은 다음 마개를 막은 후, 그림과 같이 더운물을 플라스크에 부었더니 플라스크 속이 맑아졌다. 이와 같은 현상이 일어나는 까닭에 대해 서술하시오. (6점)

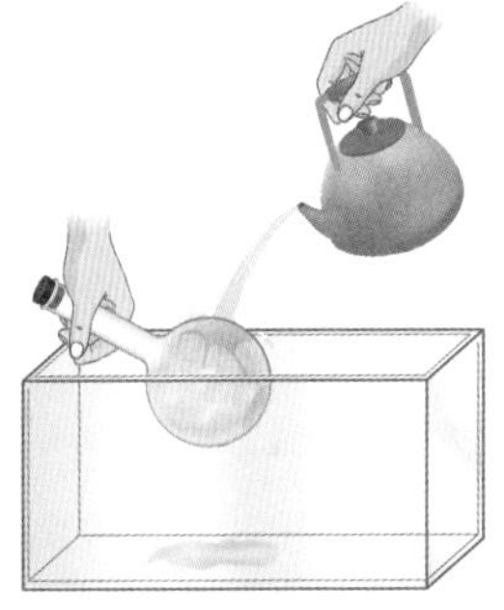

24 그림은 고위도나 중위도 지방의 구름 속에서 눈이 생성되는 모습을 나타낸 것이다. 이 구름 속에서 눈이나 비는 어떤 과정을 거쳐 만들어지는지 서술하시오. (7점)

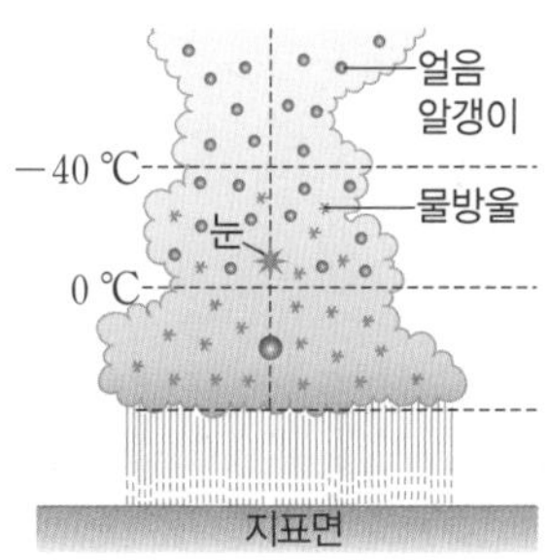

25 그림과 같은 토리첼리의 실험에서 수은 기둥은 내려오다가 어느 정도의 높이(h)에서 멈춘다. 그 까닭을 서술하시오. (6점)

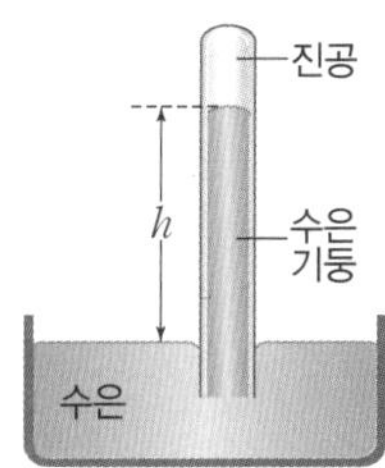

26 그림은 우리나라 날씨에 영향을 주는 기단을 나타낸 것이다.

A~D 중에서 황사 현상이 일어나는 계절과 관련된 기단을 고르고, 이 기단의 이름과 성질에 대해 서술하시오. (6점)

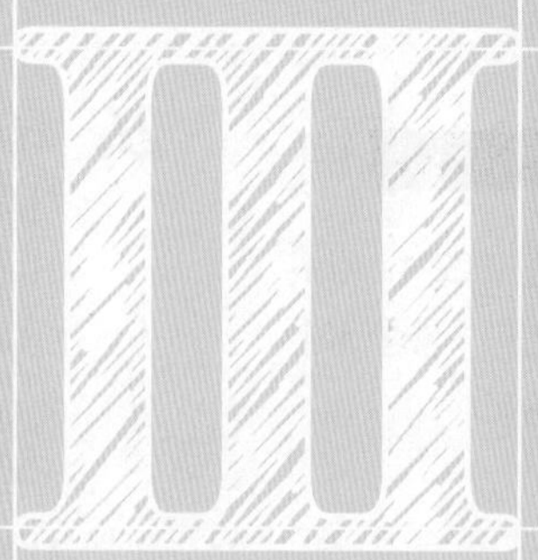

운동과 에너지

배울 내용이 쉬워지는 용어

배울 용어를 읽어보고, 이해가 되었으면 ✔ 표시를 해 봅시다.

- ☐ **다중 섬광 사진** 물체의 움직임을 일정한 시간 간격으로 한 장의 사진에 담아낸 것
- ☐ **속력** 단위 시간당 이동한 거리, 단위는 m/s(미터 매 초), km/h(킬로미터 매 시)
- ☐ **등속 운동** 속력이 변하지 않고 일정한 운동
- ☐ **자유 낙하 운동** 공기 저항이 없을 때 지표면 근처에서 정지해 있던 물체가 중력만을 받아 떨어지는 운동
- ☐ **중력 가속도 상수** 물체가 자유 낙하 할 때의 속력 변화량, 지구에서 9.8
- ☐ **질량과 자유 낙하 운동** 자유 낙하 하는 물체는 물체의 질량에 관계없이 동시에 떨어짐
- ☐ **과학에서의 일** 물체에 힘이 작용하여 물체가 힘의 방향으로 이동할 때 일을 한다고 함
- ☐ **일의 양** 물체에 작용한 힘의 크기와 물체가 힘의 방향으로 이동한 거리의 곱
- ☐ **에너지** 일을 할 수 있는 능력
- ☐ **일과 에너지의 전환** 일과 에너지는 서로 전환됨
- ☐ **중력에 대해 한 일과 위치 에너지** 물체를 일정한 속력으로 들어 올릴 때 중력에 대해 한 일이 물체의 위치 에너지가 됨
- ☐ **중력이 한 일과 운동 에너지** 물체가 자유 낙하를 할 때 중력이 물체에 한 일이 물체의 운동 에너지가 됨

다중 섬광 사진에서 사람 사이의 시간 간격은 모두 같아.

속력이 변하지 않네.

속력이 일정하게 증가하고 있어.

일 하는 중이야.

추의 에너지가 말뚝을 박는 일을 했어.

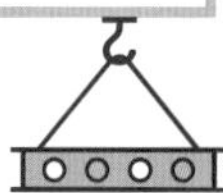

Ⅲ. 운동과 에너지

운동

⚠ 물음으로 흐름잡기

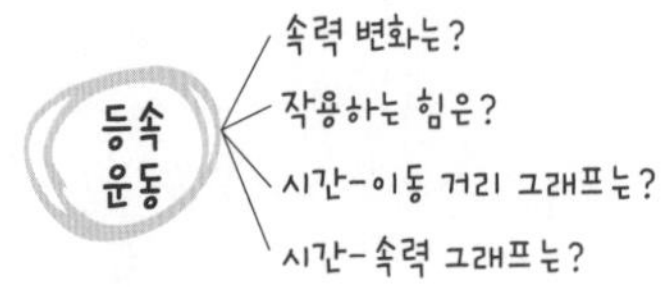

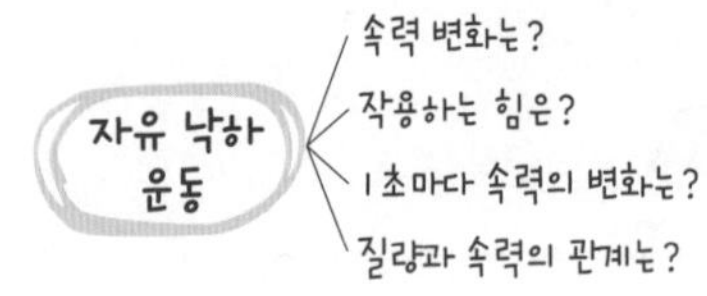

A 운동의 기록

1. 다중 섬광* 사진 물체의 움직임을 일정한 시간 간격으로 한 장의 사진에 담아낸 것으로, 물체 사이의 거리를 분석하여 물체의 속력 변화를 알 수 있다.

① 자동차와 자동차 사이의 거리: 같은 시간 동안 이동한 거리❶를 나타내므로 속력으로 볼 수 있다.

② 자동차의 운동 분석: 자동차 사이의 거리가 점점 멀어지므로 자동차는 속력이 점점 빨라지는 운동을 한다.

같은 시간 동안 이동 거리가 짧다. ➡ 속력이 느리다.

같은 시간 동안 이동 거리가 길다. ➡ 속력이 빠르다.

▲ 운동하는 장난감 자동차의 다중 섬광 사진

상과 상 사이의 시간은 일정하므로 상과 상 사이의 거리를 알면 속력을 구하거나 비교할 수 있다.

2. 속력 단위 시간당 이동한 거리

① 단위❷: m/s(미터 매 초), km/h(킬로미터 매 시) 등

② 평균 속력❸: 물체의 전체 이동 거리를 걸린 시간으로 나누어 구한 속력

$$\text{속력(m/s)} = \frac{\text{이동 거리(m)}}{\text{걸린 시간(s)}}$$

$$\text{평균 속력(m/s)} = \frac{\text{전체 이동 거리(m)}}{\text{걸린 시간(s)}}$$

B 등속 운동

1. 등속* 운동❹ 속력이 변하지 않고 일정한 운동

교과서 탐구 등속 운동 분석

▶ **과정** 그림은 직선 경로를 따라 운동하는 장난감 자동차를 1초 간격으로 나타낸 것이다.

처음 위치 / 운동 방향

0 10 20 30 40 50 60 70 80 90 100 110 120 cm

1. 장난감 자동차의 처음 위치를 기준으로 1초, 2초, … 후 장난감 자동차의 이동 거리를 기록하고 그래프로 나타낸다.
2. 1초 간격의 시간 구간마다 장난감 자동차의 이동 거리를 구하고, 그 시간 구간에서의 속력을 계산하여 기록하고 그래프로 나타낸다.

▶ **결과 및 해석** ❶ 장난감 자동차의 이동 거리는 시간에 비례*한다.
❷ 장난감 자동차의 속력은 시간에 관계없이 일정하다.

시간-이동 거리 그래프에서 직선의 기울기는 속력을 나타내고, 시간-속력 그래프에서 직선 아래 부분의 넓이는 이동 거리를 나타낸다.

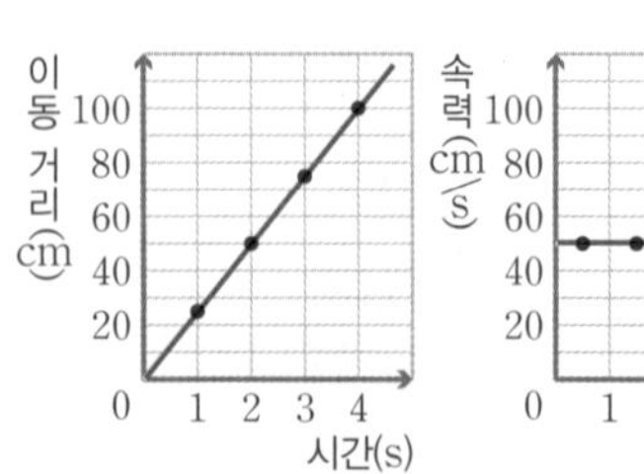

속력(cm/s) 100 80 60 40 20 0 1 2 3 4 시간(s)

---

❶ 운동과 이동 거리
시간에 따라 물체의 위치가 변할 때 그 물체는 운동을 한다고 하며, 물체가 운동하는 동안 움직인 거리를 이동 거리라고 한다.

❷ 속력의 단위
- 1 m/s: 1초(s)마다 1 m를 이동하는 빠르기이다.
- 1 km/h: 1시간(h)마다 1 km를 이동하는 빠르기이다.

❸ 평균 속력
운동 과정에서 물체의 속력 변화를 고려하지 않은 평균적인 속력이다.

❹ 등속 운동을 하기 위한 조건
물체가 등속 운동을 하기 위해서는 물체에 작용하는 힘이 없어야 한다. 실제로 물체에 작용하는 힘이 없는 경우를 만들기는 어렵지만 과학에서는 물체에 작용하는 알짜힘이 0이면 물체에 힘이 작용하지 않는 것으로 생각한다. 물체에 작용하는 알짜힘이 0이면 물체는 등속 운동을 한다.

이동 거리를 구하는 방법
"거리는 속이 시원하다."
거리(이동 거리)×속(속력)=시원(시간)

⚠ 용어 알기
- **섬광** 순간적으로 강렬하게 번쩍이는 빛
- **등속** 같은 속력
- **비례** 어떤 수나 양의 변화에 따라 다른 수나 양이 변화하는 것으로, 두 양의 비가 같은 일

2. 등속 운동의 그래프

구분	시간 – 이동 거리 그래프	시간 – 속력 그래프
그래프	이동 거리 / 0 / 시간 / 기울기 $=\frac{\text{이동 거리}}{\text{시간}}$ $=$ 속력	속력 / 0 / 시간 / 넓이 $=$ 시간 $\times$ 속력 $=$ 이동 거리
해석	등속 운동을 하는 물체의 시간 – 이동 거리 그래프는 기울기가 일정한 직선 모양이다. 이때 그래프의 기울기는 속력을 나타낸다.	등속 운동을 하는 물체의 시간 – 속력 그래프는 시간축과 나란한 직선 모양이다. 이때 그래프 아래 부분의 넓이는 이동 거리를 나타낸다.

❺ 운동 경기에서 볼 수 있는 등속 운동의 예

컬링 선수가 밀어낸 컬링 스톤은 비교적 등속 운동에 가까운 운동을 한다.

▲ 컬링 스톤의 운동

3. 등속 운동의 예 우리 주변에서 볼 수 있는 등속 운동의 예❺에는 모노레일, 무빙워크•, 스키장 리프트•, 공항의 수하물 컨베이어, 에스컬레이터, 케이블카의 운동 등이 있다.

▲ 모노레일

▲ 무빙워크

▲ 스키장 리프트

⚠ 용어 알기

- **무빙워크** 사람이나 화물이 자동으로 이동할 수 있게 만든 길 모양의 기계 장치
- **리프트** 스키장이나 관광지에서 사람을 실어 나르는 의자 모양의 탈것

정답과 해설 019쪽

01 다음은 다중 섬광 사진에 대한 설명이다. ㉠~㉣에 들어갈 알맞은 말을 쓰시오.

> 다중 섬광 사진에서 물체와 물체 사이의 시간 간격은 (㉠). 물체와 물체 사이의 거리가 가까울수록 속력이 (㉡) 것이고, 멀수록 속력이 (㉢) 것이다. 따라서 다중 섬광 사진에서 물체 사이의 거리를 분석하면 물체의 (㉣) 변화를 알 수 있다.

02 다음 물체의 속력을 각각 구하시오. (단, (1), (2)는 m/s 단위로 구하고, (3)은 km/h 단위로 구하시오.)

(1) 120 m를 달리는 데 20초가 걸렸다.

(2) 자전거를 타고 800 m를 가는 데 1분 20초가 걸렸다.

(3) 자동차로 400 km를 가는 데 5시간이 걸렸다.

03 등속 운동에 대한 설명으로 옳은 것은 ○표, 옳지 않은 것은 ×표를 하시오.

(1) 시간 – 이동 거리 그래프는 원점을 지나는 직선 모양이다. ( )

(2) 시간 – 이동 거리 그래프에서 직선의 기울기는 이동 거리를 나타낸다. ( )

(3) 시간 – 속력 그래프는 시간축에 나란한 직선 모양이다. ( )

(4) 시간 – 속력 그래프에서 직선 아래 부분의 넓이는 속력을 나타낸다. ( )

04 일상생활에서 등속 운동을 하는 예로 옳은 것만을 보기에서 모두 고르시오.

보기	
ㄱ. 무빙워크	ㄴ. 자이로 드롭
ㄷ. 엘리베이터	ㄹ. 에스컬레이터
ㅁ. 스키장 리프트	

C 자유 낙하 운동

1. 자유 낙하 운동 공기 저항●이나 마찰이 없을 때 지표면 근처에서 정지해 있던 물체가 중력만을 받아 떨어지는 운동

① 물체에 작용하는 힘: 힘의 크기는 무게와 같고, 방향은 연직● 아래 방향이다.

② 물체의 운동 방향: 중력의 방향, 즉 연직 아래 방향 ➡ 힘이 운동 방향과 같은 방향으로 작용하므로 속력이 증가한다. – 힘이 운동 방향과 같은 방향으로 작용하면 속력이 점점 빨라지고, 반대 방향으로 작용하면 속력이 점점 느려진다.

2. 중력 가속도● 상수●

① 중력 가속도: 자유 낙하 운동을 하는 물체의 시간에 따른 속력 변화 정도로, 지구에서 약 $9.8\ m/s^2$이다.

② 중력 가속도 상수: 물체가 자유 낙하 할 때의 속력 변화량인 9.8을 뜻한다. (중력 가속도의 크기를 나타낸다.)

③ 중력의 크기: 지표면 근처에서 물체에 작용하는 중력의 크기, 즉 무게는 물체의 질량과 중력 가속도 상수의 곱과 같다.

중력의 크기(N)=9.8×질량(kg)

3. 자유 낙하 운동을 하는 물체의 속력 매초 중력 가속도 상수의 크기(9.8 m/s)만큼 속력이 일정하게 증가한다. 즉, 물체의 속력은 물체가 자유 낙하 운동을 한 시간에 비례한다.

속력(m/s)=9.8×시간(s)

교과서 탐구 자유 낙하 운동 분석

▶ **과정** 그림은 진공 중에서 자유 낙하 운동을 하는 질량이 1 kg인 물체를 1초 간격으로 나타낸 것이다.

1. 1초 간격의 시간 구간마다 물체의 이동 거리를 구하고, 그 시간 구간에서의 속력을 계산한다.

시간(s)	0	1	2	3	4
이동 거리(m)	0	4.9	19.6	44.1	78.4
구간 이동 거리(m)	4.9	14.7	24.5	34.3	
구간 평균 속력(m/s)	4.9	14.7	24.5	34.3	

2. 표의 값을 이용하여 물체의 시간에 따른 속력을 그래프로 나타낸다.

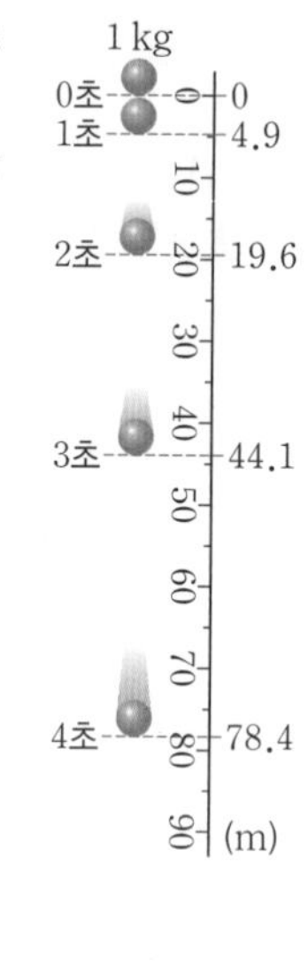

▶ **결과** ❶ 물체의 속력은 시간에 비례한다. ❷ 시간이 지날수록 물체의 속력이 일정하게 빨라진다.

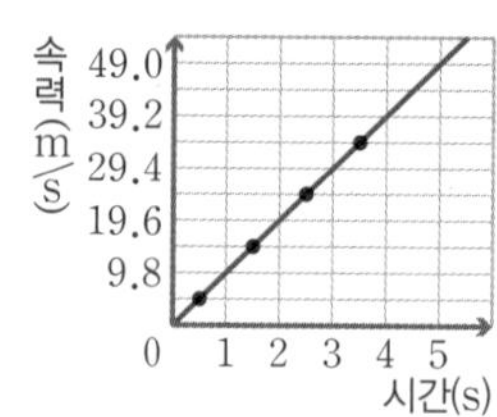

▶ **해석** 물체의 속력이 매초 9.8 m/s씩 빨라진다.

4. 자유 낙하 운동을 하는 물체의 시간-속력 그래프 자유 낙하 운동을 하는 물체의 속력은 1초마다 9.8 m/s씩 일정하게 증가하므로 시간에 따른 속력을 그래프로 나타내면 기울기가 일정한 직선 모양이다.

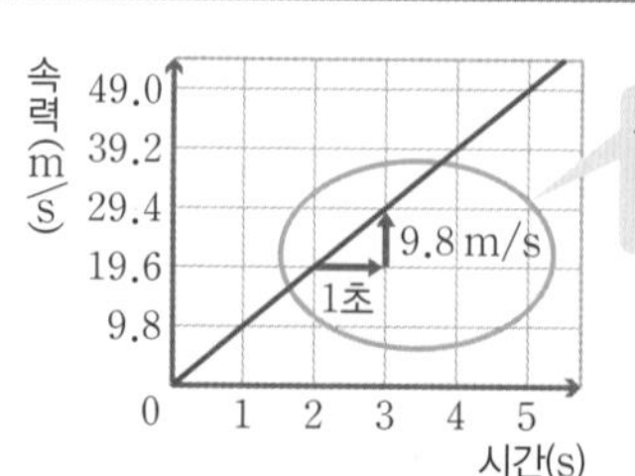

▲ 자유 낙하 운동의 시간-속력 그래프

자유 낙하 운동의 시간-이동 거리 그래프

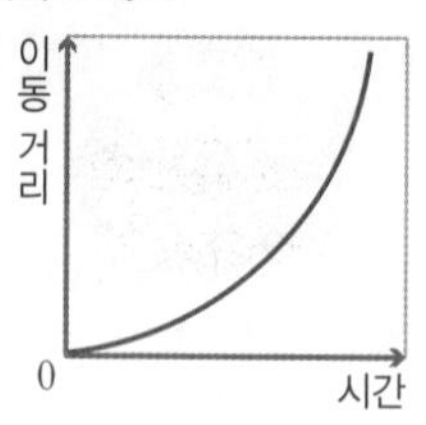

물체의 무게
"물체의 무게(N) =9.8×질량(kg)"
물체의 무게는 물체에 작용하는 중력의 크기이며, 질량에 9.8을 곱하여 구한다.

❻ 자유 낙하 운동을 하는 물체가 질량에 관계없이 동시에 떨어지는 까닭
볼링공은 무거울수록 빠르게 굴리기 어렵다. 즉, 물체의 질량이 클수록 속력을 변화시키기 어려운데, 이는 자유 낙하 운동에도 적용할 수 있다. 물체의 질량이 클수록 물체에 작용하는 중력의 크기가 크지만, 그만큼 속력을 변화시키기 어려우므로 질량에 관계없이 속력은 매초 중력 가속도의 크기만큼 증가하고, 질량에 관계없이 동시에 떨어진다.

⚠ 용어 알기
- **저항** 물체의 운동 방향과 반대 방향으로 작용하는 힘
- **연직** 어떤 직선 또는 평면에 대해 수직인 방향
- **가속도** 단위 시간에 대한 속도의 변화율
- **상수** 물질의 물리적 또는 화학적 성질을 표시하는 수치

5. 질량이 다른 물체의 자유 낙하 운동 자유 낙하 운동을 하는 물체는 질량에 관계없이 속력이 빨라지는 정도가 같다. 탐구 공략하기 072쪽

① 진공• 중에서 물체의 자유 낙하 운동

- 같은 높이에서 동시에 자유 낙하 운동을 시작한 모든 물체들은 지면에 동시에 도달한다.❻
- 물체의 질량이나 모양에 관계없이 자유 낙하 운동을 하는 물체는 속력이 1초마다 9.8 m/s씩 증가한다.
- 구슬과 깃털을 동시에 같은 높이에서 떨어뜨리면 구슬과 깃털의 속력이 1초마다 9.8 m/s씩 동일하게 증가하므로 동시에 떨어진다.

② 공기 중에서 물체의 낙하 운동❼

- 공기 저항이나 마찰이 있어 쇠구슬과 깃털의 속력이 증가하는 정도가 각각 다르기 때문에 동시에 떨어지지 않는다.
- 공기 저항을 크게 받는 깃털이 쇠구슬보다 천천히 떨어진다.

깃털보다 공에 작용하는 중력의 크기가 더 크지만 속력 변화는 공과 깃털이 모두 같다.

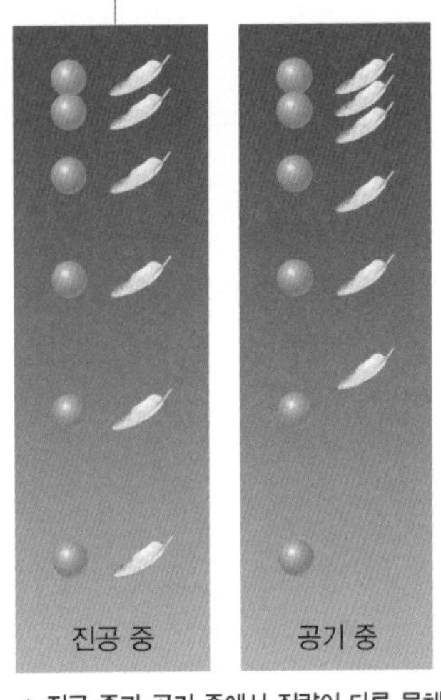

▲ 진공 중과 공기 중에서 질량이 다른 물체의 낙하 운동

❼ 공기 중에서의 낙하 운동

공기 중에서는 물체에 중력과 공기 저항력이 동시에 작용하는데, 물체는 두 힘의 합력(알짜힘)에 의해 운동을 한다. 공이 낙하할 때에는 공기 저항력이 중력에 비해 무시할 정도로 작지만, 깃털이 낙하할 때에는 중력에 비해 공기 저항력이 상대적으로 크므로 매우 큰 영향을 미친다. 따라서 깃털은 공보다 바닥에 천천히 도달한다.

용어 알기

- 진공 공기와 같은 물질이 전혀 없는 공간

개념 다지기

정답과 해설 019쪽

05 자유 낙하 운동에 대한 설명으로 옳은 것은 ○표, 옳지 않은 것은 ×표를 하시오. (단, 공기 저항은 무시한다.)

(1) 속력이 점점 빨라지는 운동이다. ( )

(2) 중력만을 받아 떨어지는 운동이다. ( )

(3) 물체의 무게만큼의 힘이 작용한다. ( )

(4) 물체의 운동 방향은 중력의 방향과 반대 방향이다. ( )

(5) 물체에는 낙하하는 순간에만 힘이 작용하고 낙하하는 동안에는 힘이 작용하지 않는다. ( )

06 다음은 자유 낙하 운동을 하는 물체에 대한 설명이다. ㉠~㉣에 들어갈 알맞은 말을 쓰시오.

> (㉠)는 자유 낙하 운동을 하는 물체의 시간에 따른 속력 변화 정도로, 약 (㉡)m/s^2이다. 이때 (㉡)을 (㉢)라고 한다. 지표면 근처에서 물체에 작용하는 중력의 크기, 즉 무게는 물체의 (㉣)과 중력 가속도 상수의 곱과 같다.

07 그림은 진공 중에서 자유 낙하 운동을 하는 질량이 1 kg인 물체의 시간에 따른 속력 변화를 나타낸 것이다.

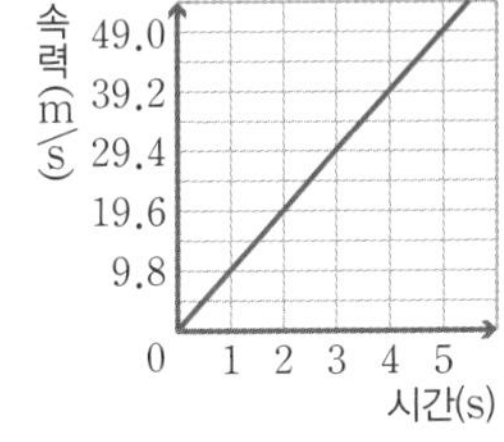

(1) 자유 낙하 운동을 하는 물체는 1초마다 속력이 얼마씩 증가하는지 쓰시오.

(2) 시간-속력 그래프에서 직선의 기울기가 나타내는 것은 무엇인지 쓰시오.

08 다음 보기의 물체를 같은 높이에서 동시에 떨어뜨렸다.

> 보기
>
> ㄱ. 2 g의 깃털 ㄴ. 25 g의 탁구공
>
> ㄷ. 45 g의 골프공 ㄹ. 200 g의 쇠구슬

(1) 진공 중에서 물체를 떨어뜨렸을 때 물체가 받는 힘의 종류를 쓰시오.

(2) 진공 중에서 떨어뜨렸을 때 가장 먼저 떨어지는 물체를 보기에서 골라 기호로 쓰시오.

(3) 공기 중에서 떨어뜨렸을 때 가장 늦게 떨어지는 물체를 보기에서 골라 기호로 쓰시오.

탐구 공략 하기

질량이 다른 물체가 자유 낙하 운동을 할 때의 속력 변화 비교

목표

질량이 다른 두 물체가 자유 낙하 운동을 할 때 시간에 따른 속력 변화를 비교할 수 있다.

공략 포인트

질량이 다른 두 물체를 자유 낙하 시키는 실험에서 자유 낙하 운동을 하는 물체는 질량에 관계없이 시간에 따른 속력 변화가 같다는 것을 아는 것이 중요하다! 자유 낙하 운동을 하는 물체의 속력 변화는 작용하는 힘에 비례하고, 질량에 반비례한다.

과정

❶ 진공 중에서 질량이 서로 다른 구슬과 깃털이 자유 낙하 운동을 할 때 바닥에 먼저 도달하는 물체는 어느 것인지 예상해 본다.

❷ 진공 낙하 실험 장치를 뒤집어 세우면서 구슬과 깃털이 동시에 낙하하는 장면을 동영상으로 촬영한다.

❸ 촬영한 영상을 관찰하여 바닥에 도달할 때의 구슬과 깃털의 모습을 비교한다.

진공 낙하 장치

결과

진공 중에서 질량이 서로 다른 구슬과 깃털이 동시에 낙하하였다.

구슬 깃털
0초
0.1초
0.2초
0.3초

정리

진공 중에서 질량이 다른 두 물체는 동시에 바닥에 도달하며, 질량에 관계없이 시간에 따른 속력 변화가 같다.

확인 문제

★ 정답과 해설 020쪽

01 그림은 구슬과 깃털을 같은 높이에서 떨어뜨렸을 때의 모습을 나타낸 것이다.

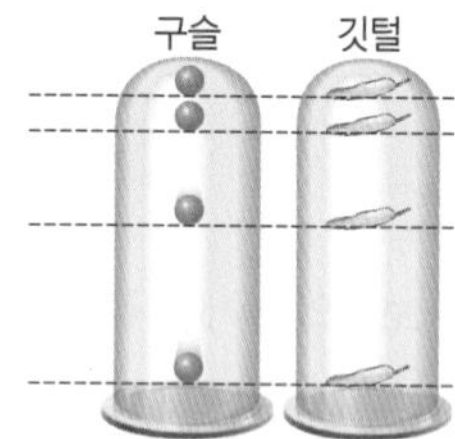

이때 두 물체의 낙하 조건과 두 물체에 작용하는 힘의 종류를 각각 쓰시오.

02 진공 중에서 질량이 2 g인 깃털과 질량이 20 g인 쇠구슬을 같은 높이에서 동시에 떨어뜨렸다.

(1) 1초마다 깃털의 속력 변화를 쓰시오.

(2) 1초마다 쇠구슬의 속력 변화를 쓰시오.

03 이 실험에 대한 설명으로 옳은 것은 ○표, 옳지 않은 것은 ×표를 하시오.

(1) 중력을 받으면서 운동한다. ( )

(2) 1초마다 속력이 9.8 m/s씩 빨라진다. ( )

(3) 물체의 질량이 클수록 시간에 따른 속력 변화가 크다. ( )

(4) 물체의 모양이 달라지면 시간에 따른 속력 변화도 달라진다. ( )

(5) 공기 중에서 같은 실험을 하더라도 결과는 같다. ( )

(6) 물체의 질량이 클수록 작용하는 중력의 크기는 크다. ( )

(7) 질량이 다른 두 물체를 같은 높이에서 동시에 떨어뜨리면 질량이 큰 물체가 바닥에 먼저 도달한다. ( )

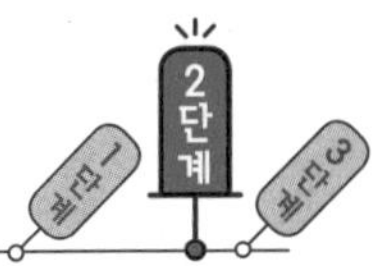

★ 정답과 해설 020쪽

A 운동의 기록

필수

01 그림은 나비의 운동을 일정한 시간 간격으로 나타낸 것이다.

나비의 운동에 대한 설명으로 옳은 것은?

① 속력이 일정하다.
② 속력이 점점 빨라진다.
③ 속력이 점점 느려진다.
④ 속력이 빨라지다가 느려진다.
⑤ 속력이 느려지다가 빨라진다.

필수

02 그림은 장난감 자동차가 운동하는 모습을 0.1초 간격으로 나타낸 것이다.

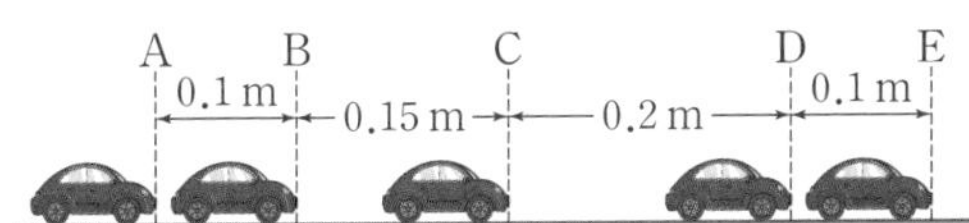

(가)속력이 가장 빠른 구간과 (나)그 구간에서의 속력을 옳게 짝 지은 것은?

	(가)	(나)		(가)	(나)
①	AB 구간	1 m/s	②	BC 구간	1.5 m/s
③	CD 구간	2 m/s	④	DE 구간	1 m/s
⑤	모두 같다.	2 m/s			

필수

03 속력에 대한 설명으로 옳지 않은 것은?

① 단위 시간 동안 이동한 거리이다.
② 속력의 단위로는 km/h, m/s를 사용한다.
③ 속력은 이동 거리를 시간으로 나누어 구한다.
④ 같은 거리를 이동한 시간이 짧을수록 속력이 느리다.
⑤ 같은 시간 동안 이동한 거리가 길수록 속력이 빠르다.

서술형

04 그림 (가), (나)는 서로 다른 두 물체의 운동을 같은 시간 간격으로 연속하여 나타낸 것이다.

운동 방향 →

(가)

(나)

(가)와 (나)는 각각 어떤 운동을 하는지 쓰고, 그렇게 생각한 까닭을 서술하시오.

B 등속 운동

05 등속 운동에 대한 설명으로 옳은 것만을 보기에서 모두 고른 것은?

보기
ㄱ. 속력이 일정한 운동이다.
ㄴ. 운동 방향으로 중력이 계속 작용한다.
ㄷ. 같은 시간 동안 이동한 거리는 일정하다.

① ㄱ ② ㄷ ③ ㄱ, ㄴ
④ ㄱ, ㄷ ⑤ ㄴ, ㄷ

필수

06 그림 (가), (나)는 움직이는 두 물체를 같은 시간 간격으로 찍은 연속 사진을 나타낸 것이다.

이에 대한 설명으로 옳은 것만을 보기에서 모두 고른 것은?

보기
ㄱ. (가), (나) 모두 물체는 속력이 일정한 운동을 한다.
ㄴ. (나)의 물체의 속력은 시간에 비례한다.
ㄷ. (나)의 물체는 (가)의 물체보다 속력이 빠르다.

① ㄱ ② ㄷ ③ ㄱ, ㄴ
④ ㄱ, ㄷ ⑤ ㄴ, ㄷ

필수

07 그림은 두 물체 A, B의 시간에 따른 이동 거리를 나타낸 것이다. 이에 대한 설명으로 옳지 않은 것은?

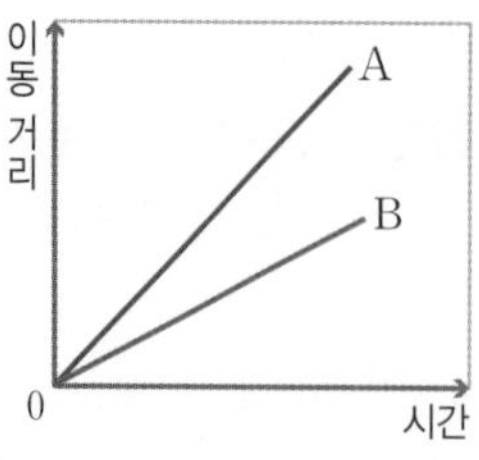

① A는 등속 운동을 하고 있다.
② 속력은 B가 A보다 느리다.
③ A의 이동 거리는 시간에 비례한다.
④ A는 시간이 지날수록 속력이 점점 증가한다.
⑤ 같은 시간 동안 이동한 거리는 A가 B보다 크다.

08 그림은 물체 A와 B의 시간에 따른 이동 거리를 나타낸 것이다. A와 B의 속력을 옳게 짝 지은 것은?

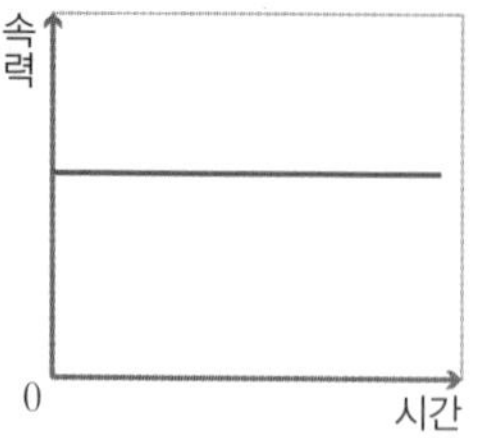

	A	B
①	1 m/s	2 m/s
②	1 m/s	4 m/s
③	2 m/s	1 m/s
④	2 m/s	4 m/s
⑤	4 m/s	2 m/s

필수

09 그림은 운동하는 물체의 속력과 시간의 관계를 나타낸 것이다. 이에 대한 설명으로 옳지 않은 것은?

① 속력이 일정한 운동이다.
② 무빙워크는 이러한 운동을 한다.
③ 속력이 시간에 비례하여 증가한다.
④ 직선 아래 부분의 넓이는 이동 거리를 나타낸다.
⑤ 시간-이동 거리 그래프는 기울어진 직선 모양이다.

신유형

10 그림은 스케이트 선수가 얼음판 위에서 운동하는 모습을 0.5초 간격으로 찍은 다중 섬광 사진이다.

상과 상 사이의 거리가 1.2 m일 때 (가)선수의 속력과 (나)2초 동안 선수가 이동한 거리를 옳게 짝 지은 것은?

	(가)	(나)		(가)	(나)
①	0.6 m/s	1.2 m	②	0.6 m/s	2.4 m
③	1.2 m/s	2.4 m	④	1.2 m/s	4.8 m
⑤	2.4 m/s	4.8 m			

11 그림은 같은 지점에서 출발한 고속 열차와 버스의 시간에 따른 속력을 나타낸 것이다. 고속 열차가 150 km 지점에 도착한 후 얼마의 시간이 지난 후에 버스가 같은 지점에 도착하는가?

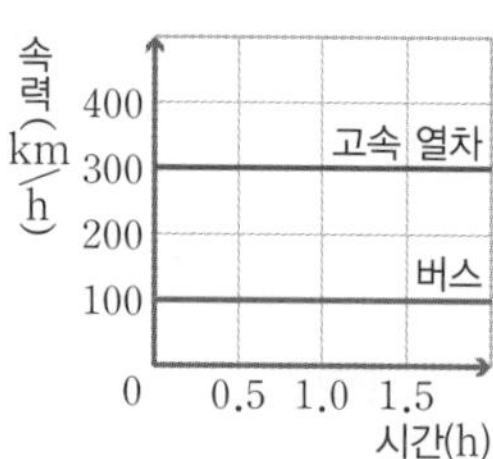

① 30분 ② 1시간
③ 1시간 30분 ④ 2시간
⑤ 2시간 30분

서술형

12 그림 (가)는 직선 운동을 하는 어떤 물체의 시간에 따른 속력 변화를 나타낸 것이다.

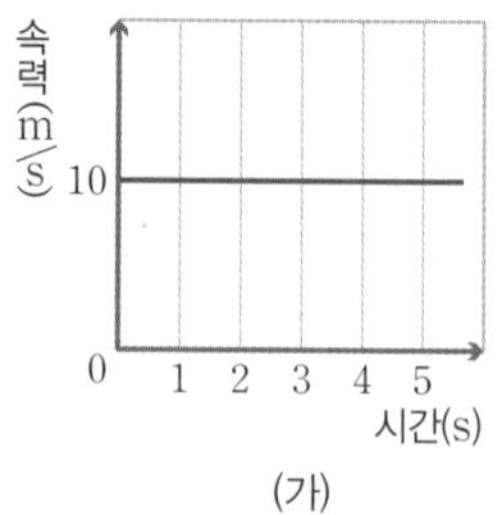

(가)

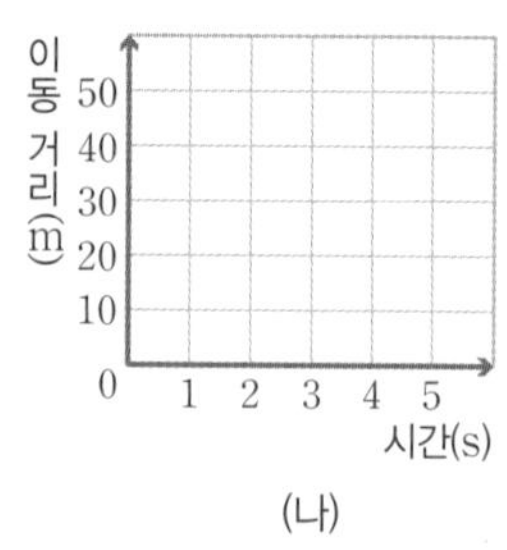

(나)

(1) 이 물체가 5초 동안 이동한 거리를 구하고, 그렇게 계산한 까닭을 서술하시오.

(2) 0~5초 동안 시간에 따른 물체의 이동 거리를 그림 (나)에 나타내시오.

정답과 해설 020쪽

C 자유 낙하 운동

13 자유 낙하 운동과 중력 가속도에 대한 설명으로 옳지 않은 것은?

① 중력 가속도 상수는 9.8이다.
② 중력 가속도의 크기는 약 9.8 m/s^2이다.
③ 질량이 클수록 작용하는 중력이 크므로 빨리 떨어진다.
④ 자유 낙하 운동을 하는 물체의 매초당 속력 변화량의 크기는 중력 가속도 상수와 같다.
⑤ 정지해 있던 물체가 중력만을 받아 떨어지는 운동을 자유 낙하 운동이라고 한다.

필수

14 그림은 공을 가만히 놓았을 때 공이 떨어지는 모습을 나타낸 것이다. 이 공의 운동에 대한 설명으로 옳은 것만을 보기에서 모두 고른 것은? (단, 공기 저항은 무시한다.)

| 보기 |
ㄱ. 공의 속력이 점점 빨라진다.
ㄴ. 공에는 운동 방향과 같은 방향으로 힘이 작용한다.
ㄷ. 공이 떨어지는 동안 공에 작용하는 힘의 크기는 계속 변한다.

① ㄱ ② ㄷ ③ ㄱ, ㄴ
④ ㄴ, ㄷ ⑤ ㄱ, ㄴ, ㄷ

15 자유 낙하 하는 물체의 속력과 이동 거리에 대한 설명으로 옳은 것을 모두 고르면? (단, 공기 저항은 무시한다.) (정답 2개)

① 속력을 시간에 관계없이 일정하다.
② 속력은 시간에 비례하여 증가한다.
③ 같은 시간 동안 이동 거리는 점점 증가한다.
④ 같은 시간 동안 이동 거리는 일정하게 증가한다.
⑤ 같은 시간 동안 이동 거리는 일정하게 감소한다.

16 자유 낙하 운동에 대한 설명으로 옳은 것만을 보기에서 모두 고른 것은? (단, 공기 저항은 무시한다.)

| 보기 |
ㄱ. 물체의 속력은 일정하게 증가한다.
ㄴ. 물체의 질량에 관계없이 시간에 따른 속력 변화는 같다.
ㄷ. 물체의 질량에 관계없이 작용하는 힘의 크기는 일정하다.

① ㄱ ② ㄷ ③ ㄱ, ㄴ
④ ㄴ, ㄷ ⑤ ㄱ, ㄴ, ㄷ

신유형

17 그림은 야구공을 일정한 높이에서 떨어뜨렸을 때 시간에 따른 속력 변화를 나타낸 것이다. 같은 높이에서 축구공을 떨어뜨렸을 때의 그래프에 대한 설명으로 옳은 것은? (단, 공기 저항은 무시하고, 축구공이 야구공보다 무겁다.)

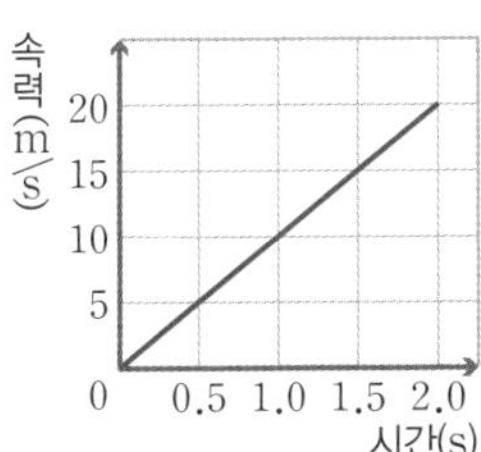

① 기울기가 같다.
② 기울기가 더 커진다.
③ 기울기가 더 작아진다.
④ 시간축에 나란한 직선이 된다.
⑤ 0~1초까지는 기울기가 같고, 1초 이후에는 기울기가 더 커진다.

서술형

18 달에서의 중력은 지구에서보다 작으므로 공기가 존재하지 않는다. 그림과 같이 달 표면으로부터 같은 높이에서 무거운 쇠공과 가벼운 고무공을 동시에 떨어뜨렸다.

(1) 어느 것이 먼저 달 표면에 떨어지는지 쓰고, 그 까닭을 서술하시오.
(2) 지구에서와 비교할 때의 차이점을 쓰고, 그 까닭을 서술하시오.

[19-20] 그림은 높은 곳에서 가만히 놓은 질량이 2 kg인 물체의 속력을 시간에 따라 나타낸 것이다. (단, 공기 저항은 무시한다.)

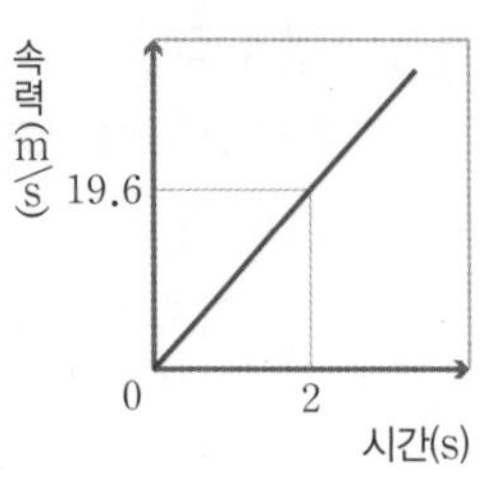

19 이에 대한 설명으로 옳지 않은 것은?

① 물체의 속력은 일정하다.
② 3초일 때 속력은 29.4 m/s이다.
③ 물체는 운동 방향으로 힘을 계속 받는다.
④ 물체에 작용하는 힘의 크기는 19.6 N이다.
⑤ 물체가 낙하하는 동안 일정한 크기의 힘이 작용한다.

필수

20 질량이 4 kg인 물체를 같은 높이에서 가만히 놓았다면 2초 후 물체의 속력은?

① 4.9 m/s ② 9.8 m/s ③ 19.6 m/s
④ 29.4 m/s ⑤ 39.2 m/s

필수

21 그림은 질량이 5 g인 깃털, 15 g인 탁구공, 45 g인 골프공이 같은 높이에서 동시에 낙하하는 모습을 나타낸 것이다.

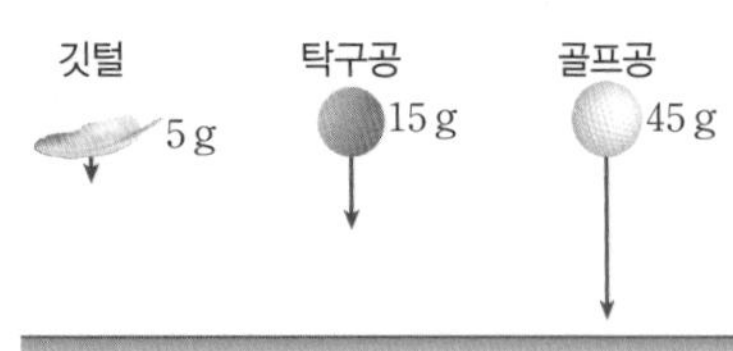

세 물체에 작용하는 중력의 크기가 표와 같을 때 세 물체의 속력 변화의 비(깃털 : 탁구공 : 골프공)로 옳은 것은? (단, 공기 저항은 무시한다.)

물체	깃털	탁구공	골프공
중력의 크기(N)	0.049	0.147	0.441

① 1 : 1 : 1 ② 1 : 2 : 3
③ 1 : 3 : 9 ④ 3 : 2 : 1
⑤ 9 : 3 : 1

22 자유 낙하 운동을 하는 물체에 대한 설명으로 옳은 것만을 보기에서 모두 고른 것은?

보기
ㄱ. 물체의 질량이 클수록 작용하는 중력도 크다.
ㄴ. 지구에서 질량이 1 kg인 물체에 작용하는 중력의 크기는 9.8 N이다.
ㄷ. 지구와 달에서 동일한 물체가 같은 높이에서 자유 낙하 운동을 하면 두 물체가 바닥에 도달하는 데 걸리는 시간은 서로 같다.

① ㄱ ② ㄷ ③ ㄱ, ㄴ
④ ㄴ, ㄷ ⑤ ㄱ, ㄴ, ㄷ

신유형

23 그림은 운동하는 두 물체의 시간에 따른 속력을 나타낸 것이다.

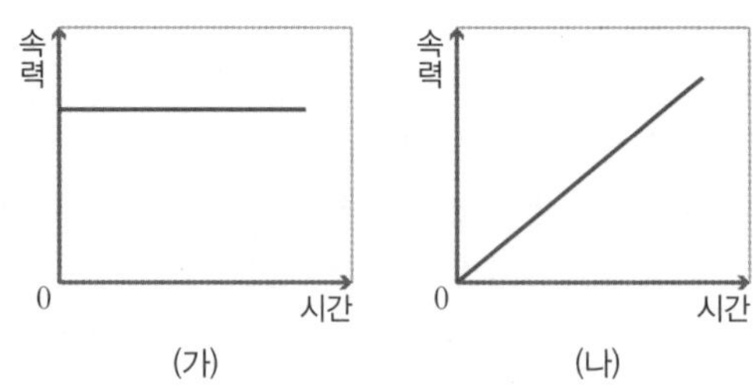

(가)와 (나)의 예에 해당하는 운동을 옳게 짝 지은 것은?

	(가)	(나)
①	무빙워크	스카이다이빙
②	컨베이어	에스컬레이터
③	스키장 리프트	무빙워크
④	스카이다이빙	에스컬레이터
⑤	번지점프	스키장 리프트

서술형

24 그림 (가)와 (나)는 쇠구슬과 깃털이 낙하 운동을 하는 모습을 나타낸 것이다. (가)와 (나)에서 쇠구슬과 깃털이 떨어지는 모습이 다른 까닭을 주어진 단어를 모두 사용하여 서술하시오.

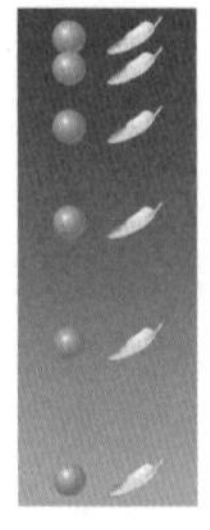
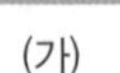
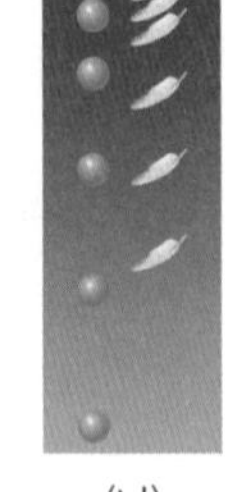
(가) (나)

진공, 공기, 공기 저항, 낙하하기, 동시에

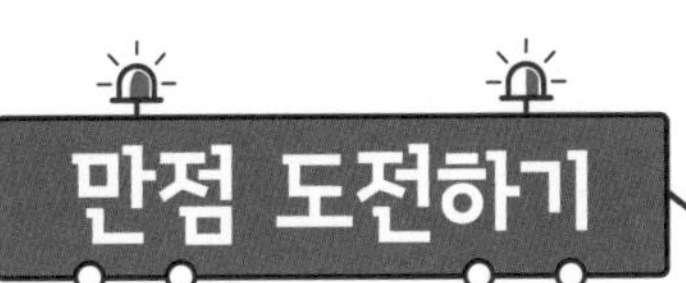

정답과 해설 022쪽

01 다음과 같이 운동할 때 속력이 가장 빠른 경우는?

① 1초에 15 m를 날아가는 새
② 5분에 1.2 km를 달리는 타조
③ 1분에 180 m를 달리는 자전거
④ 1시간에 108 km를 달리는 자동차
⑤ 10초에 100 m를 달리는 달리기 선수

필수

02 그림은 어떤 물체가 이동한 거리를 시간에 따라 나타낸 것이다.

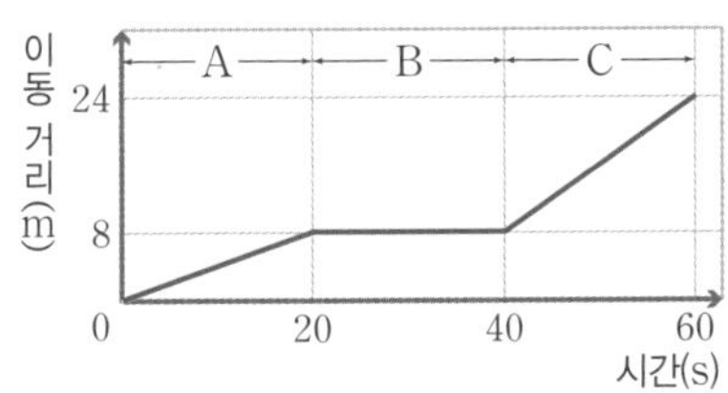

이에 대한 설명으로 옳은 것만을 보기에서 모두 고른 것은?

보기
ㄱ. A에서 물체는 일정한 속력으로 운동하였다.
ㄴ. 물체의 속력은 C>A>B 순이다.
ㄷ. C에서 물체는 일정한 속력으로 운동하였다.

① ㄱ ② ㄷ ③ ㄱ, ㄴ
④ ㄴ, ㄷ ⑤ ㄱ, ㄴ, ㄷ

신유형

03 그림은 우주 공간에 머물고 있는 우주 정거장에서 물체를 가만히 밀었을 때의 모습을 나타낸 것이다. 이 물체의 운동에 대한 설명으로 옳지 않은 것은?

① 속력이 일정하게 증가한다.
② 이동 거리가 일정하게 증가한다.
③ 같은 시간 동안 이동 거리는 같다.
④ 힘을 받지 않는 물체의 운동을 한다.
⑤ 시간-속력 그래프는 시간축에 나란한 직선 모양이다.

신유형

04 질량이 2 kg인 물체를 가만히 놓았을 때 물체가 받는 힘의 크기와 매초 속력 변화를 옳게 짝 지은 것은?

	힘의 크기	속력 변화		힘의 크기	속력 변화
①	9.8 N	9.8 m/s	②	9.8 N	19.6 m/s
③	19.6 N	9.8 m/s	④	19.6 N	19.6 m/s
⑤	29.4 N	19.6 m/s			

필수

05 그림과 같이 자유 낙하 운동을 하는 물체의 연속 사진을 순서대로 잘라 붙이고 끝점을 연결했더니 그래프의 모양이 기울어진 직선이 되었다.

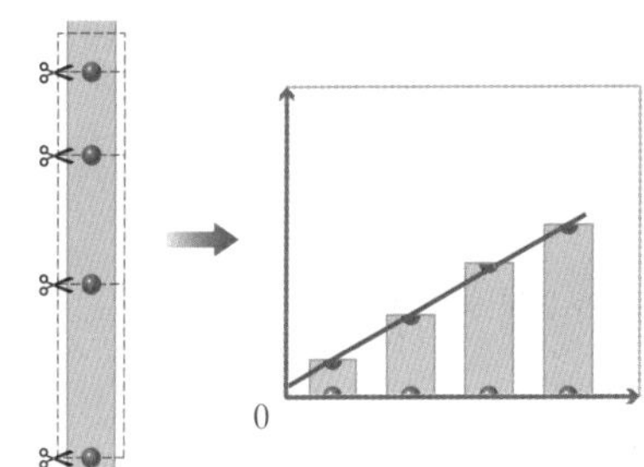

이를 통해 알 수 있는 사실로 옳은 것만을 보기에서 모두 고른 것은?

보기
ㄱ. 속력이 일정하게 증가한다.
ㄴ. 구간 거리가 일정하게 커진다.
ㄷ. 이동한 거리는 시간에 비례하여 증가한다.

① ㄱ ② ㄷ ③ ㄱ, ㄴ
④ ㄴ, ㄷ ⑤ ㄱ, ㄴ, ㄷ

06 달에서 공을 자유 낙하 시켰을 때에 대한 설명으로 옳은 것만을 보기에서 모두 고른 것은?

보기
ㄱ. 속력 변화는 지구에서보다 작다.
ㄴ. 지구에서보다 작은 힘이 작용한다.
ㄷ. 떨어지는 데 걸리는 시간은 지구에서와 같다.

① ㄱ ② ㄷ ③ ㄱ, ㄴ
④ ㄱ, ㄷ ⑤ ㄴ, ㄷ

Ⅲ. 운동과 에너지

일과 에너지

물음으로 흐름잡기

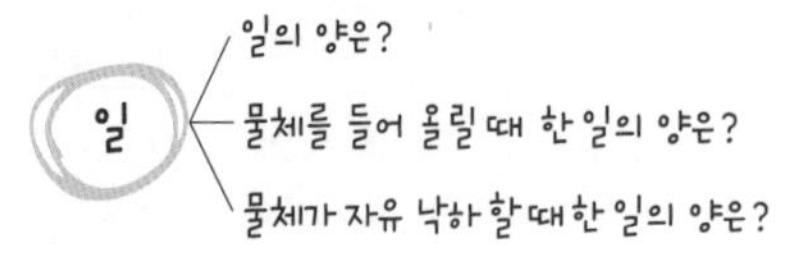

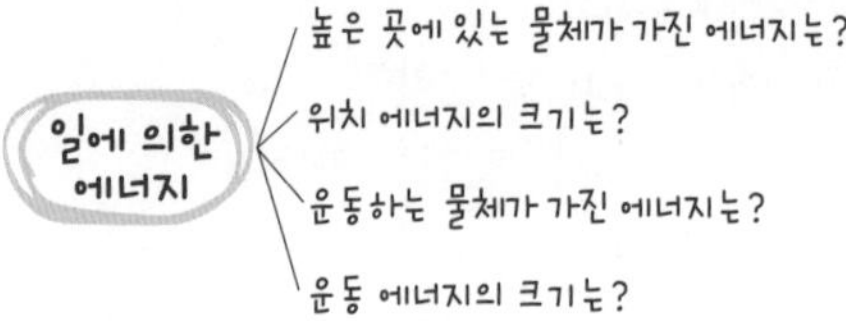

A 과학에서의 일

1. 과학에서의 일 물체에 힘•이 작용하여 물체가 힘의 방향으로 이동할 때 과학에서는 힘이 물체에 일을 한다고 한다. 공부를 하거나 생각을 하는 등 정신적인 활동은 일에 포함되지 않는다.
예) 상자를 들어 올린다. 수레를 밀고 간다.

2. 일의 양 물체에 작용한 힘의 크기와 물체가 힘의 방향으로 이동한 거리의 곱으로 구하며, 단위로 J(줄)•을 사용한다.

일(J)=힘(N)×이동 거리(m)

① 힘의 크기와 이동 거리 및 일의 양의 관계[1]
- 물체에 한 일의 양은 물체에 작용하는 힘의 크기가 클수록 크다.
- 물체에 한 일의 양은 물체가 힘의 방향으로 이동한 거리가 길수록 크다.

② 중력에 대해 한 일의 양과 중력이 한 일의 양

중력에 대해 한 일의 양	중력이 한 일의 양
물체를 위로 들어 올릴 때에는 중력에 대해 일을 한다. • 물체를 일정한 속력으로 들어 올리는 힘의 크기는 물체의 무게와 같다. • 일의 양은 물체의 무게와 물체를 들어 올린 높이를 곱하여 구한다. 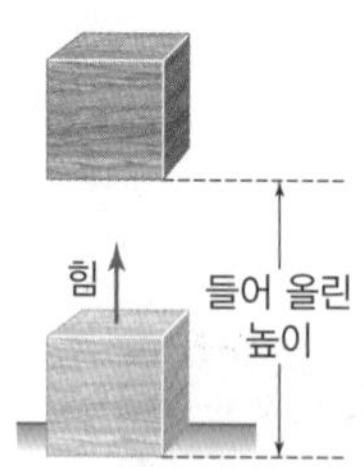 	물체가 중력을 받아 자유 낙하 할 때에는 중력이 물체에 일을 한다. • 물체에는 일정한 크기의 중력이 작용한다. • 일의 양은 물체에 작용하는 중력의 크기와 물체가 낙하한 거리를 곱하여 구한다. 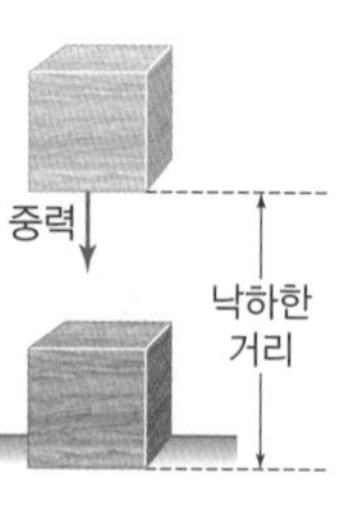

③ 한 일의 양이 0인 예: 물체에 힘을 작용하더라도 물체가 힘의 방향으로 이동한 거리가 0이면 한 일은 0이다.

역기를 들고 서 있을 때		상자를 들고 걸어갈 때	
	역기에 힘을 위 방향으로 작용하지만 역기의 이동 거리가 0이므로 힘이 역기에 한 일의 양은 0이다.		상자에 작용하는 힘의 방향과 이동 방향이 수직[2]이다. 따라서 상자가 힘의 방향으로 이동한 거리는 0이므로 힘이 상자에 한 일의 양은 0이다.

두 경우의 공통점은 힘의 방향으로 이동 거리가 0이라는 것이다.

❶ 힘-이동 거리 그래프와 일

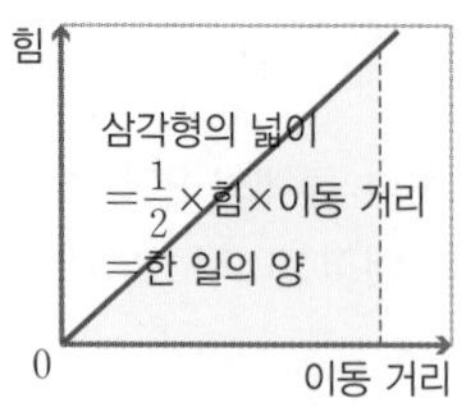

힘의 크기가 변할 때에도 그래프에서 아래 부분과 가로축으로 둘러싸인 부분의 넓이가 힘이 한 일의 양을 나타낸다.

❷ 힘의 방향과 이동 방향이 수직일 때
- 물체에 힘이 작용하여 물체가 이동하더라도 힘의 방향과 이동 방향이 수직이면 힘이 한 일의 양은 0이다.
- 물체가 등속 원운동을 할 때 구심력이 물체에 한 일의 양은 0이다.
- 물체를 들고 수평면을 걸어갈 때 물체를 들고 있는 힘이 한 일의 양은 0이다.

일의 양이 0인 예
"들고 가만히 있을 때, 들고 앞으로 걸어갈 때"
들고 있으면 이동 거리가 0이고, 들고 걸어가면 힘의 방향과 이동 방향이 수직이므로 힘의 방향으로 이동 거리가 0이다.

용어 알기
- **힘** 물체의 모양이나 운동 상태를 변화시키는 원인
- **J(줄)** 일의 단위인 J(줄)은 영국의 물리학자 줄(Joule, J. P., 1818~1889)의 이름에서 유래하였다.

3. 에너지❸ 일을 할 수 있는 능력•을 에너지라고 한다. ➡ 에너지를 가지고 있는 물체는 다른 물체에 일을 할 수 있다.❹

4. 일과 에너지의 전환•

일 → 에너지	에너지 → 일
추를 들어 올리는 일을 하면 추는 에너지를 가진다. ➡ 중력에 대해 한 일이 추의 에너지로 전환된다.	추를 떨어뜨리면 추는 떨어지면서 말뚝을 박는 일을 한다. ➡ 추의 에너지가 일로 전환된다. 

① 일과 에너지는 서로 전환될 수 있다.
② 물체가 가진 에너지는 일로 전환될 수 있다.
③ 물체에 한 일은 물체의 에너지로 전환될 수 있다.
④ 에너지의 단위는 일의 단위와 같은 J(줄)을 사용한다.

5. 일과 에너지의 관계
① **일을 한 물체의 에너지 변화:** 물체가 일을 하면 일을 한 물체의 에너지는 감소한다.
② **일을 받은 물체의 에너지 변화:** 물체가 일을 받으면 일을 받은 물체의 에너지는 증가한다.

❸ 에너지의 형태
물체가 낙하하거나 움직일 때, 석유가 타서 열이 발생할 때와 같이 한 형태에서 다른 형태로 변할 때 에너지의 효과가 나타나며, 에너지는 하나의 형태로 존재하지 않고 다양한 형태로 존재한다.

❹ 에너지의 측정
일과 에너지는 같은 물리량으로, 단위는 모두 J(줄)을 사용한다. 물체가 가진 에너지의 양은 그 에너지를 써서 할 수 있는 일의 양을 측정하면 알 수 있다.

⚠ 용어 알기
- **능력** 일을 감당해 내는 힘
- **전환** 다른 방향이나 상태로 바뀌거나 바꿈

★ 정답과 해설 023쪽

01 다음의 경우 한 일의 양을 구하시오.
(1) 벽을 200 N의 힘으로 밀었다.
(2) 무게가 100 N인 물체를 들고 서 있었다.
(3) 무게가 10 N인 물체를 들고 2 m 걸어갔다.
(4) 무게가 20 N인 물체를 2 m 들어 올렸다.
(5) 수평면에서 물체에 2 N의 힘을 작용하여 3 m 이동시켰다.

02 다음은 물체를 들어 올리거나 물체가 낙하할 때 한 일의 양에 대한 설명이다. ㉠~㉣에 들어갈 알맞은 말을 쓰시오.

> 물체를 일정한 속력으로 들어 올리는 힘의 크기는 물체의 (㉠)와 같고, 한 일의 양은 물체의 (㉡)와 물체를 들어 올린 높이를 곱하여 구한다. 물체가 중력을 받아 자유 낙하 할 때 한 일의 양은 물체에 작용하는 (㉢)의 크기와 물체가 (㉣)를 곱하여 구한다.

03 다음은 일과 에너지의 전환에 대한 설명이다. ㉠~㉥에 들어갈 알맞은 말을 쓰시오.

> 추를 들어 올리는 (㉠)을 하면 추는 (㉡)를 가지는데, 이는 중력에 대해 한 (㉢)이 추의 (㉣)로 전환되었기 때문이다. 추를 떨어뜨리면 추는 떨어지면서 말뚝을 박는 일을 하는데, 이는 추의 (㉤)가 (㉥)로 전환되었기 때문이다.

04 에너지에 대한 설명으로 옳은 것은 ○표, 옳지 않은 것은 ×표를 하시오.
(1) 에너지는 일을 할 수 있는 능력이다. ( )
(2) 물체가 일을 하면 물체의 에너지가 감소한다. ( )
(3) 물체에 일을 해 주면 물체의 에너지가 증가한다. ( )
(4) 에너지는 일로 전환될 수 있지만, 일은 에너지로 전환될 수 없다. ( )

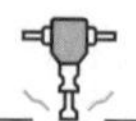

B 일을 하여 생긴 에너지 물체를 들어 올릴 때는 물체의 무게만큼의 힘을 가해야 한다.

1. 중력에 대해 한 일과 중력에 의한 위치 에너지 일정한 속력으로 물체를 들어 올릴 때 중력에 대해 한 일은 물체의 중력에 의한 위치 에너지가 된다.

① **중력에 의한 위치 에너지의 크기:** 질량[●]이 m(kg)인 물체를 높이 h(m)만큼 들어 올릴 때 중력에 대해 한 일은 다음과 같다.

- 중력에 대해 한 일(J)=물체의 무게(N)×들어 올린 높이(m)
  =9.8×질량×들어 올린 높이=$9.8mh$
- 중력에 의한 위치 에너지(J)=$9.8mh$[❺]

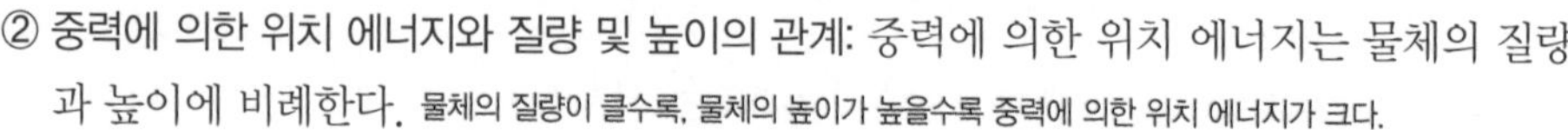

② **중력에 의한 위치 에너지와 질량 및 높이의 관계:** 중력에 의한 위치 에너지는 물체의 질량과 높이에 비례한다. 물체의 질량이 클수록, 물체의 높이가 높을수록 중력에 의한 위치 에너지가 크다.

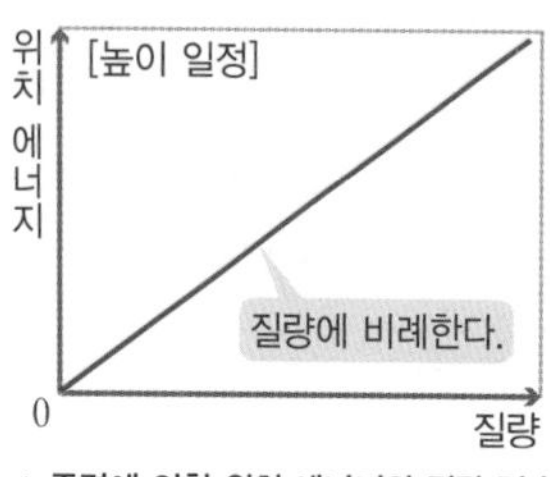

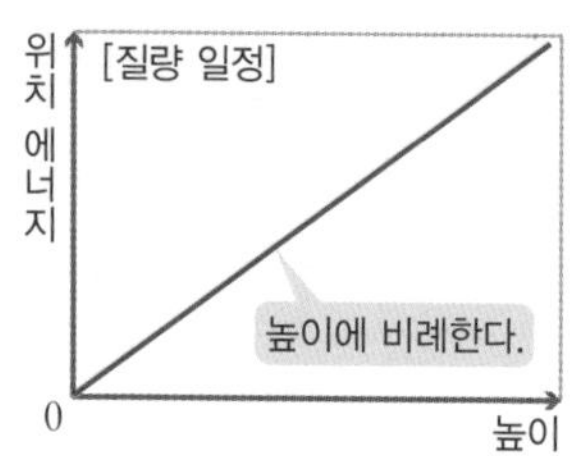

▲ 중력에 의한 위치 에너지와 질량 및 높이의 관계

2. 중력에 의한 위치 에너지의 기준면[●] 중력에 의한 위치 에너지는 높이에 비례하므로 높이의 기준면[❻]에 따라 달라질 수 있다.

① 바닥을 기준면으로 하면 물체는 위치 에너지를 가진다.

② 책상 면을 기준면으로 하면 물체의 위치 에너지는 0이다.
위치 에너지의 기준면은 편리한 대로 정할 수 있다.

물체 책상 면 바닥

▲ 중력에 의한 위치 에너지의 기준면

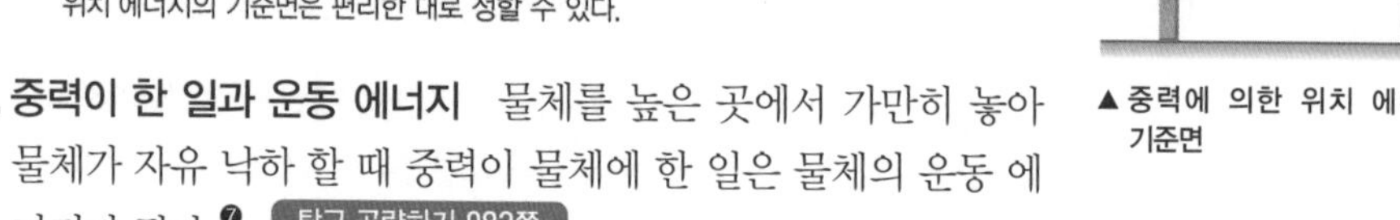

3. 중력이 한 일과 운동 에너지 물체를 높은 곳에서 가만히 놓아 물체가 자유 낙하 할 때 중력이 물체에 한 일은 물체의 운동 에너지가 된다.[❼] 탐구 공략하기 082쪽

① **운동 에너지의 크기:** 질량이 m(kg)인 물체가 속력 v(m/s)로 운동할 때 물체의 운동 에너지는 다음과 같다.

- 중력이 한 일(J)=물체의 무게(N)×낙하한 거리(m)
  =9.8×질량×낙하한 거리=운동 에너지
- 운동 에너지(J)=$\frac{1}{2}$×질량×속력^2=$\frac{1}{2}mv^2$

② **운동 에너지와 질량 및 속력의 관계:** 운동 에너지는 물체의 질량과 속력의 제곱에 비례한다. – 물체의 질량이 2배, 3배가 되면 운동 에너지는 2배, 3배가 된다. 또 물체의 속력이 2배, 3배가 되면 운동 에너지는 4배, 9배가 된다.

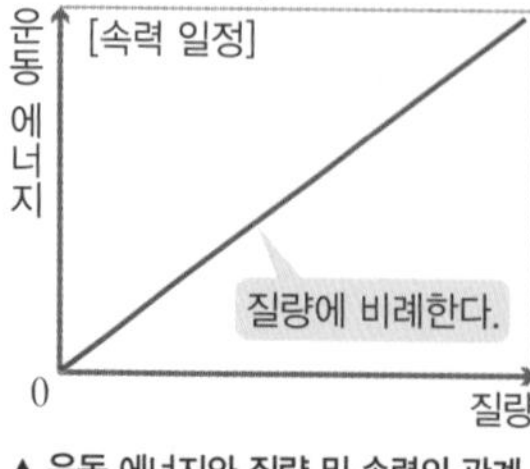

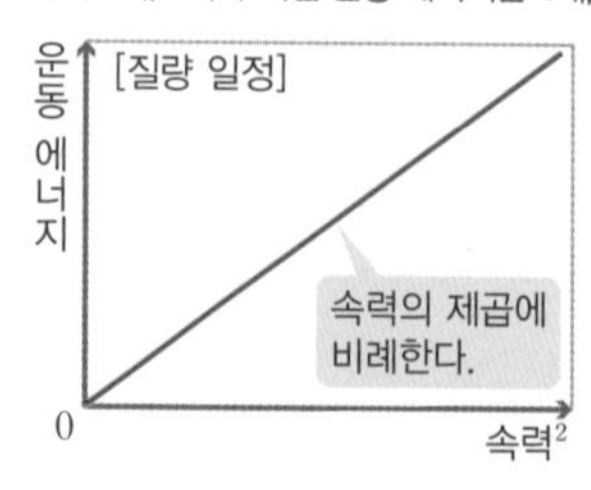

▲ 운동 에너지와 질량 및 속력의 관계

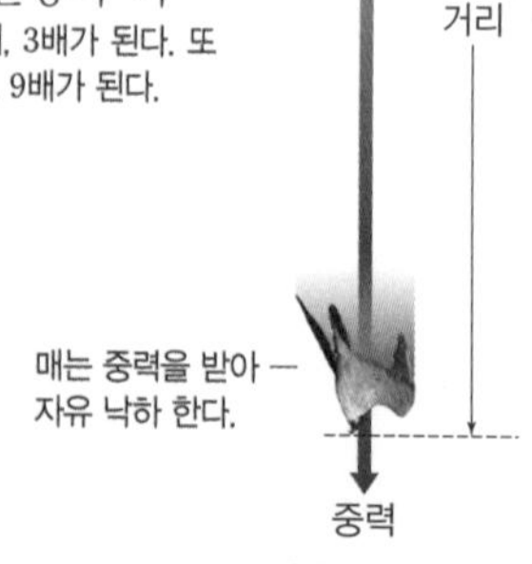

▲ 매의 자유 낙하

❺ 중력에 대해 한 일과 중력에 의한 위치 에너지의 계산
사람이 질량이 5 kg인 상자를 1 m 높이까지 천천히 들어 올렸다면 사람은 중력에 대해 9.8×5×1=49(J)의 일을 한 것이고, 상자는 그만큼의 중력에 의한 위치 에너지를 얻은 것이다.

❻ 기준면과 중력에 의한 위치 에너지
물체가 같은 위치에 있더라도 기준면에 따라 중력에 의한 위치 에너지가 달라질 수 있다.

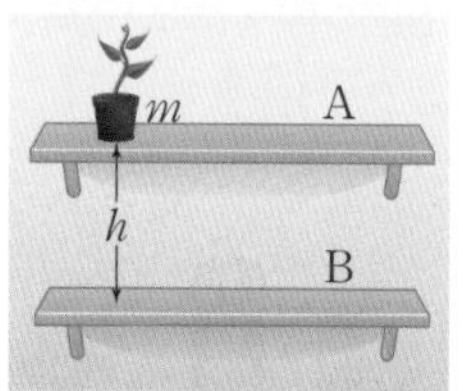

예를 들어 선반 A를 기준면으로 하면 화분의 높이가 0이므로 중력에 의한 위치 에너지는 0이다. 한편, 선반 B를 기준면으로 하면 화분의 높이가 h이므로 중력에 의한 위치 에너지는 $9.8mh$이다.

❼ 중력이 하는 일

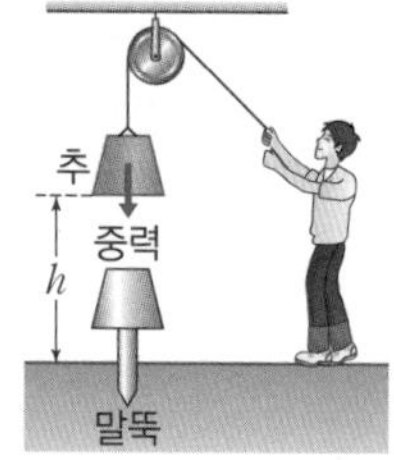

추에 작용하는 중력이 일을 하여 추가 낙하 운동을 하고, 이때 증가한 추의 운동 에너지는 말뚝을 박는 일을 하게 된다.

용어 알기
- **질량** 물체가 갖는 고유한 양
- **기준면** 높낮이를 비교할 때 의 기준이 되는 면

교과서 탐구 운동 에너지와 질량 및 속력의 관계

▶ 과정

[실험 1] 그림과 같이 질량이 1 kg, 2 kg, 3 kg인 수레를 같은 속력으로 밀어 나무 도막에 충돌시킨 후 나무 도막의 이동 거리를 측정한다.

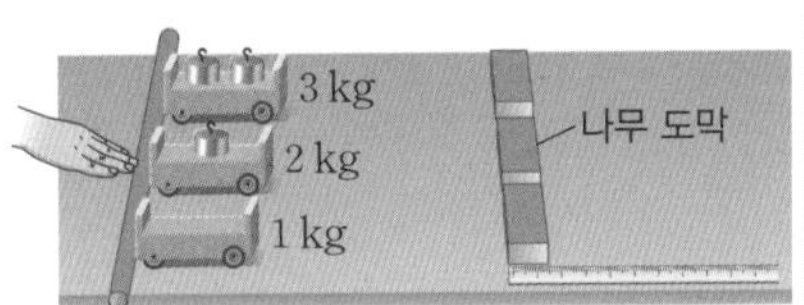

긴 막대기로 동시에 밀면 수레의 속력이 같아진다.

수레의 질량(kg)	1	2	3
나무 도막의 이동 거리(cm)	4	8	12

[실험 2] 그림과 같이 같은 수레를 1 m/s, 2 m/s, 3 m/s의 속력으로 밀어 나무 도막에 충돌시킨 후 나무 도막의 이동 거리를 측정한다.

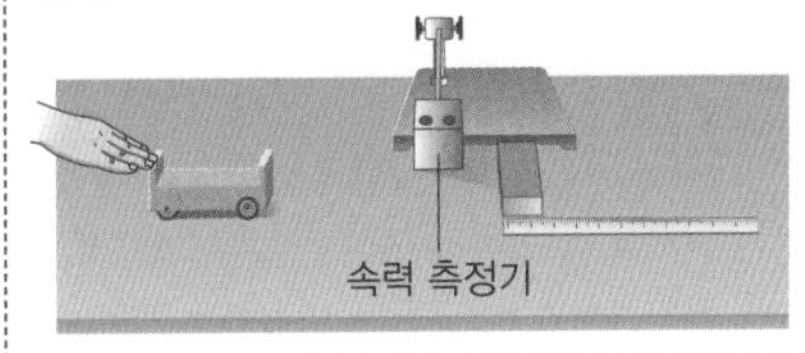

수레의 속력(m/s)	1	2	3
나무 도막의 이동 거리(cm)	4	16	36

▶ 결과 및 해석

[실험 1]
❶ 나무 도막의 이동 거리는 질량에 비례한다.
❷ 나무 도막의 이동 거리는 수레의 운동 에너지에 비례하므로 수레의 운동 에너지는 수레의 질량에 비례한다.
나무 도막의 이동 거리∝수레의 운동 에너지∝수레의 질량

[실험 2]
❶ 나무 도막의 이동 거리는 수레의 속력의 제곱에 비례한다.
❷ 나무 도막의 이동 거리는 수레의 운동 에너지에 비례하므로 수레의 운동 에너지는 수레의 속력의 제곱에 비례한다.
나무 도막의 이동 거리∝수레의 운동 에너지∝수레의 속력의 제곱

암기!

운동 에너지와 질량 및 속력의 관계
"질량과 속력의 제곱에 비례"
운동 에너지는 질량에 비례하고, 속력의 제곱에 비례한다.

4. 일상생활에서 위치 에너지와 운동 에너지를 가지고 있는 예

① 위치 에너지를 가지고 있는 예: 수력 발전•, 물미끄럼틀, 높은 곳에 있는 사람 등

② 운동 에너지를 가지고 있는 예: 요트, 풍력 발전• 등

⚠ 용어 알기
- **수력 발전** 물의 힘을 이용하여 발전기를 돌려서 전기를 일으키는 발전 방식
- **풍력 발전** 바람의 힘을 이용하여 발전기를 돌려 전기를 일으키는 발전 방식

개념 다지기

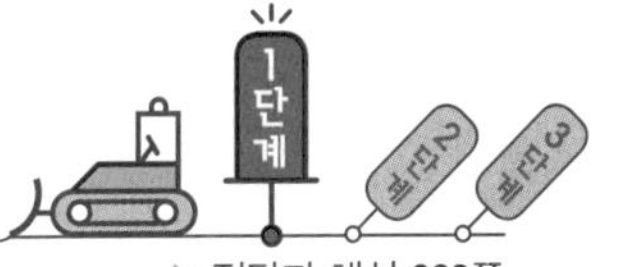

✱ 정답과 해설 023쪽

05 질량이 2 kg인 물체를 일정한 속력으로 5 m 높이만큼 들어 올렸다. (　　) 안에 들어갈 알맞은 말이나 숫자를 쓰시오.

(1) 물체에 작용한 힘의 방향: (　　)
(2) 물체에 작용한 힘의 크기: (　　) N
(3) 물체의 이동 거리: (　　) m
(4) 중력에 대해 한 일: (　　) J
(5) 5 m 높이에 있는 물체의 위치 에너지: (　　) J

06 위치 에너지와 질량 및 높이의 관계, 운동 에너지와 질량 및 속력의 관계를 옳게 연결하시오.

(1) 위치 에너지와 질량 • 　　• ㉠ 비례
(2) 위치 에너지와 높이 •
(3) 운동 에너지와 질량 •
(4) 운동 에너지와 속력의 제곱 • 　　• ㉡ 반비례

07 중력에 의한 위치 에너지와 운동 에너지에 대한 설명으로 옳은 것은 ○표, 옳지 않은 것은 ×표를 하시오.

(1) 중력에 대해 한 일은 물체가 가지는 중력에 의한 위치 에너지보다 작다. (　　)
(2) 물체가 자유 낙하 할 때 중력이 한 일은 운동 에너지보다 크다. (　　)
(3) 질량이 m인 물체를 일정한 속력으로 높이 h만큼 들어 올릴 때 중력에 대해 한 일은 $9.8mh$이다. (　　)
(4) 질량이 m인 물체가 속력 v로 운동할 때 물체의 운동 에너지는 $\frac{1}{2}mv^2$이다. (　　)

08 다음 물체가 가지고 있는 에너지를 쓰시오. (단, 중력에 의한 위치 에너지의 기준면은 지면이다.)

(1) 공중에 정지한 놀이 기구 (　　　　)
(2) 지면에서 굴러가는 볼링공 (　　　　)
(3) 떨어지는 스카이다이버 (　　　　)

탐구 공략 하기

자유 낙하 하는 물체에서의 일과 운동 에너지

목표 자유 낙하 하는 물체의 운동을 분석하여 중력이 한 일과 운동 에너지의 관계를 알고 이를 설명할 수 있다.

공략 포인트 물체가 자유 낙하 하는 것은 중력이 물체에 일을 하는 것이다. 중력이 물체에 한 일은 물체의 운동 에너지로 전환되는데, 이것을 일과 에너지의 관계로 이해하는 것이 중요하다!

과정

❶ 쇠구슬의 질량을 측정한다.

❷ 스탠드를 사용하여 투명한 플라스틱 관을 지면에 수직으로 세우고, 종이컵에 모래를 넣어 관 아래에 놓는다.

❸ 관의 아래쪽에 속력 측정기를 설치한다.

❹ 속력 측정기를 켜고 O점에서 쇠구슬을 떨어뜨려 속력을 측정한다.
쇠구슬이 떨어지는 동안 관과의 마찰이 발생하면 실험을 다시 해야 한다.

O
쇠구슬
플라스틱 관
A
속력 측정기
모래를 넣은 종이컵

결과

1. 쇠구슬의 질량: 0.11 kg
2. 관의 위쪽 끝 O점에서 속력 측정기가 있는 A점까지의 거리: 0.50 m
3. 쇠구슬의 속력

횟수	1회	2회	3회	평균
속력(m/s)	3.13	3.12	3.14	3.13

정리

1. 질량이 0.11 kg인 쇠구슬에 작용하는 중력의 크기는 약 1.08 N이고, O점에서 A점까지의 이동 거리가 0.50 m이므로 중력이 쇠구슬에 한 일의 양은 다음과 같이 구할 수 있다.
   중력이 쇠구슬에 한 일$=1.08\text{ N}\times0.50\text{ m}=0.54\text{ J}$
2. 쇠구슬의 질량이 0.11 kg이고, 평균 속력이 3.13 m/s이므로 운동 에너지는 다음과 같이 구할 수 있다.
   A 점에서 쇠구슬의 운동 에너지$=\frac{1}{2}\times0.11\text{ kg}\times(3.13\text{ m/s})^2\fallingdotseq0.54\text{ J}$
3. 중력이 쇠구슬에 한 일의 양과 운동 에너지가 같다. 이것은 중력이 쇠구슬에 한 일이 쇠구슬의 운동 에너지로 전환되기 때문이다.

정답과 해설 024쪽

01 운동 에너지의 크기를 구하시오.

(1) 질량이 2 kg인 물체가 5 m 낙하하였다.
(2) 질량이 2 kg인 물체가 4 m/s의 속력으로 운동하고 있다.
(3) 물체가 낙하하는 동안 중력이 물체에 한 일이 98 J이다.

02 다음 값을 구하시오.

(1) 질량이 4 kg인 물체의 운동 에너지가 32 J일 때 물체의 속력은 몇 m/s인가?
(2) 5 m/s의 속력으로 운동하고 있는 수레의 운동 에너지가 50 J이라면 수레의 질량은 몇 kg인가?

03 이 실험에 대한 설명으로 옳은 것은 ○표, 옳지 않은 것은 ×표를 하시오.

(1) 질량이 2배가 되면 운동 에너지도 2배가 된다. ( )
(2) 속력이 2배가 되면 운동 에너지도 2배가 된다. ( )
(3) 중력이 쇠구슬에 한 일과 운동 에너지가 같다. ( )
(4) 자유 낙하 운동을 하는 물체에 작용하는 힘의 크기는 물체의 무게와 같다. ( )
(5) 물체가 자유 낙하 운동을 하는 것은 중력에 대해 일을 하는 것이다. ( )

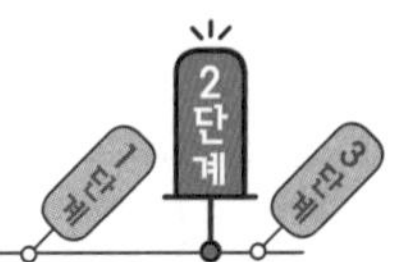

★ 정답과 해설 024쪽

A 과학에서의 일

필수

01 과학에서의 일에 대한 설명으로 옳지 않은 것은?

① 일의 양을 나타내는 단위로 J(줄)을 사용한다.
② 일의 양은 힘과 힘의 방향으로 이동한 거리의 곱과 같다.
③ 물체에 힘을 작용하면 물체가 이동하지 않더라도 물체에 일을 한 것이다.
④ 물체에 힘이 작용하여 물체가 힘의 방향으로 이동할 때 힘이 물체에 일을 한 것이다.
⑤ 물체에 작용한 힘의 방향과 물체가 이동한 방향이 수직이면 힘이 물체에 한 일의 양은 0이다.

02 과학에서 말하는 일을 한 경우가 아닌 것은?

① 책상을 밀어 뒤로 옮겼다.
② 수레를 밀어서 이동시켰다.
③ 가방을 들고 1층에서 2층으로 올라갔다.
④ 역기를 들고 10초 동안 가만히 서 있었다.
⑤ 바닥에 있는 상자를 선반 위로 들어 올렸다.

03 그림은 나무 도막에 일정한 크기의 힘을 작용하여 나무 도막을 이동시키는 모습을 나타낸 것이다.

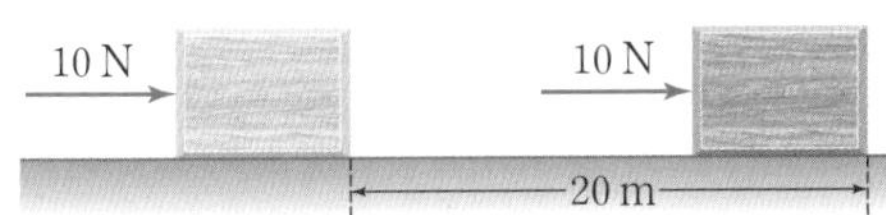

이때 작용한 힘의 크기가 10 N이고, 나무 도막의 이동 거리가 2 m라면 사람이 한 일의 양은 몇 J인가?

① 2 J ② 5 J ③ 10 J
④ 20 J ⑤ 40 J

필수

04 그림과 같이 바닥에 놓여 있는 물체를 지면으로부터 2 m 들어 올리는 동안 30 J의 일을 하였다. 이 물체에 작용하는 중력의 크기는 몇 N인가?

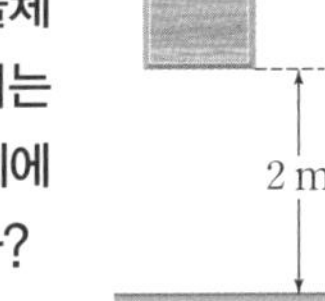

① 4.9 N ② 9.8 N
③ 15 N ④ 30 N
⑤ 60 N

필수

05 그림은 상자를 들고 수평 방향으로 이동하는 모습을 나타낸 것이다. 이에 대한 설명으로 옳지 않은 것은?

① 힘이 상자에 한 일의 양은 0이다.
② 상자에 힘이 작용하지 않는다.
③ 역기를 들고 있을 때와 한 일의 양은 같다.
④ 상자가 힘의 방향으로 이동한 거리는 0이다.
⑤ 상자에 작용한 힘의 방향은 상자의 이동 방향과 수직이다.

서술형

06 그림 (가)는 우주 공간에서 우주선이 일정한 속력으로 운동하는 모습을, (나)는 상자를 들고 서 있는 모습을, (다)는 컵을 들고 걸어가는 모습을 나타낸 것이다.

(가) (나) (다)

각 경우 물체에 한 일의 양을 구하고, 그렇게 구한 까닭을 서술하시오.

신유형

07 수평면에 정지해 있는 장난감 자동차를 10 N의 힘으로 5 m 밀었더니 장난감 자동차의 운동 에너지가 50 J이었다. 장난감 자동차를 20 N의 힘으로 10 m 밀면 장난감 자동차의 운동 에너지는 몇 J이 되는가?

① 50 J ② 100 J ③ 150 J
④ 200 J ⑤ 250 J

서술형

08 그림은 책상 면에 놓인 무게가 20 N인 나무 도막에 용수철저울을 걸고 천천히 끌어당겨 0.5 m 이동시키는 모습을 나타낸 것이다.

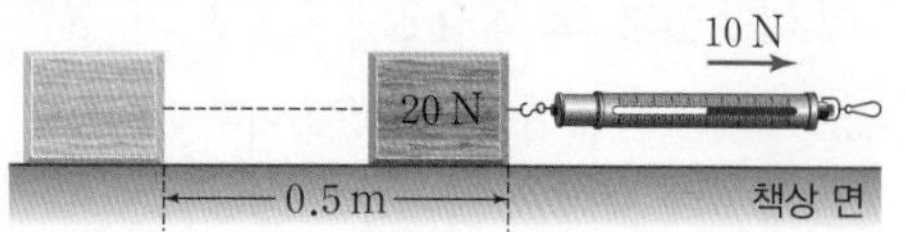

나무 도막이 이동하는 동안 용수철저울의 눈금이 10 N을 가리켰다. 나무 도막에 한 일의 양을 구하고, 그렇게 구한 까닭을 서술하시오.

---

09 그림은 들고 있던 돌을 떨어뜨려 말뚝을 박는 일을 하는 모습을 나타낸 것이다. 이에 대한 설명으로 옳은 것만을 보기에서 모두 고른 것은?

보기
ㄱ. 돌의 에너지는 감소하였다.
ㄴ. 일이 에너지로 전환되는 경우이다.
ㄷ. 말뚝에 한 일은 돌의 감소한 에너지와 같다.

① ㄱ ② ㄴ ③ ㄱ, ㄴ
④ ㄱ, ㄷ ⑤ ㄴ, ㄷ

필수

10 과학에서의 일과 에너지에 대한 설명으로 옳은 것만을 보기에서 모두 고른 것은?

보기
ㄱ. 에너지는 일로 전환될 수 있다.
ㄴ. 일은 에너지로 전환될 수 없다.
ㄷ. 에너지의 단위로 N(뉴턴)을 사용한다.
ㄹ. 에너지는 일을 할 수 있는 능력을 뜻한다.

① ㄱ, ㄴ ② ㄱ, ㄷ ③ ㄱ, ㄹ
④ ㄴ, ㄷ ⑤ ㄷ, ㄹ

B 일을 하여 생긴 에너지

필수

11 그림과 같이 지면으로부터 높이 h인 곳에 질량이 m인 물체가 있다. 이 물체가 가지는 중력에 의한 위치 에너지와 크기가 같은 것만을 보기에서 모두 고른 것은?

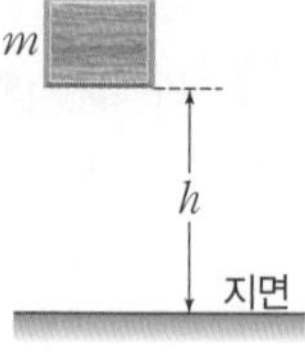

보기
ㄱ. 이 물체를 높이 h까지 들어 올릴 때 한 일의 양
ㄴ. 이 물체가 지면까지 낙하하면서 한 일의 양
ㄷ. 이 물체가 지면까지 낙하하는 동안 중력이 한 일의 양
ㄹ. 이 물체가 지면까지 낙하할 때 물체가 가지는 운동 에너지의 크기

① ㄹ ② ㄱ, ㄴ ③ ㄱ, ㄹ
④ ㄴ, ㄷ ⑤ ㄱ, ㄴ, ㄷ, ㄹ

[12-13] 그림과 같이 지면에 놓인 질량이 4 kg인 물체를 서서히 들어 올렸더니 지면을 기준면으로 할 때 물체의 중력에 의한 위치 에너지가 78.4 J이 되었다. (단, 공기 저항은 무시한다.)

12 물체에 중력에 대해 한 일은 몇 J인가?

① 9.8 J ② 19.6 J ③ 29.4 J
④ 39.6 J ⑤ 78.4 J

13 물체를 들어 올린 높이는 몇 m인가?

① 0.5 m ② 1 m ③ 1.5 m
④ 2 m ⑤ 4 m

14 중력에 의한 위치 에너지가 가장 큰 것은?

① 지면으로부터 5 m 높이에 있는 2 kg의 물체
② 지면으로부터 3 m 높이에 있는 4 kg의 물체
③ 지면으로부터 4 m 높이에 있는 2 kg의 물체
④ 지면으로부터 2 m 높이에 있는 5 kg의 물체
⑤ 지면으로부터 3 m 높이에 있는 3 kg의 물체

정답과 해설 024쪽

필수

15 중력에 의한 위치 에너지(E_p)와 질량(m) 및 높이(h) 사이의 관계를 나타낸 그래프로 옳은 것만을 보기에서 모두 고른 것은?

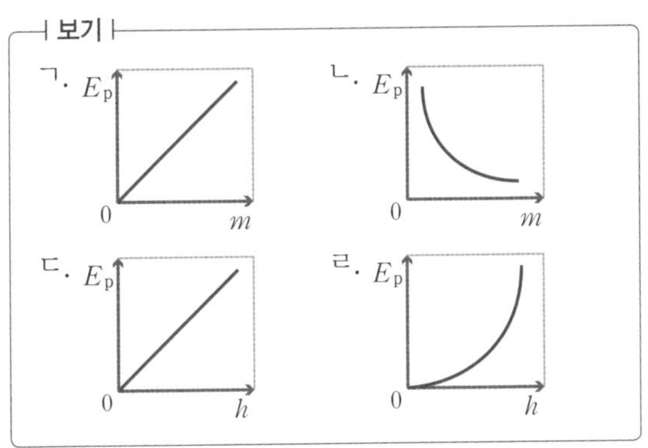

① ㄱ ② ㄷ ③ ㄱ, ㄷ
④ ㄴ, ㄹ ⑤ ㄷ, ㄹ

16 그림과 같이 선반 A에 있는 질량이 m인 물체는 지면을 기준면으로 할 때 49 J의 중력에 의한 위치 에너지를 가진다. 지면을 기준면으로 할 때 선반 B에 있는 질량 $2m$인 물체가 가지는 중력에 의한 위치 에너지는 몇 J인가?

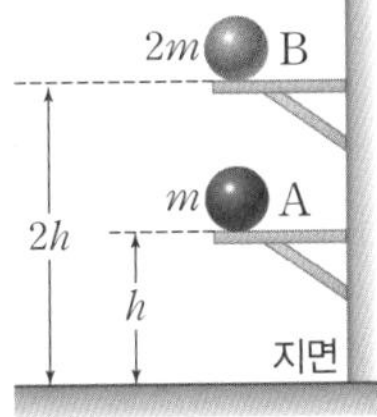

① 24.5 J ② 49 J ③ 98 J
④ 147 J ⑤ 196 J

서술형

17 그림과 같이 지구와 달에서 질량이 같은 물체를 같은 높이에 들고 있다.

이때 위치 에너지의 크기가 어떻게 다른지 쓰고, 그 까닭을 지구와 달에서 중력에 대해 한 일과 관련지어 서술하시오.

필수

18 그림은 질량이 20 kg인 물체를 지면으로부터 2 m 높이까지 일정한 속력으로 들어 올리는 모습을 나타낸 것이다. 이에 대한 설명으로 옳지 <u>않은</u> 것은?

① 중력에 대해 일을 한 것이다.
② 들어 올리는 힘이 한 일은 392 J이다.
③ 2 m 높이에 있는 물체가 가지는 에너지는 392 J이다.
④ 물체를 들어 올리는 데 드는 힘의 크기는 (9.8×20) N이다.
⑤ 중력에 대해 한 일과 물체가 가지는 운동 에너지는 같다.

서술형

19 그림은 중력에 의한 위치 에너지를 측정하는 실험 장치를 나타낸 것이다.

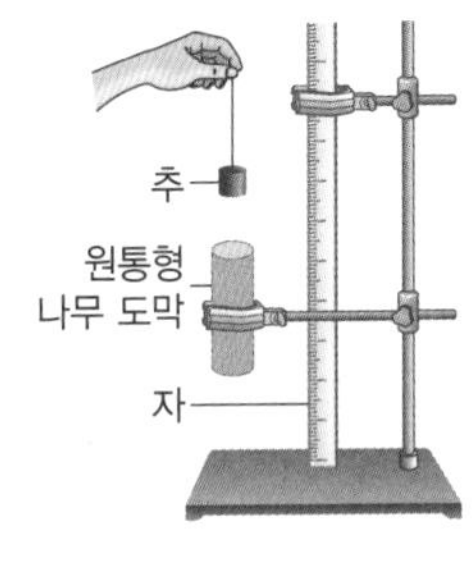

(1) 이 장치에서 중력에 의한 위치 에너지의 크기를 알아보기 위해 측정해야 하는 것은 무엇인지 쓰시오.

(2) 이 장치를 이용하여 추의 높이와 중력에 의한 위치 에너지의 관계를 알아보는 실험 방법을 설계하시오.

[20-21] 그림은 질량이 4 kg인 물체를 지면으로부터 2.5 m 높이에서 가만히 놓은 모습을 나타낸 것이다. (단, 공기 저항은 무시한다.)

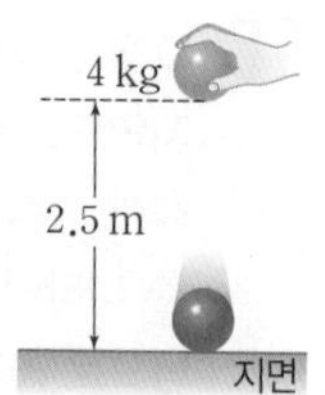

20 지면에 도달할 때까지 중력이 물체에 한 일의 양은 몇 J인가?

① 19.6 J　② 49 J　③ 78.4 J　④ 98 J　⑤ 196 J

필수

21 지면에 도달한 순간 물체의 운동 에너지는 몇 J인가?

① 19.6 J　② 49 J　③ 78.4 J　④ 98 J　⑤ 196 J

서술형

22 그림과 같이 장치하고 긴 막대기로 질량이 300 g, 600 g, 900 g인 수레를 동시에 밀어 나무 도막에 충돌시킨 후 나무 도막의 이동 거리를 측정하였다.

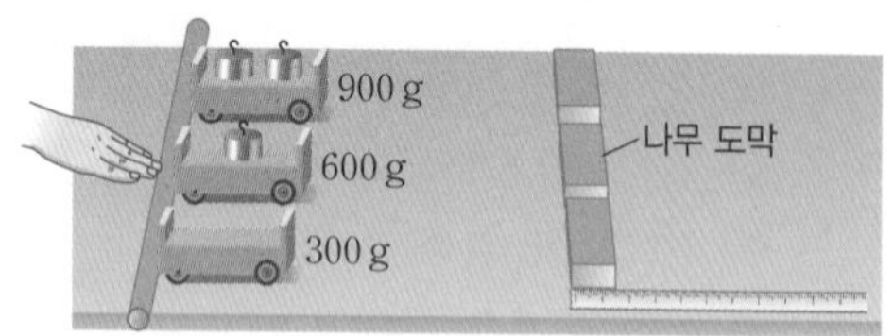

(1) 긴 막대기로 세 수레를 동시에 민 까닭을 서술하시오.

(2) 이 실험을 통해 알 수 있는 것과 그 까닭을 서술하시오.

23 중력에 의한 위치 에너지를 가지는 경우를 보기에서 모두 고른 것은? (단, 지면을 기준면으로 한다.)

보기
ㄱ. 책상 위에 놓인 필통
ㄴ. 레일 위를 굴러가는 볼링공
ㄷ. 운동장에 놓여 있는 축구공
ㄹ. 미끄럼틀을 타고 내려가는 사람
ㅁ. 높은 나무 위에 매달려 있는 복숭아

① ㄴ　② ㄱ, ㄷ　③ ㄴ, ㄷ　④ ㄹ, ㅁ　⑤ ㄱ, ㄹ, ㅁ

서술형

24 그림과 같이 O점으로부터 0.49 m 떨어진 A점에 속력 측정기를 설치하고 질량이 1 kg인 쇠구슬을 자유 낙하 시켰다. 쇠구슬이 A점을 지날 때의 속력을 구하는 과정을 운동 에너지와 중력이 한 일의 관계로 서술하시오.

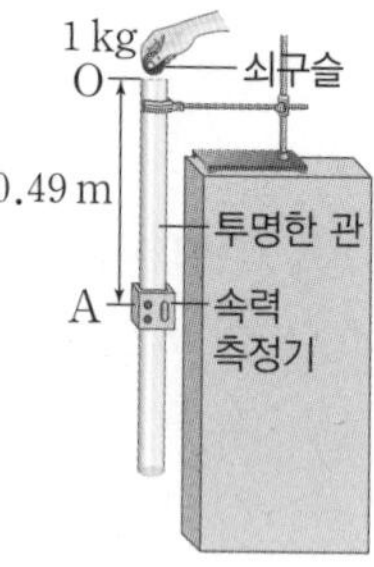

필수

25 보기의 현상들을 중력에 의한 위치 에너지를 이용한 예와 운동 에너지를 이용한 예로 옳게 짝 지은 것은?

보기
ㄱ. 두 사람이 널뛰기를 한다.
ㄴ. 운동장에서 연을 날린다.
ㄷ. 수영장에서 미끄럼틀을 타고 내려온다.
ㄹ. 방망이를 이용하여 투수가 던진 공을 친다.

	위치 에너지	운동 에너지
①	ㄱ	ㄴ, ㄷ, ㄹ
②	ㄴ	ㄱ, ㄷ, ㄹ
③	ㄱ, ㄴ	ㄷ, ㄹ
④	ㄱ, ㄷ	ㄴ, ㄹ
⑤	ㄱ, ㄹ	ㄴ, ㄷ

신유형

01 그림은 물체를 천천히 수직으로 들어 올릴 때 작용한 힘과 들어 올린 높이의 관계를 나타낸 것이다. 물체를 4 m 들어 올렸을 때 물체의 에너지 증가량은 몇 J인가?

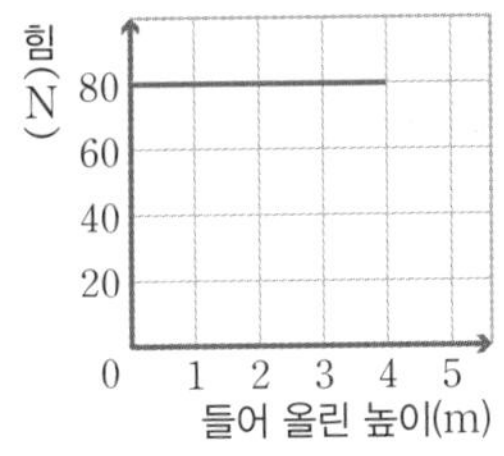

① 4 J ② 40 J ③ 80 J
④ 160 J ⑤ 320 J

02 그림과 같이 3 m/s의 속력으로 운동하고 있는 질량이 2 kg인 수레를 일정한 크기의 힘으로 밀었더니 속력이 9 m/s가 되었다.

사람이 수레에 해 준 일의 양은 몇 J인가?

① 9 J ② 18 J ③ 72 J
④ 81 J ⑤ 90 J

필수

03 그림은 두 물체 A, B의 높이에 따른 위치 에너지의 크기를 나타낸 것이다. A와 B의 질량의 비(A : B)는?

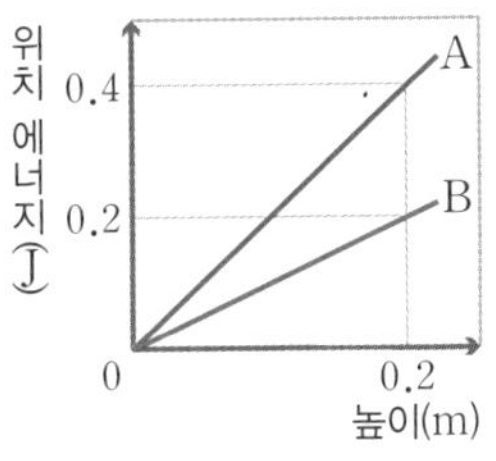

① 1 : 1
② 1 : 2
③ 1 : 4
④ 2 : 1
⑤ 4 : 1

[04-05] 그림은 지면으로부터 30 m 높이인 A 지점에서 질량이 2 kg인 물체를 가만히 놓아 자유 낙하 시키는 모습을 나타낸 것이다. 물체가 B 지점을 지날 때 낙하한 거리는 19.6 m이다.

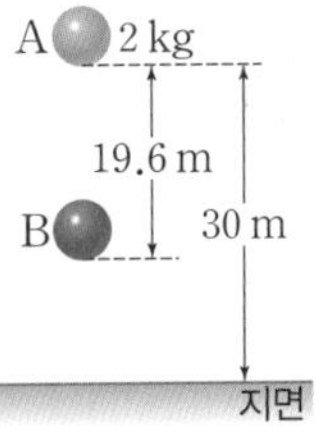

필수

04 물체가 B 지점을 지날 때 물체의 운동 에너지는 몇 J인가?

① 19.6 J ② 49 J ③ 58.8 J
④ 96.04 J ⑤ 384.16 J

필수

05 물체가 B 지점을 지날 때 물체의 속력은 몇 m/s인가?

① 4.9 m/s ② 7 m/s ③ 9.8 m/s
④ 14 m/s ⑤ 19.6 m/s

신유형

06 그림은 지면으로부터 20 m 높이인 A에 정지해 있던 물체가 자유 낙하 운동을 하는 모습을 나타낸 것이다. 물체의 속력이 B에서의 2배인 지점은? (단, 공기 저항은 무시한다.)

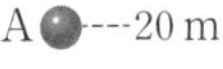

B 15 m

C 10 m

D 5 m

① A
② C
③ E
④ A와 D
⑤ A와 E

대단원 완성하기

점수 표시가 없는 문제는 모두 3점입니다.

제한시간: 45분

01 A 역에서 B 역까지의 거리가 216 km이다. 기차가 오전 11시에 A 역을 출발하여 오후 2시에 B 역에 도착하였다면 이 기차의 평균 속력은 몇 km/h인가?

① 36 km/h ② 48 km/h ③ 72 km/h
④ 84 km/h ⑤ 108 km/h

02 그림은 운동하는 물체의 모습을 0.2초 간격으로 연속하여 나타낸 것이다.

이에 대한 설명으로 옳은 것만을 보기에서 모두 고른 것은?

보기
ㄱ. 물체 사이의 거리를 측정하면 속력을 구할 수 있다.
ㄴ. 시간 간격을 짧게 하면 물체 사이의 간격은 좁아진다.
ㄷ. 물체의 속력이 빠르면 물체 사이의 간격은 좁아진다.

① ㄱ ② ㄷ ③ ㄱ, ㄴ
④ ㄴ, ㄷ ⑤ ㄱ, ㄴ, ㄷ

03 그림은 오른쪽으로 운동하는 물체의 모습을 일정한 시간 간격으로 나타낸 것이다.

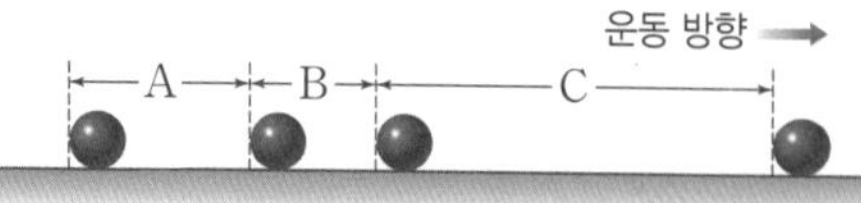

이 물체의 운동에 대한 설명으로 옳지 않은 것은?

① 속력은 A 구간에서 가장 빠르다.
② 속력은 B 구간에서 가장 느리다.
③ 이동 거리는 B 구간이 가장 짧다.
④ 이동 거리는 C 구간이 가장 길다.
⑤ 물체는 속력이 계속 변하는 운동을 한다.

04 그림은 두 물체 A, B의 시간에 따른 이동 거리의 변화를 나타낸 것이다. A와 B의 속력의 비(A : B)는?

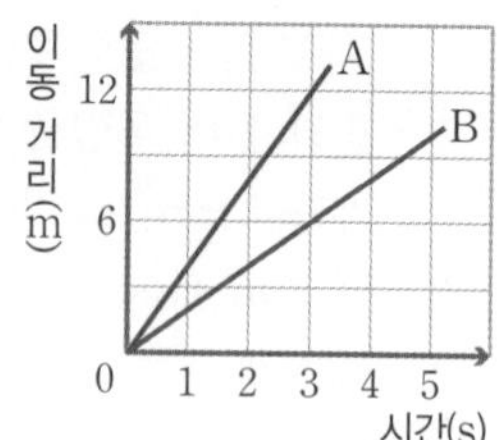

① 1 : 1
② 1 : 2
③ 2 : 1
④ 2 : 3
⑤ 3 : 2

05 등속 운동에 해당하는 그래프를 모두 고르면? (정답 2개)

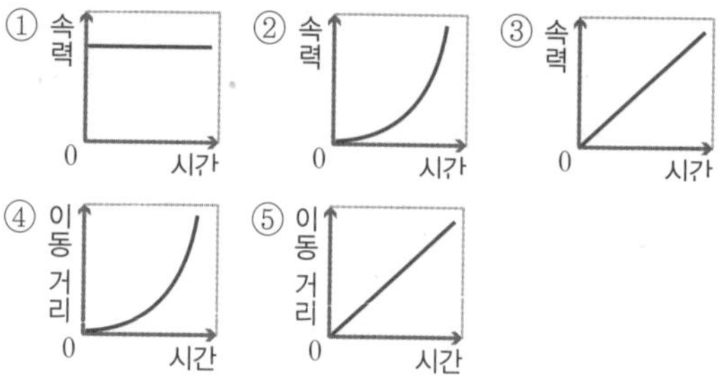

06 그림은 손에 들고 있던 공을 가만히 놓았을 때 공이 떨어지는 모습을 나타낸 것이다. 이때 공의 속력이 점점 증가하는 까닭을 옳게 설명한 것은? (4점)

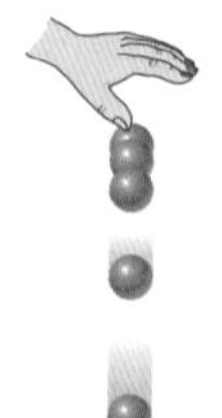

① 공에 힘이 작용하지 않기 때문이다.
② 공에 운동 방향으로 힘이 계속 작용하기 때문이다.
③ 공에 운동 방향과 반대 방향으로 힘이 계속 작용하기 때문이다.
④ 공을 놓는 순간에만 위 방향으로 힘이 작용하기 때문이다.
⑤ 공을 놓는 순간에만 아래 방향으로 힘이 작용하기 때문이다.

정답과 해설 026쪽

07 자유 낙하 운동을 하는 물체의 시간에 따른 속력을 나타낸 그래프로 옳은 것은? (단, 공기 저항은 무시한다.)

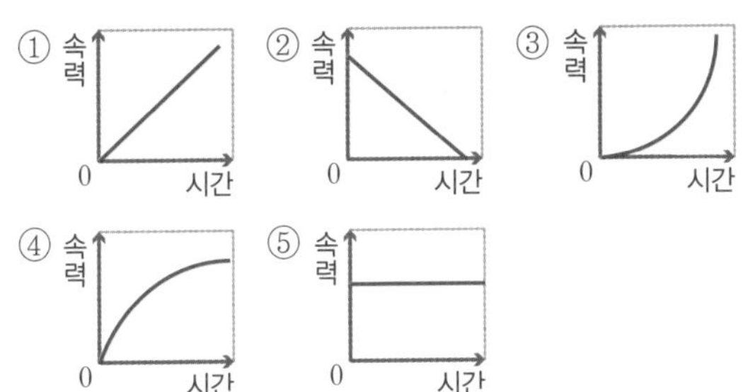

08 보기에서 (가)등속 운동에 해당하는 것과 (나)자유 낙하 운동에 해당하는 것을 옳게 짝 지은 것은?

보기
ㄱ. 1초 동안 움직인 거리가 일정하다.
ㄴ. 1초마다 속력이 9.8 m/s씩 증가한다.
ㄷ. 물체에 일정한 힘이 계속 작용한다.
ㄹ. 시간-속력 그래프는 시간축에 나란하다.

	(가)	(나)		(가)	(나)
①	ㄱ, ㄴ	ㄷ, ㄹ	②	ㄱ, ㄷ	ㄴ, ㄹ
③	ㄱ, ㄹ	ㄴ, ㄷ	④	ㄴ, ㄷ	ㄱ, ㄹ
⑤	ㄴ, ㄹ	ㄱ, ㄷ			

09 그림 (가), (나)는 두 물체의 시간에 따른 속력을 나타낸 것이다.

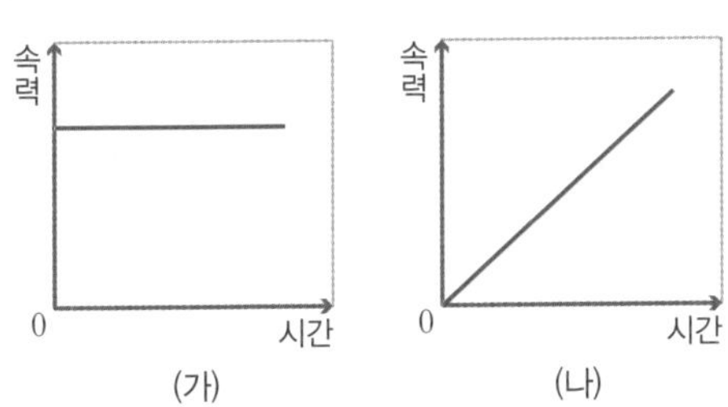

(가), (나)에 대한 설명으로 옳은 것만을 보기에서 모두 고른 것은?

보기
ㄱ. (가)는 물체가 정지해 있는 경우이다.
ㄴ. (가)의 경우 이동 거리는 시간에 비례한다.
ㄷ. (나)는 속력이 일정한 등속 운동을 한다.

① ㄱ ② ㄴ ③ ㄱ, ㄴ
④ ㄱ, ㄷ ⑤ ㄴ, ㄷ

10 그림은 물체에 힘을 주어 물체를 앞으로 이동시키는 모습을 나타낸 것이다.

이에 대한 설명으로 옳지 <u>않은</u> 것은?

① 과학에서 말하는 일을 하였다.
② 물체가 힘의 방향으로 이동하였다.
③ 한 일의 양은 힘과 이동 거리의 곱과 같다.
④ 물체에 작용하는 중력이 한 일의 양은 0이다.
⑤ 물체를 미는 힘이 물체에 한 일의 양은 0이다.

11 그림은 필통을 용수철저울에 걸어 천천히 2 m 높이만큼 들어 올리는 모습을 나타낸 것이다. 이때 용수철저울의 눈금이 10 N을 가리켰다면 사람이 필통에 한 일의 양은 몇 J인가?

① 2 J ② 10 J
③ 20 J ④ 40 J
⑤ 50 J

12 일과 에너지에 대한 설명으로 옳은 것만을 보기에서 모두 고른 것은?

보기
ㄱ. 일과 에너지는 서로 전환될 수 있다.
ㄴ. 일과 에너지의 단위로 J(줄)을 사용한다.
ㄷ. 물체를 높은 곳으로 들어 올리는 일을 하면 물체의 중력에 의한 위치 에너지가 커진다.

① ㄱ ② ㄷ ③ ㄱ, ㄴ
④ ㄴ, ㄷ ⑤ ㄱ, ㄴ, ㄷ

13 그림은 세 물체 A, B, C의 질량과 지면으로부터의 높이를 각각 나타낸 것이다.

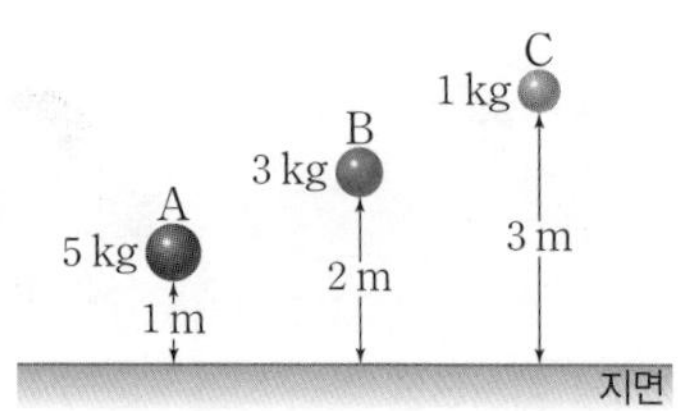

위치 에너지가 (가)가장 큰 것과 (나)가장 작은 것을 옳게 짝 지은 것은?

	(가)	(나)		(가)	(나)
①	A	B	②	A	C
③	B	C	④	C	A
⑤	C	B			

14 그림과 같이 25 N의 힘으로 지면에 있는 상자를 선반 위로 천천히 들어 올릴 때 한 일의 양이 50 J이었다. 이 선반의 높이는 몇 m인가? (단, 선반의 두께는 무시한다.)

① 1 m　② 1.5 m　③ 2 m
④ 2.5 m　⑤ 5 m

15 그림은 질량이 5 kg인 물체가 옥상에 놓여 있는 모습을 나타낸 것이다. 이에 대한 설명으로 옳지 않은 것은?

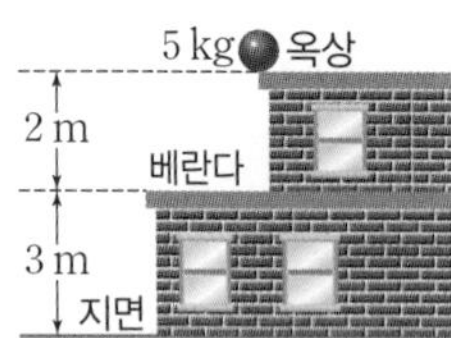

① 옥상을 기준면으로 할 때 위치 에너지는 0이다.
② 지면을 기준면으로 할 때 위치 에너지는 196 J이다.
③ 베란다를 기준면으로 할 때 위치 에너지는 98 J이다.
④ 기준면에 따라 위치 에너지의 크기는 달라진다.
⑤ 옥상에 있는 물체를 베란다로 내려놓으면 위치 에너지는 98 J 감소한다.

16 지구에서 어떤 물체에 98 J의 일을 해 주었더니 물체가 지면으로부터 2.5 m 높이만큼 올라갔다. 달에서 이 물체에 98 J의 일을 해 주면 물체는 지면에서 몇 m 높이까지 올라가는가? (단, 달에서 중력의 크기는 지구에서의 $\frac{1}{6}$배이다.) (4점)

① 0.5 m　② 2.5 m　③ 5 m
④ 10 m　⑤ 15 m

17 운동 에너지에 대한 설명으로 옳은 것만을 보기에서 모두 고른 것은?

보기
ㄱ. 운동 에너지는 물체의 질량에 비례한다.
ㄴ. 운동 에너지는 물체의 속력에 비례한다.
ㄷ. 중력이 물체에 일을 하면 물체의 운동 에너지가 증가한다.
ㄹ. 물체의 속력이 처음의 2배가 되면 물체의 운동 에너지도 처음의 2배가 된다.

① ㄱ, ㄴ　② ㄱ, ㄷ　③ ㄱ, ㄹ
④ ㄴ, ㄹ　⑤ ㄷ, ㄹ

18 그림과 같이 질량이 3 kg인 물체를 지면으로부터 2 m 높이에서 가만히 놓았다. 물체가 (가)지면으로부터 1 m 높이를 지날 때의 운동 에너지와 (나)지면에 도달하기 직전의 운동 에너지를 옳게 짝 지은 것은? (단, 공기 저항은 무시한다.) (4점)

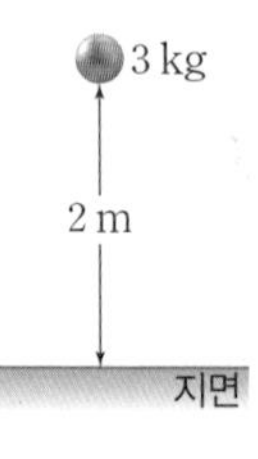

	(가)	(나)		(가)	(나)
①	19.6 J	29.4 J	②	29.4 J	39.2 J
③	29.4 J	58.8 J	④	39.2 J	58.8 J
⑤	58.8 J	58.8 J			

19 질량이 2 kg인 물체 A는 2 m/s의 속력으로 운동하고 있고, 질량이 4 kg인 물체 B는 1 m/s의 속력으로 운동하고 있다. A의 운동 에너지는 B의 몇 배인가? (4점)

① 1배　② 2배　③ 4배
④ 8배　⑤ 16배

정답과 해설 026쪽

서 / 술 / 형 / 문 / 제

20 그림 (가)와 (나)는 장난감 자동차의 운동을 다중 섬광 장치를 이용하여 기록한 것이다.

(1) (가)와 (나)에서 장난감 자동차의 운동을 비교하여 서술하시오. (4점)

(2) (1)과 같이 비교한 까닭을 서술하시오. (5점)

21 그림은 직선 운동을 하는 어떤 물체의 시간에 따른 이동 거리의 변화를 나타낸 것이다.

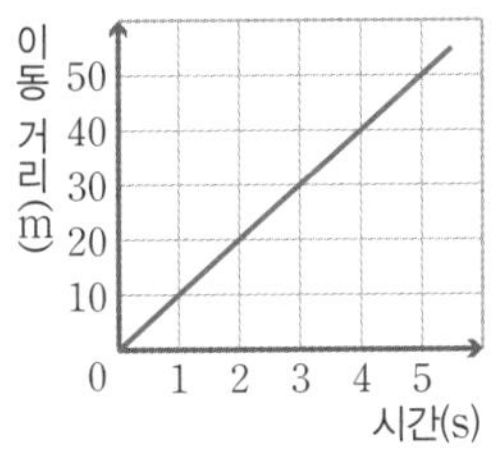

(1) 이 물체는 어떤 운동을 하는지 쓰고, 그 까닭을 서술하시오. (4점)

(2) 이 물체의 속력을 구하고, 그렇게 계산한 까닭을 서술하시오. (5점)

22 그림과 같이 질량이 각각 1 kg과 2 kg인 물체를 실로 연결하여 높은 곳에서 가만히 떨어뜨렸다. 물체가 어떻게 떨어지는지 쓰고, 이로부터 알 수 있는 사실을 서술하시오. (단, 공기 저항은 무시한다.) (5점)

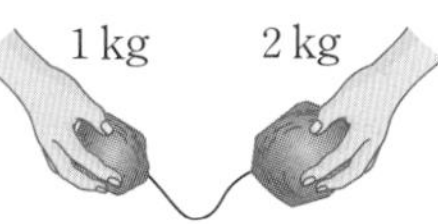

23 그림과 같이 영희는 무게가 100 N인 상자를 지면으로부터 1 m 높이까지 들어 올렸다.

(1) 영희가 상자에 한 일의 양을 구하시오. (3점)

(2) 영희와 상자의 에너지 변화를 에너지 증감을 이용하여 서술하시오. (5점)

24 그림은 질량이 2 kg인 물체가 지면으로부터 10 m 높이에서 자유 낙하 하는 모습을 나타낸 것이다. (단, 공기 저항은 무시한다.)

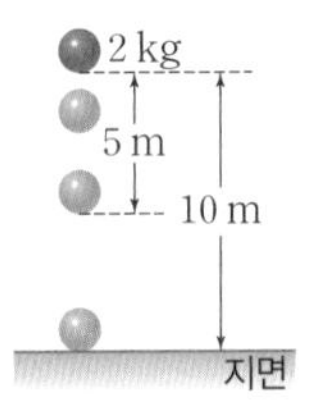

(1) 물체가 5 m 낙하했을 때 중력이 한 일의 양을 구하시오. (4점)

(2) 물체가 10 m 낙하했을 때의 운동 에너지를 구하고, 그렇게 구한 까닭을 서술하시오. (4점)

자극과 반응

배울 내용이 쉬워지는 용어

배울 용어를 읽어보고, 이해가 되었으면 ✔ 표시를 해 봅시다.

- ☐ **감각 기관** 눈, 귀, 코, 혀, 피부 등과 같이 자극을 받아들이는 기관
- ☐ **시각** 눈에서 광원이나 물체에서 나오는 빛을 받아들여 물체의 모양, 크기, 색깔, 거리 등을 구별할 수 있는 감각
- ☐ **청각** 귀에서 공기의 진동을 자극으로 받아들여 소리로 인식하는 감각
- ☐ **후각** 코에서 공기 중에 있는 기체 상태의 화학 물질을 자극으로 받아들이는 감각
- ☐ **미각** 혀에서 액체 상태의 화학 물질을 자극으로 받아들이는 감각
- ☐ **피부 감각** 피부를 통해 부드러움, 아픔, 따뜻함, 차가움, 딱딱함 등을 느끼는 감각
- ☐ **뉴런** 자극을 전달하는 신경계의 기본 단위, 신경계를 구성하는 신경 세포
- ☐ **신경계** 감각 기관에서 받아들인 자극을 전달하고, 이 자극을 판단하여 적절한 반응이 나타나도록 신호를 전달하는 체계
- ☐ **중추 신경계** 자극을 판단하여 적절한 명령을 내리는 신경계, 뇌와 척수가 있음
- ☐ **말초 신경계** 중추 신경계에서 뻗어 나와 온몸에 퍼져 있는 신경계
- ☐ **호르몬** 내분비샘에서 만들어져 특정 세포나 기관으로 신호를 전달하여 몸의 기능을 조절하는 물질
- ☐ **항상성** 생물이 외부 환경의 변화에 관계없이 몸 안의 상태를 항상 일정하게 유지하려는 성질

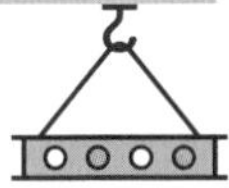

Ⅳ. 자극과 반응

감각 기관

물음으로 흐름잡기

받아들이는 자극은? 눈 / 받아들이는 자극은? 귀 / 감각 기관 / 피부 감각 받아들이는 자극은? / 코 받아들이는 자극은? / 혀 받아들이는 자극은?

A 눈

1. 시각 눈에서 광원이나 물체에서 나오는 빛을 받아들여 물체의 모양, 크기, 색깔, 거리 등을 구별할 수 있는 감각이다.

2. 눈의 구조와 기능
└ 성인의 눈은 탁구공만 한 크기이다.

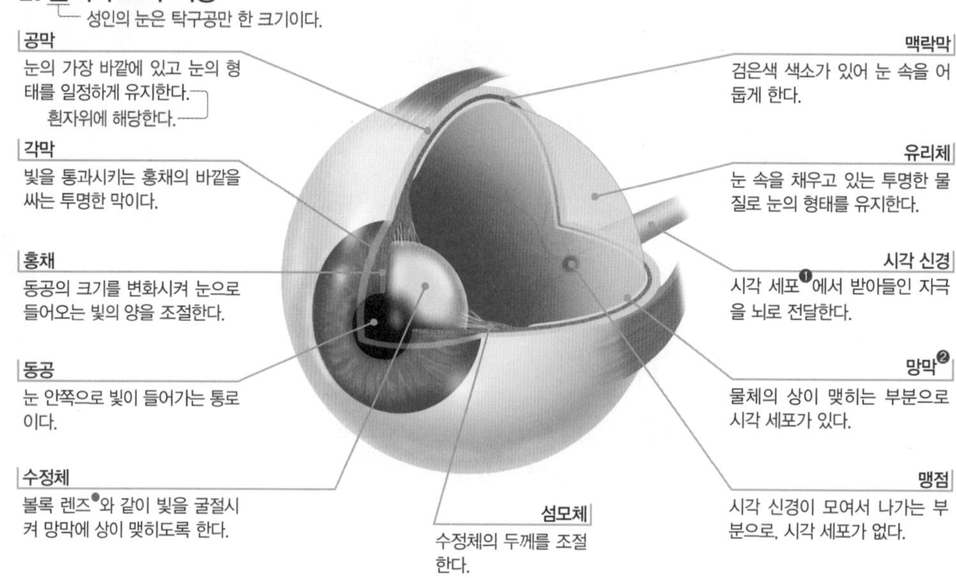

▲ 눈의 구조와 기능

❶ 시각 세포
- 망막에 분포하며 시각 신경이 연결되어 있다.
- 빛을 자극으로 받아들여 시각 신경을 통해 뇌로 전달한다.

❷ 망막
- 눈 가장 안쪽의 막으로 물체의 상이 맺히는 곳이며 황반과 맹점이 있다.
- 황반: 시각 세포가 많이 분포하며 황반에 물체의 상이 맺히면 물체가 선명하게 보인다.
- 맹점: 시각 세포가 분포하지 않아 맹점에 물체의 상이 맺히면 물체가 보이지 않는다.

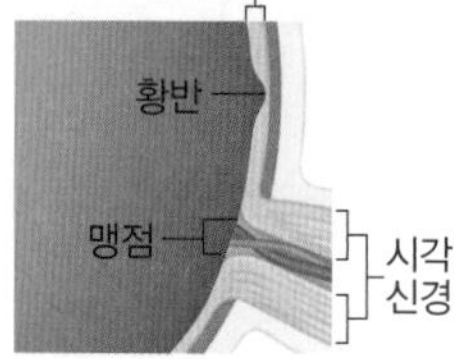

▲ 우리 눈의 맹점

물체의 상이 시각 세포가 있는 망막에 맺히면 보이고, 시각 세포가 없는 맹점에 맺히면 보이지 않는다.

교과서 탐구 맹점 확인하기

▶ **과정**

1. 그림으로부터 10 cm～20 cm 떨어진 거리에서 왼쪽 눈을 가리고 오른쪽 눈으로 아래 그림의 무당벌레를 바라본다.

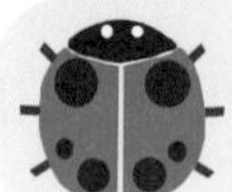
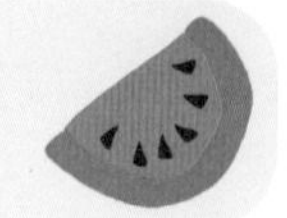

2. 눈동자를 움직이지 말고 무당벌레를 계속 주시하며 그림을 앞뒤로 천천히 움직이면서 오른쪽 수박의 변화를 관찰한다.

▶ **결과** 그림과 눈 사이의 거리를 변화시키면 수박이 보이지 않을 때가 있다.

▶ **해석** 맹점에는 시각 세포가 분포하지 않아 맹점에 상이 맺히면 물체가 보이지 않는다.

3. 시각의 성립 경로

빛 → 각막 → 수정체 → 유리체 → 망막의 시각 세포 → 시각 신경 → 뇌

용어 알기
- **볼록 렌즈** 가운데가 볼록한 렌즈

4. 눈의 조절 작용 탐구 공략하기 098쪽

밝기에 따른 동공의 크기 조절❸		눈과 물체 사이의 거리에 따른 수정체의 두께 조절	
홍채의 축소와 확장에 의해 동공의 크기가 조절되어 눈으로 들어오는 빛의 양이 조절된다. ─ 명암 조절		섬모체●의 이완과 수축에 의해 수정체의 두께가 조절되어 물체의 상이 망막에 정확하게 맺힌다. ─ 원근 조절	
어두울 때	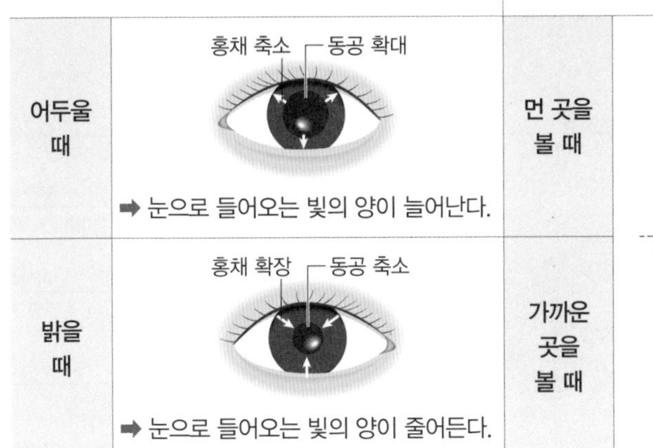 ➡ 눈으로 들어오는 빛의 양이 늘어난다.	먼 곳을 볼 때	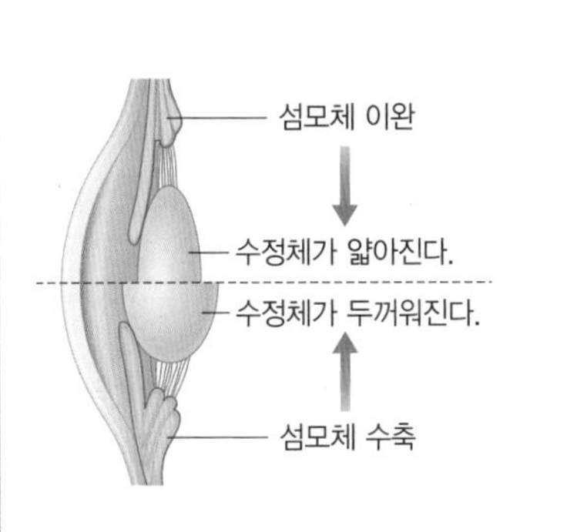
밝을 때	➡ 눈으로 들어오는 빛의 양이 줄어든다.	가까운 곳을 볼 때	

❸ 동공의 크기 조절

• 어두울 때

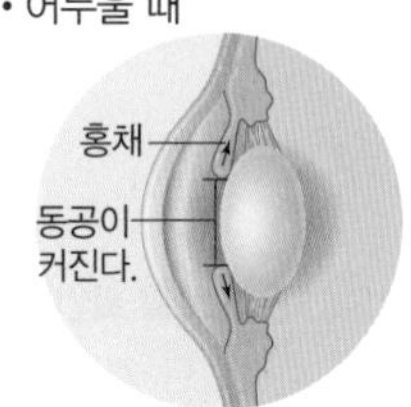

• 밝을 때

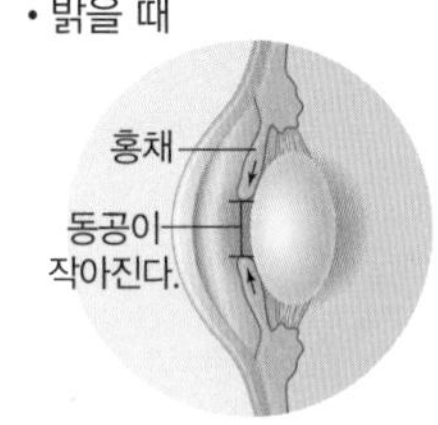

⚠ 용어 알기

• **섬모체** 눈 안의 수정체를 둘러싸고 있는 근육성 조직

✱ 정답과 해설 029쪽

01 그림은 눈의 구조를 나타낸 것이다. A~F 부분의 이름을 쓰시오.

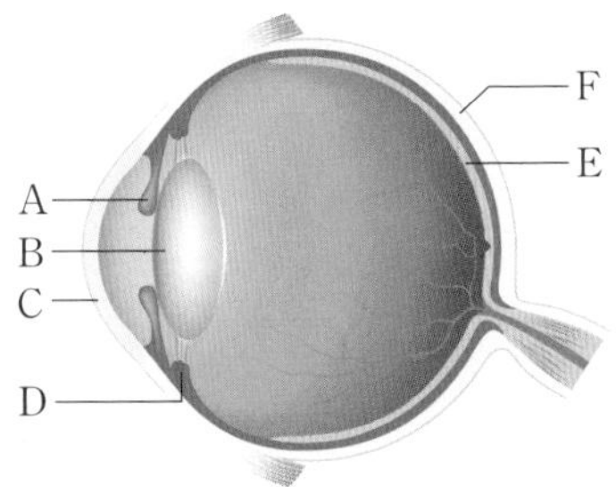

02 다음 설명에 해당하는 눈의 구조를 각각 쓰시오.

(1) 눈 안쪽으로 빛이 들어가는 통로이다. (　　)

(2) 동공의 크기를 조절하여 눈으로 들어오는 빛의 양을 조절한다. (　　)

(3) 시각 신경이 모여 나가는 부분으로 시각 세포가 없다. (　　)

(4) 빛을 굴절시켜 상이 망막에 맺히게 한다. (　　)

(5) 눈 속을 채우고 있는 투명한 물질로, 눈의 형태를 유지한다. (　　)

03 다음은 시각의 성립 경로를 나타낸 것이다. ㉠~㉢에 들어갈 알맞은 말을 쓰시오.

> 빛 → 각막 → (㉠) → 유리체 → (㉡)의 시각 세포 → (㉢) → 뇌

04 다음은 눈의 조절 작용에 대한 설명이다. (　) 안에 들어갈 알맞은 말을 고르시오.

(1) 밝을 때는 ㉠(섬모체, 홍채)가 ㉡(축소, 확장)하여 동공이 ㉢(확대, 축소)되므로, 눈으로 들어오는 빛의 양이 ㉣(증가, 감소)한다.

(2) 가까운 곳을 볼 때는 ㉠(섬모체, 홍채)가 ㉡(수축, 이완)하여 수정체의 두께가 ㉢(두꺼워져, 얇아져) 상이 망막에 정확하게 맺힌다.

01 감각 기관

❹ 전정 기관의 역할 확인
귀 안쪽이 파괴된 개구리를 판자 위에 올려놓고 판자를 기울이면 개구리가 균형을 잘 잡지 못한다.

❺ 평형 감각 기관
반고리관과 전정 기관이 있다.

B 귀

1. 청각 귀에서 공기의 진동을 자극으로 받아들여 소리로 인식하는 감각이다.

2. 귀의 구조와 기능

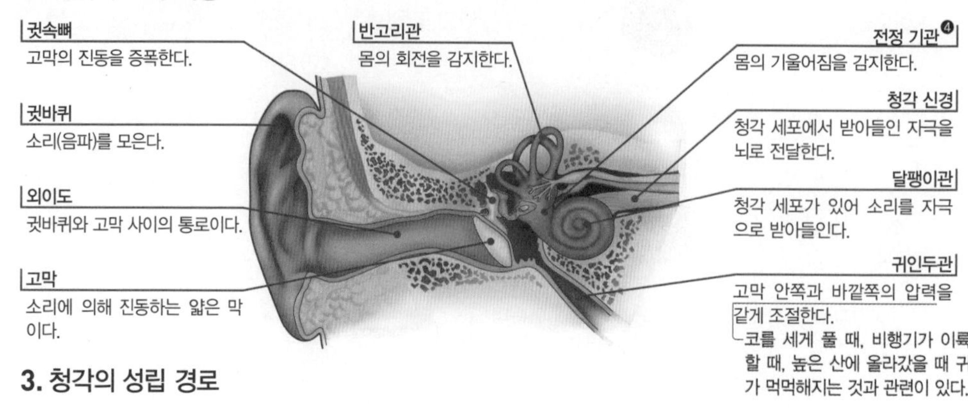

3. 청각의 성립 경로

소리 → 귓바퀴 → 외이도 → 고막 → 귓속뼈 → 달팽이관의 청각 세포 → 청각 신경 → 뇌

4. 평형 감각

① 눈으로 보지 않아도 몸이 회전하거나 기울어지는 것을 느낄 수 있는 감각이다.

② 평형 감각 기관❺에는 몸의 회전을 감지하는 반고리관과 몸의 기울어짐을 감지하는 전정 기관이 있다.

③ 반고리관과 전정 기관에서 받아들인 자극이 평형 감각 신경을 통해 뇌로 전달되면 몸의 자세를 바로 잡거나 균형을 유지할 수 있다.

암기!
코는 기체 물질을, 혀는 액체 물질을 자극으로 받아들인다.

❻ 맛세포에서 감각하지 않는 맛
- 매운맛: 혀와 입속 피부의 통점에서 느끼는 피부 감각이다. ─통각
- 떫은맛: 혀와 입속 피부의 압점에서 느끼는 피부 감각이다. ─압각

용어 알기
- 후각 상피 콧속 윗부분에 점액으로 덮인 부분으로 후각 세포가 있다.

C 코, 혀, 피부

1. 코 감기에 걸렸을 때 냄새를 잘 맡지 못하는 까닭: 콧물이 콧속 천장 벽에 쌓여 냄새를 일으키는 기체 분자가 후각 세포를 자극하지 못하기 때문이다.

후각	코를 통해 기체 상태의 화학 물질을 자극으로 받아들여 냄새를 느끼는 것이다.
후각의 성립 경로	기체 상태의 화학 물질 → 후각 상피•의 후각 세포 → 후각 신경 → 뇌
후각의 특징	매우 민감한 감각이지만 쉽게 피로해지므로 같은 냄새를 오래 맡으면 나중에는 그 냄새를 잘 느끼지 못한다.

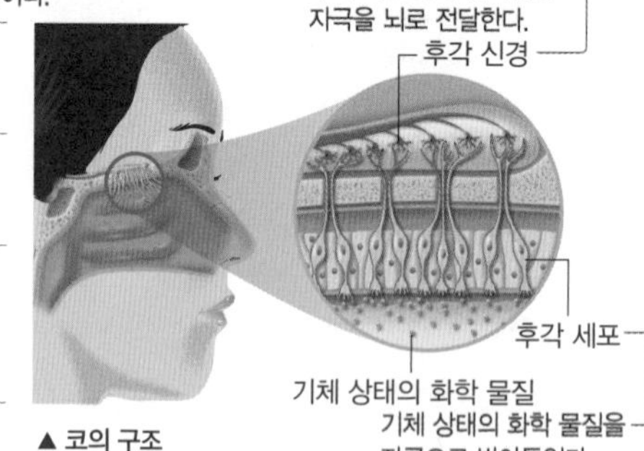

▲ 코의 구조

2. 혀

미각	혀를 통해 액체 상태의 화학 물질을 자극으로 받아들여 맛을 느끼는 것이다.
미각의 성립 경로	액체 상태의 화학 물질 → 맛봉오리의 맛세포 → 미각 신경 → 뇌
혀로 느끼는 맛의 종류❻	단맛, 짠맛, 신맛, 쓴맛, 감칠맛의 다섯 가지가 있다.

감칠맛: 아미노산의 일종인 글루탐산의 맛으로, 고기, 생선, 다시마 등에서 느낄 수 있는 맛

유두
혀 상피 세포
맛봉오리
맛세포
미각 신경
맛세포에서 받아들인 자극을 뇌로 전달한다.
▲ 혀의 구조

교과서 탐구 **후각과 미각의 상호 작용● 알아보기**

▶ **과정**

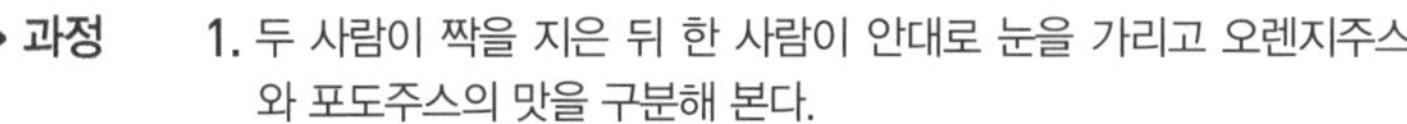

1. 두 사람이 짝을 지은 뒤 한 사람이 안대로 눈을 가리고 오렌지주스와 포도주스의 맛을 구분해 본다.

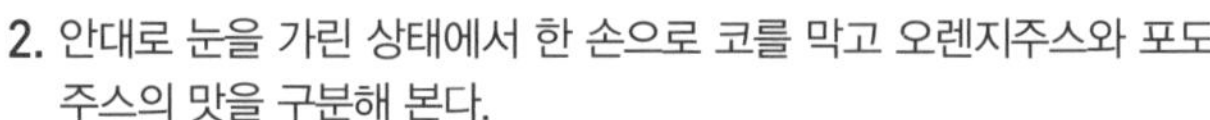

2. 안대로 눈을 가린 상태에서 한 손으로 코를 막고 오렌지주스와 포도주스의 맛을 구분해 본다.

▶ **결과** 눈만 가리면 오렌지주스와 포도주스의 맛을 구분할 수 있으나, 눈과 코를 모두 가리면 두 종류 주스의 맛을 구분할 수 없다.

▶ **해석** 맛을 구분하기 위해서는 후각과 미각이 함께 작용해야 한다.❼

❼ 우리가 느끼는 맛이 다섯 가지보다 많은 까닭

미각과 후각은 서로 상호 작용을 한다. 음식을 먹을 때 혀로 감지한 다섯 가지 맛 외에 코에서 감지하는 여러 가지 냄새가 합쳐져서 맛을 느끼게 된다. 이 외에도 식감, 음식의 온도 등이 합쳐져 우리가 느끼는 맛은 더욱 다양해진다.

❽ 감각점

- 일반적으로 피부에는 통점이 가장 많이 분포하기 때문에 우리 몸은 통증에 대해 가장 예민하다.
- 감각점은 손끝이나 입술 등에 많이 분포한다.

⚠ 용어 알기

- **상호 작용** 두 개 이상의 요인이 조합되어 결과에 영향을 미치는 작용

3. 피부

피부 감각	피부를 통해 부드러움, 딱딱함, 차가움, 따뜻함, 아픔 등을 느끼는 것이다.
감각점❽	• 통점(아픔), 압점(압력), 촉점(접촉), 냉점(차가움)(차가워지는 변화를 감지한다.), 온점(따뜻함)(따뜻해지는 변화를 감지한다.)이 있다. • 감각점이 분포하는 정도는 몸의 부위에 따라 다르다.
피부 감각의 성립 경로	자극 → 피부의 감각점 → 피부 감각 신경 → 뇌

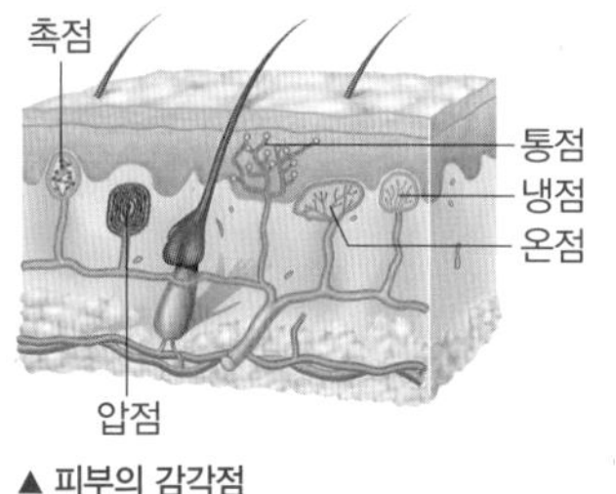

▲ 피부의 감각점

개념 다지기

★ 정답과 해설 029쪽

05 그림은 귀의 구조를 나타낸 것이다. 각 설명에 해당하는 부위의 기호와 이름을 쓰시오.

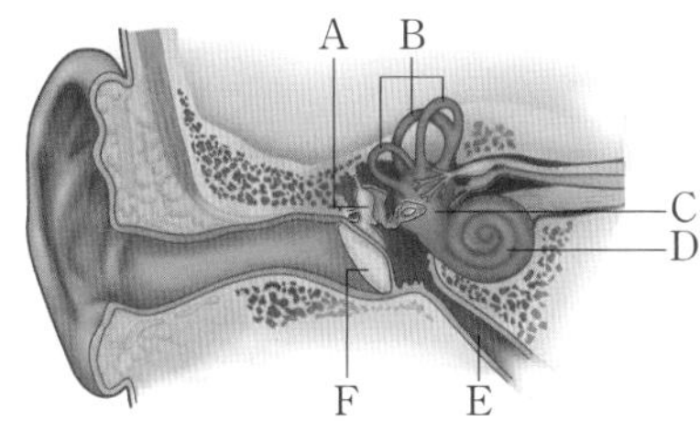

(1) 청각 세포가 있다. (　　　　)

(2) 몸의 기울어짐을 감지한다. (　　　　)

(3) 고막 안쪽과 바깥쪽의 압력을 같게 조절한다. (　　　　)

06 귀의 각 부위와 기능을 옳게 연결하시오.

(1) 귓바퀴 • 　　• ㉠ 소리에 의해 진동한다.

(2) 귓속뼈 • 　　• ㉡ 진동을 증폭한다.

(3) 고막 • 　　• ㉢ 소리를 모은다.

07 다음 설명 중 옳은 것은 ○표, 옳지 않은 것은 ×표를 하시오.

(1) 기체 상태의 화학 물질은 맛봉오리에서 감지한다. (　)

(2) 온도가 차가워진 것을 느끼는 피부 감각점은 냉점이다. (　)

(3) 피부의 감각점은 몸 전체에 고르게 분포한다. (　)

08 다음 (　　) 안에 들어갈 알맞은 말을 쓰시오.

(1) 미각은 (　　　) 상태의 화학 물질을, 후각은 (　　　) 상태의 화학 물질을 자극으로 받아들여 각각 맛과 냄새를 느끼는 것이다.

(2) 피부를 통해 부드러움, 딱딱함, 차가움, 따뜻함, 아픔 등을 느끼는 것을 (　　　)이라고 한다.

(3) 감각점 중에서 일반적으로 피부에는 (　　　)이 가장 많이 분포한다.

탐구 공략 하기

빛의 밝기에 따른 홍채와 동공의 움직임 관찰하기

목표 눈의 구조와 빛의 밝기에 따른 홍채의 조절 작용을 설명할 수 있다.

공략 포인트 이 탐구에서는 밝기에 따른 홍채의 움직임과 이에 따른 동공의 크기 변화를 아는 것이 중요하다!

과정

❶ 흰 종이를 손전등에 붙이기

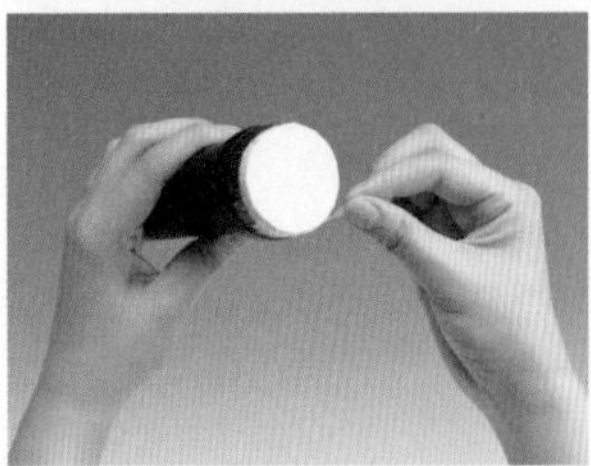

손전등의 앞부분에 흰 종이를 붙인다.

❷ 감은 눈을 떴을 때 관찰하기

두 사람이 짝을 짓고, 한 사람이 감은 눈을 손으로 가리고 1분 뒤 손을 떼고 감은 눈을 뜨면, 다른 사람이 홍채와 동공을 관찰한다.
–홍채 축소, 동공 확대(빛이 약할 때)

❸ 손전등을 비추고 관찰하기

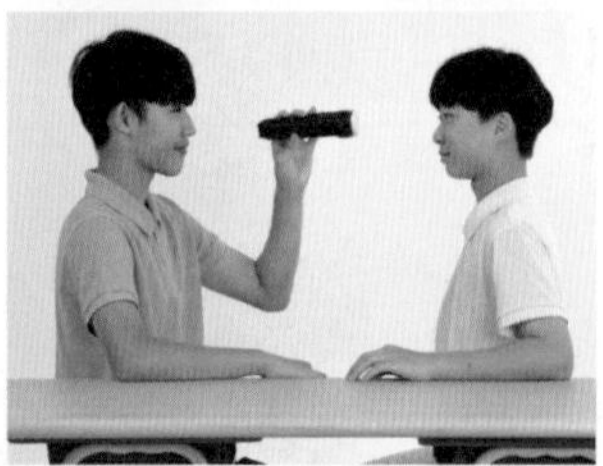

다른 사람이 손전등으로 눈을 비추고 홍채와 동공의 변화를 관찰한다. –홍채 확장, 동공 축소(빛이 강할 때)

결과

1. 감은 눈을 떴을 때는 빛이 약해 홍채가 축소되면서 동공의 크기가 커진다.
2. 손전등을 비추면 빛이 강해 홍채가 확장되면서 동공의 크기가 작아진다.

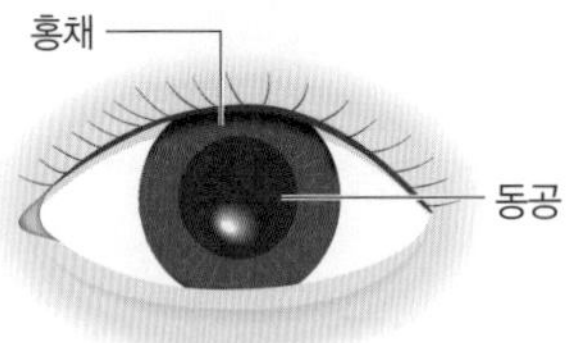

▲ 감은 눈을 떴을 때(빛이 약할 때)

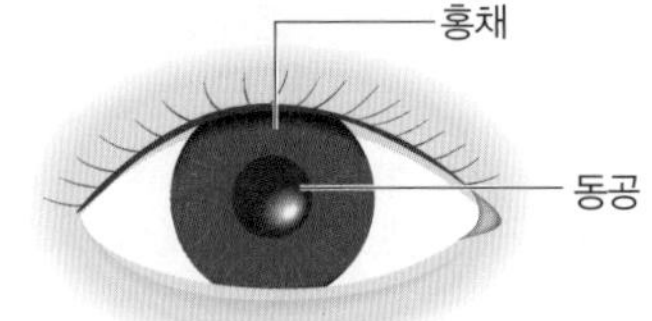

▲ 손전등을 비추었을 때(빛이 강할 때)

정리 사람의 눈은 동공의 크기를 조절하여 눈으로 들어오는 빛의 양을 조절한다.

구분	홍채	동공의 크기	눈으로 들어오는 빛의 양
밝은 곳	확장된다.	작아진다.	줄어든다.
어두운 곳	축소된다.	커진다.	늘어난다.

정답과 해설 029쪽

확인 문제

01 이 실험에 대한 설명으로 옳은 것은 ○표, 옳지 않은 것은 ×표를 하시오.

(1) 손전등을 비추면 홍채가 확장된다. ( )
(2) 손전등을 비추면 동공의 크기가 커진다. ( )
(3) 홍채가 확장되면 동공의 크기가 작아진다. ( )
(4) 밝은 곳에서는 눈으로 들어오는 빛의 양이 늘어난다. ( )
(5) 어두운 곳에서는 홍채가 확장하여 동공의 크기가 커진다. ( )

02 이 실험 결과로 보아, 어떤 사람이 밝은 곳에 있다가 어두운 극장으로 들어갔을 때, 이 사람 눈의 홍채와 동공의 변화를 옳게 짝 지은 것은?

	홍채	동공
①	확장된다.	커진다.
②	확장된다.	작아진다.
③	축소된다.	커진다.
④	축소된다.	작아진다.
⑤	변함없다.	커진다.

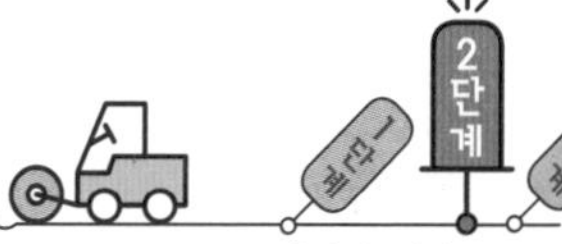

정답과 해설 029쪽

A 눈

[01-02] 그림은 사람 눈의 구조를 나타낸 것이다.

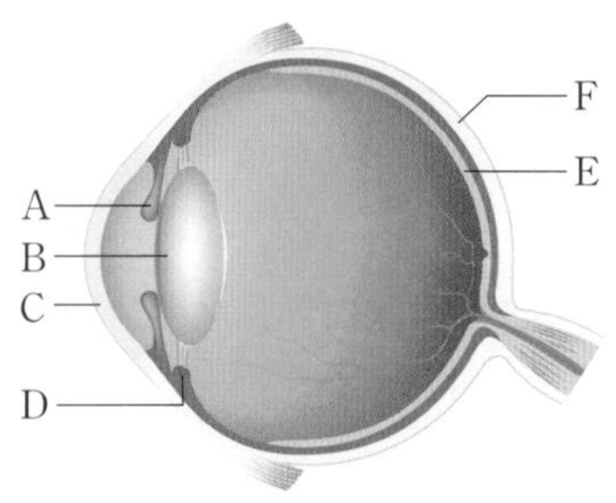

필수

01 그림에서 시각 세포가 분포하며 상이 맺히는 곳의 기호와 이름을 옳게 짝 지은 것은?

① A, 홍채
② B, 수정체
③ C, 각막
④ E, 망막
⑤ F, 공막

02 위 그림의 D에 대한 설명으로 옳은 것은?

① 빛을 굴절시킨다.
② 눈 속을 어둡게 한다.
③ 수정체의 두께를 조절한다.
④ 시각 세포가 분포되어 있다.
⑤ 빛의 자극을 시각 신경으로 전달한다.

03 눈의 내부를 어둡게 하는 눈의 구조와 빛을 굴절시키는 볼록 렌즈와 같은 역할을 하는 눈의 구조를 순서대로 옳게 짝 지은 것은?

① 홍채, 수정체
② 망막, 섬모체
③ 섬모체, 망막
④ 눈꺼풀, 유리체
⑤ 맥락막, 수정체

04 눈의 구조 중 시각 신경이 모여 나가는 부분으로, 시각 세포가 없어서 물체의 상이 맺혀도 볼 수 없는 부위는?

① 각막
② 망막
③ 공막
④ 맹점
⑤ 맥락막

신유형

05 왼쪽 눈을 가리고 오른쪽 눈으로만 그림의 ＋에 초점을 맞추고 ＋와 ○의 표시가 모두 보이는지 확인한 후, 그림과 눈 사이의 거리를 달리 하면 ○의 표시가 보이지 않는 순간이 있다.

＋	○

이 현상에 대한 설명으로 옳은 것은?

① 오른쪽 눈의 망막에 이상이 있다.
② 왼쪽 눈은 오른쪽 눈보다 시력이 약하다.
③ 망막에는 상이 맺혀도 보이지 않는 부분이 있다.
④ 한쪽 눈으로 물체를 보면 상이 망막에 맺히지 않는다.
⑤ 오른쪽 눈은 왼쪽 눈보다 물체와의 거리를 조절하지 못한다.

필수

06 빛의 자극이 뇌까지 전달되어 시각이 성립되는 경로로 옳은 것은?

① 빛 → 각막 → 홍채 → 유리체 → 시각 신경 → 망막의 시각 세포 → 뇌
② 빛 → 각막 → 유리체 → 수정체 → 시각 신경 → 망막의 시각 세포 → 뇌
③ 빛 → 각막 → 수정체 → 유리체 → 망막의 시각 세포 → 시각 신경 → 뇌
④ 빛 → 홍채 → 섬모체 → 유리체 → 망막의 시각 세포 → 시각 신경 → 뇌
⑤ 빛 → 수정체 → 유리체 → 각막 → 시각 신경 → 망막의 시각 세포 → 뇌

필수

07 그림은 동공의 크기 변화를 관찰하여 나타낸 것이다.

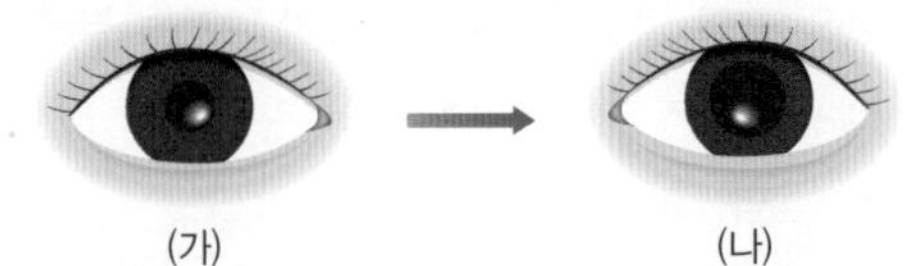

동공의 크기가 (가)에서 (나)로 변한 경우로 옳은 것은?

① 오랫동안 한 곳을 응시하였다.
② 여러 시간 동안 컴퓨터를 하였다.
③ 가까운 거리에서 책을 오랫동안 보았다.
④ 갑자기 정전이 되어 주위가 깜깜해졌다.
⑤ 어두운 실내에 있다가 밝은 운동장으로 뛰어나 갔다.

08 먼 곳에 있는 물체를 보다가 가까운 곳에 있는 물체를 볼 때 나타나는 현상으로 옳은 것은?

① 동공이 커진다.
② 홍채가 확장된다.
③ 망막이 두꺼워진다.
④ 섬모체가 이완한다.
⑤ 수정체가 두꺼워진다.

서술형

09 차를 타고 앞 좌석의 뒷부분을 보고 있다가 창밖의 먼 곳을 내다보았다. 이때 눈에서는 어떤 변화가 일어나는지 눈의 구조와 관련지어 서술하시오.

B 귀

10 다음 중 귀에 대한 설명으로 옳은 것은?

① 반고리관은 몸의 기울어짐을 감지한다.
② 달팽이관은 고막의 진동을 증폭시켜 준다.
③ 고막은 소리에 의해 진동하는 얇은 막이다.
④ 외이도는 고막 안쪽과 바깥쪽의 압력을 같게 조절한다.
⑤ 전정 기관에는 청각 세포가 있어 소리를 뇌에 전달할 수 있다.

[11-13] 그림은 사람 귀의 구조를 나타낸 것이다.

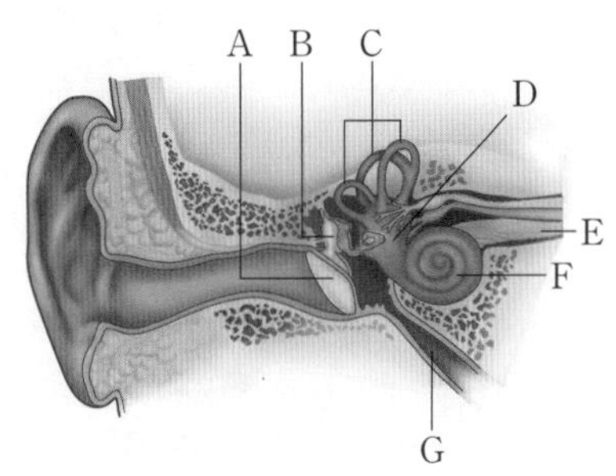

필수

11 청각의 성립 경로를 옳게 나타낸 것은?

① A → B → C → D
② A → B → C → G
③ A → B → D → E
④ A → B → F → E
⑤ A → B → F → G

서술형

12 사람이 느끼는 소리의 크기는 실제 고막에 와 닿는 소리의 크기보다 수십 배나 크다고 한다. 귀의 구조에서 이와 관계있는 부위의 기호와 이름을 쓰고 그 까닭을 서술하시오.

정답과 해설 029쪽

13 비행기가 이륙할 때 귀가 먹먹해지고 소리가 잘 안 들리면 침을 삼키거나 하품을 하면 잘 들린다. 귀의 구조에서 이러한 현상과 관계있는 부위의 기호와 이름을 옳게 짝 지은 것은?

① A, 고막
② C, 반고리관
③ D, 귓속뼈
④ F, 달팽이관
⑤ G, 귀인두관

14 그림은 사람 귀 구조의 일부를 나타낸 것이다.

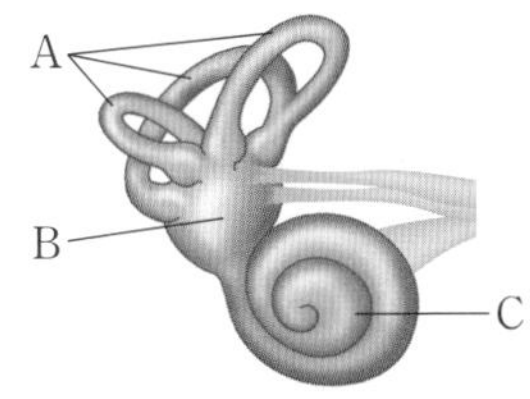

다음 설명과 관계있는 평형 감각 기관의 기호와 이름을 쓰시오.

> 빙글빙글 돌아가는 놀이 기구를 타다가 갑자기 멈추었더니, 주변의 물체들이 계속 돌고 있는 것처럼 느껴져서 몸의 중심을 잡을 수가 없었다.

필수

15 그림은 사람 귀의 구조를 나타낸 것이다.

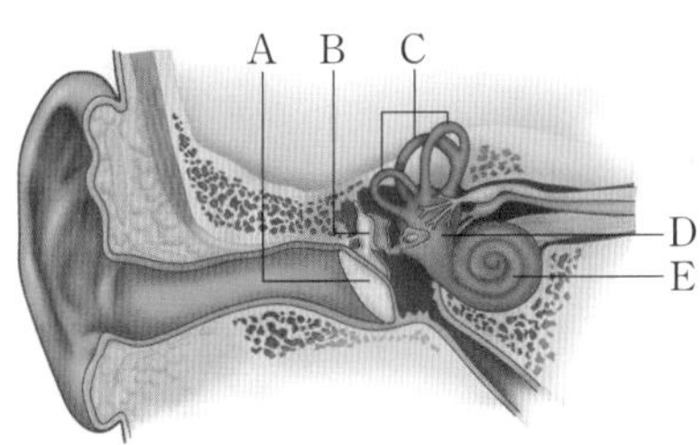

청각과 관계없는 부위의 기호를 모두 쓰시오.

C 코, 혀, 피부

필수

16 그림은 사람 코의 구조를 나타낸 것이다.

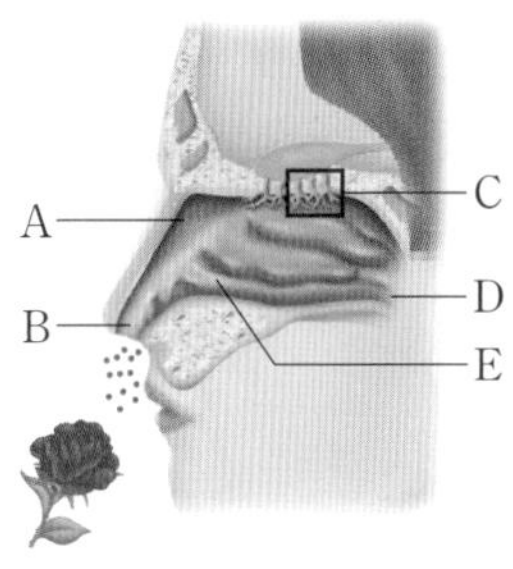

냄새를 느끼는 후각 세포가 분포하는 곳은?

① A ② B ③ C
④ D ⑤ E

17 후각에 대한 설명으로 옳은 것을 보기에서 모두 고른 것은?

> **보기**
> ㄱ. 매우 민감한 감각이다.
> ㄴ. 같은 냄새를 오랫동안 잘 맡을 수 있다.
> ㄷ. 코를 통해 기체 상태의 화학 물질을 자극으로 받아들인다.

① ㄱ ② ㄴ ③ ㄱ, ㄷ
④ ㄴ, ㄷ ⑤ ㄱ, ㄴ, ㄷ

18 다음은 감각의 피로에 관한 설명이다.

> 어떤 감각 기관에 같은 자극이 계속적으로 주어지면, 감각 기관이 자극을 느끼지 못하게 되는 현상이 일어난다.

다음 중 가장 쉽게 피로해지는 감각은?

① 시각 ② 청각
③ 미각 ④ 후각
⑤ 피부 감각

필수

19 다음은 후각이 성립되는 경로를 나타낸 것이다.

(㉠) 상태의 화학 물질 → (㉡)의 후각 세포 → (㉢) → 뇌

㉠~㉢에 들어갈 알맞은 말을 쓰시오.

20 그림은 사람 혀의 구조를 나타낸 것이다.

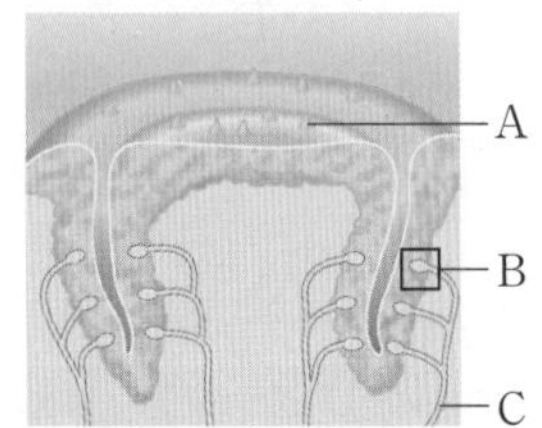

맛세포가 모여 있는 부위의 기호와 이름을 쓰시오.

필수

21 다음 중 혀의 구조와 기능에 대한 설명으로 옳지 않은 것은?

① 맛봉오리에 맛을 느끼는 맛세포가 있다.
② 혀의 표면에는 오돌토돌한 돌기인 유두가 있다.
③ 혀는 액체 상태의 화학 물질을 자극으로 받아들인다.
④ 매운맛과 떫은맛은 혀에서 느낄 수 있는 기본 맛이다.
⑤ 맛세포가 자극을 받아들이면 이 자극이 미각 신경을 통해 뇌로 전달된다.

22 혀에서 느낄 수 있는 기본적인 다섯 가지 맛의 종류를 쓰시오.

신유형

23 그림은 피부 감각점의 분포를 나타낸 것이다.

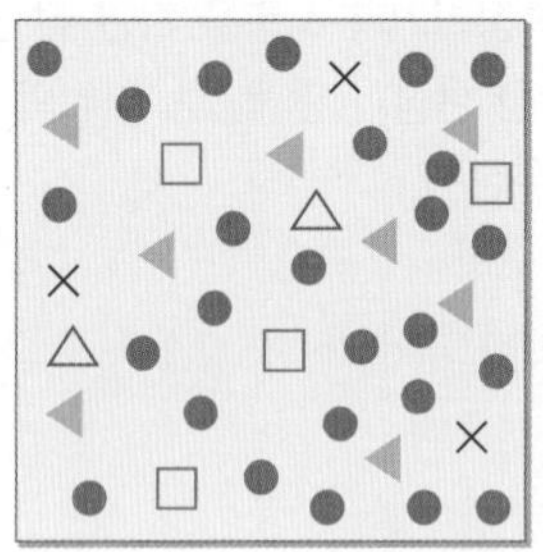

'●'로 표시된 부분은 어떤 감각점을 나타내는가?

① 냉점 ② 통점
③ 온점 ④ 압점
⑤ 촉점

24 접착테이프를 이용하여 30 cm 자에 이쑤시개 두 개를 3 cm 간격으로 붙인 후 손끝, 팔뚝, 손등, 손바닥에 차례대로 이쑤시개의 뾰족한 끝을 대어 가볍게 누르고 이쑤시개가 몇 개로 느껴지는지 말하게 하였다. 표는 이쑤시개의 간격을 0.5 cm씩 좁혀 가면서 이쑤시개의 간격이 2개로 느껴지는 최소 거리를 기록한 것이다.

신체 부위	손끝	팔뚝	손등	손바닥
최소 거리(cm)	0.5	2	1.5	1

위의 자료로 보아, 주어진 신체 부위 중 피부 감각이 가장 예민한 곳은?

① 손끝 ② 팔뚝
③ 손등 ④ 손바닥
⑤ 알 수 없다.

서술형

25 병원에서 엉덩이에 주사를 놓을 때 엉덩이를 손바닥으로 몇 차례 때리며 주사를 놓는 것을 볼 수 있다. 이렇게 하는 까닭을 위 그림의 어느 감각점과 관련이 있는지와 함께 서술하시오.

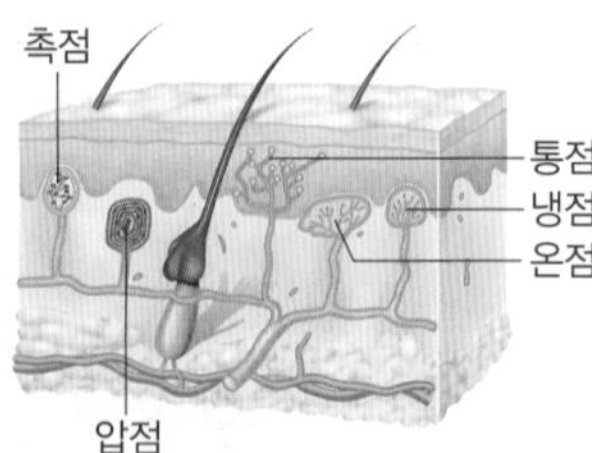

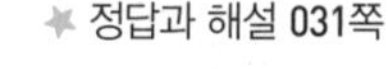
정답과 해설 031쪽

01 그림은 수정체의 두께 변화를 나타낸 것이다. 이에 대한 설명으로 옳은 것은?

A B

① 수정체가 B → A로 변할 때 홍채는 이완한다.
② 수정체가 A → B로 변할 때 섬모체가 수축한다.
③ A는 가까운 곳을, B는 먼 곳을 볼 때에 해당한다.
④ 수정체가 A → B로 변하면 눈으로 들어오는 빛의 양이 증가한다.
⑤ 책을 보다가 창밖의 먼 산을 바라볼 때는 수정체가 B → A로 변한다.

02 그림은 사람 귀 구조의 일부를 나타낸 것이다. (가)의 역할로 옳은 것은?

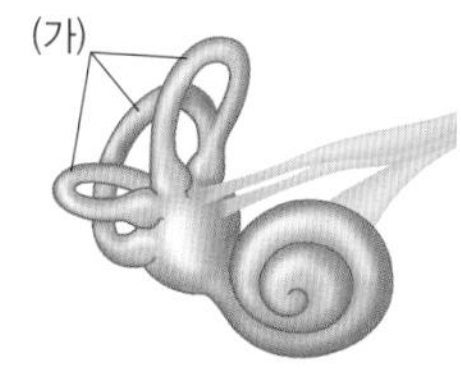

① 몸의 회전을 감지할 수 있다.
② 모든 방향의 소리를 다 모을 수 있다.
③ 몸이 어느 방향으로 기울어지는지 감지할 수 있다.
④ 소리가 어느 방향에서 발생하는지 감지할 수 있다.
⑤ 외부의 압력에 관계없이 고막이 파열되는 것을 막는다.

03 다음 중 후각에 대한 설명으로 옳은 것은?

① 사람의 감각 중 가장 둔하다.
② 감각점을 통해 자극을 느낀다.
③ 자극이 지속될수록 느낌이 강해진다.
④ 후각 상피는 콧속 윗부분에 위치한다.
⑤ 자극이 후각 신경을 통해 후각 세포로 전달된다.

신유형

04 눈을 가리고 코를 막은 채로 사과와 양파를 먹어 보면 미각만으로는 이를 잘 구별하지 못하는 것을 알 수 있다. 그 까닭으로 옳은 것은?

① 음식의 맛은 시각이 좌우하기 때문이다.
② 음식의 맛은 후각이 좌우하기 때문이다.
③ 음식의 맛은 과거의 경험이 좌우하기 때문이다.
④ 음식의 맛은 미각과 후각의 상호 작용으로 구별할 수 있기 때문이다.
⑤ 눈을 가리고 코를 막게 되면 혀의 피부 감각이 마비되기 때문이다.

05 그림은 사람 피부의 단면을 나타낸 것이다.

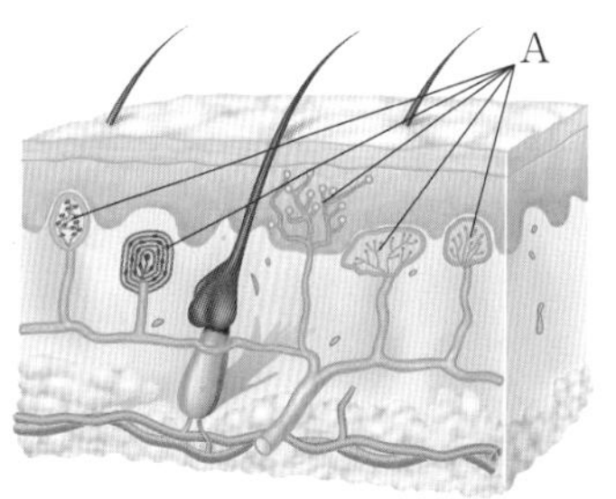

A에 대한 설명으로 옳지 않은 것은?

① 피부에 분포하는 감각점이다.
② 한 감각점에서는 한 가지 감각만 느낀다.
③ 받아들인 자극을 감각 기관으로 전달한다.
④ 감각점의 분포 수는 몸의 부위에 따라 다르다.
⑤ 각 감각점에서는 아픔, 압력, 접촉, 차가움, 따뜻함 등을 느낀다.

06 사람의 피부 감각에 대한 설명으로 옳은 것만을 보기에서 모두 고른 것은?

보기
ㄱ. 평균적으로 온점보다 통점이 더 많다.
ㄴ. 매운맛은 피부 감각의 일종인 압각이다.
ㄷ. 피부의 온점, 냉점은 특정한 절대 온도를 감지한다.
ㄹ. 특정 감각점이 많은 부위는 그 감각점이 받아들이는 자극에 대해 더 민감하다.

① ㄱ, ㄷ ② ㄱ, ㄹ ③ ㄴ, ㄷ
④ ㄱ, ㄴ, ㄹ ⑤ ㄴ, ㄷ, ㄹ

신경계와 호르몬

물음으로 흐름잡기

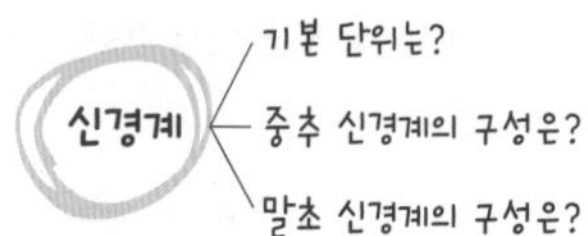

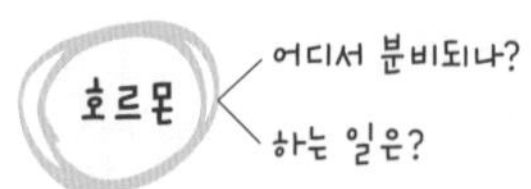

A 신경계 — 신경계는 감각 기관에서 받아들인 자극을 전달하고, 이 자극을 판단하여 적절한 반응이 나타나도록 신호를 전달하는 체계이다.

1. 뉴런 신경계를 구성하는 신경 세포이다.

① 뉴런의 구조❶: 신경 세포체, 가지 돌기, 축삭 돌기로 이루어져 있다.

신경 세포체	핵과 대부분의 세포질이 모여 있는 부분이다.
가지 돌기	나뭇가지처럼 갈라져 있는 돌기로, 감각 기관이나 다른 뉴런으로부터 자극을 받아들인다.
축삭 돌기	길게 뻗어 있는 돌기로, 가지 돌기에서 받아들인 자극을 다른 뉴런이나 운동 기관으로 전달한다.

신경 세포체
자극의 이동 방향
가지 돌기
축삭 돌기
▲ 뉴런의 구조

② 뉴런의 종류

감각 뉴런	감각 신경을 이루는 뉴런, 감각 기관에서 받은 자극을 연합 뉴런으로 전달한다.
연합 뉴런	감각 뉴런과 운동 뉴런 연결, 감각 뉴런을 통해 받은 자극을 판단하여 적절한 명령을 내린다.
운동 뉴런	운동 신경을 이루는 뉴런, 연합 뉴런의 명령을 운동 기관이나 반응 기관에 전달한다.

③ 자극의 전달 경로: 자극 → 감각 기관 → 감각 뉴런 → 연합 뉴런 → 운동 뉴런 → 운동 기관 → 반응

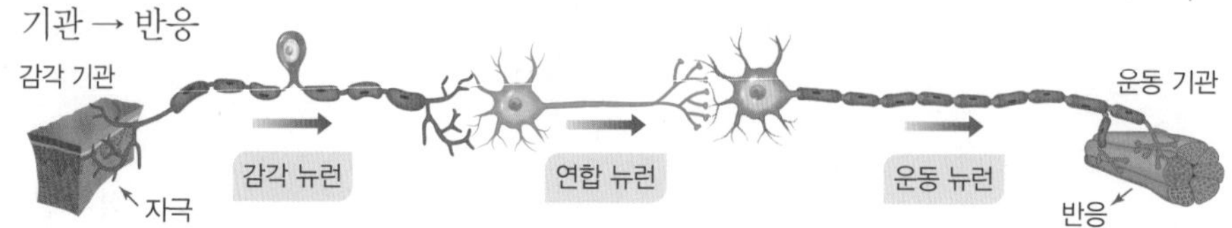

2. 중추 신경계와 말초 신경계❷

① 중추 신경계: 뇌와 척수로 이루어져 있다.

구분		기능
뇌	대뇌	• 복잡한 정신 활동(기억, 추리, 판단)의 중추이다. • 자극을 해석하고 명령을 내린다.
	간뇌	혈당량, 체온 조절 등 몸속 상태를 일정하게 유지한다.
	중간뇌	안구 운동, 동공과 홍채 변화를 조절한다.
	소뇌	근육 운동을 조절하고, 몸의 자세와 균형을 유지한다.
	연수	심장 박동, 소화, 호흡 운동 조절 등 생명 유지 역할을 한다.
척수•		• 척추• 중심 부분에 있으며, 무조건 반사의 중추이다. • 뇌와 말초 신경 사이에서 신호를 전달하는 통로이다.

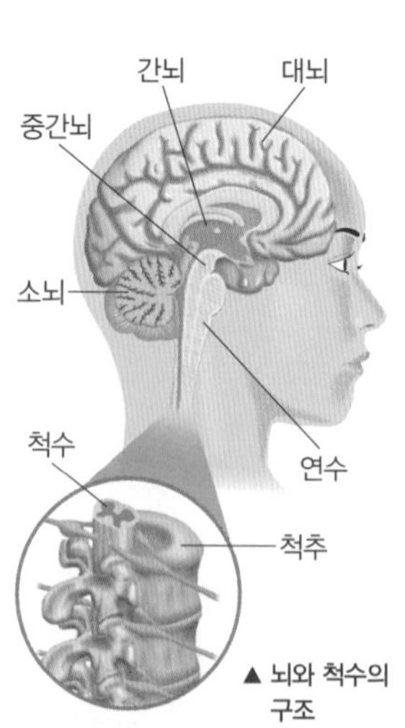

▲ 뇌와 척수의 구조

② 말초 신경계(온몸에 퍼져 있어 중추 신경계와 온몸을 연결한다.): 감각 신경과 운동 신경으로 이루어져 있다.

감각 신경	감각 기관에서 받아들인 자극을 중추 신경계로 전달한다.
운동 신경	• 체성 신경은 중추 신경계의 명령을 운동 기관으로 전달한다. • 자율 신경❸은 대뇌의 직접적인 명령 없이 내장 기관의 운동을 조절한다.

❶ **뉴런 구조의 특징**
뉴런은 신호를 전달하기에 적합한 구조로 되어 있다.

❷ **신경계의 구성**
신경계는 크게 중추 신경계와 말초 신경계로 구분한다.

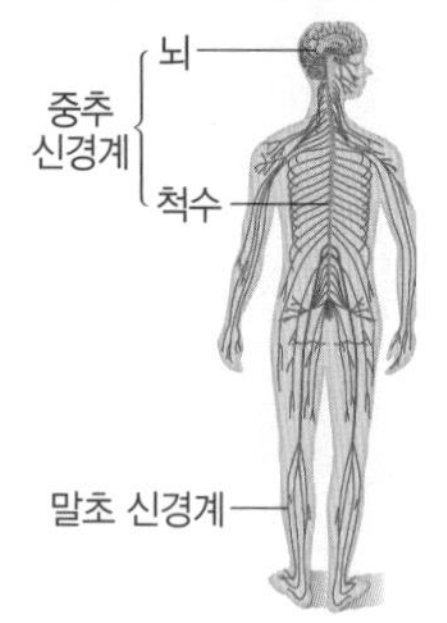

눈은 중간뇌에서, 항상성은 간뇌에서 담당한다.

❸ **자율 신경의 구분**

구분	교감 신경	부교감 신경
심장 박동	촉진	억제
호흡	촉진	억제
동공	확대	축소
소화	억제	촉진

용어 알기
• 척수 등뼈 속에 들어 있는 신경
• 척추 등뼈

3. 자극에 대한 반응 탐구 공략하기 108쪽

구분	의식[●]적인 반응	무조건 반사[❹](무의식적인 반응)
특징	• 대뇌의 판단 과정을 거쳐 자신의 의지에 따라 일어나는 반응으로, 대뇌가 반응의 중추이다. • 자극에 대해 반응이 나타나기까지 어느 정도 시간이 걸린다. (대뇌에서 판단 과정이 복잡할수록 반응이 나타나는 데 시간이 더 걸린다.)	• 대뇌의 판단 과정을 거치지 않아 자신의 의지와 관계없이 일어나는 반응으로, 척수, 연수, 중간뇌가 반응의 중추이다. • 일반적으로 의식적인 반응보다 빠르게 일어난다.
반응 예	날아오는 공을 보고 방망이를 휘두르는 것, 축구 선수가 앞에 놓인 공을 차는 것 등	뜨겁거나 날카로운 물체가 몸에 닿았을 때 몸을 움츠리는 것, 무릎 반사 등
반응 경로의 예	[주전자를 들고 컵에 원하는 만큼의 물을 따르는 반응] 자극 → 감각 기관(눈) → 감각 신경(시각 신경) → 대뇌 → 척수 → 운동 신경 → 운동 기관 → 반응	[뜨거운 주전자에 손이 닿았을 때 급히 손을 떼는 반응] 자극 → 감각 기관(피부) → 감각 신경(피부 감각 신경) → 척수 → 운동 신경 → 운동 기관 → 반응

❹ 무조건 반사의 예
- 중간뇌가 조절하는 경우: 눈 깜빡임이나 동공 반사 등
- 연수가 조절하는 경우: 재채기, 하품, 침 분비, 딸꾹질 등
- 척수가 조절하는 경우: 무릎 반사, 뜨거운 것에 손이 닿았을 때 재빨리 손을 떼는 행동(회피 반사) 등

⚠ 용어 알기
- ● 의식 깨어 있는 상태에서 자기 자신이나 사물에 대하여 인식하는 작용

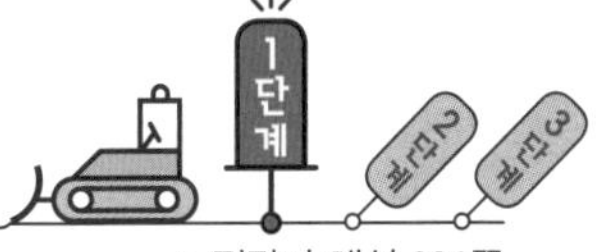

★ 정답과 해설 031쪽

01 다음 설명 중 옳은 것은 ○표, 옳지 않은 것은 ×표를 하시오.

(1) 뉴런은 신경계를 이루는 신경 세포이다. ( )

(2) 뉴런은 신경 세포체, 가지 돌기, 축삭 돌기로 이루어져 있다. ( )

(3) 신경 세포체는 감각 기관이나 다른 뉴런으로부터 자극을 받아들인다. ( )

(4) 연합 뉴런은 뇌와 척수를 구성하고 감각 뉴런과 운동 뉴런을 연결한다. ( )

(5) 감각 뉴런은 연합 뉴런의 명령을 운동 기관에 전달한다. ( )

02 그림은 자극에서 반응이 일어나기까지의 뉴런의 연결을 나타낸 것이다.

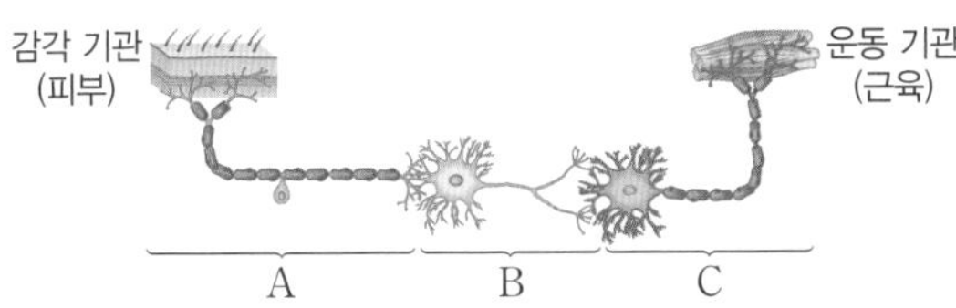

(1) A~C는 각각 어떤 뉴런인지 이름을 쓰시오.

(2) A~C에서 자극이 전달되는 순서대로 기호를 쓰시오.

03 그림은 사람 뇌의 단면을 나타낸 것이다. 다음 설명에 해당하는 기관의 기호와 이름을 각각 쓰시오.

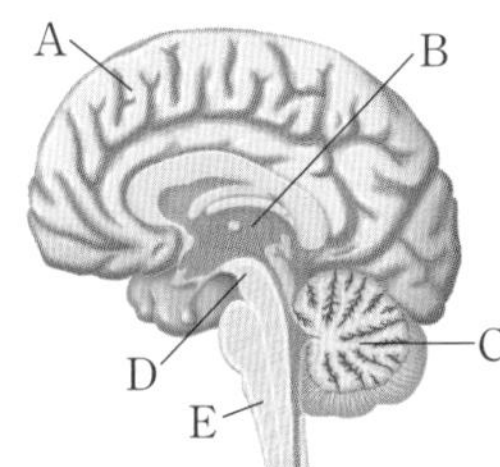

(1) 혈당량과 체온을 일정하게 조절한다. ( )

(2) 안구의 운동과 홍채의 변화를 조절한다. ( )

(3) 추리, 판단, 기억, 상상 등의 복잡한 정신 활동을 담당한다. ( )

04 다음 ( ) 안에 들어갈 알맞은 말을 쓰시오.

(1) 신경계는 크게 ( )와 척수로 구성된 중추 신경계와 중추 신경계에서 나와 온몸으로 퍼진 ( )로 나뉜다.

(2) 의식적인 반응은 ( )의 명령을 받아 나타난다.

(3) 무릎 반사, 동공 반사, 하품 등 무의식적으로 일어나는 반응을 ( )라고 한다.

02 신경계와 호르몬

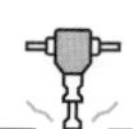

B 호르몬

1. 호르몬 특정 세포나 기관으로 신호를 전달하여 몸의 기능을 조절하는 물질이다.

① 호르몬의 특성: 내분비샘[5]에서 분비되어 혈관을 따라 이동하다가 표적 기관*이나 표적 세포에서만 작용한다. (적은 양으로 큰 효과를 나타내며 분비량이 너무 적거나 많으면 몸에 이상 증상이 나타난다.)

② 신경과 호르몬의 조절 작용 비교[6]: 신경은 뉴런을 통해 신호를 전달하고, 호르몬은 혈관을 통해 온몸으로 퍼져 나가 신호를 전달한다.

2. 사람의 내분비샘과 호르몬

내분비샘		호르몬	기능
뇌하수체, 갑상샘, 부신, 이자, 난소, 정소 (그림)	뇌하수체	생장 호르몬	뼈와 근육의 생장 촉진
		갑상샘 자극 호르몬	티록신 분비 촉진
		항이뇨 호르몬	콩팥에서 물의 재흡수 촉진
	갑상샘	티록신	세포 호흡 촉진
	부신	아드레날린	혈당량 증가, 심장 박동 촉진
	이자	인슐린	혈당량 감소
		글루카곤	혈당량 증가
	난소(여자)	에스트로젠	여성의 2차 성징이 나타나게 한다.
	정소(남자)	테스토스테론	남성의 2차 성징이 나타나게 한다.

3. 호르몬의 분비 이상

호르몬 분비 이상	생장 호르몬		티록신		인슐린
	과다	결핍	과다	결핍	결핍
질병	말단 비대증, 거인증	소인증	갑상샘 기능 항진증	갑상샘 기능 저하증	당뇨병

당뇨병: 혈당량이 정상보다 높아 오줌에 포도당이 섞여 나온다.

C 항상성 유지

1. 항상성 항상성은 몸 안팎의 환경이 변하더라도 몸 안의 상태를 일정하게 유지하려는 성질을 말한다. ➡ 항상성은 신경과 호르몬의 작용으로 유지된다.

2. 혈당량[7] 조절 주로 이자에서 분비되는 인슐린과 글루카곤의 작용으로 조절된다.

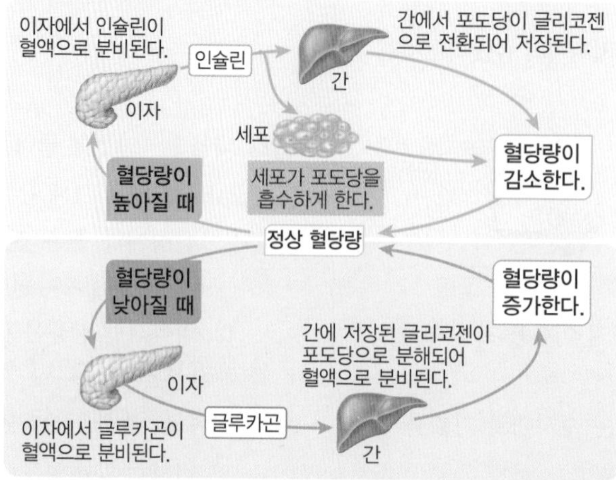

혈당량이 높아질 때
간뇌 → 이자 → 인슐린 분비 → 간(포도당 → 글리코젠), 세포(포도당 흡수 촉진) → 혈당량 감소 → 정상 혈당량

혈당량이 낮아질 때
간뇌 → 이자 → 글루카곤 분비 → 간(글리코젠 → 포도당) → 혈당량 증가 → 정상 혈당량

---

❺ 내분비샘
- 호르몬을 만들어 분비하는 조직이나 기관이다.
- 분비관이 없어 혈액으로 호르몬을 직접 분비한다.
- 예) 뇌하수체, 갑상샘, 이자 등

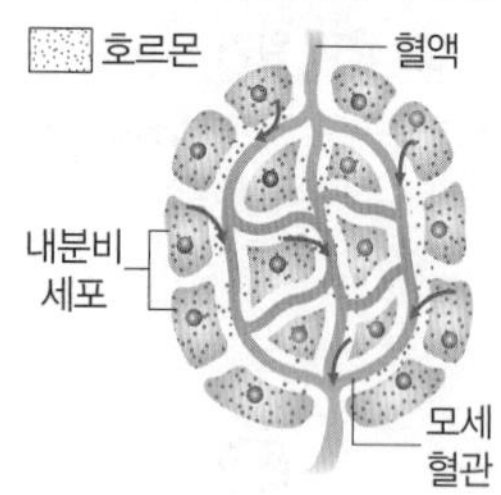

❻ 신경과 호르몬의 비교

구분	신경	호르몬
신호 전달 속도	비교적 빠르다.	비교적 느리다.
작용 범위	좁다.	넓다.
효과의 지속성	일시적이다.	지속적이다.

❼ 혈당량
혈액 속의 포도당의 양으로, 혈당량이 일정 수준으로 유지되어야 세포에 에너지원이 정상적으로 공급되어 우리 몸의 여러 작용이 잘 일어날 수 있다.

인슐린은 혈당량을 낮추고, 글루카곤은 혈당량을 높인다.

용어 알기
- **표적 기관** 특정한 호르몬의 작용을 받는 특정한 기관

3. 체온 조절 신경과 호르몬의 작용으로 조절된다. (➜ 신경 ➜ 호르몬)

추울 때	피부 ➜ 간뇌 ➜ 뇌하수체(갑상샘 자극 호르몬 분비 증가) ➜ 갑상샘(티록신 분비 증가) ➜ 세포 호흡 촉진 ➜ 열 발생량 증가 ↳ 근육의 떨림 ➜ 열 발생량 증가 ↳ 피부의 혈관 수축,⑧ 땀 분비 억제 ➜ 열 방출량 감소 — 체온이 높아진다.
더울 때	피부 ➜ 간뇌 ➜ 피부 혈관 확장, 땀 분비 촉진 ➜ 열 방출량 증가 — 체온이 낮아진다.

4. 수분량 조절

몸속 수분량이 적을 때	항이뇨● 호르몬 분비 증가 → 콩팥에서 물의 재흡수 촉진 → 오줌의 양 감소(진한 오줌)
몸속 수분량이 많을 때	항이뇨 호르몬 분비 감소 → 콩팥에서 물의 재흡수 감소 → 오줌의 양 증가(묽은 오줌)

⑧ 추울 때와 더울 때 피부 모세 혈관의 변화

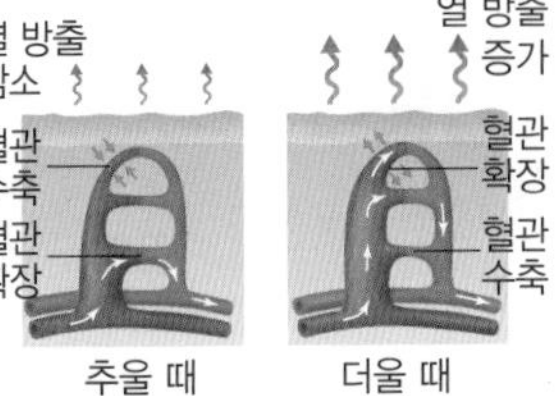

⚠ 용어 알기

● **항이뇨** 오줌의 양을 감소시키는 작용

개념 다지기

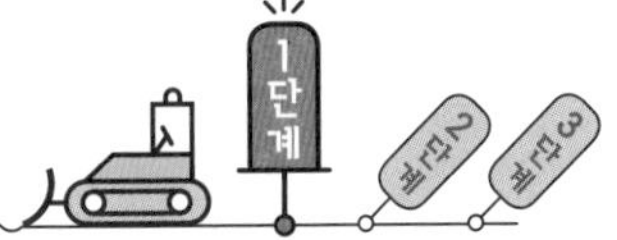

정답과 해설 031쪽

05 다음 설명 중 옳은 것은 ○표, 옳지 않은 것은 ×표를 하시오.

(1) 신경을 통한 조절 작용은 호르몬에 비해 빠르고 즉각적이다. ( )

(2) 호르몬은 내분비샘에서 분비되어 혈관을 따라 이동한다. ( )

(3) 호르몬은 신경에 비해 신호 전달 속도가 빠르고 효과의 지속성이 짧다. ( )

(4) 우리 몸의 항상성은 호르몬의 분비 조절만으로 유지된다. ( )

06 호르몬에 대한 설명으로 옳은 것만을 보기에서 모두 고르시오.

보기
ㄱ. 신경을 따라 이동한다. ㄴ. 혈액으로 직접 분비된다. ㄷ. 과다증은 있으나 결핍증은 없다. ㄹ. 표적 세포나 표적 기관에 작용한다.

07 다음 설명에 해당하는 호르몬의 이름을 쓰시오.

- 뇌하수체에서 분비되는 호르몬이다.
- 티록신의 분비를 촉진한다.

08 그림은 사람의 내분비샘을 나타낸 것이다. 혈당량 조절에 관여하는 인슐린과 글루카곤을 분비하는 곳을 골라 기호와 이름을 쓰시오.

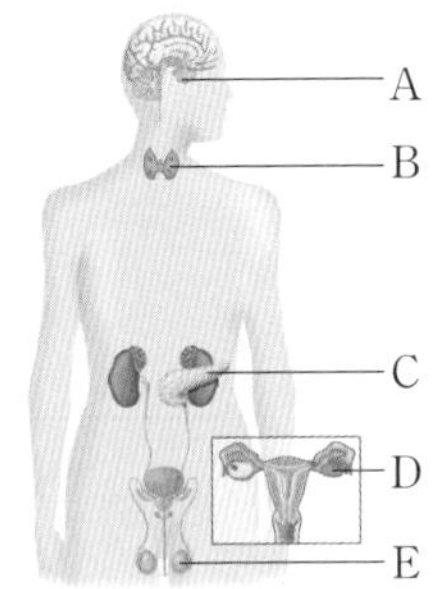

09 다음 ( ) 안에 들어갈 알맞은 말을 쓰시오.

(1) 우리 몸에서 외부 환경이 변해도 몸 안의 상태를 일정하게 유지하려는 성질을 ( )이라고 한다.

(2) ( )는 체온과 혈당량을 조절하는 중추이다.

(3) 혈당량이 높을 때 이자에서 ( )이 분비된다.

(4) 세포 호흡을 촉진하는 호르몬은 ( )이다.

10 다음 설명에 해당하는 항상성 유지를 보기에서 골라 기호를 쓰시오.

보기
ㄱ. 체온 유지 ㄴ. 수분량 유지 ㄷ. 혈당량 유지

(1) 항이뇨 호르몬에 의해 조절된다. ( )

(2) 이자의 글루카곤, 인슐린에 의해 조절된다. ( )

(3) 갑상샘에서 분비되는 티록신에 의해 조절된다. ( )

탐구 공략 하기

자극에 대한 반응 실험하기

목표

자극이 신경에 전달되어 반응이 일어나기까지의 과정을 표현할 수 있다.

공략 포인트

이 탐구에서는 자가 떨어지는 것을 눈으로 보고 잡을 때와 소리를 듣고 잡을 때 반응 시간을 비교하여, 어느 반응이 더 빠르게 일어나는지 확인하는 것이 중요하다!

과정

자를 잡는 사람은 손가락이 자에 닿지 않게 일정한 간격으로 벌린다.

엄지손가락에 자의 눈금 0이 오게 한다.

❶ 눈으로 보고 떨어지는 자를 잡기

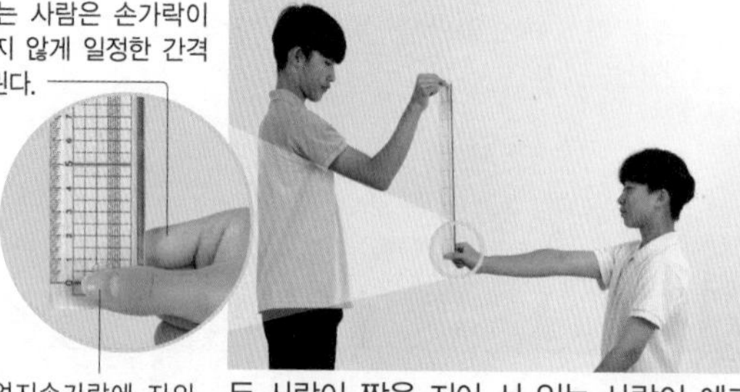

두 사람이 짝을 지어 서 있는 사람이 예고 없이 자를 떨어뜨리면, 앉아 있는 사람은 떨어지는 자를 보고 재빨리 잡은 후 엄지손가락 위치의 눈금을 읽는다. 이 과정을 5회 이상 반복하여 자가 떨어진 거리의 평균값을 구한다.

❷ 소리를 듣고 떨어지는 자를 잡기

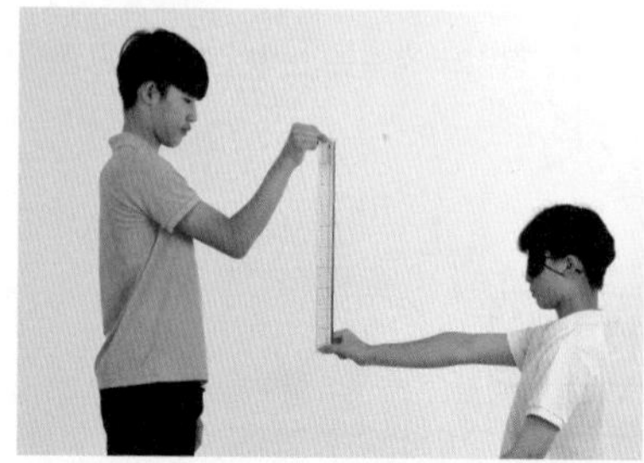

앉아 있는 사람은 안대로 눈을 가리고, 서 있는 사람이 "땅"이라고 말함과 동시에 자를 떨어뜨리면 재빨리 자를 잡은 후 엄지손가락 위치의 눈금을 읽는다. 이 과정을 5회 이상 반복하여 자가 떨어진 거리의 평균값을 구한다.

결과

1. 자가 떨어진 거리: 눈으로 보고 자를 잡을 때가 소리를 듣고 자를 잡을 때보다 자가 떨어진 거리가 더 짧다. (└반응 시간이 더 짧다.)

예

구분	1회	2회	3회	4회	5회	평균값
눈으로 볼 때(cm)	15	14	13	12	11	13
소리를 들을 때(cm)	22	21	20	19	18	20

2. 눈으로 보고 자를 잡을 때의 반응 경로: 자극 → 감각 기관(눈) → 시각 신경(└감각 신경) → 대뇌 → 척수 → 운동 신경 → 운동 기관(손가락 근육) → 반응(자를 잡음)
3. 소리를 듣고 자를 잡을 때의 반응 경로: 자극 → 감각 기관(귀) → 청각 신경(└감각 신경) → 대뇌 → 척수 → 운동 신경 → 운동 기관(손가락 근육) → 반응(자를 잡음)

정리

1. 떨어지는 자를 잡는 반응은 대뇌가 반응의 중추인 의식적인 반응이다.
2. 감각 기관에서 받아들인 자극이 신경계를 거쳐 반응으로 나타나기까지는 시간이 걸린다.
3. 자극의 종류에 따라 반응하기까지 걸리는 시간이 다른 까닭: 자극에 대한 반응 경로가 다르기 때문이다.

확인 문제

★ 정답과 해설 032쪽

01 다음은 이 실험에서 떨어지는 자를 잡을 때 자극이 전달되는 경로이다. ㉠, ㉡에 들어갈 알맞은 말을 쓰시오.

> 자극 → 감각 기관 → 감각 신경 → (㉠) → 척수 → (㉡) → 운동 기관 → 반응

02 이 실험에 대한 설명으로 옳은 것은 ○표, 옳지 않은 것은 ×표를 하시오.

(1) 자극의 종류에 관계없이 반응하는 데 걸리는 시간은 모두 같다. ( )

(2) 소리를 듣고 자를 잡을 때 감각 기관에서 받아들인 자극은 대뇌로 전달된다. ( )

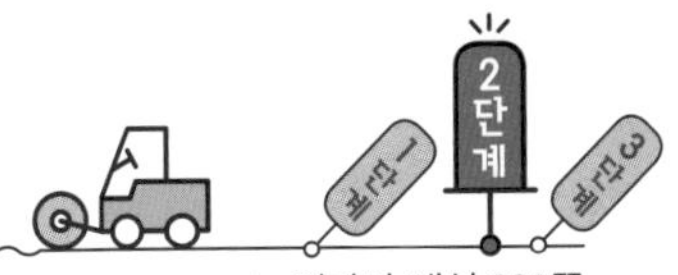

정답과 해설 032쪽

A 신경계

필수

01 그림은 뉴런의 구조를 나타낸 것이다.

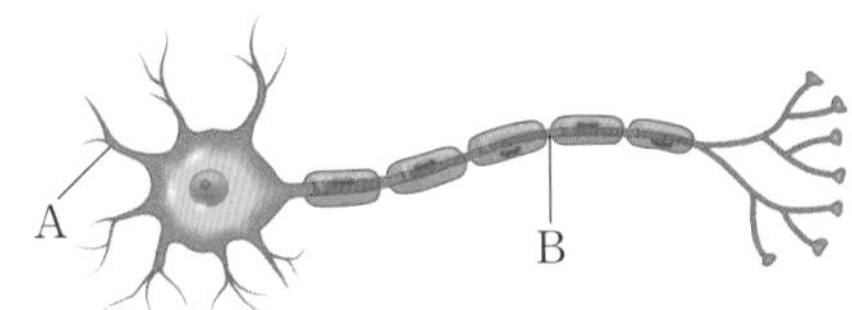

A와 B에 대한 설명으로 옳지 않은 것은?

① A와 B는 신경 세포체로부터 나온 돌기이다.
② A는 뉴런의 본체로서 중심부에는 핵이 존재한다.
③ B는 자극을 다른 뉴런이나 운동 기관으로 전달한다.
④ A는 나뭇가지처럼 갈라져 있고, B는 길게 뻗어 있다.
⑤ A는 다른 뉴런이나 감각 기관으로부터 자극을 받아들인다.

02 운동 뉴런의 작용에 대한 설명으로 옳은 것은?

① 감각 뉴런과 연합 뉴런을 연결한다.
② 반응의 조절과 명령의 중심이 된다.
③ 연합 뉴런의 명령을 운동 기관에 전달한다.
④ 반사 행동을 일으키는 자극을 뇌에 전달하는 통로 역할을 한다.
⑤ 외부로부터 들어오는 자극을 받아 연합 뉴런에 전달하는 역할을 한다.

03 뇌의 구조 중에서 다음 현상과 가장 관계 깊은 것은?

• 갑자기 재채기를 한다.
• 빵을 먹으면 침이 분비된다.
• 호흡 운동, 심장 박동, 소화 운동을 조절한다.

① 대뇌 ② 간뇌 ③ 연수
④ 척수 ⑤ 중간뇌

필수

04 그림은 사람 뇌의 구조를 나타낸 것이다. A~E의 이름을 옳게 짝 지은 것은?

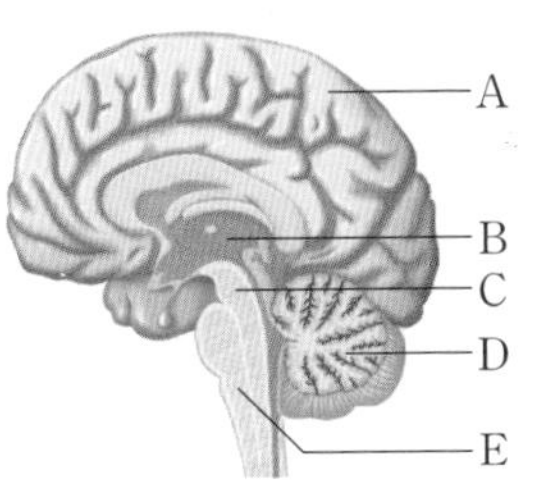

	A	B	C	D	E
①	대뇌	중간뇌	소뇌	연수	간뇌
②	대뇌	간뇌	중간뇌	소뇌	연수
③	대뇌	간뇌	소뇌	중간뇌	연수
④	중간뇌	간뇌	소뇌	연수	대뇌
⑤	소뇌	연수	간뇌	대뇌	중간뇌

05 중추 신경계에 대한 설명으로 옳은 것만을 보기에서 모두 고른 것은?

보기
ㄱ. 뇌와 척수로 이루어져 있다.
ㄴ. 내장 기관을 비롯한 온몸에 퍼져 있는 신경계이다.
ㄷ. 감각 기관에서 받아들인 자극을 통합하여 판단하고 명령을 내린다.

① ㄱ ② ㄴ ③ ㄱ, ㄷ
④ ㄴ, ㄷ ⑤ ㄱ, ㄴ, ㄷ

서술형

06 텔레비전에 나오는 드라마에는 기억 상실증에 걸린 주인공이 종종 등장한다. 기억 상실증은 뇌의 어느 부분이 손상되어 나타나는 증상인지 제시하고, 그렇게 생각한 까닭을 서술하시오.

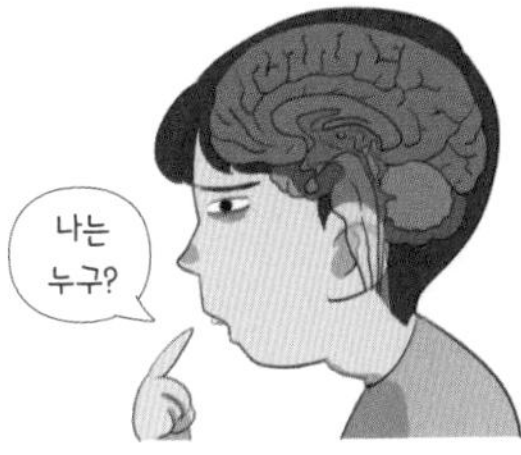

07 말초 신경계에 대한 설명으로 옳지 않은 것은?

① 체온과 혈당량을 조절하는 역할을 한다.
② 감각 신경과 운동 신경으로 이루어져 있다.
③ 중추 신경계와는 달리 온몸에 퍼져 있는 신경계이다.
④ 중추 신경계에서 내린 명령을 운동 기관으로 전달한다.
⑤ 내장 기관의 작용을 조절할 때는 대뇌의 직접적인 명령을 필요로 하지 않는다.

08 현준이가 무서운 개에게 쫓기고 있을 때, 현준이의 몸에서 일어나는 현상으로 옳은 것은?

	심장 박동	동공	호흡 운동	소화 운동
①	촉진	확대	억제	촉진
②	억제	확대	촉진	억제
③	억제	축소	억제	촉진
④	촉진	확대	촉진	억제
⑤	촉진	축소	촉진	촉진

필수

09 떨어지는 자를 눈으로 보고 잡는 반응에 관여하는 중추는?

① 척수 ② 연수 ③ 간뇌
④ 대뇌 ⑤ 중간뇌

신유형

10 다음 보기의 행동들에 대한 설명으로 옳지 않은 것은?

보기
ㄱ. 야구 선수가 날아오는 공을 눈으로 보고 야구 방망이로 쳤다.
ㄴ. 아침부터 시작된 딸꾹질이 하루 종일 멈추지 않고 있어 걱정이다.
ㄷ. 라면을 끓이면서 가루스프를 넣을 때 가루가 날리면 재채기가 나온다.

① ㄱ은 의식적인 반응이다.
② ㄱ의 중추는 대뇌이며, ㄴ의 중추는 연수이다.
③ ㄱ, ㄴ, ㄷ은 모두 각각 서로 다른 중추를 갖는다.
④ ㄱ의 반응보다 ㄷ의 반응 속도가 더 빠를 것이다.
⑤ ㄷ은 대뇌의 명령 없이 무의식적으로 나온 행동이다.

11 다음과 같은 경로를 거쳐서 일어나는 반응은?

자극 → 감각 기관 → 감각 신경 → 대뇌 → 척수 → 운동 신경 → 운동 기관 → 반응

① 졸릴 때 하품을 한다.
② 날아오는 돌을 보고 몸을 숙였다.
③ 무릎을 때리면 무릎이 저절로 펴진다.
④ 청소를 하다가 갑자기 재채기가 나왔다.
⑤ 뜨거운 주전자에 손이 닿아 재빨리 손을 뗐다.

필수

12 다음에서 설명하는 반응의 경로를 쓰시오.

고무망치를 이용해 무릎뼈 바로 아래를 치자 자신도 모르게 저절로 다리가 올라간다.

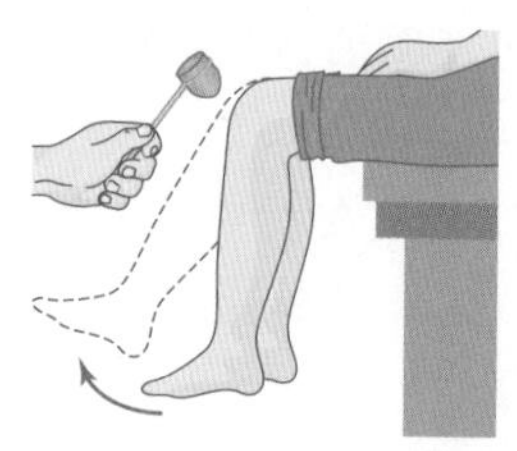

13 뜨거운 주전자에 손이 닿으면 자신도 모르게 손을 빨리 떼는 반응이 일어난다. 이와 같이 반응이 빠르게 일어나서 좋은 점으로 옳은 것은?

① 대뇌가 하는 일을 줄일 수 있다.
② 건강을 유지하는 데 도움이 된다.
③ 뜨거운 감각을 느끼지 않을 수 있다.
④ 위험한 상황에 놓이지 않을 수 있다.
⑤ 갑작스러운 위험으로부터 우리 몸을 보호한다.

14 그림은 동공 반사를 확인해 보는 모습이다. 환자의 눈에 빛을 비추었더니, 동공의 크기가 작아졌다. 뇌의 구조에서 이 현상과 관련된 부위는?

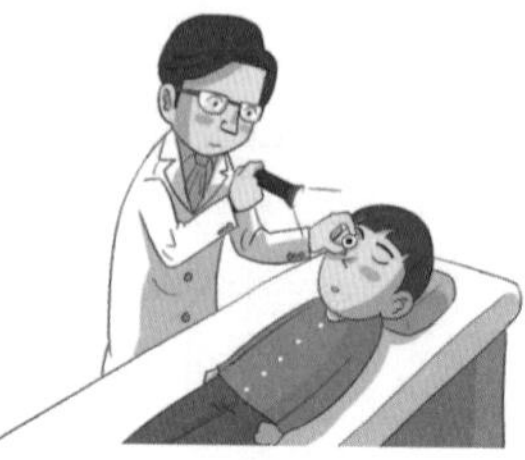

① 대뇌 ② 간뇌
③ 소뇌 ④ 연수
⑤ 중간뇌

B 호르몬

15 호르몬에 대한 설명으로 옳은 것은?

① 외분비샘에서 생성된다.
② 결핍증이 나타나지 않는다.
③ 호르몬의 종류에 관계없이 표적 기관은 같다.
④ 혈액으로 분비된 다음, 혈관을 통해 온몸으로 이동한다.
⑤ 호르몬의 비정상 분비로 질병이 발생한 경우는 적절한 치료가 불가능하다.

필수

16 신경과 호르몬의 차이를 비교한 것으로 옳지 않은 것은?

	구분	신경	호르몬
①	신호 전달 속도	빠르다.	느리다.
②	작용 범위	좁다.	넓다.
③	효과의 지속성	지속적	일시적
④	전달 매체	뉴런	혈액
⑤	결핍증	없다.	있다.

17 내분비샘과 각 내분비샘에서 분비하는 호르몬을 옳게 짝 지은 것은?

① 부신 – 인슐린
② 갑상샘 – 글루카곤
③ 뇌하수체 – 티록신
④ 이자 – 아드레날린
⑤ 뇌하수체 – 생장 호르몬

18 다음 보기에 제시된 조건을 모두 만족하는 호르몬으로 가장 적절한 것은?

보기
- 이자에서 분비된다.
- 혈당량이 낮을 때 분비된다.
- 글리코젠을 포도당으로 분해한다.

① 인슐린 ② 글루카곤
③ 티록신 ④ 에스트로젠
⑤ 아드레날린

정답과 해설 032쪽

신유형

19 민수는 최근 들어 체중이 계속 감소하고, 신경이 예민해지고 잠이 잘 오지 않는 등의 문제로 병원을 찾아 검사를 받았다. 검사 결과 갑상샘에 문제가 생겼다는 것을 알 수 있었는데, 이를 통해 추론할 수 있는 민수의 문제점으로 옳은 것은?

① 인슐린이 생성되지 않는다.
② 티록신이 과량으로 분비되었다.
③ 항이뇨 호르몬이 생성되지 않는다.
④ 생장 호르몬이 과다하게 분비되었다.
⑤ 테스토스테론이 과다하게 분비되었다.

필수

20 그림은 사람의 내분비샘을 나타낸 것이다. 이에 대한 설명으로 옳은 것을 모두 고르면? (정답 2개)

① A에서 세포 호흡을 촉진하는 항이뇨 호르몬이 분비된다.
② B에서 분비되는 티록신이 결핍되면 갑상샘 기능 저하증에 걸릴 수 있다.
③ C에서 분비되는 호르몬은 아드레날린이다.
④ 거인증, 소인증과 관련 있는 호르몬을 분비하는 기관은 D이다.
⑤ E에서 분비되는 호르몬에 의해 난소와 정소가 형성된다.

서술형

21 그림은 정상인의 손과 성장이 끝난 후에도 특정 호르몬이 계속 분비되어 손이 비대해지는 병을 가진 사람의 손이다.

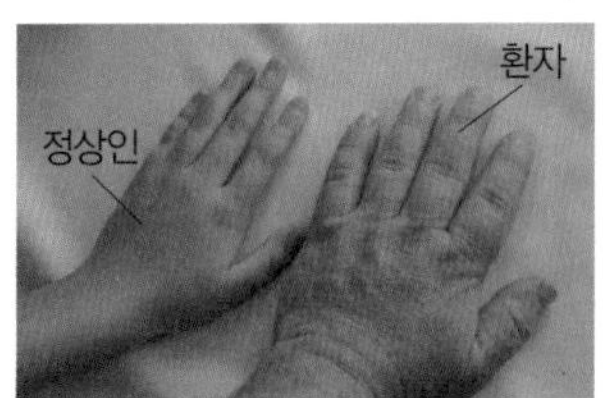

▲ 정상인과 환자의 손 비교

이 질병의 이름을 쓰고, 이러한 질병이 생기는 까닭을 호르몬의 분비와 관련하여 서술하시오.

C 항상성 유지

22 항상성이 유지되는 경우로 옳은 것은?

① 신 귤을 보면 입 안에 침이 고인다.
② 물을 많이 마시면 오줌의 양이 많아진다.
③ 조용한 음악을 들으면 기분이 차분해진다.
④ 날아오는 축구공을 피해서 몸을 이동시켰다.
⑤ 뜨거운 주전자에 손이 닿자마자 순간적으로 손을 뗀다.

필수

23 우리 몸에서 인슐린이 분비되는 내분비샘과 인슐린의 기능을 옳게 짝 지은 것은?

① 이자, 혈당량을 낮춘다.
② 뇌하수체, 혈당량을 높인다.
③ 부신, 오줌 생성량을 늘린다.
④ 갑상샘, 세포 호흡을 억제한다.
⑤ 뇌하수체, 세포 호흡을 촉진한다.

필수

24 그림은 호르몬 A, B의 분비에 따른 혈당량의 조절을 나타낸 것이다.

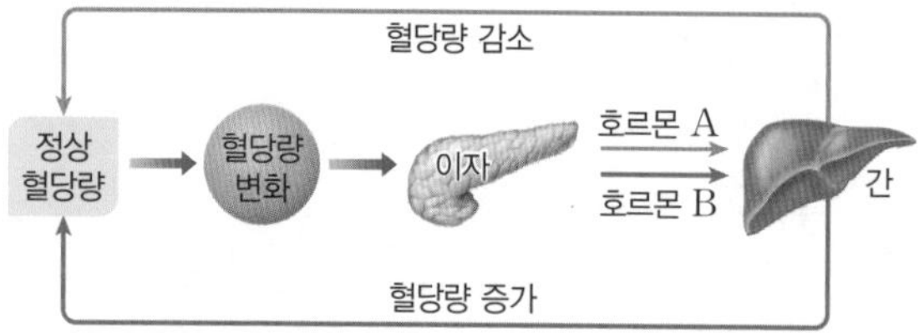

이에 대한 설명으로 옳은 것만을 보기에서 모두 고른 것은?

보기
ㄱ. 호르몬 B에 의해 글리코젠이 포도당으로 분해된다. ㄴ. 호르몬 A가 부족할 때 오줌에서 포도당이 검출될 수 있다. ㄷ. 호르몬 A의 농도가 증가할 때 호르몬 B의 농도도 증가한다.

① ㄱ ② ㄴ ③ ㄷ
④ ㄱ, ㄴ ⑤ ㄴ, ㄷ

신유형

25 추울 때 우리 몸에서 일어나는 현상으로 옳지 않은 것은?

① 열 방출량이 감소한다.
② 열 발생량이 증가한다.
③ 티록신의 분비가 감소한다.
④ 피부의 모세 혈관이 수축한다.
⑤ 뇌하수체에서 갑상샘을 자극하는 호르몬이 많이 분비된다.

서술형

26 그림은 호르몬에 의한 체온 조절 과정이다. ㉠은 호르몬을, (가)는 ㉠을 분비하는 내분비샘을 나타내며 ㉠의 주요 성분은 아이오딘이다.

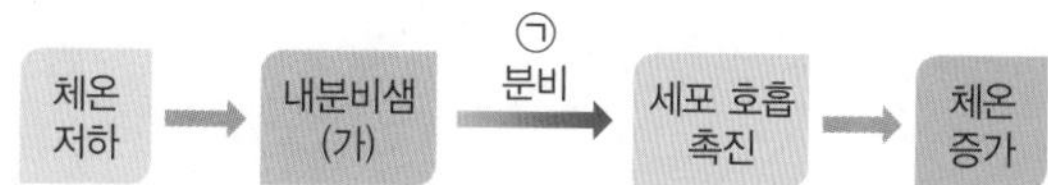

내분비샘 (가)와 호르몬 ㉠을 순서대로 쓰고, ㉠의 분비량이 감소했을 때의 변화를 서술하시오.

27 몸속 수분량이 일정하게 유지되는 방법으로 옳은 것은?

① 몸속 수분량이 감소하면 오줌의 양이 증가한다.
② 몸속 수분량이 증가하면 적은 양의 진한 오줌이 배출된다.
③ 몸속 수분량이 감소하면 콩팥에서 물의 재흡수가 억제된다.
④ 몸속 수분량이 감소하면 뇌하수체에서 호르몬 분비를 멈춘다.
⑤ 몸속 수분량이 감소하면 항이뇨 호르몬의 분비량이 증가한다.

정답과 해설 034쪽

01 신경계에 대한 설명으로 옳은 것만을 보기에서 모두 고른 것은?

보기
ㄱ. 말초 신경계는 뇌와 척수로 이루어져 있다.
ㄴ. 말초 신경계는 중추 신경계와 온몸을 연결한다.
ㄷ. 자극을 판단하여 적절한 명령을 내리는 것은 중추 신경계이다.

① ㄱ ② ㄴ ③ ㄱ, ㄷ
④ ㄴ, ㄷ ⑤ ㄱ, ㄴ, ㄷ

02 의식적인 반응에 대한 설명으로 옳은 것은?

① 대뇌와 관계없이 일어나는 반응이다.
② 눈 깜빡임과 동공 반사와 같은 반응이다.
③ 기침, 재채기, 딸꾹질 등과 같은 반응이다.
④ 대뇌의 판단 과정을 거쳐 자신의 의지에 따라 일어나는 반응이다.
⑤ 축구공을 헤딩할 때 자신도 모르게 눈을 감게 되는 것과 같은 반응이다.

03 다음은 어떤 호르몬의 특징을 설명한 것이다.

- 뼈와 근육의 생장을 촉진한다.
- 성장기 이후에도 이 호르몬이 과다하게 분비되면 손, 발, 턱 등이 커진다.

이 호르몬을 분비하는 내분비샘과 호르몬의 이름을 옳게 짝 지은 것은?

	내분비샘	호르몬
①	부신	아드레날린
②	갑상샘	티록신
③	뇌하수체	생장 호르몬
④	뇌하수체	항이뇨 호르몬
⑤	정소, 난소	성 호르몬

필수

04 그림은 우리 몸에서 분비되는 인슐린과 글루카곤의 상호 작용을 나타낸 것이다.

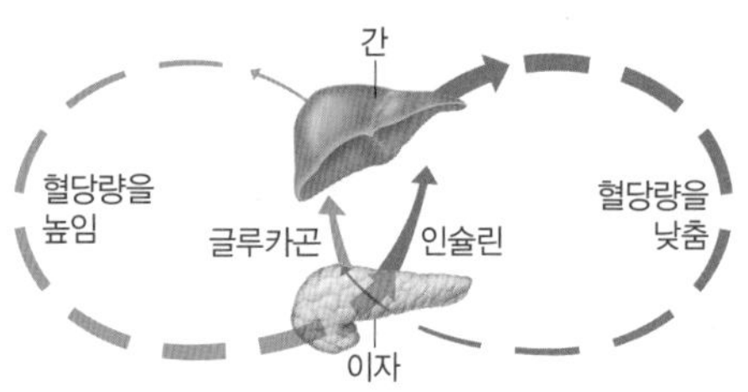

이에 대한 설명으로 옳지 않은 것은?

① 인슐린과 글루카곤의 표적 기관은 간이다.
② 혈당량이 증가하면 인슐린의 분비가 증가한다.
③ 인슐린의 분비량이 증가하면 혈당량도 증가한다.
④ 혈당량이 감소하면 글루카곤의 분비가 증가한다.
⑤ 인슐린의 분비량이 지나치게 감소하면 당뇨 증상이 나타난다.

신유형

05 그림은 운동을 한 후 시간의 경과에 따른 체온의 변화를 나타낸 것이다.

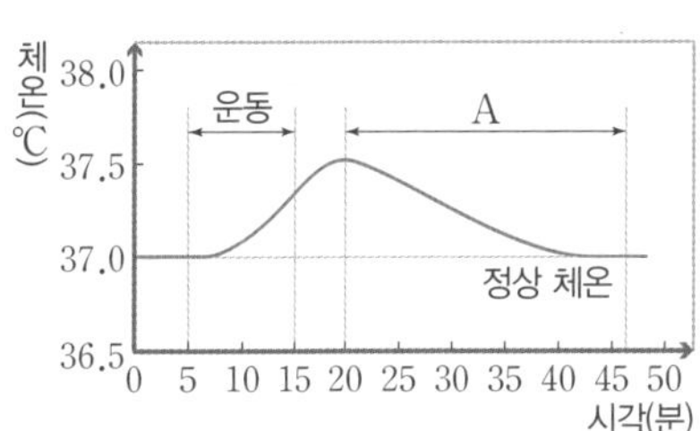

A 구간에서 일어나는 몸의 조절 작용으로 옳은 것만을 보기에서 모두 고른 것은?

보기
ㄱ. 근육의 떨림이 증가한다.
ㄴ. 티록신의 분비량이 감소한다.
ㄷ. 땀의 생성과 분비가 증가한다.
ㄹ. 피부의 모세 혈관이 확장한다.

① ㄱ ② ㄱ, ㄴ
③ ㄴ, ㄷ ④ ㄱ, ㄴ, ㄷ
⑤ ㄴ, ㄷ, ㄹ

대단원 완성하기

점수 표시가 없는 문제는 모두 3점입니다.

제한시간: 45분

01 감각 기관에서 감각 세포가 분포된 곳과 적합 자극을 짝 지은 것으로 옳지 않은 것은?

① 시각: 망막 – 빛
② 청각: 달팽이관 – 소리
③ 미각: 맛봉오리 – 기체 상태의 화학 물질
④ 평형 감각: 반고리관 – 몸의 회전
⑤ 평형 감각: 전정 기관 – 몸의 기울어짐

02 현준이의 눈이 그림과 같은 변화를 나타냈다면 이때 일어난 상황의 변화로 옳은 것은?

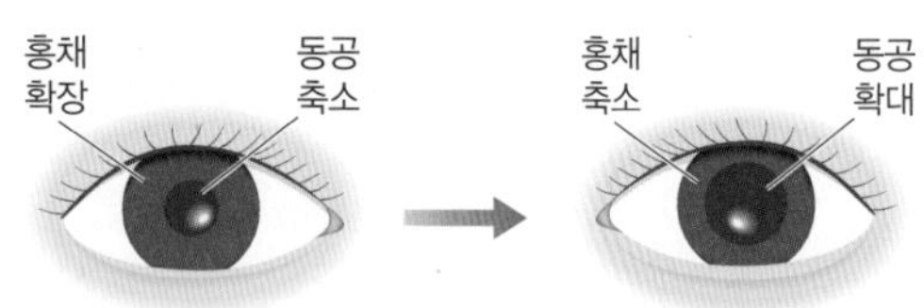

① 수영장 물속에서 눈을 떴다.
② 낮에 사진을 현상하기 위해 암실로 들어갔다.
③ 날씨가 쾌청한 날 운동장에서 달리기를 하였다.
④ 밝은 낮에 어두운 극장에서 영화를 보고 밖으로 나왔다.
⑤ 캄캄한 굴속에 갇혀 있다가 구조되어 밝은 곳으로 나왔다.

03 사람의 눈에서 동공이 커졌다 작아졌다 하는 까닭으로 옳은 것은?

① 빛을 반사하기 위해
② 초점을 맞추기 위해
③ 원근을 조절하기 위해
④ 수정체를 보호하기 위해
⑤ 빛의 양을 조절하기 위해

04 다음 보기는 귀의 여러 기능을 정리한 것이다.

보기
ㄱ. 소리를 모은다.
ㄴ. 고막의 진동을 증폭한다.
ㄷ. 몸의 기울어짐을 감지한다.
ㄹ. 청각 세포가 분포하여 소리를 자극으로 받아들인다.

보기에 제시된 각 기능 ㄱ~ㄹ을 수행하는 귀의 부위를 옳게 짝 지은 것은? (4점)

	ㄱ	ㄴ	ㄷ	ㄹ
①	귓속뼈	귓바퀴	전정 기관	반고리관
②	귓속뼈	외이도	반고리관	달팽이관
③	외이도	전정 기관	달팽이관	반고리관
④	귓바퀴	귓속뼈	전정 기관	달팽이관
⑤	귓바퀴	귓속뼈	반고리관	전정 기관

05 그림은 사람 귀의 구조를 나타낸 것이다.

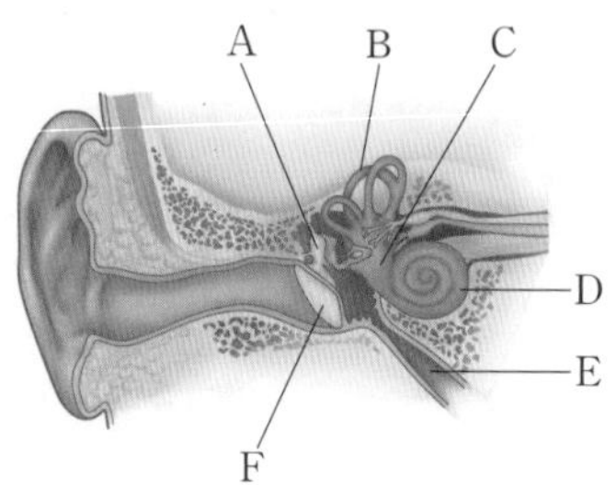

소리가 전달되는 과정 중 ( ) 안에 들어갈 알맞은 부위의 기호를 쓰시오.

소리 → 귓바퀴 → 외이도 → 고막 → 귓속뼈 → ( ) → 청각 신경 → 뇌

06 같은 냄새를 계속 맡으면, 얼마 후에는 그 냄새를 맡지 못하게 된다. 그 까닭으로 옳은 것은?

① 냄새가 줄어들었다.
② 후각 세포가 피로해졌다.
③ 후각 세포가 파괴되었다.
④ 신경 세포가 파괴되었다.
⑤ 냄새에 대한 저항력이 생겼다.

정답과 해설 034쪽

07 다음 중 맛세포에서 느끼는 기본 맛의 종류로 옳지 않은 것은?

① 쓴맛 ② 짠맛
③ 단맛 ④ 신맛
⑤ 매운맛

08 다음 중 피부 감각이라고 할 수 없는 것은?

① 바닷물에 발을 담그니 차가웠다.
② 떡볶이를 먹었더니 입안이 매웠다.
③ 손난로를 손으로 잡았더니 따뜻했다.
④ 롤러코스터를 타고 내려오니 어지러웠다.
⑤ 시각 장애인이 손끝으로 점자책을 읽는다.

09 그림은 뉴런의 연결을 나타낸 것이다.

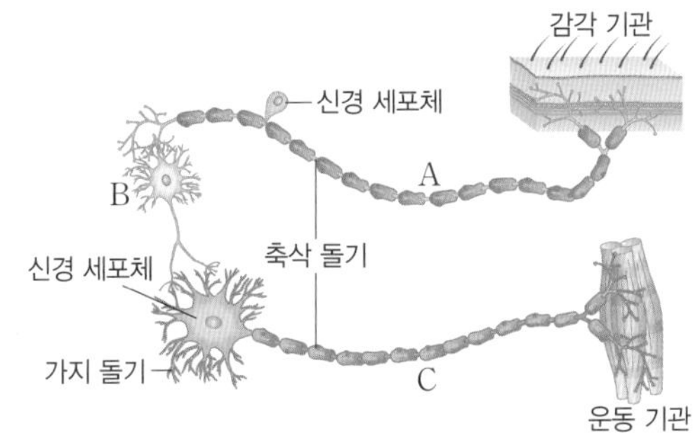

A~C 뉴런의 이름을 옳게 짝 지은 것은?

	A	B	C
①	운동 뉴런	연합 뉴런	감각 뉴런
②	감각 뉴런	연합 뉴런	운동 뉴런
③	연합 뉴런	운동 뉴런	감각 뉴런
④	감각 뉴런	운동 뉴런	연합 뉴런
⑤	운동 뉴런	감각 뉴런	연합 뉴런

10 다음 중 신경계와 관련된 설명으로 옳지 않은 것은?

① 중추 신경계는 뇌와 척수로 구성되어 있다.
② 중추 신경계는 자극을 판단하여 명령을 내린다.
③ 말초 신경계는 감각 신경과 운동 신경으로 구성되어 있다.
④ 말초 신경계는 중추 신경계에서 뻗어 나와 몸의 각 부분에 그물처럼 퍼져 있다.
⑤ 말초 신경계 중 자율 신경은 대뇌로부터 직접 명령을 받아 심장 박동 등을 조절한다.

11 그림은 사람 뇌의 구조를 나타낸 것이다.

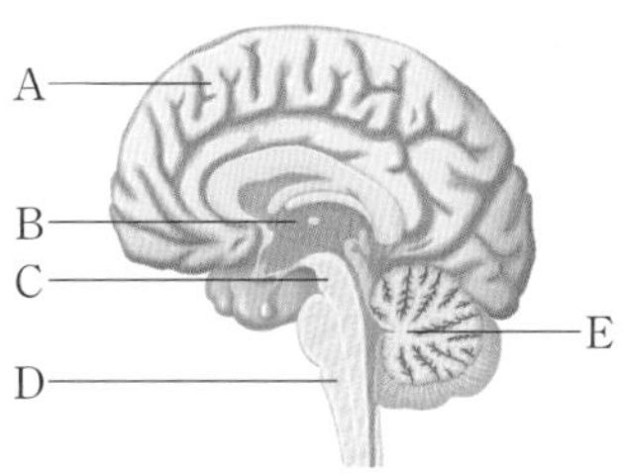

A~E에 대한 설명으로 옳지 않은 것은? (4점)

① A는 복잡한 정신 활동을 담당한다.
② B는 체온 유지, 혈당량 조절에 관여한다.
③ C는 눈의 운동 및 홍채의 수축과 이완 조절에 관여한다.
④ D는 심장 박동, 호흡, 소화 운동 등의 생명 유지 역할을 하고 무조건 반사의 중추이다.
⑤ E는 몸의 균형 유지에 관여하며, 뇌와 말초 신경 사이에 신호를 전달하는 통로이다.

12 우리 몸에서 체온을 조절하는 중추로 옳은 것은?

① 대뇌 ② 소뇌
③ 간뇌 ④ 중간뇌
⑤ 연수

13 우리는 평균대 위를 걷다가 쓰러지려고 할 때 한쪽 발이 들림과 동시에 팔을 움직여 몸의 균형을 잡으려는 행동을 하게 된다. 이와 같은 행동과 관계가 깊은 곳의 기호를 각각의 그림에서 찾아 쓰시오. (4점)

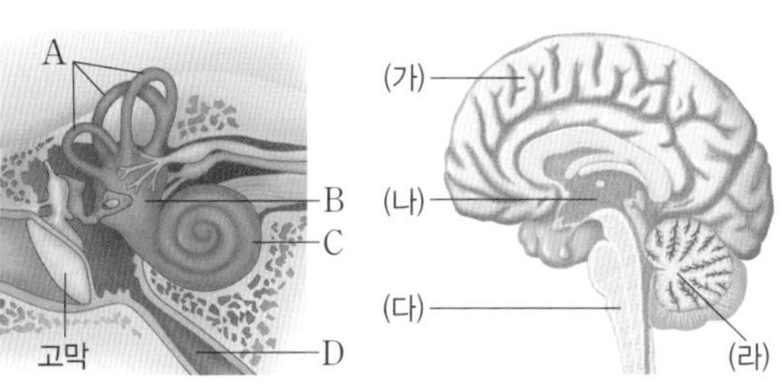

▲사람 귀의 구조 ▲사람 뇌의 구조

14 그림은 자극에 대한 반응의 경로를 나타낸 것이다.

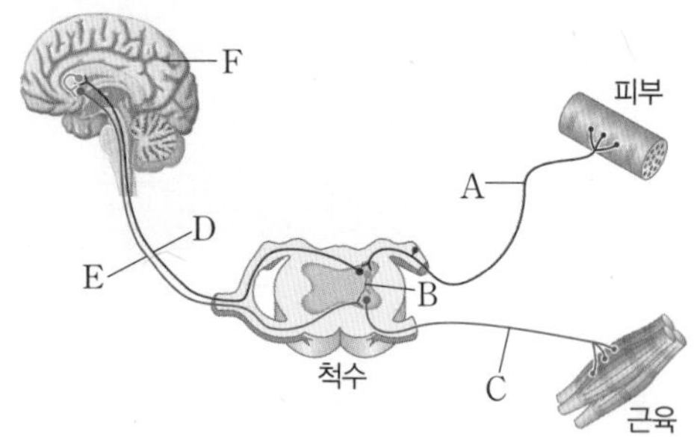

시각장애인이 손으로 점자책을 읽어갈 때 자극의 전달 경로로 옳은 것은? (4점)

① A → B → C
② C → B → A
③ A → D → F → E → C
④ C → E → F → D → A
⑤ A → B → D → F → E → C

15 호르몬에 대한 설명으로 옳지 않은 것은?

① 분비량이 너무 많으면 과다증이 일어난다.
② 세포나 기관으로 신호를 전달하는 화학 물질이다.
③ 적은 양으로 특정한 세포나 기관의 기능을 조절한다.
④ 대부분 빠르지만 좁은 범위에 일시적인 반응을 나타낸다.
⑤ 혈액을 따라 이동하다가 표적 기관에서만 작용이 일어나게 한다.

16 그림은 사람의 내분비샘을 나타낸 것이다. 각 부위에서 만들어지는 호르몬의 기능을 옳게 짝 지은 것은?

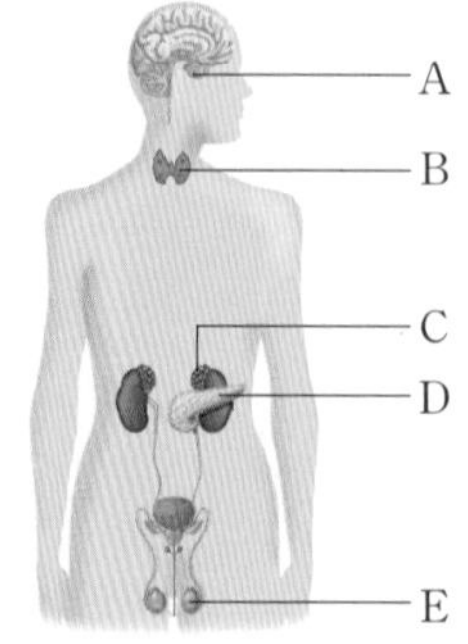

① A – 혈당량을 낮춘다.
② B – 세포 호흡을 촉진한다.
③ C – 남성의 2차 성징이 나타나게 한다.
④ D – 오줌의 양을 줄인다.
⑤ E – 생장을 촉진한다.

17 부신에서 분비되고, 혈당량 증가, 심장 박동 촉진 등의 기능을 하는 호르몬으로 옳은 것은?

① 인슐린
② 글루카곤
③ 티록신
④ 성호르몬
⑤ 아드레날린

18 사람의 주요 호르몬 중 하나인 티록신이 지나치게 적게 분비될 때 나타날 수 있는 증상으로 옳은 것은?

① 소인증
② 말단 비대증
③ 소아 당뇨병
④ 갑상샘 기능 저하증
⑤ 갑상샘 기능 항진증

19 혈당량이 정상보다 높아졌을 때 일어나는 조절 현상으로 옳은 것만을 보기에서 모두 고르시오.

보기
ㄱ. 인슐린의 분비가 촉진된다.
ㄴ. 글루카곤의 분비가 억제된다.
ㄷ. 포도당이 글리코젠으로 합성된다.
ㄹ. 글리코젠이 포도당으로 분해된다.

20 다음은 체온 조절 과정을 설명한 것이다. ㉠~㉢에 들어갈 알맞은 말을 쓰시오.

체온이 낮아지면 (㉠)에서 이를 감지해 (㉡)에서 갑상샘 자극 호르몬이 분비되어 갑상샘에서 (㉢)의 분비가 촉진된다. (㉢)에 의해 세포 호흡이 촉진되면 체온이 상승하게 된다.

정답과 해설 034쪽

서/술/형/문/제

21 그림은 수정체의 두께 변화를 나타낸 것이다.
다음과 같은 상황에 해당되는 수정체의 기호를 쓰고, 그 과정에 대해 서술하시오. (6점)

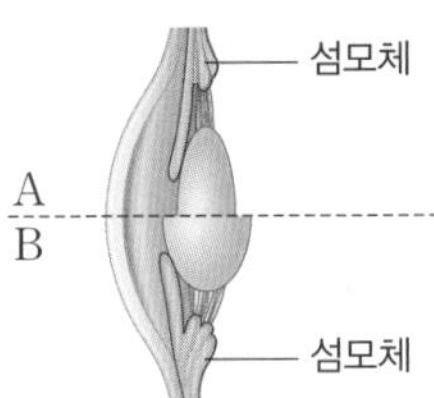

- 민희는 칠판에 글씨를 쓰고 있다.
- 현수는 책상에 앉아 책을 보고 있다.

22 그림은 귀의 구조이다. 청각의 성립 경로를 해당되는 각 부위의 기호와 이름과 함께 서술하시오. (8점)

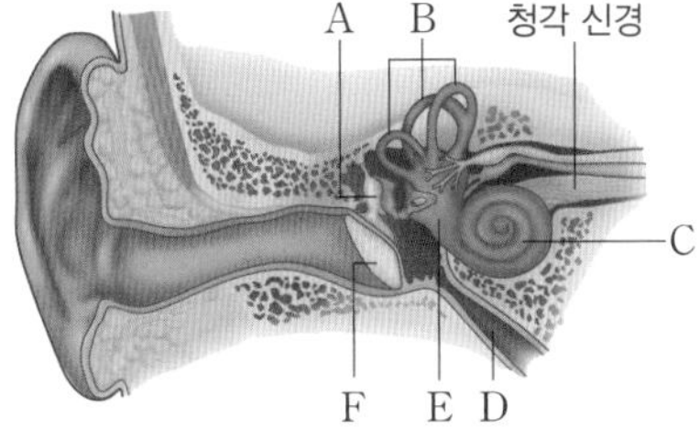

23 오른손은 20 ℃ 물에, 왼손은 40 ℃ 물에 10초 동안 담갔다가 두 손을 동시에 30 ℃의 물에 담갔다. 이때 오른손과 왼손에서 느끼는 온도 감각은 어떤지 서술하시오. (5점)

24 그림은 사람 뇌 구조의 단면을 나타낸 것이다.

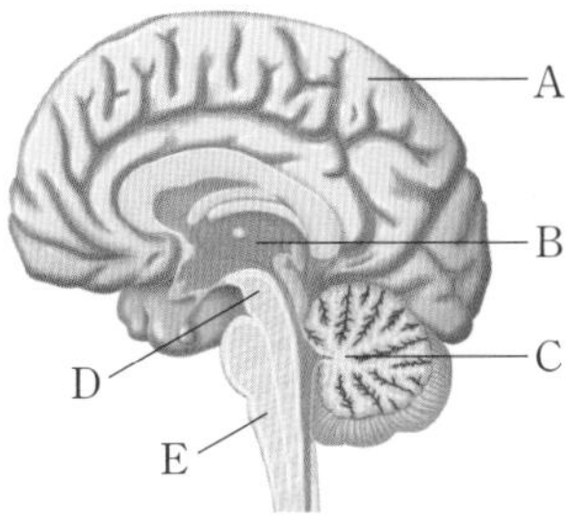

(1) A~E의 이름을 각각 쓰시오. (3점)

(2) D 부분의 기능과 이 부분에 이상이 생겼을 때 나타나는 증상을 서술하시오. (4점)

25 그림은 혈당량이 조절되는 과정을 나타낸 것이다.

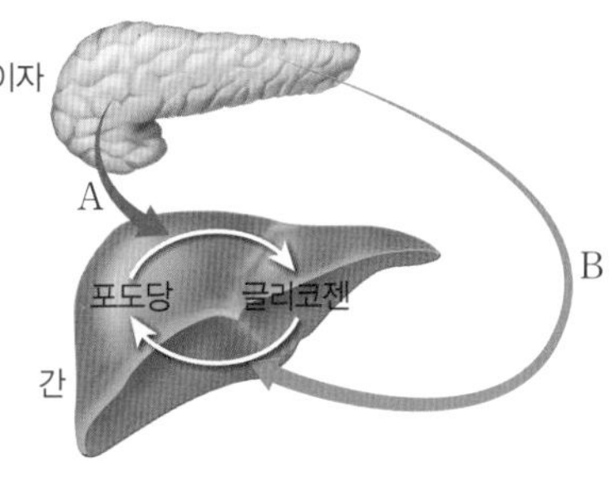

(1) 이자에서 분비되는 호르몬 A와 B의 이름을 각각 쓰시오. (2점)

(2) 혈당량이 높아졌거나 낮아졌을 때 이자에서 분비되는 호르몬 A와 B에 의한 조절에 대해 서술하시오. (8점)

V

생식과 유전

배울 내용이 쉬워지는 용어

배울 용어를 읽어보고, 이해가 되었으면 ✔ 표시를 해 봅시다.

- ☐ **상동 염색체** 체세포에 있는 모양과 크기가 같은 염색체의 쌍
- ☐ **체세포 분열** 몸을 구성하는 체세포가 둘로 나누어지는 과정
- ☐ **생식세포 형성 과정** 생물의 생식 기관에서 생식세포가 만들어지는 과정
- ☐ **2가 염색체** 감수 분열에서 상동 염색체가 접합한 상태의 염색체
- ☐ **수정** 정자와 난자가 결합하는 현상
- ☐ **발생** 수정란이 하나의 개체로 되기까지의 과정
- ☐ **유전** 어버이의 형질이 자손에게 전달되는 현상
- ☐ **표현형** 겉으로 나타나는 형질
- ☐ **유전자형** 표현형을 결정하는 유전자를 알파벳으로 나타낸 것
- ☐ **우성** 순종의 대립 형질끼리의 교배 시 잡종 1대에서 나타나는 형질
- ☐ **열성** 순종의 대립 형질끼리의 교배 시 잡종 1대에서 나타나지 않는 형질

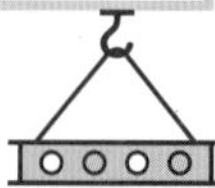

V. 생식과 유전

생식

물음으로 흐름잡기

체세포 분열 — 핵막이 사라지는 시기는? / 핵분열이 끝난 후 세포질이 나누어지는 현상은?

생식세포 형성 과정 — 상동 염색체가 접합한 염색체는? / 감수 분열 결과 만들어진 딸세포의 염색체 수는?

사람의 발생 — 수정란이 하나의 개체로 되기까지의 과정은? / 수정란이 자궁 안쪽 벽에 파묻히는 현상은?

A 세포 분열과 염색체

1. 세포 분열 1개의 세포가 2개의 세포로 나누어지는 현상 (생물의 몸집이 차이 나는 까닭은 세포 수의 차이 때문이다.)

① 세포 분열의 의의: 생장, 재생, 번식, 생식세포[•] 형성 (단세포 생물은 분열에 의해 만들어진 2개의 세포가 각각 하나의 개체로 된다.)

② 세포가 분열하는 까닭: 세포의 크기가 커지면 표면적이 증가하는 비율보다 부피가 증가하는 비율이 커져 물질 교환 능력이 낮아지기 때문이다. – 세포의 부피에 대한 표면적의 비가 커야 물질 교환에 유리하다.

교과서 탐구 세포의 표면적과 부피와의 관계 실험하기

▶ 과정

1. 페놀프탈레인 용액을 넣어 만든 우무 덩어리를 한 변의 길이가 각각 2 cm, 1 cm인 정육면체 모양의 우무 조각으로 준비한다.
2. 크기가 다른 우무 조각을 각각 비커에 넣고, 4 % 수산화 나트륨 수용액을 부은 후 3분 동안 기다린다. 각각의 우무 조각을 꺼내 반으로 잘라 잘린 단면을 관찰한다.

▶ 결과 및 해석

한 변의 길이가 2 cm인 우무 조각은 중심부까지 붉게 물들지 않았고, 1 cm인 우무 조각은 중심부까지 붉게 물들었다.[1] ➡ 세포의 크기가 크면 물질 교환이 일어나기 어렵다. 그러므로 세포가 어느 정도 커지면 세포 분열을 하여 세포 수를 늘린다.

2. 염색체[2] 유전 물질이 꼬이고 뭉쳐져 만들어진 막대 모양의 구조 ➡ DNA[•]와 단백질로 이루어지며, DNA에서 유전 정보를 저장하는 부분은 유전자이다.

① 상동 염색체: 체세포에 있는 모양과 크기가 같은 염색체의 쌍 ➡ 부모로부터 각각 하나씩 물려받아 유전자[3] 구성이 같거나 다르다.

② 염색 분체: 염색체를 이루는 두 가닥 중 각각의 가닥 ➡ 세포 분열 전 DNA가 복제된 것으로, 유전자 구성이 같다.

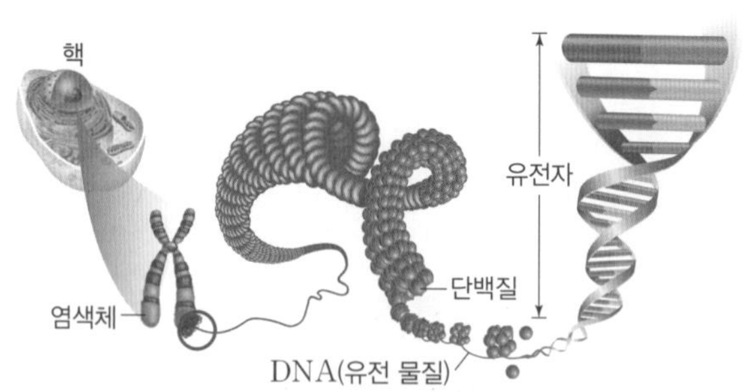

▲ 염색체, DNA, 유전자의 관계

③ 사람의 염색체 구성

- 상염색체: 여자와 남자에 공통으로 있는 22쌍의 염색체로, 성별에 관계없는 일반적인 특징을 결정한다.
- 성염색체: 성의 특징을 결정하는 염색체로, 남자는 XY, 여자는 XX이다.

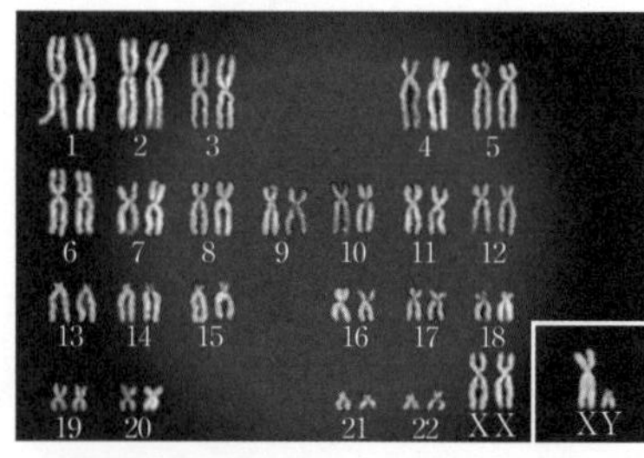

▲ 여자와 남자의 염색체

❶ **표면적과 부피**

한 변의 길이(cm)	1	2
표면적(cm^2)	6	24
부피(cm^3)	1	8
$\frac{표면적}{부피}$	6	3

❷ **생물체와 염색체 수**

- 생물의 종에 따라 염색체 수는 다양하다.
- 같은 종류의 생물은 1개의 세포 속에 같은 수의 염색체를 갖는다.

❸ **대립유전자**

상동 염색체의 동일한 위치에서 하나의 형질을 결정하는 유전자

사람의 염색체

남자: 44 + XY
여자: 44 + XX

(44: 상염색체, XY/XX: 성염색체)

용어 알기

- **생식세포** 생식 과정에서 유전 정보를 전달하는 일을 하는 세포
- **DNA** 어버이의 형질을 자손에게 전하는 물질

B 체세포 분열

부모로부터 각각 같은 수의 염색체를 물려받기 때문에 정상적인 체세포의 염색체 수는 항상 짝수이며, $2n$으로 표시한다.
예) 사람: $2n=46$

1. 체세포 분열 몸을 구성하는 체세포가 둘로 나누어지는 과정($2n \rightarrow 2n$)

2. 체세포 분열 과정 탐구 공략하기 124쪽

① 세포가 분열하기 전(간기): 분열이 끝난 세포가 다음 세포 분열을 준비 ➡ 세포 주기❹ 중 가장 긴 시기 염색체가 실과 같은 형태로 존재하며, 분열 전에 유전 물질이 2배로 증가한다.

② 핵분열 과정: 염색체의 모양과 움직임에 따라 전기, 중기, 후기, 말기로 구분된다.

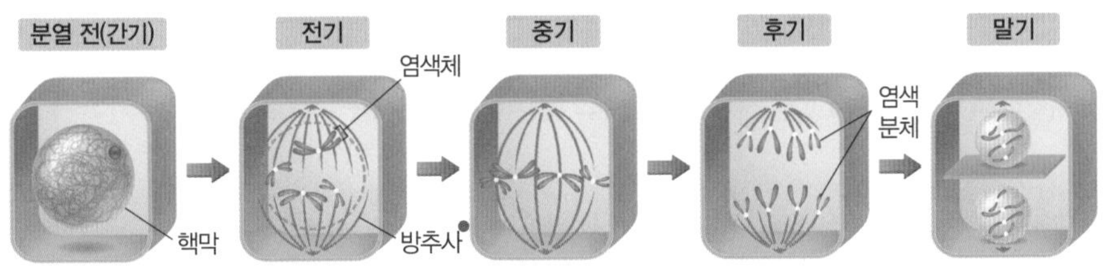

분열 전(간기)	전기	중기	후기	말기
핵막이 관찰되며, 유전 물질이 복제된다.	핵막이 사라지고, 2개의 염색 분체로 이루어진 염색체가 나타난다.	염색체가 세포 중앙에 배열한다.	염색 분체가 분리되어 세포 양쪽 끝으로 이동한다.	핵막이 나타나면서 2개의 핵이 생기고, 세포질 분열이 일어난다.

▲ 체세포 분열 과정

③ 세포질 분열: 핵분열이 끝난 후 세포질이 나누어지는 현상 ─식물 세포와 동물 세포에서 차이가 있다.

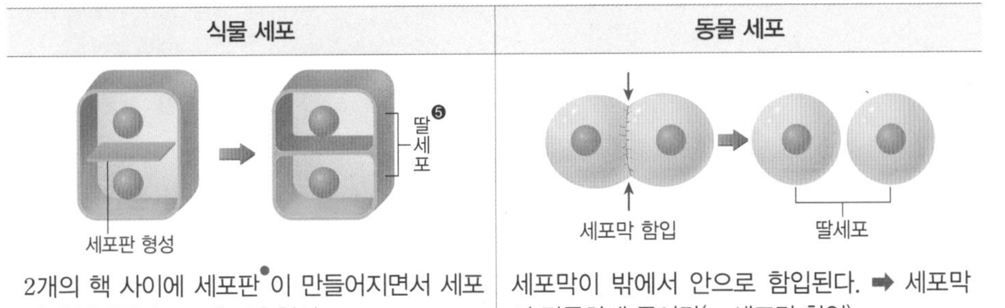

식물 세포	동물 세포
2개의 핵 사이에 세포판이 만들어지면서 세포질이 분리된다. ➡ 세포판 형성	세포막이 밖에서 안으로 함입된다. ➡ 세포막이 잘록하게 들어감(=세포막 함입)

❹ **세포 주기**
분열을 끝낸 세포가 자라서 다시 분열을 마치기까지의 과정

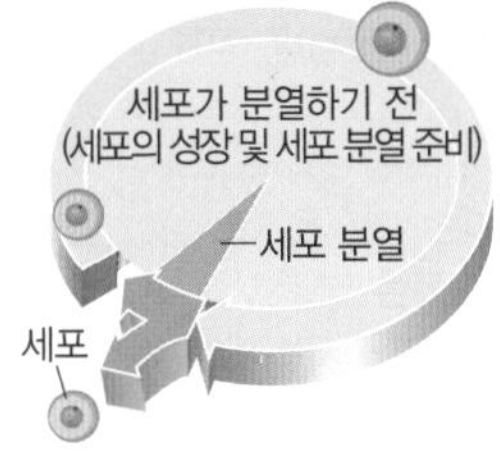

❺ **모세포와 딸세포**
- 모세포: 세포 분열이 일어나기 전의 세포
- 딸세포: 세포 분열 결과 새로 만들어진 세포

용어 알기
- **방추사** 세포 분열 과정에 형성되는 가는 실 모양의 섬유질 단백질
- **세포판** 식물의 체세포 분열 말기에 둘로 나뉘는 딸세포 사이에 생기는 경계막

정답과 해설 036쪽

01 다음은 세포가 분열하는 까닭을 알아보기 위한 것이다.

(1) ㉠~㉢에 들어갈 알맞은 수를 쓰시오.

2 cm
1 cm

한 변의 길이(cm)	1	2
표면적(cm^2)	6	(㉠)
부피(cm^3)	1	(㉡)
$\frac{표면적}{부피}$	6	(㉢)

(2) ( ) 안에 들어갈 알맞은 말을 고르시오.

> 세포의 크기가 커질수록 세포막을 통한 물질 교환 능력이 (낮아지므로, 높아지므로) 세포가 어느 정도 커지면 분열한다.

02 유전자와 염색체에 대한 설명으로 옳은 것은 ○표, 옳지 않은 것은 ×표를 하시오.

(1) 염색체는 DNA와 단백질로 이루어져 있다. ( )
(2) 상동 염색체는 유전자 구성이 항상 같다. ( )
(3) 염색 분체는 유전자 구성이 항상 같다. ( )

03 다음 설명에 해당하는 체세포 분열 시기를 쓰시오.

(1) 핵막이 사라진다. ( )
(2) 염색체가 세포 중앙에 배열한다. ( )
(3) 2개의 핵이 생기고 세포질 분열이 일어난다. ( )
(4) 염색 분체가 분리되어 세포 양쪽 끝으로 이동한다. ( )

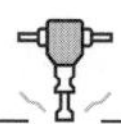

C 생식세포 형성 과정

❻ 2가 염색체
상동 염색체가 접합한 것으로 4가닥의 염색 분체가 붙어 있기 때문에 4분 염색체라고도 한다.

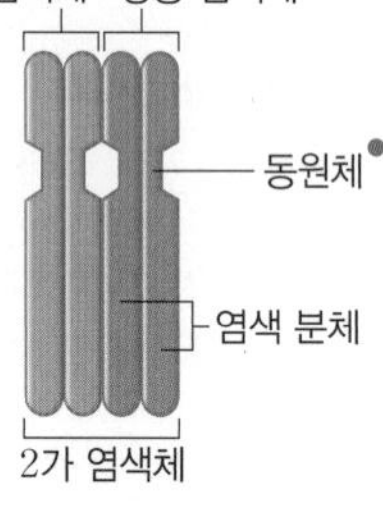

1. 생식세포 형성 과정 생물의 생식 기관●에서 생식세포가 만들어지는 과정 ➡ 분열 결과 염색체 수가 절반으로 줄어든 생식세포가 만들어지므로 감수 분열이라고 한다.($2n \to n$)

① 분열이 연속 2회 일어나며, 4개의 딸세포(생식세포)가 생성된다.

② 감수 1분열에서는 상동 염색체가 분리되고, 감수 2분열에서는 염색 분체가 분리된다.
➡ 감수 1분열 시 염색체 수가 절반으로 줄어든다.

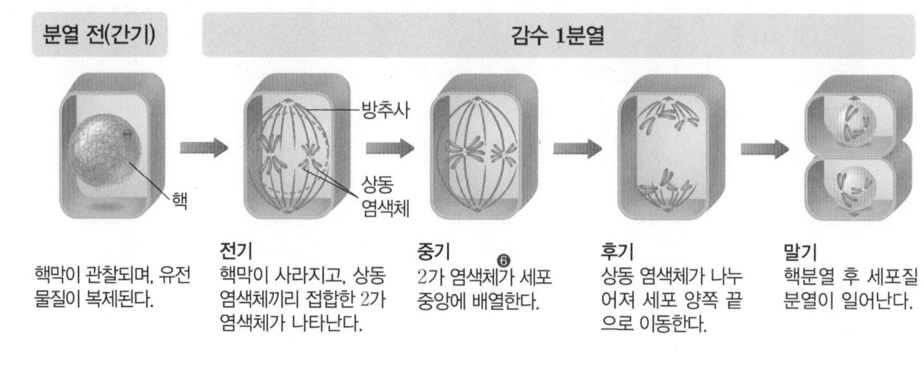

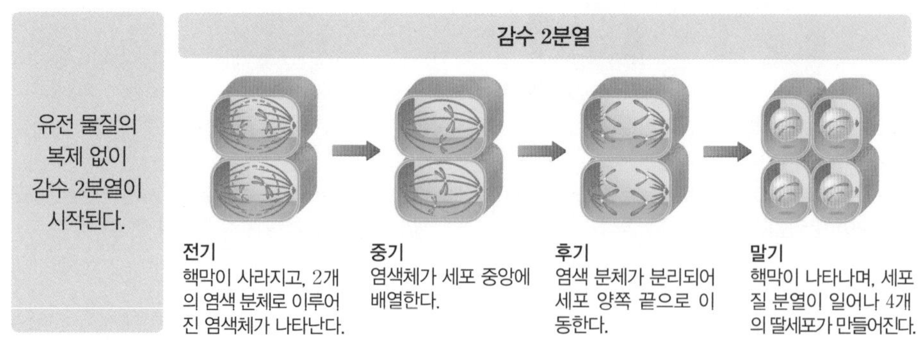

▲ 생식세포 형성 과정

❼ 감수 분열이 일어나는 장소와 생식세포

구분	식물	
	생식 기관	생식세포
암	밑씨	난세포
수	꽃밥	꽃가루

구분	동물	
	생식 기관	생식세포
암	난소	난자
수	정소	정자

2. 감수 분열❼의 의의 세대를 거듭해도 자손의 염색체 수가 일정하게 유지된다.
➡ 감수 분열로 인해 염색체 수가 반으로 줄어든 생식세포가 생성되기 때문이다.

3. 체세포 분열과 감수 분열의 비교

수정: 난자(n) + 정자(n) → 수정란($2n$)

구분	체세포 분열	감수 분열
분열 장소	온몸	생식 기관
분열 횟수	1회	연속 2회
딸세포 수	2개	4개
염색체 수 변화	변화 없다.	절반으로 줄어든다.
2가 염색체 형성 여부	형성되지 않는다.	형성된다. ➡ 감수 1분열 전기에 형성된다.
분열 결과	생장, 재생	생식세포 형성

단세포 생물은 체세포 분열을 통해 번식한다.

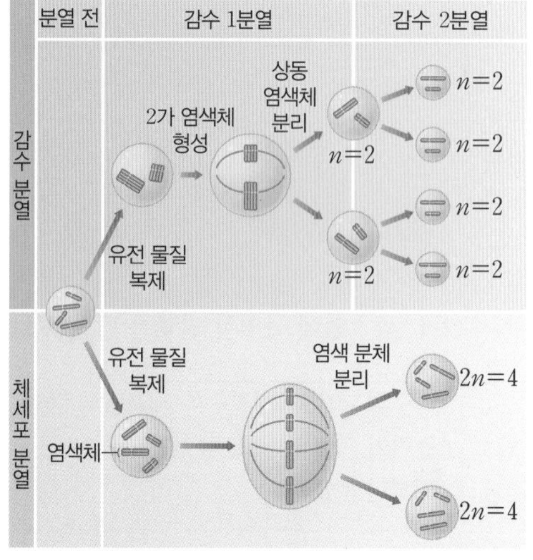

▲ 체세포 분열과 감수 분열의 비교

용어 알기
- **생식 기관** 성의 구분이 있는 생물의 생식을 담당하는 기관
- **동원체** 두 염색 분체가 결합하는 잘록한 부위

D 사람의 발생

1. 수정과 발생 부모의 생식 기관에서 형성된 생식세포가 하나의 개체가 된다.

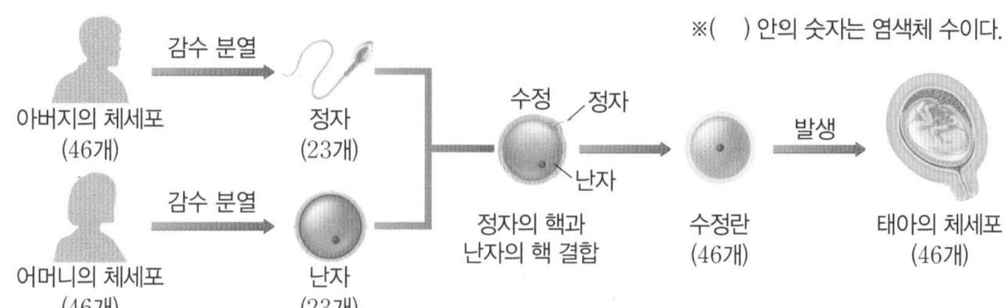

▲ 수정과 발생 과정

① 수정: 난자와 정자[8]가 결합하는 현상

② 발생: 수정란이 하나의 개체로 되기까지의 과정

③ 난할: 수정란의 세포 분열 ➡ 세포의 크기가 커지는 시기 없이 계속 분열하여 난할이 거듭될수록 전체 크기는 거의 변화가 없지만 세포의 크기는 작아진다. ─ 난할은 일종의 체세포 분열이다. 난할로 형성된 딸세포는 할구이다.

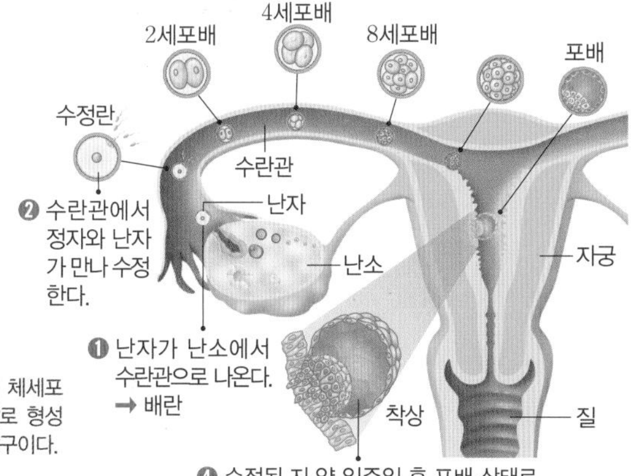

▲ 수정란의 초기 발생 과정

2. 임신과 출산

① 착상: 수정이 이루어진 뒤 5~7일 후 수정란이 포배• 상태에서 자궁•안쪽 벽에 파묻힌다. 이때 임신이 되었다고 한다.

② 출산: 수정된 지 약 266일 후 태아[9]가 자궁의 수축 운동을 통하여 몸 밖으로 나오는 현상

❽ 난자와 정자의 구조

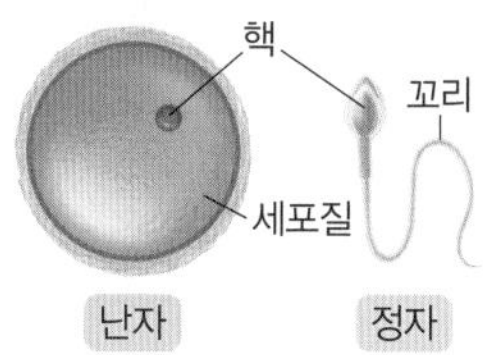

난자와 정자가 합쳐서 수정란이 된다.
➡ 오직 하나의 정자만 난자와 수정이 된다.

❾ 배아와 태아

- 배아: 수정 후 7주까지 사람의 모습을 갖추기 전의 세포 덩어리이다.
- 태아: 수정 후 8주가 지난 뒤 사람이 모습을 갖추기 시작한다.

용어 알기

- **포배** 수정란의 난할에 의해 형성된 속이 빈 구형의 세포들
- **자궁** 수정란이 착상하여 태아가 자라는 곳

정답과 해설 036쪽

04 다음 설명에 알맞은 시기를 보기에서 골라 기호를 쓰시오.

보기	
ㄱ. 감수 1분열 중기	ㄴ. 감수 1분열 후기
ㄷ. 감수 1분열 말기	ㄹ. 감수 2분열 후기

(1) 2가 염색체가 세포 중앙에 배열한다. ( )

(2) 염색 분체가 분리되어 세포 양쪽 끝으로 이동한다. ( )

(3) 상동 염색체가 분리되어 세포 양쪽 끝으로 이동한다. ( )

(4) 염색체 수가 모세포의 절반으로 감소한 딸세포가 2개 형성된다. ( )

05 다음 설명에 알맞은 용어를 각각 쓰시오.

(1) 수정란의 세포 분열 ( )

(2) 난자와 정자가 결합하는 현상 ( )

(3) 수정란이 하나의 개체로 되기까지의 과정 ( )

06 그림은 여자의 생식 기관을 나타낸 것이다. 수정이 일어나는 장소이며, 난할이 일어나기 시작하는 부분의 기호와 이름을 쓰시오.

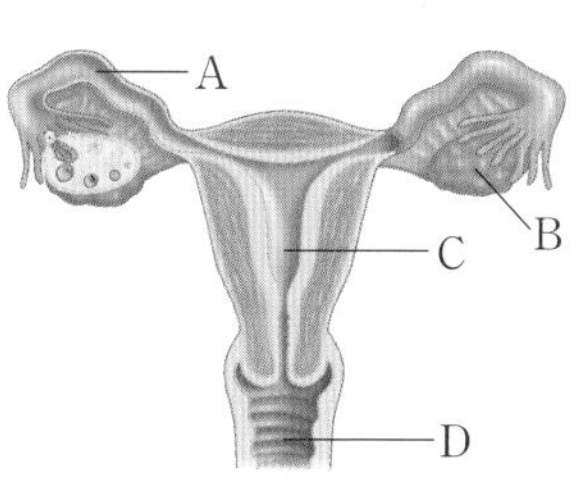

탐구 공략 하기

체세포 분열 관찰하기

목표 뿌리의 생장점에서 체세포 분열 중인 세포를 관찰하고, 각 특징을 설명한다.

공략 포인트 실험 과정에서 사용되는 약품의 용도를 정확히 알고, 실험의 순서를 기억하는 것이 중요하다!
└약품의 용도와 사용 순서를 정확히 아는 것이 중요하다.

과정

❶ 고정하기

양파 뿌리 끝을 1 cm 정도로 잘라 에탄올과 아세트산 용액을 3 : 1로 섞은 용액에 하루 동안 담가 둔다.

❷ 해리하기

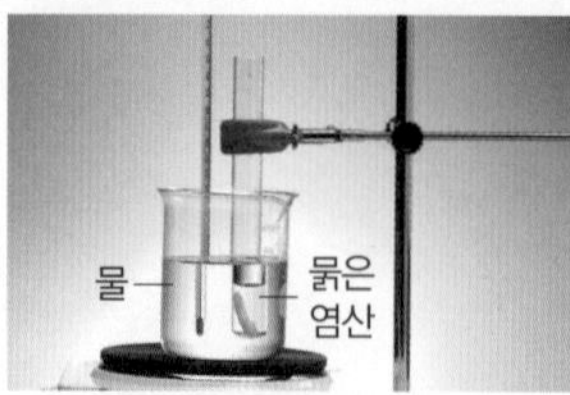

뿌리 조각을 거즈로 싸서 50~60 ℃의 묽은 염산에 담그고 5~10분 동안 물 중탕하고 증류수에 옮겨 담는다.

❸ 염색하기

안전 면도날로 뿌리 끝을 2 mm 정도 잘라 받침유리에 놓고 아세트산 카민 용액을 한 방울 떨어뜨린 다음, 2분 정도 둔다.
└아세트올세인 용액을 이용하기도 한다.

❹ 분리하기

해부 침으로 뿌리 끝을 잘게 찢는다.

❺ 압착하기

덮개유리를 덮고 그 위를 고무 달린 연필로 가볍게 두드린다.

❻ 관찰하기

여분의 용액을 거름종이로 흡수한 다음, 현미경으로 관찰한다.

결과

1. 분열하기 전의 세포가 가장 많이 관찰되고, 중기의 세포가 가장 적게 관찰된다.
2. 딸세포는 모세포보다 크기가 작다.

▲ 현미경 관찰 결과

정리

1. 뿌리 끝부분에는 생장점이 있기 때문에 체세포 분열을 쉽게 관찰할 수 있다.
2. 과정 ❶ ➡ 세포가 분열하던 상태에서 고정된다.
3. 과정 ❷ ➡ 묽은 염산에 의해 세포벽이 녹으면서 조직이 연해지고, 그 결과 세포들이 쉽게 분리된다.
4. 과정 ❸ ➡ 아세트산 카민 용액에 의해 핵과 염색체가 붉은색으로 염색되어 관찰된다.

확인 문제

★ 정답과 해설 036쪽

01 이 실험을 통해 관찰하고자 하는 세포 분열의 종류를 쓰시오.

02 위 실험에 대한 설명이다. (　　) 안에 들어갈 알맞은 말을 쓰시오.

> 양파의 뿌리 끝을 에탄올과 아세트산 혼합액에 넣어 두는 까닭은 세포 분열이 멈춘 상태로 (　　　)시켜서 세포 분열의 각 단계를 잘 관찰할 수 있게 하기 위해서이다.

03 다음은 양파 뿌리 끝을 이용하여 세포 분열을 관찰하고자 할 때 사용하는 여러 가지 약품을 나타낸 것이다.

> 묽은 염산, 아세트산 카민 용액, 에탄올과 아세트산 혼합액

사용하는 약품을 순서대로 나열하시오.

04 이 실험에서 양파의 뿌리 끝을 아세트산 카민 용액으로 붉게 염색하는 것은 무엇을 관찰하기 위한 것인지 쓰시오.

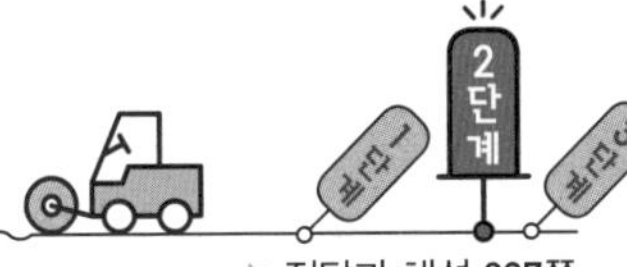

정답과 해설 037쪽

A 세포 분열과 염색체

01 세포 분열에 대한 설명으로 옳지 않은 것은?

① 생물의 생장은 세포 분열에 의한 것이다.
② 단세포 생물은 세포 분열을 통해 번식한다.
③ 1개의 세포가 2개의 세포로 나누어지는 현상이다.
④ 체세포 분열에 의해 손상된 세포를 재생할 수 있다.
⑤ 사람은 성인이 된 후 세포 분열이 일어나지 않는다.

필수

02 다음은 세포가 분열하는 까닭을 알아보기 위한 실험을 나타낸 것이다.

(가) 페놀프탈레인 용액을 넣어 만든 우무 덩어리를 한 변의 길이가 각각 1 cm, 2 cm인 정육면체로 자른다.
(나) 수산화 나트륨 수용액이 담긴 비커에 (가)의 우무 조각 2개를 동시에 넣는다.
(다) 각각의 우무 조각을 꺼내 반으로 잘라 잘린 단면을 관찰하였더니 한 변의 길이가 1 cm인 우무 조각만 중심부까지 붉게 물들었다.

(나) (다)

실험을 통해 알 수 있는 세포가 분열하는 까닭으로 옳은 것은?

① 표면적이 늘어날수록 물질 교환 능력이 낮아진다.
② 표면적이 줄어들수록 물질 교환 능력이 높아진다.
③ 세포의 크기가 커질수록 물질 교환 능력이 낮아진다.
④ 세포의 크기가 커질수록 물질 교환 능력이 높아진다.
⑤ 세포의 크기와 관계없이 물질 교환 능력은 항상 일정하다.

03 코끼리와 생쥐의 크기가 차이 나는 원인으로 가장 옳은 것은?

① 체세포의 수
② 체세포의 크기
③ 체세포의 수명
④ 생식세포의 수
⑤ 생식세포의 크기

필수

04 염색체에 대한 설명으로 옳지 않은 것은?

① DNA와 단백질로 이루어져 있다.
② 생물의 종에 따라 염색체의 수는 다양하다.
③ 같은 종의 생물은 같은 수의 염색체를 가지고 있다.
④ 유전 정보를 가지고 있어 자손에게 그 정보를 전달한다.
⑤ 염색체는 항상 세포의 핵 속에 실 모양으로 풀어져 있다.

[05-06] 그림은 사람의 염색체를 나타낸 것이다.

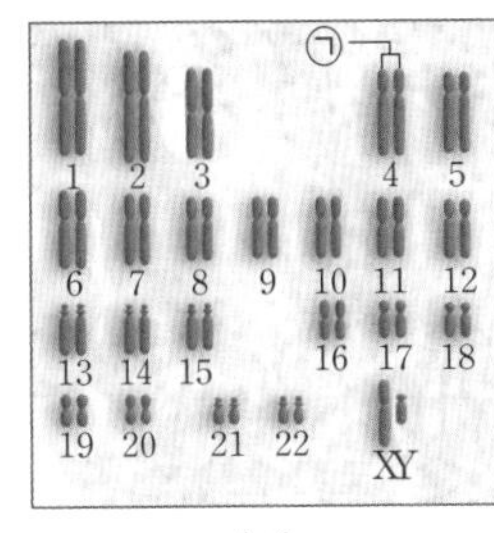

(가)

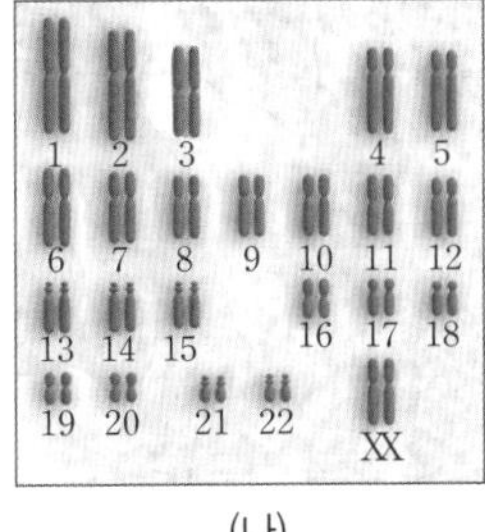

(나)

필수

05 이에 대한 설명으로 옳지 않은 것은?

① (가)는 남자의 염색체이다.
② (나)의 상동 염색체는 22쌍이다.
③ 1~22번은 상염색체이다.
④ X 염색체와 Y 염색체는 성의 특징을 결정한다.
⑤ 1~22번은 성별에 관계 없는 특징을 결정한다.

서술형

06 위 그림의 ㉠과 같은 염색체 쌍을 무엇이라고 하는지 쓰고, 각 염색체가 쌍으로 존재하는 까닭을 서술하시오.

B 체세포 분열

[07-08] 그림은 식물의 체세포 분열 과정을 순서 없이 나타낸 것이다.

(가)

(나)

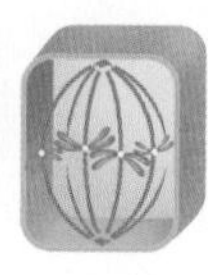
(다)

(라)

(마)

필수

07 체세포 분열 과정을 순서대로 옳게 나열한 것은?

① (가) → (라) → (다) → (나) → (마)
② (가) → (다) → (나) → (라) → (마)
③ (나) → (마) → (다) → (라) → (가)
④ (나) → (다) → (마) → (가) → (라)
⑤ (다) → (라) → (마) → (가) → (나)

08 각 시기의 특징으로 옳은 것은?

① (가) 시기에 DNA가 복제된다.
② (나) 시기에 방추사가 나타난다.
③ (다) 시기에 세포질 분열이 일어난다.
④ (라) 시기에 딸핵이 형성된다.
⑤ (마) 시기에 핵막이 사라진다.

서술형

09 그림은 체세포 분열 중 한 단계를 나타낸 것이다. 이 시기를 쓰고, 특징을 2가지만 서술하시오.

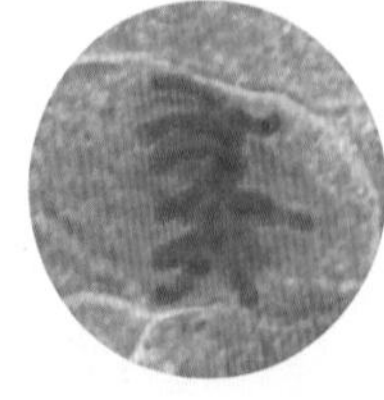

[10-11] 그림은 양파의 뿌리 끝 세포를 관찰하기 위한 실험 과정을 순서 없이 나타낸 것이다.

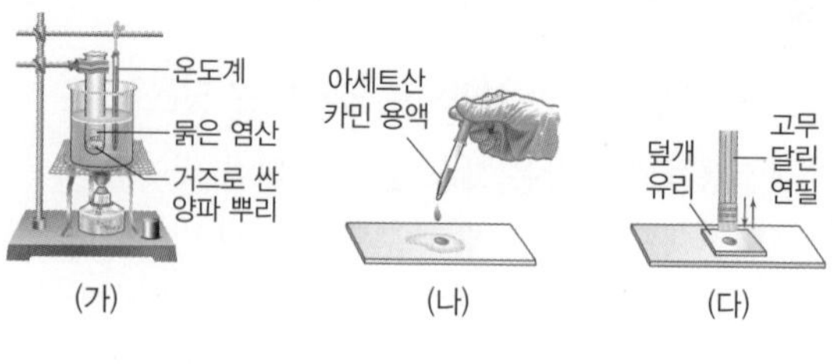

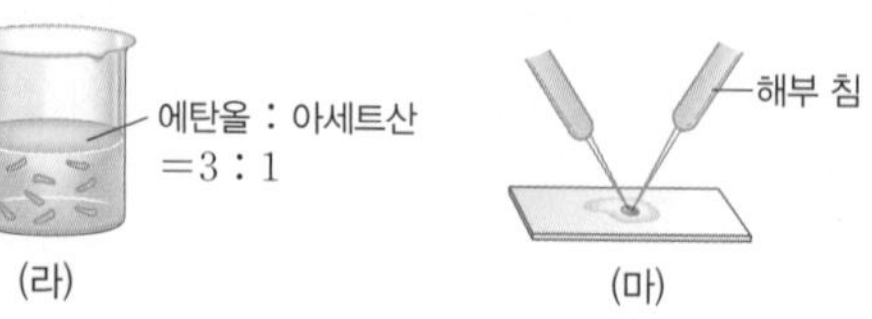

10 실험 과정을 순서대로 옳게 나열한 것은?

① (가) → (다) → (라) → (마) → (나)
② (가) → (라) → (나) → (다) → (마)
③ (나) → (가) → (라) → (다) → (마)
④ (라) → (가) → (나) → (마) → (다)
⑤ (라) → (다) → (가) → (나) → (마)

필수

11 이 실험에서 (라) 과정을 처리하는 까닭으로 옳은 것은?

① 세포벽을 녹여 준다.
② 조직을 연하게 한다.
③ 핵과 염색체를 염색한다.
④ 세포의 수명을 늘려 준다.
⑤ 세포를 살아 있는 상태로 멈추게 한다.

필수

12 그림은 어떤 세포에서 일어나는 세포질 분열 과정을 나타낸 것이다.

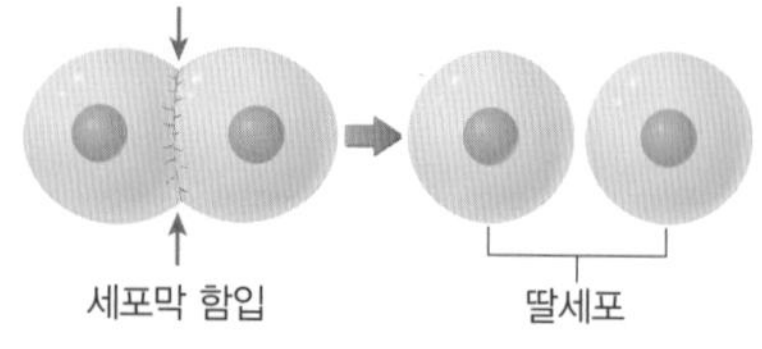

이에 대한 설명으로 옳은 것은?

① 동물 세포에서 관찰된다.
② 세포 분열 초기에 나타난다.
③ 두 핵 사이에 세포판이 형성된다.
④ 체세포 분열에서만 관찰되는 과정이다.
⑤ 세포질이 안쪽에서 바깥쪽으로 분열된다.

정답과 해설 037쪽

C 생식세포 형성 과정

13 감수 분열에 대한 설명으로 옳은 것은?

① 동물의 경우 온몸에서 일어난다.
② 분열 결과 세포의 크기가 커진다.
③ 세포 분열 결과 염색체 수는 변화 없다.
④ 식물의 경우 생장점과 형성층에서 일어난다.
⑤ 세포 분열 결과 염색체 수가 절반으로 줄어든다.

14 생식세포가 형성되기 위해 ㉠ 한 세포에서 몇 번의 세포 분열이 일어나야 하며, ㉡ 분열 후 형성되는 생식세포의 수는 몇 개인지 각각 쓰시오.

[15-17] 그림은 어떤 세포의 분열 과정을 나타낸 것이다.

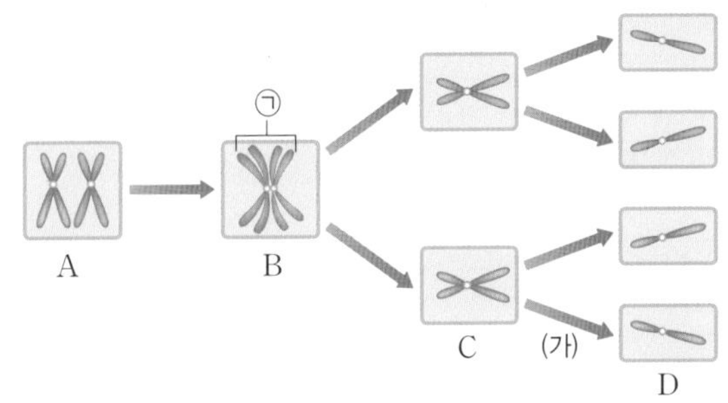

필수

15 이에 대한 설명으로 옳은 것은?

① A와 D의 염색체 수는 같다.
② 분열 결과 체세포가 형성된다.
③ 염색체 수는 (가) 시기에 반으로 감소한다.
④ 전기, 중기, 후기, 말기의 과정을 2번 연속 반복한다.
⑤ 새로 만들어진 4개의 딸세포는 유전자가 모두 같다.

16 ㉠에 대한 설명으로 옳지 않은 것을 모두 고르면? (정답 2개)

① 2가 염색체이다.
② 감수 2분열 전기에 관찰된다.
③ 상동 염색체가 접합하여 형성된다.
④ 2개의 염색 분체가 결합한 것이다.
⑤ 체세포 분열에서는 관찰되지 않는다.

필수

17 (가) 시기에 대한 설명으로 옳은 것만을 보기에서 모두 고른 것은?

보기
ㄱ. 감수 1분열 과정이다.
ㄴ. 염색 분체가 분리된다.
ㄷ. 상동 염색체가 분리된다.
ㄹ. C와 D의 염색체 수는 같다.

① ㄱ ② ㄴ ③ ㄴ, ㄹ
④ ㄷ, ㄹ ⑤ ㄱ, ㄷ, ㄹ

신유형

18 그림은 3쌍의 상동 염색체가 들어 있는 체세포를 나타낸 것이다. 상동 염색체의 색깔이 다른 것은 염색체의 유전자 구성이 다른 것을 의미할 때 이 세포가 만들 수 있는 생식세포의 종류는?

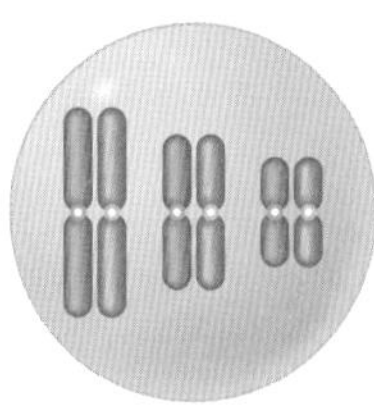

① 2가지 ② 4가지 ③ 6가지
④ 8가지 ⑤ 10가지

필수

19 감수 분열의 의의로 가장 옳은 것은?

① 세포 수를 늘려 생장이 이루어진다.
② 세포 분열을 억제하여 양분을 저장한다.
③ 자손이 부모와 같은 유전 형질을 갖게 한다.
④ 염색체 수를 증가시켜 돌연변이를 유발한다.
⑤ 세대를 거듭해도 염색체 수를 일정하게 유지한다.

20 그림은 어떤 생물의 난세포에서 관찰된 염색체를 나타낸 것이다. 이 생물의 체세포에서 관찰되는 염색체로 옳은 것은?

① 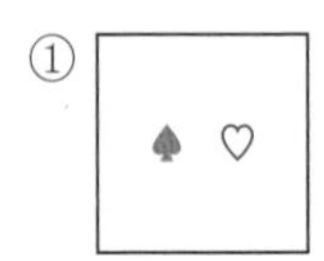 ②  ③ 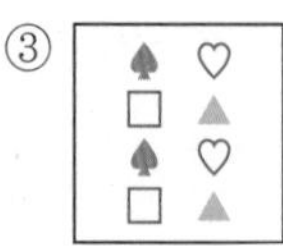

④ 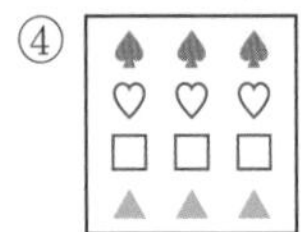 ⑤ 

필수 서술형

21 그림 (가)는 체세포 분열 과정의 한 시기를, (나)는 감수 분열 과정의 한 시기를 나타낸 것이다.

(가)

(나)

(가)와 (나)가 각각 어떤 시기에 해당하는지 쓰고, (나) 시기가 (가) 시기와 다른 점을 서술하시오.

필수

22 그림은 두 종류의 세포 분열 과정 중 일부를 나타낸 것이다.

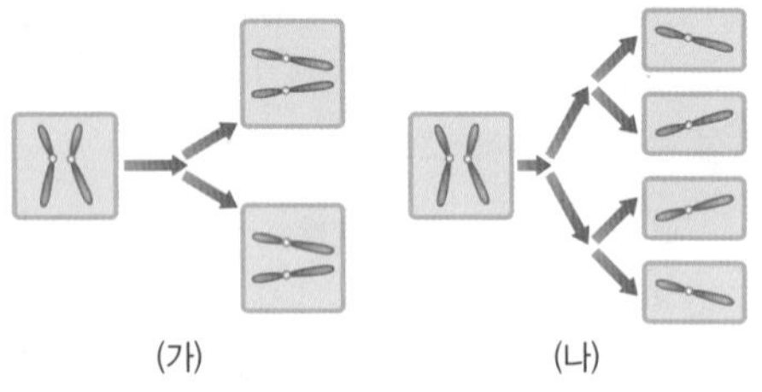

(가)와 (나)에 대한 설명으로 옳지 <u>않은</u> 것은?

① (가)는 체세포 분열, (나)는 감수 분열이다.
② (가)는 1회 분열하고, (나)는 연속 2회 분열한다.
③ (가)와 (나)의 딸세포는 모두 모세포와 염색체 수가 같다.
④ 동물체에서 (가)는 온몸에서 일어나고, (나)는 생식 기관에서 일어난다.
⑤ (가)의 결과 생장이 일어나고, (나)의 결과 생식세포가 형성된다.

D 사람의 발생

[23-24] 그림은 배란에서부터 착상까지의 과정을 나타낸 것이다.

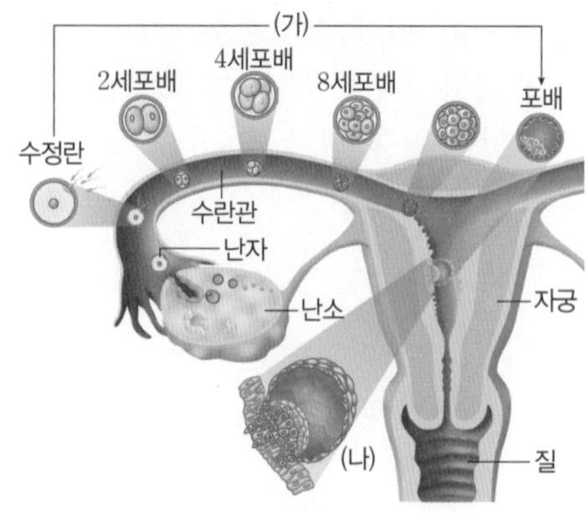

서술형

23 (가) 과정에서 일어나는 세포 분열을 무엇이라고 하는지 쓰고, 이 분열의 특징을 2가지만 서술하시오.

필수

24 (나) 과정에 대한 설명으로 옳은 것만을 보기에서 모두 고른 것은?

보기
ㄱ. 수정 직후에 일어난다. ㄴ. 이때부터 임신이 되었다고 한다. ㄷ. 수정란이 자궁 안쪽 벽에 파묻힌다.

① ㄱ ② ㄱ, ㄴ ③ ㄱ, ㄷ
④ ㄴ, ㄷ ⑤ ㄱ, ㄴ, ㄷ

25 태아의 출산 예정일로 옳은 것은?

① 수정된 지 약 266일 후
② 수정된 지 약 280일 후
③ 수정된 지 약 365일 후
④ 배란된 지 약 300일 후
⑤ 배란된 지 약 266일 후

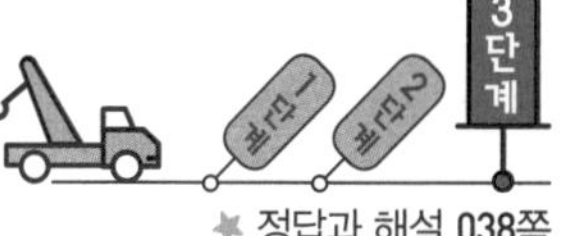

★ 정답과 해설 038쪽

01 그림은 사람의 성염색체를 나타낸 것이다.

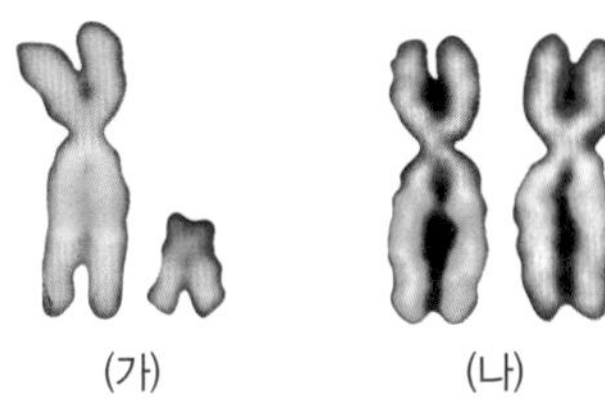

이에 대한 설명으로 옳지 않은 것은?

① (가)는 XY로, (나)는 XX로 표현한다.
② (가)는 남자의 23번 염색체로, 성을 결정한다.
③ (가)의 염색체는 모두 한쪽 부모로부터만 물려받는다.
④ (나)는 여자의 성을 결정하는 염색체이다.
⑤ 정상적인 여자의 체세포에는 (나)의 염색체가 반드시 있어야 한다.

02 체세포 분열 중 핵분열을 전기, 중기, 후기, 말기로 구분하는 기준으로 옳은 것은?

① 핵의 수
② 걸리는 시간
③ 세포막의 변화
④ 염색체의 변화
⑤ 세포질의 모양 변화

03 그림은 식물 세포에서 일어나는 체세포 분열 과정을 순서 없이 나타낸 것이다.

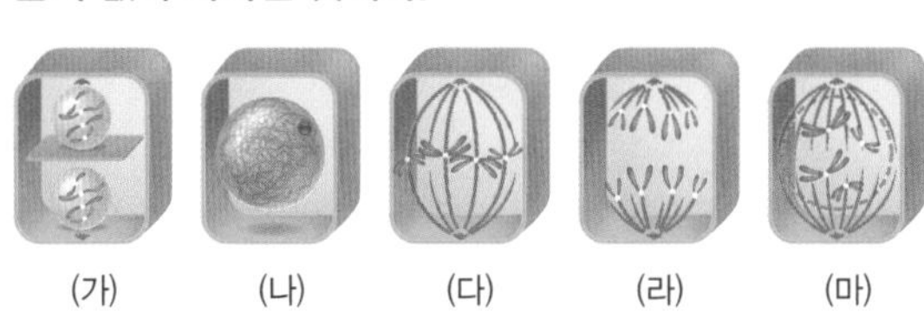

이에 대한 설명으로 옳지 않은 것은?

① 분열 과정은 (나) → (마) → (다) → (라) → (가) 순이다.
② (가)는 세포질이 함입하여 세포질 분열이 일어난다.
③ (나) 시기에는 핵막이 있고, DNA가 복제된다.
④ (라) 시기에는 염색 분체가 분리된다.
⑤ 이와 같은 분열 과정은 뿌리의 생장점이나 관다발의 형성층에서 관찰할 수 있다.

신유형

04 그림은 체세포 분열 시 DNA양 변화를 나타낸 것이다.

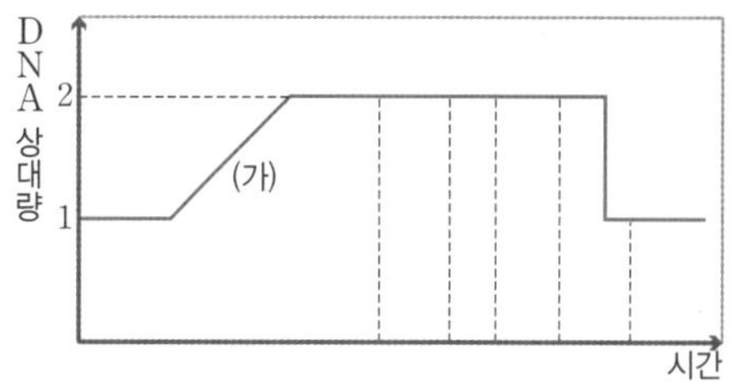

(가) 시기에 대한 설명으로 옳은 것은?

① 핵막이 사라진다.
② DNA가 복제된다.
③ 염색 분체가 관찰된다.
④ 세포질 분열이 일어난다.
⑤ 염색체가 세포 중앙에 배열한다.

필수

05 그림은 어떤 세포 분열 과정을 나타낸 것이다.

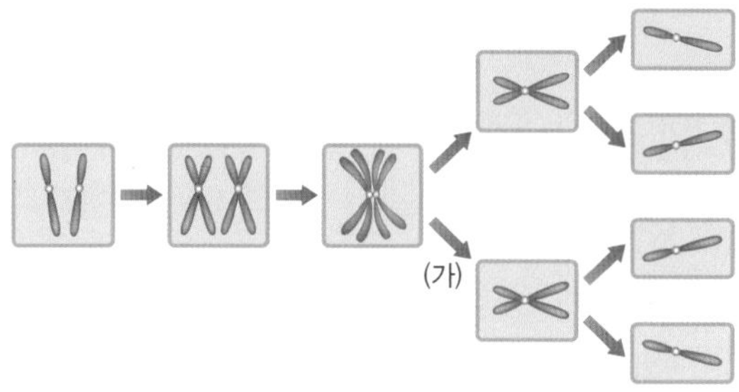

이에 대한 설명으로 옳은 것을 모두 고르면? (정답 2개)

① 분열 결과 생식세포가 만들어진다.
② (가)에서 염색체 수가 절반으로 줄어든다.
③ 분열 결과 형성된 4개의 딸세포는 염색체 수가 모세포와 같다.
④ 줄기의 형성층에서 이와 같은 과정을 관찰할 수 있다.
⑤ 이러한 세포 분열이 반복되어 생물은 점차 자라게 된다.

06 태아가 출산되기까지의 과정을 옳게 나타낸 것은?

① 수정 → 착상 → 배란 → 난할 → 출산
② 수정 → 난할 → 배란 → 착상 → 출산
③ 배란 → 착상 → 수정 → 난할 → 출산
④ 배란 → 수정 → 난할 → 착상 → 출산
⑤ 착상 → 배란 → 난할 → 수정 → 출산

V. 생식과 유전

유전

⚠ 물음으로 흐름잡기

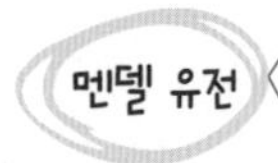

멘델 유전
- 순종의 대립 형질끼리의 교배 시 잡종 1대에 우성 형질만 나오는 것?
- 멘델의 유전 법칙 2가지는?

사람의 유전
- 사람의 유전 연구 방법은?
- 분리의 법칙을 따르는 유전은?
- 적록 색맹 유전자의 위치는?

A 멘델 유전

1. 유전[1] 용어

표현형	겉으로 나타나는 형질 ─ 생물이 가진 고유한 생김새와 특징이다.
유전자형	표현형을 결정하는 유전자를 알파벳으로 나타낸 것 ─ 우성은 대문자, 열성은 우성 기호의 소문자를 사용한다.
순종	여러 세대를 자가 수분해도 계속 같은 형질이 나오는 개체 ─ 한 가지 형질을 나타내는 유전자의 구성이 같은 개체이다.
잡종	대립 형질이 다른 순종끼리 교배하여 나온 자손 ─ 한 가지 형질을 나타내는 유전자의 구성이 다른 개체이다.
우성	순종의 대립 형질끼리의 교배* 시 잡종 1대에서 나타나는 형질
열성	순종의 대립 형질끼리의 교배 시 잡종 1대에서 나타나지 않는 형질

2. 멘델의 유전 연구[2]

① 완두가 유전 실험 재료로 적합한 까닭
- 구하기 쉽고, 재배하기 쉬우며, 대립 형질의 차이가 뚜렷하다.
- 자가 수분과 타가 수분[3]으로 모두 번식이 가능하며, 한 세대가 짧고 자손의 수가 많다.

② 완두의 7가지 대립 형질

씨의 모양	씨의 색깔	콩깍지의 모양	콩깍지의 색깔	꽃의 색깔	꽃이 피는 위치	줄기의 키
둥글다	노란색	매끈하다	초록색	보라색	줄기 옆	크다
주름지다	초록색	잘록하다	노란색	흰색	줄기 끝	작다

3. 멘델의 유전 원리

① 우열의 원리: 순종의 대립 형질끼리 교배할 때 잡종 1대에서는 우성 형질만 나온다.

② 분리의 법칙: 잡종 1대를 자가 수분시키면 잡종 2대에서 우성과 열성이 일정한 비율로 분리되어 나온다. ─ 어버이는 대립유전자를 쌍으로 가지고 있으며, 감수 분열 시 쌍을 이루는 유전자가 분리되어 각각의 생식세포로 전달된다.

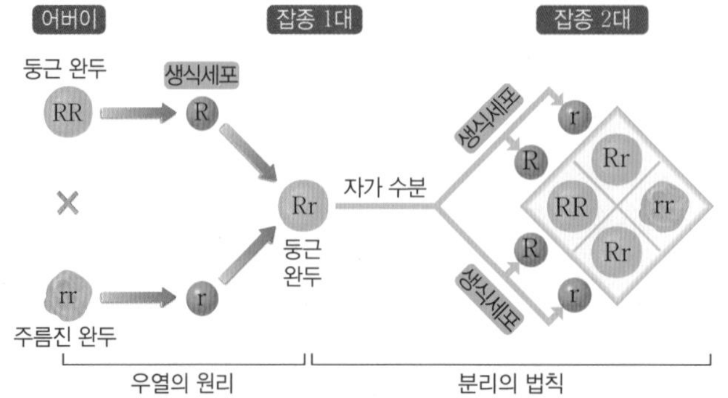

유전자형의 비
RR : Rr : rr=1 : 2 : 1
표현형의 비
둥근 완두 : 주름진 완두
=3 : 1

▲ 한 쌍의 대립 형질 유전

---

❶ 유전
어버이의 형질이 자손에게 전달되는 현상

❷ 멘델의 가설 ─ 멘델이 생각한 유전 인자는 유전자를 의미한다.
- 완두에는 형질을 결정하는 유전 인자가 있다.
- 유전 인자는 한 가지 형질을 지배한다.
- 유전 인자는 어버이에게서 자손에게 전달된다.

❸ 자가 수분과 타가 수분
- 자가 수분: 수술의 꽃가루가 같은 그루의 꽃에 있는 암술에 붙는 현상
- 타가 수분: 수술의 꽃가루가 다른 그루의 꽃에 있는 암술에 붙는 현상

암기!
잡종 2대의 분리비
- 표현형의 비
 =둥글다 : 주름지다
 =3 : 1
- 유전자형의 비
 =RR : Rr : rr
 =1 : 2 : 1
- 순종(RR, rr) : 잡종(Rr)=1 : 1

⚠ 용어 알기
* 교배 실험을 목적으로 두 개체를 인공적으로 수분시키는 것

③ 독립의 법칙[4]: 2가지 이상의 대립 형질[•]이 함께 유전될 때 한 형질을 나타내는 대립유전자 쌍은 다른 형질을 나타내는 대립유전자 쌍에 영향을 주거나 영향을 받지 않고 독립적으로 유전된다. ─ 두 쌍의 대립 형질 유전

멘델의 실험
- 순종의 둥글고 노란색인 완두와 주름지고 초록색인 완두를 교배하였더니 잡종 1대에서는 모두 둥글고 노란색인 완두만 나왔다.
- 잡종 1대의 둥글고 노란색인 완두를 자가 수분하였더니, 잡종 2대에서는 여러 가지 형질이 일정한 비율로 나타났다.

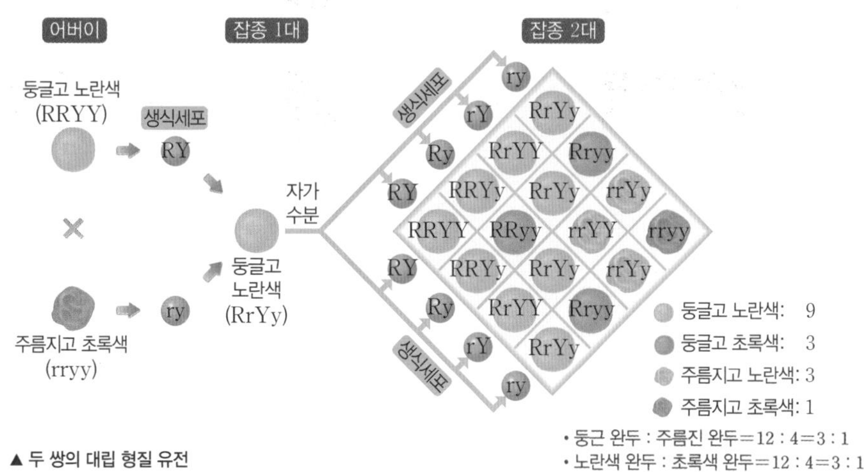

▲ 두 쌍의 대립 형질 유전

❹ 독립의 법칙이 성립하기 위한 조건
2가지 이상의 대립 형질 유전에서 각각의 형질을 결정하는 대립유전자 쌍은 서로 다른 염색체에 위치하기 때문에 다른 염색체(유전자)에 영향을 받지 않고 유전된다.

용어 알기
• **대립 형질** 하나의 형질에 대해 서로 뚜렷하게 구별되는 형질

정답과 해설 039쪽

01 유전 용어에 대한 설명으로 옳은 것은 ○표, 옳지 않은 것은 ×표를 하시오.

(1) 유전자 기호는 알파벳을 사용한다. ( )
(2) 붉은색(red)과 파란색(blue)의 교배에서 붉은색이 우성이면 붉은색의 기호는 R, 파란색의 기호는 b를 사용한다. ( )
(3) 보라색 꽃과 흰색 꽃을 교배했을 때 다음 세대에서 보라색 꽃만 나타나면 보라색 꽃은 순종이고 흰색 꽃은 잡종이다. ( )
(4) 우성은 우수한 유전자를 말한다. ( )

02 다음 중 유전자형이 순종이면 '순', 잡종이면 '잡'이라고 쓰시오.

(1) AA ( ) (2) bb ( )
(3) Aa ( ) (4) aaBB ( )
(5) AaBb ( ) (6) AABB ( )

03 그림은 노란색 완두와 초록색 완두의 교배 결과를 나타낸 것이다. 잡종 1대를 자가 수분시켜 얻은 잡종 2대에서 노란색 완두와 초록색 완두의 분리비를 쓰시오.

어버이 YY 노란색 — yy 초록색
잡종 1대

04 그림과 같이 둥글고 노란색인 완두와 주름지고 초록색인 완두를 교배하여 잡종 1대를 얻고, 이를 자가 수분시켜 잡종 2대를 얻었다.

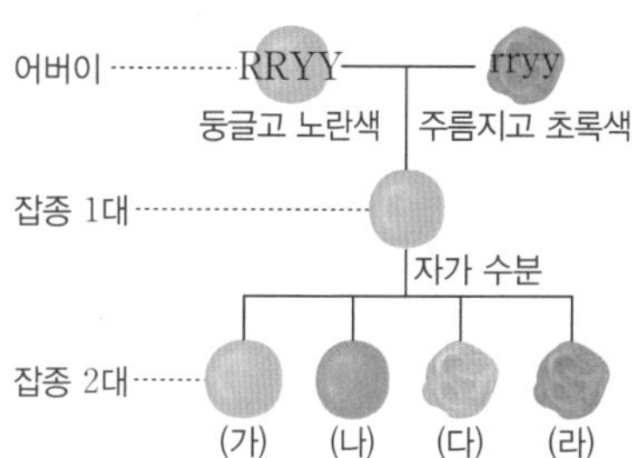

잡종 2대에서 나오는 (가), (나), (다), (라)의 분리비를 쓰시오.

B 사람의 유전

1. 사람의 다양한 유전 형질

구분	이마 선	보조개	귓불	혀 말기	눈꺼풀
우성	▲ V자형	▲ 있음	▲ 분리형	▲ 가능	▲ 쌍꺼풀
열성	▲ 일자형	▲ 없음	▲ 부착형	▲ 불가능	▲ 외까풀

2. 사람의 유전 연구[5]

① 가계도* 조사: 한 집안의 유전 형질을 조사하는 것으로, 가계도에는 성별, 형질, 혈연 및 결혼 관계 등을 나타낸다.

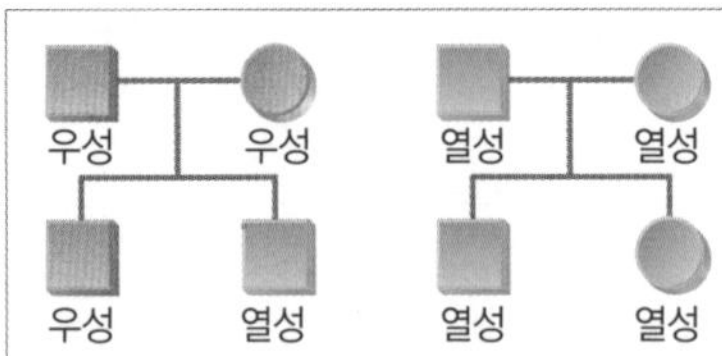

가계도 분석

(가) 우성 형질과 우성 형질 사이에서는 우성 형질이나 열성 형질이 모두 태어날 수 있다.

(나) 열성 형질과 열성 형질 사이에서는 열성 형질만 태어날 수 있다.

② 쌍둥이 연구: 1란성 쌍둥이와 2란성 쌍둥이의 형질을 비교함으로써 유전 형질이 유전과 환경 중 어느 쪽의 영향을 많이 받는지 조사한다.

1란성 쌍둥이	2란성 쌍둥이

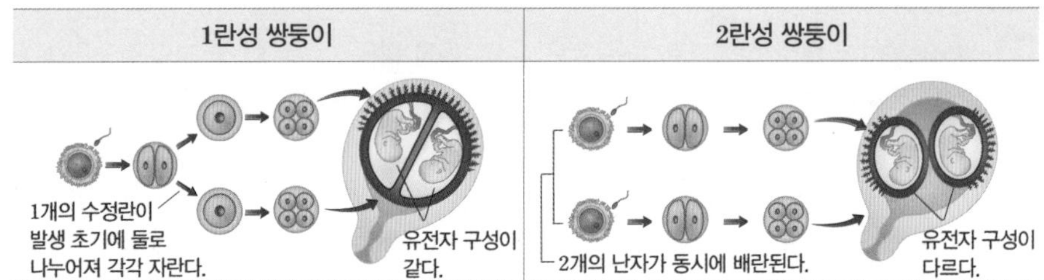

③ 통계 조사: 많은 사람을 대상으로 조사하여 통계를 낸다. – 특정 형질이 사람에게 나타난 사례를 가능한 많이 수집해야 한다.

④ 최근의 유전 연구 방법: 염색체의 수와 모양을 관찰하는 핵형 분석[6]을 하거나 DNA를 분석하여 특정 형질에 관한 유전자를 알아낸다.

3. 사람의 유전 현상

① 상염색체 유전: 멘델의 분리의 법칙에 따라 유전된다. 유전자가 상염색체에 위치하고 한 쌍의 대립유전자에 의해 결정된다. ➡ 남녀에 따라 형질이 나타나는 빈도에 차이가 없다.

• 미맹[7], 혀 말기, 귓불 유전

구분	미맹		혀 말기		귓불	
우열 관계	정상(T)>미맹(t)		가능(A)>불가능(a)		분리형(E)>부착형(e)	
표현형	정상	미맹	가능	불가능	분리형	부착형
유전자형	TT, Tt	tt	AA, Aa	aa	EE, Ee	ee

5 사람의 유전 연구가 어려운 까닭
• 연구 목적에 따라 자유롭게 교배 실험을 할 수 없다.
• 한 번에 낳는 자손의 수가 적다.
• 한 세대가 길어서 여러 세대를 직접 관찰할 수 없다.
• 형질이 복잡하고 유전자의 수가 많아 분석하기 어렵다.

• 1란성 쌍둥이 – 유전자 동일 – 환경 차이
• 2란성 쌍둥이 – 유전자 차이 – 유전, 환경 차이

6 핵형 분석
한 생물이 가진 염색체 수와 모양, 크기를 핵형이라고 한다. 같은 생물의 모든 세포는 동일한 핵형을 갖는다. 따라서 태아의 세포를 채취하여 핵형을 분석하면 염색체의 구조와 수의 이상을 미리 밝혀 낼 수 있다.

7 미맹
PTC 용액의 쓴맛을 느끼지 못하는 형질로, 쓴맛을 느끼는 경우와 쓴맛을 느끼지 못하는 경우로 대립 형질이 명확하게 구분된다. 신체적 결함은 아니기 때문에 일상생활에 문제가 없다.

⚠ 용어 알기
• **가계도** 혈연이나 혼인 관계 따위의, 한 집안의 계통을 그린 그림

• ABO식 혈액형 유전: 멘델의 분리의 법칙에 따라 유전된다. 3가지 유전자(A, B, O)가 관여하지만 혈액형은 한 쌍의 대립유전자❽에 의해 결정된다. ➡ 대립유전자의 우열 관계: A=B>O

표현형	A형	B형	O형	AB형
유전자형	AA, AO	BB, BO	OO	AB

예 여러 경우의 ABO식 혈액형 가계도 – 유전자형과 표현형이 다양하게 나타난다.

혈액형	A형 —— B형	A형 —— O형	AB형 —— O형	AB형 —— AB형
유전자형	AO BO	AO OO	AB OO	AB AB
생식세포	A, O B, O	A, O O	A, B O	A, B A, B
자녀의 혈액형	AB, AO, BO, OO AB형 A형 B형 O형	AO, OO A형 O형	AO, BO A형 B형	AA, AB, AB, BB A형 AB형 AB형 B형

② 성염색체 유전 탐구 공략하기 134쪽

• 반성유전: 유전자가 X 염색체에 있어서 여자보다 남자에게 많이 나타나는 유전

• 반성유전의 예: 적록 색맹 ➡ 적색과 녹색을 구별하지 못한다. – 혈우병❾, 피부 얼룩증도 반성유전의 예이다.

우열 관계	• 우성: 정상 대립유전자(X) • 열성: 적록 색맹 대립유전자(X′)			
표현형	정상		적록 색맹	
유전자형	남	여	남	여
	XY	XX, XX′(보인자•)	X′Y	X′X′

X′Y —— XX′
(적록 색맹) (보인자)
생식세포: X′, Y / X, X′
XX′ (보인자) X′X′ (적록 색맹) XY (정상) X′Y (적록 색맹)

적록 색맹은 색을 구별하는 일부 시각세포에 이상이 생긴 유전병이다.

❽ **ABO식 혈액형 대립유전자의 배치**

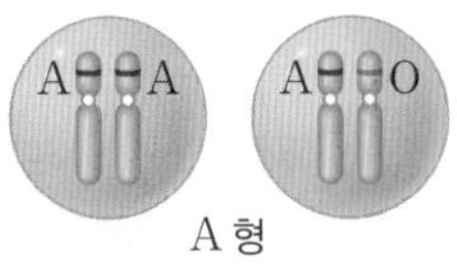

A 형

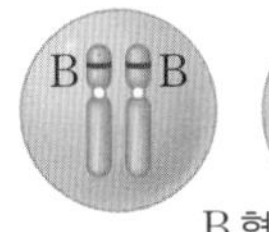

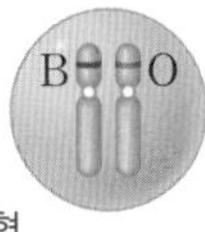

B 형

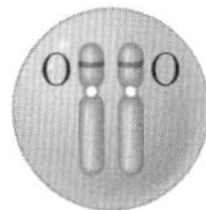

O 형

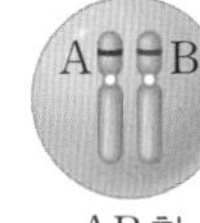

AB 형

❾ **혈우병**

반성유전의 다른 예로, 혈액 응고에 필요한 효소가 부족하여 출혈이 일어날 때 혈액이 잘 응고되지 않고 출혈이 계속되는 유전병이다.

용어 알기

• **보인자** 유전병이 겉으로 드러나지 않고 있지만 그 인자를 가지고 있는 사람이나 생물

★ 정답과 해설 039쪽

05 가계도 분석에 대한 설명으로 옳은 것은 ○표, 옳지 않은 것은 ×표를 하시오.

(1) 우성 형질인 어버이 사이에서는 항상 우성 형질과 열성 형질인 자녀가 모두 나온다. ( )

(2) 열성 형질인 어버이 사이에서도 우성 형질인 자녀가 나올 수 있다. ( )

06 다음은 사람의 상염색체 유전에 대한 설명이다. ( ) 안에 들어갈 알맞은 말을 쓰거나 고르시오.

(1) 멘델의 ( )의 법칙에 따라 유전된다.

(2) ( ) 쌍의 대립유전자에 의해 형질이 결정된다.

(3) 남녀에 따라 형질이 나타나는 빈도가 (같다, 다르다).

07 표는 ABO식 혈액형 유전의 표현형과 유전자형을 나타낸 것이다. ㉠~㉣에 해당하는 유전자형을 모두 쓰시오.

표현형	A형	B형	O형	AB형
유전자형	㉠	㉡	㉢	㉣

08 다음은 성염색체 유전에 대한 설명이다. ㉠과 ㉡에 들어갈 알맞은 말을 쓰시오.

> 적록 색맹처럼 유전자가 성염색체 중 (㉠) 염색체 위에 있어서 여자보다 남자에게 많이 나타나는 유전을 (㉡)유전이라고 한다.

탐구 공략 하기

적록 색맹 유전의 가계도 분석

목표 적록 색맹 유전 가계도를 분석하고, 적록 색맹의 유전 원리에 대해 설명할 수 있다.

공략 포인트 가계도를 분석하여 유전자형을 찾고, 자손의 유전자가 누구로부터 물려받은 것인지 예상할 수 있는 것이 중요하다!

과정

❶ 적록 색맹이 있는 집안의 적록 색맹 여부를 조사하여 그림과 같이 가계도를 만든다.

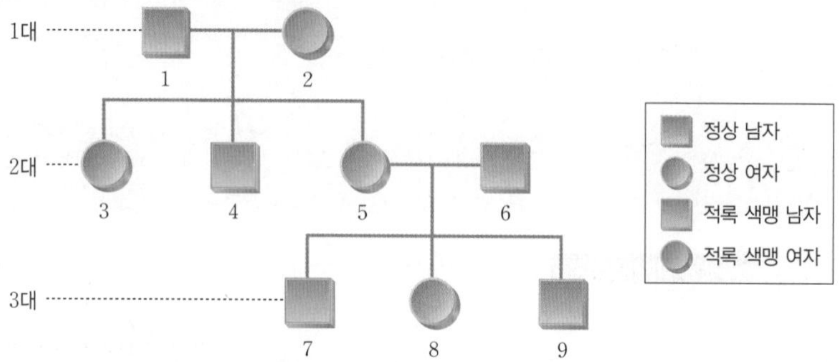

❷ 가계도를 분석하여 적록 색맹 유전의 유전 방식에 대해 알아본다.

> **[가계도 분석 방법]** ─ 열성인 부모 사이에서는 열성만 나온다.
> - 정상인 부모 사이에서 다른 형질이 나온 경우 그 형질은 열성인 것을 파악하고 열성의 유전자형을 먼저 쓴다.
> - 어머니가 적록 색맹이면 아들은 반드시 적록 색맹이다. ➡ 아들은 X 염색체를 어머니로부터, Y 염색체를 아버지로부터 물려받기 때문이다.
> - 딸이 적록 색맹이면 아버지는 반드시 적록 색맹이다. ➡ 딸은 X 염색체를 아버지와 어머니로부터 각각 1개씩 물려받기 때문이다.

결과 및 정리

1. 정상인 5와 6 사이에서 적록 색맹인 자녀(7)가 태어났으므로 적록 색맹은 정상에 대해 열성이다.
2. 5와 6은 정상인데 7이 적록 색맹이므로 7의 적록 색맹 대립유전자(X′)는 어머니인 5로부터 물려받은 것이다.
   ➡ 5의 적록 색맹 유전자형은 XX′이다.
3. 적록 색맹은 남자에게 더 많이 나타난다. ➡ 남자의 경우 X 염색체가 1개이므로 유전자형이 X′Y이면 적록 색맹이 되지만 여자의 경우 X 염색체가 2개이므로 유전자형이 XX′인 경우는 보인자가 되어 표현형은 정상이며, X′X′인 경우에만 적록 색맹이기 때문이다.

★ 정답과 해설 039쪽

01 위 가계도에서 5와 6의 적록 색맹 유전자형을 옳게 짝 지은 것은?

	5	6		5	6
①	XX	XY	②	XX	X′Y
③	XX′	XY	④	XX′	X′Y
⑤	X′X′	X′Y			

02 7의 적록 색맹 대립유전자는 1대와 2대의 누구로부터 물려받은 것인지 각각 쓰시오.

03 아버지가 정상, 어머니가 적록 색맹일 때, 아들과 딸 중 반드시 적록 색맹인 경우는 어느 쪽인지 쓰시오.

04 그림은 미진이네 집안의 적록 색맹 유전에 대한 가계도를 나타낸 것이다. 미진이가 적록 색맹일 때 가족 중 검사를 해 보지 않아도 적록 색맹임이 확실한 사람은 누구인지 쓰시오.

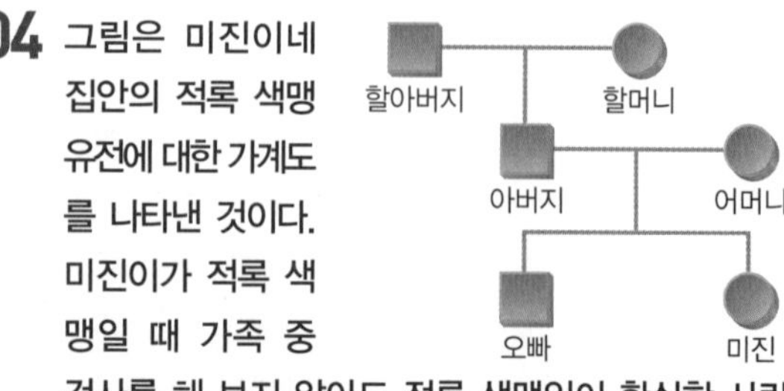

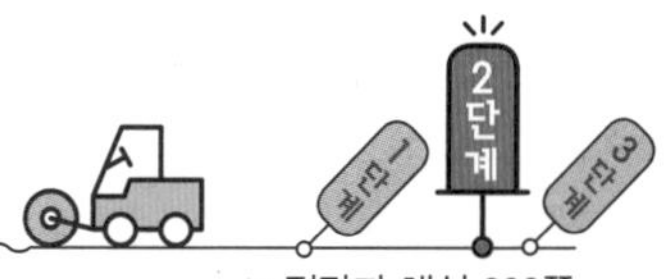

정답과 해설 039쪽

A 멘델 유전

필수

01 유전 용어에 대한 설명으로 옳지 않은 것은?

① 표현형: 겉으로 나타나는 형질
② 잡종: 순수한 혈통을 갖고 있는 개체
③ 형질: 생물이 가진 고유한 생김새와 특징
④ 유전: 어버이의 형질이 자손에게 전달되는 현상
⑤ 우성: 순종의 대립 형질끼리의 교배 시 잡종 1대에서 나타나는 형질

02 다음 유전자형을 갖는 개체에서 만들어지는 생식세포의 종류를 옳게 짝 지은 것은?

	RR	Rryy	RRyy
①	R	R, r, y	R, y
②	R	Rr, yy	RR, yy
③	R	Ry, ry	Ry
④	RR	Ry, yy	RR, yy
⑤	RR	Ry, ry	Ry

필수

03 멘델이 실험 재료로 사용한 완두가 유전 연구에 적합한 까닭으로 옳은 것만을 보기에서 모두 고른 것은?

| 보기 |
ㄱ. 한 세대가 길다.
ㄴ. 자손의 수가 많다.
ㄷ. 대립 형질이 뚜렷하다.
ㄹ. 인공적인 수분이 어렵다.

① ㄱ, ㄴ ② ㄱ, ㄷ ③ ㄴ, ㄷ
④ ㄴ, ㄹ ⑤ ㄷ, ㄹ

[04-06] 그림과 같이 순종의 둥근 완두와 주름진 완두를 교배하여 잡종 1대를 얻고, 이것을 자가 수분시켜 잡종 2대에서 1000개의 완두를 얻었다.(단, 둥근 모양 유전자 R는 주름진 모양 유전자 r에 대해 우성이다.)

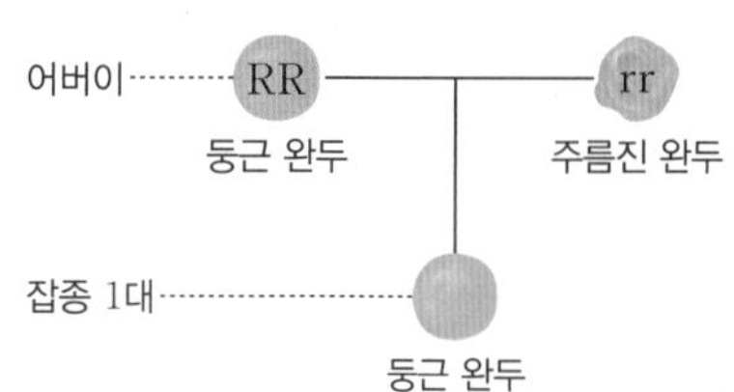

04 잡종 1대에서 나올 수 있는 완두의 유전자형을 모두 나타낸 것은?

① RR ② Rr ③ rr
④ RR, Rr ⑤ RR, Rr, rr

05 잡종 1대를 자가 수분하여 얻은 잡종 2대에서 둥근 완두의 비율은 몇 %인가?

① 0 % ② 25 % ③ 33 %
④ 50 % ⑤ 75 %

서술형

06 잡종 1대를 자가 수분하여 얻은 잡종 2대에서 순종의 둥근 완두는 이론적으로 몇 개나 나오는지 풀이 과정을 포함하여 서술하시오.

[07-08] 그림과 같이 순종의 노란색 완두(YY)와 초록색 완두(yy)를 교배하여 노란색 완두를 얻은 후 이를 자가 수분시켜 잡종 2대에서 120개의 완두를 얻었다.

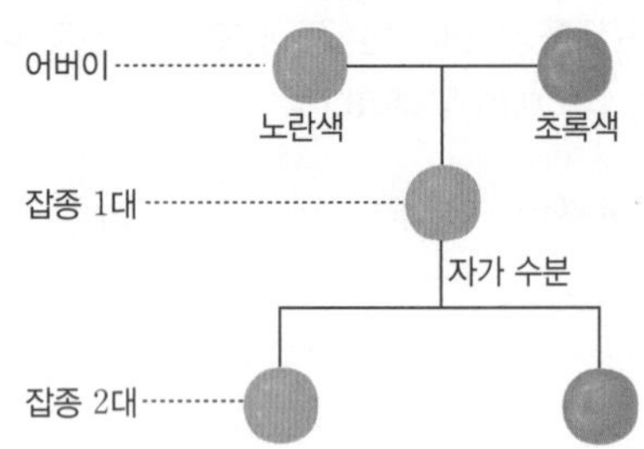

필수

07 잡종 1대의 유전자형을 옳게 나타낸 것은?

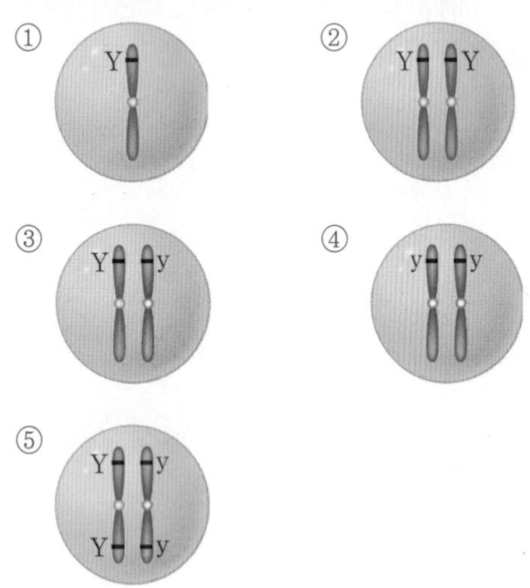

08 잡종 2대의 완두에서 이론적으로 잡종 1대와 유전자형이 같은 완두의 개수는?

① 0개 ② 30개 ③ 40개
④ 60개 ⑤ 90개

09 완두 줄기의 키가 큰 대립유전자를 T, 키가 작은 대립유전자를 t라고 할 때, 표의 (가)~(라)와 같이 교배하여 잡종 1대를 얻었다. 잡종 1대의 개체 중 잡종이면서 우성이 나오는 경우를 모두 고른 것은? (단, T는 우성 대립유전자, t는 열성 대립유전자이다.)

구분	어버이
(가)	Tt×Tt
(나)	Tt×tt
(다)	TT×tt
(라)	TT×TT

① (가), (라) ② (가), (나), (다)
③ (가), (나), (라) ④ (가), (다), (라)
⑤ (나), (다), (라)

[10-12] 그림과 같이 순종의 둥글고 노란색인 완두(RRYY)와 주름지고 초록색인 완두(rryy)를 교배하였더니 잡종 1대에서 둥글고 노란색인 완두만 나왔고, 이 잡종 1대를 자가 수분시켜 잡종 2대를 얻었다.

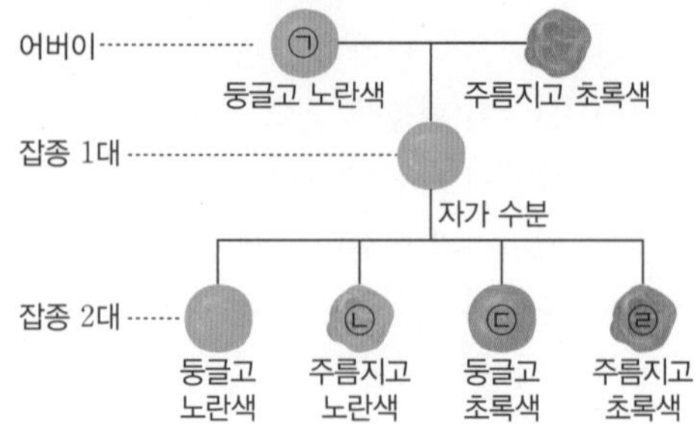

필수

10 잡종 2대에서 640개의 완두를 얻었을 때 주름지고 초록색인 완두가 나올 이론적인 개수는?

① 40개 ② 120개
③ 160개 ④ 360개
⑤ 520개

11 ㉡과 ㉢의 유전자형으로 가능한 것을 옳게 짝 지은 것은?

	㉡	㉢		㉡	㉢
①	RRYY	RrYy	②	RrYY	rrYY
③	rrYY	RRyy	④	RrYy	RRYY
⑤	RrYy	rryy			

12 ㉠과 ㉣을 교배했을 때 잡종 1대에서 나올 수 있는 표현형은 모두 몇 가지인가?

① 1가지 ② 2가지
③ 3가지 ④ 4가지
⑤ 6가지

정답과 해설 039쪽

필수

13 그림과 같이 교배하여 얻은 ㉠의 유전자 위치를 옳게 나타낸 것은?

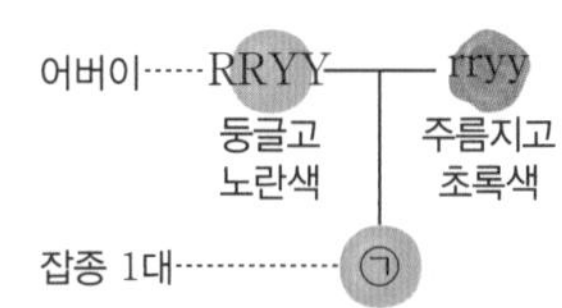

①
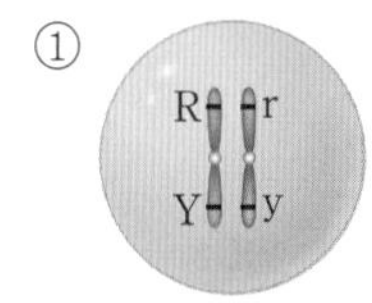

②
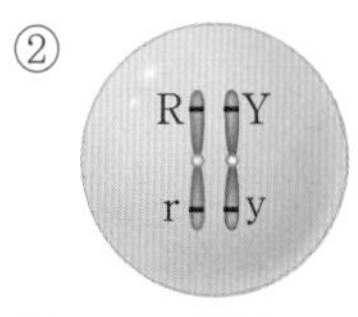

③
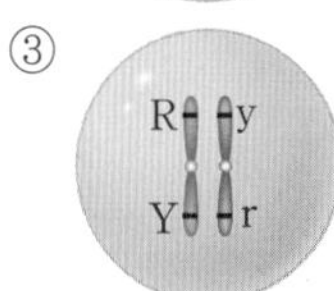

④
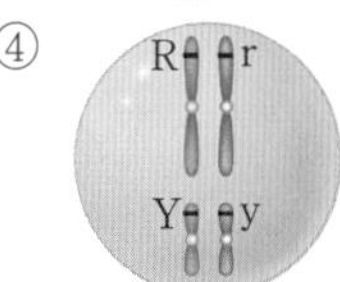

⑤ R r / R r / Y Y / y y

[14-15] 그림은 완두의 모양과 색깔에 대한 멘델의 실험을 나타낸 것이다.

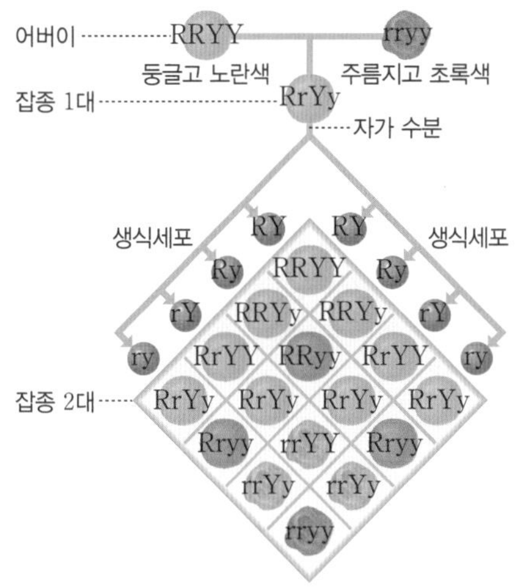

서술형

14 잡종 2대에서 320개의 완두를 얻었을 때, 잡종 1대와 유전자형이 같은 것의 이론적인 개수를 풀이 과정을 포함하여 서술하시오.

신유형

15 잡종 1대의 완두를 어버이대의 주름지고 초록색인 완두와 교배하였을 때 얻을 수 있는 자손의 표현형 분리비를 쓰시오.

B 사람의 유전

필수

16 사람의 유전 연구가 어려운 까닭을 보기에서 모두 고른 것은?

보기
ㄱ. 한 세대가 길다.
ㄴ. 자손의 수가 적다.
ㄷ. 유전 형질이 단순하다.
ㄹ. 자유로운 교배가 불가능하다.

① ㄱ, ㄴ
② ㄴ, ㄷ
③ ㄱ, ㄴ, ㄹ
④ ㄴ, ㄷ, ㄹ
⑤ ㄱ, ㄴ, ㄷ, ㄹ

17 사람의 유전 연구 방법 중 한 집안의 유전 형질을 조사하여 성별, 형질, 혈연 및 결혼 관계를 나타내는 것은?

① 통계 조사
② DNA 분석
③ 쌍둥이 연구
④ 가계도 조사
⑤ 염색체 조사

18 그림은 쌍둥이가 태어나는 과정을 나타낸 것이다.

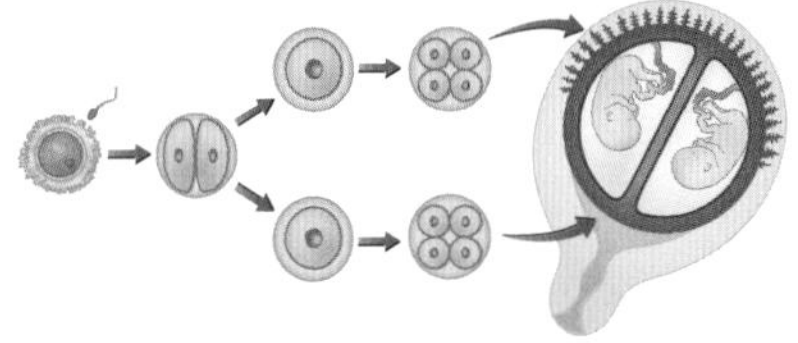

이에 대한 설명으로 옳지 않은 것은?

① 성별은 두 아이가 항상 같다.
② 2란성 쌍둥이를 나타낸 것이다.
③ 두 아이의 유전자 구성은 똑같다.
④ 1개의 정자와 1개의 난자가 수정되어 만들어진다.
⑤ 두 아이는 자라면서 환경에 의해 차이를 나타낼 수 있다.

[19-20] 그림은 어떤 집안의 혀 말기 유전에 대한 가계도를 나타낸 것이다. 혀를 말 수 있는 형질이 혀를 말 수 없는 형질에 대해 우성이며, 혀를 말 수 있는 대립유전자는 A, 혀를 말 수 없는 대립유전자는 a로 나타낸다.

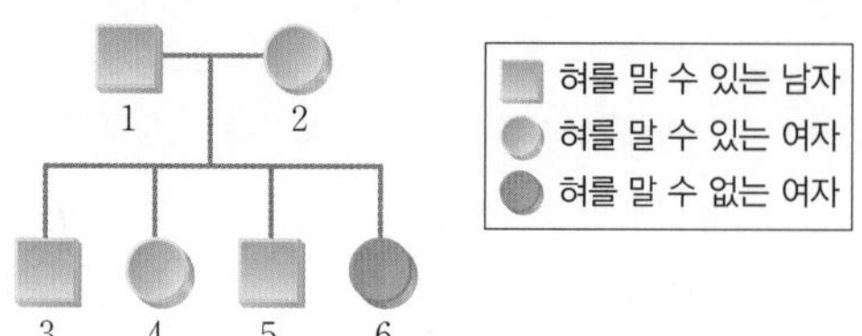

19 각 사람의 유전자형을 옳게 나타낸 것은?

① 1－aa
② 2－Aa
③ 3－Aa
④ 4－AA
⑤ 5－AA

필수

20 2의 유전자형과 6의 유전자형을 갖는 사람이 결혼하였을 때, 이들 사이에서 나올 수 있는 자녀의 혀 말기 유전에 대한 유전자형의 분리비는?

① AA : aa＝1 : 1
② AA : Aa＝2 : 1
③ Aa : aa＝1 : 1
④ AA : Aa : aa＝1 : 2 : 1
⑤ AA : Aa : aa＝1 : 1 : 1

21 그림은 어떤 집안의 ABO식 혈액형에 대한 가계도를 나타낸 것이다. (가)와 (나)의 ABO식 혈액형을 옳게 짝 지은 것은?

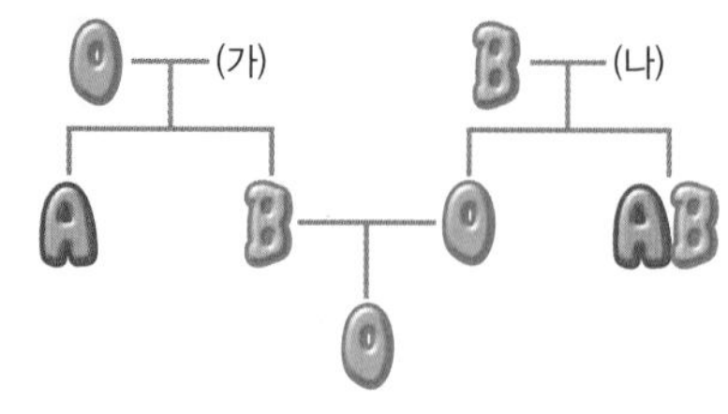

	(가)	(나)		(가)	(나)
①	A형	B형	②	B형	AB형
③	O형	AB형	④	AB형	A형
⑤	AB형	O형			

필수

22 그림은 어떤 집안의 적록 색맹 유전에 대한 가계도를 나타낸 것이다.

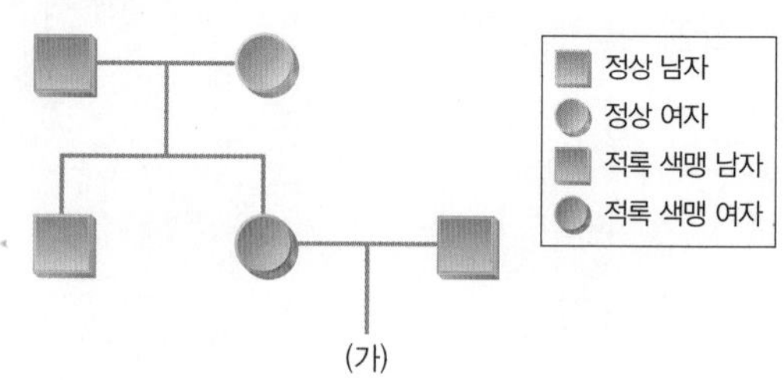

(가)가 적록 색맹일 확률은?

① 0 %
② 25 %
③ 50 %
④ 75 %
⑤ 100 %

서술형

23 그림은 어떤 집안의 적록 색맹 유전에 대한 가계도를 나타낸 것이다.

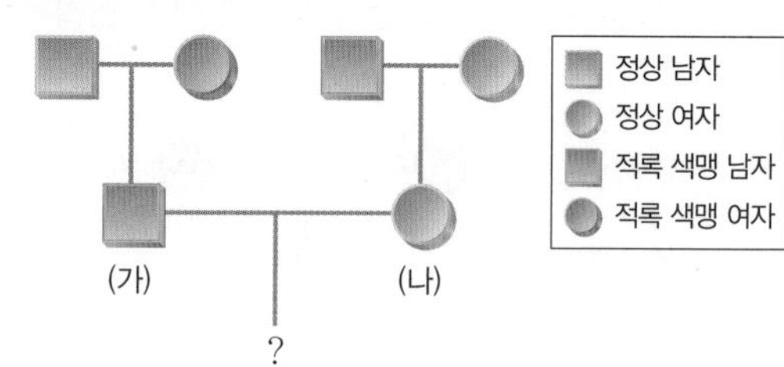

(가)와 (나) 사이에서 태어난 아들이 적록 색맹일 확률을 풀이 과정을 포함하여 서술하시오.

신유형

24 그림은 어떤 집안의 적록 색맹 유전에 대한 가계도를 나타낸 것이다.

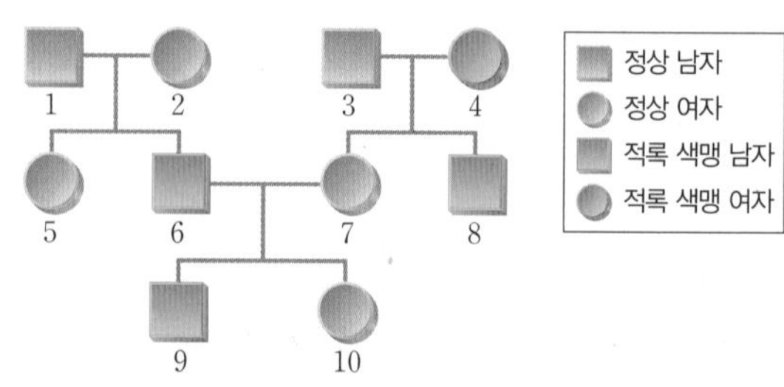

9에게 적록 색맹 대립유전자를 물려준 사람을 모두 쓰시오.

★ 정답과 해설 041쪽

01 멘델이 유전 연구 실험에서 성공한 까닭으로 옳은 것만을 보기에서 모두 고른 것은?

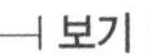

보기
ㄱ. 연구 결과를 수학적으로 통계 처리하였다.
ㄴ. 실험 재료로 대립 형질이 뚜렷한 완두를 선택했다.
ㄷ. 유전자를 기호로 표시하여 과학적인 추리를 쉽게 할 수 있었다.
ㄹ. 실험 결과를 감수 분열의 개념을 도입하여 유전자형으로 분석하였다.

① ㄱ, ㄴ ② ㄴ, ㄷ ③ ㄷ, ㄹ
④ ㄱ, ㄴ, ㄷ ⑤ ㄴ, ㄷ, ㄹ

02 멘델의 유전 법칙 중 분리의 법칙을 가장 옳게 나타낸 것은?

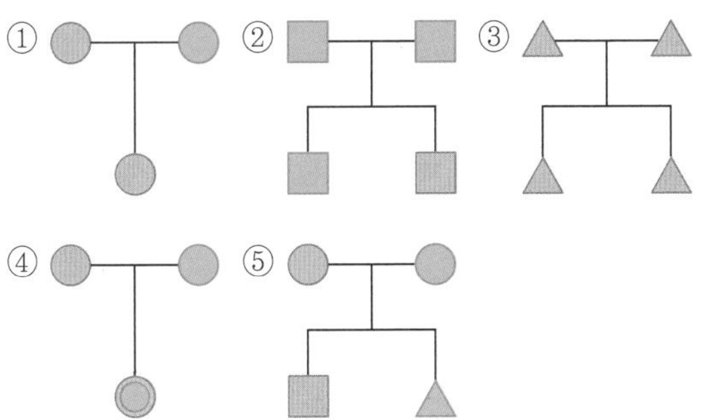

신유형

03 완두의 형질 중 키가 큰 완두는 키가 작은 완두에 대해 우성이며, 씨가 노란색인 완두는 초록색인 완두에 대해 우성이다. 키가 작고 초록색인 완두가 나올 수 있는 경우는? (단, 키가 큰 대립유전자는 T, 키가 작은 대립유전자는 t, 노란색 대립유전자는 Y, 초록색 대립유전자는 y로 나타낸다.)

① TTYy×ttyy ② TTYy×ttYY
③ TtYy×Ttyy ④ TtYY×TtYY
⑤ TTyy×ttYY

04 그림은 어떤 집안의 귓불 유전에 대한 가계도를 나타낸 것이다. 분리형 귓불 형질이 부착형 귓불 형질에 대해 우성이다.

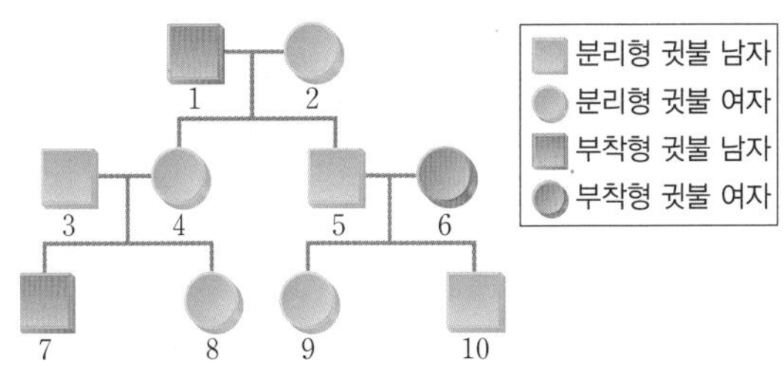

유전자형을 정확하게 알 수 없는 사람을 모두 고른 것은? (단, 분리형 귓불 대립유전자는 E, 부착형 귓불 대립유전자는 e로 나타낸다.)

① 2, 8 ② 2, 4, 8
③ 3, 4, 9 ④ 1, 2, 5, 8
⑤ 3, 4, 7, 10

05 민철이는 A형인데 친구들에게 자신의 ABO식 혈액형 유전자형이 AA라고 자신 있게 이야기하였다. 민철이 부모님의 혈액형으로 옳은 것은?

① AB형×AB형 ② O형×AB형
③ B형×O형 ④ A형×B형
⑤ A형×AB형

필수

06 그림은 어떤 집안의 ABO식 혈액형과 적록 색맹 유전에 대한 가계도를 나타낸 것이다.

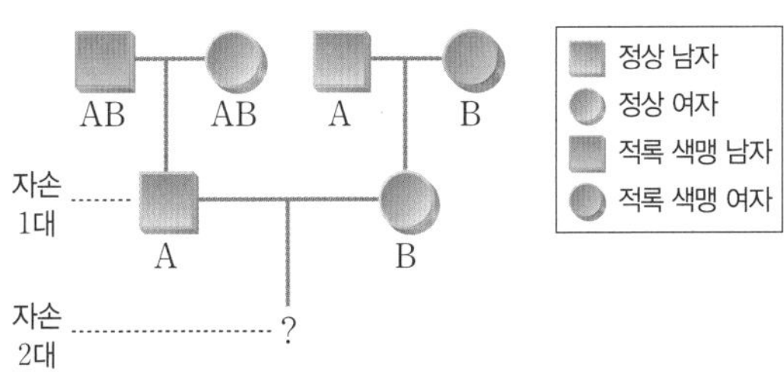

자손 2대에서 AB형이면서 적록 색맹인 아들이 태어날 확률은?

① $\frac{1}{2}$ ② $\frac{1}{3}$ ③ $\frac{1}{4}$
④ $\frac{1}{8}$ ⑤ $\frac{1}{16}$

대단원 완성하기

점수 표시가 없는 문제는 모두 3점입니다.

제한시간: 45분

01 그림은 사람의 세포 속에 들어 있는 염색체를 나타낸 것이다.

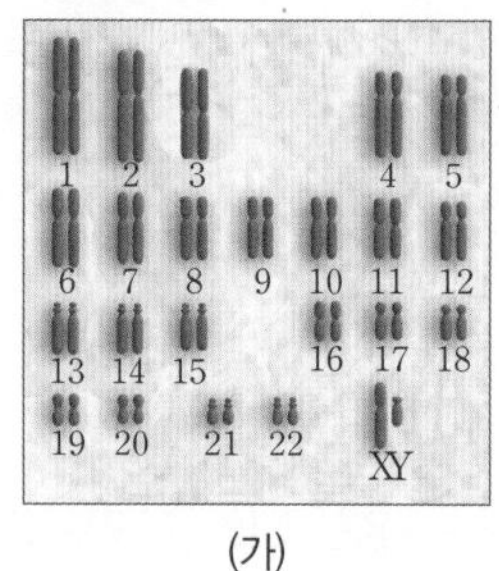

(가)

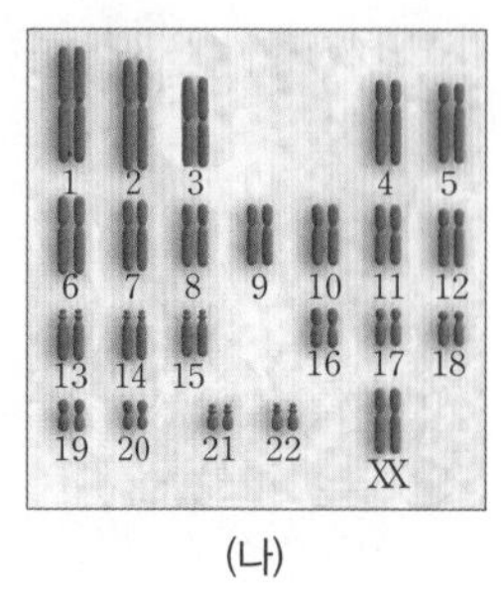

(나)

이에 대한 설명으로 옳은 것을 모두 고르면? (정답 2개)

① X와 Y 염색체는 상염색체이다.
② (나)에는 23쌍의 상염색체가 들어 있다.
③ (가)와 (나) 모두 생식세포의 염색체이다.
④ 자녀는 부모로부터 각각 23개씩의 염색체를 물려받는다.
⑤ (가)는 남자의 염색체를, (나)는 여자의 염색체를 나타낸 것이다.

[02-03] 그림은 체세포 분열 과정을 순서 없이 나타낸 것이다.

(가)

(나)

(다)
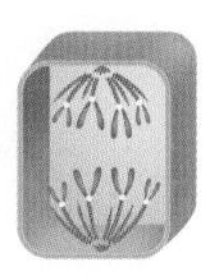
(라)

(마)

02 체세포 분열 과정을 세포가 분열하기 전 시기부터 시작하여 순서대로 나열하시오.

03 각 시기에 대한 설명으로 옳지 않은 것은?

① (가) - 핵막이 뚜렷하게 관찰된다.
② (나) - 2개의 딸핵이 만들어진다.
③ (다) - 염색체가 세포 중앙에 배열한다.
④ (라) - DNA가 복제된다.
⑤ (마) - 2개의 염색 분체로 이루어진 염색체가 나타난다.

04 그림은 양파 뿌리를 이용하는 체세포 분열 관찰 실험을 순서 없이 나타낸 것이다.

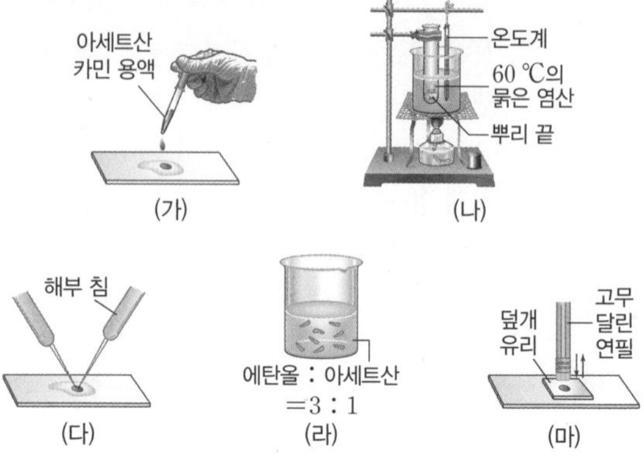

이에 대한 설명으로 옳은 것만을 보기에서 모두 고른 것은?

보기
ㄱ. 실험 과정은 (라) → (마) → (가) → (다) → (나) 순이다.
ㄴ. (가)에서 아세트산 카민 용액에 의해 핵과 염색체가 염색된다.
ㄷ. (라)에서 에탄올과 아세트산 혼합액에 재료를 넣는 것은 조직을 연하게 하기 위해서이다.
ㄹ. 세포들을 잘 펴지게 하기 위하여 (마)와 같이 고무 달린 연필로 두드린다.

① ㄱ, ㄴ ② ㄱ, ㄷ ③ ㄴ, ㄹ
④ ㄷ, ㄹ ⑤ ㄱ, ㄴ, ㄷ

05 어떤 동물의 염색체 수는 8개이다. 이 동물의 체세포, 난자, 정자 1개 속에 각각 들어 있는 염색체 수를 옳게 짝 지은 것은?

	체세포	난자	정자
①	8개	8개	8개
②	8개	4개	4개
③	4개	4개	4개
④	8개	4개	8개
⑤	4개	8개	8개

정답과 해설 041쪽

[06-07] 그림은 어떤 세포가 형성되는 과정을 나타낸 것이다.

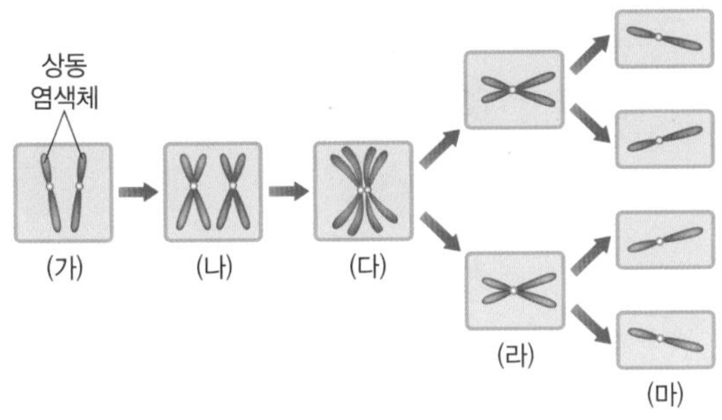

06 위 그림과 같은 세포 분열이 일어나는 곳은?

① 정자 ② 난자 ③ 정소
④ 꽃가루 ⑤ 난세포

07 염색체 수가 반으로 줄어드는 시기는?

① (가) → (나) ② (가) → (다)
③ (나) → (다) ④ (다) → (라)
⑤ (라) → (마)

08 그림은 난소에서 난자의 배란 및 수정과 착상 과정을 나타낸 것이다.

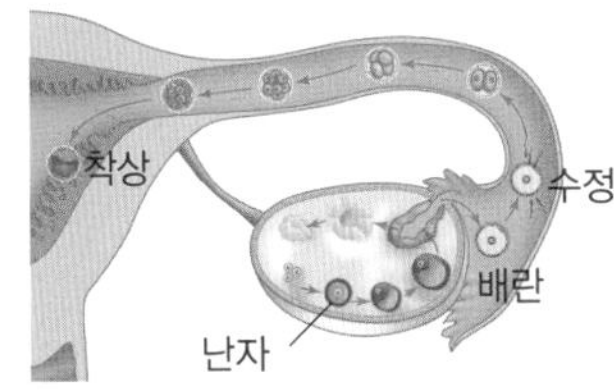

이에 대한 설명으로 옳지 않은 것은? (4점)

① 수정란은 난할을 하면서 이동한다.
② 수정이 되는 순간 임신이 되었다고 한다.
③ 수정이 이루어진 뒤 5~7일 후에 착상된다.
④ 수정란은 포배 상태에서 자궁 안쪽 벽에 파묻힌다.
⑤ 수정란은 세포의 크기가 커지는 시기 없이 계속 분열한다.

09 완두를 교배한 결과 나올 수 있는 잡종 1대의 형질을 모두 나타낸 것이다. 어버이가 모두 잡종인 경우는?

	어버이	잡종 1대
①	큰 키×큰 키	큰 키
②	초록색×초록색	초록색
③	노란색×초록색	노란색, 초록색
④	둥근 모양×둥근 모양	둥근 모양, 주름진 모양
⑤	둥근 모양×주름진 모양	둥근 모양

10 그림과 같이 둥글고 노란색인 완두와 주름지고 초록색인 완두를 교배하여 잡종 1대를 얻고 이를 자가 수분시켜 잡종 2대를 얻었다.

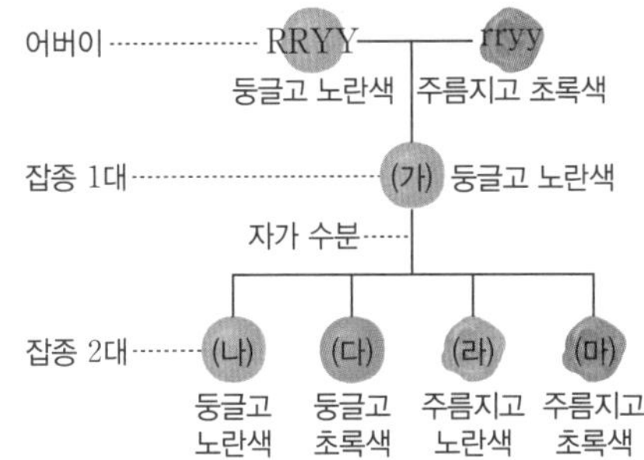

이에 대한 설명으로 옳지 않은 것은? (4점)

① 어버이는 모두 순종이다.
② (가)의 유전자형은 RrYy이다.
③ (나)의 유전자형은 모두 (가)의 유전자형과 같다.
④ 잡종 2대에서 노란색 완두 : 초록색 완두=3 : 1의 비로 나온다.
⑤ 잡종 2대에서 (나) : (다) : (라) : (마)=9 : 3 : 3 : 1의 비로 나온다.

11 혀 말기 유전에 대한 설명으로 옳은 것만을 보기에서 모두 고른 것은?

보기
ㄱ. 멘델의 유전 법칙을 따른다.
ㄴ. 유전자가 성염색체에 위치한다.
ㄷ. 성별에 관계없이 같은 비율로 나타난다.
ㄹ. 혀를 U자형을 말 수 있는 형질이 우성이다.

① ㄱ, ㄴ ② ㄱ, ㄷ ③ ㄴ, ㄹ
④ ㄱ, ㄷ, ㄹ ⑤ ㄱ, ㄴ, ㄷ, ㄹ

[12-13] 그림은 어떤 집안의 혀 말기 유전에 대한 가계도를 나타낸 것이다. (단, 혀를 말 수 있는 형질이 혀를 말 수 없는 형질에 대해 우성이며, 관련된 유전자 기호는 A와 a이다.)

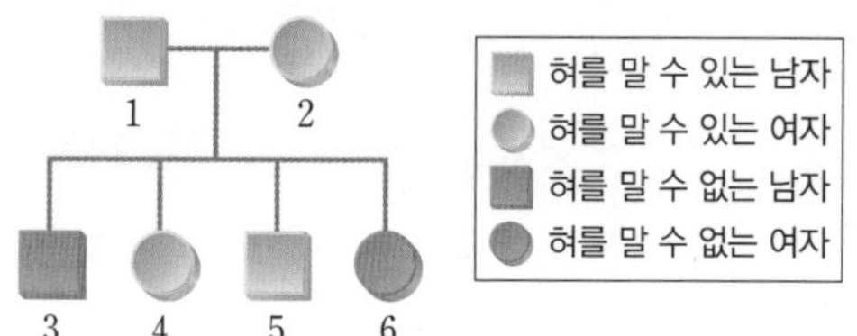

12 각 사람의 유전자형을 옳게 짝 지은 것은?

① 1 - aa, 2 - Aa
② 2 - Aa, 4 - AA거나 Aa
③ 3 - Aa, 5 - Aa
④ 4 - aa, 5 - AA
⑤ 5 - Aa, 6 - aa

13 2의 유전자형과 6의 유전자형을 갖는 사람이 결혼하였을 때 이들 사이에 태어나는 자녀에게 나올 수 있는 혀 말기 유전에 대한 유전자형의 분리비를 쓰시오.

14 ABO식 혈액형 유전에 대한 설명으로 옳지 <u>않은</u> 것은?

① 부모와 전혀 다른 혈액형이 나올 수 있다.
② 대립유전자 A는 대립유전자 O에 대해 우성이다.
③ B형인 사람은 BB 또는 BO의 유전자형을 갖는다.
④ 3가지 대립유전자 A, B, O에 의해 혈액형이 결정된다.
⑤ 성염색체 상에 유전자가 존재해 성별에 따라 나타나는 빈도가 다르다.

15 그림은 어떤 집안의 ABO식 혈액형 유전에 대한 가계도를 나타낸 것이다.

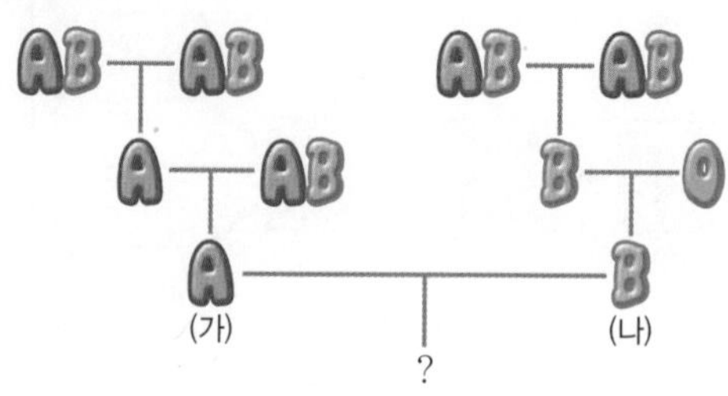

(가)와 (나)의 자녀에게서 나올 수 있는 ABO식 혈액형을 모두 나타낸 것은?

① A형
② A형, B형
③ A형, AB형
④ AB형, O형
⑤ A형, B형, O형, AB형

16 그림은 어떤 집안의 적록 색맹 유전에 대한 가계도를 나타낸 것이다.

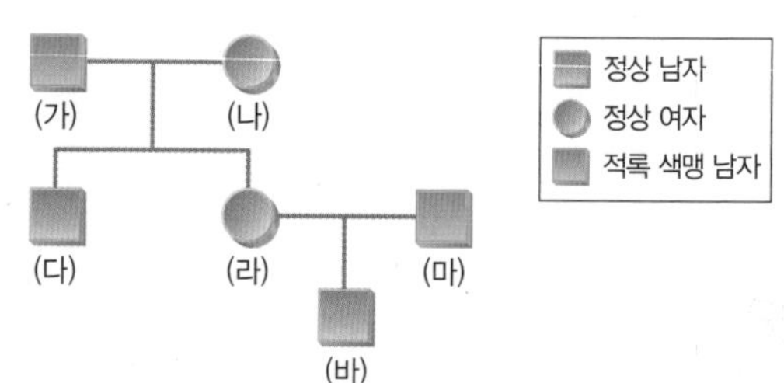

(가)~(바) 중 적록 색맹 유전자형을 정확하게 알 수 없는 사람을 쓰시오. (4점)

17 어떤 집안에서 딸이 적록 색맹인 경우 반드시 적록 색맹인 사람은?

① 아버지 ② 어머니 ③ 여동생
④ 남동생 ⑤ 외할머니

★ 정답과 해설 041쪽

서 / 술 / 형 / 문 / 제

18 그림은 체세포 분열의 한 단계를 나타낸 것이다. 이 단계의 특징을 2가지만 서술하시오. (6점)

19 그림은 어떤 생물의 세포 분열 과정 중 일부를 나타낸 것이다. 이 세포가 동물 세포인지 식물 세포인지 쓰고, 그렇게 생각한 까닭을 서술하시오. (6점)

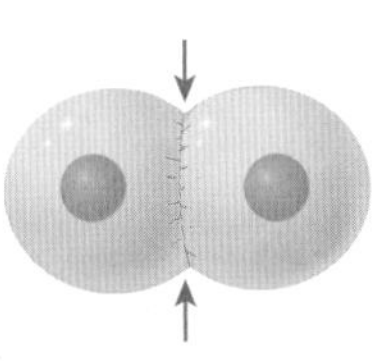

20 그림은 두 종류의 세포 분열 과정을 나타낸 것이다.

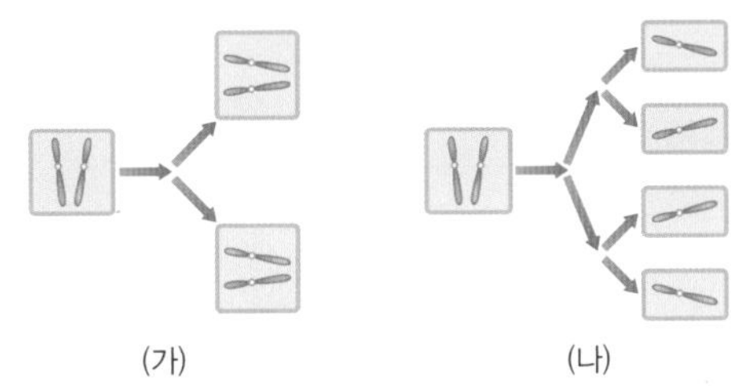

(가)와 (나) 분열 결과 형성된 딸세포의 염색체 수를 모세포와 비교하여 각각 서술하시오. (6점)

21 정자와 난자가 수정되어 수정란이 형성된 후 임신이 되기까지의 과정을 다음 용어를 모두 포함하여 서술하시오. (6점)

난할, 포배 상태, 착상

22 민재는 엄마와 함께 마트에 갔다가 둥근 완두를 보았는데, 이 둥근 완두가 순종인지 잡종인지 궁금했다. 시장에서 본 둥근 완두가 순종인지 잡종인지 알아보기 위한 실험을 설계하고, 그렇게 설계한 까닭을 서술하시오. (7점)

23 그림과 같이 순종의 둥글고 노란색인 완두와 주름지고 초록색인 완두를 교배하였더니 잡종 1대에서 둥글고 노란색인 완두만 나왔고, 이 잡종 1대를 자가 수분시켜 잡종 2대를 얻었다.

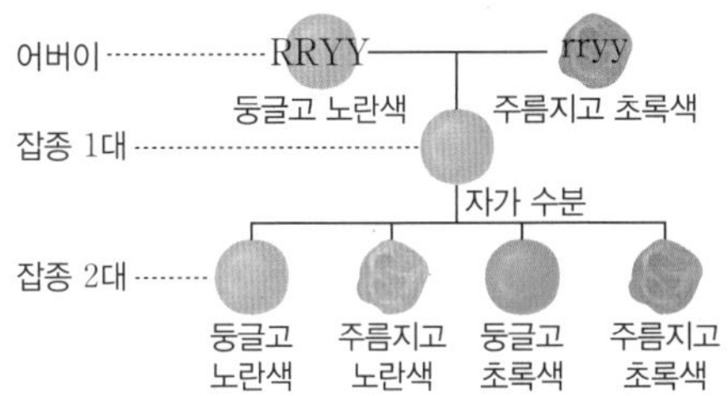

독립의 법칙은 무엇을 말하는지 이 실험에서 예를 들어 서술하시오. (8점)

24 그림은 어떤 집안의 미맹 유전에 대한 가계도를 나타낸 것이다. (단, 관련된 유전자 기호는 T와 t이다.)

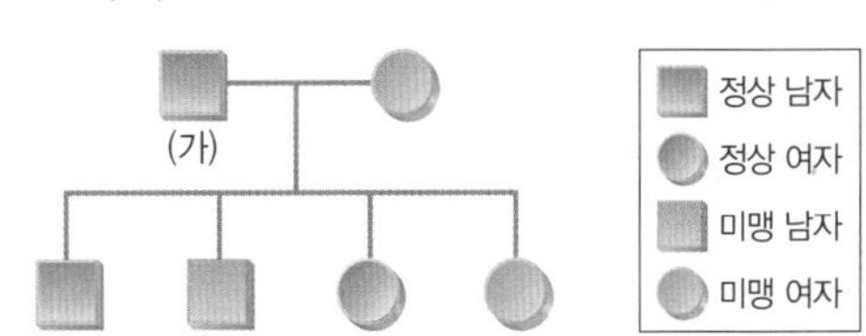

(가)의 유전자형이 Tt임을 알 수 있는 까닭을 서술하시오. (7점)

VI

에너지 전환과 보존

배울 내용이 쉬워지는 용어

배울 용어를 읽어보고, 이해가 되었으면 ✔ 표시를 해 봅시다.

- ☐ **에너지** 일을 할 수 있는 능력
- ☐ **역학적 에너지** 물체가 가진 위치 에너지와 운동 에너지의 합
- ☐ **역학적 에너지 전환** 중력이 작용하여 운동하는 물체의 위치 에너지와 운동 에너지가 서로 바뀌는 현상
- ☐ **역학적 에너지 보존 법칙** 공기 저항이나 마찰이 없을 때 운동하는 물체가 가진 위치 에너지와 운동 에너지의 합이 일정하게 보존된다는 법칙
- ☐ **전자기 유도** 코일 주위에서 자석을 움직이거나 자석 주위에서 코일을 움직일 때 코일을 지나는 자기장이 변하여 코일에 전류가 흐르는 현상
- ☐ **발전기** 전자기 유도 현상을 이용하여 역학적 에너지를 전기 에너지로 전환하는 장치
- ☐ **소비 전력** 전기 기구가 1초 동안 소비하는 전기 에너지의 양
- ☐ **전력량** 전기 기구가 일정 시간 동안 사용한 전기 에너지의 양
- ☐ **에너지의 전환** 에너지가 한 형태에서 다른 형태로 바뀌는 현상
- ☐ **에너지 보존 법칙** 에너지는 한 형태에서 다른 형태로 전환될 수 있으며, 이 과정에서 에너지는 새로 생기거나 소멸되지 않고 전체 에너지의 양은 일정하게 보존된다는 법칙

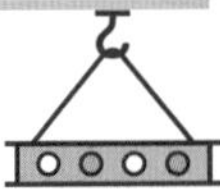

역학적 에너지 전환과 보존

물음으로 흐름잡기

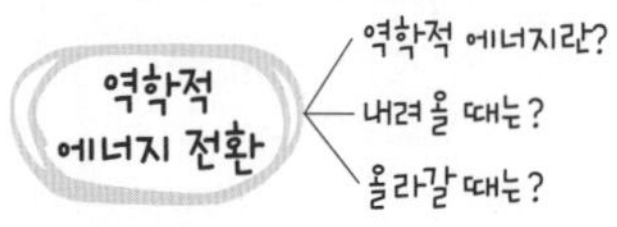

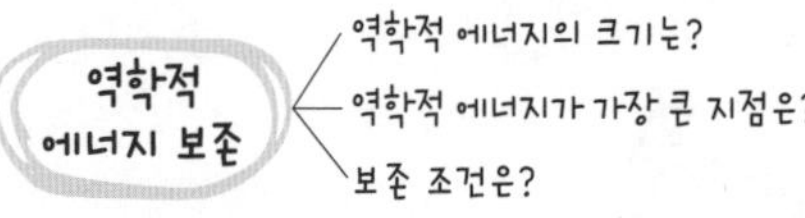

A 역학적 에너지 전환

1. 역학적 에너지 물체가 가진 위치 에너지와 운동 에너지의 합

역학적 에너지=위치 에너지+운동 에너지

$$=E=E_{\mathrm{p}}+E_{\mathrm{k}}=9.8mh+\frac{1}{2}mv^2$$

2. 역학적 에너지 전환 중력이 작용하여 운동하는 물체의 위치 에너지와 운동 에너지는 서로 전환된다.

① 자유 낙하 운동과 연직 위로 던진 운동

자유 낙하 운동❶	연직 위로 던진 운동
물체에 중력만 작용하여 낙하하는 동안 위치 에너지와 운동 에너지가 계속 해서 변한다. 위치 에너지 감소 운동 에너지 증가 • 기준면까지 낙하할 때: 위치 에너지가 운동 에너지로 전환된다. ➡ 높이 감소: 위치 에너지 감소 속력 증가: 운동 에너지 증가 • 기준면에서의 에너지: 위치 에너지는 0이고, 운동 에너지는 최대이다.	물체의 운동 방향과 반대 방향으로 중력이 작용하여 위치 에너지와 운동 에너지가 계속해서 변한다. 위치 에너지 증가 운동 에너지 감소 • 최고점까지 올라갈 때: 운동 에너지가 위치 에너지로 전환된다. ➡ 높이 증가: 위치 에너지 증가 속력 감소: 운동 에너지 감소 • 최고점에서의 에너지: 위치 에너지는 최대이고, 운동 에너지는 0이다.❷ ➡ 최고점에 도달한 후 자유 낙하 운동을 한다.

② 진자* 운동: 진자가 왕복 운동을 하는 동안 진자의 위치 에너지와 운동 에너지가 계속해서 변한다.

• 아래로 내려갈 때(AO 구간, BO 구간): 위치 에너지가 운동 에너지로 전환된다.
➡ 높이 감소: 위치 에너지 감소, 속력 증가: 운동 에너지 증가

• 위로 올라갈 때(OA 구간, OB 구간): 운동 에너지가 위치 에너지로 전환된다.
➡ 높이 증가: 위치 에너지 증가, 속력 감소: 운동 에너지 감소

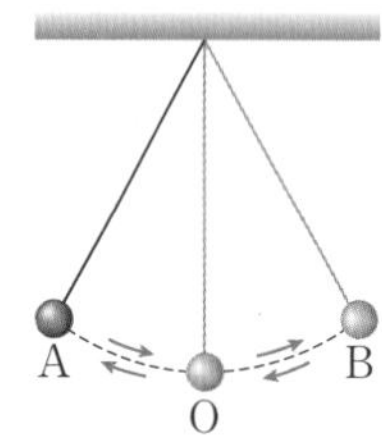

▲ 진자 운동

구분	A	A → O	O(기준면)	O → B	B
	B	B → O	O(기준면)	O → A	A
위치 에너지	최대	감소	0	증가	최대
운동 에너지	0	증가	최대	감소	0
에너지 전환		$E_{\mathrm{p}} \rightarrow E_{\mathrm{k}}$		$E_{\mathrm{k}} \rightarrow E_{\mathrm{p}}$	

❶ 자유 낙하 운동
높은 곳에서 가만히 놓은 물체가 중력만을 받아 지면으로 떨어지는 운동으로, 자유 낙하 운동을 하는 물체의 속력은 1초마다 9.8 m/s씩 증가하므로 시간 t초 후에 물체의 속력은 $9.8t$(m/s)이다.

❷ 물체를 위로 던져 올렸을 때 최고점에서의 속력
물체를 연직 위로 던져 올리면 물체의 수평 방향 속력은 없고, 수직 방향의 속력만 변화하여 최고점에서 속력이 0이 된다.

역학적 에너지 전환
"내려가면 빨라지고, 올라가면 느려진다."
내려가면(위치 E 감소)
빨라지고(운동 E 증가)
올라가면(위치 E 증가)
느려진다(운동 E 감소)

용어 알기
• **진자** 일정한 시간 간격으로 같은 경로를 왕복 운동 하는 물체

③ 스케이트보드● 선수의 운동

- 아래로 내려갈 때(AB 구간, CB 구간): 위치 에너지가 운동 에너지로 전환된다.
- 위로 올라갈 때(BA 구간, BC 구간): 운동 에너지가 위치 에너지로 전환된다.

▲ 스케이트보드 선수의 운동

구분	A	A → B	B(기준면)	B → C	C
위치 에너지	최대	감소	0(최소)	증가	최대
운동 에너지	0	증가	최대	감소	0
에너지 전환		$E_p \rightarrow E_k$		$E_k \rightarrow E_p$	

④ 롤러코스터●의 운동

- 아래로 내려갈 때(AB 구간): 위치 에너지가 운동 에너지로 전환된다.
- 위로 올라갈 때(BC 구간): 운동 에너지가 위치 에너지로 전환된다.

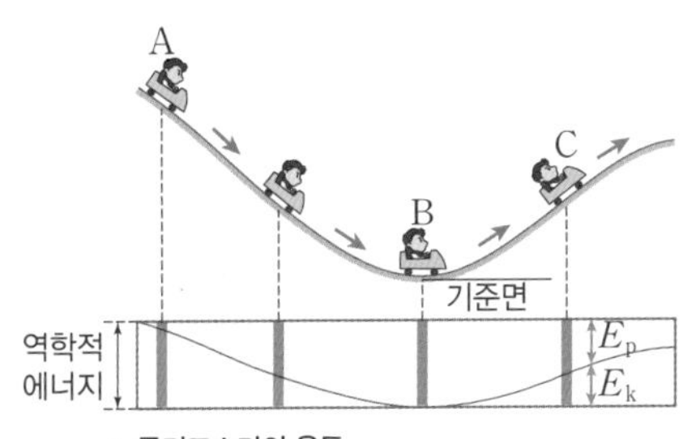

▲ 롤러코스터의 운동

구분	A → B	B(기준면)	B → C
위치 에너지	감소	0(최소)	증가
운동 에너지	증가	최대	감소
에너지 전환	$E_p \rightarrow E_k$		$E_k \rightarrow E_p$

하프파이프(Half Pipe)
원통형 파이프를 반으로 잘라 놓은 모양의 경기장을 말한다. 하프 파이프를 이용한 스케이트보드 경기는 역학적 에너지 전환을 활용하는 스포츠 종목이다.

용어 알기

- **스케이트보드** 두 발을 동시에 올려놓고 언덕 등을 미끄러져 내리며 타는 바퀴가 달린 널빤지
- **롤러코스터** 급커브의 레일 위를 매우 빠르게 달리거나 오르내리도록 만들어진 놀이 기구

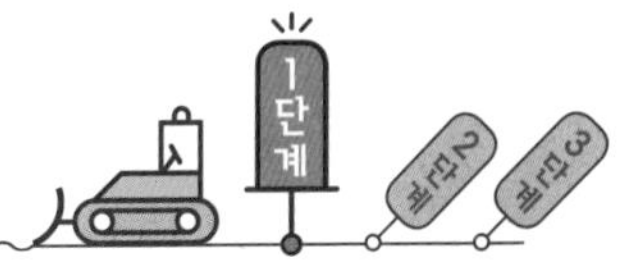

★ 정답과 해설 043쪽

01 자유 낙하 운동을 하는 물체에 대한 설명으로 옳은 것은 ○표, 옳지 않은 것은 ×표를 하시오.

(1) 중력이 물체의 운동 방향과 반대 방향으로 작용한다. ( )

(2) 위치 에너지가 운동 에너지로 전환된다. ( )

(3) 위치 에너지가 증가하고, 운동 에너지는 감소한다. ( )

(4) 기준면에서 위치 에너지는 0이고, 운동 에너지는 최대이다. ( )

02 그림과 같이 어떤 물체가 자유 낙하 운동을 하고 있다. 물체의 역학적 에너지에 대한 설명으로 옳은 것을 ㉠~㉣에서 각각 고르시오.

위치 에너지	㉠ (증가, 감소)
운동 에너지	㉡ (증가, 감소)
역학적 에너지 전환	㉢ (위치, 운동) 에너지 → ㉣ (위치, 운동) 에너지

03 연직 위로 던져 올린 운동을 하는 물체에 대한 설명으로 옳은 것은 ○표, 옳지 않은 것은 ×표를 하시오.

(1) 올라가는 동안 운동 에너지가 위치 에너지로 전환된다. ( )

(2) 높이가 높아질수록 속력이 증가한다. ( )

(3) 올라가는 동안 위치 에너지가 증가하고, 운동 에너지는 감소한다. ( )

(4) 최고점에서 위치 에너지는 0이고, 운동 에너지가 최대이다. ( )

04 그림과 같이 A 지점에서 출발한 롤러코스터가 C 지점까지 운동할 때, ㉠~㉣에 들어갈 알맞은 말을 쓰시오.

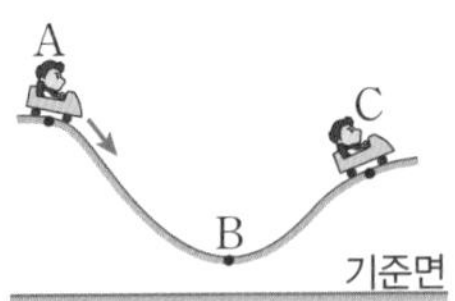

AB 구간에서 롤러코스터의 (㉠) 에너지가 (㉡) 에너지로 전환되고, BC 구간에서 (㉢) 에너지가 (㉣) 에너지로 전환된다.

01 역학적 에너지 전환과 보존

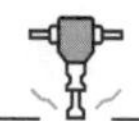

B 역학적 에너지 보존

1. 역학적 에너지 보존 법칙 공기 저항이나 마찰•이 없을 때❸ 운동하는 물체가 가진 위치 에너지와 운동 에너지의 합은 일정하게 보존된다.

2. 자유 낙하 운동을 하는 물체의 역학적 에너지 보존 공기 저항이나 마찰이 없을 때 중력에 의해 떨어지는 물체가 가진 위치 에너지와 운동 에너지의 합은 일정하게 보존된다.

① 위치 에너지는 감소하고, 운동 에너지는 증가한다. 탐구 공략하기 150쪽

감소한 위치 에너지=증가한 운동 에너지

② 모든 지점에서 역학적 에너지는 일정하다.

- 높이 h_1에서 역학적 에너지$=9.8mh_1+\frac{1}{2}mv_1^2$

  높이 h_2에서 역학적 에너지$=9.8mh_2+\frac{1}{2}mv_2^2$
- 감소한 위치 에너지=증가한 운동 에너지

  $9.8mh_1-9.8mh_2=\frac{1}{2}mv_2^2-\frac{1}{2}mv_1^2$

  $9.8mH=9.8mh_1+\frac{1}{2}mv_1^2=9.8mh_2+\frac{1}{2}mv_2^2=\frac{1}{2}mV^2$❹

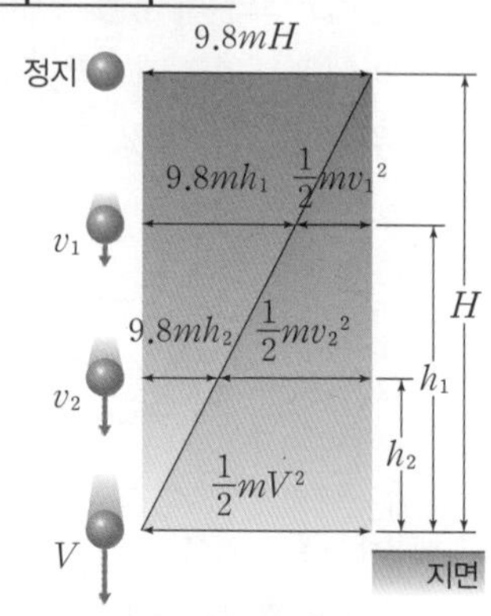

▲ 자유 낙하 운동에서의 역학적 에너지 보존

3. 연직 위로 던져 올린 물체의 역학적 에너지 보존

공기 저항이나 마찰이 없을 때 연직 위로 던져 올린 물체가 가진 위치 에너지와 운동 에너지의 합은 일정하게 보존된다.

① 위치 에너지는 증가하고, 운동 에너지는 감소한다.

② 모든 지점에서 역학적 에너지는 일정하다.

$\frac{1}{2}mv^2=9.8mh$❺

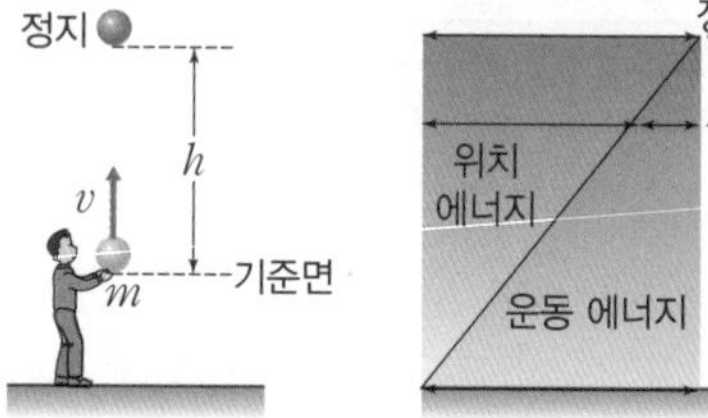

▲ 연직 위로 던져 올린 운동에서의 역학적 에너지 보존

❸ **공기 저항이나 마찰이 없어야 하는 까닭**
공기 저항이나 마찰이 있으면 물체가 가진 역학적 에너지의 일부가 열에너지로 전환되어 역학적 에너지가 보존되지 않기 때문이다.

❹ **높이 h에서 질량이 m인 물체가 자유 낙하 할 때 지면에서의 속력**
물체의 위치 에너지가 모두 지면에서의 운동 에너지로 전환되므로 $\frac{1}{2}mv^2=9.8mh$이다. 따라서 $v^2=2\times9.8\times h$이고, $v=\sqrt{2\times9.8\times h}$이다.

❺ **연직 위로 v의 속력으로 던져 올린 물체의 최고점 높이**
물체의 운동 에너지가 모두 최고점에서의 위치 에너지로 전환되므로 $9.8mh=\frac{1}{2}mv^2$이다. 따라서 공이 올라간 최고점의 높이는 $h=\frac{v^2}{2\times9.8}$이다.

교과서 탐구 연직 위로 던져 올린 물체의 역학적 에너지 보존

▶ **과정**
1. 물체를 연직 위로 던져 올린 후 세 지점 A~C에서 측정한 운동 에너지, 위치 에너지 자료를 이용하여 역학적 에너지를 구한다.
2. 각 지점에서 역학적 에너지의 크기가 일정한지 비교한다.

0.2 kg
2.5 m---C
2 m---B
1 m---A
기준면

▶ **결과**
❶ 각 지점에서의 운동 에너지, 위치 에너지, 역학적 에너지는 다음과 같다.

위치	A	B	C
높이(m)	1	2	2.5
운동 에너지(J)	2.94	0.98	0
위치 에너지(J)	1.96	3.92	4.9
역학적 에너지(J)	4.9	4.9	4.9

❷ 운동 에너지가 감소한 만큼 위치 에너지가 증가하므로 모든 지점에서 역학적 에너지의 크기는 일정하다.

▶ **정리** 연직 위로 던져 올린 물체의 역학적 에너지는 일정하게 보존된다.

용어 알기
- 마찰 물체의 접촉면에서 물체의 운동을 방해하는 것

★ 정답과 해설 043쪽

05 자유 낙하 운동을 하는 물체의 역학적 에너지에 대한 설명으로 옳은 것은 ○표, 옳지 않은 것은 ×표 하시오. (단, 공기 저항은 무시한다.)

(1) 물체가 가진 위치 에너지와 운동 에너지의 합이 일정하게 보존된다. ( )

(2) 모든 지점에서 역학적 에너지가 같다. ( )

(3) 낙하 거리에 비례하여 위치 에너지가 감소한다. ( )

(4) 낙하 거리에 비례하여 운동 에너지가 감소한다. ( )

(5) 감소한 운동 에너지는 증가한 위치 에너지와 같다. ( )

(6) 지면에서 운동 에너지는 처음 위치 에너지와 같다. ( )

06 표는 질량이 2 kg인 물체가 기준면으로부터 1 m 높이에서 자유 낙하 할 때 각 지점에서 물체의 역학적 에너지를 나타낸 것이다. ㉠~㉧에 들어갈 알맞은 말을 쓰시오. (단, 공기 저항은 무시한다.)

높이 (m)	위치 에너지 (J)	운동 에너지 (J)	역학적 에너지 (J)
1	(㉠)	0	(㉡)
(㉢)	9.8	(㉣)	(㉤)
0	(㉥)	(㉦)	(㉧)

07 오른쪽 그림과 같이 지면으로부터 2 m 높이에서 질량이 1 kg인 물체가 자유 낙하 하였다. (단, 공기 저항은 무시한다.)

(1) A 지점에서 물체의 위치 에너지는 몇 J인지 쓰시오.

(2) B 지점에서 물체의 운동 에너지는 몇 J인지 쓰시오.

(3) 물체의 위치 에너지가 운동 에너지와 같은 지점은 지면으로부터 몇 m 높이인지 쓰시오.

08 연직 위로 던져 올린 물체의 역학적 에너지에 대한 설명으로 옳은 것은 ○표, 옳지 않은 것은 ×표 하시오. (단, 공기 저항은 무시한다.)

(1) 모든 지점에서 역학적 에너지가 일정하다. ( )

(2) 올라가는 동안 감소한 위치 에너지는 증가한 운동 에너지와 같다. ( )

(3) 최고점에서의 운동 에너지는 기준면에서의 운동 에너지와 같다. ( )

(4) 최고점에서 운동 에너지가 0이다. ( )

09 오른쪽 그림과 같이 어떤 물체를 연직 위로 던져 올렸다. (단, 공기 저항은 무시한다.)

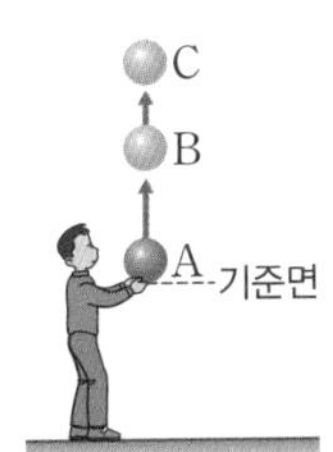

(1) A~C 지점에서 물체의 위치 에너지의 크기를 등호나 부등호로 비교하시오.

(2) A~C 지점에서 물체의 운동 에너지의 크기를 등호나 부등호로 비교하시오.

(3) A~C 지점에서 물체의 역학적 에너지의 크기를 등호나 부등호로 비교하시오.

10 그림은 경사면을 따라 롤러코스터가 운동하는 모습을 나타낸 것이다. (단, 공기 저항과 모든 마찰은 무시한다.)

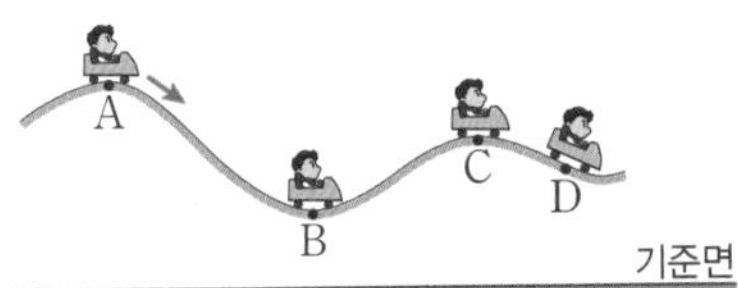

(1) A~D 지점 사이에서 위치 에너지가 운동 에너지로 전환되는 구간을 쓰시오.

(2) A~D 지점 사이에서 운동 에너지가 위치 에너지로 전환되는 구간을 쓰시오.

(3) A~D 지점에서 역학적 에너지의 크기를 등호나 부등호로 비교하시오.

탐구 공략 하기

자유 낙하 하는 물체의 역학적 에너지

목표 자유 낙하 하는 물체의 역학적 에너지가 일정하게 보존된다는 것을 설명할 수 있다.

공략 포인트 물체가 자유 낙하 할 때 위치 에너지와 운동 에너지의 합인 역학적 에너지가 모든 지점에서 같다는 것을 이해하는 것이 중요하다!

과정

❶ 전자저울로 쇠구슬의 질량을 측정한다.
❷ 투명 플라스틱 관과 자를 연직 방향으로 고정한 후 기준면으로부터 높이가 0 m, 0.5 m인 지점에 각각 속력 측정기를 설치한다.
❸ 기준면으로부터 높이가 1 m인 O 지점에서 쇠구슬을 가만히 낙하시킨 후 높이가 0.5 m인 A 지점과 높이가 0 m인 B 지점을 지날 때의 속력을 측정한다. 이 과정을 3회 반복하여 평균값을 구한다.
❹ 각 높이에서 쇠구슬의 운동 에너지, 위치 에너지, 역학적 에너지를 각각 구하고 표에 기록한다.

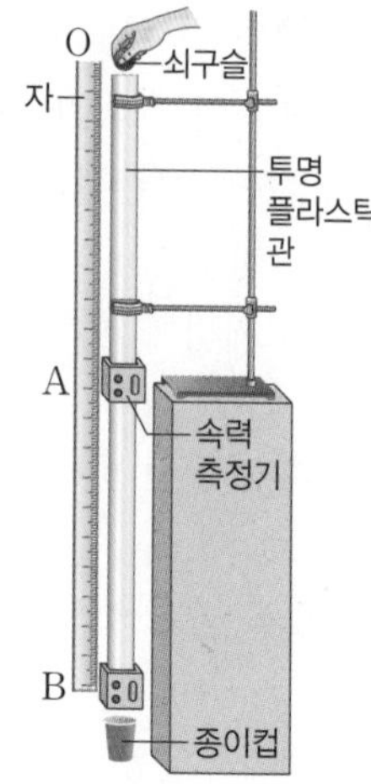

결과

1. 쇠구슬의 질량은 200 g이다.
2. 각 지점에서 쇠구슬의 속력과 위치 에너지, 운동 에너지, 역학적 에너지는 다음과 같다.

위치	쇠구슬의 속력(m/s)			
	1회	2회	3회	평균
A	3.12	3.14	3.13	3.13
B	4.43	4.44	4.42	4.43

위치	위치 에너지(J)	운동 에너지(J)	역학적 에너지(J)
O	$9.8\times0.2\times1=1.96$	0	$1.96+0=1.96$
A	$9.8\times0.2\times0.5=0.98$	$\frac{1}{2}\times0.2\times3.13^2=0.98$	$0.98+0.98=1.96$
B	0	$\frac{1}{2}\times0.2\times4.43^2=0.98$	$0+1.96=1.96$

3. 쇠구슬이 낙하하는 동안 위치 에너지는 감소하고, 운동 에너지는 증가한다.
4. 감소한 위치 에너지와 증가한 운동 에너지는 같다.

정리 쇠구슬이 낙하하는 동안 위치 에너지가 운동 에너지로 전환되며, 역학적 에너지는 일정하게 보존된다.

★ 정답과 해설 044쪽

01 물체가 자유 낙하 하는 동안 물체의 역학적 에너지 전환 과정을 쓰시오.

02 그림과 같이 물체가 O 지점에서 자유 낙하 할 때 O, A, B 지점에서 각각 위치 에너지, 운동 에너지, 역학적 에너지의 크기를 등호나 부등호로 비교하시오.

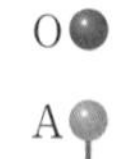

03 이 실험에 대한 설명으로 옳은 것은 ○표, 옳지 않은 것은 ×표를 하시오. (단, 공기 저항은 무시한다.)

(1) O 지점에서 위치 에너지가 가장 크다. ( )
(2) 운동 에너지가 위치 에너지로 전환된다. ( )
(3) A 지점에서 위치 에너지와 운동 에너지의 비는 1 : 1이다. ( )
(4) B 지점에서 운동 에너지가 가장 크다. ( )
(5) 낙하하는 동안 역학적 에너지가 감소한다. ( )

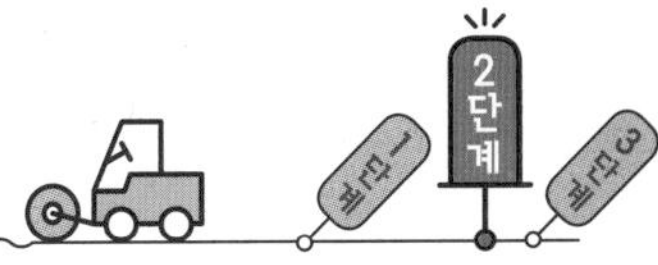

정답과 해설 044쪽

A 역학적 에너지 전환

01 (　　) 안에 들어갈 알맞은 말을 쓰시오.

> 물체가 가진 위치 에너지와 운동 에너지의 합을 (　　　) 에너지라고 한다.

필수

02 그림은 기준면으로부터 5 m 높이에 있는 질량이 2 kg인 물체가 10 m/s의 속력으로 운동하고 있는 모습을 나타낸 것이다. 이 물체의 역학적 에너지는 몇 J인가?

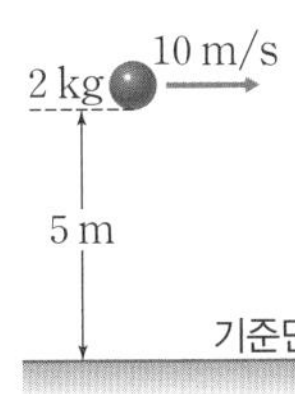

① 49 J　② 50 J　③ 98 J
④ 100 J　⑤ 198 J

03 그림은 자유 낙하 하는 공의 운동을 일정한 시간 간격으로 나타낸 것이다. A와 B 지점에서 공의 위치 에너지와 운동 에너지의 크기를 옳게 비교한 것은?

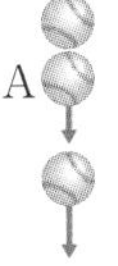

	위치 에너지	운동 에너지
①	A=B	A=B
②	A>B	A=B
③	A>B	A<B
④	A<B	A=B
⑤	A<B	A>B

서술형

04 그림은 물방울이 자유 낙하 하는 모습을 나타낸 것이다.

(1) 낙하하는 물방울의 속력이 점점 빨라지는 까닭을 힘과 관련지어 서술하시오.

(2) 물방울이 낙하하는 동안 역학적 에너지 전환을 서술하시오.

필수

05 그림과 같이 연직 위로 던져 올린 공이 A 지점에서 B 지점까지 올라갔다가 지면으로 낙하하는 운동을 하였다. 공의 에너지에 대한 설명으로 옳은 것만을 보기에서 모두 고른 것은?

보기
ㄱ. B 지점에서 위치 에너지는 0이다.
ㄴ. B 지점에서 운동 에너지가 최대이다.
ㄷ. AB 구간에서 운동 에너지가 위치 에너지로 전환된다.
ㄹ. 낙하하는 동안 위치 에너지가 운동 에너지로 전환된다.

① ㄱ, ㄴ　② ㄷ, ㄹ　③ ㄱ, ㄴ, ㄷ
④ ㄱ, ㄴ, ㄹ　⑤ ㄴ, ㄷ, ㄹ

필수

06 그림은 A 지점과 B 지점 사이를 왕복하는 쇠구슬의 운동을 나타낸 것이다. 쇠구슬의 운동 에너지가 위치 에너지로 전환되는 구간을 모두 고르면? (정답 2개)

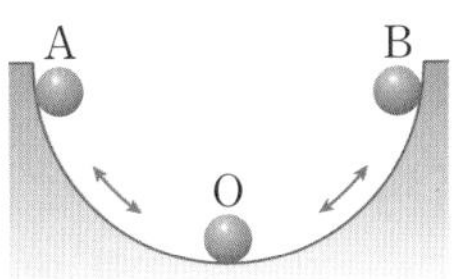

① AO 구간　② BO 구간
③ OA 구간　④ OB 구간
⑤ BA 구간

07 그림은 롤러코스터가 A~E 구간을 운동하는 모습을 나타낸 것이다.

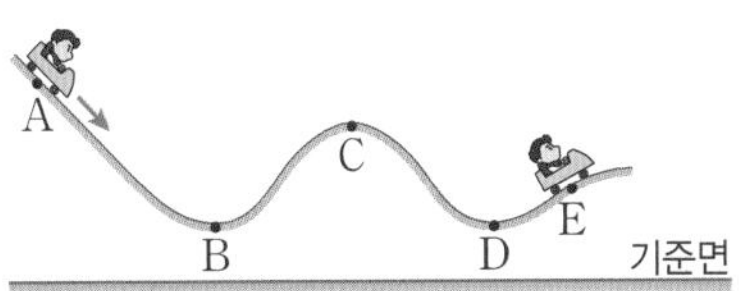

위치 에너지가 운동 에너지로 전환되는 구간을 모두 고르면? (정답 2개)

① AB 구간　② BC 구간
③ BD 구간　④ CD 구간
⑤ DE 구간

08 그림은 레일을 따라 롤러코스터가 운동하는 모습을 나타낸 것이다.

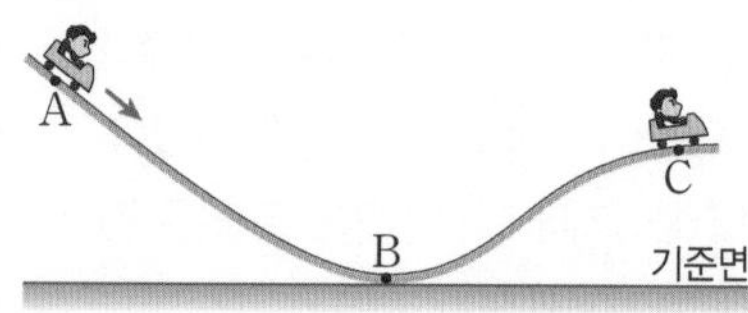

이에 대한 설명으로 옳은 것만을 보기에서 모두 고른 것은?

보기
ㄱ. AB 구간에서 속력이 빨라진다.
ㄴ. AB 구간에서 운동 에너지가 감소한다.
ㄷ. BC 구간에서 위치 에너지가 증가한다.
ㄹ. BC 구간에서 위치 에너지가 운동 에너지로 전환된다.

① ㄱ, ㄴ　② ㄱ, ㄷ　③ ㄴ, ㄹ
④ ㄱ, ㄷ, ㄹ　⑤ ㄴ, ㄷ, ㄹ

B 역학적 에너지 보존

09 기준면으로부터 2 m 높이에서 질량이 0.5 kg인 공이 자유 낙하 할 때에 대한 설명으로 옳지 않은 것은? (단, 공기 저항은 무시한다.)

① 지면에서 공의 운동 에너지는 19.6 J이다.
② 2 m 높이에서 공의 운동 에너지는 0이다.
③ 2 m 높이에서 공의 역학적 에너지는 9.8 J이다.
④ 자유 낙하 하는 동안 공의 역학적 에너지는 일정하다.
⑤ 자유 낙하 하는 동안 공의 위치 에너지가 운동 에너지로 전환된다.

10 그림과 같이 지면으로부터 5 m 높이에서 질량이 2 kg인 물체를 가만히 떨어뜨렸다. 지면에 도달하는 순간 물체의 운동 에너지는 몇 J인가? (단, 공기 저항은 무시한다.)

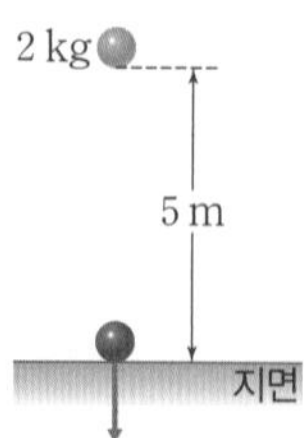

① 2 J　② 9.8 J
③ 10 J　④ 98 J
⑤ 196 J

11 어떤 물체가 자유 낙하 하는 동안 기준면으로부터의 높이(h)와 역학적 에너지(E)의 관계 그래프로 옳은 것은? (단, 공기 저항은 무시한다.)

①
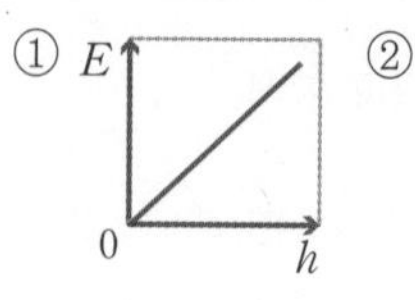

②
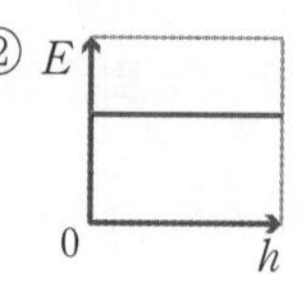

③
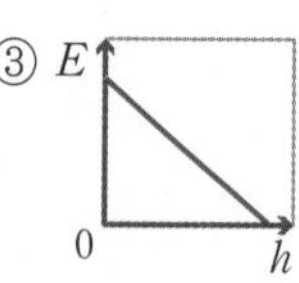

④
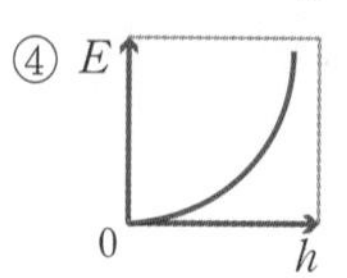

⑤
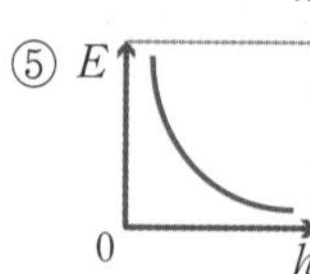

12 지면으로부터 4.9 m 높이에서 질량이 1 kg인 물체를 가만히 떨어뜨렸다. 지면에 도달하는 순간 물체의 속력은 몇 m/s인가? (단, 공기 저항은 무시한다.)

① 4.9 m/s　② 5 m/s　③ 9.8 m/s
④ 49 m/s　⑤ 98 m/s

필수

13 그림과 같이 지면으로부터 높이 h에서 질량이 100 g인 물체가 자유 낙하 할 때 지면에 도달하는 순간 물체의 속력이 14 m/s이었다. 지면으로부터의 높이 h는 몇 m인가? (단, 공기 저항은 무시한다.)

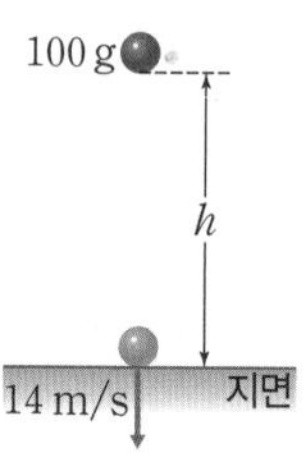

① 5 m　② 7 m　③ 10 m
④ 14 m　⑤ 16 m

필수

14 그림과 같이 높은 곳에서 질량이 1 kg인 공을 가만히 놓았다. 공이 2 m 낙하했을 때 공의 운동 에너지는 몇 J인가? (단, 공기 저항은 무시한다.)

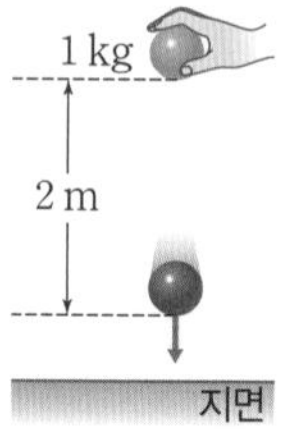

① 2 J　② 4.9 J
③ 9.8 J　④ 19.6 J
⑤ 98 J

정답과 해설 044쪽

15 그림과 같이 지면으로부터 5 m 높이에서 어떤 공을 가만히 떨어뜨렸다. 지면으로부터 높이가 2 m인 지점에서 이 공의 위치 에너지와 운동 에너지의 비(E_p : E_k)는? (단, 공기 저항은 무시한다.)

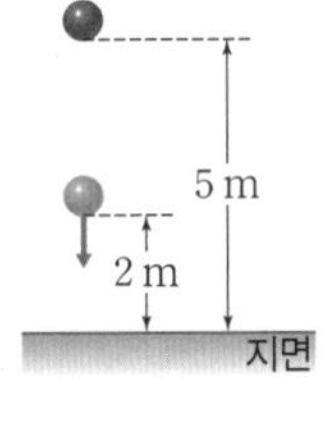

① 1 : 1　② 2 : 3　③ 2 : 5
④ 3 : 2　⑤ 5 : 3

16 그림과 같이 지면으로부터 5m 높이에서 어떤 물체가 자유 낙하 할 때 위치 에너지와 운동 에너지가 같아지는 높이는 몇 m인가? (단, 공기 저항은 무시한다.)

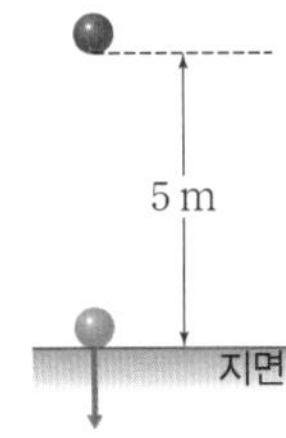

① 1 m　② 2 m
③ 2.5 m　④ 3 m
⑤ 4 m

서술형

17 그림과 같이 질량이 1 kg인 물체가 기준면으로부터 3 m 높이인 A 지점에서 자유 낙하 하였다. (단, 공기 저항은 무시한다.)

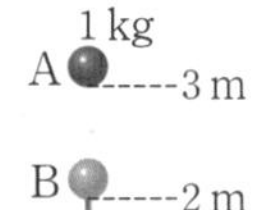

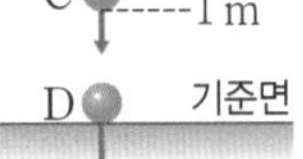

(1) A 지점에서 물체의 위치 에너지는 몇 J인지 쓰시오.

(2) A~D 지점 중 물체의 역학적 에너지가 가장 큰 지점을 고르고, 그 까닭을 함께 서술하시오.

---

18 어떤 물체를 연직 위로 19.6 m/s의 속력으로 던져 올렸다. 손을 떠난 지점을 기준면으로 할 때 물체는 몇 m 높이까지 올라가겠는가? (단, 공기 저항은 무시한다.)

① 4.9 m　② 9.8 m　③ 14.7 m
④ 19.6 m　⑤ 39.2 m

19 그림과 같이 연직 위로 던져 올린 공이 A 지점에서 최고점인 C 지점까지 운동하는 동안 운동 에너지와 역학적 에너지의 크기를 옳게 비교한 것은? (단, 공기 저항은 무시하고, 공이 손을 떠난 A 지점을 기준면으로 한다.)

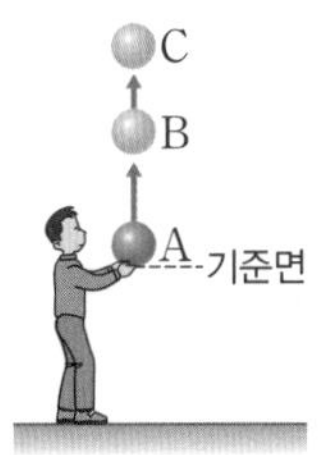

	운동 에너지	역학적 에너지
①	A=B=C	A=B=C
②	A>B>C	A>B>C
③	A>B>C	A=B=C
④	A<B<C	A<B<C
⑤	A<B<C	A=B=C

필수

20 그림은 연직 위로 던져 올린 물체의 운동을 일정한 시간 간격으로 나타낸 것이다. 이에 대한 설명으로 옳은 것은? (단, 공기 저항은 무시한다.)

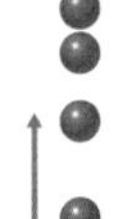

① 물체의 속력이 점점 증가한다.
② 가장 높은 지점에서 물체의 속력은 최대가 된다.
③ 물체의 운동 방향과 같은 방향으로 중력이 작용한다.
④ 위치 에너지가 증가한 양만큼 운동 에너지가 감소한다.
⑤ 물체가 올라간 높이에 반비례하여 위치 에너지가 증가한다.

필수

21 그림과 같이 지면으로부터 1 m 높이에서 질량이 2 kg인 공을 연직 위로 5 m/s의 속력으로 던져 올렸다. 지면에 도달하는 순간 공의 운동 에너지는 몇 J인가? (단, 공기 저항은 무시한다.)

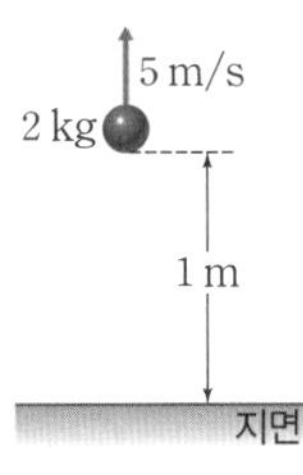

① 19.6 J　② 25 J　③ 44.6 J
④ 50 J　⑤ 69.6 J

신유형

22 그림은 연직 위로 던져 올린 공의 운동을 1초 간격으로 나타낸 것이다.

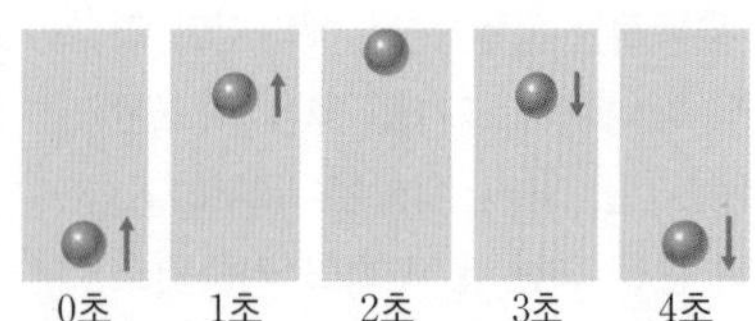

이에 대한 설명으로 옳지 않은 것은? (단, 공기 저항은 무시한다.)

① 2초 후에 공의 역학적 에너지는 0이다.
② 2초 후부터 공은 자유 낙하 운동을 한다.
③ 4초 후에 공의 위치 에너지는 처음과 같다.
④ 1초 후와 3초 후에 공의 운동 에너지가 같다.
⑤ 1초 후와 4초 후에 공의 역학적 에너지는 같다.

필수

23 그림과 같이 지면으로부터 4 m 높이에서 질량이 500 g인 공을 아래쪽으로 4 m/s의 속력으로 던졌다. 지면에 도달하는 순간 공의 운동 에너지는 몇 J인가? (단, 공기 저항은 무시한다.)

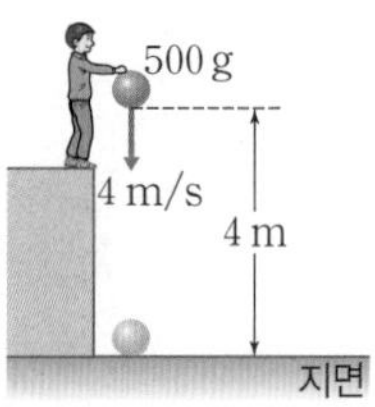

① 8 J ② 9.8 J ③ 19.6 J
④ 23.6 J ⑤ 35.6 J

24 그림은 비스듬히 던져 올린 공의 운동 모습을 나타낸 것이다. 공의 에너지에 대한 설명으로 옳은 것은? (단, B와 D 지점의 높이는 같고, 공기 저항은 무시한다.)

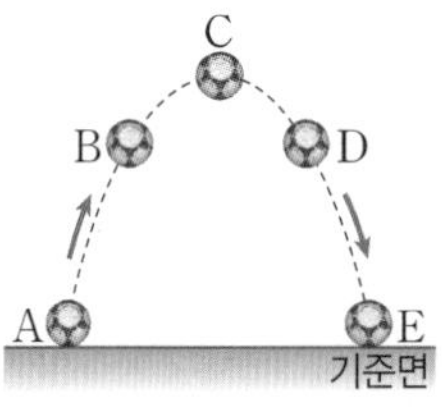

① C 지점에서 운동 에너지가 최대이다.
② 운동하는 동안 운동 에너지는 항상 일정하다.
③ AC 구간에서 위치 에너지가 운동 에너지로 전환된다.
④ CE 구간에서 운동 에너지가 위치 에너지로 전환된다.
⑤ AB 구간에서 증가한 위치 에너지는 DE 구간에서 증가한 운동 에너지와 같다.

25 그림은 A 지점에서 가만히 놓은 쇠구슬이 레일 위에서 운동하는 모습을 나타낸 것이다. A~C 지점에서 쇠구슬의 역학적 에너지를 옳게 비교한 것은? (단, 공기 저항과 모든 마찰은 무시한다.)

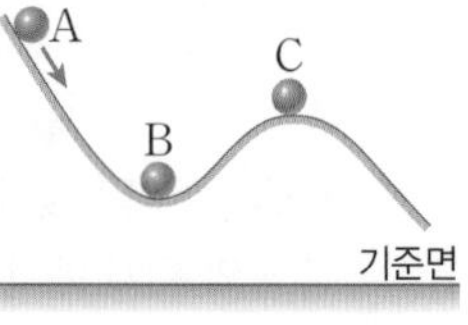

① A=B=C ② A>B>C ③ B>A>C
④ B>C>A ⑤ C>B>A

26 그림은 롤러코스터가 A 지점을 지나서 C 지점까지 운동하는 모습을 나타낸 것이다.

롤러코스터의 에너지에 대한 설명으로 옳은 것만을 보기에서 모두 고른 것은? (단, 공기 저항과 모든 마찰은 무시한다.)

보기
ㄱ. AB 구간에서 위치 에너지가 감소한다.
ㄴ. B 지점에서 역학적 에너지가 가장 작다.
ㄷ. AC 구간에서 운동 에너지가 계속 증가한다.

① ㄱ ② ㄴ ③ ㄷ
④ ㄱ, ㄷ ⑤ ㄱ, ㄴ, ㄷ

서술형

27 그림과 같이 A 지점에서 출발한 스케이드보드 선수가 반대편의 C 지점까지 올라갔다. A~C 지점 중 스케이드보드 선수의 역학적 에너지가 가장 큰 지점을 쓰고, 스케이드보드 선수가 A 지점보다 더 높은 D 지점까지 올라갈 수 있는 방법을 서술하시오. (단, 공기 저항과 모든 마찰은 무시한다.)

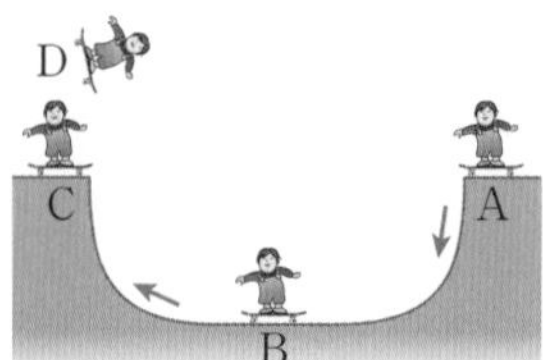

만점 도전하기

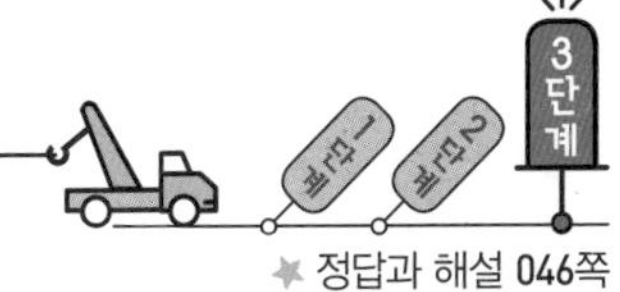

정답과 해설 046쪽

필수

01 그림과 같이 공이 A 지점에서 자유 낙하 하였다. 공에 대한 설명으로 옳지 않은 것은?

① A 지점에서 위치 에너지가 가장 크다.
② 낙하하는 동안 속력이 점점 빨라진다.
③ A 지점이 B 지점보다 위치 에너지가 크다.
④ C 지점이 B 지점보다 운동 에너지가 크다.
⑤ 낙하하는 동안 운동 에너지가 위치 에너지로 전환된다.

필수

02 그림과 같이 지면으로부터 4 m 높이에서 어떤 물체가 자유 낙하 하였다. 이 물체의 운동 에너지가 위치 에너지의 3배가 되는 높이 h는 몇 m인가? (단, 공기 저항은 무시한다.)

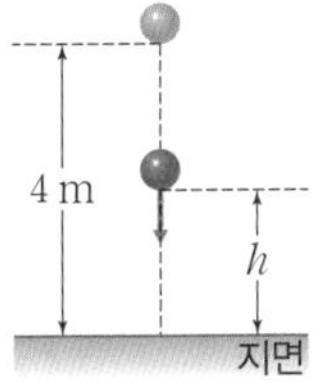

① 1 m ② 1.5 m ③ 2 m
④ 2.5 m ⑤ 3 m

신유형

03 그림과 같이 기준면으로부터 같은 높이에서 동시에 공 A는 자유 낙하 시키고, 공 B는 연직 위로 v의 속력으로 던져 올렸다. 이에 대한 설명으로 옳은 것만을 보기에서 모두 고른 것은? (단, 공기 저항은 무시한다.)

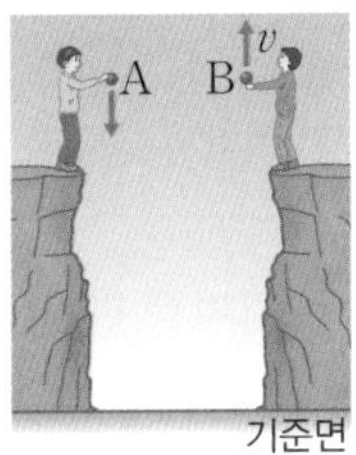

보기
ㄱ. B는 운동하는 동안 역학적 에너지가 보존되지 않는다.
ㄴ. 기준면에 도달하는 순간 B가 A보다 속력이 빠르다.
ㄷ. 기준면에 도달하는 순간 A와 B의 운동 에너지가 같다.

① ㄱ ② ㄴ ③ ㄷ
④ ㄱ, ㄴ ⑤ ㄴ, ㄷ

04 그림은 지면으로부터 4 m 높이에서 질량이 1 kg인 물체가 자유 낙하 할 때의 모습을 나타낸 것이다. 이 물체의 에너지에 대한 설명으로 옳지 않은 것은? (단, 공기 저항은 무시한다.)

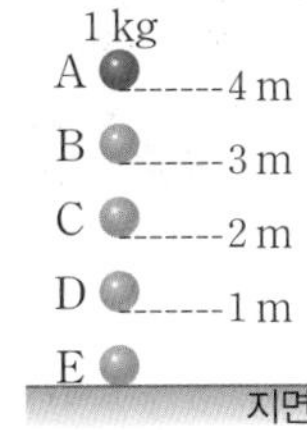

① A 지점에서 위치 에너지는 39.2 J이다.
② B 지점에서 위치 에너지는 운동 에너지의 3배이다.
③ C 지점에서 위치 에너지와 운동 에너지는 같다.
④ D 지점에서 위치 에너지와 운동 에너지의 비는 1 : 3이다.
⑤ E 지점에서 역학적 에너지는 19.6 J이다.

필수

05 그림과 같이 A 지점에서 가만히 놓은 쇠구슬이 레일을 따라 운동하다가 E 지점에서 정지하였다.

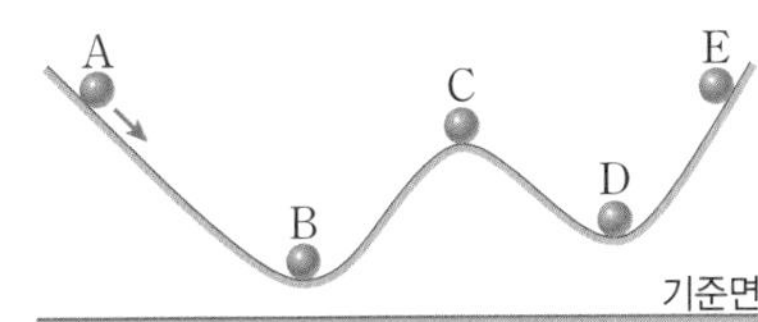

쇠구슬의 에너지에 대한 설명으로 옳지 않은 것은? (단, 공기 저항과 모든 마찰은 무시한다.)

① A 지점과 E 지점의 높이는 같다.
② C 지점에서 운동 에너지는 0이다.
③ B 지점에서 운동 에너지가 가장 크다.
④ B와 D 지점에서 역학적 에너지는 같다.
⑤ DE 구간에서 운동 에너지가 위치 에너지로 전환된다.

06 그림은 A 지점에서 가만히 놓은 질량이 1 kg인 쇠구슬이 운동하는 모습을 나타낸 것이다. 쇠구슬의 에너지에 대한 설명으로 옳지 않은 것은? (단, 공기 저항과 모든 마찰은 무시한다.)

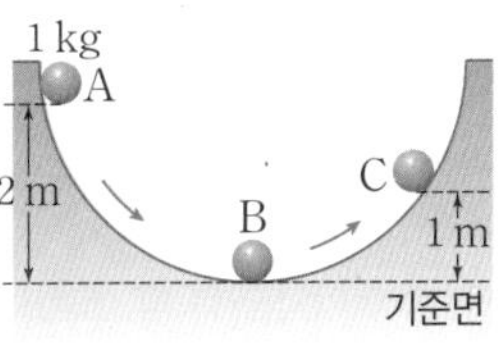

① B 지점에서 운동 에너지는 19.6 J이다.
② A 지점에서 역학적 에너지는 19.6 J이다.
③ AB 구간에서 운동 에너지는 19.6 J 증가한다.
④ BC 구간에서 역학적 에너지는 9.8 J 감소한다.
⑤ C 지점에서 위치 에너지와 운동 에너지는 같다.

VI. 에너지 전환과 보존

전기 에너지의 발생과 전환

물음으로 흐름잡기

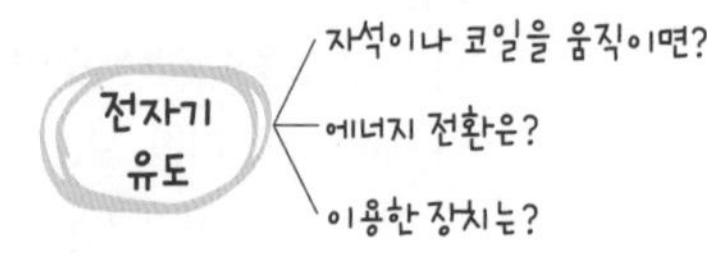

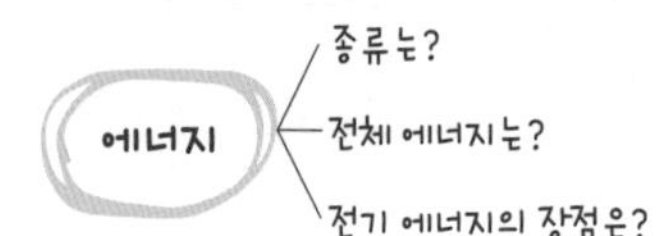

A 전기 에너지의 발생과 소비 전력

자석을 움직이거나 코일을 움직이면 코일에 전류가 흐르는 현상
"흔들면 전기가 생겨"
역학적 에너지 → 전기 에너지

1. 전자기 유도 코일[•] 주위에서 자석을 움직이거나 자석 주위에서 코일을 움직일 때 코일을 지나는 자기장이 변하여 코일에 전류가 흐르는 현상

① 에너지 전환: 역학적 에너지가 전기 에너지로 전환된다.

② 유도 전류: 전자기 유도 현상에 의해 코일에 흐르는 전류

- 전류의 방향: 자석을 가까이 하거나 멀리 할 때 전류의 방향은 서로 반대 방향이다.
- 전류의 세기: 자석의 움직임이 빠를수록, 자석의 세기가 셀수록, 코일의 감은 수가 많을수록 전류의 세기가 커진다.

코일을 지나는 자기장의 변화가 클수록 전류의 세기가 커진다.

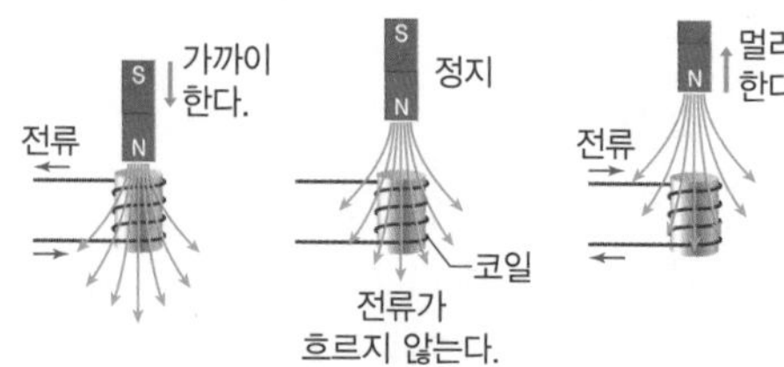

▲ 전자기 유도

③ 전자기 유도의 이용: 도난 방지 장치, 교통 카드 단말기, 전자 기타, 금속 탐지기 등

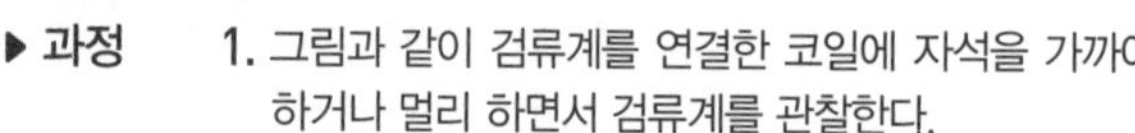

▶ **과정** 1. 그림과 같이 검류계를 연결한 코일에 자석을 가까이 하거나 멀리 하면서 검류계를 관찰한다.
2. 코일 속에 자석을 넣고 정지한 후 검류계를 관찰한다.

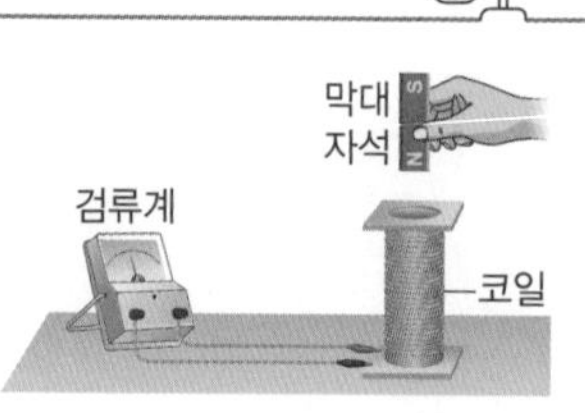

▶ **결과** 코일에 자석을 가까이 하거나 멀리 할 때, 즉 자석이 움직일 때에만 코일에 전류가 흐른다.

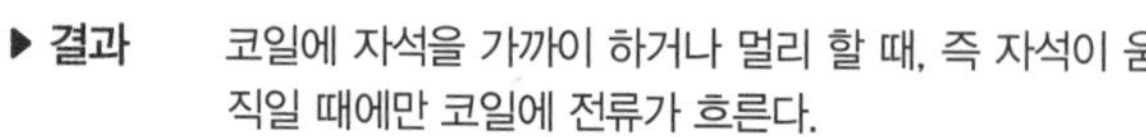

▶ **해석** 자석의 역학적 에너지가 전기 에너지로 전환된다.

2. 발전 발전기[❶]를 이용하여 전기 에너지를 만드는 과정

① 발전기: 전자기 유도 현상을 이용하여 역학적 에너지를 전기 에너지로 전환하는 장치

- 구조: 영구 자석과 그 속에서 회전할 수 있는 코일로 이루어져 있다.
- 원리: 코일이 회전하면 전자기 유도에 의해 코일에 전류가 흐르면서 전기가 만들어진다.

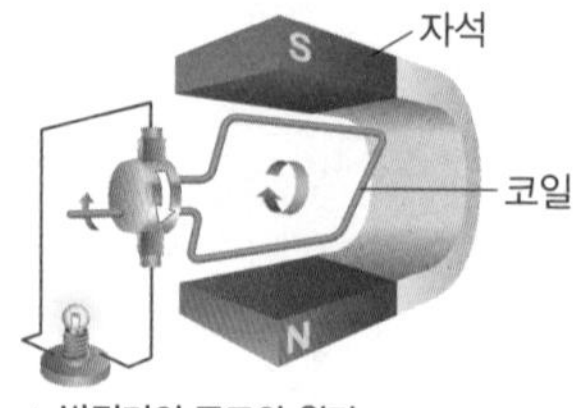

▲ 발전기의 구조와 원리

② 발전소에서의 발전: 물, 바람, 수증기 등이 가진 역학적 에너지로 발전기를 돌려 전기 에너지를 만든다.

- 수력 발전: 물의 역학적 에너지 → 전기 에너지
- 풍력 발전: 바람의 역학적 에너지 → 전기 에너지
- 화력 발전: 연료의 화학 에너지 → 수증기의 역학적 에너지 → 전기 에너지
- 원자력 발전: 원자의 핵에너지 → 수증기의 역학적 에너지 → 전기 에너지

❶ **전동기와 발전기**

전동기	발전기
코일에 전류가 흐르면 코일이 회전한다.	코일을 회전시키면 코일에 전류가 흐른다.
전기 에너지 → 역학적 에너지	역학적 에너지 → 전기 에너지

용어 알기

- 코일 전선을 원형으로 여러 번 감은 것

3. 소비 전력❷

① 소비 전력: 전기 기구가 1초 동안 소비하는 전기 에너지의 양

$$\text{소비 전력(W)} = \frac{\text{전기 에너지(J)}}{\text{시간(s)}}$$

② 단위: W(와트), kW(킬로와트) (1 kW=1000 W)

③ 1 W: 전기 기구가 1초 동안 1 J의 전기 에너지를 소비할 때의 전력

1 W=1 J/s

4. 전력량

① 전력량: 전기 기구가 일정 시간 동안 사용한 전기 에너지의 양

$$\text{전력량(Wh)} = \text{전력(W)} \times \text{시간(h)}$$

② 단위: Wh(와트시), kWh(킬로와트시) (1 kWh=1000 Wh)

③ 1 Wh: 전기 기구가 1 W의 전력을 1시간 동안 사용할 때의 전력량

$$1\text{ Wh} = 1\text{ W} \times 1\text{ h} = 1\text{ J/s} \times 3600\text{ s} = 3600\text{ J}$$

❷ 정격 전압과 소비 전력

제품명	○○○
정격 전압	220 V
소비 전력	1500 W

가전제품을 정상적으로 작동하기 위해 필요한 전압을 정격 전압이라고 하며, 가전제품이 1초 동안 소비하는 전기 에너지의 양이 소비 전력이다.

220 V-1500 W로 표시되어 있는 가전제품은 220 V의 전원에 연결할 때 1초에 1500 J의 전기 에너지를 사용한다는 뜻이다.

정답과 해설 047쪽

01 전자기 유도에 대한 설명으로 옳은 것은 ○표, 옳지 않은 것은 ×표를 하시오.

(1) 코일 주위에서 자석을 움직일 때 코일에 전류가 흐르는 현상이다. ( )

(2) 코일 주위에서 자석을 움직이면 전기 에너지가 역학적 에너지로 전환된다. ( )

(3) 코일 속에 자석을 넣고 가만히 있을 때 코일에 전류가 가장 세게 흐른다. ( )

02 여러 가지 발전소에서 일어나는 에너지 전환 과정을 나타낸 것이다. 각각 어떤 발전을 나타내는지 쓰시오.

(1) (   ) 발전소: 물의 역학적 에너지 → 전기 에너지

(2) (   ) 발전소: 바람의 역학적 에너지 → 전기 에너지

(3) (   ) 발전소: 연료의 화학 에너지 → 수증기의 역학적 에너지→전기 에너지

(4) (   ) 발전소: 원자의 핵에너지 → 수증기의 역학적 에너지→전기 에너지

03 소비 전력과 전력량에 대한 설명으로 옳은 것은 ○표, 옳지 않은 것은 ×표를 하시오.

(1) 소비 전력은 전기 기구가 1초 동안 소비하는 전기 에너지의 양이다. ( )

(2) 소비 전력의 단위로는 Wh(와트시)나 kWh(킬로와트시) 등을 사용한다. ( )

(3) 전기 기구가 1분 동안 1 J의 전기 에너지를 소비할 때의 전력은 1 W이다. ( )

(4) 전력량은 소비 전력과 사용 시간의 곱으로 구할 수 있다. ( )

04 220 V-50 W인 가전제품이 있다.

(1) 이 가전제품이 정상적으로 작동하기 위해 필요한 전압은 몇 V인지 쓰시오.

(2) 이 가전제품이 1초 동안 소비하는 전기 에너지는 몇 J인지 쓰시오.

(3) 이 가전제품을 2시간 동안 사용했을 때 전력량은 몇 Wh인지 쓰시오.

02 전기 에너지의 발생과 전환

B 에너지의 전환과 보존

1. 에너지의 종류

전기 에너지	전류가 흐를 때 공급되는 에너지
빛에너지	광원에서 나오는 빛이 가진 에너지
열에너지	온도가 높은 물체에서 낮은 물체로 이동하는 에너지
소리 에너지	물체의 진동으로 발생한 소리가 가진 에너지
화학 에너지	화학 결합에 의해 물질 속에 저장된 에너지
핵에너지	원자핵의 분열이나 융합 과정에서 나오는 에너지

2. 에너지의 전환

에너지는 한 형태에서 다른 형태로 바뀔 수 있다.

연료의 연소	광합성	건전지의 사용	모닥불
화학 에너지 → 빛에너지, 열에너지	빛에너지 → 화학 에너지	화학 에너지 → 전기 에너지	화학 에너지 → 빛에너지, 열에너지

3. 전기 에너지의 전환

전기 에너지는 빛에너지, 소리 에너지, 운동 에너지(역학적 에너지), 열에너지 등과 같은 다양한 형태의 에너지로 전환하여 사용한다.

전기 에너지의 전환	전기 에너지를 전환하여 사용하는 가전제품
전기 에너지 → 빛에너지	형광등, LED 전등
전기 에너지 → 빛에너지, 소리 에너지	텔레비전
전기 에너지 → 열에너지	전기난로, 전기주전자, 전기밥솥, 전기다리미
전기 에너지 → 운동 에너지(역학적 에너지)	선풍기, 세탁기, 진공청소기, 믹서기
전기 에너지 → 소리 에너지	스피커, 라디오, 오디오
전기 에너지 → 화학 에너지	배터리 충전기

4. 에너지 보존 법칙❸

에너지는 한 형태에서 다른 형태로 전환될 수 있으며, 이 과정에서 에너지는 새로 생기거나 소멸되지 않고 전체 에너지의 양은 일정하게 보존된다.

5. 전기 에너지의 이용

① 전기 에너지의 장점

- 전선을 이용하면 먼 곳까지 전달할 수 있다.
- 전지에 저장하여 필요할 때 사용할 수 있다.
- 다른 형태의 에너지로 쉽게 전환할 수 있다.

② 전기 에너지의 효율적인 이용: 전기 에너지를 이용하는 과정에서 버려지는 열에너지 등이 발생한다.

- 성능이 비슷하면 소비 전력이 더 작은 전기 기구를 선택한다.❹
- 대기전력*을 줄이기 위해 사용하지 않는 가전제품의 플러그를 콘센트에서 뽑아 둔다.

③ 에너지 소비 효율 등급: 제품이 에너지를 효율적으로 이용하는 정도를 1등급에서 5등급으로 구분하여 이를 표시한다. ➡ 1등급으로 갈수록 전기 에너지를 효율적으로 이용하는 가전제품이다.

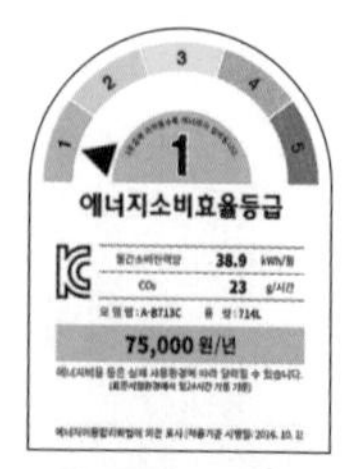

▲ 에너지 소비 효율 등급

---

❸ 역학적 에너지 보존 법칙과 에너지 보존 법칙

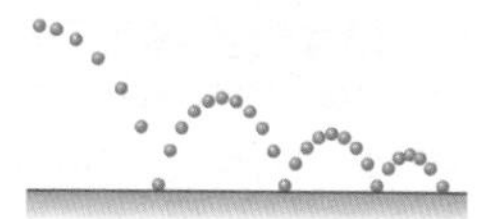

공기 저항이나 마찰이 있으면 물체의 역학적 에너지의 일부가 열에너지, 소리 에너지 등 다른 에너지로 전환되므로 역학적 에너지는 보존되지 않는다. 그러나 역학적 에너지가 다른 형태의 에너지로 전환되는 과정에서 전체 에너지의 양은 일정하게 보존되므로 에너지 보존 법칙은 항상 성립한다.

❹ 전등에서의 에너지 전환과 밝기가 같은 두 전등의 소비 전력 비교

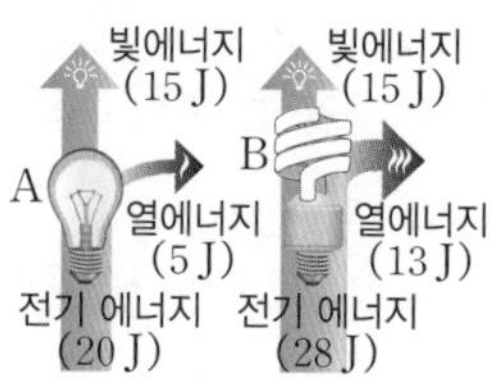

두 전등은 1초 동안 같은 양의 빛에너지를 방출하므로 밝기가 같다. 그러나 전등 A가 1초 동안 소비하는 전기 에너지는 $15\,J+5\,J=20\,J$이므로 소비 전력이 $20\,J/s=20\,W$이고, 전등 B가 1초 동안 소비하는 전기 에너지는 $15\,J+13\,J=28\,J$이므로 소비 전력이 $28\,J/s=28\,W$이다.

에너지 절약 마크

대기전력*이 작아서 에너지 절약 효과가 큰 가전제품에 표시한다.

용어 알기

- **대기전력** 가전제품을 실제로 사용하지 않는 대기 상태에서 소비되는 전력

★ 정답과 해설 047쪽

05 에너지에 대한 설명으로 옳은 것은 ○표, 옳지 않은 것은 ×표 하시오.

(1) 에너지는 여러 가지 형태로 존재한다. ( )

(2) 에너지는 한 형태에서 다른 형태로 바뀔 수 없다. ( )

(3) 에너지가 전환될 때 에너지가 새로 생기거나 소멸된다. ( )

(4) 에너지가 전환될 때 전체 에너지의 양은 일정하게 감소한다. ( )

06 에너지의 종류와 설명을 옳은 것끼리 연결하시오.

(1) 빛에너지 •　　• ㉠ 전류가 흐를 때 공급되는 에너지

(2) 열에너지 •　　• ㉡ 광원에서 나오는 빛이 가진 에너지

(3) 화학 에너지 •　　• ㉢ 온도가 높은 물체에서 낮은 물체로 이동하는 에너지

(4) 전기 에너지 •　　• ㉣ 물체의 진동으로 발생한 소리가 가진 에너지

(5) 소리 에너지 •　　• ㉤ 화학 결합에 의해 물질 속에 저장된 에너지

07 표는 여러 가지 현상과 관련된 에너지 전환을 나타낸 것이다. ( ) 안에 들어갈 알맞은 말을 쓰시오.

현상	에너지 전환
광합성	빛에너지 → (㉠) 에너지
모닥불	(㉡) 에너지 → 빛에너지, 열에너지
발전기	역학적 에너지 → (㉢) 에너지
건전지 사용	화학 에너지 → (㉣) 에너지
배터리 충전	전기 에너지 → (㉤) 에너지
기타 연주	역학적 에너지 → (㉥) 에너지
손뼉 치기	(㉦) 에너지 → 소리 에너지

08 가전제품과 가전제품에서 주로 이용하는 에너지를 옳은 것끼리 연결하시오.

(1) 전등 •　　• ㉠ 열에너지

(2) 전기다리미 •　　• ㉡ 빛에너지

(3) 선풍기 •　　• ㉢ 화학 에너지

(4) 오디오 •　　• ㉣ 소리 에너지

(5) 배터리 충전기 •　　• ㉤ 운동 에너지

09 전기 에너지에 대한 설명으로 옳은 것은 ○표, 옳지 않은 것은 ×표 하시오.

(1) 전기 에너지의 단위로는 N(뉴턴)을 사용한다. ( )

(2) 전지에는 전기 에너지를 열에너지의 형태로 저장한다. ( )

(3) 전선을 이용하면 전기 에너지를 먼 곳까지 전달할 수 있다. ( )

(4) 전기 에너지는 다른 형태의 에너지로 전환할 수 없다. ( )

(5) 전기 에너지를 이용하는 과정에서 버려지는 열에너지가 발생한다. ( )

(6) 소비 전력이 작은 가전제품이 전기 에너지를 적게 소비한다. ( )

(7) 대기전력을 줄이기 위해서는 사용하지 않는 가전제품의 플러그를 콘센트에서 꽂아 둔다. ( )

10 다음은 진공청소기를 작동할 때 관찰한 내용이다. ㉠~㉢에 들어갈 알맞은 에너지의 종류를 쓰시오.

> 진공청소기를 작동하면 ㉠ 전동기가 회전하면서 ㉡ 윙윙거리는 소리가 들리고, 오래 사용하면 진공청소기가 ㉢ 점점 따뜻해진다.

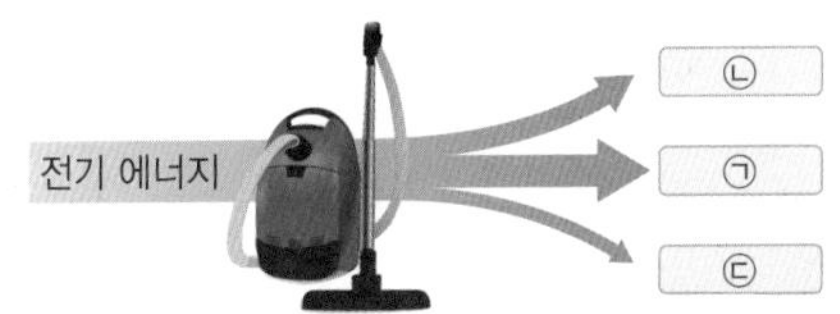

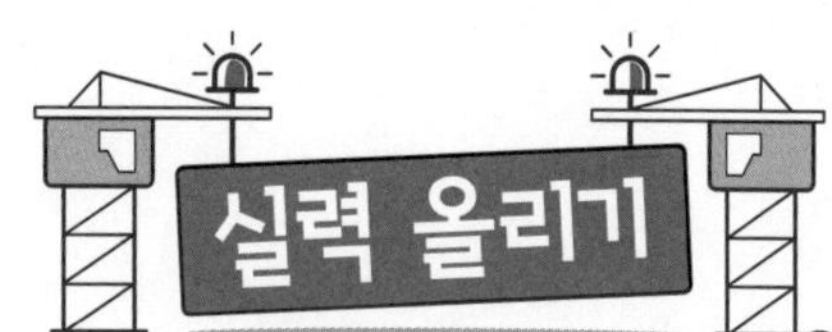

A 전기 에너지의 발생과 소비 전력

필수

01 그림은 발광 다이오드가 연결된 코일 주위에서 자석을 움직이는 모습을 나타낸 것이다. 이에 대한 설명으로 옳은 것만을 보기에서 모두 고른 것은?

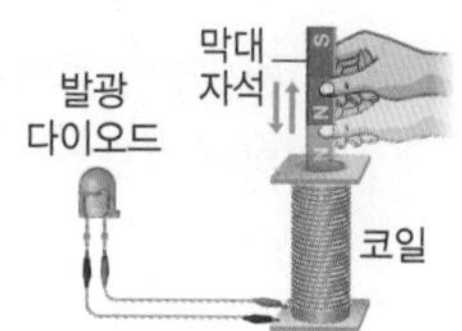

보기
ㄱ. 코일에 전류가 흐른다.
ㄴ. 발광 다이오드에 불이 켜진다.
ㄷ. 전기 에너지가 역학적 에너지로 전환된다.

① ㄱ ② ㄴ ③ ㄷ ④ ㄱ, ㄴ ⑤ ㄴ, ㄷ

서술형

02 그림과 같이 코일 주위에 자석이 정지해 있을 때 발광 다이오드에 불이 켜지지 않았다. 발광 다이오드에 불이 켜지게 하려면 어떻게 해야 하는지 서술하시오.

03 그림과 같은 손발전기에는 둘로 나누어진 원통형 자석 속에 코일이 들어 있다.

이에 대한 설명으로 옳은 것만을 보기에서 모두 고른 것은?

보기
ㄱ. 손잡이를 돌리면 자석 속의 코일이 회전한다.
ㄴ. 손잡이를 돌리는 동안 코일에 전류가 흐른다.
ㄷ. 손잡이를 돌리는 동안 손발전기에서 전기 에너지가 역학적 에너지로 전환된다.

① ㄱ ② ㄴ ③ ㄷ ④ ㄱ, ㄴ ⑤ ㄴ, ㄷ

04 그림은 플라스틱 관에 코일을 감고 발광 다이오드를 연결한 후 막대자석을 A 지점에서 가만히 놓았을 때 A 지점과 B 지점에서 막대자석의 역학적 에너지의 크기를 나타낸 것이다. A 지점에서 놓은 막대자석이 B 지점을 통과하는 순간까지 전기 에너지로 전환된 역학적 에너지는 몇 J인가? (단, 공기 저항과 모든 마찰은 무시한다.)

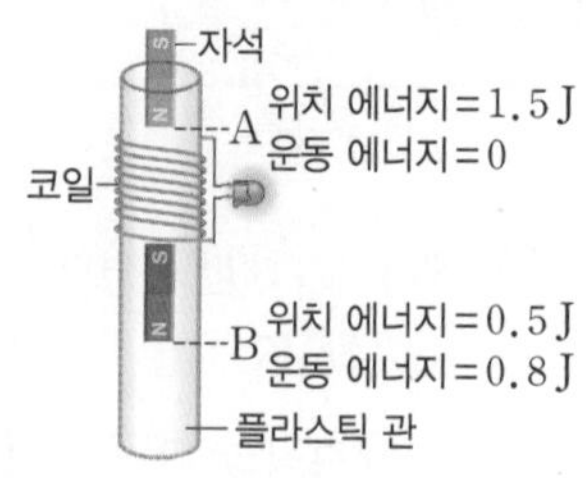

① 0.2 J ② 0.5 J ③ 0.8 J
④ 1.3 J ⑤ 1.5 J

필수

05 수력 발전소와 풍력 발전소에서 일어나는 에너지 전환 과정을 나타낸 것이다.

- 수력 발전소: 물의 (㉠) 에너지 → 전기 에너지
- 풍력 발전소: 바람의 (㉡) 에너지 → 전기 에너지

㉠, ㉡에 들어갈 알맞은 말을 옳게 짝 지은 것은?

	㉠	㉡		㉠	㉡
①	열	소리	②	소리	역학적
③	화학	역학적	④	역학적	화학
⑤	역학적	역학적			

서술형

06 그림은 천연가스, 석탄, 석유와 같은 연료를 태워서 전기를 생산하는 화력 발전소의 구조를 나타낸 것이다.

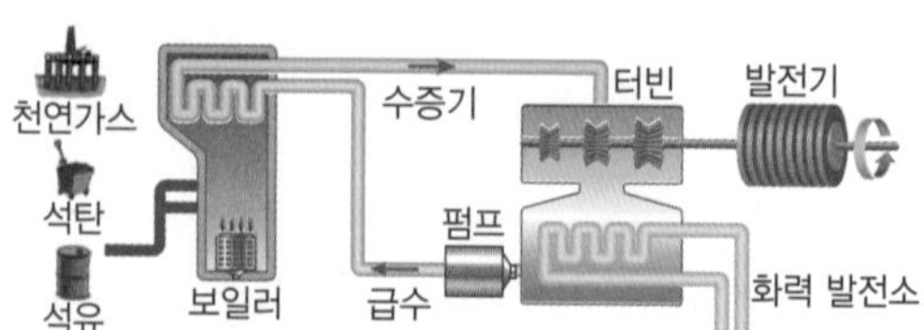

화력 발전소에서 일어나는 에너지 전환 과정을 서술하시오.

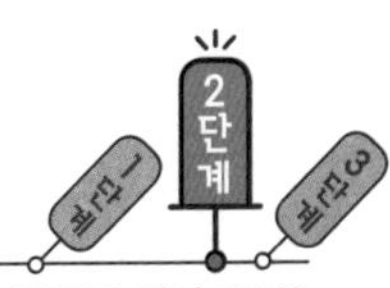

정답과 해설 047쪽

필수

07 어떤 전기 기구가 10초 동안 200 J의 전기 에너지를 사용하였다. 이 전기 기구의 소비 전력은 몇 W인가?

① 10 W ② 20 W ③ 100 W
④ 200 W ⑤ 1000 W

08 220 V−1500 W인 에어컨을 220 V 전원에 연결하였을 때 에어컨이 1초 동안 소비하는 전기 에너지는 몇 J인가?

① 150 J ② 220 J ③ 1500 J
④ 3000 J ⑤ 330000 J

필수

09 표와 같은 표시가 붙어 있는 가전제품을 220 V 전원에 연결하여 매일 5시간씩 30일 동안 사용했을 때의 전력량은 몇 Wh인가?

제품명	○○○○
정격 전압	220 V
소비 전력	60 W

① 5000 Wh ② 9000 Wh ③ 30000 Wh
④ 15000 Wh ⑤ 1100000 Wh

필수

10 소비 전력과 전력량에 대한 설명으로 옳지 않은 것은?

① 1초 동안 소비하는 전기 에너지의 양을 소비 전력이라고 한다.
② 전력량은 소비 전력과 사용 시간의 곱으로 구할 수 있다.
③ 전력량은 전기 기구가 1시간 동안 사용한 전기 에너지의 양이다.
④ 전력량의 단위로는 Wh(와트시)나 kWh(킬로와트시) 등을 사용한다.
⑤ 소비 전력이 큰 전기 기구일수록 같은 시간 동안 더 많은 전기 에너지를 소비한다.

11 표는 LED 전등에 붙어 있는 정격 전압과 소비 전력을 나타낸 것이다.

제품명	LED 전등
정격 전압	220 V
소비 전력	15 W

이에 대한 설명으로 옳은 것만을 보기에서 모두 고른 것은?

보기
ㄱ. 1시간마다 15 J의 전기 에너지를 소비한다.
ㄴ. 정상적으로 작동하기 위해 필요한 전압은 220 V이다.
ㄷ. 220 V 전원에 연결하여 2시간 동안 사용할 때의 전력량은 440 Wh이다.

① ㄱ ② ㄴ ③ ㄷ
④ ㄴ, ㄷ ⑤ ㄱ, ㄴ, ㄷ

B 에너지의 전환과 보존

12 전기 에너지를 주로 운동 에너지로 전환하여 이용하는 가전제품이 아닌 것은?

① 선풍기 ② 세탁기 ③ 믹서기
④ 전기밥솥 ⑤ 진공청소기

필수

13 표는 전기 에너지를 다른 형태의 에너지로 전환하여 이용하는 가전제품의 예이다.

에너지 전환	가전제품
전기 에너지 → (㉠)	형광등, LED 전등
전기 에너지 → (㉡)	전기난로, 전기다리미
전기 에너지 → (㉢)	선풍기, 세탁기
전기 에너지 → (㉣)	스피커, 오디오
전기 에너지 → (㉤)	배터리 충전기

㉠~㉤에 들어갈 알맞은 에너지의 종류를 쓰시오.

14 다음은 진공청소기를 사용할 때 관찰한 현상이다.

> 진공청소기의 전원을 켜면 전동기가 회전하면서 먼지를 빨아들이고, 이때 소리가 난다. 그리고 계속 사용하면 진공청소기가 점점 따뜻해진다.

이때 에너지 전환 과정으로 옳은 것은?

① 열에너지 → 전기 에너지
② 전기 에너지 → 운동 에너지+화학 에너지
③ 운동 에너지 → 전기 에너지+소리 에너지
④ 전기 에너지 → 운동 에너지+소리 에너지+열에너지
⑤ 열에너지 → 전기 에너지+운동 에너지+소리 에너지

서술형
15 그림은 높은 곳에서 공을 떨어뜨렸을 때의 모습을 나타낸 것이다.

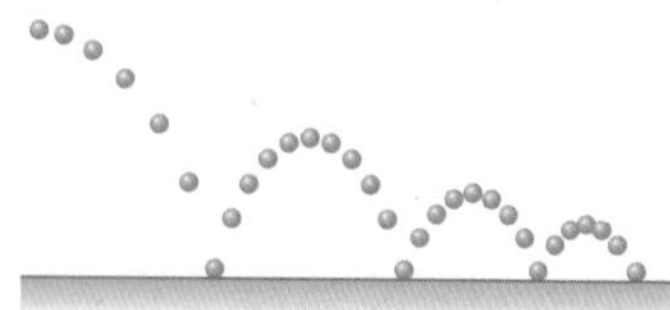

공이 바닥에서 튀어 오르는 높이가 점점 감소하는 까닭을 에너지 전환과 관련지어 서술하시오.

필수
16 에너지 전환과 보존에 대한 설명으로 옳은 것만을 보기에서 모두 고른 것은?

보기
ㄱ. 에너지는 한 형태에서 다른 형태로 바뀔 수 있다.
ㄴ. 에너지가 전환될 때 전체 에너지의 양은 감소한다.
ㄷ. 에너지가 전환될 때 에너지가 새로 생기거나 소멸될 수 있다.

① ㄱ ② ㄴ ③ ㄷ
④ ㄱ, ㄴ ⑤ ㄴ, ㄷ

17 전기 에너지의 장점으로 옳은 것을 보기에서 모두 고른 것은?

보기
ㄱ. 전선을 이용하면 먼 곳까지 전달할 수 있다.
ㄴ. 전지에 저장하여 필요할 때 사용할 수 있다.
ㄷ. 다른 형태의 에너지로 전환하기는 비교적 힘들다.
ㄹ. 열에너지의 발생 없이 이용하려는 에너지로 모두 전환할 수 있다.

① ㄱ, ㄴ ② ㄱ, ㄹ ③ ㄷ, ㄹ
④ ㄱ, ㄴ, ㄷ ⑤ ㄴ, ㄷ, ㄹ

신유형
18 그림은 가전제품에 붙이는 에너지 효율 관련 표시이다.

(가)

(나)

이에 대한 설명으로 옳은 것만을 보기에서 모두 고른 것은?

보기
ㄱ. (가)는 대기전력이 큰 가전제품에 표시한다.
ㄴ. (나)는 가전제품이 전기 에너지를 효율적으로 이용하는 정도를 표시한다.
ㄷ. (나)는 5등급으로 갈수록 전기 에너지를 효율적으로 이용하는 가전제품이다.

① ㄱ ② ㄴ ③ ㄷ
④ ㄱ, ㄴ ⑤ ㄱ, ㄴ, ㄷ

필수
19 가정에서 전기 에너지를 절약하는 방법으로 옳지 않은 것은?

① 냉장고의 문을 자주 여닫지 않는다.
② 사용하지 않는 조명도 항상 켜 놓는다.
③ 냉방기나 난방기는 적정 온도를 유지한다.
④ 조명 장치를 주기적으로 청소하여 밝게 사용한다.
⑤ 젖은 머리카락은 주로 선풍기를 이용하여 말리고, 헤어드라이어는 급할 때만 사용한다.

★ 정답과 해설 049쪽

필수

01 그림 (가)는 코일 근처에서 자석을 가까이 하거나 멀리 할 때의 모습을, (나)는 코일 근처에서 자석을 움직이지 않을 때의 모습을 나타낸 것이다.

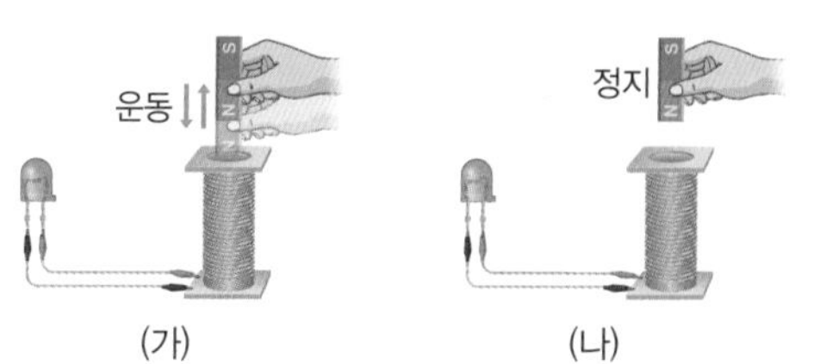

이에 대한 설명으로 옳은 것만을 보기에서 모두 고른 것은?

보기
ㄱ. (가)는 발광 다이오드에 불이 켜진다.
ㄴ. (나)는 코일에 전류가 흐르지 않는다.
ㄷ. (나)는 자석의 역학적 에너지가 감소한다.
ㄹ. (가)는 전기 에너지가 자석의 역학적 에너지로 전환된다.

① ㄱ, ㄴ ② ㄱ, ㄹ ③ ㄷ, ㄹ
④ ㄱ, ㄴ, ㄷ ⑤ ㄴ, ㄷ, ㄹ

신유형

02 그림은 두 전등 A와 B가 각각 1초 동안 소비하거나 방출하는 에너지의 양을 나타낸 것이다.

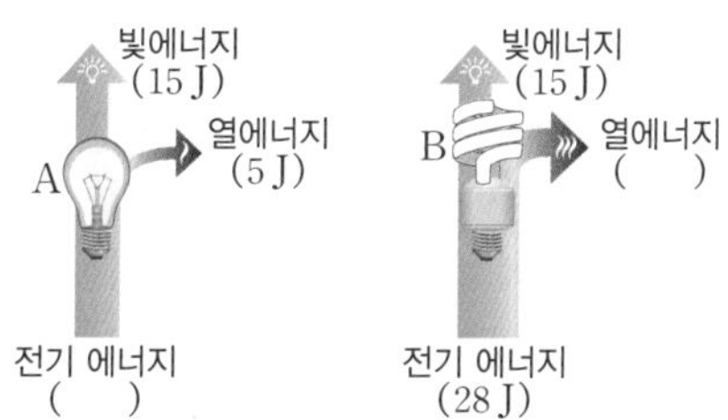

두 전등에 대한 설명으로 옳지 않은 것은?

① 두 전등의 밝기는 같다.
② A의 소비 전력은 15 W이다.
③ B는 A보다 소비 전력이 크다.
④ B에서 발생하는 열에너지는 13 J이다.
⑤ A는 1초마다 20 J의 전기 에너지를 소비한다.

필수

03 표는 여러 가지 가전제품의 소비 전력을 나타낸 것이다.

가전제품	A	B	C
소비 전력(W)	50	1000	10

A~C에 대한 설명으로 옳은 것을 모두 고르면? (2개)

① A는 1초마다 50 J의 전기 에너지를 소비한다.
② C를 10시간 동안 사용할 때의 전력량은 100 Wh이다.
③ 전력량은 가전제품이 1초 동안 소비하는 전기 에너지의 양이다.
④ 같은 시간 동안 사용할 때 B가 전기 에너지를 가장 적게 소비한다.
⑤ 소비 전력은 가전제품이 1분 동안 사용한 전기 에너지의 양이다.

신유형

04 그림은 선풍기를 사용할 때 에너지가 전환되는 과정을 나타낸 것이다.

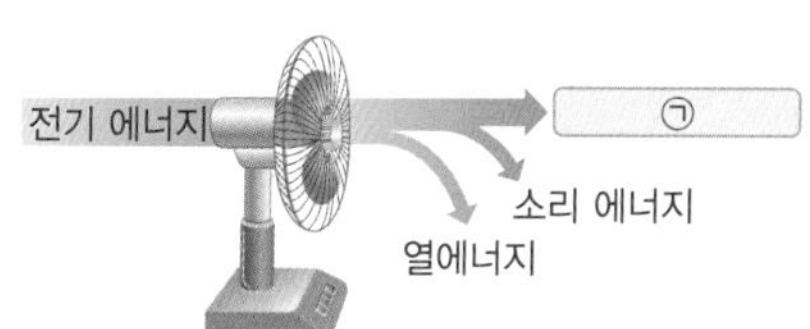

이에 대한 설명으로 옳은 것만을 보기에서 모두 고른 것은?

보기
ㄱ. ㉠은 운동 에너지이다.
ㄴ. 전기 에너지가 다른 형태의 에너지로 전환될 때 에너지가 새로 생긴다.
ㄷ. ㉠, 소리 에너지, 열에너지를 합한 양은 소비되는 전기 에너지의 양보다 많다.

① ㄱ ② ㄴ ③ ㄱ, ㄴ
④ ㄱ, ㄷ ⑤ ㄴ, ㄷ

대단원 완성하기

점수 표시가 없는 문제는 모두 3점입니다.

제한시간: 45분

01 역학적 에너지에 대한 설명으로 옳은 것만을 보기에서 모두 고른 것은?

보기
ㄱ. 물체가 가진 운동 에너지와 열에너지의 합이다.
ㄴ. 물체가 자유 낙하 하면 역학적 에너지가 증가한다.
ㄷ. 운동하는 물체의 높이가 높아지면 운동 에너지가 위치 에너지로 전환된다.

① ㄱ ② ㄴ ③ ㄷ
④ ㄱ, ㄴ ⑤ ㄴ, ㄷ

02 그림은 공을 연직 위로 던져 올린 모습을 나타낸 것이다. 공이 위로 올라가는 동안 공의 에너지에 대한 설명으로 옳은 것만을 보기에서 모두 고른 것은?

보기
ㄱ. 운동 에너지가 위치 에너지로 전환된다.
ㄴ. 위치 에너지는 감소하고, 운동 에너지는 증가한다.
ㄷ. 최고점에 도달하는 순간 물체의 운동 에너지는 최대가 된다.

① ㄱ ② ㄷ ③ ㄱ, ㄴ
④ ㄴ, ㄷ ⑤ ㄱ, ㄴ, ㄷ

03 그림은 A 지점에서 가만히 놓은 진자가 B 지점까지 갔다가 다시 A 지점으로 되돌아오는 운동을 나타낸 것이다. 진자의 위치 에너지가 운동 에너지로 전환되는 구간을 모두 고르면? (정답 2개)

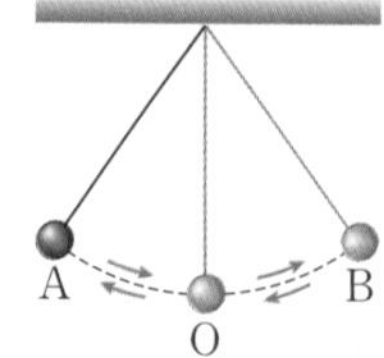

① AB 구간 ② AO 구간 ③ BO 구간
④ OA 구간 ⑤ OB 구간

04 롤러코스터의 운동과 에너지에 대한 설명으로 옳은 것은?

① 위로 올라가는 동안 운동 에너지가 증가한다.
② 위로 올라가는 동안 위치 에너지가 감소한다.
③ 아래로 내려오는 동안 운동 에너지가 증가한다.
④ 아래로 내려오는 동안 운동 에너지가 위치 에너지로 전환된다.
⑤ 운동 에너지가 위치 에너지로 전환되는 동안 속력이 점점 빨라진다.

05 그림과 같이 어떤 물체가 자유 낙하 할 때 물체의 낙하 거리(h)와 운동 에너지(E_k)의 관계 그래프로 옳은 것은? (단, 공기 저항은 무시한다.)

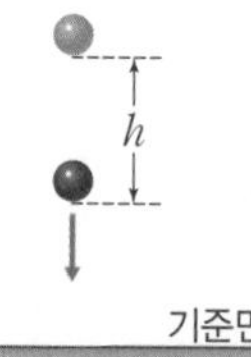

① E_k–h 그래프

②
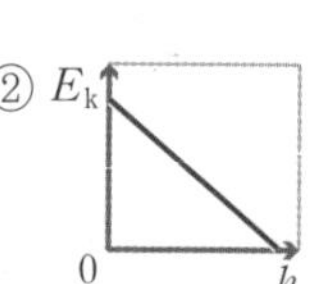

③
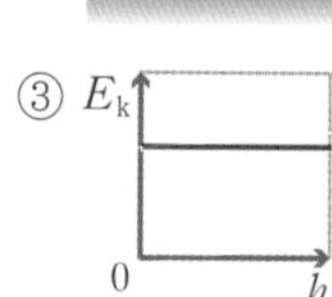

④ E_k–h 그래프

⑤
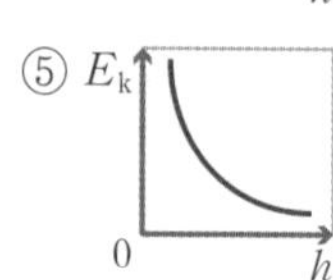

06 그림과 같이 기준면으로부터 높이가 h인 A 지점에서 질량이 m인 물체가 자유 낙하 하였다. 다음의 여러 가지 에너지 중 크기가 다른 하나는? (단, 공기 저항은 무시한다.)

① 기준면에서 운동 에너지
② A 지점에서 위치 에너지
③ B 지점에서 운동 에너지
④ 기준면에서 역학적 에너지
⑤ A 지점에서 역학적 에너지

★ 정답과 해설 049쪽

07 그림과 같이 지면으로부터 2 m 높이에서 어떤 물체가 자유 낙하 하였다. 이 물체가 지면으로부터 높이가 1 m인 지점을 지날 때 위치 에너지와 운동 에너지의 비는 얼마인가? (단, 공기 저항은 무시한다.)

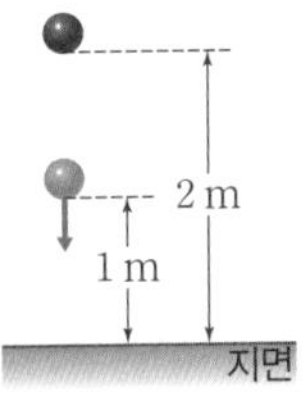

① 1 : 1　② 1 : 2　③ 1 : 4
④ 2 : 1　⑤ 4 : 1

08 그림과 같이 연직 위로 9.8 m/s의 속력으로 던져 올린 물체는 손을 떠난 지점을 기준면으로 할 때 몇 m 높이까지 올라가는지 쓰시오. (단, 공기 저항은 무시한다.)

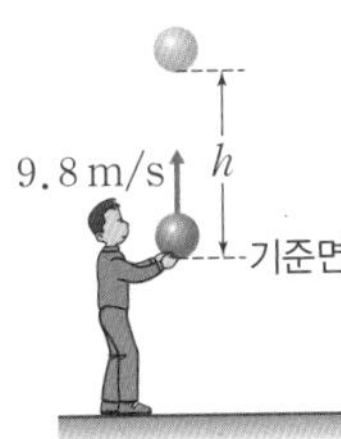

09 그림과 같이 질량이 0.2 kg인 물체를 연직 위로 v의 속력으로 던져 올렸다. 손을 떠난 지점을 기준면으로 할 때 물체가 2.5 m 높이까지 올라갔다면 물체의 속력 v는 몇 m/s인가? (단, 공기 저항은 무시한다.) (4점)

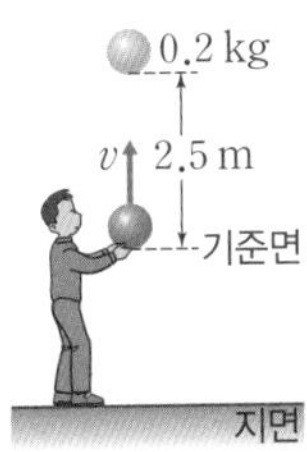

① 1 m/s　② 3 m/s　③ 4.9 m/s
④ 7 m/s　⑤ 9.8 m/s

10 그림은 비스듬히 던져 올린 물체가 운동하는 모습을 나타낸 것이다. 이에 대한 설명으로 옳지 않은 것은? (단, 공기 저항은 무시한다.)

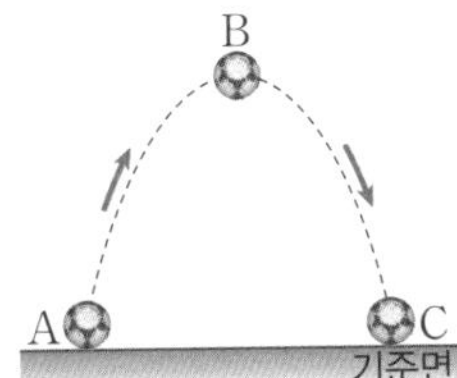

① B 지점에서 운동 에너지가 최소이다.
② B 지점에서 위치 에너지가 최대이다.
③ B와 C 지점에서 역학적 에너지는 같다.
④ A와 C 지점에서 운동 에너지가 최대이다.
⑤ A 지점에서의 운동 에너지는 B 지점에서의 위치 에너지와 같다.

11 그림과 같이 A 지점에서 가만히 놓은 쇠구슬이 경사면을 따라 운동하였다.

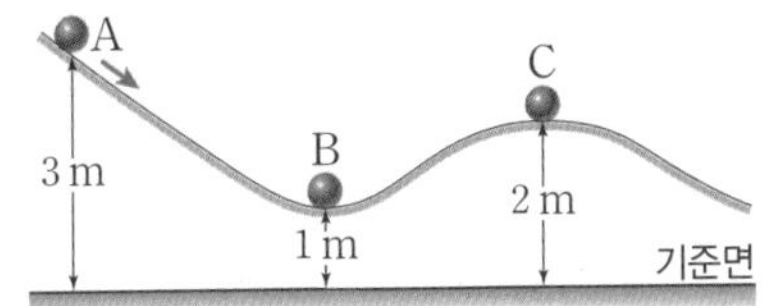

B 지점과 C 지점에서 쇠구슬의 운동 에너지의 비(E_{kB} : E_{kC})는? (단, 공기 저항과 모든 마찰은 무시한다.)

① 1 : 1　② 1 : 2　③ 2 : 1
④ 2 : 3　⑤ 3 : 2

12 그림과 같이 발광 다이오드를 연결한 코일에 자석을 가까이 하거나 멀리 하였다. 이에 대한 설명으로 옳은 것만을 보기에서 모두 고른 것은?

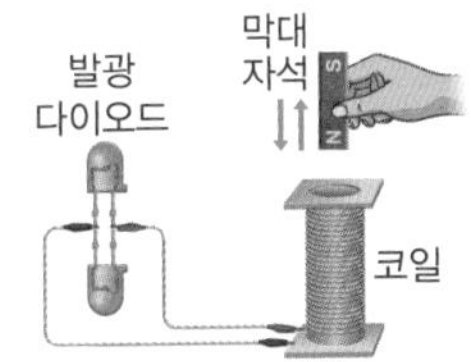

보기
ㄱ. 코일에 자석을 가까이 하면 발광 다이오드에 불이 켜진다.
ㄴ. 코일에서 자석을 멀리 하면 발광 다이오드에 불이 켜지지 않는다.
ㄷ. 코일 속에 자석을 넣고 가만히 있으면 전류가 가장 세게 흐른다.

① ㄱ　② ㄴ　③ ㄷ
④ ㄱ, ㄷ　⑤ ㄴ, ㄷ

13 그림과 같이 자석 사이에서 코일을 회전시켰더니 전구에 불이 켜졌다.

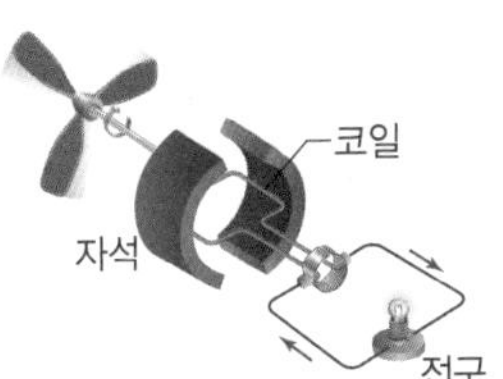

이와 같이 역학적 에너지를 전기 에너지로 전환하는 장치를 무엇이라고 하는지 쓰시오.

14 다음은 화력 발전소에서 일어나는 에너지 전환 과정을 나타낸 것이다.

> 연료의 (㉠) 에너지 → 수증기의 (㉡) 에너지 → (㉢) 에너지

㉠~㉢에 들어갈 알맞은 말을 옳게 짝 지은 것은?

	㉠	㉡	㉢
①	화학	역학적	전기
②	화학	전기	역학적
③	전기	화학	역학적
④	역학적	화학	전기
⑤	역학적	전기	화학

15 소비 전력에 대한 설명으로 옳은 것만을 보기에서 모두 고른 것은?

보기

ㄱ. 단위로는 Wh(와트시), kWh(킬로와트시) 등을 사용한다.
ㄴ. 전기 기구가 1초 동안 소비하는 전기 에너지의 양이다.
ㄷ. 전기 기구가 1분 동안 1 J의 전기 에너지를 소비할 때의 전력은 1 W이다.

① ㄱ ② ㄴ ③ ㄷ
④ ㄱ, ㄷ ⑤ ㄱ, ㄴ, ㄷ

16 어떤 전기 기구를 1시간 사용했을 때 소비한 전기 에너지가 720000 J이었다. 이 전기 기구의 소비 전력은 몇 W인가? (4점)

① 36 W ② 72 W ③ 100W
④ 200 W ⑤ 720 W

17 표와 같은 표시가 붙어 있는 가전제품을 220 V 전원에 연결하여 매일 2시간씩 30일 동안 사용했을 때의 전력량은 몇 kWh인지 쓰시오. (4점)

제품명	○○○○
정격 전압	220 V
소비 전력	50 W

18 다음에서 설명하는 에너지의 종류는?

> • 화학 결합에 의해 물질 속에 저장된 에너지이다.
> • 모닥불이 탈 때 이 에너지가 빛에너지와 열에너지 등으로 전환된다.

① 빛에너지 ② 열에너지 ③ 화학 에너지
④ 소리 에너지 ⑤ 전기 에너지

19 다음과 같은 가전제품을 전원에 연결하였을 때 우리가 이용하는 에너지 전환으로 옳은 것은?

> • 전기난로 • 전기밥솥
> • 전기다리미 • 전기주전자

① 전기 에너지 → 빛에너지
② 전기 에너지 → 열에너지
③ 전기 에너지 → 운동 에너지
④ 전기 에너지 → 소리 에너지
⑤ 전기 에너지 → 화학 에너지

20 전기 에너지에 대한 설명으로 옳지 않은 것은?

① 전류가 흐를 때 공급되는 에너지이다.
② 전기 에너지의 단위로는 J(줄)을 사용한다.
③ 전지에 열에너지의 형태로 저장할 수 있다.
④ 전선을 이용하면 먼 곳까지 전달할 수 있다.
⑤ 다른 형태의 에너지로 전환하기가 비교적 쉽다.

21 다음에서 설명하는 것은?

> • 제품이 에너지를 효율적으로 이용하는 정도를 1등급에서 5등급으로 구분하여 이를 표시한다.
> • 1등급으로 갈수록 전기 에너지를 효율적으로 이용하는 가전제품이다.

① 에너지 효율 ② 에너지 절약 표시
③ 에너지 전환 등급 ④ 가전제품 소비 등급
⑤ 에너지 소비 효율 등급

정답과 해설 050쪽

서/술/형/문/제

22 그림은 연직 위로 던져 올린 공의 운동을 나타낸 것이다. (단, 공기 저항은 무시한다.)

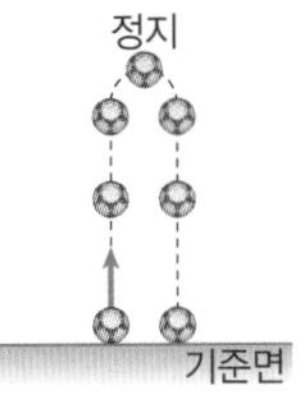

(1) 공이 최고점까지 올라가는 동안 역학적 에너지 전환을 서술하시오. (4점)

(2) 공이 최고점에서 기준면까지 내려오는 동안 역학적 에너지 전환을 서술하시오. (4점)

23 그림은 A 지점과 B 지점 사이를 왕복 운동 하는 진자의 모습을 나타낸 것이다. (단, 공기 저항과 모든 마찰은 무시한다.)

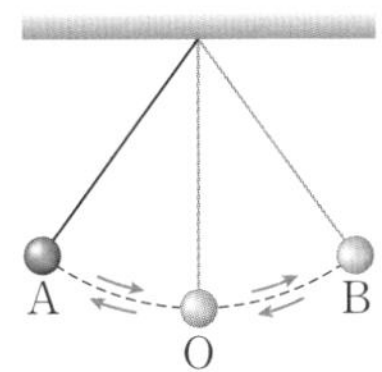

(1) AO 구간과 BO 구간에서 진자의 역학적 에너지 전환을 서술하시오. (4점)

(2) OA 구간과 OB 구간에서 진자의 역학적 에너지 전환을 서술하시오. (4점)

24 그림과 같이 지면으로부터 같은 높이에서 같은 속력으로 공 A는 연직 위로 던져 올리고, 공 B는 연직 아래로 던졌다. 지면에 도달했을 때 A와 B 중 운동 에너지가 큰 공을 쓰고, 그 까닭을 서술하시오. (단, 두 공의 질량은 같고, 공기 저항은 무시한다.) (5점)

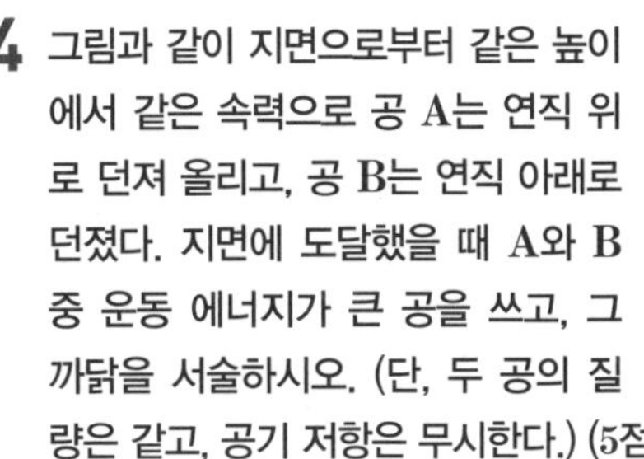

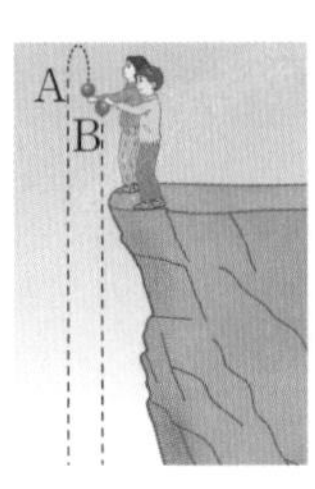

25 그림 (가)와 같이 플라스틱 관에 코일을 감은 후 발광 다이오드를 연결하고, 플라스틱 관 속에 자석을 넣어 간이 발전기를 만들었다.

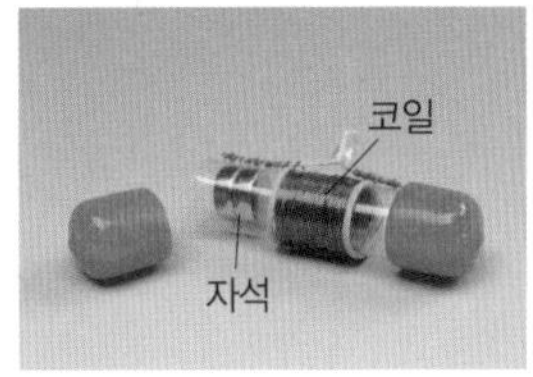

(가)

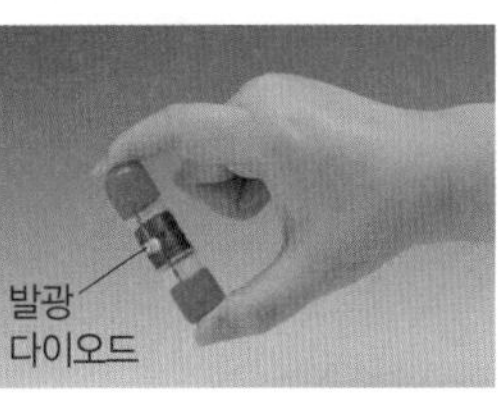

(나)

그림 (나)와 같이 간이 발전기를 흔들 때 발광 다이오드에 불이 켜지는 까닭을 간이 발전기에서 일어나는 에너지 전환과 관련지어 서술하시오. (5점)

26 표와 같이 표시된 전기난로를 220 V 전원에 연결하였다.

제품명	전기난로
정격 전압	220 V
소비 전력	500 W

(1) 전기난로를 8시간 동안 사용할 때의 전력량은 몇 kWh인지 쓰시오. (4점)

(2) 전기난로로 주위를 따뜻하게 할 때 전기난로에서 일어나는 에너지 전환을 서술하시오. (4점)

VII

별과 우주

01 별

02 은하와 우주

배울 내용이 쉬워지는 용어

배울 용어를 읽어보고, 이해가 되었으면 ✔ 표시를 해 봅시다.

- ☐ **시차** 관측자의 위치 변화에 따라 가까운 물체의 위치가 먼 배경에 대해 다르게 보이는 각도

- ☐ **연주 시차** 6개월 간격으로 관측하여 측정한 별의 시차의 $\frac{1}{2}$
- ☐ **겉보기 등급** 우리 눈에 보이는 별의 밝기 등급
- ☐ **절대 등급** 지구로부터 $10\ \mathrm{pc}$ 거리에 있다고 가정했을 때의 별의 밝기 등급

- ☐ **은하수** 밤하늘을 가로지르며 띠 모양으로 뿌옇게 보이는 별들의 집단

- ☐ **우리은하** 태양계가 속해 있는 은하
- ☐ **성단** 수많은 별들이 무리를 이루고 있는 집단
- ☐ **성운** 별과 별 사이에 분포하는 가스나 티끌이 모여 구름처럼 보이는 천체

- ☐ **외부 은하** 우리은하 밖의 모든 은하로, 모양에 따라 타원 은하, 정상 나선 은하, 막대 나선 은하, 불규칙 은하로 분류
- ☐ **빅뱅(대폭발) 우주론** 약 138억 년 전 우주가 한 점에서 대폭발로 탄생한 후 계속 팽창하여 현재의 우주가 만들어졌다는 이론

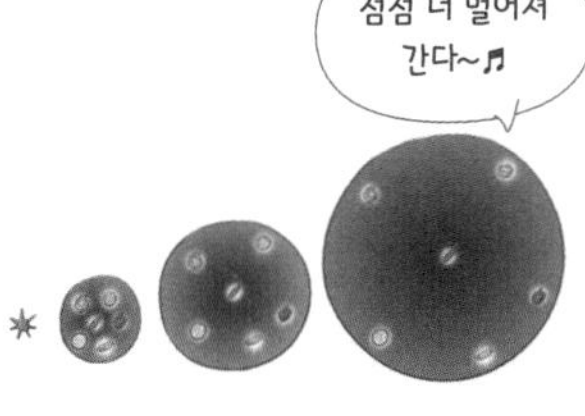

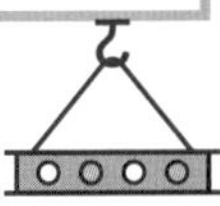

Ⅶ. 별과 우주

별

물음으로 흐름잡기

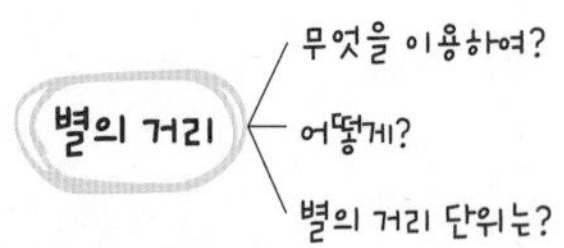

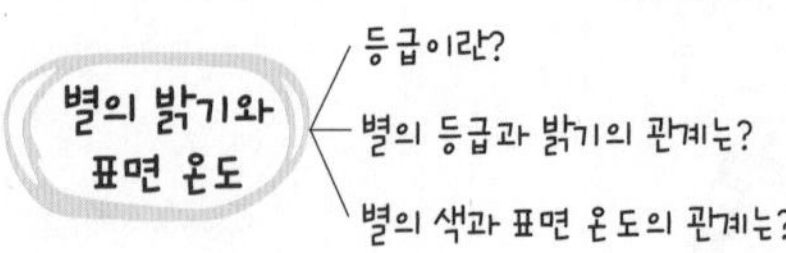

A 별의 시차와 거리

탐구 공략하기 174쪽

1. 시차

① 시차: 관측자의 위치 변화에 따라 가까운 물체의 위치가 먼 배경에 대해 다르게 보이는 각도

② 물체까지의 거리와 시차: 관측자와 물체 사이의 거리가 멀수록 시차는 작아진다.

③ 관측자의 위치 변화와 시차: 관측자의 위치 변화가 클수록 시차는 커진다. 같은 별을 관측할 때 지구보다 화성에서 측정한 별의 시차가 더 크다.

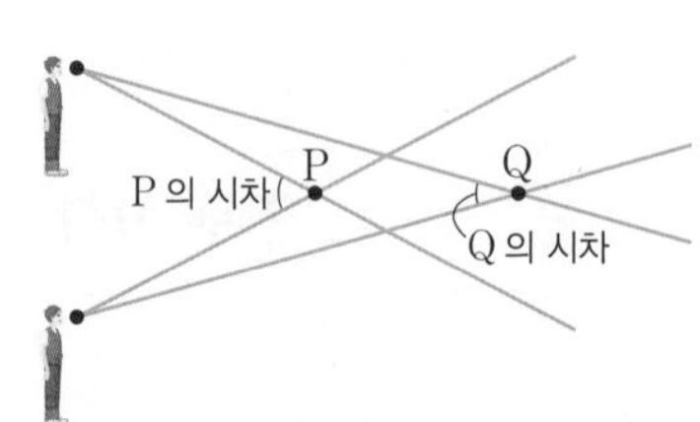

▲ **시차** 가까이 있는 물체 P의 시차는 멀리 있는 물체 Q의 시차보다 크다.

2. 연주 시차❶

지구에서 비교적 가까운 거리에 있는 별을 6개월 간격으로 관측할 때 이 별이 배경별에 대해 이동해 간 각(시차)의 $\frac{1}{2}$

① 별 S의 연주 시차(p): 지구에 가까이 위치한 별 S의 시차는 ∠ASB이고, 연주 시차는 $\frac{1}{2}$∠ASB이다.

② 연주 시차가 나타나는 까닭: 지구가 공전•하기 때문에 나타난다.

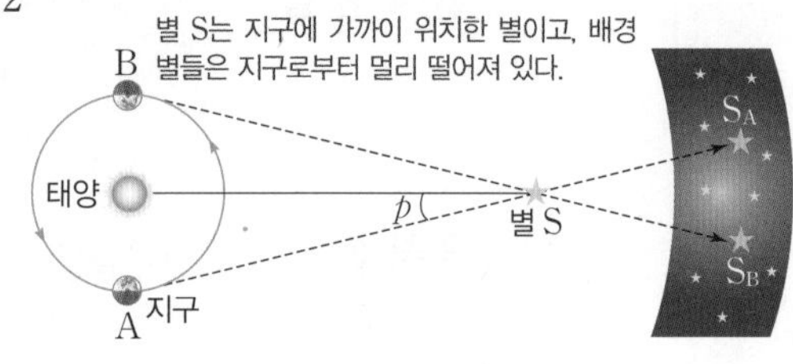

③ 연주 시차의 단위: ″(초) 1°(도)=60′(분)=3600″(초)

④ 연주 시차와 별까지의 거리❷: 지구에서 별까지의 거리가 멀어질수록 그 별의 연주 시차는 작아진다. ➡ 연주 시차와 별까지의 거리는 반비례한다.

$$\text{별의 거리(pc)}^{❸} = \frac{1}{\text{연주 시차(″)}}$$

교과서 탐구 연주 시차를 이용한 별의 거리 측정

▶ **과정** 6개월 간격으로 관측한 별의 상대적인 위치 변화를 알아본다.

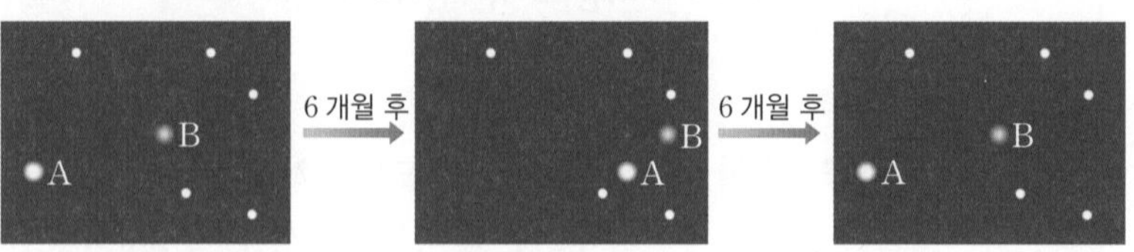

▶ **결과** ❶ 6개월 후 별 A와 별 B는 나머지 별들에 대해 상대적인 위치가 변하였다.
❷ 별 A와 별 B는 1년 후 제자리로 돌아왔다. 지구가 1년을 주기로 공전하기 때문

▶ **해석** ① 6개월 동안 상대적인 위치가 변한 별 A와 별 B는 지구로부터 가까운 거리에 있는 별이고, 나머지 별들은 거리가 먼 별들이다. 6개월 동안 이동한 각거리는 시차이고, 시차의 $\frac{1}{2}$은 연주 시차이다.
② 연주 시차는 별 A가 별 B보다 크다. ➡ 별 A는 별 B보다 지구로부터의 거리가 가깝다.

---

❶ **별 A, B의 연주 시차**

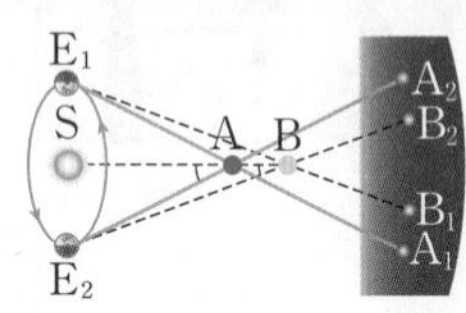

- 별 A: $\angle E_2AS$
- 별 B: $\angle E_2BS$

❷ **연주 시차로 측정할 수 있는 별의 거리**

지구에서 가장 가까운 별인 프록시마 센타우리의 연주 시차도 0.76″로 매우 작아서 측정하기 어렵다. 따라서 연주 시차를 이용해서 별의 거리를 알아내는 것은 비교적 가까운 거리에 있는 별만 가능하다.

❸ **천체까지의 거리를 나타내는 단위**

- 1 AU(천문단위): 지구에서 태양까지의 평균 거리
  ➡ 1 AU≒1.5×10^8 km
- 1 LY(광년): 빛이 1년 동안 이동한 거리
  ➡ 1 LY≒9.5×10^{12} km
- 1 pc(파섹): 연주 시차가 1″인 별까지의 거리
  ➡ 1 pc≒3.26광년
  ≒206265 AU
  ≒3.0×10^{13} km

용어 알기

• **공전** 한 천체가 다른 천체의 둘레를 주기적으로 도는 운동

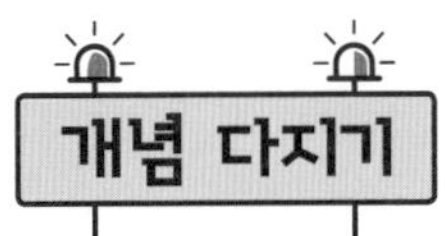

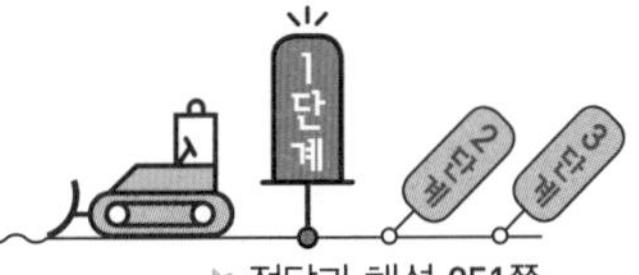

★ 정답과 해설 051쪽

01 시차에 대한 설명으로 옳은 것은 ○표, 옳지 않은 것은 ×표를 하시오.

(1) 관측자와 가까이 있는 물체일수록 시차가 작다. ( )

(2) 동일한 물체를 관측하는 관측자의 위치 변화가 클수록 물체의 시차는 크다. ( )

(3) 시차가 생기는 까닭은 주변 배경이 움직이기 때문이다. ( )

(4) 시차는 물체를 관측하는 관측자의 위치가 달라져서 생기는 현상이다. ( )

02 다음 ㉠, ㉡에 들어갈 알맞은 말을 쓰시오.

> 관측자의 위치가 바뀌면 가까이 있는 물체가 주변 배경을 기준으로 보이는 방향이 달라지는데, 이때 생기는 각도 차이를 (㉠)(이)라고 한다. 이 값은 물체까지의 거리에 (㉡)하므로, 물체의 거리를 구하는 데 이용된다.

03 별의 연주 시차를 측정하여 알 수 있는 별에 관한 정보를 쓰시오.

04 연주 시차에 대한 설명으로 옳은 것은 ○표, 옳지 않은 것은 ×표를 하시오.

(1) 연주 시차는 6개월 간격으로 별을 관측했을 때 배경별을 기준으로 이동한 각이다. ( )

(2) 연주 시차는 지구에 가까운 별일수록 작고, 먼 별일수록 크다. ( )

(3) 별까지의 거리(pc)는 $\frac{1}{\text{연주 시차}('')}$ 이다. ( )

(4) 연주 시차가 0.1″인 별까지의 거리는 10 pc이다. ( )

(5) 연주 시차는 지구의 공전 때문에 나타나는 현상이다. ( )

05 그림은 지구에 가까이 있는 별 S가 배경별에 대해 이동한 것처럼 보이는 현상을 나타낸 것이다.

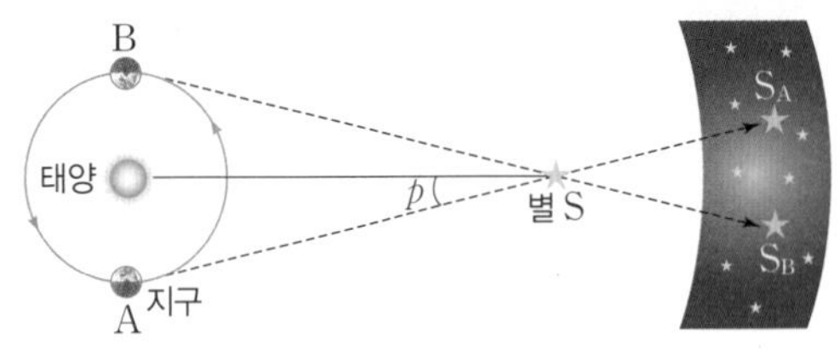

(1) ∠ASB의 $\frac{1}{2}$인 p를 무엇이라고 하는지 쓰시오.

(2) p가 0.01″라면 별 S까지의 거리는 몇 pc인지 쓰시오.

(3) 만일 별 S의 거리가 멀어진다면 p는 어떻게 변하는지 쓰시오.

06 그림은 6개월 간격으로 관측한 모습을 나타낸 것이다.

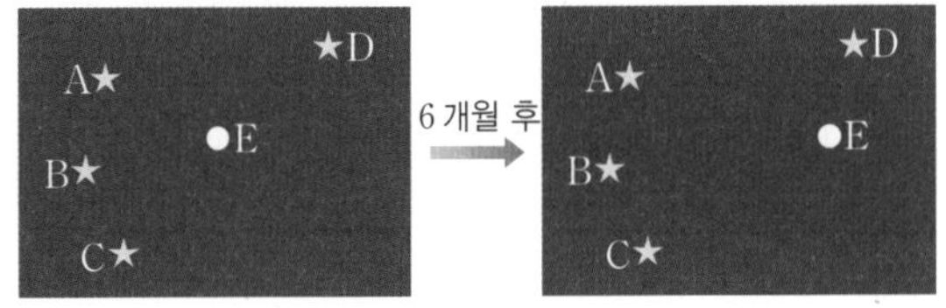

6개월 동안 별 E가 별 A~D에 대해 상대적으로 이동한 각도가 0.1″라면 지구로부터 별 E까지의 거리는 몇 pc인지 쓰시오.

07 다음 ㉠~㉢에 들어갈 알맞은 말을 쓰시오.

> 연주 시차가 0.5″인 별까지의 거리는 (㉠) pc이다. 또 1 pc≒(㉡)광년이므로, 이 별까지의 거리는 (㉢)광년이다.

08 천체의 거리를 나타내는 다음 단위들이 의미하는 것을 옳게 연결하시오.

(1) 1 pc •	• ㉠ 빛이 1년 동안 이동한 거리
(2) 1 LY •	• ㉡ 지구에서 태양까지의 평균 거리
(3) 1 AU •	• ㉢ 연주 시차가 1″(초)인 별까지의 거리

01 별

B 별의 밝기와 등급

❹ 물체의 거리와 밝기

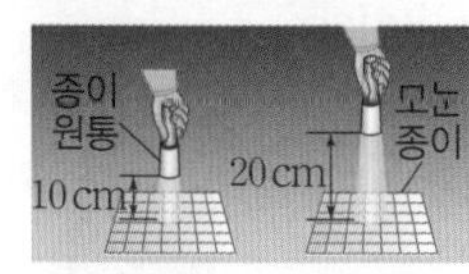

(가) (나)

그림 (가), (나)와 같이 손전등에서 10 cm, 20 cm 되는 거리에 모눈종이를 놓고 빛을 비추어 보면 빛을 받는 면적은 (나)가 (가)보다 4배 넓다. 따라서 하나의 모눈이 받는 빛의 양은 (가)가 (나)보다 4배 많다.

1. 별의 거리와 밝기❹ 별의 거리가 멀수록 관측되는 별의 밝기는 어두워진다.

- 별까지의 거리가 2배, 3배, …가 되면 별빛을 받는 넓이는 2^2배, 3^2배, …로 넓어지고, 같은 넓이에서 받는 빛의 양은 $\frac{1}{2^2}$배, $\frac{1}{3^2}$배, …로 줄어든다.
- 별의 밝기는 별까지의 거리의 제곱에 반비례한다.

$$\text{별의 밝기} \propto \frac{1}{(\text{별까지의 거리})^2}$$

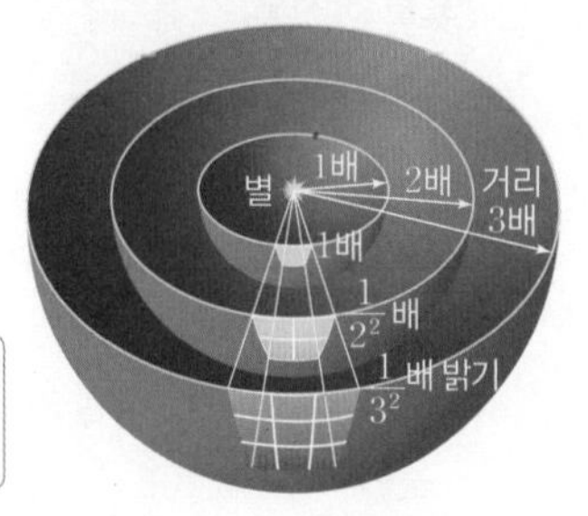

2. 별의 등급* 별의 밝기는 등급으로 표시하는데, 그리스의 천문학자 히파르코스는 가장 밝게 보이는 별을 1등급, 간신히 보이는 어두운 별을 6등급으로 정하고, 그 사이의 별들은 차례로 2등급, 3등급, …으로 나타내었다. 따라서 등급이 작을수록 밝은 별이다.

① 별의 밝기와 등급: 1등급은 6등급보다 약 100배 더 밝다. ➡ 1등급과 6등급은 5등급 차이가 나므로 각 등급 간에는 약 2.5배 밝기 차이가 난다.❺ 별의 등급을 보다 자세히 나타낼 때는 3.7등급, 5.4등급과 같이 소수로 표시한다.

등급 차	1	2	3	4	5
밝기 비(배)	2.5	6.3($\fallingdotseq 2.5^2$)	16($\fallingdotseq 2.5^3$)	40($\fallingdotseq 2.5^4$)	100($\fallingdotseq 2.5^5$)

$\text{별의 밝기 비} = 2.5^{\text{등급 차}}$ 예 8등급 차이는 $2.5^8 = 2.5^3 \times 2.5^5 = 16 \times 100 = 1600$배 밝기 차이가 난다.

❺ 등급에 따른 별의 상대적 밝기

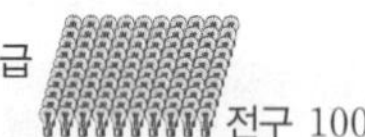

1 등급 전구 100개
2 등급 전구 40개
3 등급 전구 16개
4 등급 전구 6.3개
5 등급 전구 2.5개
6 등급 전구 1개

② 겉보기 등급과 절대 등급

별의 실제 밝기를 비교할 수 있다.

구분	겉보기 등급	절대 등급
정의	우리 눈에 보이는 별의 밝기를 등급으로 나타낸 것	별이 지구로부터 10 pc 거리에 있다고 가정했을 때 별의 밝기를 등급으로 나타낸 것
의미	겉보기 등급이 작을수록 눈에 밝게 보인다.	절대 등급이 작을수록 실제로 밝은 별이다.

3. 별의 등급과 거리❻ (겉보기 등급 − 절대 등급) 값이 클수록 지구에서 멀리 있는 별이다.

겉보기 등급 > 절대 등급	겉보기 등급 = 절대 등급	겉보기 등급 < 절대 등급
• 10 pc보다 멀리 있는 별 • 연주 시차가 0.1″보다 작은 별	• 10 pc에 있는 별 • 연주 시차가 0.1″인 별	• 10 pc보다 가까이 있는 별 • 연주 시차가 0.1″보다 큰 별

- 오른쪽 그림의 세 별(태양, 베텔게우스, 시리우스) 중에서 실제로 가장 밝은 별은 절대 등급이 가장 작은 베텔게우스이고, 우리 눈에 가장 밝게 관측되는 별은 겉보기 등급이 가장 작은 태양이다.
- 베텔게우스는 겉보기 등급(0.8)이 절대 등급(−5.5)보다 크므로 10 pc보다 멀리 있는 별이다. ➡ 베텔게우스의 연주 시차는 0.1″보다 작다.
- 시리우스는 겉보기 등급(−1.5)이 절대 등급(1.4)보다 작으므로 10 pc보다 가까이 있는 별이다. ➡ 시리우스의 연주 시차는 0.1″보다 크다.

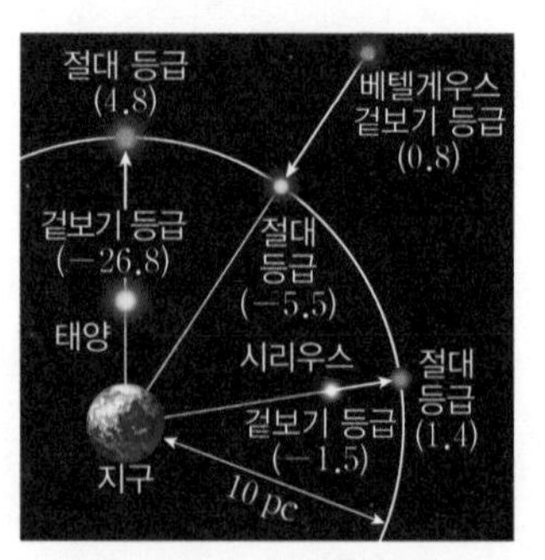

❻ 태양과 북극성의 밝기 비교

태양은 지구에 아주 가까이 있어 겉보기 등급이 −26.8등급이므로, 겉보기 등급이 2.1등급인 북극성보다 훨씬 밝게 보인다. 그러나 북극성의 절대 등급은 −3.7등급이고, 태양의 절대 등급은 4.8등급이므로 실제로는 북극성이 태양에 비해 훨씬 밝은 별이다.

⚠ 용어 알기

* 등급 높고 낮음이나 좋고 나쁨 따위의 차이를 여러 층으로 구분한 단계

C 별의 색과 표면 온도

1. 별의 색과 표면 온도 별은 표면 온도에 따라 색이 다르게 나타난다. 이때 표면 온도가 높을수록 파란색, 표면 온도가 낮을수록 붉은색을 띤다.❼ 태양은 노란색의 별로 표면 온도가 약 6000 ℃이다.

별의 색	파란색	청백색	흰색	황백색	노란색	주황색	붉은색
표면 온도	30000 ℃ 이상	10000~30000 ℃	7500~10000 ℃	6000~7500 ℃	5000~6000 ℃	3500~5000 ℃	3500 ℃ 이하
예	민타카●	스피카	시리우스	프로키온	태양	알데바란	베텔게우스

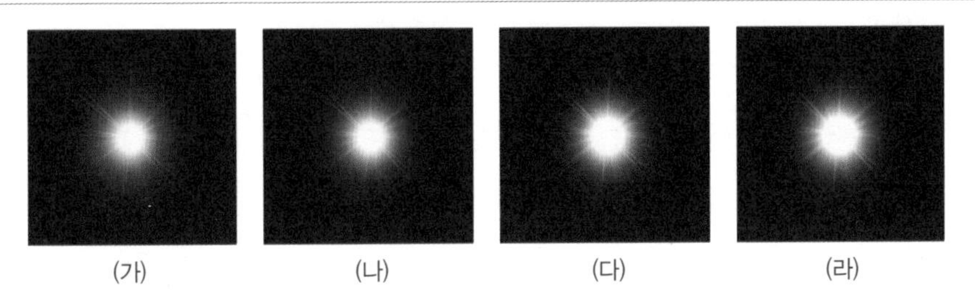
(가) (나) (다) (라)

• 네 별 중 표면 온도가 가장 높은 별: (나), 표면 온도가 가장 낮은 별: (가)
• 표면 온도가 높은 순서: (나)>(라)>(다)>(가)

❼ 물체의 온도와 색
쇠막대를 불에 달구면 처음에는 검붉은 색을 띠다가 점점 붉은색으로 변한다. 또, 온도를 더 높이면 점차 노란색에서 황백색으로 변한다.

⚠ 용어 알기
● **민타카** 오리온 자리의 허리 부분에 있는 별로, '허리띠'를 뜻하는 아랍어에서 유래

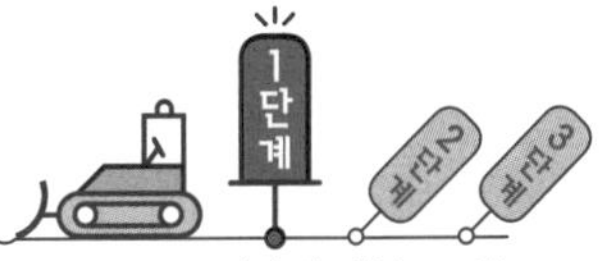

✱ 정답과 해설 051쪽

09 다음은 별의 밝기와 거리에 대한 설명이다. ㉠, ㉡에 들어갈 알맞은 말을 쓰시오.

> 같은 밝기의 별이라도 거리가 2배 멀어지면 빛이 퍼지는 면적이 (㉠)배가 되므로, 별의 밝기는 (㉡)배로 어두워진다.

10 별의 밝기와 등급에 대한 설명으로 옳은 것은 ○표, 옳지 않은 것은 ×표를 하시오.

(1) 별의 등급을 나타내는 숫자가 작을수록 밝은 별이다. ( )
(2) 1등급 간의 밝기 비는 약 2.5배이다. ( )
(3) 1등급은 5등급보다 100배 밝다. ( )
(4) 우리 눈에 보이는 밝기에 따라 정한 별의 밝기 등급을 겉보기 등급이라고 한다. ( )
(5) 지구로부터 1 pc의 거리에 두었다고 가정했을 때 별의 밝기 등급을 절대 등급이라고 한다. ( )
(6) 겉보기 등급과 절대 등급이 같은 별은 1 pc의 거리에 있는 별이다. ( )

11 표는 몇 가지 별들의 겉보기 등급과 절대 등급을 나타낸 것이다.

별	A	B	C	D
겉보기 등급	0.1	0.8	0.8	−0.1
절대 등급	−6.8	−5.5	2.2	−0.3

(1) 우리 눈에 가장 밝게 보이는 별을 쓰시오.
(2) 실제로 가장 밝은 별을 쓰시오.
(3) 지구에서 10 pc 이내에 있는 별을 모두 쓰시오.
(4) 지구에서 가장 멀리 있는 별을 쓰시오.
(5) 연주 시차가 0.1″보다 작은 별의 개수를 쓰시오.

12 표는 몇 가지 별들의 색을 나타낸 것이다.

별	카펠라	리겔	북극성	안타레스	민타카
색깔	노란색	청백색	황백색	붉은색	파란색

표면 온도가 가장 높은 별과 가장 낮은 별을 순서대로 쓰시오.

탐구 공략하기

시차 측정하기

목표 물체의 거리와 시차의 관계를 설명할 수 있다.

공략 포인트 관측자와 물체 사이의 거리를 변화시키면 시차의 크기가 달라지는데, 이때 시차의 크기가 거리에 따라 어떻게 변화하는지를 이해하는 것이 중요하다!

과정

❶ 막대 자를 벽에 고정시킨 후, 눈에서 20 cm 되는 거리(O_1)에 연필을 세운다.

❷ 왼쪽 눈을 감고 오른쪽 눈으로 연필 끝을 보면서 자의 눈금(E_1)을 표시한다.

❸ 오른쪽 눈을 감고 왼쪽 눈으로 연필 끝을 보면서 자의 눈금(E_2)을 표시한다.

❹ 연필 끝과 막대 자에 표시된 두 부분을 실로 연결하여 그 사이의 각도인 시차를 측정한다.

❺ 눈과 연필 사이의 거리를 40 cm, 60 cm로 하여 ❶~❹ 과정을 되풀이한다.

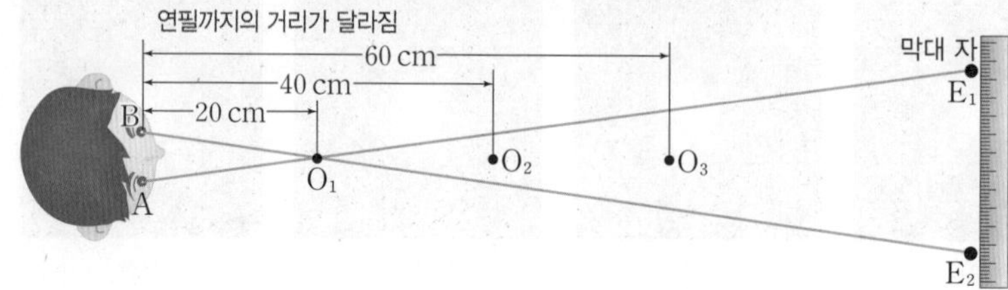

결과

1. 눈과 연필 사이의 거리를 20 cm, 40 cm, 60 cm로 하였을 때 시차는 오른쪽 표와 같이 나타났다.
2. 눈에서 연필까지의 거리가 멀어질수록 시차는 작아진다. 즉, 거리가 20 cm, 40 cm, 60 cm로 변하면 시차는 30°, 15°, 10°로 변한다.

눈과 연필 사이의 거리(cm)	시차
20	$\angle E_1O_1E_2=30°$
40	$\angle E_1O_2E_2=15°$
60	$\angle E_1O_3E_2=10°$

정리 시차는 물체까지의 거리에 반비례한다.

정답과 해설 052쪽

01 이 실험에서 연필이 눈에서 가까운 위치에 있을 때와 먼 위치에 있을 때 막대 자에 대한 연필의 위치 변화는 어느 경우가 더 큰지 쓰시오.

02 이 실험에 대한 설명으로 옳은 것은 ○표, 옳지 않은 것은 ×표를 하시오.

(1) 시차는 관찰자와 물체 사이의 거리가 멀수록 커진다. ( )

(2) 눈과 연필 사이의 거리가 10 cm라면 시차는 30°보다 더 커질 것이다. ( )

03 이 실험에서 관찰자의 눈과 연필, 막대 자는 실제 별의 거리 측정에서 어느 것을 의미하는지 각각 쓰시오.

04 그림과 같이 시차 현상을 알아보는 실험에서 연필 끝을 보면서 연필을 점점 눈에서 멀리 하였다. 이때 연필이 배경에 대해 이동한 각 θ와 연필까지의 거리 r 사이의 관계를 옳게 나타낸 것은?

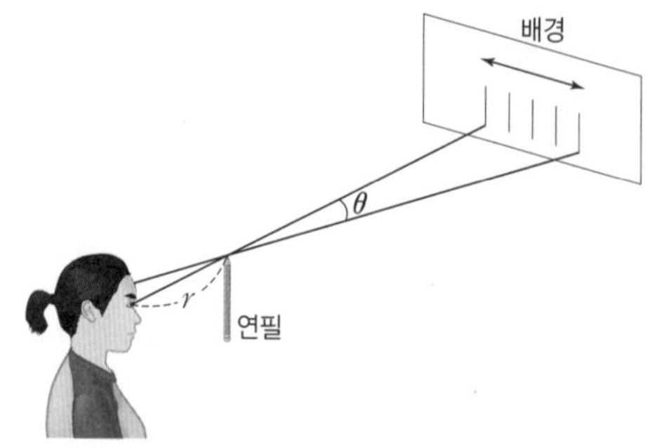

① $\theta \propto \frac{1}{r}$　② $\theta \propto \frac{1}{r^2}$　③ $\theta \propto \frac{1}{r^3}$

④ $\theta \propto r^2$　⑤ $\theta \propto r^3$

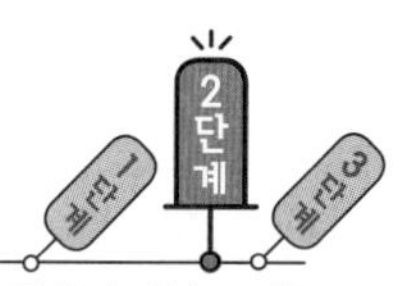

정답과 해설 052쪽

A 별의 시차와 거리

필수

01 별의 연주 시차에 대한 설명으로 옳지 않은 것은?

① 별의 시차의 $\frac{1}{2}$에 해당하는 각도이다.

② 멀리 있는 별일수록 연주 시차는 크다.

③ 연주 시차는 지구 공전의 확실한 증거이다.

④ 연주 시차를 측정하는 데에는 최소한 6개월이 걸린다.

⑤ 주로 지구로부터 가까이 있는 별의 거리를 측정하는 데 이용된다.

[02-03] 그림은 지구에 가까이 있는 별 S를 지구에서 볼 때 보이는 방향이 달라져 보이는 현상을 나타낸 것이다.

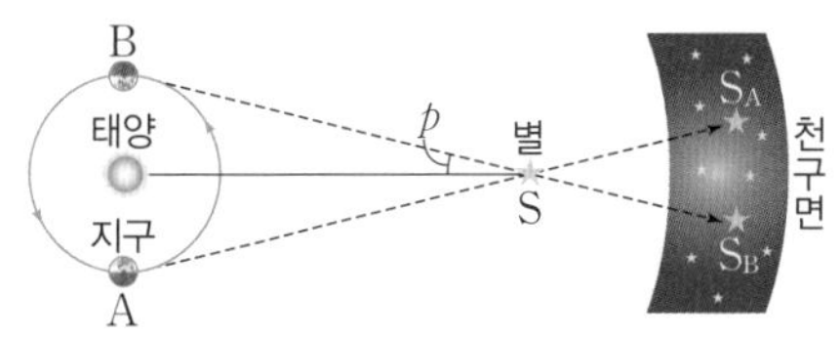

02 이에 대한 설명으로 옳은 것만을 보기에서 모두 고른 것은?

보기
ㄱ. p를 별 S의 연주 시차라고 한다.
ㄴ. 별 S의 거리가 멀수록 p의 크기는 작아진다.
ㄷ. 대부분의 별들은 p가 1″보다 크게 나타난다.

① ㄱ ② ㄷ ③ ㄱ, ㄴ
④ ㄱ, ㄷ ⑤ ㄴ, ㄷ

필수

03 p가 0.1″라면 별 S까지의 거리는 몇 pc인지 구하시오. 또, 이것은 몇 광년(LY)에 해당하는지 쓰시오.

04 별의 거리와 연주 시차의 관계를 옳게 나타낸 것은?

①
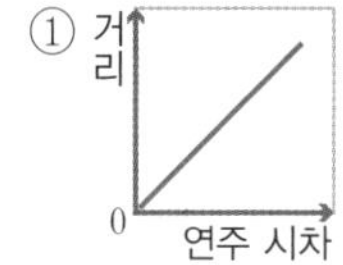

②
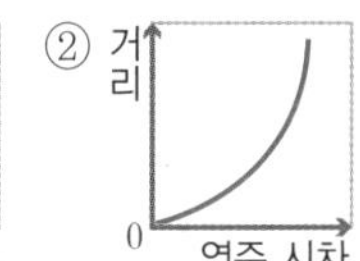

③
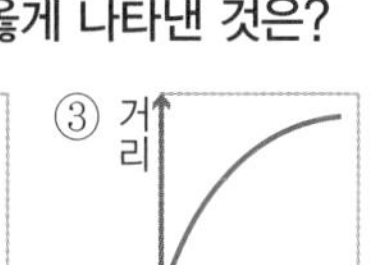
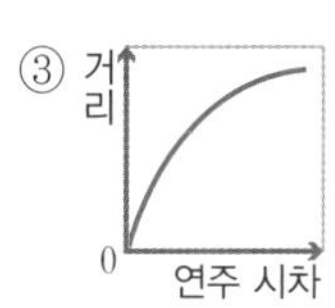

④
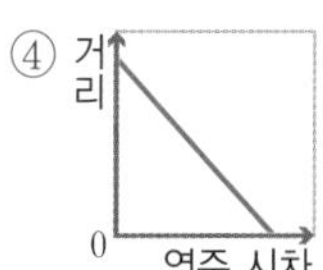

⑤
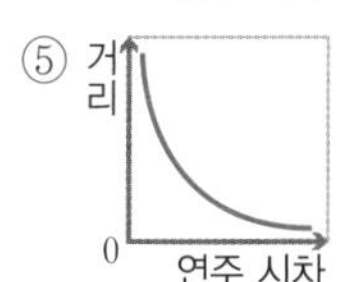

05 표는 여러 별의 연주 시차를 나타낸 것이다.

별	스피카	리겔	직녀성	시리우스	견우성
연주 시차	0.01″	0.0038″	0.13″	0.37″	0.19″

위의 별들 중에서 지구로부터 가장 가까운 곳에 있는 별은?

① 스피카 ② 리겔 ③ 직녀성
④ 시리우스 ⑤ 견우성

필수

06 다음은 A, B, C 세 별에 대한 자료이다.

• A: 연주 시차가 0.2″인 별
• B: 2 pc의 거리에 있는 별
• C: 3.26 광년의 거리에 있는 별

지구와 가까운 별부터 순서대로 옳게 나열한 것은?

① A－B－C ② A－C－B ③ B－C－A
④ C－A－B ⑤ C－B－A

서술형

07 그림은 지구에서 6개월 간격으로 별 S를 관측한 결과이다. 이 그림에서 p가 의미하는 것은 무엇인지 쓰고, 별 S의 위치가 현재보다 점점 가까워진다면 p 값은 어떻게 변하는지 서술하시오.

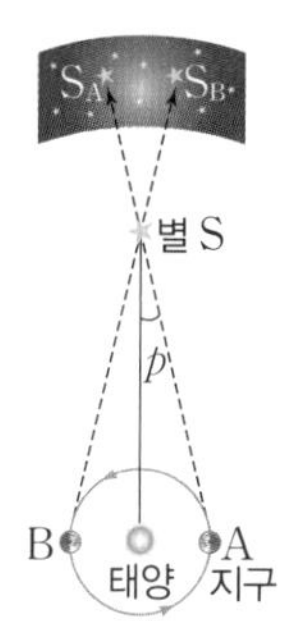

08 천체까지의 거리 단위에 대한 설명으로 옳은 것만을 보기에서 모두 고른 것은?

보기
ㄱ. 1광년은 빛이 1년 동안 이동한 거리이다.
ㄴ. 10 pc은 연주 시차가 1″인 별까지의 거리이다.
ㄷ. 광년은 빛을 이용해 측정한 시간이다.

① ㄱ ② ㄷ ③ ㄱ, ㄴ
④ ㄱ, ㄷ ⑤ ㄴ, ㄷ

신유형

09 지구에서 관측했을 때 연주 시차가 0.2″인 어떤 별이 있다. 만일 지구보다 공전 궤도 반지름이 더 큰 토성에서 이 별을 관측하면 연주 시차는 어떻게 되는지 쓰시오.

필수

10 그림은 6개월 동안의 시간을 두고 별 S를 관측한 모습을 나타낸 것이다.

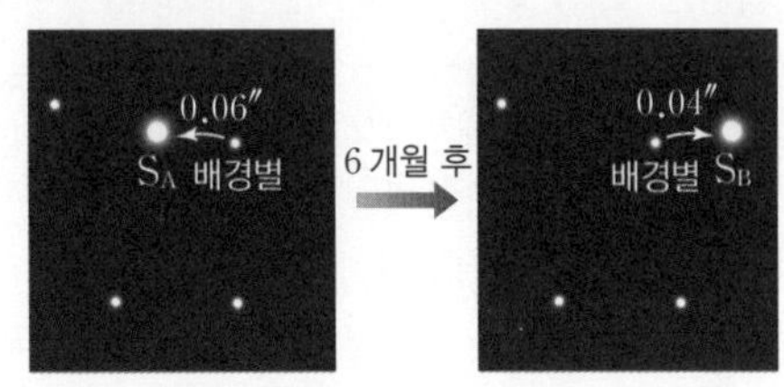

이에 대한 설명으로 옳은 것은?

① 별 S의 연주 시차는 0.1″이다.
② 별 S는 배경별보다 멀리 있는 별이다.
③ 지구의 자전 때문에 나타나는 현상이다.
④ 지구가 별 S를 보는 방향이 달라져 생기는 현상이다.
⑤ 배경별보다 멀리 있는 별은 연주 시차가 너무 커서 측정하기 어렵다.

11 그림은 별 S_1과 S_2의 연주 시차를 나타낸 것이다.

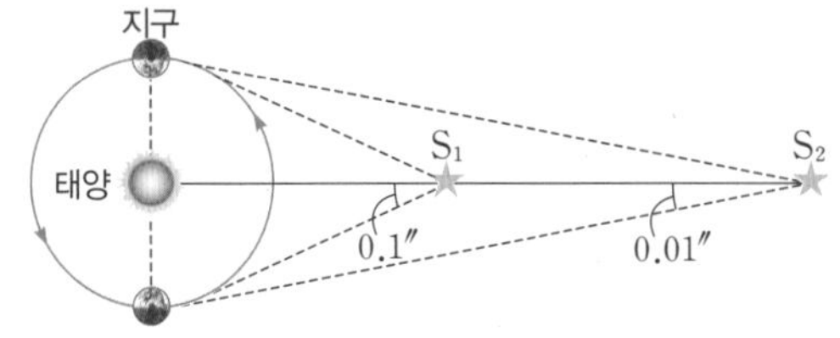

지구로부터 두 별까지의 거리 비($S_1 : S_2$)로 옳은 것은?

① 1 : 2 ② 1 : 4 ③ 1 : 5
④ 1 : 10 ⑤ 1 : 100

B 별의 밝기와 등급

필수

12 그림은 별의 밝기와 거리의 관계를 나타낸 것이다.

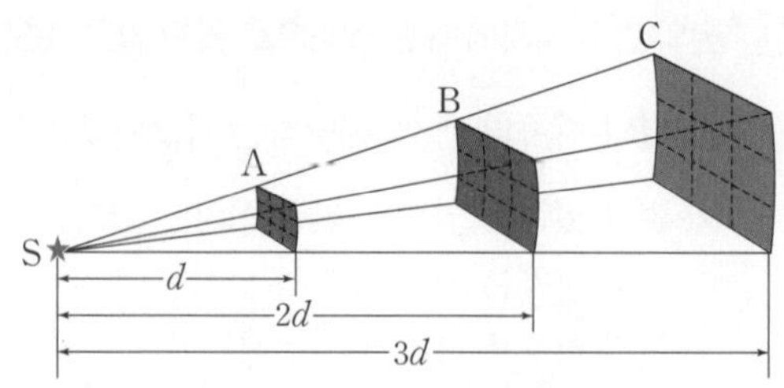

별 S에서 각각 d, $2d$, $3d$의 거리 만큼 떨어진 A, B, C에서 별 S를 볼 때 별 S의 밝기 비(A : B : C)는?

① 1 : 2 : 3 ② 1 : 4 : 9
③ 3 : 2 : 1 ④ 9 : 4 : 1
⑤ 36 : 9 : 4

13 만일 어떤 별까지의 거리가 현재보다 10배 멀어진다면, 이 별의 겉보기 등급은 현재에 비해 어떻게 변하겠는가?

① 5등급이 커진다. ② 5등급이 작아진다.
③ 10등급이 커진다. ④ 10등급이 작아진다.
⑤ 100등급이 커진다.

필수

14 그림 (가), (나)와 같이 손전등에서 10 cm, 20 cm 되는 거리에 모눈종이를 놓고 종이에 비치는 빛의 밝기를 비교하여 보았다.

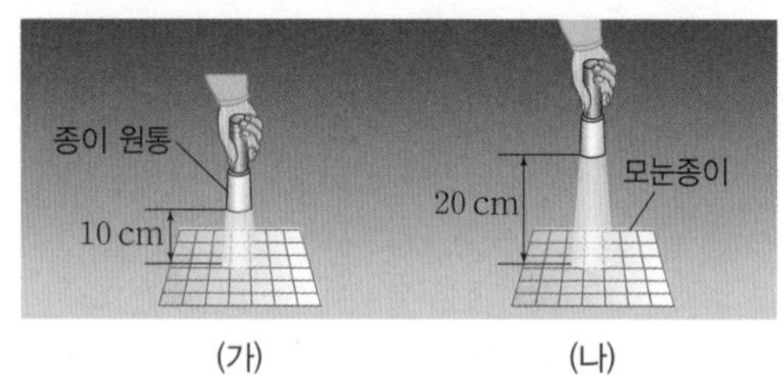

(가) (나)

이 실험에 대한 설명으로 옳은 것만을 보기에서 모두 고른 것은? (단, (가)와 (나)의 손전등 밝기는 같다.)

보기
ㄱ. 빛을 받는 면적은 (가)보다 (나)가 더 넓다.
ㄴ. 하나의 모눈이 받는 빛의 양은 (가)가 (나)보다 많다.
ㄷ. (가)의 한 모눈의 밝기는 (나)에 비해 2배 밝다.

① ㄱ ② ㄷ ③ ㄱ, ㄴ
④ ㄴ, ㄷ ⑤ ㄱ, ㄴ, ㄷ

정답과 해설 052쪽

15 별의 밝기와 등급에 대한 설명으로 옳지 않은 것은?

① 별의 밝기는 주로 등급으로 표시한다.
② 별의 등급이 작을수록 밝은 별이다.
③ 각 등급 사이의 밝기 등급은 소수로 표시한다.
④ 3등급 차이가 나면 밝기로는 9배의 차이가 난다.
⑤ 1등급보다 밝은 별은 0등급, −1등급, …으로 표시한다.

필수

16 별의 겉보기 등급과 절대 등급에 대한 설명으로 옳은 것은?

① 겉보기 등급이 큰 별은 절대 등급도 크다.
② 별의 실제 밝기는 겉보기 등급으로 비교한다.
③ 겉보기 등급은 별까지의 거리를 고려하지 않은 등급이다.
④ 밤하늘에서 같은 밝기로 보이는 별은 절대 등급이 같다.
⑤ 별의 절대 등급이 같을 때, 거리가 먼 별일수록 겉보기 등급이 작다.

17 그림은 별 A~D의 겉보기 등급과 절대 등급을 나타낸 것이다. 별 A~D에 대한 설명으로 옳지 않은 것은?

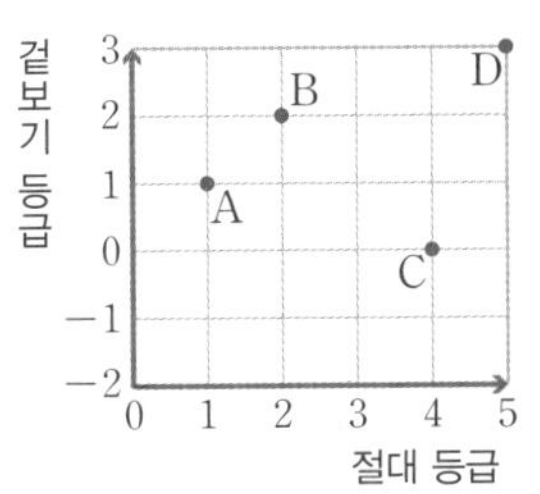

① 실제로 가장 밝은 별은 A이다.
② 별 B의 연주 시차는 0.1″이다.
③ 우리 눈에 가장 밝게 보이는 별은 C이다.
④ 별 A와 B는 같은 거리에 있다.
⑤ 가장 가까이 있는 별은 D이다.

18 그림은 여러 별의 겉보기 등급과 절대 등급을 나타낸 것이다. (단, 괄호 안의 숫자는 겉보기 등급이다.)

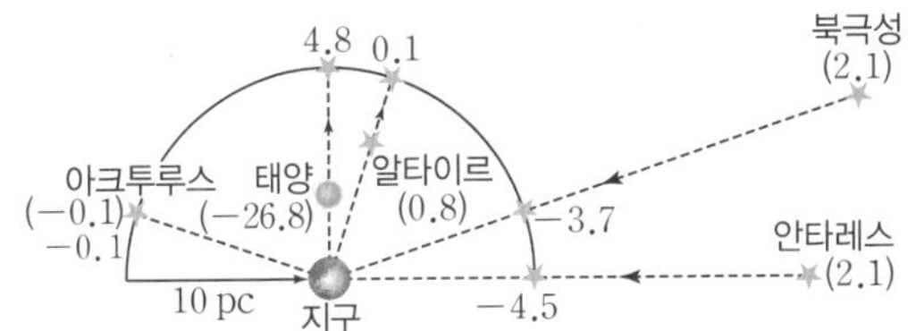

겉보기 등급과 절대 등급의 자료가 잘못된 별은?

① 태양 ② 북극성 ③ 안타레스
④ 알타이르 ⑤ 아크투루스

[19-20] 표는 A, B, C 세 별의 겉보기 등급과 절대 등급을 나타낸 것이다.

구분	겉보기 등급	절대 등급
A	0.5	−3.5
B	2.5	1.5
C	3.7	1.5

19 별 A는 별 B보다 실제로 몇 배 더 밝은가?

① 약 2.5배 ② 약 6.3배 ③ 약 16배
④ 약 40배 ⑤ 약 100배

신유형

20 별 B와 별 C는 절대 등급이 같지만 겉보기 등급이 다르다. 그 까닭으로 옳은 것은?

① 별의 색이 다르기 때문
② 별의 크기가 다르기 때문
③ 별까지의 거리가 다르기 때문
④ 별의 표면 온도가 다르기 때문
⑤ 별의 구성 물질이 다르기 때문

21 그림과 같이 1 pc의 거리에 있는 별 S_1의 겉보기 등급과 10 pc의 거리에 있는 별 S_2의 겉보기 등급이 같다.

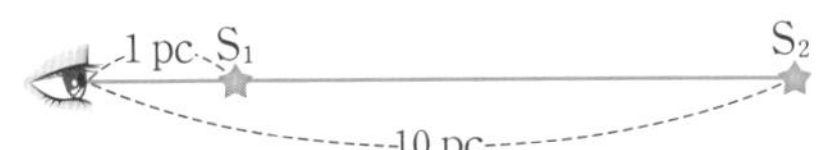

별 S_1과 별 S_2의 절대 등급을 옳게 비교한 것은?

① S_1이 S_2보다 5등급이 작다.
② S_1이 S_2보다 5등급이 크다.
③ S_1이 S_2보다 10등급이 작다.
④ S_1이 S_2보다 10등급이 크다.
⑤ S_1과 S_2의 절대 등급은 같다.

C 별의 색과 표면 온도

22 표는 별의 표면 온도와 색을 나타낸 것이다.

표면 온도	색
30000 ℃ 이상	㉠
10000~30000 ℃	청백색
7500~10000 ℃	㉡
6000~7500 ℃	황백색
5000~6000 ℃	노란색
3500~5000 ℃	주황색
3500 ℃ 이하	㉢

㉠~㉢에 들어갈 말을 옳게 짝 지은 것은?

	㉠	㉡	㉢
①	파란색	흰색	붉은색
②	흰색	붉은색	파란색
③	붉은색	흰색	파란색
④	파란색	붉은색	흰색
⑤	붉은색	파란색	흰색

23 그림은 별 A, B를 6개월 간격으로 관측한 것이고, 표는 두 별의 겉보기 등급과 색을 나타낸 것이다.

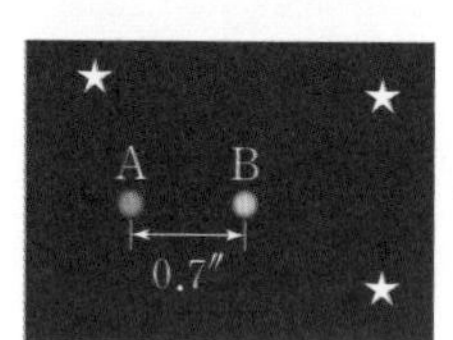

6 개월 간격

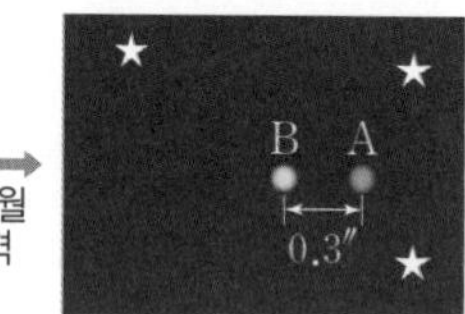

구분	A	B
겉보기 등급	2	2
색	파란색	노란색

별 A가 별 B보다 큰 값을 가지는 것만을 보기에서 모두 고르시오.

보기
ㄱ. 절대 등급
ㄴ. 표면 온도
ㄷ. 지구로부터의 거리

서술형

24 그림과 같이 오리온자리의 베텔게우스는 붉은색, 리겔은 청백색을 띤다. 이와 같이 별에 따라 색이 다른 까닭을 서술하시오.

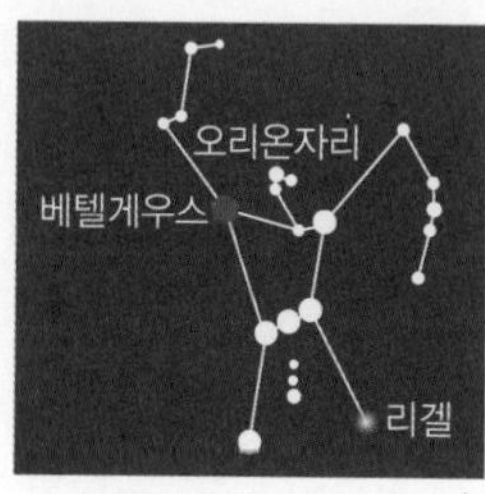

[25-27] 그림은 몇 가지 별의 절대 등급과 색을 나타낸 것이다.

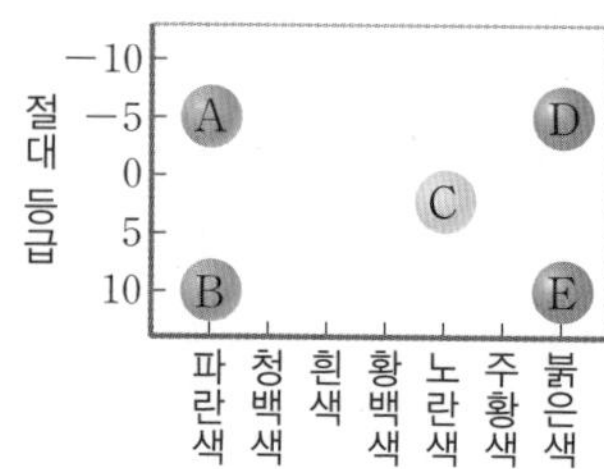

필수

25 C보다 표면 온도가 높은 별을 모두 고른 것은?

① A, B ② A, D ③ B, D
④ B, E ⑤ D, E

26 A~E 중에서 표면 온도는 가장 낮지만, 실제 가장 밝은 별을 고르시오.

신유형

27 A~E 중 태양과 표면 온도가 가장 비슷할 것으로 예상되는 별을 쓰시오.

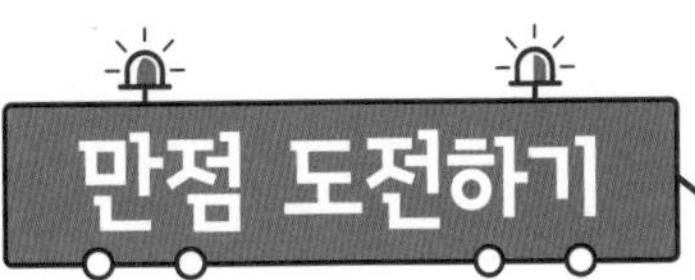

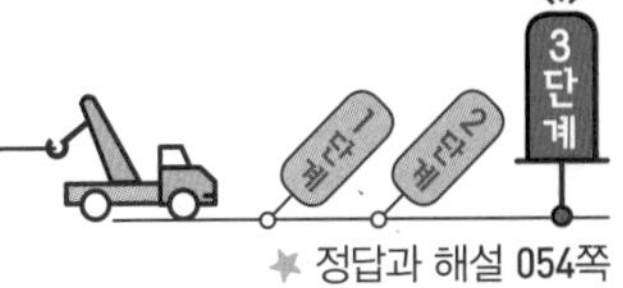

정답과 해설 054쪽

필수

01 그림은 별 A와 별 B를 6개월 간격으로 관측하였을 때 별 B가 배경별에 대해 상대적으로 이동한 모습을 나타낸 것이다.

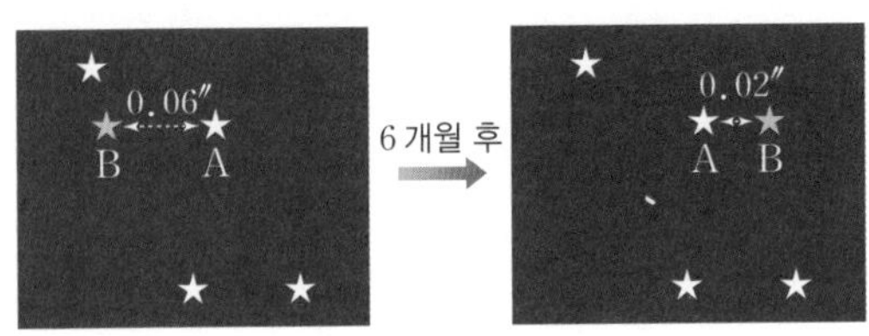

이에 대한 설명으로 옳은 것은?

① 별 B의 연주 시차는 0.08″이다.
② 지구에서 별 A까지의 거리는 10 pc이다.
③ 지구에서 별 B까지의 거리는 25 pc이다.
④ 별 A는 B보다 가까운 거리에 위치해 있다.
⑤ 별 B의 위치가 달라진 것은 지구의 자전 때문이다.

02 어떤 별을 32.6광년의 거리로 가져왔더니, 현재보다 100배 밝아져 −2등급으로 보였다. 이 별의 겉보기 등급과 절대 등급을 옳게 짝 지은 것은?

	겉보기 등급	절대 등급
①	−2등급	2등급
②	−2등급	3등급
③	2등급	−2등급
④	3등급	−2등급
⑤	3등급	−3등급

필수

03 어떤 별의 겉보기 등급이 0.7등급이다. 이 별보다 2.5배 밝은 별은 몇 등급인가?

① −1.3등급 ② −0.7등급 ③ −0.3등급
④ 1.7등급 ⑤ 3.2등급

04 지구에서 관측한 태양의 겉보기 등급은 −26.8등급이다. 만약 토성에서 태양을 관측한다면 태양의 겉보기 등급은 얼마일지 쓰시오.(단, 태양에서 토성까지의 거리는 태양에서 지구까지 거리의 10배라고 가정한다.)

05 겉보기 등급이 절대 등급보다 더 큰 별만을 보기에서 모두 고른 것은?

보기
ㄱ. 연주 시차가 0.05″로 측정되는 별
ㄴ. 지구에서 5 pc 떨어진 거리에 있는 별
ㄷ. 지구에서 10광년 떨어진 거리에 있는 별

① ㄱ ② ㄴ ③ ㄱ, ㄴ
④ ㄱ, ㄷ ⑤ ㄴ, ㄷ

필수

06 표는 여러 별들의 관측 자료를 나타낸 것이다.

구분	겉보기 등급	절대 등급	색
(가)	0.1	−6.8	파란색
(나)	−1.5	1.4	흰색
(다)	0.0	0.0	붉은색
(라)	0.8	2.2	흰색
(마)	2.1	−3.7	노란색

(가)~(마) 별에 대한 설명으로 옳지 않은 것은?

① 거리가 가장 먼 별은 (가)이다.
② (나)는 우리 눈에 가장 밝게 보인다.
③ (다)는 10 pc 거리에 있다.
④ (나)와 (라)는 표면 온도가 비슷하다.
⑤ 표면 온도가 가장 높은 별은 (마)이다.

07 그림은 별의 절대 등급과 색을 나타낸 것이다. A~E 별에 대한 설명으로 옳은 것만을 보기에서 모두 고른 것은?

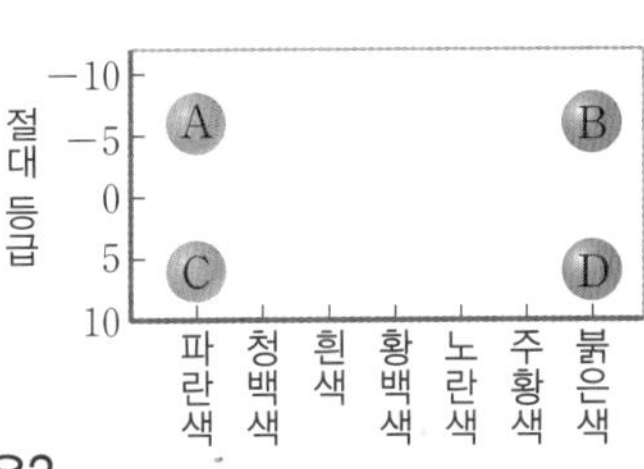

보기
ㄱ. A는 C보다 밝게 보인다.
ㄴ. B는 태양보다 표면 온도가 낮다.
ㄷ. C는 B보다 지구로부터의 거리가 더 멀다.
ㄹ. C는 D보다 표면 온도가 높다.

① ㄱ, ㄴ ② ㄱ, ㄷ ③ ㄴ, ㄷ
④ ㄴ, ㄹ ⑤ ㄷ, ㄹ

VII. 별과 우주

은하와 우주

물음으로 흐름잡기

A 우리은하*

1. 은하수 밤하늘을 가로지르며 띠 모양으로 뿌옇게 보이는 별들의 집단으로, 지구에서 본 우리은하의 원반부이다.

① 북반구와 남반구 어디에서나 관측된다. 하늘을 한 바퀴 가로지르고 있기 때문이다.

② 여름철[1] 궁수자리 방향(은하 중심 방향)에서 폭이 가장 넓고 밝게 보인다. 궁수자리가 우리은하의 중심 쪽에 위치하며, 은하의 중심부에 별이 많기 때문이다.

③ 은하수의 중간중간에 보이는 검은 부분은 성간 물질* 이 뒤에서 오는 별빛을 가린 부분이다.

▲ 은하수 은하수는 관측 방향에 따라 폭과 밝기가 다르다.

2. 우리은하 태양계를 비롯하여 별, 성단, 성운, 성간 물질 등으로 이루어진 거대한 천체의 집단 태양과 같은 별이 약 2000억 개 포함되어 있다.

① 위에서 본 모양: 중심부에서 별들이 막대 모양을 이루며 집중적으로 모여 있고, 소용돌이치는 모양으로 여러 개의 나선팔이 휘감겨 있다.

② 옆에서 본 모양: 납작한 원반 모양이다.

③ 크기: 지름이 약 10만 광년이다.

④ 태양계의 위치: 은하 중심에서 약 3만 광년 떨어진 나선팔에 위치한다.

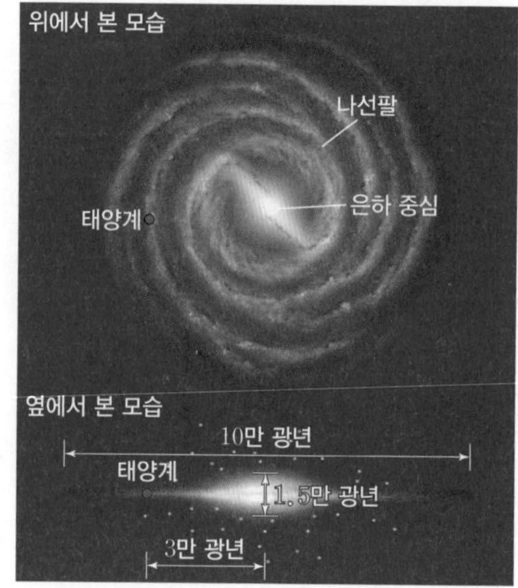

우리은하의 구조 ▶

B 우리은하를 구성하는 천체

1. 성단 수많은 별들이 모여 무리를 이루고 있는 집단으로, 별들이 모여 있는 모습에 따라 산개 성단과 구상 성단으로 구분한다.

구분	산개 성단 발견 수: 1000여 개	구상 성단 발견 수: 150여 개
모습	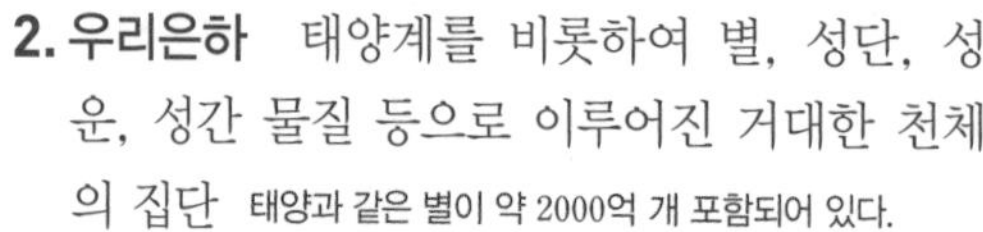	
정의	수십~수만 개의 별들이 엉성하게 모여 있다.	수만~수십만 개의 별들이 공 모양으로 빽빽하게 모여 있다.
별의 색	주로 파란색 ➡ 별의 표면 온도가 높다.	주로 붉은색 ➡ 별의 표면 온도가 낮다.
나이[2]	적다.	많다.
분포 위치	주로 나선팔에 분포한다.	우리은하 중심부와 헤일로[3]에 분포한다.

❶ 여름철과 겨울철의 은하수

- 여름철: 우리은하의 중심 방향을 바라보기 때문에 폭이 넓고 선명하게 보인다.
- 겨울철: 우리은하의 반대 방향을 바라보기 때문에 폭이 좁고 어둡게 보인다.

❷ 성단의 나이

구상 성단의 별들은 생성된 지 100억 년 이상이나 되므로 대부분 에너지를 소모하여 붉은색으로 변한 것이다. 반면, 산개 성단의 별들은 생성된 지 오래되지 않아서 에너지를 많이 방출하므로 파란색을 띤다.

❸ 헤일로

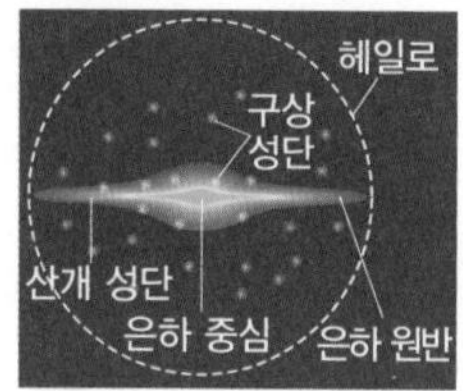

은하 원반을 둘러싸고 있는 구형의 공간으로, 드물게 분포되어 있는 별과 구상 성단으로 이루어져 있다.

용어 알기

- **은하** 별, 성운, 성단, 성간 물질 등이 모여서 이루어진 거대한 천체
- **성간 물질** 별들 사이의 공간에 희박하게 흩어져 있는 수소나 헬륨 등의 가스와 먼지

2. 성운

① 성운: 성간 물질이 다른 곳에 비해 많이 모여 구름처럼 보이는 천체

② 성운의 종류: 빛을 내는 방법에 따라 방출 성운, 반사 성운, 암흑 성운으로 구분한다.

③ 성운의 분포: 성운은 우리은하의 나선팔에 주로 분포한다.

구분	밝은 성운		어두운 성운
	방출 성운	반사 성운❹	암흑 성운
모양			
정의	고온의 별로부터 에너지를 받아 스스로 빛을 내는 성운	성간 물질이 주변의 별빛을 반사하여 밝게 보이는 성운	성간 물질이 뒤에서 오는 별빛을 가려 어둡게 보이는 성운
색	주로 붉은색	주로 파란색	검은색
예	오리온대성운	메로페성운	말머리성운

❹ 반사 성운의 원리

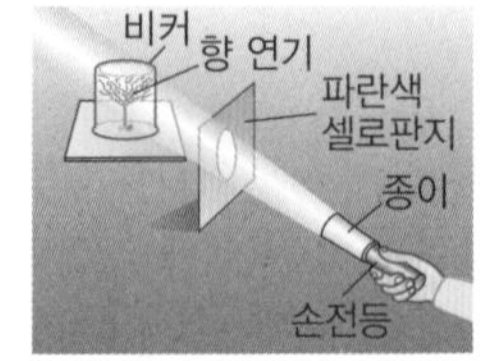

향 연기를 담아 둔 비커 앞에 색깔이 있는 셀로판 종이를 놓고 손전등으로 비추면, 셀로판 종이를 통과한 빛의 색에 따라 향 연기의 색이 다르게 보인다. 이와 같은 원리로 반사 성운은 성간 물질이 별빛을 반사하여 우리 눈에 밝게 보인다.

개념 다지기

1단계 2단계 3단계

정답과 해설 055쪽

01 은하수에 대한 설명으로 옳은 것은 ○표, 옳지 않은 것은 ×표를 하시오.

(1) 수많은 별, 성운 등으로 이루어져 있다. ( )

(2) 우리은하의 일부를 본 모습이다. ( )

(3) 북반구에서만 관측이 가능하다. ( )

(4) 지역이나 계절에 관계없이 항상 같은 모습으로 보인다. ( )

(5) 은하수를 관측해 보면 궁수자리 쪽이 밝고 폭이 넓어 보이는데, 이것은 궁수자리가 우리은하의 중심 방향에 있기 때문이다. ( )

02 우리은하에 대한 설명으로 옳은 것은 ○표, 옳지 않은 것은 ×표를 하시오.

(1) 우리은하는 막대 구조와 나선팔이 있다. ( )

(2) 태양계는 우리은하의 나선팔에 위치한다. ( )

(3) 우리은하의 지름은 약 10만 광년이고, 중심부의 두께는 약 3만 광년이다. ( )

(4) 약 2천 억 개의 별, 성운, 성단, 성간 물질 등으로 구성되어 있다. ( )

(5) 산개 성단은 주로 은하핵와 원반 주변의 공간에 분포한다. ( )

03 다음 ㉠, ㉡에 들어갈 알맞은 말을 쓰시오.

> 많은 별들이 무리를 이루고 있는 것을 (㉠)(이)라 하고, 성간 물질이 밀집되어 있어 구름처럼 보이는 것을 (㉡)(이)라고 한다.

04 다음은 성단의 특징을 설명한 것이다. 산개 성단에 해당하는 것은 '산', 구상 성단에 해당하는 것은 '구'라고 쓰시오.

(1) 붉은색 별이 많다. ( )

(2) 파란색 별이 많다. ( )

(3) 수십~수만 개의 별들이 엉성하게 모여 있다. ( )

(5) 우리은하의 중심부와 원반 주변에 분포한다. ( )

05 성운과 그 특징을 옳은 것끼리 연결하시오.

(1) 방출 성운 • • ㉠ 성간 물질이 주변의 별빛을 반사하여 밝게 보이는 성운

(2) 반사 성운 • • ㉡ 고온의 별로부터 에너지를 받아 스스로 빛을 내는 성운

(3) 암흑 성운 • • ㉢ 성간 물질이 뒤에서 오는 별빛을 가려 어둡게 보이는 성운

02 은하와 우주

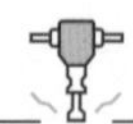

C 외부 은하

1. 외부 은하 우리은하 밖의 우주 공간에 흩어져 있는 은하 외부 은하는 우리은하와 마찬가지로 수많은 별들이 모여 있는 천체이다.

2. 은하의 모양에 따른 분류 허블[5]은 외부 은하를 모양에 따라 타원 은하, 정상 나선 은하, 막대 나선 은하, 불규칙 은하와 같이 4가지로 분류하였다.[6]

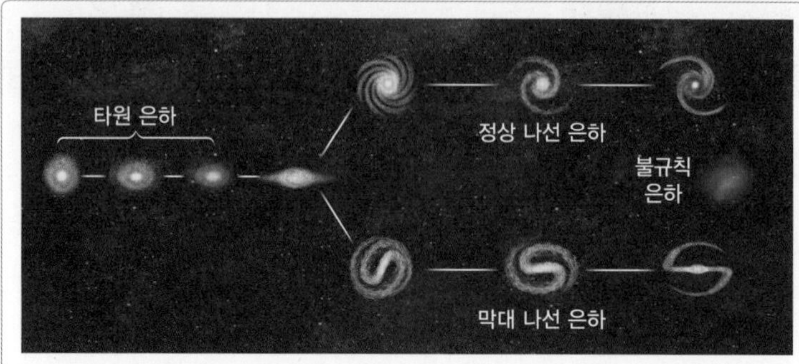

- 타원 은하: 타원체의 납작한 정도에 따라 세분
- 나선 은하: 나선팔이 감긴 정도와 은하 중심부의 크기에 따라 세분

◀ 은하의 분류

3. 외부 은하의 종류와 특징

막대 구조의 유무에 따라 구분

구분	타원 은하	정상 나선 은하	막대 나선 은하	불규칙 은하
모습				
특징	타원 모양의 은하	은하 중심에서 나선팔이 휘어져 나온 은하	막대 모양의 양 끝에서 나선팔이 휘어져 나온 은하	규칙적인 모양이 없는 은하
예	M49	안드로메다은하	우리은하	대마젤란은하

D 우주 팽창 탐구 공략하기 184쪽

1. 빅뱅 우주론(대폭발 우주론) 지금으로부터 약 138억 년 전에 우주가 한 점에서 대폭발로 탄생한 후 계속 팽창하여 현재의 우주가 만들어졌다는 이론 ➡ 대폭발 이후 우주는 점차 식어서 별과 은하가 만들어졌고 현재와 같은 분포를 보이게 되었다.[7]

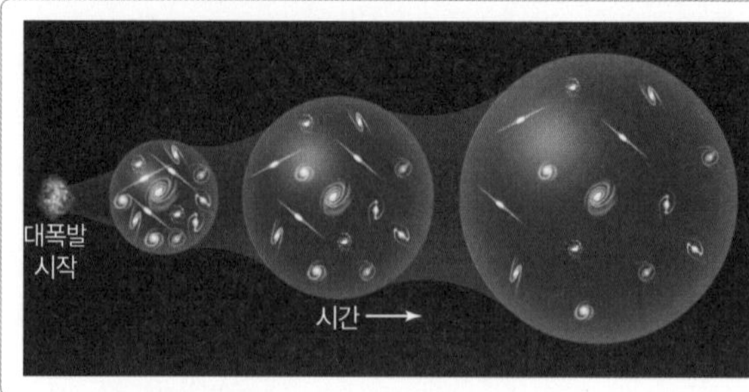

- 이 이론에 의하면 우주의 반지름은 약 138억 광년이다.
- 우주가 팽창해도 우주의 구성 단위인 은하의 크기가 커지는 것은 아니다. 단지 은하와 은하 사이의 거리가 멀어질 뿐이다.

◀ **우주 팽창** 대폭발이 일어난 후 우주는 계속 팽창하고 있다.

2. 우주가 팽창하는 모습

① 대부분의 외부 은하는 우리은하와의 거리가 멀어지고 있다.[8]
② 멀리 있는 외부 은하일수록 빠르게 멀어지고 있다.
(①, ②: 우주 팽창의 증거)
③ 팽창하는 우주에서는 특별한 중심이 없다. 모든 방향으로 균일하게 팽창하고 있다.

---

5 허블
미국의 천문학자로, 은하를 관측하여 모양에 따라 외부 은하들을 분류하였다. 또한, 우주가 팽창한다는 사실을 처음으로 알아내었다.

6 외부 은하의 수
현재 발견된 외부 은하의 수는 나선 은하(75%) > 타원 은하(20%) > 불규칙 은하(5%)의 순이다.

7 우주의 총 질량, 밀도, 온도
팽창하는 우주의 총 질량은 변하지 않는다. 따라서 우주가 팽창함에 따라 부피가 늘어나므로 우주의 밀도는 작아진다. 또 팽창하면서 에너지를 소모하므로 우주의 온도는 낮아진다.

8 우주의 팽창
대부분의 외부 은하들이 지구와의 거리가 멀어지는 것은 우주의 공간 자체가 팽창하기 때문이다.

E 우주 탐사

1. 우주 탐사 우주를 이해하고자 우주를 탐색하고 조사하는 활동

2. 우주 탐사 방법

① **인공위성:** 지구 주위를 일정한 궤도에 따라 공전하도록 만든 장치로 우주 탐사를 비롯한 다양한 목적에 사용된다. 인류 최초의 인공위성은 1957년에 발사한 스푸트니크 1호이다.

② **우주 탐사선**[9]**:** 직접 천체까지 날아가 그 주위를 돌거나 천체 표면에 착륙하여 탐사[10] 1969년에 인류는 아폴로 11호를 타고 최초로 달에 착륙했다.

③ **우주 망원경:** 지구 대기 밖 우주에 띄워 놓은 망원경으로, 지상의 망원경보다 훨씬 선명하게 천체를 관측할 수 있어 우주 탐사에 큰 역할을 하고 있다. 예 허블 우주 망원경, 스피처 우주 망원경, 케플러 우주 망원경 등 대기의 영향을 받지 않아 선명한 상을 얻을 수 있다.

④ **우주 정거장:** 지상에서 하기 어려운 과학 실험이나 신약 개발, 신소재 개발, 우주 환경 등을 연구할 수 있다.

3. 우주 탐사의 의의 우주 탐사 과정에서 얻은 지식으로 지구와 우주를 더 잘 이해할 수 있고, 생각의 폭을 넓힐 수 있다.[11]

4. 우주 탐사의 영향

① **긍정적인 영향:** 우주 탐사로 발달한 과학 기술은 다양한 산업 분야에 적용되어 일상생활에도 활용된다. 예 가정용 정수기, 화재 경보기, 자동차 에어백, 에어쿠션 운동화, 태양 전지 등

② **부정적인 영향:** 우주 탐사 과정에서 생긴 우주 쓰레기는 지구 주위를 빠른 속도로 돌면서 운행 중인 인공위성이나 탐사선에 치명적인 피해를 입힐 수 있다.

⑨ 우주 탐사선

- 장점: 천체에 접근하여 탐사하므로 자세하게 천체를 관측할 수 있다.
- 단점: 비용이 많이 들고, 지구에서 천체까지 이동하는 데 걸리는 기간이 길다.

⑩ 화성 탐사 로봇

인간이 직접 가서 탐사하기 어려운 천체에는 탐사 로봇을 착륙시켜 표면을 탐사하는데, 화성에도 탐사 로봇을 착륙시켜 물과 생명체의 흔적을 찾으려 시도한 적이 있다.

⑪ 우주 탐사의 목적

- 우주에 대한 폭넓은 이해
- 지구에서 고갈되어 가고 있는 자원의 탐사
- 첨단 기술 개발 및 경제적 이익 창출

★ 정답과 해설 055쪽

06 은하에 대한 설명으로 옳은 것은 ○표, 옳지 않은 것은 ×표를 하시오.

(1) 허블의 은하 분류 기준은 은하의 크기이다. ( )

(2) 우리은하는 정상 나선 은하에 속한다. ( )

(3) 은하 중에는 규칙적인 모양을 갖추지 못한 은하도 있다. ( )

(4) 외부 은하는 주로 10만 광년 이내에 분포하고 있다. ( )

07 빅뱅 우주론에 대한 설명으로 옳은 것은 ○표, 옳지 않은 것은 ×표를 하시오.

(1) 우리은하는 우주의 중심에 위치한다. ( )

(2) 대부분의 은하들은 서로 멀어지고 있다. ( )

(3) 우주의 나이는 약 138억 년으로 추정된다. ( )

(4) 과거의 우주 크기는 현재보다 훨씬 컸다. ( )

(5) 팽창하는 우주의 총 질량은 변하지 않는다. ( )

08 ( ) 안에 들어갈 알맞은 말을 고르시오.

(1) 외부 은하의 움직임을 분석해 보면 대부분의 외부 은하들은 우리은하로부터 (멀어지고 있다, 가까워지고 있다).

(2) 멀리 있는 은하일수록 멀어지는 속도가 (빨라진다, 느려진다).

(3) 우주는 (수축, 팽창)하고 있다.

09 우주 탐사에 대한 설명으로 옳은 것은 ○표, 옳지 않은 것은 ×표를 하시오.

(1) 인류 최초의 인공위성은 아폴로 11호이다. ( )

(2) 직접 천체까지 날아가 그 주위를 돌거나 천체 표면에 착륙하여 탐사하는 것은 인공위성이다. ( )

(3) 가정용 정수기, 에어쿠션 운동화 등은 우주 탐사로 발달한 과학 기술을 일상생활에 적용한 예이다. ( )

탐구 공략 하기

우주 팽창

목표

우주가 팽창하고 있음을 알고, 우주 팽창을 모형으로 설명할 수 있다.

공략 포인트

우리은하 밖에 있는 대부분의 은하들은 우리은하에서 볼 때 점점 멀어지고 있는데, 실험을 통해 은하들이 멀어지는 까닭을 아는 것이 중요하다!

과정

❶ 풍선을 작게 분 후 붙임딱지 몇 개를 풍선 위에 붙인다. 이때 붙임딱지 사이의 거리를 모두 다르게 하여 붙인다.

❷ 풍선 위에 붙인 붙임딱지 3개에 그림과 같이 A, B, C로 표시한다.

❸ 풍선을 불면서 붙임딱지 사이의 거리가 어떻게 변하는지 관찰한다.

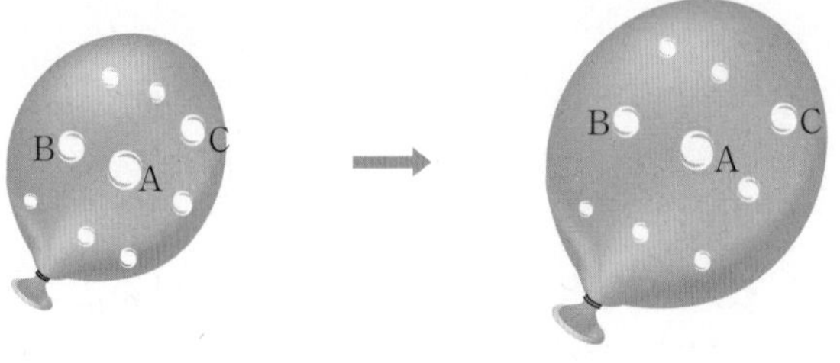

풍선을 불 때 임의의 한 점을 기준으로 보면 다른 점들은 모두 멀어진다. 따라서 팽창하는 우주에서는 특별한 중심이 없음을 알 수 있다.

결과

1. 풍선을 불 때 붙임딱지 사이의 거리는 멀어진다.
   ➡ 우주 공간에서 은하 사이의 거리는 멀어지는 것을 알 수 있다.
2. A, B, C 중에서 어느 것을 기준으로 하든지 나머지는 모두 기준으로부터 멀어진다.
   ➡ 팽창하는 우주에는 특별한 중심이 없음을 알 수 있다.
3. C를 기준으로 할 때 B가 A보다 멀어지는 속도가 빠르다. B를 기준으로 할 때 C가 A보다 빠르게 멀어진다.
   ➡ 멀리 있는 은하가 더 빠른 속도로 멀어진다는 것은 우주가 팽창하고 있음을 알려 준다.

정리

풍선을 불 때 점들 사이의 거리가 멀어지는 것처럼 은하 사이의 거리도 멀어지고 있으며, 팽창하는 우주에서는 특별한 중심이 없다.

정답과 해설 055쪽

확인 문제

01 이 실험에 대한 설명으로 옳은 것은 ○표, 옳지 않은 것은 ×표를 하시오.

(1) 이 실험에서 풍선은 우주, 붙임딱지는 은하에 해당한다. ( )

(2) 풍선이 부풀어 오름에 따라 붙임딱지 사이의 거리는 점점 멀어진다. ( )

(3) B를 기준으로 했을 때 멀어지는 속도는 A와 C가 같다. ( )

(4) 풍선이 커지면 붙임딱지도 커진다. ( )

(5) B~C 사이의 거리가 A~B 사이 거리의 2배라면 B를 기준으로 C는 A보다 2배 더 빠른 속도로 멀어진다. ( )

(6) 외부 은하들이 우리은하로부터 멀어지는 까닭은 우주가 팽창하고 있기 때문이다. ( )

02 이 실험에서 풍선을 불 때 서로 멀어지는 각 점들의 중심점은 어느 곳에 있는가?

① 풍선의 표면　② 풍선의 입구
③ 풍선의 내부　④ 풍선의 중심
⑤ 중심점이 없다.

03 이 실험을 통해 알 수 있는 사실에 대한 설명으로 옳은 것만을 보기에서 모두 고르시오.

보기
ㄱ. 팽창하는 은하의 중심은 태양계이다.
ㄴ. 대부분의 은하들은 서로 멀어지고 있다.
ㄷ. 우리은하에서 먼 은하일수록 더 천천히 멀어진다.

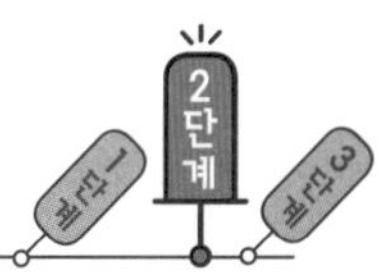

정답과 해설 055쪽

A 우리은하

필수

01 그림은 맑은 날 밤하늘에서 관측한 은하수를 나타낸 것이다. 이에 대한 설명으로 옳은 것만을 보기에서 모두 고른 것은?

보기
ㄱ. 북극성 방향에서 가장 폭이 넓고 밝게 보인다.
ㄴ. 우리나라에서 관측할 때 겨울철보다 여름철에 더 밝게 보인다.
ㄷ. 하늘을 한 바퀴 휘감고 있어 남반구와 북반구 어디에서나 관측된다.

① ㄱ ② ㄷ ③ ㄱ, ㄴ
④ ㄴ, ㄷ ⑤ ㄱ, ㄴ, ㄷ

필수

02 그림은 우리은하의 모습을 나타낸 것이다. 이에 대한 설명으로 옳은 것은?

① 타원 은하이다.
② 태양계는 B에 위치한다.
③ 우리은하를 옆에서 본 모습이다.
④ C는 은하의 나선팔에 해당한다.
⑤ A에서 B까지의 거리는 약 10만 광년이다.

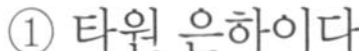
서술형

03 우리나라의 밤하늘에서 은하수를 관측해 보면 그림과 같이 겨울철에 비해 여름철에 은하수의 폭이 훨씬 넓고 밝게 보인다. 그 까닭을 서술하시오.

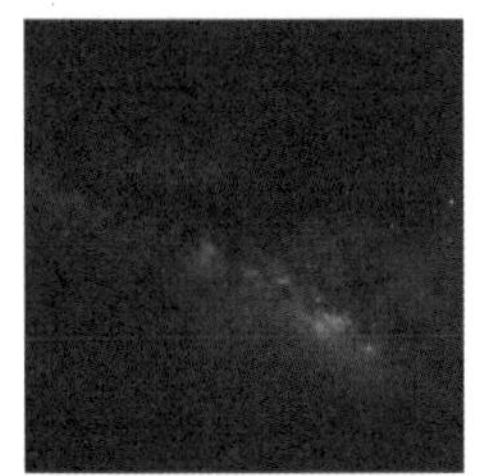
▲ 겨울철

▲ 여름철

[04-05] 그림은 우리은하를 옆에서 본 모습을 나타낸 것이다.

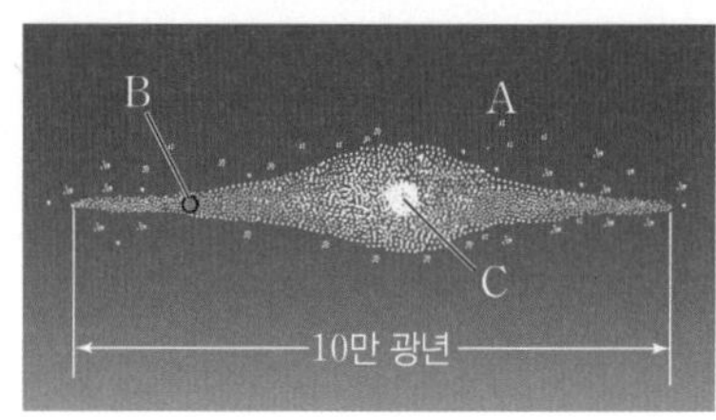

필수

04 이에 대한 설명으로 옳은 것만을 보기에서 모두 고른 것은?

보기
ㄱ. 태양계는 C에 위치한다.
ㄴ. 우리은하의 지름은 약 10만 광년이다.
ㄷ. 우리은하의 중심부는 주변보다 별이 적다.

① ㄱ ② ㄴ ③ ㄱ, ㄷ
④ ㄴ, ㄷ ⑤ ㄱ, ㄴ, ㄷ

05 구상 성단이 주로 분포하는 곳을 모두 고른 것은?

① A ② B ③ A, C
④ B, C ⑤ A, B, C

06 우리은하에 포함되어 있는 천체만을 보기에서 모두 고르시오.

보기
ㄱ. 지구 ㄴ. 태양계
ㄷ. 산개 성단 ㄹ. 구상 성단
ㅁ. 성간 물질 ㅂ. 안드로메다은하

07 우리은하 중심에서 출발한 빛이 지구까지 도달하는 데 대략 얼마의 시간이 걸리겠는가?

① 3만 년 ② 5만 년
③ 10만 년 ④ 30만 년
⑤ 100만 년

08 다음 보기에 제시된 것을 규모가 작은 것부터 큰 것 순으로 차례대로 나열하시오.

| 보기 |

ㄱ. 지구　　ㄴ. 우주
ㄷ. 태양계　　ㄹ. 성운
ㅁ. 우리은하

B 우리은하를 구성하는 천체

[09-11] 그림은 망원경으로 관측한 두 종류의 성단을 나타낸 것이다.

(가)

(나)

필수

09 (가), (나) 두 성단의 특징을 옳게 짝 지은 것은?

		(가)	(나)
①	명칭	산개 성단	구상 성단
②	별의 수	수만~수십만 개	수십~수만 개
③	색	파란색	붉은색
④	분포 지역	나선팔	은하 중심
⑤	발견된 수	1000여 개	150여 개

10 (가), (나)를 구성하는 별들의 색이 차이가 나는 까닭은?

① 표면 온도가 서로 다르기 때문
② 성단의 모양이 서로 다르기 때문
③ 지구로부터의 거리가 다르기 때문
④ 성단에 포함된 별의 수가 다르기 때문
⑤ 성단에 포함된 구성 물질이 다르기 때문

서술형

11 (가), (나) 두 천체를 구성하는 별들의 표면 온도를 비교하여 서술하시오.

필수

12 그림은 오리온자리에 있는 말머리성운이다. 이 성운에 대한 설명으로 옳은 것은?

① 반사 성운이다.
② 수증기가 응결한 구름이다.
③ 어두운 별들이 모인 것이다.
④ 별이 팽창할 때 생기는 것이다.
⑤ 가스나 티끌 등이 멀리서 오는 별빛을 차단하고 있다.

필수

13 그림과 같은 성운에 대한 설명으로 옳지 않은 것은?

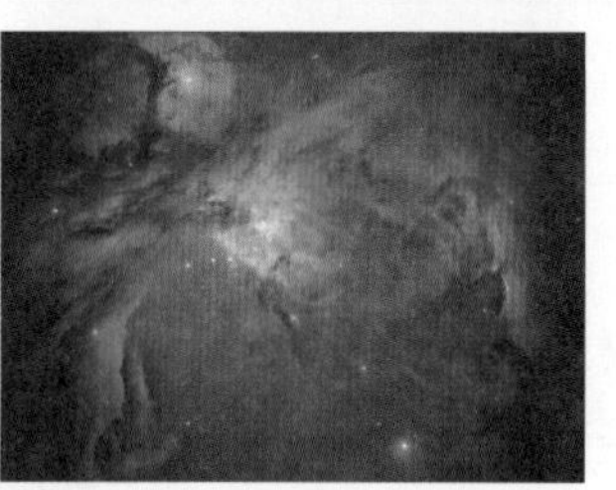

① 방출 성운이다.
② 태양계 내에 있다.
③ 스스로 빛을 내는 성운이다.
④ 주변에 고온의 별이 분포한다.
⑤ 가스나 티끌 등으로 되어 있다.

신유형

14 다음은 여러 학생들이 우리은하의 구성원과 특징에 대하여 발표한 내용이다.

- 강식: 성단은 대체로 같은 장소, 같은 시기에 만들어진 별들의 집단이야.
- 유선: 성운은 가스와 티끌 등으로 구성되어 있는데, 이곳에서 새로운 별들이 만들어지기도 해.
- 민수: 구상 성단은 산개 성단보다 생성된 지 오래되어 파란색을 띠지.
- 혜령: 성단과 성운은 모두 우리은하 밖에 분포하는 천체들이야.

옳은 의견을 발표한 사람들을 모두 쓰시오.

정답과 해설 055쪽

C 외부 은하

신유형

15 민경이는 다음과 같은 기준을 세워 외부 은하를 분류하였다.

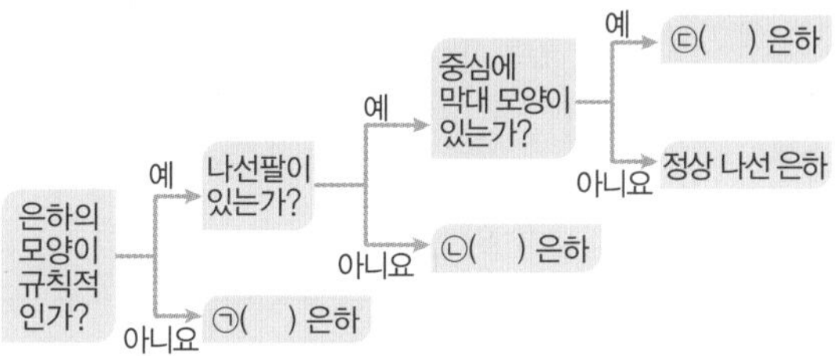

㉠~㉢에 들어갈 말을 각각 쓰시오.

필수

16 그림은 허블의 은하 분류를 나타낸 것이다.

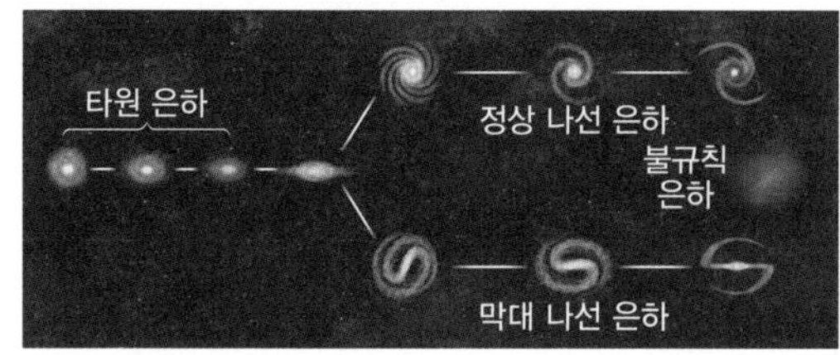

허블의 은하 분류 체계 중에서 우리은하와 같은 형태의 은하는 무엇인지 쓰시오.

필수

17 그림은 외부 은하를 나타낸 것이다. 이에 대한 설명으로 옳은 것만을 보기에서 모두 고른 것은?

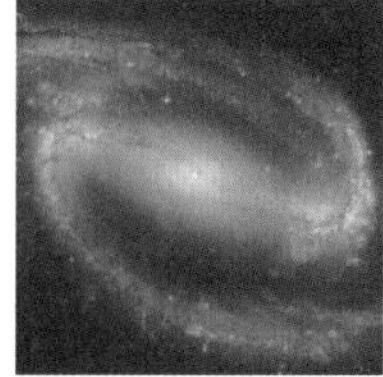

보기
ㄱ. 나선팔이 존재한다.
ㄴ. 강한 전파를 방출하며 형태가 불규칙하다.
ㄷ. 은하 중심부를 가로지르는 막대 모양의 구조가 있다.
ㄹ. 우리은하와 안드로메다은하는 이 은하에 속한다.

① ㄱ, ㄴ ② ㄱ, ㄷ ③ ㄴ, ㄹ
④ ㄱ, ㄷ, ㄹ ⑤ ㄴ, ㄷ, ㄹ

18 다음은 어떤 외부 은하를 관측하여 그 특징을 설명한 것이다.

- 나선팔이 없다.
- 납작한 정도에 따라 세분한다.
- 성간 물질이 거의 없고, 나이가 많은 별들로 구성된다.

이와 같은 관측 사실을 바탕으로 할 때 이 은하와 같은 형태의 은하는?

① 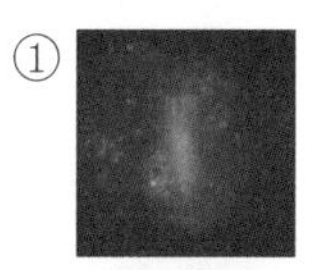
② 
③ 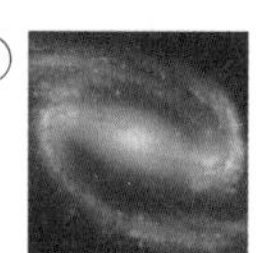
④ 
⑤ 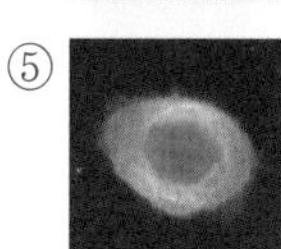

19 외부 은하에 대한 설명으로 옳은 것만을 보기에서 모두 고른 것은?

보기
ㄱ. 외부 은하는 모양에 따라 구분한다.
ㄴ. 외부 은하의 수는 나선 은하>타원 은하>불규칙 은하이다.
ㄷ. 우리은하에서 볼 때 외부 은하의 위치는 항상 일정하다.

① ㄱ ② ㄷ ③ ㄱ, ㄴ
④ ㄴ, ㄷ ⑤ ㄱ, ㄴ, ㄷ

D 우주 팽창

20 우주에 대한 설명으로 옳지 않은 것은?

① 우주의 크기는 점점 커진다.
② 수많은 은하로 이루어져 있다.
③ 대부분의 은하들 사이의 거리는 점점 가까워진다.
④ 외부 은하는 어느 방향으로도 거의 골고루 분포한다.
⑤ 우주는 모든 물질과 에너지가 모인 한 점에서 대폭발로 시작되었다.

서술형

21 다음은 우주 팽창을 모형으로 나타낸 실험이다.

(가) 바람을 조금 불어 넣은 고무풍선의 표면에 붙임딱지 A, B, C를 붙인다.
(나) 고무풍선을 크게 부풀린 후 붙임딱지 사이의 거리 변화를 관찰한다.

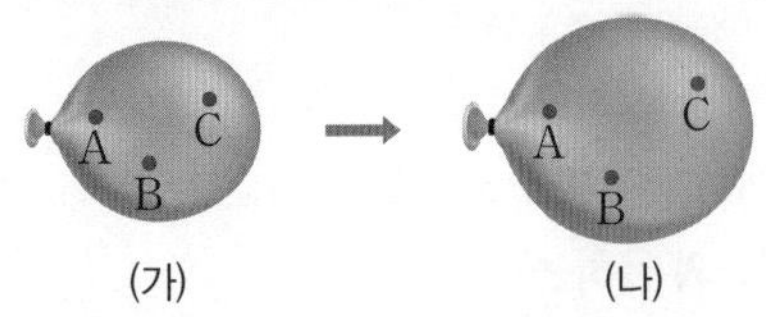

(가) (나)

(1) 풍선이 부풀어 오를 때 B를 기준으로 보면 A와 C가 멀어지는 속도는 어느 것이 더 빠른지 쓰시오.

(2) 팽창하는 우주에서 은하 사이의 거리는 어떻게 변하는지 이 실험과 연관지어 서술하시오.

필수

22 빅뱅 우주론에 대한 설명으로 옳은 것만을 보기에서 모두 고른 것은?

보기
ㄱ. 우주는 한 점에서 시작되었다.
ㄴ. 우주는 현재 팽창을 멈추었다.
ㄷ. 우주의 나이는 약 138억 년이다.
ㄹ. 팽창하는 우주의 중심은 우리은하이다.

① ㄱ, ㄴ ② ㄱ, ㄷ ③ ㄴ, ㄹ
④ ㄱ, ㄴ, ㄷ ⑤ ㄴ, ㄷ, ㄹ

23 우주가 팽창하고 있을 때 우리은하로부터 멀리 있는 은하일수록 어떻게 관측되는가?

① 일정한 속도로 멀어진다.
② 더 빠른 속도로 멀어진다.
③ 더 빠른 속도로 가까워진다.
④ 더 느린 속도로 멀어진다.
⑤ 더 느린 속도로 가까워진다.

24 우주 팽창의 증거로 옳은 것만을 보기에서 모두 고른 것은?

보기
ㄱ. 대부분의 외부 은하들은 멀어지고 있는 것으로 관측된다.
ㄴ. 멀리 있는 외부 은하일수록 멀어지는 속도가 느리다.
ㄷ. 가까운 별을 관측하면 6개월 간격으로 시차가 나타남을 알 수 있다.

① ㄱ ② ㄷ ③ ㄱ, ㄴ
④ ㄴ, ㄷ ⑤ ㄱ, ㄴ, ㄷ

E 우주 탐사

25 다음은 우주 탐사의 영향을 설명한 것이다.

(가) 인공위성을 이용하면 지구의 기온 변화, 해양 환경 변화 등을 거의 실시간으로 알아낼 수 있고, 지하자원을 탐사할 수 있다. 또, 우주 망원경이나 탐사선을 이용하면 태양계와 우리은하, 우주의 탄생 과정을 이해하는 데 도움이 된다.
(나) 인공위성이나 탐사선을 발사한 후 지구 궤도에 버려진 로켓의 본체와 부품, 운행 중인 인공위성에서 떨어져 나온 페인트 조각이나 나사 등은 지구 궤도를 매우 빠른 속도로 돌면서 운행 중인 인공위성이나 탐사선에 영향을 준다.

(가)와 (나)는 각각 우주 탐사의 긍정적인 영향과 부정적인 영향 중 어떤 것을 설명한 것인지 쓰시오.

필수

26 우주 탐사 과정에서 개발된 과학기술을 일상생활에 활용한 예로 옳은 것만을 보기에서 모두 고르시오.

보기
ㄱ. 가정용 정수기 ㄴ. 농구공
ㄷ. 자동차 에어백 ㄹ. 화재 경보기

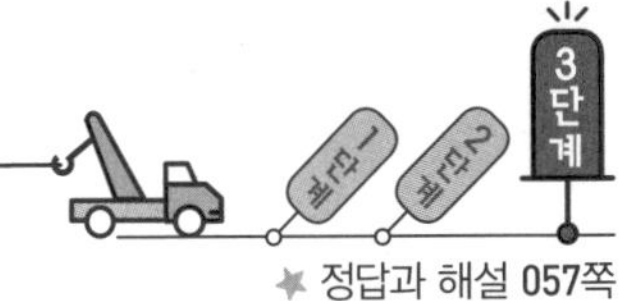

정답과 해설 057쪽

01 태양계가 우리은하의 중심에 있다고 가정할 때, 밤하늘에서 볼 수 있는 은하수의 모습을 옳게 예측한 것은?

① 현재와 같이 보일 것이다.
② 현재보다 어둡게 보일 것이다.
③ 북반구에서만 볼 수 있을 것이다.
④ 은하수의 폭이 가늘게 보일 것이다.
⑤ 하늘 전체에 별들이 많이 분포할 것이다.

필수

02 그림 (가)와 (나)는 어떤 천체의 모습을 나타낸 것이다.

(가)

(나)

천체 (가)와 (나)를 비교했을 때, 천체 (가)가 (나)보다 더 큰 것만을 보기에서 모두 고른 것은?

보기
ㄱ. 별의 개수
ㄴ. 발견된 수
ㄷ. 별의 나이
ㄹ. 별의 표면 온도

① ㄱ, ㄴ ② ㄱ, ㄷ ③ ㄴ, ㄷ
④ ㄴ, ㄹ ⑤ ㄷ, ㄹ

필수

03 팽창하는 우주에 대해 알아보기 위해 그림과 같이 식빵을 부풀렸더니 건포도 A~C의 위치가 변하였다.

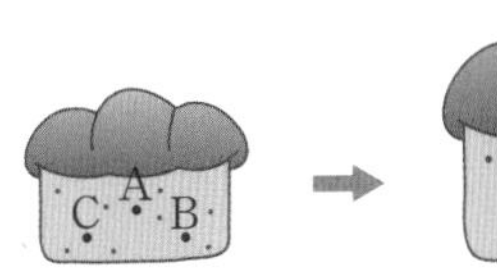

이에 대한 설명으로 옳은 것만을 보기에서 모두 고른 것은?

보기
ㄱ. 식빵은 우주, 건포도는 은하에 해당한다.
ㄴ. 우주가 팽창할수록 은하들 사이의 거리는 점점 멀어진다.
ㄷ. B를 기준으로 했을 때 멀어지는 속도는 A와 C가 같다.

① ㄱ ② ㄱ, ㄴ ③ ㄱ, ㄷ
④ ㄴ, ㄷ ⑤ ㄱ, ㄴ, ㄷ

04 다음 중 우주가 팽창해도 변하지 않는 것은?

① 우주의 밀도
② 우주의 온도
③ 우주의 반지름
④ 우주의 총 질량
⑤ 은하 사이의 거리

신유형 서술형

05 그림 (가)는 A 은하에서 관측할 때, (나)는 B 은하에서 관측할 때 다른 은하의 운동 방향과 속력을 나타낸 것이다.

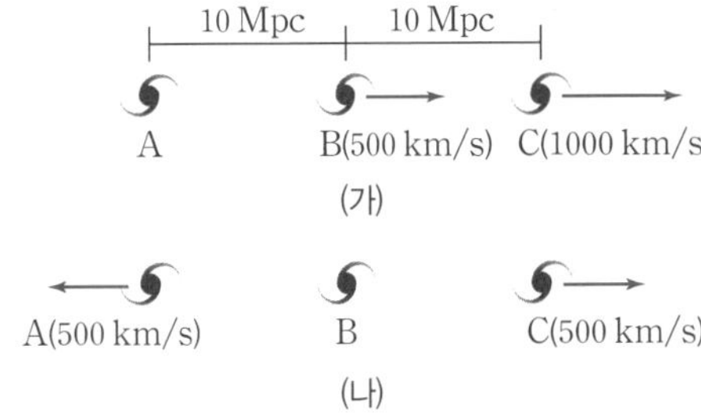

(1) 만약 C 은하에서 관측한다면 A 은하와 B 은하 중 이동 속도가 더 빠른 은하는 무엇인지 쓰시오.

(2) 이와 같이 은하의 이동 속도가 서로 다른 것으로부터 알 수 있는 사실을 서술하시오.

---

06 보기에 주어진 우주 탐사 활동을 시간 순으로 나열하시오.

보기
ㄱ. 아폴로 11호를 통해 인류가 최초로 달에 착륙하였다.
ㄴ. 최초의 인공위성인 스푸트니크 1호를 발사하였다.
ㄷ. 허블 우주 망원경을 통해 대기권 밖에서 천체와 우주를 관측할 수 있다.

① ㄱ → ㄴ → ㄷ ② ㄱ → ㄷ → ㄴ
③ ㄴ → ㄱ → ㄷ ④ ㄴ → ㄷ → ㄱ
⑤ ㄷ → ㄴ → ㄱ

점수 표시가 없는 문제는 모두 3점입니다.

제한시간: 45분

01 별의 연주 시차에 대한 설명으로 옳지 않은 것은?

① 지구 공전의 증거가 된다.
② 연주 시차는 별까지의 거리에 반비례한다.
③ 연주 시차를 측정하려면 6개월 이상이 걸린다.
④ 지구에 가까이 있는 별일수록 연주 시차가 크다.
⑤ 연주 시차가 1″인 별까지의 거리를 1광년이라고 한다.

02 표는 별 A~E의 거리를 나타낸 것이다.

별	A	B	C	D	E
거리	14 pc	8 pc	2 pc	25 pc	5 pc

연주 시차가 큰 별부터 순서대로 옳게 나열한 것은?

① A-B-C-D-E ② A-D-B-E-C
③ C-D-A-B-E ④ C-E-B-A-D
⑤ E-A-D-C-B

03 그림은 별까지의 거리가 2배 멀어지면, 별빛이 퍼지는 면적이 4배가 되는 모습을 나타낸 것이다.

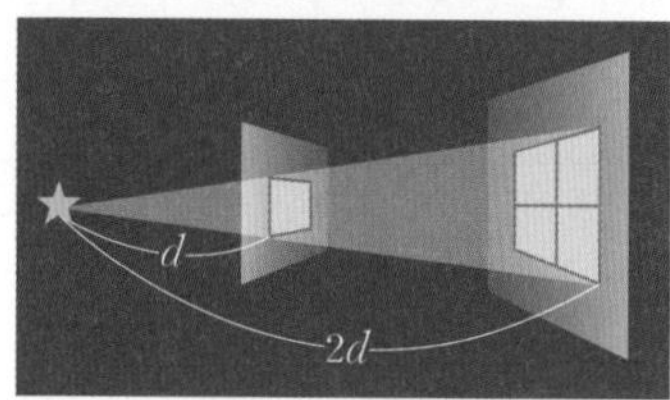

이에 대한 설명으로 옳은 것만을 보기에서 모두 고른 것은?

보기
ㄱ. 별의 밝기는 거리의 제곱에 비례한다.
ㄴ. 단위 면적당 도달하는 에너지의 양은 거리에 따라 달라진다.
ㄷ. 태양이 지구로부터 현재보다 10배 멀어지면 지구에서 보이는 태양의 밝기는 현재보다 100배 밝아진다.

① ㄱ ② ㄴ ③ ㄱ, ㄷ
④ ㄴ, ㄷ ⑤ ㄱ, ㄴ, ㄷ

[04-05] 다음은 별의 밝기가 다른 까닭을 알아보기 위한 실험과 이를 통해 알 수 있는 별의 밝기에 대한 설명이다.

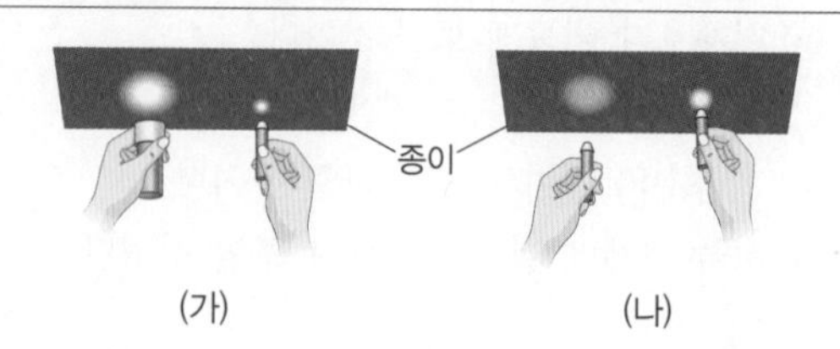

(가) (나)

(가) 방출하는 빛의 양이 서로 다른 두 손전등을 검은 종이로부터 같은 거리에서 비추면서 종이에 비치는 전등 빛의 밝기를 비교해 본다. ➡ 방출하는 에너지양이 적은 별일수록 더 (A).

(나) 방출하는 빛의 양이 같은 두 손전등을 검은 종이로부터 서로 다른 거리에서 비추면서 종이에 비치는 전등 빛의 밝기를 비교해 본다. ➡ 거리가 (B) 별일수록 더 어둡게 보인다.

04 ( ) 안에 들어갈 말을 옳게 짝 지은 것은?

	A	B
①	밝다	가까운
②	밝다	먼
③	어둡다	가까운
④	어둡다	먼
⑤	밝다	같은

05 이 실험에 대한 설명으로 옳은 것만을 보기에서 모두 고른 것은?

보기
ㄱ. 손전등은 별을 의미한다.
ㄴ. 실험 (가)는 두 별의 절대 등급을 알아보는 실험이다.
ㄷ. 실험 (나)는 거리에 따른 겉보기 등급을 알아보는 실험이다.

① ㄱ ② ㄷ ③ ㄱ, ㄴ
④ ㄴ, ㄷ ⑤ ㄱ, ㄴ, ㄷ

정답과 해설 058쪽

06 표는 별 A~C의 겉보기 등급과 절대 등급을 나타낸 것이다.

별	겉보기 등급	절대 등급
A	−0.1	0.7
B	2.1	1.5
C	3.0	−3.7

우리 눈에 가장 밝게 보이는 별과, 실제로 가장 어두운 별을 순서대로 옳게 나열한 것은?

① A－B ② A－C
③ B－A ④ C－B
⑤ C－C

07 표는 별의 등급 차에 따른 밝기 비를 나타낸 것이다.

등급 차	1	2	3	4	5
밝기 비(배)	2.5	6.3	16	40	100

별 S의 연주 시차가 1″이고, 절대 등급이 3등급일 때, 별 S의 겉보기 등급은?

① −2등급 ② −1등급 ③ 0등급
④ 1등급 ⑤ 2등급

08 그림은 겨울철 대삼각형을 이루는 베텔게우스, 프로키온, 시리우스이다. 세 별 중 (가)표면 온도가 가장 높은 별과, (나)표면 온도가 가장 낮은 별을 각각 쓰시오.

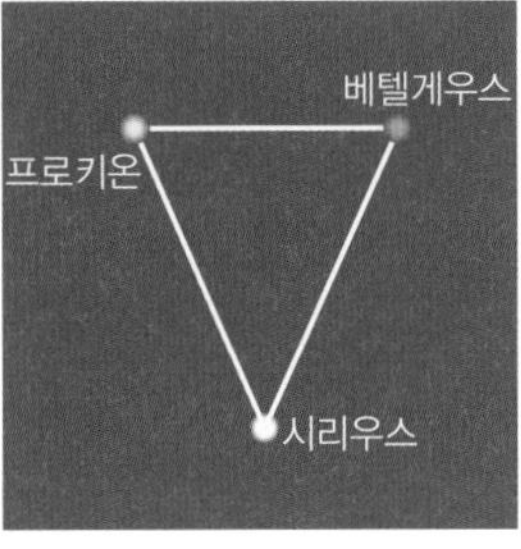

09 표는 태양과 두 별 (가)와 (나)의 특징을 나타낸 것이다.

태양	(가)	(나)
별의 색이 노란색	표면 온도 3500 ℃	별의 색이 파란색

세 별의 표면 온도를 옳게 비교한 것은?

① (가)>(나)>태양 ② (가)>태양>(나)
③ (나)>(가)>태양 ④ (나)>태양>(가)
⑤ 태양>(가)>(나)

10 그림은 은하수가 보이는 원리를 나타낸 것이다.

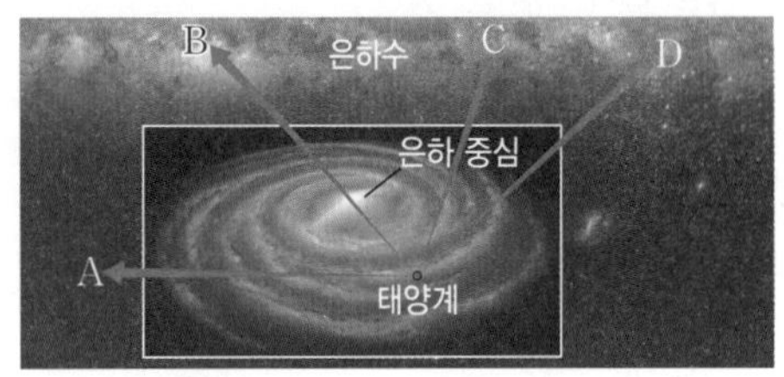

A~D 중 궁수자리가 있는 방향을 쓰시오.

11 우리은하를 구성하는 천체 중 주위의 별빛을 반사하여 밝게 보이는 반사 성운을 나타낸 것은?

①
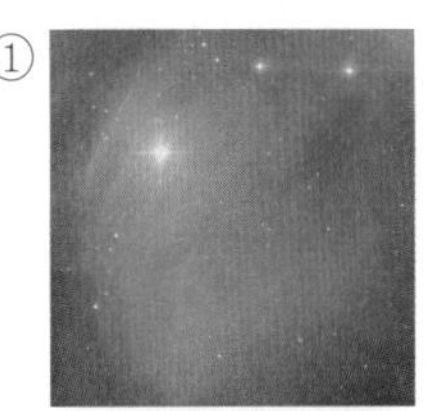

②
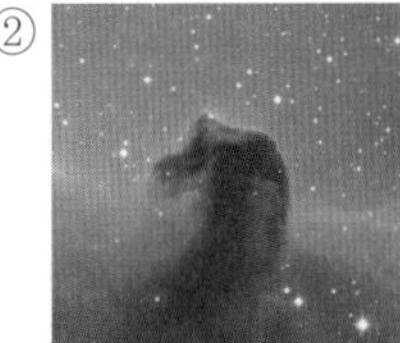

③
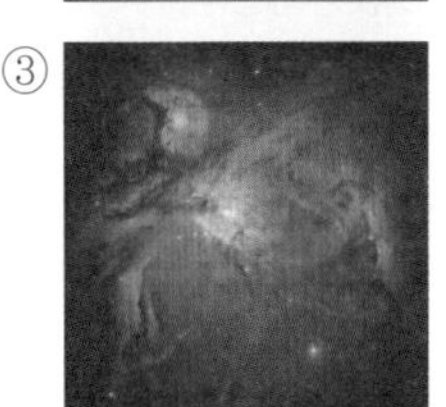

④

⑤
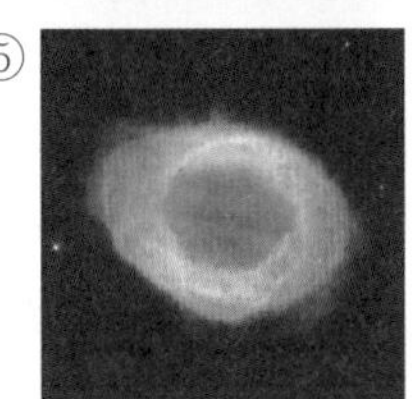

12 다음 글의 밑줄 친 말 중 옳지 않은 것은?

> 우리은하는 ①별, 성단, 성운 등으로 이루어진 천체의 집단으로, 지름은 ②약 10만 광년이고 중심부의 두께는 ③약 1.5만 광년이다. 우리은하에는 태양과 같은 별이 ④2만 개 정도 포함되어 있으며, 태양계는 우리은하 중심에서 약 3만 광년 떨어진 ⑤나선팔에 위치하고 있다.

13 다음 중 우리은하의 옆 모습과 태양계의 위치를 모식적으로 옳게 나타낸 것은?

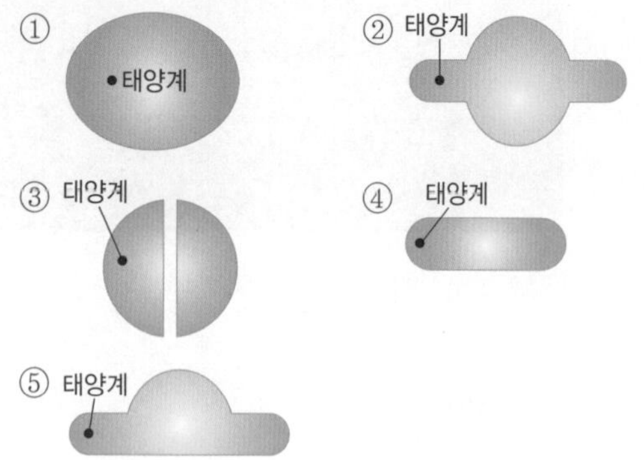

14 성운과 성단에 대한 설명으로 옳은 것은?

① 성운과 성단은 모두 우리은하 밖에 있는 천체들이다.
② 암흑 성운은 가스와 티끌이 별빛을 반사시켜 밝게 보인다.
③ 가스나 티끌 등의 성간 물질이 많이 모여 구름처럼 보이는 것을 성운이라고 한다.
④ 성단은 다른 장소에서 다른 시기에 만들어진 별들이 모여서 생성된 것이다.
⑤ 성운은 별빛이 지구의 대기 중에 포함된 먼지 등에 의해 구름처럼 보이는 것을 말한다.

15 그림은 허블의 은하 분류를 나타낸 것이다.

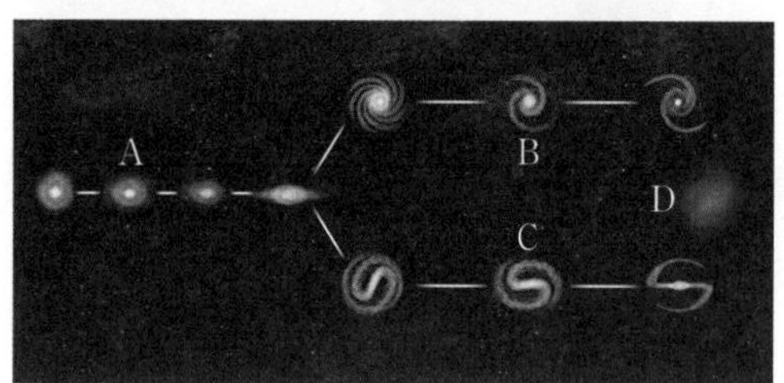

A~D에 대한 설명으로 옳은 것만을 보기에서 모두 고른 것은?

보기
ㄱ. A는 타원 은하이다.
ㄴ. B와 C는 막대 구조의 존재 유무로 구분한다.
ㄷ. 우리은하는 D에 속한다.

① ㄱ　② ㄷ　③ ㄱ, ㄴ
④ ㄴ, ㄷ　⑤ ㄱ, ㄴ, ㄷ

16 우주 팽창에 대한 설명으로 옳은 것만을 보기에서 모두 고른 것은?

보기
ㄱ. 팽창하는 우주에는 중심이 없다.
ㄴ. 은하들 사이의 거리는 가까워진다.
ㄷ. 서로 멀리 떨어져 있는 은하일수록 더 빨리 멀어진다.

① ㄱ　② ㄴ　③ ㄱ, ㄷ
④ ㄴ, ㄷ　⑤ ㄱ, ㄴ, ㄷ

17 그림은 우주를 탐사하는 방법 중 하나인 우주 탐사선을 나타낸 것이다. 이에 대한 설명으로 옳은 것만을 보기에서 모두 고른 것은?

보기
ㄱ. 비용이 많이 든다.
ㄴ. 지구에서 천체까지 이동하는 데 드는 시간이 짧다.
ㄷ. 천체에 접근하여 탐사하므로 자세하게 천체를 관측할 수 있다.

① ㄱ　② ㄴ　③ ㄱ, ㄷ
④ ㄴ, ㄷ　⑤ ㄱ, ㄴ, ㄷ

18 인공위성이나 우주 개발이 우리 생활에 미치는 영향에 대한 설명으로 옳지 않은 것은?

① 인공위성은 천체 주위를 공전한다.
② 우주 정거장과 우주 망원경도 인공위성에 해당한다.
③ 태양 에너지를 사용하는 인공위성의 수명은 영구적이다.
④ 우주 쓰레기는 인공위성이나 우주 정거장에 심각한 피해를 줄 수 있다.
⑤ 우주 개발 과정에서 나온 여러 발명품들은 일상생활에 편리하게 이용된다.

★ 정답과 해설 058쪽

서술형 문제

19 그림은 눈과 연필 사이의 거리를 다르게 하여 시차를 비교하는 것을 나타낸 것이다.

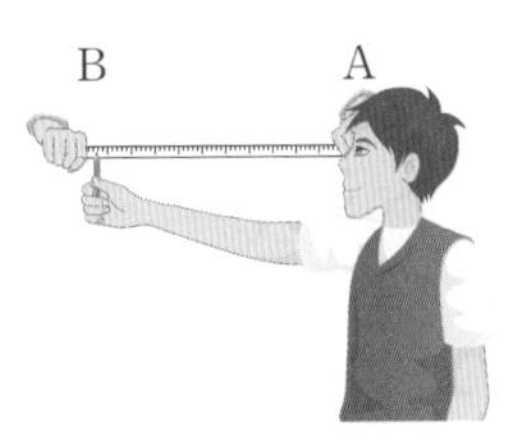

(가) 팔을 뻗었을 때

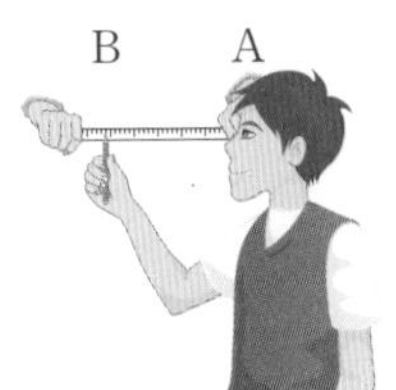

(나) 팔을 구부렸을 때

(가), (나)의 시차를 비교하여 서술하시오. (6점)

20 표는 별 (가)~(다)의 절대 등급과 색을 나타낸 것이다.

별	절대 등급	색
(가)	−3	청백색
(나)	3	황백색
(다)	−3	붉은색

별 (가)~(다) 중 표면 온도가 가장 높으며 실제로 가장 밝은 별은 어느 것인지 쓰고, 이와 같이 생각한 까닭을 서술하시오. (7점)

21 그림은 오리온자리를 나타낸 것이다.

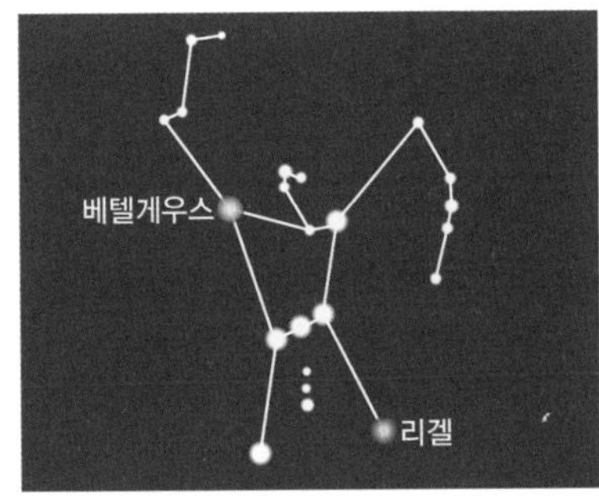

베텔게우스와 리겔 중 표면 온도가 더 높은 별을 고르고, 이와 같이 생각한 까닭을 서술하시오. (7점)

22 다음은 영수와 동생이 밤하늘을 보면서 나눈 대화이다.

- 동생: 오빠, 저기 별들 사이에 뿌연 띠 모양으로 보이는 게 뭐야?
- 영수: 응. 그건 은하수야.
- 동생: 왜 은하수가 저렇게 보여?
- 영수: 왜냐하면 은하수는 (㉠).
- 동생: 그런데 저쪽 부분이 다른 곳에 비해 훨씬 두껍고 밝은데?
- 영수: 응. 은하수는 우리은하의 일부인데, 그 부분이 (㉡).

윗 글의 ㉠, ㉡에 들어갈 문장을 각각 서술하시오. (8점)

23 그림은 우리은하에서 관측할 수 있는 서로 다른 성운을 나타낸 것이다.

(가)

(나)

(1) (가)와 (나) 성운의 종류를 각각 쓰시오. (3점)

(2) (가)와 (나) 성운이 관측되는 원리를 각각 서술하시오. (6점)

24 다음은 외부 은하를 일정한 기준에 따라 분류한 것이다.

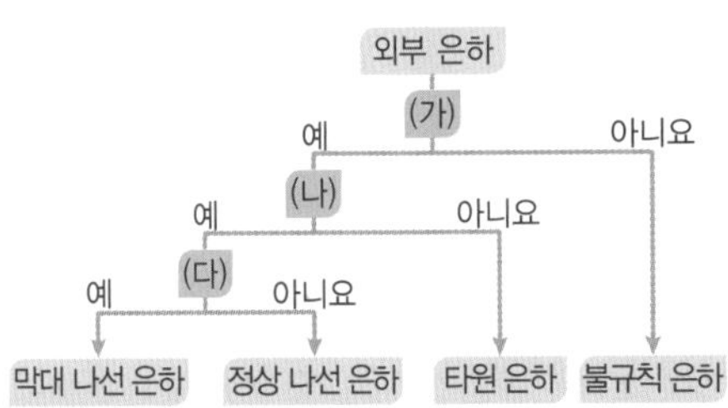

(가)~(다)에서 들어갈 분류 기준을 각각 서술하시오. (9점)

과학 기술과 인류 문명

Ⅷ. 과학 기술과 인류 문명

01 과학 기술과 인류 문명

물음으로 흐름잡기

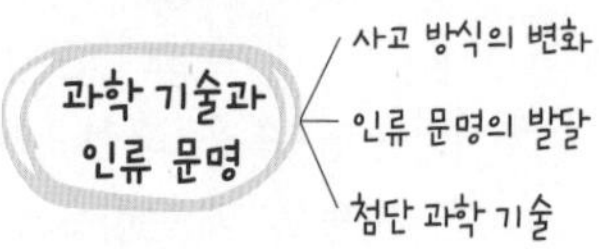

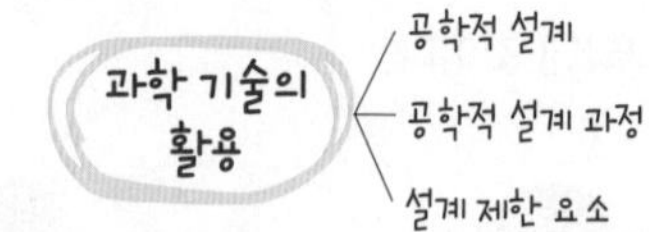

A 과학 기술과 인류 문명의 관계

1. 과학 기술과 인류 사고 방식의 변화 과학 기술의 발달은 인류가 합리적이고 실험적인 방법을 중요하게 생각하도록 하여 인류 문명이 발달하는 데 큰 역할을 하였다.

망원경과 태양 중심설	현미경과 세포의 발견	프린키피아와 운동 법칙
망원경으로 천체를 관측하여 태양 중심설의 증거를 발견하면서 경험 중심의 과학적 사고를 중요시하게 되었다.	현미경으로 세포를 발견하여 생물체를 작은 세포들이 모여서 이루어진 존재로 인식하게 되었다.	만유인력• 법칙과 운동 법칙의 발견은 자연 현상을 이해하고 그 변화를 예측할 수 있게 하였다.

2. 과학 기술과 인류 문명의 발달 과학 기술은 인쇄, 교통, 농업, 의료, 정보 통신 등 다양한 분야에 영향을 미쳐 인류 문명을 크게 변화시켰다.❶

과학 기술과 인쇄 분야	인쇄술의 발달로 책을 빠르게 만들 수 있게 되었고, 많은 사람이 책에서 대량의 지식을 얻을 수 있게 되었다.
과학 기술과 교통 분야	항해술의 발달로 사람들이 먼 대륙으로 이동하면서 교역이 활발해지고, 새로운 작물이 도입되어 인류의 생활이 향상되었다. 증기 기관을 이용한 증기 기관차와 증기선의 발명으로 인류는 더 많은 물건을 먼 곳까지 운반할 수 있게 되었으며, 산업 발전에 영향을 주었다.
과학 기술과 농업 분야	암모니아 합성 기술을 이용하여 개발된 질소 비료는 식량을 증대하는 데 큰 역할을 하였다.
과학 기술과 의료 분야	종두법과 여러 가지 백신의 개발은 소아마비와 같은 질병을 예방할 수 있게 하였고, 페니실린 등의 항생제•의 개발은 결핵과 같은 질병을 치료할 수 있게 하였다.
과학 기술과 정보 통신 분야	전화기에서 라디오, 텔레비전을 거쳐 컴퓨터에 이르기까지 빠르게 발달하였다. 특히, 인터넷으로 세계를 연결하는 통신망을 만들고, 많은 정보를 쉽게 찾을 수 있게 되었다.

❶ **인류 문명의 발달에 영향을 미친 과학**
- 패러데이가 발견한 전자기 유도 법칙을 이용하여 전기를 생산하고 활용하였다.
- 파스퇴르는 여러 가지 백신을 개발하여 인류의 수명 연장에 기여하였다.
- 하버가 암모니아의 합성법을 개발하여 인류의 식량 문제를 해결하는 데 기여하였다.

❷ **스마트폰**
통화, 영상 재생, 사진 촬영, 결제 등 매우 다양한 용도로 쓰이고 있다.

▲ 스마트폰 결제

용어 알기
- **만유인력** 질량을 가진 모든 물체 사이에 작용하는 인력
- **항생제** 다른 미생물이나 생물 세포의 기능을 저해하는 물질

교과서 탐구 과학 기술이 인류 문명의 발달에 영향을 미친 사례 조사

▶ 과정
1. 모둠별로 인류 문명의 발달에 영향을 준 과학적 원리의 발견, 기술의 발달, 기기의 발명 등 과학 기술 사례를 조사한다.
2. 조사한 사례가 인류 문명의 발달에 미친 영향을 토의한다.
3. 토의한 내용을 바탕으로 발표 자료를 만들어 발표한다

▶ 결과
❶ **과학적 원리의 발견**: 코일 근처에서 자석을 움직이면 코일에 전류가 흐르는 현상을 발견하였다.
❷ **기술의 발달**: 음성을 전기 신호로 바꿔 전송하고, 전송된 신호를 다시 음성으로 재생하여 먼 곳에 있는 사람과 통신하는 기술이 발달하였다.
❸ **기기의 발명**: 전화기가 발명되었다.

▲ 초기 전화기

▶ 해석
과학 기술이 인류 문명의 발달에 미친 영향
① 멀리 떨어져 있는 사람과 음성으로 소식을 주고받을 수 있게 하였다.
② 정보 교환이 빨라지고, 인류의 활동 영역이 넓어졌다.

3. 첨단 과학 기술과 사용 예 첨단 과학 기술에는 크게 정보 통신 기술, 우주 항공 기술, 환경 기술, 생명 공학 기술, 나노 기술, 문화 기술 등이 있다.❷,❸

정보 통신 기술	컴퓨터 과학 기술을 바탕으로 한 인터넷, 정보 통신 등의 과학 기술이다. 많은 양의 정보를 빠르게 전달하는 분야에 활용한다. ㉰ 사물 인터넷 기술, 빅데이터 기술, 인공지능 기술, 가상 현실 등
우주 항공 기술	인공위성, 로켓, 우주 이용 기술이 포함된 과학 기술이다. 인공위성의 기능이 발전하면서 활용 범위가 넓어지고 있다.
환경 기술	환경 오염을 방지하거나 최소화하고, 예방, 복원하는 기술이다.
생명 공학 기술	생물의 특성과 생명 현상을 이해하고, 이를 인간에게 유용하게 이용하거나 인위적으로 조작하는 기술이다. 생명 공학 기술을 활용하여 식량 문제를 해결하고, 유용한 의약품을 만들거나 질병을 치료하는 방법을 개발하며, 친환경 에너지를 생산한다. ㉰ 유전자 재조합 기술, 세포 융합, 바이오 의약품, 바이오칩 등
나노• 기술	물질을 원자나 분자 수준에서 조작하고 분석하는 과학 기술이다. 반도체 소자나 차세대 디스플레이 장치의 개발 등에 활용한다. ㉰ 나노 반도체, 나노 로봇, 휘어지는 디스플레이 등
문화 기술	문화 콘텐츠를 기획하고 상품화하여 문화 상품의 가치를 높이는 과학 기술이다. 영상 콘텐츠 제작, 디지털 방송 등에 활용한다.

4. 과학 기술의 발달로 인한 문제점

① 환경 오염, 에너지 부족, 교통난, 개인의 사생활 침해와 같은 문제가 등장하였다.

② 과학 기술의 발달은 우리 생활에 유용하지만, 동시에 새로운 문제를 일으킬 수 있다.
㉰ 생명 공학 기술의 발달: 난치병 치료 가능성, 나쁜 형질을 모두 제거한 맞춤형 아기

❸ 드론의 활용

화재 현장에서 소방관이 인명 구조 활동을 하기 쉽지 않고, 날씨가 나쁠 때 해양 경찰이 바다에 빠진 사람을 구조하기 쉽지 않다. 이때 재난 구조용 드론이 소방관이나 해양 경찰을 대신하여 임무를 수행하기도 한다.

▲ 화재 현장에서 드론의 활용

또한, 영화나 드라마, 다큐멘터리 촬영 현장에서 카메라 감독이 접근하기 어려운 장면을 촬영할 때 드론을 편리하게 활용할 수 있다.

용어 알기

• **나노** 1 nm(나노미터)는 10억분의 1 m를 나타냄.

개념 다지기

정답과 해설 059쪽

01 과학 기술이 인류 문명에 영향을 미친 사례를 옳게 연결하시오.

(1) 프린키피아 •   • ㉠ 경험 중심의 과학적 사고를 중요시하게 됨.

(2) 현미경 •   • ㉡ 생물체를 작은 세포들이 모여서 이루어진 존재로 인식하게 됨.

(3) 망원경 •   • ㉢ 자연 현상을 이해하고 그 변화를 예측할 수 있게 하였음.

02 과학 기술이 인류 문명에 미친 영향의 예이다. (가)와 (나)에 해당하는 기기를 각각 쓰시오.

> (가) 세포, 미생물을 관찰하여 백신, 항생제 등 의약품이 개발되었다.
> (나) 우주를 폭넓게 관측할 수 있게 되었다.

03 과학 기술이 영향을 미친 분야를 쓰시오.

(1) 백신과 항생제를 개발하였다. ( )

(2) 더 많은 물건을 먼 곳까지 운반할 수 있게 되었다. ( )

(3) 많은 사람이 책에서 대량의 지식을 얻을 수 있게 되었다. ( )

(4) 암모니아 합성 기술을 이용하여 질소 비료를 개발하였다. ( )

04 (가)와 (나)에서 설명하는 첨단 과학 기술 분야를 각각 쓰시오.

> (가) 물질을 원자나 분자 수준에서 조작하고 분석하는 과학 기술이다.
> (나) 많은 양의 정보를 빠르게 전달하는 분야에 활용한다.

01 과학 기술과 인류 문명

B 과학 기술을 활용하는 인간

❹ 과학 원리를 사용하는 제품의 예
- 볼펜: 스프링의 탄성력을 활용해 볼펜 심을 움직인다.
- 농구화: 착지할 때 운동화 밑창에 부착한 공기 주머니의 부피가 줄어들면서 발이 받는 충격을 줄여 준다.
- 등산화: 바닥을 울퉁불퉁하게 만든 등산화는 마찰력이 커서 잘 미끄러지지 않는다.
- 선풍기: 전기 에너지가 운동 에너지로 전환되는 것을 이용한다.

1. 일상생활에서 사용하는 제품의 과학적 원리❹ 일상생활에서 사용하는 여러 가지 제품은 과학 원리를 활용하여 만든다.

자전거 안장	용수철의 탄성력을 활용하여 충격을 흡수한다.
튜브	밀도에 따라 물질이 뜨고 가라앉는 현상을 활용한다. 튜브에 공기를 불어 넣으면 밀도가 작아져 물 위에 뜬다.
펌프식 용기	압력의 차이를 활용한다. 용기의 뚜껑을 압축시키면 용기 내부의 압력이 증가하여 용기 속 물질이 밖으로 빠져나간다.
프라이팬	비열이 작은 물질로 만들어 요리할 때 음식이 빨리 익게 한다.

2. 공학•적 설계• 과학 원리나 기술을 활용하여 기존의 제품을 개선하거나 새로운 제품 또는 시스템을 개발하는 창의적인 과정이다.

3. 공학적 설계를 할 때 고려해야 할 요소❺ 예 전기 자동차

경제성	경제적으로 이득이 있는가? 예 축전지(배터리) 교체 비용을 줄이기 위해 수명이 긴 축전지를 사용한다.
안전성	안전에 대비하였는가? 예 소음이 거의 없는 전기 자동차의 접근을 보행자가 알 수 있도록 전기 자동차에 경보음 장치를 설치한다.
편리성	사용이 편리한가? 예 한 번 충전하면 먼 거리를 주행할 수 있도록 용량이 큰 축전지를 사용한다.
환경적 요인	환경 오염을 유발하지 않는가? 예 배기가스를 배출하지 않도록 전기 에너지를 이용하는 전동기를 사용한다.
외형적 요인	외형이 아름다운가? 예 주요 소비자층의 취향을 분석하여 설계한다.

❺ 공학적 설계를 할 때 고려해야 할 요소
공학적 설계를 할 때에는 어떤 과학 기술을 적용할지 고민하는 것뿐만 아니라 만든 제품의 안전성과 경제적 가치 등 여러 가지 요소를 종합적으로 고려해야 한다.

4. 공학적 설계 과정 예 유선 청소기의 단점을 개선한 무선 로봇 청소기의 공학적 설계 과정

문제를 발견하고 목표 정하기	전원에서 멀리 떨어진 소파 밑을 쉽게 청소할 수는 없을까?
정보를 수집하고, 아이디어 구상•하기	청소기의 작동 원리와 자동으로 움직이는 무선 청소기가 갖추어야 할 조건을 조사해 본다. 전선 없이 청소기가 작동하려면 어떻게 해야 할까?
적합한 아이디어를 선정하여 구체화하기	전선 없이 소파 밑을 알아서 청소하는 무선 로봇 청소기를 만든다.
제품을 제작하여 성능을 시험하고, 문제점 보완하기	설계도대로 만든 제품이 제대로 작동하는지, 청소기 성능이 효과적인지 살펴본다. 문제점이 있으면 보완한다.

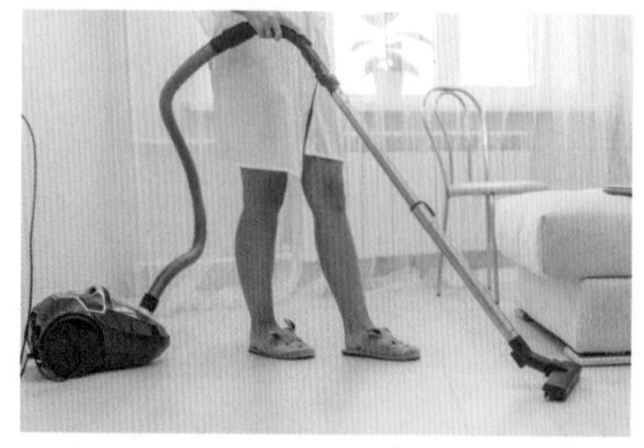
▲ 유선 청소기

➡

▲ 무선 로봇 청소기

⚠ 용어 알기
- **공학** 천연자원을 구조물, 제품, 시스템, 공정 등으로 변환하기 위해 과학 원리와 방법을 응용하는 학문
- **설계** 기계 제작 등에 대한 실제적인 계획을 세워 도면 등으로 명시하는 일
- **구상** 어떤 일을 하기에 앞서 하려는 일의 내용·규모·처리 방법 등을 이리저리 생각함.

교과서 탐구 **과학 원리를 활용하여 우리 생활에 필요한 산출물 설계**

▶ **과정**

1. 모둠별로 일상생활에서 사용하는 제품 중 한 가지를 선택하여 제품의 불편한 점과 과학 원리를 활용하여 개선할 수 있는 방안을 토의한다.
2. 과정 1에서 토의한 내용을 바탕으로 기존 제품을 개선할 때 고려해야 하는 점을 토의한다.
3. 제품의 설계도를 그리고, 발표 자료를 만들어 발표한다.

▶ **결과 및 해석**

❶ **제품의 불편한 점**: 어두운 곳에서는 공이 잘 보이지 않아 공놀이하기 불편하다.

❷ **과학 원리를 활용한 개선 방안**: 공 안에 자석과 코일로 만든 간이 발전 장치와 발광 다이오드•를 연결하여 넣는다. 공이 움직일 때 네오디뮴 자석이 움직여 코일에 전류가 흐르므로 코일에 연결된 발광 다이오드에 불이 켜진다.

❸ **고려해야 하는 점**: 소비 전력이 낮은 발광 다이오드를 사용한다. 발광 다이오드가 깨지지 않도록 발광 다이오드를 뽁뽁이로 감싼다.

⚠ 용어 알기

- **발광 다이오드** 전류를 직접 빛으로 변환시키는 반도체 소자
- **네오디뮴** 은백색 광택이 나는 희토류 원소의 하나

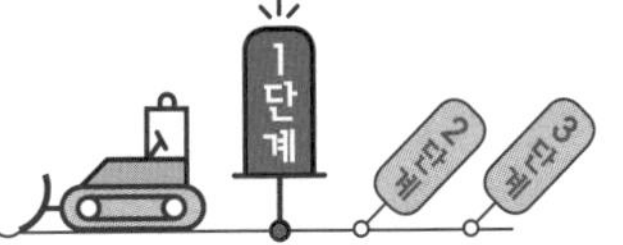

★ 정답과 해설 059쪽

05 다음은 일상생활에서 사용하는 제품의 과학적 원리를 설명한 것이다. ㉠~㉢에 들어갈 알맞은 말을 쓰시오.

> • 자전거 안장은 용수철의 (㉠)을 활용하여 충격을 흡수한다.
> • 튜브는 (㉡)에 따라 물질이 뜨고 가라앉는 현상을 활용한다.
> • 프라이팬은 (㉢)이 작은 물질로 만들어 요리할 때 음식이 빨리 익게 한다.

06 전기 자동차를 개발할 때 고려해야 할 점으로 옳은 것은 ○표, 옳지 <u>않은</u> 것은 ×표를 하시오.

(1) 경제성은 고려 사항이 아니다. ( )

(2) 자동차에 경보음 장치를 설치하여 안전성을 고려한다. ( )

(3) 전기 자동차를 개발할 때 공학적 설계를 할 필요는 없다. ( )

(4) 전기 에너지를 이용하는 전동기를 사용하여 환경적 요인을 고려한다. ( )

07 공학적 설계 과정에서 고려해야 할 요소만을 보기에서 모두 고르시오.

> 보기
>
> ㄱ. 경제성　　ㄴ. 안전성
>
> ㄷ. 환경적 요인　　ㄹ. 외형적 요인

08 다음은 공학적 설계 과정에 대한 설명이다. ㉠~㉤에 들어갈 알맞은 말을 쓰시오.

> (㉠)를 발견하고 (㉡) 정하기 ➡ (㉢)를 수집하고, (㉣) 구상하기 ➡ 적합한 아이디어를 선정하여 구체화하기 ➡ 제품을 제작하여 성능을 시험하고, (㉤) 보완하기

A 과학 기술과 인류 문명의 관계

신유형

01 과학 기술의 발달은 인류 문명에 영향을 미친다. 다음 중 망원경의 발달로 인한 영향으로 옳은 것은?

① 지식과 정보가 빠르게 확산되었다.
② 경험 중심의 과학적 사고를 중요시하게 되었다.
③ 자연 현상을 이해하고 그 변화를 예측할 수 있게 하였다.
④ 어디서든지 정보를 찾고 필요한 작업을 할 수 있게 되었다.
⑤ 생물체를 작은 세포들이 모여서 이루어진 존재로 인식하게 되었다.

02 과학 기술의 발달은 우리의 생활에 영향을 미친다. 다음 중 항해술의 발달로 인한 영향으로 가장 옳은 것은?

① 새로운 작물이 도입되었다.
② 교통수단이 매우 발달하였다.
③ 제품을 대량으로 생산할 수 있게 되었다.
④ 전 세계의 정보를 서로 공유할 수 있게 되었다.
⑤ 대량의 지식과 정보를 쉽게 접할 수 있게 되었다.

필수

03 과학 기술이 인류 문명의 발달에 미친 영향으로 옳은 것만을 보기에서 모두 고른 것은?

보기
ㄱ. 질소 비료는 식량을 늘리는 데 큰 역할을 하였다.
ㄴ. 항생제와 백신의 개발로 바이러스의 내성이 커져서 인류의 평균 수명이 짧아졌다.
ㄷ. 인터넷이 개발되어 인류는 세계를 연결하는 통신망을 만들고, 많은 정보를 쉽게 찾을 수 있게 되었다.

① ㄱ ② ㄴ ③ ㄱ, ㄷ
④ ㄴ, ㄷ ⑤ ㄱ, ㄴ, ㄷ

필수

04 스마트 기기의 사용으로 우리 생활은 예전에 비해 훨씬 편리해졌다. 다음 중 스마트 기기의 편리성과 관련이 없는 것은?

① 어디서든 다양한 자료를 검색할 수 있다.
② 은행을 가지 않고도 은행 업무를 볼 수 있다.
③ 개인 정보 유출 및 사생활 침해 가능성이 있다.
④ 외부에서도 집 안의 냉방 장치를 가동할 수 있다.
⑤ 집 안에서 택시를 호출하여 원하는 시간과 장소에서 택시를 이용할 수 있다.

서술형

05 그림 (가)는 옛날 영국에서 만든 기계식 계산기이고, 그림 (나)는 현재 사용하는 컴퓨터로, 1000년이 걸릴 계산을 몇 분 안에 할 수 있다.

(가)

(나)

(가)와 (나)를 비교하여 과학 기술이 인류 문명의 발달에 어떤 영향을 미치고 있는지 서술하시오.

06 과학 기술의 발달로 인한 문제점이 아닌 것은?

① 환경 오염 ② 에너지 부족
③ 사생활 침해 ④ 정보의 공유
⑤ 개인 정보 유출

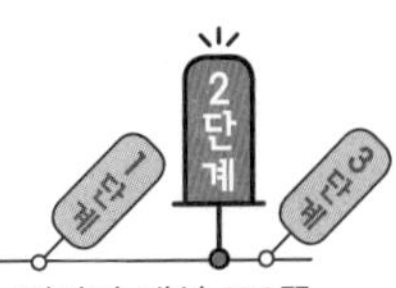

정답과 해설 059쪽

서술형

07 다음은 재난 현장에 과학 기술이 사용된 예를 만화로 나타낸 것이다.

재난 현장에서 드론 사용의 장점을 서술하고, 드론이 우리 생활에 활용된 또 다른 사례를 들어보시오.

B 과학 기술을 활용하는 인간

신유형

08 공학적 설계로 스마트폰을 개발할 때 고려해야 하는 점으로 옳은 것만을 보기에서 모두 고른 것은?

보기
ㄱ. 화면이 깨질 때 파편이 튀지 않는 유리를 사용하여 안전성을 높인다.
ㄴ. 제품 상호간의 호환성을 높이기 위해 모양과 색상을 단순하게 만든다.
ㄷ. 편리성을 고려하여 주위까지 소리가 잘 전달될 수 있는 스피커를 사용한다.

① ㄱ ② ㄷ ③ ㄱ, ㄴ
④ ㄱ, ㄷ ⑤ ㄴ, ㄷ

필수

09 공학적 설계 과정에서 고려해야 하는 요소가 아닌 것은?

① 경제성 ② 안전성
③ 견고성 ④ 환경적 요인
⑤ 외형적 요인

10 다음은 유선 스피커의 단점을 개선한 블루투스 무선 스피커의 공학적 설계 과정을 순서 없이 나타낸 것이다.

(가) 적합한 아이디어를 선정하여 구체화하기
전선 없이 음악을 재생할 수 있는 블루투스 무선 스피커를 만든다.
(나) 문제를 발견하고 목표 정하기
전선 없이 편하게 음악을 들을 수는 없을까?
(다) 제품을 제작하여 성능을 시험하고, 문제점 보완하기
설계도대로 만든 제품이 제대로 작동하는지, 음악 재생 기능이 효과적인지 살펴보고, 문제점이 있으면 보완한다.
(라) 정보를 수집하고, 아이디어 구상하기
유선 스피커가 작동하는 원리를 알아본다. 전선 없이 음악을 재생하려면 어떤 모양이 좋을지 생각한다.

(가)~(라)를 공학적 설계 과정 순서에 맞게 나열한 것은?

① (가)-(나)-(다)-(라) ② (가)-(나)-(라)-(다)
③ (나)-(다)-(가)-(라) ④ (나)-(라)-(가)-(다)
⑤ (라)-(가)-(나)-(다)

신유형

11 그림은 초기 컴퓨터의 하나인 에니악과 오늘날 사용하는 노트북 컴퓨터의 모습이다.

▲ 에니악

▲ 노트북

컴퓨터의 발달에 공학적 설계 과정을 적용할 때 고려해야 하는 요소로 옳지 않은 것은?

① 외형적 요인: 제품의 크기를 줄이고 디자인을 아름답게 하였다.
② 환경적 요인: 친환경 소재로 제작하여 환경에 미치는 영향을 줄였다.
③ 경제성: 대량 생산으로 가격을 낮추어 제품의 사용 주기를 짧게 하였다.
④ 편리성: 휴대가 가능하게 하여 어느 곳에서나 편리하게 사용할 수 있다.
⑤ 안전성: 겉으로 드러나는 전선이 없도록 개선하고, 인체에 해가 없는 소재로 제작하였다.

정답과 해설 060쪽

필수

01 **다음은 몇 가지 과학 기술의 발달과 관련한 사례이다.**

- 현미경을 이용한 세포의 발견
- 만유인력 법칙과 운동 법칙의 발견
- 망원경을 이용한 천체 관측으로 태양 중심설의 증거 발견

위 사례가 인류의 사고 방식에 미친 영향으로 옳은 것만을 보기에서 모두 고른 것은?

보기
ㄱ. 생물체를 보는 관점이 달라졌다.
ㄴ. 합리적이고 실험적인 방법을 중시하기 시작했다.
ㄷ. 자연 현상을 이해하고 그 변화를 예측할 수 있게 하였다.

① ㄱ ② ㄷ ③ ㄱ, ㄴ
④ ㄴ, ㄷ ⑤ ㄱ, ㄴ, ㄷ

신유형

02 **과학 기술이 발달하면서 다양한 신소재가 개발되고 있다. 다음은 신소재인 그래핀의 특성을 설명한 것이다.**

- 휘거나 구부려도 전기가 통한다
- 탄소로 이루어진 얇은 막으로 단단한 정도가 강철의 200배 이상이다.

그래핀의 특성을 활용하여 컴퓨터의 편리성을 높이는 것으로 옳은 것을 모두 고르면? (정답 2개)

① 물속에서도 사용 가능한 컴퓨터를 만든다.
② 전기가 없어도 사용할 수 있는 컴퓨터를 만든다.
③ 떨어뜨려도 깨지지 않는 단단한 컴퓨터를 만든다.
④ 접거나 말아서 간편하게 휴대할 수 있는 컴퓨터를 만든다.
⑤ 주머니에 넣어 다닐 수 있을 정도로 작은 컴퓨터를 만든다.

필수

03 **인류 문명의 발달과 관련 있는 내용으로 옳은 것만을 보기에서 모두 고른 것은?**

보기
ㄱ. 증기 기관은 산업 발전에 큰 영향을 주었다.
ㄴ. 지동설은 우주에 대한 사람의 가치관을 변화시켰다.
ㄷ. 현미경이 발달하면서 자연 현상을 이해하고 그 변화를 예측할 수 있게 되었다.

① ㄱ ② ㄷ ③ ㄱ, ㄴ
④ ㄴ, ㄷ ⑤ ㄱ, ㄴ, ㄷ

필수

04 **우리 생활에 이용되는 과학 기술의 유용성에 대한 설명으로 옳지 않은 것은?**

① 스마트 기기로 야외에서 영화를 감상한다.
② 정보 통신망의 발달로 정보가 한 곳으로 집중된다.
③ 생명 공학 기술로 해충에 강한 농산물을 재배한다.
④ 병원에 가지 않고 집에서 원격 진료를 받을 수 있다.
⑤ 위성 위치 확인 시스템을 이용하여 버스가 도착하는 시간을 미리 알 수 있다.

신유형

05 **공학적 설계로 전기 자동차를 개발할 때 고려해야 하는 점으로 옳지 않은 것은?**

▲ 전기 자동차의 충전

① 축전지 교체 비용을 줄이기 위해 수명이 긴 축전지를 사용한다.
② 배기가스를 배출하지 않도록 전기 에너지를 이용하는 전동기를 사용한다.
③ 한 번 충전하면 먼 거리를 주행할 수 있도록 용량이 큰 축전지를 사용한다.
④ 소비자층의 취향보다는 에너지를 절약할 수 있는 요인을 분석하여 외형을 설계한다.
⑤ 소음이 거의 없는 전기 자동차의 접근을 보행자가 알 수 있도록 전기 자동차에 경보음 장치를 설치한다.

과학 배경 지식을 쌓는 과학 도서 시리즈

2018년 국립중앙도서관
사서 추천도서

생물학자 **최재천** 강력 추천

동물들은 왜 극한 무기 진화에 에너지를 쏟을까?
대량 살상 무기의 시대, 인류 무기 경쟁의 끝은 어디일까?

극한 무기라는 프리즘으로 생존 경쟁과 진화,
인류사까지 그 장대한 이야기를 하나로 꿰다

동물의 무기

잔인하면서도 아름다운 극한 무기의 생물학

글 **더글러스 엠린** | 값 19,500원

2017년 국립중앙도서관
사서 추천도서

발사부터 귀환까지,
우주 생활을 생생히 담은 '우주 다큐'
4번의 우주 비행,
무려 53일에 이르는 우주 체류!

전 나사(NASA) 우주 비행사 톰 존스의
생생한 증언이 담긴 본격 우주 비행 지침서

우주에서 살기, 일하기, 생존하기

우주 비행사가 들려주는 우주 비행의 모든 것

글 **톰 존스** | 값 15,500원

진도책과 1:1 맞춤 복습용 교재

Book ❷ 복습책

- 중요한 내용을 스스로 채워 보는 **개념으로 복습하기**
- 집중 반복을 통해 개념을 익히는 **헷갈리는 내용 공략하기**
- 학교 시험 유형의 실전 문제를 풀어 보는 **문제로 복습하기**

개념풀 특강

중학 과학 3

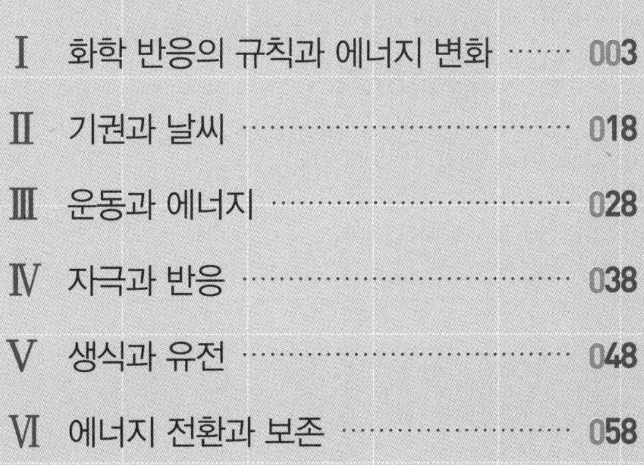

'복습책' 구성과 특징

1단계

2단계

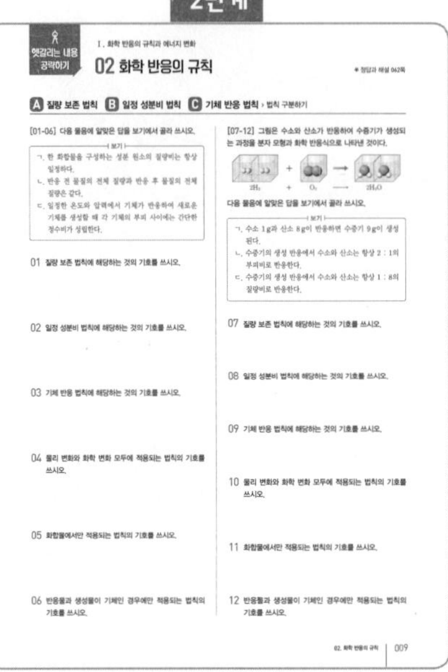

3단계

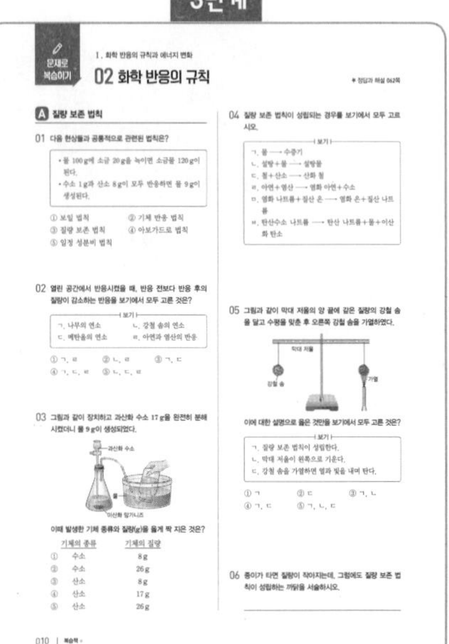

1 단계

개념으로 복습하기

핵심 개념을 채우면서 암기하기

중단원별 핵심 요약을 스스로 채우면서 개념을 복습하자!

2 단계

헷갈리는 내용 공략하기

반복 또 반복을 통해 완성하기

반복 연습이 필요한 부분은 한 번 더 점검하여, 빈틈없이 준비하자!

3 단계

문제로 복습하기

실전 문제로 실전처럼 풀어보기

핵심 요약을 통해 내용 정리를 마쳤다면, 문제로 실전에 대비하자!

I. 화학 반응의 규칙과 에너지 변화

01 물질 변화와 화학 반응식

★ 정답과 해설 061쪽

A 물질 변화

1. (❶): 물질의 고유한 성질은 변하지 않으면서 모양이나 상태가 변하는 현상

(1) 물질을 구성하는 (❷)의 종류가 달라지지 않으므로 물질의 성질이 변하지 않는다.

(2) 물질의 겉모양이 달라질 때, 분자의 (❸) 만 달라진다.

예) 상태 변화, 모양 변화, 용해, 확산, 혼합 등

▲ 상태 변화

▲ 모양 변화

▲ 용해

2. (❹): 어떤 물질이 처음과 전혀 다른 성질의 새로운 물질로 변하는 현상

(1) 물질을 구성하는 분자의 종류가 달라지므로 물질의 성질이 변한다.

(2) 물질을 구성하는 (❺)의 배열이 달라진다.

예) 연소, 부식, 앙금 생성, 발효, 부패, 광합성, 호흡 등

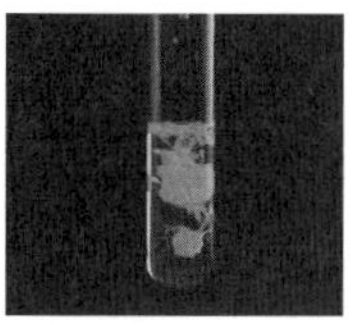
▲ 앙금 생성

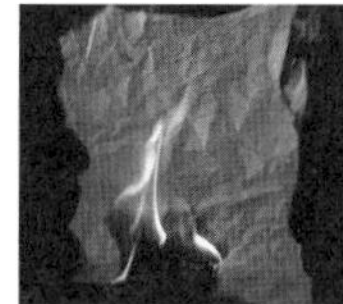
▲ 연소

▲ 부식

3. 물리 변화와 화학 변화의 비교

구분	물리 변화	화학 변화
입자 모형	물 —가열→ 수증기	물 —전류→ 수소+산소
물질의 성질	변하지 않음	변함
분자 종류	변하지 않음	변함
분자 배열	변함	–
원자의 종류와 수	변하지 않음	변하지 않음
원자 배열	변하지 않음	변함

B 화학 반응식

1. (❻): 화학 변화가 일어나는 과정

(1) 화학 반응이 일어나면 물질을 이루는 원자의 종류와 개수는 변하지 않지만, 원자의 배열이 달라지면서 물질의 종류가 달라진다.

예) 메테인이 연소하면 메테인을 이루는 탄소와 수소가 공기 중의 산소와 결합하여 각각 이산화 탄소와 수증기로 변한다.

2. (❼): 화학식을 이용하여 화학 반응을 나타낸 것

(1) 반응물과 생성물

① (❽): 화학 반응이 일어나기 전의 물질

예) 메테인의 연소에서의 반응물: 메테인과 산소

② (❾): 화학 반응을 통해 새롭게 만들어진 물질

예) 메테인의 연소 반응에서 생성물: 이산화 탄소와 수증기

(2) 화학 반응식 나타내는 방법

단계	내용
[1단계] 반응물과 생성물의 이름으로 화학 반응 표현하기	메테인 + 산소 ⟶ 이산화 탄소 + 물
[2단계] 반응물과 생성물을 화학식으로 표현하기	$CH_4+O_2 \longrightarrow CO_2+H_2O$
[3단계] 반응 전후에 원자의 종류와 개수 맞추기	$CH_4+2O_2 \longrightarrow CO_2+2H_2O$
[3단계] 반응 전후에 원자의 종류와 개수가 같은지 확인하기	원자의 종류 / 반응 전 / 반응 후: 탄소 1개 / 1개; 수소 4개 / 4개; 산소 4개 / 4개

원자의 종류	반응 전	반응 후
탄소	1개	1개
수소	4개	4개
산소	4개	4개

(3) 화학 반응식으로 알 수 있는 것

① 물질의 종류 : 화살표의 왼쪽은 반응물, 화살표의 오른쪽은 생성물을 나타낸다.

② 분자의 종류와 수

③ 원자의 종류와 수

④ 분자 수의 비: 화학 반응식에서 화학식 앞에 적힌 (❿)비는 반응에 참여한 물질의 분자 수비를 나타낸다.

⑤ 원자의 상대적인 질량을 안다면 반응물과 생성물의 질량 관계를 알 수 있다.

헷갈리는 내용 공략하기

01 물질 변화와 화학 반응식

★ 정답과 해설 061쪽

A 물질 변화 > 물리 변화와 화학 변화 구분하기

[01-05] 보기는 여러 가지 물질의 변화를 나열한 것이다. 물음에 답하시오.

보기

ㄱ. 물이 끓는다.
ㄴ. 철이 녹슨다.
ㄷ. 컵이 깨진다.
ㄹ. 종이를 자른다.
ㅁ. 종이를 태운다.
ㅂ. 향기가 퍼진다.
ㅅ. 김치가 시어진다.
ㅇ. 설탕이 물에 녹는다.
ㅈ. 단풍잎이 붉게 물든다.
ㅊ. 잉크가 물속에서 퍼진다.

01 물리 변화를 모두 골라 쓰시오.

02 화학 변화를 모두 골라 쓰시오.

03 물질의 특성이 변하는 현상을 모두 골라 쓰시오.

04 분자의 종류는 변하지 않고 배열만 바뀌는 현상을 모두 골라 쓰시오.

05 원자의 종류와 수가 변하지 않는 현상을 모두 골라 쓰시오.

[06-09] 보기는 여러 가지 물질의 변화를 나열한 것이다. 물음에 답하시오.

보기

ㄱ. 얼음이 녹아 물이 된다.
ㄴ. 철사를 구부려 모양을 만든다.
ㄷ. 오래된 자전거가 붉게 녹슨다.
ㄹ. 껍질을 벗긴 사과의 색이 변한다.
ㅁ. 연료를 태우면 열과 빛이 발생한다.
ㅂ. 아연을 묽은 염산에 넣으면 수소가 발생한다.
ㅅ. 흑설탕을 물에 녹이면 물의 색이 어둡게 변한다.
ㅇ. 탄산 음료의 뚜껑을 열면 이산화 탄소가 발생한다.
ㅈ. 달걀 껍데기가 식초와 반응하여 이산화 탄소가 발생한다.
ㅊ. 질산 은 수용액과 염화 나트륨 수용액이 반응하여 흰색 앙금이 생성된다.

06 물리 변화를 모두 골라 쓰시오.

07 화학 변화를 모두 골라 쓰시오.

08 물질의 특성이 변하지 않는 현상을 모두 골라 쓰시오.

09 새로운 물질이 만들어지는 변화를 모두 골라 쓰시오.

문제로 복습하기

01 물질 변화와 화학 반응식

★ 정답과 해설 061쪽

A 물질 변화

01 다음과 같은 물질 변화의 공통점으로 옳은 것은?

- 젖은 빨래가 마른다.
- 음료수 캔이 찌그러진다.

① 물질의 성질이 변한다.
② 분자의 배열이 변한다.
③ 화학 변화가 일어난다.
④ 물질의 질량이 증가한다.
⑤ 물질을 이루는 원자의 배열이 변한다.

02 그림은 금속의 부식을 나타낸 것이다.

이와 같은 종류의 물질 변화로 옳지 않은 것은?

① 양초가 탄다.
② 김치가 시어진다.
③ 아이스크림이 녹는다.
④ 과일이 익어서 단맛이 난다.
⑤ 프라이팬 위에서 고기가 익는다.

03 물리 변화와 화학 변화에 대한 설명으로 옳지 않은 것은?

① 물리 변화할 때 분자의 배열이 변한다.
② 화학 변화할 때 분자의 종류가 변한다.
③ 물리 변화할 때 물질을 이루는 원자의 종류와 개수가 변한다.
④ 물리 변화가 일어나도 물질을 이루는 분자의 종류와 개수는 변하지 않는다.
⑤ 화학 변화가 일어나도 물질을 이루는 원자의 종류와 개수는 변하지 않는다.

04 그림은 양초가 타는 모습을 나타낸 것이다.

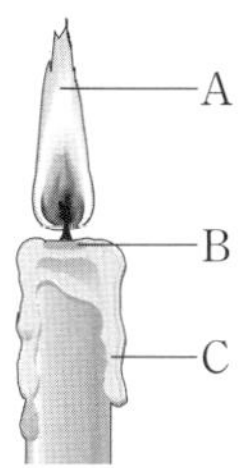

이에 대한 설명으로 옳은 것만을 보기에서 모두 고른 것은?

| 보기 |

ㄱ. 양초가 타는 현상(A)은 화학 변화에 해당한다.
ㄴ. 촛농이 생성되는 동안(B) 양초의 상태가 변한다.
ㄷ. 촛농이 다시 굳는 동안(C) 양초의 성분이 변한다.

① ㄱ ② ㄷ ③ ㄱ, ㄴ
④ ㄴ, ㄷ ⑤ ㄱ, ㄴ, ㄷ

05 그림은 철 가루, 황가루, 철 가루와 황가루의 혼합물, 황화 철이 들어 있는 시험관의 모습이다.

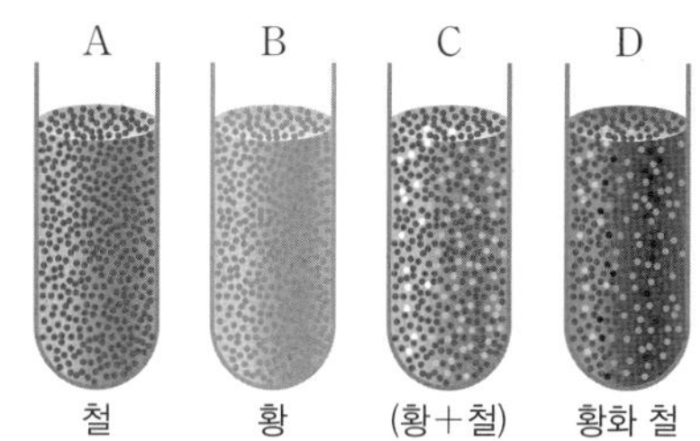

자석에 끌려오는 물질이 들어 있는 시험관을 고른 것은?

① A, B ② A, C ③ B, C
④ B, D ⑤ C, D

06 물리 변화와 화학 변화가 일어날 때 변하는 것을 옳게 짝 지은 것은?

	물리 변화	화학 변화
①	분자의 개수	원자의 개수
②	분자의 배열	원자의 배열
③	분자의 종류	원자의 종류
④	원자의 종류	분자의 종류
⑤	원자의 배열	분자의 배열

07 다음 중 물리 변화에 해당하는 것은?

① 수소 + 산소 ⟶ 물
② 철 + 황 ⟶ 황화 철
③ 설탕 + 물 ⟶ 설탕물
④ 철 + 산소 ⟶ 산화 철
⑤ 탄소 + 산소 ⟶ 이산화 탄소

08 화학 변화가 일어나도 질량이 변하지 않는 까닭은?

① 분자의 배열이 달라지기 때문에
② 분자의 종류와 개수가 유지되기 때문에
③ 물질을 구성하는 분자가 다르기 때문에
④ 모든 물질은 분자로 이루어져 있기 때문에
⑤ 원자가 없어지거나 새로 생기지 않기 때문에

09 화학 변화가 일어날 때 관찰할 수 있는 현상이 아닌 것은?

① 색의 변화
② 앙금의 생성
③ 기체의 발생
④ 질량의 변화
⑤ 빛과 열의 발생

10 다음은 강철 솜이 연소할 때 일어나는 변화를 알아보기 위한 실험 과정을 나타낸 것이다.

(가) 강철 솜에 막대자석을 가까이 가져간다.
(나) 강철 솜을 연소시킨다.
(다) 연소한 강철 솜에 막대자석을 가까이 가져간다.

이에 대한 설명으로 옳은 것만을 보기에서 모두 고른 것은?

보기
ㄱ. (가)에서 강철 솜이 막대자석에 붙는다.
ㄴ. (나)에서 화학 변화가 일어난다.
ㄷ. (다)에서 연소한 강철 솜이 막대자석에 붙는다.

① ㄱ ② ㄷ ③ ㄱ, ㄴ
④ ㄴ, ㄷ ⑤ ㄱ, ㄴ, ㄷ

11 그림은 철 가루와 황 가루를 섞어 황화 철을 만드는 과정을 나타낸 것이다.

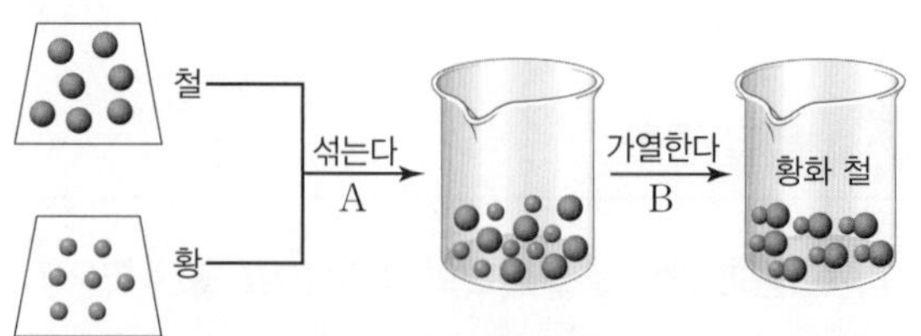

A와 B 각각에 해당하는 변화의 종류를 옳게 짝 지은 것은?

	A	B
①	물리 변화	물리 변화
②	물리 변화	화학 변화
③	화학 변화	물리 변화
④	화학 변화	화학 변화
⑤	화학 변화	변화가 일어나지 않음

12 다음은 화학 변화에서 나타나는 현상이다.

(가) 색이 변한다.
(나) 기체가 발생한다.
(다) 빛이나 열이 발생한다.

각 현상에 해당하는 예를 옳게 짝 지은 것은?

① (가) – 에탄올의 연소 반응
② (가) – 황화 철과 염산의 반응
③ (나) – 탄산 칼슘과 묽은 염산의 반응
④ (나) – 껍질을 벗긴 사과와 산소의 반응
⑤ (다) – 상처에 과산화 수소를 바를 때의 반응

13 다음은 볶음밥을 만드는 과정을 나타낸 것이다.

(가) 채소를 잘게 썬다.
(나) 달걀 프라이를 만든다.
(다) 채소와 밥을 볶아 익힌다.
(라) 달걀 프라이를 볶음밥 위에 얹는다.

(가)~(라) 중에서 화학 변화를 모두 고르고, 그 까닭을 서술하시오.

B 화학 반응식

14 화학 반응식을 통해 알 수 있는 것이 아닌 것은?

① 물질의 종류
② 반응의 속도
③ 반응이 일어나는 방향
④ 물질을 이루는 분자의 종류와 개수
⑤ 물질을 이루는 원자의 종류와 개수

15 다음 화학 반응을 화학 반응식으로 나타낸 것으로 옳은 것은?

> 마그네슘 리본을 공기 중에서 태운다.

① $2H_2+O_2 \longrightarrow 2H_2O$
② $2CuO \longrightarrow 2Cu+O_2$
③ $2Mg+O_2 \longrightarrow 2MgO$
④ $2H_2O_2 \longrightarrow 2H_2O + O_2$
⑤ $4Fe+3O_2 \longrightarrow 2Fe_2O_3$

16 다음 화학 반응에 대한 설명으로 옳지 않은 것은?

> $H_2+Cl_2 \longrightarrow 2HCl$

① 반응물은 두 종류이다.
② 생성물은 염화 수소이다.
③ 반응 전후 분자의 종류와 수가 같다.
④ 반응 전후 원자의 종류와 수가 같다.
⑤ 수소 분자 1개가 완전히 반응하면 염화 수소 분자 2개가 생성된다.

17 다음은 탄산수소 나트륨을 가열했을 때 탄산 나트륨, 이산화 탄소, 물이 생성되는 반응을 화학 반응식으로 나타낸 것이다.

> (㉠)$NaHCO_3 \longrightarrow$
> (㉡)Na_2CO_3+(㉢)CO_2+(㉣)H_2O

이 화학 반응식의 계수를 모두 더한 값(㉠+㉡+㉢+㉣)으로 옳은 것은?

① 4 ② 5 ③ 6 ④ 7 ⑤ 8

18 그림은 질소와 수소가 반응하여 암모니아가 생성되는 과정을 모형으로 나타낸 것이다.

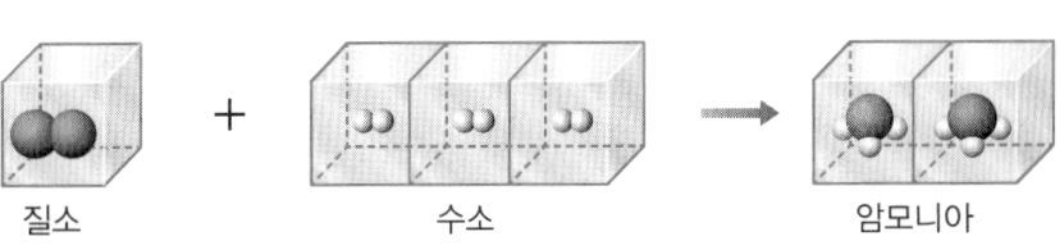

이 반응을 화학 반응식으로 옳게 나타낸 것은?

① $N+3H \longrightarrow 2NH$
② $N_2+H_2 \longrightarrow NH_3$
③ $2N+6H \longrightarrow N_2H_6$
④ $2N+3H \longrightarrow 2NH_3$
⑤ $N_2+3H_2 \longrightarrow 2NH_3$

19 다음은 수소와 산소가 반응하여 수증기가 생성되는 반응의 화학 반응식이다.

> $2H_2+O_2 \longrightarrow 2H_2O$

이에 대한 설명으로 옳은 것만을 보기에서 모두 고른 것은?

보기
ㄱ. 반응 전후 분자의 총 개수는 같다.
ㄴ. 반응 전후 원자의 종류와 수가 같다.
ㄷ. 온도와 압력이 같을 때 수소 : 산소 : 수증기의 부피비는 2 : 1 : 2 이다.

① ㄱ ② ㄷ ③ ㄱ, ㄴ
④ ㄴ, ㄷ ⑤ ㄱ, ㄴ, ㄷ

20 다음은 과산화 수소에 대한 설명이다.

> 과산화 수소는 수소와 산소가 결합한 화합물이며, 화학식은 H_2O_2이다. 상처가 났을 때 소독약으로 사용되는 과산화 수소는 상처 속의 세균과 만나면 물과 산소로 나누어진다. 이때 발생하는 산소에 의해 상처 부위에서 거품이 생기는 것을 볼 수 있다.

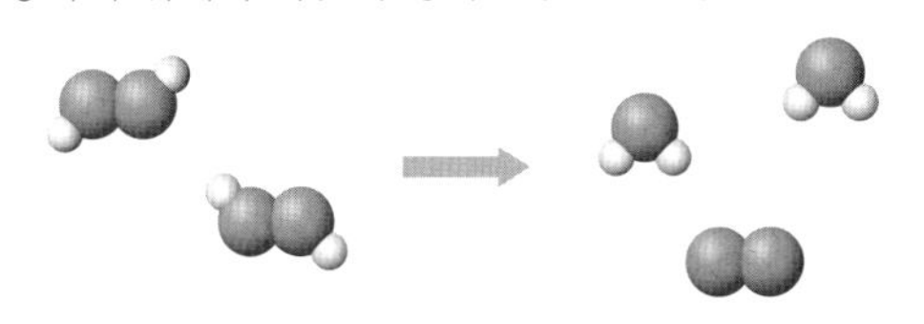

밑줄 친 부분과 관련된 화학 반응식을 쓰시오.

02 화학 반응의 규칙

★ 정답과 해설 062쪽

A 질량 보존 법칙

1. 앙금 생성 반응에서의 (❶) 보존: 반응 전후에 물질의 총 질량은 변하지 않는다.

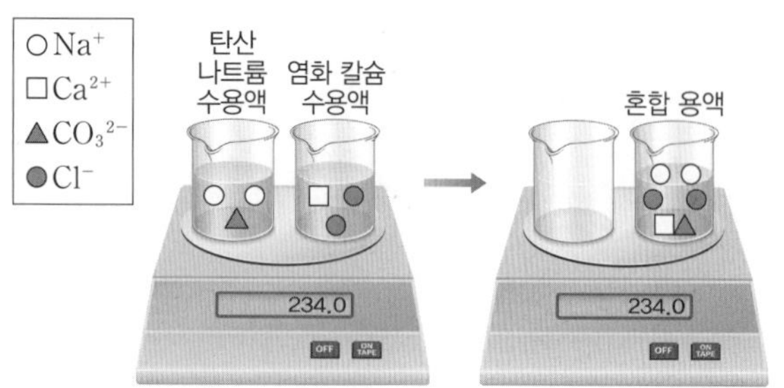

2. 기체 발생 반응에서의 질량 보존

(1) **(❷) 공간에서의 기체 발생 반응:** 발생한 기체가 용기 밖으로 빠져나가지 않으므로 반응 전후에 물질의 총 질량은 변하지 않는다.

(2) **(❸) 공간에서의 기체 발생 반응:** 발생한 기체가 용기 밖으로 빠져나가기 때문에 반응 전보다 반응 후에 질량이 감소한다. 그러나 공기 중으로 빠져나간 기체의 질량까지 고려하면 반응 전후 물질의 총 질량은 변하지 않는다.

3. 연소 반응에서의 질량 보존

(1) **기체가 발생하는 연소:** 반응 전후에 물질의 총 질량은 변하지 않는다.

(2) **금속의 연소:** 반응 전후에 물질의 총 질량은 변하지 않는다.

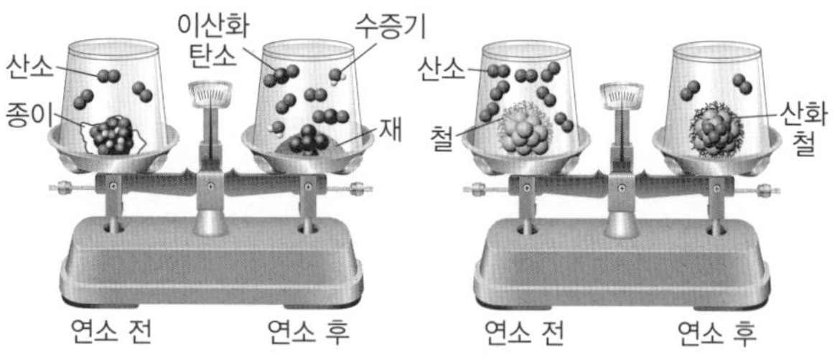

4. (❹): 반응 전 물질의 전체 질량과 반응 후 물질의 전체 질량은 같다.

> 반응물의 총 질량 = 생성물의 총 질량

(1) **질량 보존 법칙이 성립하는 까닭:** 화학 반응에서 물질을 구성하는 원자의 (❺)만 달라질 뿐 원자의 종류와 개수는 변하지 않기 때문에

(2) **질량 보존 법칙의 적용 범위:** 물리 변화와 화학 변화 모두에서 성립한다.

B 일정 성분비 법칙

1. 구리의 연소 반응에서의 질량비

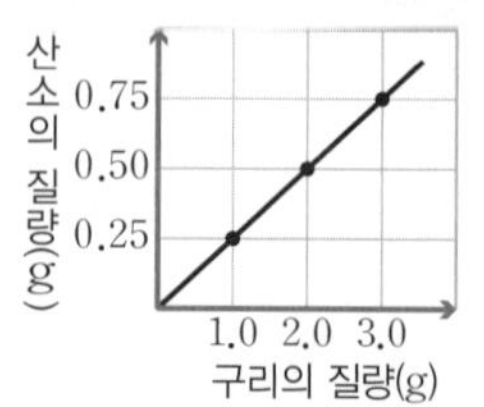

$2Cu + O_2 \longrightarrow 2CuO$
구리 산소 산화 구리

질량비=구리 : 산소 : 산화 구리(Ⅱ)
=4 : 1 : 5

2. (❻): 한 화합물을 구성하는 성분 원소의 질량비는 항상 일정하다.

(1) **일정 성분비 법칙이 성립하는 까닭:** 화합물을 구성하는 원자 수의 비가 항상 일정하기 때문에

(2) **일정 성분비 법칙의 적용 범위:** 혼합물에서는 성립하지 않고, (❼)에서만 성립한다.

(3) 같은 종류의 원소로 이루어진 화합물이라도 구성하는 원자 수의 비가 다르면 다른 종류의 화합물이므로 구성 원소의 질량비도 다르다.

C 기체 반응 법칙

1. (❽): 일정한 온도와 압력에서 기체가 반응하여 새로운 기체를 생성할 때 각 기체의 부피 사이에는 간단한 정수비가 성립한다.

(1) **기체 반응 법칙이 성립하는 까닭:** 기체는 종류가 달라도 같은 온도와 같은 압력에서 같은 부피 속에 같은 수의 (❾)가 들어 있기 때문에

(2) **기체의 부피비=화학 반응식의 (❿) = 분자 수의 비**

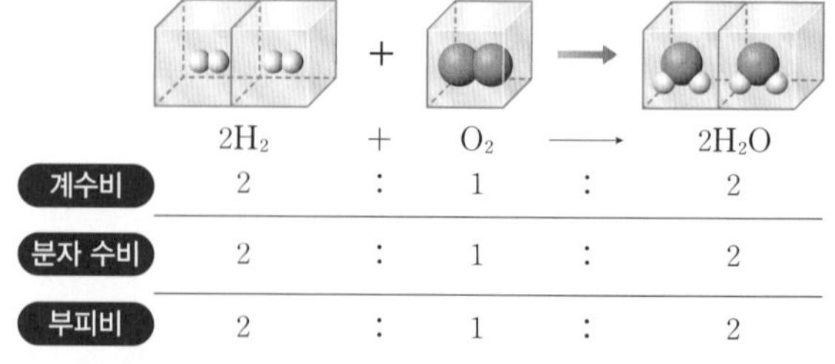

	$2H_2$	+	O_2	⟶	$2H_2O$
계수비	2	:	1	:	2
분자 수비	2	:	1	:	2
부피비	2	:	1	:	2

(3) **기체 반응 법칙의 적용 범위:** 반응물과 생성물이 (⓫)인 경우에만 성립한다.

02 화학 반응의 규칙

★ 정답과 해설 062쪽

A 질량 보존 법칙 B 일정 성분비 법칙 C 기체 반응 법칙 > 법칙 구분하기

[01-06] 다음 물음에 알맞은 답을 보기에서 골라 쓰시오.

보기
ㄱ. 한 화합물을 구성하는 성분 원소의 질량비는 항상 일정하다. ㄴ. 반응 전 물질의 전체 질량과 반응 후 물질의 전체 질량은 같다. ㄷ. 일정한 온도와 압력에서 기체가 반응하여 새로운 기체를 생성할 때 각 기체의 부피 사이에는 간단한 정수비가 성립한다.

01 질량 보존 법칙에 해당하는 것의 기호를 쓰시오.

02 일정 성분비 법칙에 해당하는 것의 기호를 쓰시오.

03 기체 반응 법칙에 해당하는 것의 기호를 쓰시오.

04 물리 변화와 화학 변화 모두에 적용되는 법칙의 기호를 쓰시오.

05 화합물에서만 적용되는 법칙의 기호를 쓰시오.

06 반응물과 생성물이 기체인 경우에만 적용되는 법칙의 기호를 쓰시오.

[07-12] 그림은 수소와 산소가 반응하여 수증기가 생성되는 과정을 분자 모형과 화학 반응식으로 나타낸 것이다.

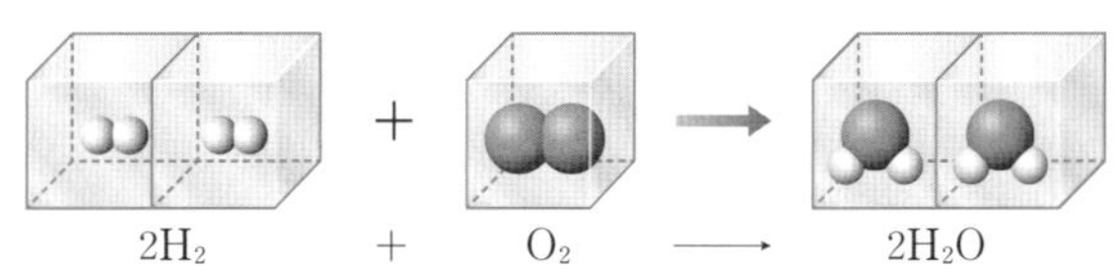

$2H_2$ + O_2 ⟶ $2H_2O$

다음 물음에 알맞은 답을 보기에서 골라 쓰시오.

보기
ㄱ. 수소 1 g과 산소 8 g이 반응하면 수증기 9 g이 생성된다. ㄴ. 수증기의 생성 반응에서 수소와 산소는 항상 2 : 1의 부피비로 반응한다. ㄷ. 수증기의 생성 반응에서 수소와 산소는 항상 1 : 8의 질량비로 반응한다.

07 질량 보존 법칙에 해당하는 것의 기호를 쓰시오.

08 일정 성분비 법칙에 해당하는 것의 기호를 쓰시오.

09 기체 반응 법칙에 해당하는 것의 기호를 쓰시오.

10 물리 변화와 화학 변화 모두에 적용되는 법칙의 기호를 쓰시오.

11 화합물에서만 적용되는 법칙의 기호를 쓰시오.

12 반응물과 생성물이 기체인 경우에만 적용되는 법칙의 기호를 쓰시오.

02 화학 반응의 규칙

★ 정답과 해설 062쪽

A 질량 보존 법칙

01 다음 현상들과 공통적으로 관련된 법칙은?

> • 물 100 g에 소금 20 g을 녹이면 소금물 120 g이 된다.
> • 수소 1 g과 산소 8 g이 모두 반응하면 물 9 g이 생성된다.

① 보일 법칙 ② 기체 반응 법칙
③ 질량 보존 법칙 ④ 아보가드로 법칙
⑤ 일정 성분비 법칙

02 열린 공간에서 반응시켰을 때, 반응 전보다 반응 후의 질량이 감소하는 반응을 보기에서 모두 고른 것은?

> 보기
> ㄱ. 나무의 연소 ㄴ. 강철 솜의 연소
> ㄷ. 메탄올의 연소 ㄹ. 아연과 염산의 반응

① ㄱ, ㄹ ② ㄴ, ㄹ ③ ㄱ, ㄷ
④ ㄱ, ㄷ, ㄹ ⑤ ㄴ, ㄷ, ㄹ

03 그림과 같이 장치하고 과산화 수소 17 g을 완전히 분해시켰더니 물 9 g이 생성되었다.

이때 발생한 기체 종류와 질량(g)을 옳게 짝 지은 것은?

	기체의 종류	기체의 질량
①	수소	8 g
②	수소	26 g
③	산소	8 g
④	산소	17 g
⑤	산소	26 g

04 질량 보존 법칙이 성립되는 경우를 보기에서 모두 고르시오.

> 보기
> ㄱ. 물 ⟶ 수증기
> ㄴ. 설탕+물 ⟶ 설탕물
> ㄷ. 철+산소 ⟶ 산화 철
> ㄹ. 아연+염산 ⟶ 염화 아연+수소
> ㅁ. 염화 나트륨+질산 은 ⟶ 염화 은+질산 나트륨
> ㅂ. 탄산수소 나트륨 ⟶ 탄산 나트륨+물+이산화 탄소

05 그림과 같이 막대 저울의 양 끝에 같은 질량의 강철 솜을 달고 수평을 맞춘 후 오른쪽 강철 솜을 가열하였다.

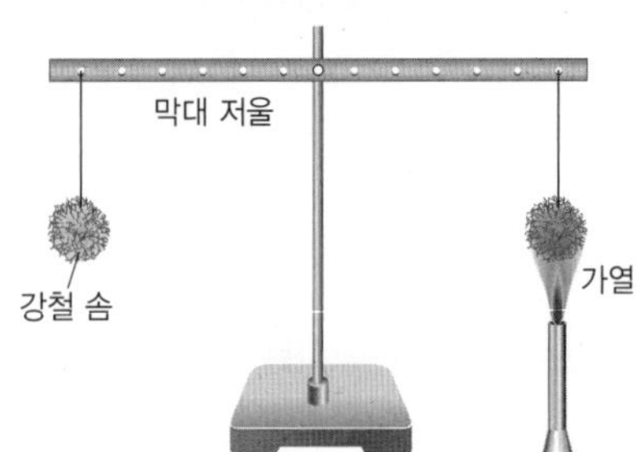

이에 대한 설명으로 옳은 것만을 보기에서 모두 고른 것은?

> 보기
> ㄱ. 질량 보존 법칙이 성립한다.
> ㄴ. 막대 저울이 왼쪽으로 기운다.
> ㄷ. 강철 솜을 가열하면 열과 빛을 내며 탄다.

① ㄱ ② ㄷ ③ ㄱ, ㄴ
④ ㄱ, ㄷ ⑤ ㄱ, ㄴ, ㄷ

06 종이가 타면 질량이 작아지는데, 그럼에도 질량 보존 법칙이 성립하는 까닭을 서술하시오.

B 일정 성분비 법칙

[07-09] 그림은 마그네슘을 넣고 가열하면서 생성된 산화 마그네슘의 질량을 측정한 결과를 나타낸 것이다.

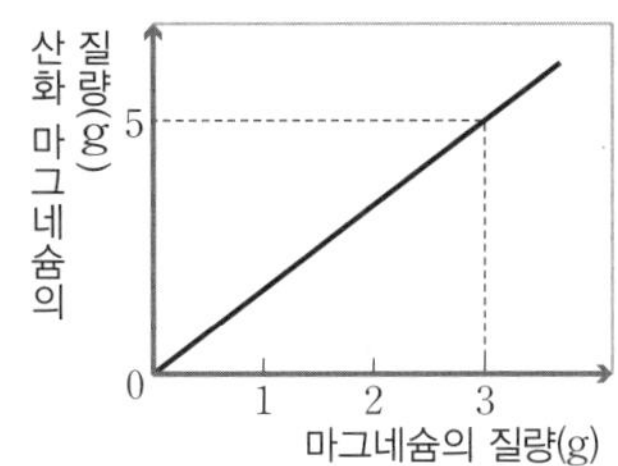

07 위 반응에서 마그네슘의 질량이 달라져도 변하지 않는 것은?

① 산화 마그네슘의 질량
② 마그네슘과 결합하는 산소의 질량
③ 마그네슘과 결합하는 산소의 질량비
④ 반응하는 마그네슘과 산소 질량의 합
⑤ 마그네슘이 완전히 반응하는 데 걸리는 시간

08 산화 마그네슘을 이루고 있는 마그네슘과 산소의 질량비 (마그네슘 : 산소)는?

① 2 : 3 ② 2 : 5 ③ 3 : 2
④ 3 : 5 ⑤ 5 : 3

09 마그네슘 15 g이 모두 반응하기 위해 필요한 (가) 산소의 질량(g)과 이때 생성된 (나) 산화 마그네슘의 질량(g)을 옳게 짝 지은 것은?

	(가)	(나)
①	9 g	24 g
②	10 g	25 g
③	25 g	40 g
④	45 g	60 g
⑤	75 g	90 g

10 그림과 같이 볼트(B)와 너트(N)를 가지고 화합물 모형 (B_2N_3)을 만들었다.

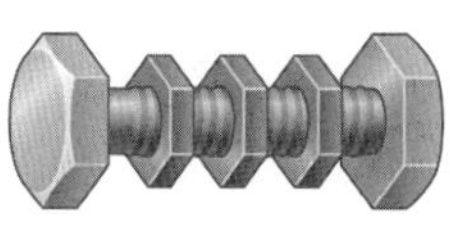

볼트 1개의 질량이 5 g, 너트 1개의 질량이 2 g일 때 화합물을 이루는 볼트와 너트의 질량비(B : N)로 옳은 것은?

① 1 : 2 ② 2 : 3 ③ 3 : 2
④ 5 : 2 ⑤ 5 : 3

11 공기 중에서 구리를 가열하면 산소와 결합하여 산화 구리(Ⅱ)가 생성된다. 구리의 질량을 달리하면서 가열시켰을 때 구리와 산소의 질량 관계를 나타낸 그래프로 옳은 것은?

①
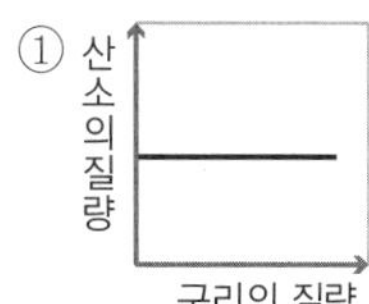

②
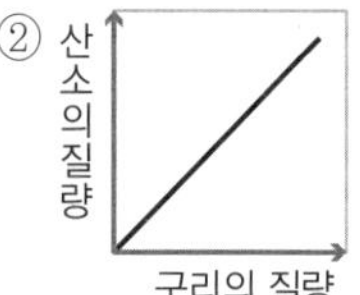

③
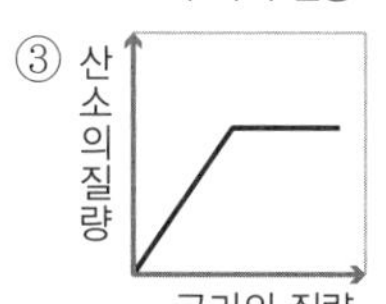

④
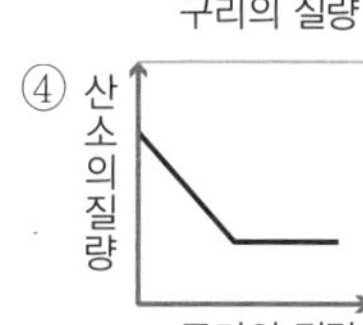

⑤
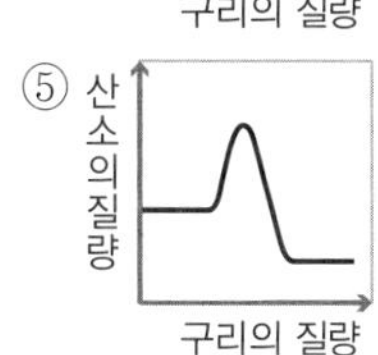

12 일정 성분비 법칙이 적용되지 않는 물질을 보기에서 모두 고르고, 그 까닭을 서술하시오.

보기

ㄱ. 물 ㄴ. 설탕물
ㄷ. 염화 나트륨 ㄹ. 이산화 탄소

C 기체 반응 법칙

13 기체 사이의 부피비를 확인할 수 있는 반응의 화학 반응식은?

① $C+O_2 \longrightarrow CO_2$
② $N_2+3H_2 \longrightarrow 2NH_3$
③ $2H_2O_2 \longrightarrow 2H_2O+O_2$
④ $4Fe+3O_2 \longrightarrow 2Fe_2O_3$
⑤ $NaCl+AgNO_3 \longrightarrow AgCl+NaNO_3$

[14-16] 그림은 일산화 탄소와 산소가 반응하여 이산화 탄소가 생성될 때 각 기체 사이의 부피 관계를 나타낸 것이다.

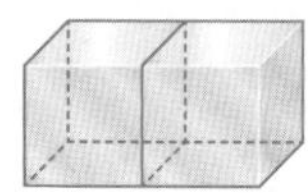
일산화 탄소 2부피

+

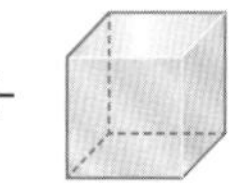
산소 1부피

→

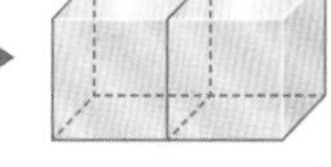
이산화 탄소 2부피

14 일산화 탄소 10 L와 산소 10 L를 완전히 반응시켰을 때 생성되는 (가) 이산화 탄소의 부피(L)와 반응하지 않고 (나) 남은 물질의 종류를 옳게 짝 지은 것은?

	(가)	(나)
①	10 L	산소
②	10 L	일산화 탄소
③	20 L	산소
④	20 L	일산화 탄소
⑤	30 L	산소

15 이산화 탄소 분자 4N개를 생성하기 위해 필요한 산소 분자의 개수는?

① N ② 2N ③ 3N
④ 4N ⑤ 5N

16 이산화 탄소 4 L를 생성하기 위해 필요한 일산화 탄소의 부피(L)는?

① 1 L ② 2 L ③ 3 L
④ 4 L ⑤ 5 L

17 기체 반응 법칙이 성립하는 이유로 옳은 것은?

① 반응 전후에 기체의 부피가 보존되기 때문에
② 반응 전후에 기체의 질량이 보존되기 때문에
③ 같은 부피 속에 같은 수의 분자가 있기 때문에
④ 반응 전후에 원자의 종류와 수가 일정하기 때문에
⑤ 화합물을 구성하는 원자 수의 비가 일정하기 때문에

18 표는 기체 A와 기체 B가 반응하여 기체 C를 생성할 때 기체들 사이의 부피 관계를 나타낸 것이다.

실험	반응 전 혼합 기체의 부피(L)		반응 후 남은 기체의 부피(L)	생성된 기체 C의 부피
	A	B		
Ⅰ	10	6	1	10
Ⅱ	25	12	1	24

이에 대한 설명으로 옳은 것만을 보기에서 모두 고른 것은?

보기
ㄱ. 기체 A 20 L가 모두 반응하면 기체 C 10 L가 생성된다.
ㄴ. 실험 Ⅰ에서 기체 A가 남고, 실험 Ⅱ에서 기체 B가 남는다.
ㄷ. 기체 C를 30 L 만들기 위해 기체 A는 30 L, 기체 B는 15 L가 필요하다.

① ㄱ ② ㄷ ③ ㄱ, ㄴ
④ ㄴ, ㄷ ⑤ ㄴ, ㄷ

19 다음은 질소와 수소가 반응하여 암모니아를 만드는 반응의 화학 반응식을 나타낸 것이다.

$$N_2 + 3H_2 \longrightarrow 2NH_3$$

질소 3 L와 수소 3 L가 완전히 반응했을 때 생성되는 암모니아의 부피(L)를 구하고, 그 까닭을 화학 반응식과 관련지어 서술하시오.

03 화학 반응에서의 에너지 출입

★ 정답과 해설 063쪽

A 화학 반응에서의 에너지 출입

1. (❶   ): 화학 반응이 일어날 때 주위로 에너지를 방출하는 반응

(1) 발열 반응이 일어나면 주위의 온도가 (❷   ).

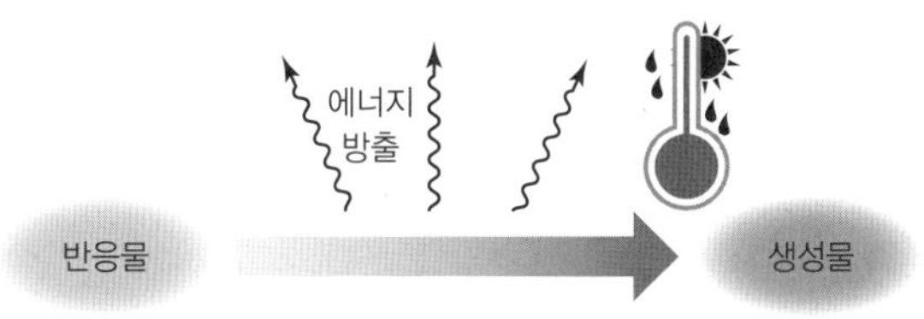

(2) 발열 반응에서는 반응물이 생성물로 변하면서 에너지가 작아지기 때문에 반응물과 생성물이 가지고 있던 에너지 차이만큼의 열을 (❸   )한다.

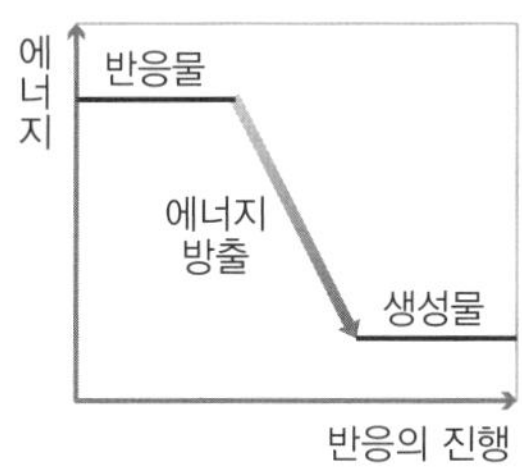

㉦ 연소 반응, 금속이 녹스는 반응, 금속과 산의 반응, 산과 염기의 반응, 호흡, 산이나 염기가 물에 녹는 과정, 철 가루와 산소의 반응 등

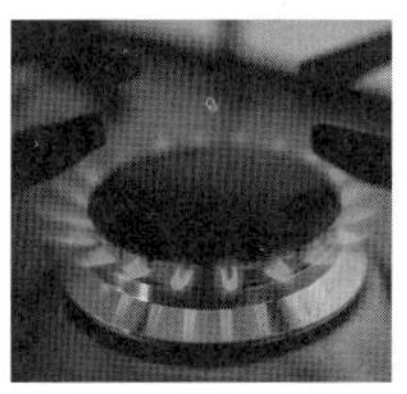
▲ 연소 반응

▲ 금속이 녹스는 반응

▲ 금속과 산의 반응

▲ 산과 염기의 반응

▲ 산화 칼슘의 용해

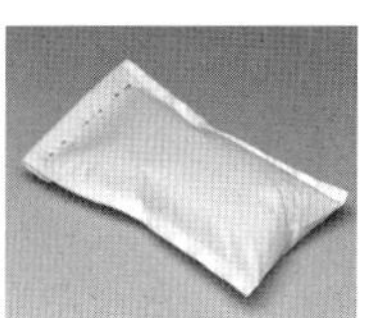
▲ 철 가루와 산소의 반응

2. (❹   ): 화학 반응이 일어날 때 주위로부터 에너지를 흡수하는 반응

(1) 흡열 반응이 일어나면 주위의 온도가 (❺   ).

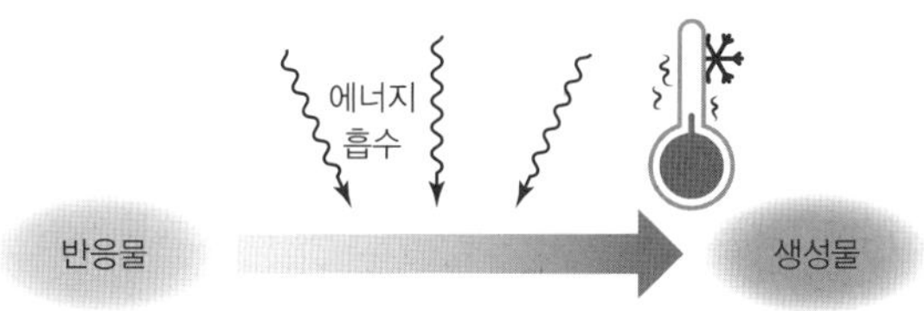

(2) 흡열 반응에서는 반응물이 생성물로 변하면서 에너지가 커지기 때문에 반응물과 생성물이 가지고 있던 에너지 차이만큼의 열을 (❻   )한다.

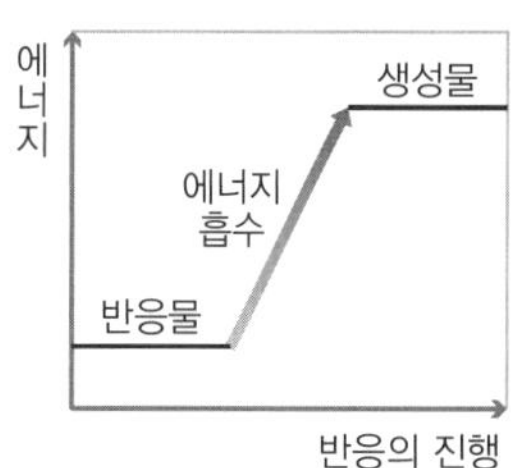

㉦ 광합성, 탄산수소 나트륨의 열분해 반응, 물의 전기 분해 반응, 수산화 바륨과 염화 암모늄의 반응, 질산 암모늄이 물에 녹는 과정, 소금이 얼음물에 녹는 과정 등

▲ 광합성

▲ 탄산수소 나트륨의 분해

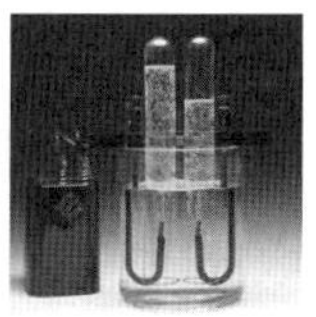
▲ 물의 전기 분해

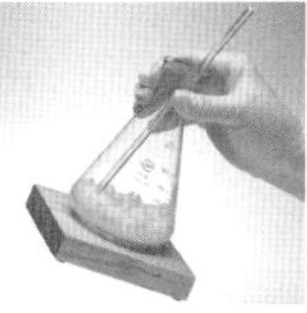
▲ 수산화 바륨과 염화 암모늄의 반응

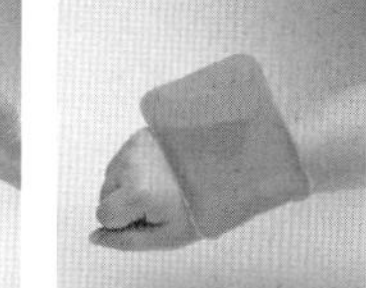
▲ 질산 암모늄과 물의 반응

소금
얼음물
▲ 소금이 얼음물에 녹는 반응

B 화학 반응에서 출입하는 에너지의 활용

1. (❼   )을 이용한 예

(1) **손난로**: 철 가루가 산소와 결합할 때 방출하는 에너지를 이용한다.

(2) **난방과 요리**: 연료가 연소할 때 방출하는 에너지를 이용한다.

(3) **염화 칼슘(제설제)**: 염화 칼슘이 물에 녹으면서 방출하는 에너지를 이용하여 눈을 녹인다.

2. (❽   )을 이용한 예

(1) **베이킹파우더**: 탄산수소 나트륨이 에너지를 흡수해 분해되면서 발생하는 이산화 탄소에 의해 빵이 부풀어 오른다.

(2) **냉찜질 주머니**: 질산 암모늄과 물이 반응할 때 에너지를 흡수하여 주위 온도가 낮아지는 것을 이용한다.

헷갈리는 내용 공략하기

03 화학 반응에서의 에너지 출입

★ 정답과 해설 063쪽

A 화학 반응에서의 에너지 출입 > 에너지의 출입 사례 구분하기

[01-04] 다음은 여러 가지 현상을 나열한 것이다. 물음에 알맞은 답을 보기에서 골라 쓰시오.

보기

ㄱ. 종이가 탄다.
ㄴ. 쇠못이 녹슨다.
ㄷ. 물을 전기 분해한다.
ㄹ. 식물이 광합성을 한다.
ㅁ. 소금을 얼음물에 뿌린다.
ㅂ. 산화 칼슘을 물에 녹인다.
ㅅ. 동물이 세포 호흡을 한다.
ㅇ. 질산 암모늄을 물에 녹인다.
ㅈ. 베이킹파우더에 식초를 떨어뜨린다.
ㅊ. 철 가루가 들어있는 손난로를 흔든다.
ㅋ. 수산화 바륨과 염화 암모늄을 섞는다.
ㅌ. 베이킹파우더가 분해되어 빵이 부푼다.
ㅍ. 묽은 염산에 아연을 넣으면 기체가 발생한다.

01 주위로 열에너지를 방출하는 반응을 모두 골라 쓰시오.

02 주위로부터 열에너지를 흡수하는 반응을 모두 골라 쓰시오.

03 주변의 온도가 높아지는 현상을 모두 골라 쓰시오.

04 주변의 온도가 낮아지는 현상을 모두 골라 쓰시오.

[05-08] 다음은 여러 가지 화학 반응을 나열한 것이다. 물음에 알맞은 답을 보기에서 골라 쓰시오.

보기

ㄱ. 산의 용해
ㄴ. 세포 호흡
ㄷ. 염기의 용해
ㄹ. 식물의 광합성
ㅁ. 물의 전기 분해
ㅂ. 금속의 부식 반응
ㅅ. 금속과 산의 반응
ㅇ. 산과 염기의 반응
ㅈ. 연료의 연소 반응
ㅊ. 질산 암모늄의 용해
ㅋ. 탄산수소 나트륨의 열분해
ㅌ. 수산화 바륨과 염화 암모늄의 반응

05 발열 반응을 모두 골라 쓰시오.

06 흡열 반응을 모두 골라 쓰시오.

07 반응물보다 생성물의 에너지가 더 작은 반응을 모두 골라 쓰시오.

08 반응물보다 생성물의 에너지가 더 큰 반응을 모두 골라 쓰시오.

03 화학 반응에서의 에너지 출입

★ 정답과 해설 063쪽

A 화학 반응에서의 에너지 출입

01 발열 반응에 대한 설명으로 옳은 것을 보기에서 모두 고른 것은?

보기
ㄱ. 주변의 온도가 높아진다.
ㄴ. 반응물보다 생성물의 에너지가 낮다.
ㄷ. 물질이 주변으로 에너지를 방출하는 반응이다.

① ㄱ ② ㄴ ③ ㄱ, ㄷ
④ ㄴ, ㄷ ⑤ ㄱ, ㄴ, ㄷ

02 그림은 모닥불의 모습을 나타낸 것이다.
이에 대한 설명으로 옳은 것만을 보기에서 있는 대로 고른 것은?

보기
ㄱ. 나무가 타는 현상은 물리 변화이다.
ㄴ. 나무를 태우면 주위가 따뜻해진다.
ㄷ. 나무의 연소 반응은 흡열 반응이다.

① ㄴ ② ㄷ ③ ㄱ, ㄴ
④ ㄱ, ㄷ ⑤ ㄴ, ㄷ

03 다음과 같은 에너지 출입이 일어나는 현상으로 옳은 것은?

- 연료의 연소
- 산과 염기의 반응

① 쇠못을 식초에 담근다.
② 식물이 광합성을 한다.
③ 소금이 얼음물에 녹는다.
④ 질산 암모늄이 물에 녹는다.
⑤ 베이킹파우더의 성분이 분해되어 빵이 부푼다.

04 그림은 묽은 염산과 마그네슘의 반응을 나타낸 것이다.
이에 대한 설명으로 옳은 것만을 보기에서 모두 고른 것은?

보기
ㄱ. 수소 기체가 발생한다.
ㄴ. 온도계를 넣으면 온도계의 눈금이 점차 상승한다.
ㄷ. 반응이 일어나는 동안 주위의 에너지를 흡수한다.

① ㄴ ② ㄷ ③ ㄱ, ㄴ
④ ㄱ, ㄷ ⑤ ㄴ, ㄷ

05 다음은 석고 붕대에 대한 설명이다.

물에 적신 석고 붕대를 다친 부위에 감으면 금세 단단하게 굳어서 다친 부위를 고정할 수 있다. 석고의 주성분은 황산 칼슘인데, 이것이 물과 화학 반응하면 굳으면서 에너지가 출입한다.

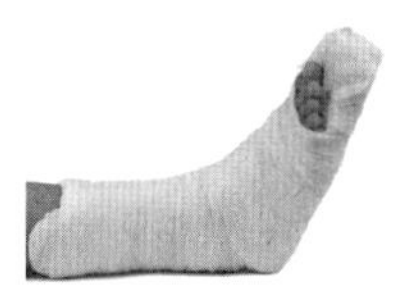

석고 붕대가 굳을 때의 에너지의 출입과 주위의 온도 변화를 옳게 짝 지은 것은?

	에너지 출입	주위의 온도 변화
①	방출	상승
②	방출	일정
③	방출	하강
④	흡수	상승
⑤	흡수	하강

06 다음과 같은 반응에 해당하는 예가 아닌 것은?

반응물 ⟶ 생성물 + 에너지

① 산의 용해 ② 세포 호흡
③ 식물의 광합성 ④ 금속의 부식 반응
⑤ 산과 염기의 반응

07 그림은 수소를 연료로 사용하는 자동차의 구조를 나타낸 것이다.

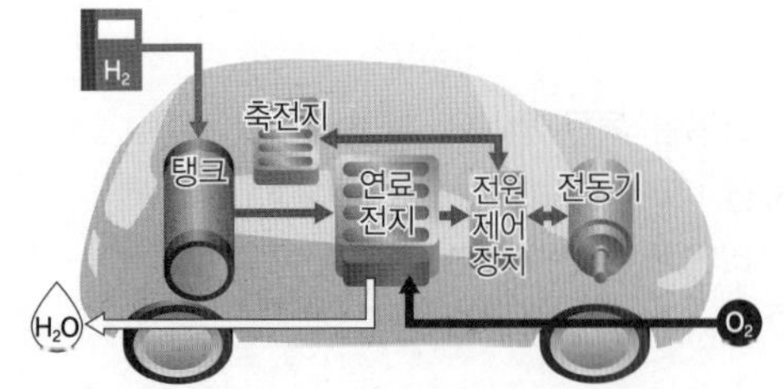

이에 대한 설명으로 옳은 것만을 보기에서 모두 고른 것은?

보기
ㄱ. 수소가 연소하면 주위의 온도가 상승한다.
ㄴ. 연료 전지에서 일어나는 반응은 $2H_2+O_2 \longrightarrow 2H_2O$이다.
ㄷ. 수소가 연소하면서 발생하는 에너지로 자동차가 움직인다.

① ㄱ ② ㄴ ③ ㄱ, ㄷ
④ ㄴ, ㄷ ⑤ ㄱ, ㄴ, ㄷ

08 겨울철 쌓여 있는 눈에 염화 칼슘을 뿌리면 눈이 빨리 녹는 까닭을 에너지 출입 및 주변의 온도 변화와 관련지어 서술하시오.

---

09 다음 ㉠, ㉡에 들어갈 알맞은 말을 옳게 짝 지은 것은?

흡열 반응은 화학 반응이 일어나는 동안 물질이 주변으로부터 에너지를 (㉠)하여 주위의 온도가 (㉡) 반응이다.

	㉠	㉡
①	방출	높아지는
②	방출	낮아지는
③	방출	유지되는
④	흡수	높아지는
⑤	흡수	낮아지는

10 흡열 반응에 대한 설명으로 옳은 것만을 보기에서 있는 대로 고른 것은?

보기
ㄱ. 주변의 온도가 낮아진다.
ㄴ. 반응물이 생성물보다 에너지가 높다.
ㄷ. 물질이 주변으로부터 에너지를 흡수하는 반응이다.

① ㄴ ② ㄷ ③ ㄱ, ㄴ
④ ㄱ, ㄷ ⑤ ㄴ, ㄷ

11 표는 우리 주변에서 일어나는 화학 반응의 예를 (가)와 (나) 두 그룹으로 구분한 것이다.

(가)	(나)
• 철 가루가 들어 있는 손난로를 흔든다. • 베이킹파우더에 식초를 떨어뜨린다.	• 식물이 광합성을 하여 양분을 만든다. • 질산 암모늄을 물에 녹인다.

(가)와 (나)로 구분한 기준으로 옳은 것은?

① 에너지의 출입 여부
② 기체 반응 법칙의 성립 여부
③ 질량 보존 법칙의 성립 여부
④ 일정 성분비 법칙의 성립 여부
⑤ 물질의 고유한 성질의 변화 여부

12 다음과 같은 반응에 해당하는 예가 아닌 것은?

반응물 + 에너지 ⟶ 생성물

① 물을 전기 분해한다.
② 식물이 광합성을 한다.
③ 얼음물에 소금을 뿌린다.
④ 질산 암모늄을 물에 녹인다.
⑤ 철 가루가 들어 있는 손난로를 흔든다.

13 그림 (가)는 묽은 염산에 수산화 나트륨 수용액을 넣은 것이고, (나)는 염화 암모늄에 수산화 바륨을 넣고 잘 저은 것이다.
각 온도계 눈금의 변화를 옳게 짝 지은 것은?

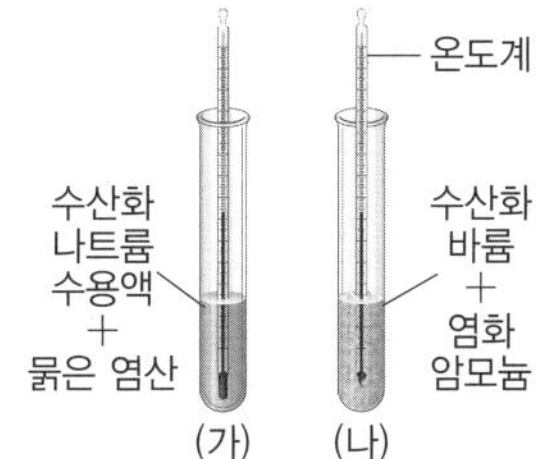

	(가)	(나)
①	올라감	내려감
②	올라감	올라감
③	올라감	변화 없음
④	내려감	내려감
⑤	내려감	올라감

14 탄산수소 나트륨은 주변의 열에너지를 흡수하면 분해된다. 이와 같이 에너지를 흡수하는 반응을 보기에서 모두 고른 것은?

보기
ㄱ. 베이킹파우더에 식초를 떨어뜨린다.
ㄴ. 수산화 바륨과 염화 암모늄을 섞는다.
ㄷ. 묽은 염산에 아연을 넣으면 기체가 발생한다.

① ㄴ ② ㄷ ③ ㄱ, ㄴ
④ ㄱ, ㄷ ⑤ ㄴ, ㄷ

15 그림 (가)는 에어컨에서 시원한 바람이 나오는 현상을, (나)는 질산 암모늄과 물이 들어 있는 냉찜질 주머니를 눌러 두 물질이 섞이게 하는 과정을 나타낸 것이다.

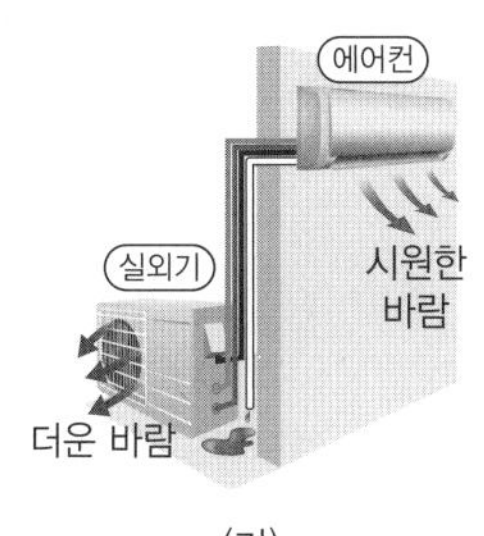

(가)

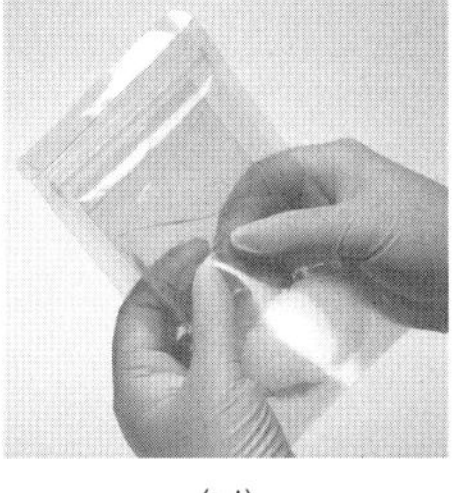
(나)

두 현상이 일어나는 원리의 차이점을 각각 서술하시오.

16 그림은 화학 반응에서의 에너지 출입을 나타낸 것이다.

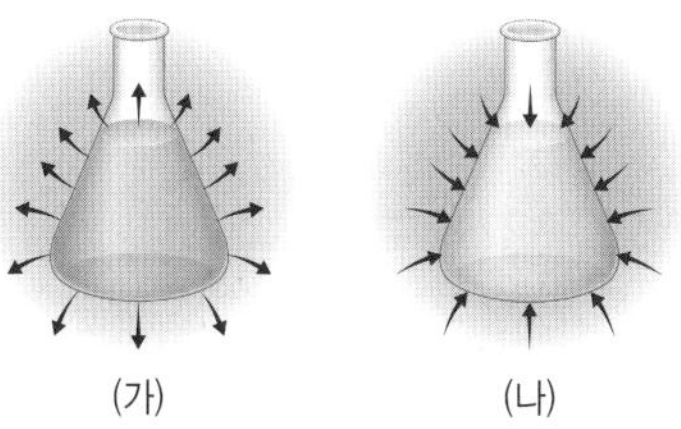

이에 대한 설명으로 옳은 것만을 보기에서 모두 고른 것은?

보기
ㄱ. (가)의 반응으로 주위의 온도가 높아진다.
ㄴ. (나)의 반응물은 생성물보다 에너지가 높다.
ㄷ. (가)와 (나)는 반응이 일어나는 동안 에너지가 출입한다.

① ㄴ ② ㄷ ③ ㄱ, ㄴ
④ ㄱ, ㄷ ⑤ ㄴ, ㄷ

17 그림은 간이 냉장고의 모습을 나타낸 것이다.

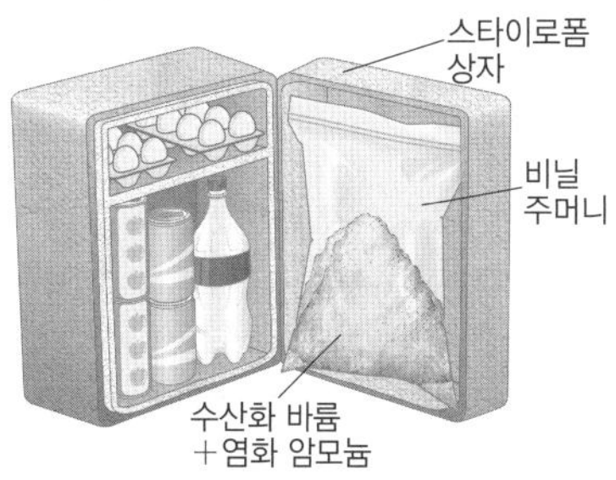

이에 대한 설명으로 옳은 것만을 보기에서 모두 고른 것은?

보기
ㄱ. 음료수와 계란은 에너지를 잃는다.
ㄴ. 수산화 바륨과 염화 암모늄의 반응은 발열 반응이다.
ㄷ. 스타이로폼 상자는 외부로부터의 에너지 출입을 막는다.

① ㄱ ② ㄴ ③ ㄱ, ㄷ
④ ㄴ, ㄷ ⑤ ㄱ, ㄴ, ㄷ

개념으로 복습하기

Ⅱ. 기권과 날씨

01 기권과 구름

★ 정답과 해설 065쪽

A 기권의 구조와 특징

1. 기권의 구분: 높이에 따른 (❶)를 기준으로 대류권, 성층권, 중간권, 열권의 4개 층으로 구분한다.

2. 기권의 특징

구분	기온 변화	특징
열권	높이 올라갈수록 기온 (❷)	• 고위도 지방에서 (❸)가 관측된다. • 공기가 희박하여 낮과 밤의 기온 차가 매우 크다. • 전파를 반사하는 전리층이 있다.
중간권	높이 올라갈수록 기온 하강	• 공기의 (❹) 현상은 일어나지만 (❺)가 거의 없어 기상 현상은 나타나지 않는다. • 유성이 많이 관측된다. • 중간권 계면 부근에서 기권의 최저 기온이 나타난다.
성층권	높이 올라갈수록 기온 상승	• 높이 약 20~30 km 사이에 (❻)이 있어 태양의 자외선을 흡수한다. • 기층이 안정되어 있어 하부는 장거리 비행기의 항로로 이용된다.
대류권	높이 올라갈수록 기온 (❼)	• 공기의 (❽) 현상이 일어난다. • 구름이 생기고 비나 눈이 내리는 등의 (❾) 현상이 나타난다. • 지구 전체 공기의 약 75 %가 분포하므로 공기의 밀도가 가장 크다.

B 지구의 복사 평형과 지구 온난화

1. (❿): 물체가 흡수하는 에너지와 방출하는 에너지의 양이 같아져서 온도가 일정하게 유지되는 현상

2. 지구의 복사 평형

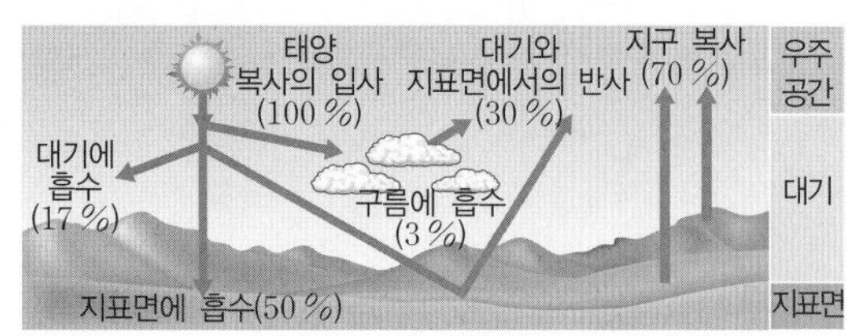

3. (⓫): 대기 중 온실 기체가 지표면에서 방출하는 복사 에너지를 흡수하였다가 다시 지표면으로 방출하여 지구의 온도를 높이는 효과

4. (⓬): 대기 중 온실 기체의 양이 증가하여 지구의 평균 기온이 상승하는 현상

(1) **지구 온난화의 원인:** 화석 연료의 과다 사용으로 이산화 탄소 배출량 증가, 무분별한 숲의 파괴와 개발 등

(2) **지구 온난화로 인한 피해:** 기온 상승, 해수면의 높이 상승, 기상 이변, 사막화 현상 등

C 포화 수증기량과 상대 습도

1. (⓭): 포화 상태의 공기 1 kg 속에 포함된 수증기량(g)

2. (⓮): 공기가 냉각되어 수증기의 응결이 일어나기 시작하는 온도 ➡ 공기 중에 포함된 수증기량이 많을수록 이슬점은 (⓯).

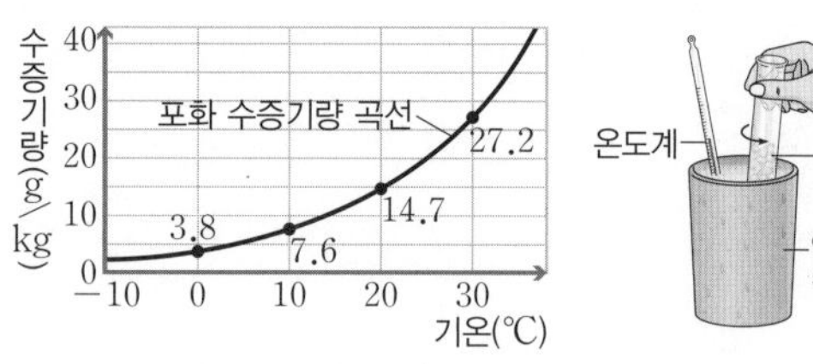

3. 상대 습도: 공기의 습한 정도를 백분율(%)로 나타낸 것

$$\text{상대 습도(\%)}=\frac{\text{현재 공기 중의 실제 수증기량(g/kg)}}{\text{현재 기온에서의 포화 수증기량(g/kg)}}\times 100$$

D 구름과 강수

1. 구름의 생성 과정

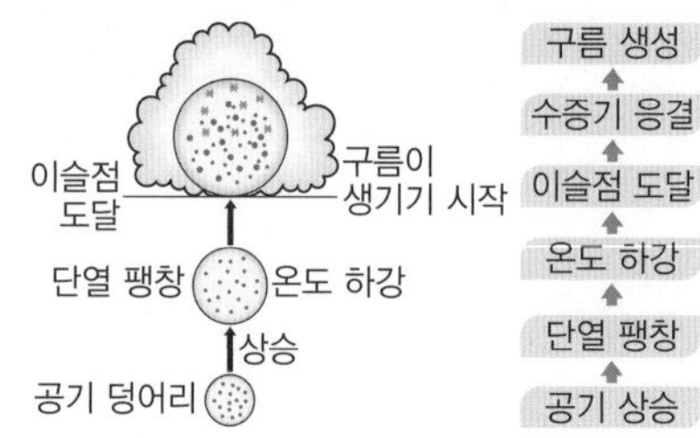

2. 구름이 생성되는 경우

3. 강수 과정

고위도나 중위도 지방	열대나 저위도 지방
−40 ℃, 0 ℃, 얼음 알갱이, 수증기, 물방울, 빗방울, 비, 지표면	0 ℃, 큰 물방울, 빗방울로 성장, 물방울, 빗방울, 지표면
구름 속의 얼음 알갱이(빙정)에 (⓰)가 달라붙어 커지면 아래로 떨어진다. ➡ 떨어지던 얼음 알갱이가 녹으면 비, 녹지 않으면 눈이 된다.	구름 속의 크고 작은 (⓱)들이 서로 충돌하여 합쳐져 커지면 비가 되어 내린다.

헷갈리는 내용 공략하기

Ⅱ. 기권과 날씨

01 기권과 구름

★ 정답과 해설 065쪽

C 포화 수증기량과 상대 습도 > 포화 수증기량, 이슬점, 응결되는 수증기량, 상대 습도

[01-05] 다음은 포화 수증기량과 이슬점에 대한 설명이다. (　　) 안에 들어갈 알맞은 말을 쓰시오.

01 물 표면에서 물이 수증기로 변해 공기 중으로 날아가는 현상을 (　　)이라 하고, 공기 중의 수증기가 냉각되어 물방울로 변하는 현상을 (　　)이라고 한다.

02 공기가 수증기를 최대한 포함하고 있는 상태를 (　　)라 하고, 포화 상태의 공기 1 kg 속에 포함된 수증기량(g)을 (　　　　)이라고 한다.

03 (　　) 상태에서는 물 표면에서 수증기로 증발하는 분자 수와 수증기가 물로 응결하는 분자 수가 서로 같다.

04 공기가 냉각되어 수증기의 응결이 일어나기 시작하는 온도를 (　　)이라고 한다.

05 공기 중에 포함된 수증기량이 많을수록 이슬점은 (　　).

[06-09] 그림은 기온에 따른 포화 수증기량 곡선을 나타낸 것이다.

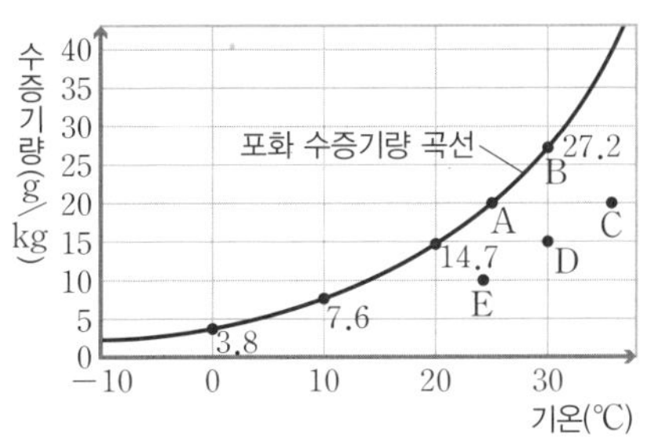

06 A~E 공기 중 이슬점이 가장 높은 것을 쓰시오.

07 A~E 공기 중 포화 수증기량이 가장 많은 것을 쓰시오.

08 A~E 공기를 5 ℃까지 냉각시킬 때 가장 많은 물방울이 응결되는 것을 쓰시오.

09 A~E 공기 중 상대 습도가 가장 높은 것을 쓰시오.

[10-14] 현재 기온이 20 ℃인 실험실에서 그림과 같이 얼음이 담긴 시험관을 물이 담긴 알루미늄 컵에 넣고 잘 저어 주었다. 물의 온도가 10 ℃가 될 때, 컵의 표면이 뿌옇게 흐려졌다. 표는 기온에 따른 포화 수증기량을 나타낸 것이다.

기온(℃)	0	10	20	30
포화 수증기량(g/kg)	3.8	7.6	14.7	27.2

10 이 실험은 무엇을 알아보기 위한 실험인지 쓰시오.

11 알루미늄 컵의 표면이 뿌옇게 흐려진 까닭은 컵 주변 공기의 냉각에 의해 공기의 무엇이 낮아졌기 때문인지 쓰시오.

12 현재 실험실 공기의 이슬점은 몇 ℃인지 쓰시오.

13 현재 실험실 공기 1 kg이 최대로 포함할 수 있는 수증기량은 얼마인지 쓰시오.

14 실험실 내부의 총 공기의 질량이 20 kg이라면 현재 실험실 공기가 포함하고 있는 수증기량은 얼마인지 쓰시오.

[15-17] 상대 습도에 대한 설명으로 옳은 것은 ○표, 옳지 않은 것은 ×표를 하시오.

15 현재 온도에서의 포화 수증기량에 대한 현재 공기 중의 수증기량의 비율을 백분율로 나타낸 것이 상대 습도이다. (　　)

16 기온이 높아지는 낮에는 포화 수증기량이 증가하기 때문에 상대 습도가 높아진다. (　　)

17 맑은 날은 흐린 날이나 비가 오는 날보다 상대 습도의 일변화가 크다. (　　)

01 기권과 구름

✱ 정답과 해설 065쪽

A 기권의 구조와 특징

01 지구의 대기에 대한 설명으로 옳지 않은 것은?

① 여러 가지 기체가 섞여 있다.
② 운석이 지구에 충돌하는 것을 막아준다.
③ 지표면에서 약 1000 km 높이까지 분포한다.
④ 지표면에서 높이 올라갈수록 밀도가 커진다.
⑤ 자외선을 차단하여 지구상의 생명체를 보호한다.

[02-03] 그림은 기권을 높이에 따라 4개의 층으로 구분하여 나타낸 것이다.

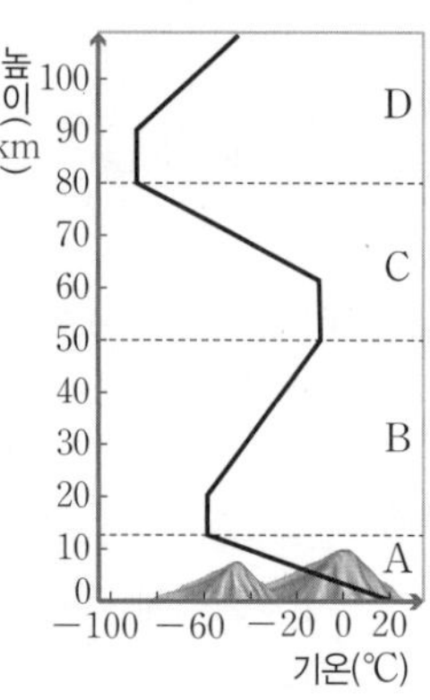

02 B층에 대한 설명으로 옳지 않은 것은?

① 성층권이라고 한다.
② 오존층이 분포한다.
③ 장거리 비행기의 항로로 이용된다.
④ 구름이나 비 등의 기상 현상은 없다.
⑤ 전리층이 있어 무선 통신에 이용된다.

03 C층에서는 대류 현상은 일어나지만 기상 현상은 나타나지 않는다. C층에서는 A층과 달리 기상 현상이 나타나지 않는 까닭을 서술하시오.

04 오존층이 존재하지 않는다고 가정할 때, 기권에서 높이에 따른 기온 변화를 옳게 예측한 그래프는?

①
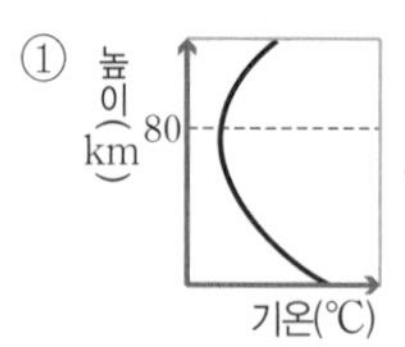

②
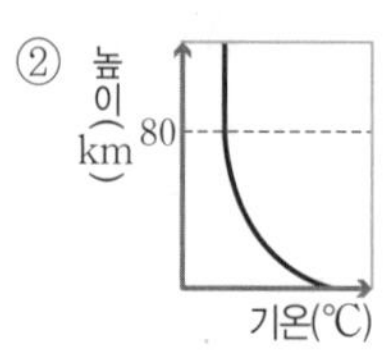

③
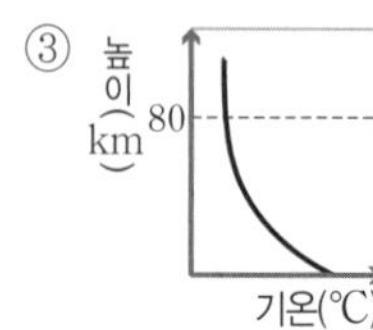

④
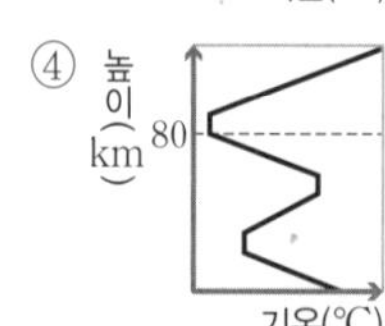
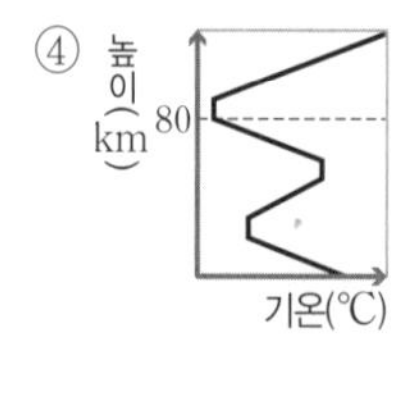

⑤
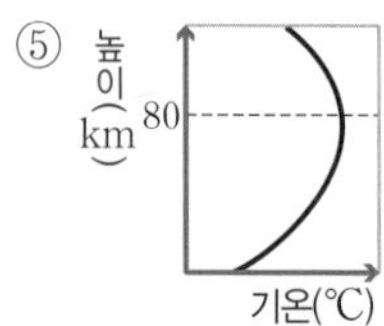

05 다음 글의 밑줄 친 말 중 옳지 않은 것은?

> 대류권과 달리 성층권에서는 높이 올라갈수록 기온이 ① 하강한다. 그 까닭은 성층권의 높이 ② 20~30 km 사이에 ③ 오존층이 있어서 태양에서 오는 ④ 자외선을 흡수하기 때문이다. 최근에는 이 층이 냉장고의 냉매나 스프레이에 사용되는 ⑤ 프레온 가스에 의해 파괴되고 있어 지구상의 생명체에 큰 위협이 되고 있다.

B 지구의 복사 평형과 지구 온난화

06 그림은 지구의 복사 평형을 알아보기 위해 뚜껑을 덮은 알루미늄 컵을 적외선등으로 가열하는 실험을 나타낸 것이다.

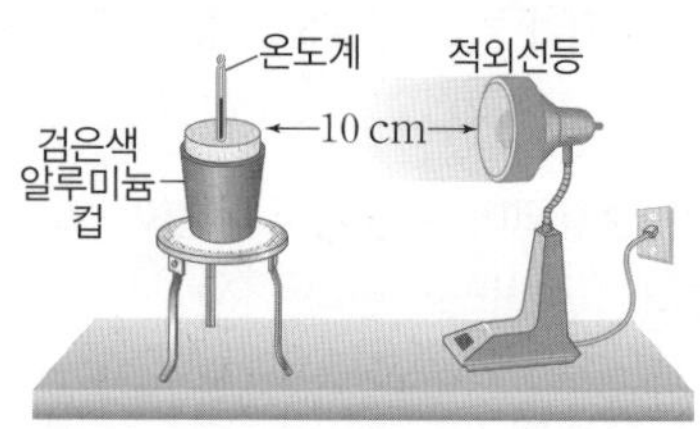

이에 대한 설명으로 옳은 것만을 보기에서 모두 고르시오.

> **보기**
> ㄱ. 적외선등은 태양, 알루미늄 컵은 지구로 가정하였다.
> ㄴ. 컵속 공기의 온도는 일정하다가 계속 높아진다.
> ㄷ. 어느 정도 시간이 지나면 흡수하는 에너지와 방출하는 에너지의 양이 같아진다.
> ㄹ. 컵의 뚜껑을 열고 실험을 하면 더 높은 온도에서 복사 평형이 이루어진다.

07 그림은 지구에 출입하는 에너지를 나타낸 것이다.

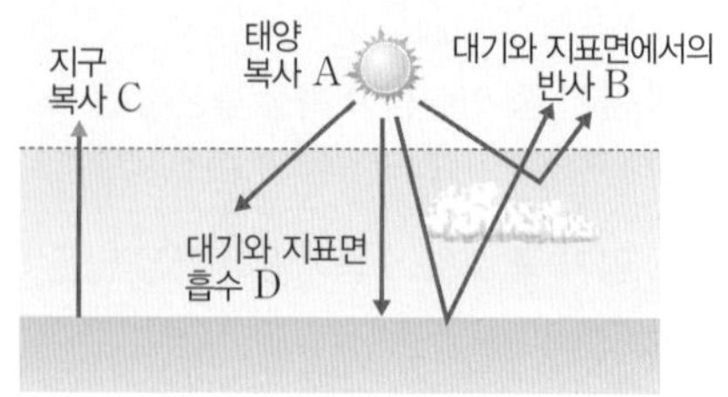

A~D 중 그 양이 같은 것끼리 짝 지은 것은?

① A와 B ② A와 C ③ B와 C
④ B와 D ⑤ C와 D

C 포화 수증기량과 상대 습도

08 그림은 물 분자의 출입을 모형으로 나타낸 것이다. 이와 같은 물의 출입과 관계있는 현상은?

① 늦은 가을날 아침에 서리가 내린다.
② 공기가 하늘 높이 상승하면 구름이 생성된다.
③ 풀잎에 맺혀 있던 이슬은 해가 뜨면 사라진다.
④ 추운 겨울 아침에 숨을 쉬면 하얀 입김이 나온다.
⑤ 탁자 위에 올려놓은 찬 음료수 컵의 표면에 물방울이 맺힌다.

09 그림은 기온에 따른 포화 수증기량의 변화를 나타낸 것이다. **A~D 공기에 대한 설명으로 옳지 않은 것은?**

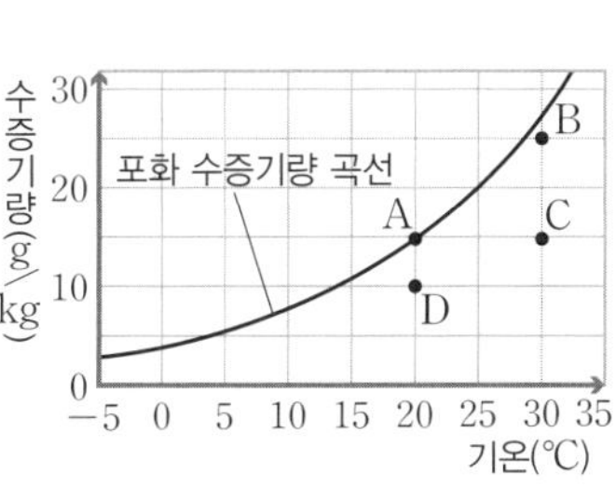

① A는 포화 상태이다.
② 이슬점이 가장 낮은 것은 D이다.
③ 상대 습도가 가장 높은 것은 A이다.
④ 1 kg 속에 포함된 수증기량이 가장 많은 것은 B이다.
⑤ 5 ℃로 냉각시킬 때 응결량이 가장 많은 것은 D이다.

[10-12] 표는 기온과 포화 수증기량의 관계를 나타낸 것이다. 현재 교실의 기온이 **30 ℃**이고, 교실 내부에 들어 있는 공기의 총 질량은 **50 kg**이며, 그 속에는 **735 g**의 수증기가 포함되어 있다.

기온(℃)	0	10	20	30
포화 수증기량(g/kg)	3.8	7.6	14.7	27.2

10 교실에 있는 공기의 이슬점을 구하시오.

11 교실 공기의 상대 습도는 약 몇 %인지 쓰시오.

12 교실의 기온을 **10 ℃**로 냉각시키면 응결되는 물방울의 양을 쓰시오..

13 그림은 기온과 포화 수증기량의 관계를 나타낸 것이다.

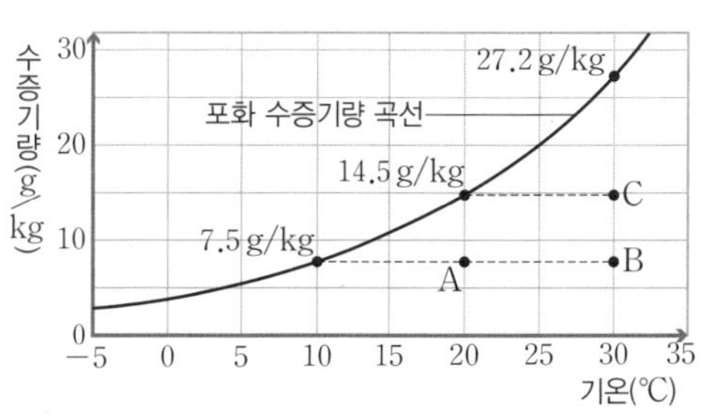

A, B, C 세 공기의 ㉠포화 수증기량과 ㉡이슬점을 옳게 비교한 것은?

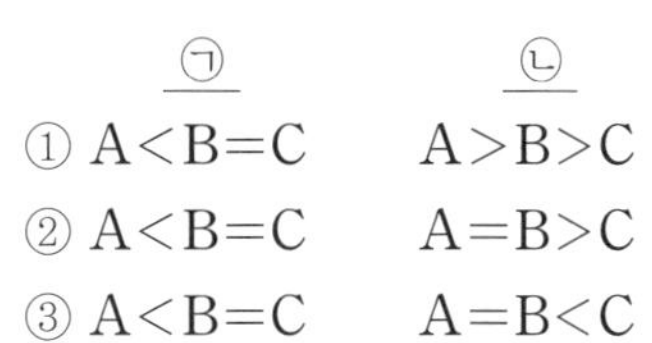

	㉠	㉡
①	A<B=C	A>B>C
②	A<B=C	A=B>C
③	A<B=C	A=B<C
④	A=B<C	A<B=C
⑤	A=B>C	A=B>C

14 상대 습도에 대한 설명으로 옳은 것만을 보기에서 모두 고른 것은?

보기
ㄱ. 공기의 습한 정도를 백분율로 나타낸 것이다.
ㄴ. 맑은 날보다 비 오는 날에 상대 습도가 더 낮다.
ㄷ. 맑은 날 기온이 높아지면 상대 습도는 낮아진다.

① ㄱ ② ㄴ ③ ㄱ, ㄷ
④ ㄴ, ㄷ ⑤ ㄱ, ㄴ, ㄷ

15 맑은 날에 기온이 높아지면 상대 습도는 어떻게 변할지 아래 식과 관련지어 서술하시오.

$$상대\ 습도(\%)=\frac{현재\ 공기\ 중의\ 실제\ 수증기량(g/kg)}{현재\ 온도에서의\ 포화\ 수증기량(g/kg)}\times 100$$

D 구름과 강수

16 그림은 지표면에서 공기가 상승하여 구름이 만들어질 때까지의 과정을 나타낸 것이다.

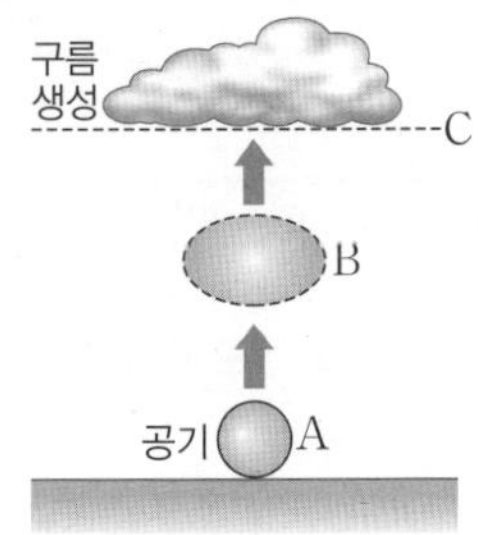

높이에 따른 공기의 변화로 옳지 않은 것은?

① A에서 C로 갈수록 기압이 낮아진다.
② A에서 C로 갈수록 기온이 낮아진다.
③ A에서 C로 갈수록 상대 습도가 높아진다.
④ A가 B보다 포화 수증기량이 더 적다.
⑤ C에서 수증기의 응결이 일어난다.

17 구름이 생성되는 경우가 아닌 것은?

① 산을 타고 공기가 올라갈 때
② 지표면이 불균등하게 가열될 때
③ 따뜻한 공기가 급격히 냉각될 때
④ 저기압 중심으로 공기가 모여들 때
⑤ 찬 공기가 따뜻한 공기를 밀어 올릴 때

18 그림은 모양이 다른 두 종류의 구름을 나타낸 것이다.

이와 같이 구름의 모양이 다른 까닭은?

① 상승 기류의 세기 차이
② 구름의 생성 높이 차이
③ 구름 속의 수증기량의 차이
④ 상승하는 공기의 온도 차이
⑤ 상승하는 공기의 부피 차이

19 그림과 같이 간이 가압 장치의 펌프를 누른 후 뚜껑을 열었을 때, 페트병 안에서 일어나는 변화 중 그 값이 증가하는 것만을 보기에서 모두 고르시오.

보기
ㄱ. 기온　　ㄴ. 상대 습도　　ㄷ. 포화 수증기량

20 그림 (가)와 (나)는 비와 눈의 생성 과정을 설명하는 구름의 모습을 나타낸 것이다.

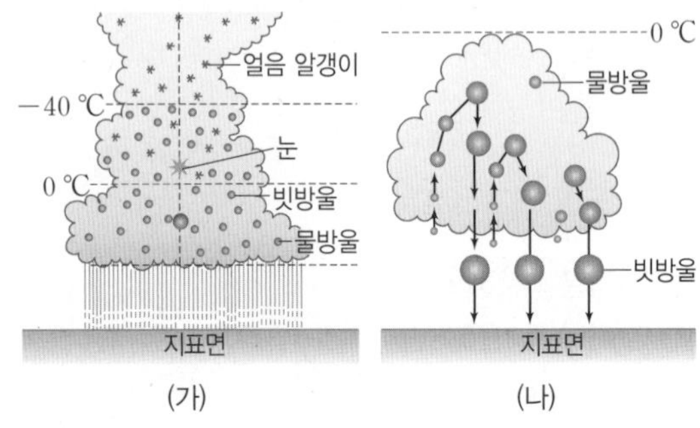

(가)　(나)

이에 대한 설명으로 옳은 것만을 보기에서 모두 고른 것은?

보기
ㄱ. (가)는 고위도나 중위도 지방에서 발달한 구름이고, (나)는 열대나 저위도 지방에서 발달한 구름이다.
ㄴ. (가)에서는 얼음 알갱이에 수증기가 달라붙어 눈이 되고, 이것이 내리다 녹으면 비가 된다.
ㄷ. (나)에서는 물방울이 충돌하여 커지면 빗방울이 된다.

① ㄱ　② ㄴ　③ ㄱ, ㄷ
④ ㄴ, ㄷ　⑤ ㄱ, ㄴ, ㄷ

21 그림은 다양한 눈의 결정 모양을 나타낸 것이다.

이와 같이 눈의 결정이 다양하게 나타나는 까닭과 가장 관계 깊은 것은?

① 구름이 생성된 높이
② 구름의 모양과 크기
③ 구름 속 물방울의 크기
④ 구름 속 기온과 수증기량의 차이
⑤ 구름 속에 형성되는 얼음 알갱이의 크기

02 기압과 날씨

★ 정답과 해설 066쪽

A 기압과 바람

1. 기압

(1) **기압의 측정:** (❶)가 수은을 이용하여 기압의 크기를 최초로 측정

① 기압이 낮아지면 수은 기둥의 높이는 (❷).

② 기압이 일정하면 유리관의 기울기나 굵기에 관계없이 수은 기둥의 높이는 일정하다.

(2) **기압의 크기**

1기압=약 (❸) cmHg=약 1013 hPa
=물기둥 약 (❹) m의 압력

(3) **기압의 변화**

① **기압의 변화:** 공기는 계속 이동하므로 기압은 시간과 장소에 따라 변한다.

② **높이에 따른 기압:** 높이 올라갈수록 공기가 희박해지고, 공기 기둥의 길이가 짧아지므로 기압은 (❺).

2. 바람: 기압이 높은 곳에서 낮은 곳으로 공기가 이동하는 현상

지표면의 불균등 가열과 기압 변화	따뜻한 지표면 위의 공기는 가열되어 상승하므로 기압이 낮아지고, 찬 지표면 위의 공기는 냉각되어 하강하므로 기압이 높아진다.
바람의 생성	지표면이 불균등하게 가열되면 기압 차이가 생겨 차가운 지표면에서 따뜻한 지표면 쪽으로 바람이 분다.

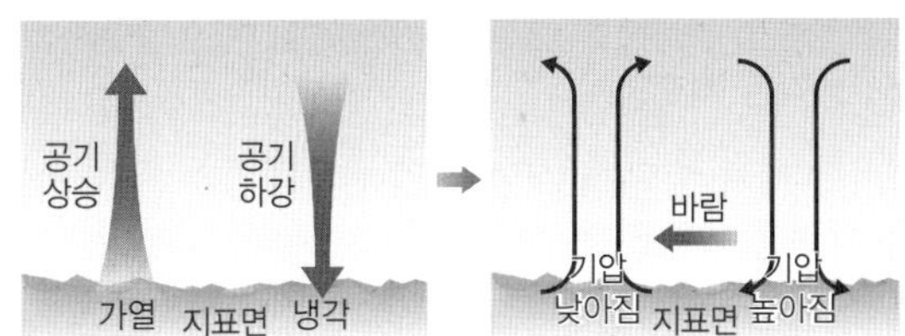

3. 해륙풍과 계절풍

해풍	구분	육풍
(❻)	부는 때	(❼)
바다 → 육지	바람 방향	육지 → 바다
육지>바다	기온	육지<바다
육지 (❽) 바다	기압	육지 (❾) 바다

남동 계절풍	구분	북서 계절풍
여름	부는 때	겨울
해양 → 대륙	바람 방향	대륙 → 해양
대륙 (❿) 해양	기온	대륙 (⓫) 해양
대륙<해양	기압	대륙>해양

B 날씨의 변화

1. 우리나라에 영향을 주는 기단

기단	성질	계절
양쯔강 기단	온난 건조	봄, 가을
오호츠크해 기단	저온 다습	초여름(장마철)
(⓬) 기단	고온 다습	여름
(⓭) 기단	한랭 건조	겨울

2. 전선

(1) **전선과 전선면:** 성질이 다른 두 기단이 만날 때 생기는 경계면을 (⓮), 전선면이 지표면과 만나서 생기는 경계선을 (⓯)이라고 한다.

(2) **한랭 전선과 온난 전선의 특징 비교**

구분		한랭 전선	온난 전선
전선면의 기울기		급하다.	완만하다.
구름		(⓰)형	(⓱)형
비의 형태		좁은 지역에 소나기	넓은 지역에 이슬비
이동 속도		(⓲).	(⓳).
전선 통과 후	기온	하강	상승
	기압	상승	하강
	풍향	남서풍 → 북서풍	남동풍 → 남서풍

3. 온대 저기압: 중위도 지방에서 발달하는 저기압으로, 온난 전선과 한랭 전선을 동반한다.

위치	한랭 전선 뒤쪽	한랭 전선과 온난 전선 사이	온난 전선 앞쪽
날씨	좁은 지역에 소나기	(⓴).	넓은 지역에 이슬비
풍향	(㉑)풍	남서풍	(㉒)풍

4. 우리나라의 계절별 일기도

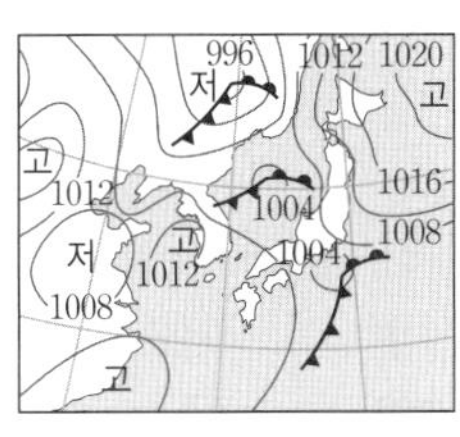
▲ 봄 · 가을

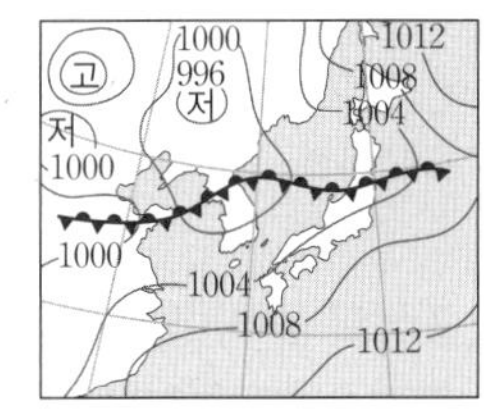
▲ 초여름(장마)

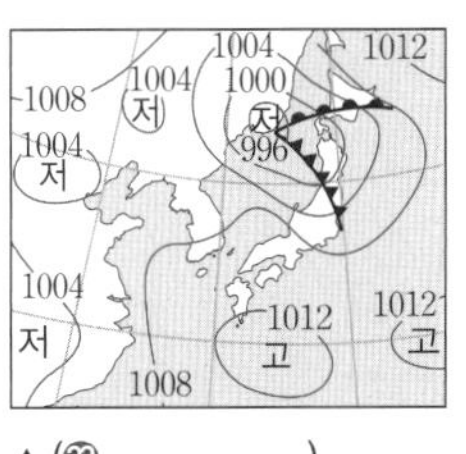
▲ (㉓)

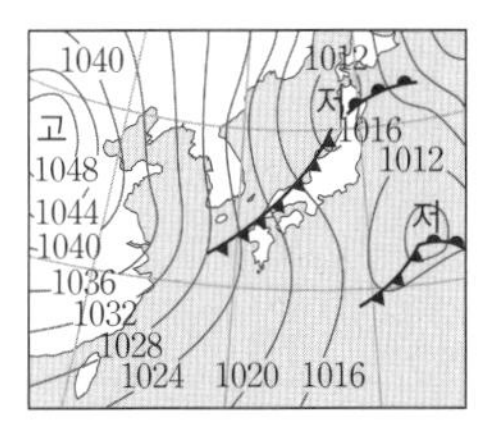
▲ (㉔)

헷갈리는 내용 공략하기

Ⅱ. 기권과 날씨

02 기압과 날씨

★ 정답과 해설 066쪽

A 기압과 바람 > 기압, 토리첼리의 실험, 1기압의 크기, 바람, 기압 차이, 해륙풍, 계절풍

01 공기의 무게에 의한 압력을 무엇이라고 하는지 쓰시오.

[02-05] 기압과 관련된 설명이면 ○표, 관련 없는 설명이면 ×표를 하시오.

02 물이 가득 담긴 컵을 종이로 막은 후 뒤집으면 물이 아래로 쏟아지지 않는다. (　　)

03 빈 우유팩을 빨대로 빨면 우유팩이 찌그러진다. (　　)

04 비가 온 뒤에 무지개가 보인다. (　　)

05 비행기를 타고 이륙할 때 과자 봉지가 부풀어 오른다. (　　)

06 다음 글의 ㉠~㉣ 안에 들어갈 알맞은 말을 쓰시오.

> 기압은 (㉠) 방향으로 작용하고, 1기압은 (㉡) hPa이다. 1 hPa은 (㉢) Pa과 크기가 같으며, 이는 1 m^2의 면적에 (㉣) N의 힘이 작용할 때의 압력과 같다.

[07-09] 그림은 토리첼리의 실험을 나타낸 것이다. (　　) 안에 들어갈 알맞은 말을 쓰시오.

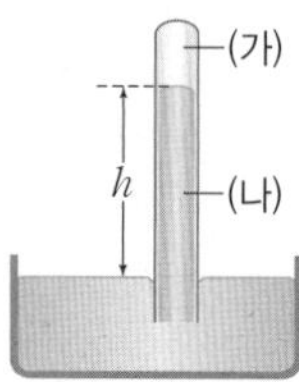

07 이탈리아의 과학자 토리첼리는 (　　)을 이용하여 최초로 기압을 측정하였다.

08 (가)는 (　　) 상태이다.

09 기압이 높아지면 (나)의 높이는 (　　)지고, 기압이 낮아지면 (나)의 높이는 (　　)진다.

10 다음에 주어진 기압을 크기가 큰 순서대로 나열하시오.

> 보기
> ㄱ. 1013 hPa
> ㄴ. 수은 기둥 66 cm의 압력
> ㄷ. 약 20 m 물기둥의 압력

[11-12] 다음은 시간과 장소에 따른 기압의 변화에 대한 설명이다. (　　) 안에 들어갈 알맞은 말을 쓰시오.

11 높은 산 위에 올라가서 토리첼리의 실험을 한다면, 지표에 비해 수은 기둥의 높이는 (　　　　).

12 높이 올라갈수록 공기의 양이 감소하므로 기압이 (　　)진다.

13 다음 글의 (　　) 안에 들어갈 알맞은 말을 쓰시오.

> 기압 차이 때문에 생기는 수평 방향의 공기의 흐름을 (　　)이라 하고, 두 지점 간의 기압 차가 클수록 이것의 세기는 강해진다.

[14-21] 그림은 북반구에서의 기압 분포와 바람의 방향을 나타낸 것이다.

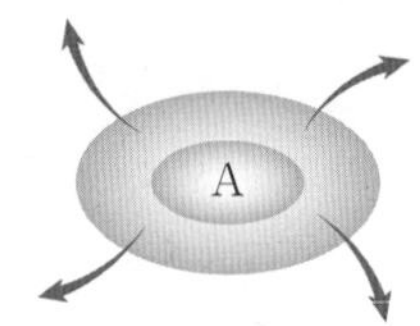

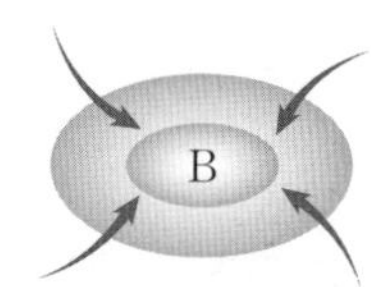

아래에 설명하는 내용은 A와 B 중 어느 것에 대한 것인지 쓰시오.

14 냉각된 지표면 위

15 가열된 지표면 위

16 주변보다 기압이 상대적으로 높은 곳

17 주변보다 기압이 상대적으로 낮은 곳

18 상승 기류가 생긴다.

19 하강 기류가 생긴다.

20 맑은 날씨가 나타난다.

21 흐린 날씨가 나타난다.

문제로 복습하기

Ⅱ. 기권과 날씨

02 기압과 날씨

★ 정답과 해설 066쪽

A 기압과 바람

01 기압에 대한 설명으로 옳은 것은?

① 기압은 항상 위에서 아래로 작용한다.
② 높이 올라갈수록 기압은 급격하게 증가한다.
③ 높은 산에서 밥을 하면 기압이 높아 밥이 설익는다.
④ 하늘로 높이 올라간 풍선은 기압 때문에 부피가 줄어든다.
⑤ 바람에 머리카락이 날리는 것은 기압이 작용하기 때문이다.

02 기압을 이용하여 만든 기구가 아닌 것은?

03 그림과 같이 빈 깡통에 물을 조금 넣고 가열하여 물이 거의 증발했을 때 구멍을 테이프로 막고 냉각시켰더니 깡통이 찌그러졌다.

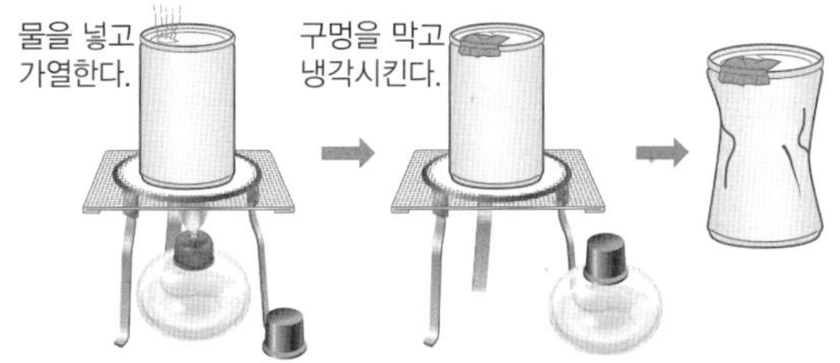

깡통이 찌그러진 원인과 관련이 있는 현상만을 보기에서 모두 고르시오.

보기
ㄱ. 빈 우유팩을 빨대로 빨면 찌그러진다.
ㄴ. 해가 뜨거나 질 때 붉은 노을이 생긴다.
ㄷ. 풍선이 하늘 높이 올라가면 크기가 커진다.

[04-05] 어떤 지역에서 토리첼리의 실험을 하였더니 수은 기둥이 그림과 같이 76 cm 높이에서 멈추었다.

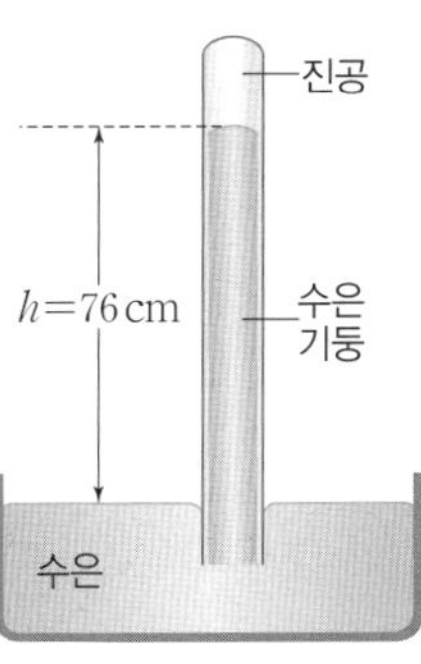

04 현재 이 지역의 기압은 몇 hPa인지 쓰시오.

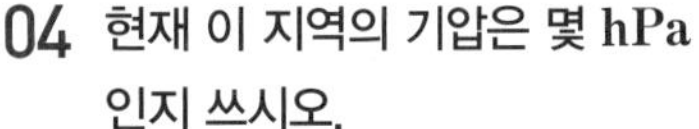

05 다음과 같은 조건에서 위의 실험을 하였을 때 수은 기둥의 높이 h_1, h_2, h_3을 옳게 비교한 것은?

• h_1: 달의 표면에서 실험했을 때 수은 기둥의 높이
• h_2: 에베레스트산 정상에서 실험했을 때 수은 기둥의 높이
• h_3: 기압이 1013 hPa인 평지에서 실험했을 때 수은 기둥의 높이

① $h_1=h_2=h_3$
② $h_1>h_2>h_3$
③ $h_2>h_3>h_1$
④ $h_3>h_1>h_2$
⑤ $h_3>h_2>h_1$

06 그림과 같이 2개의 주사기를 연결하여 고무관의 가운데를 핀치콕으로 막고 주사기에 물의 높이를 다르게 담은 후, 콕을 열어 물의 움직임을 관찰하였다.

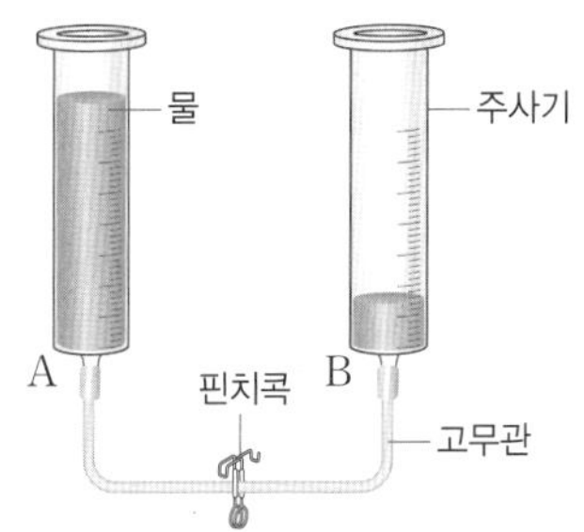

이 실험에 대한 설명으로 옳지 않은 것은?

① 물은 A에서 B로 이동한다.
② 바람이 부는 원인을 설명할 수 있다.
③ A는 저기압, B는 고기압에 비유된다.
④ 물의 높이 차이는 기압 차이에 비유된다.
⑤ A와 B에 담긴 물의 높이 차이가 클수록 물이 빨리 이동한다.

07 찬 지표면 위에서의 날씨 변화를 옳게 설명한 것은?

① 상승 기류가 생겨 날씨가 맑다.
② 하강 기류가 생겨 날씨가 맑다.
③ 상승 기류가 생겨 날씨가 흐리다.
④ 하강 기류가 생겨 날씨가 흐리다.
⑤ 기류가 생기지 않아 날씨의 변화가 없다.

[08-09] 그림과 같이 장치한 후 적외선등을 켜고 10분 동안 가열하면서 물과 모래의 온도 변화와 향의 연기가 이동하는 방향을 관찰하였다.

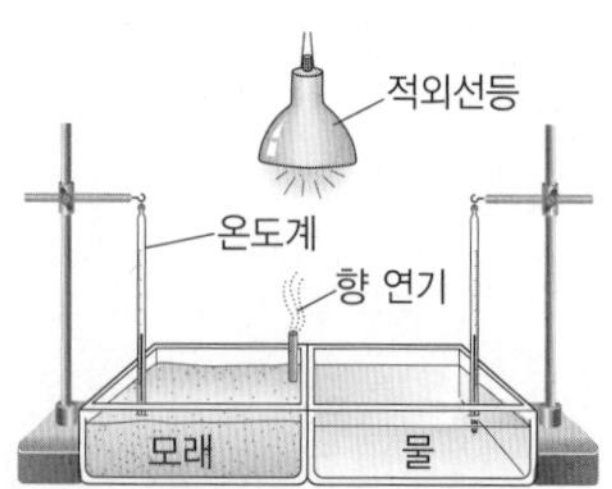

08 이때 향의 연기는 어느 방향으로 움직이며, 그 까닭은 무엇 때문인지 서술하시오.

09 우리나라 부근에서 이 실험 결과와 같은 원리로 부는 바람을 보기에서 두 가지 고르시오.

보기
ㄱ. 해풍 ㄴ. 육풍
ㄷ. 북서 계절풍 ㄹ. 남동 계절풍

10 그림은 해안 지방에서 부는 해륙풍의 모습을 나타낸 것이다.

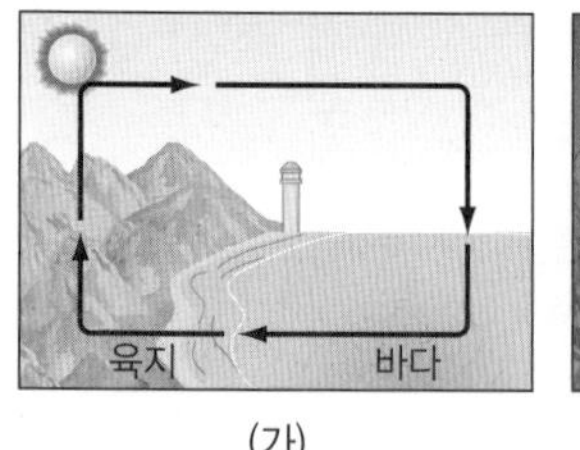

(가)

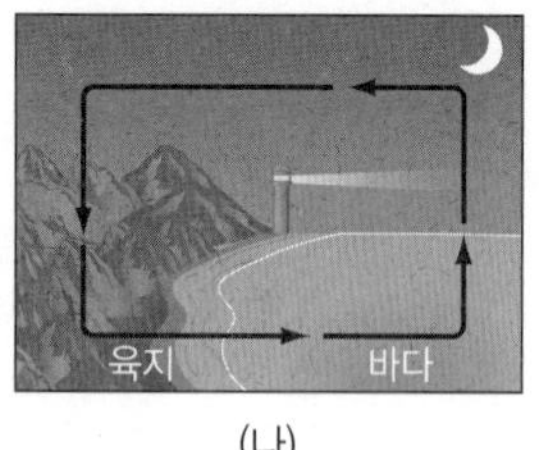

(나)

이에 대한 설명으로 옳은 것은?

① (가)는 육풍, (나)는 해풍이다.
② (가)에서 바다 쪽의 기온이 육지 쪽보다 높다.
③ (나)에서 바다 쪽의 기압이 육지 쪽보다 높다.
④ 이와 같은 바람의 영향으로 밀물과 썰물이 생긴다.
⑤ 이와 같은 바람은 바다와 육지의 불균등 가열 때문에 발생한다.

B 날씨의 변화

11 기단에 대한 설명으로 옳지 않은 것은?

① 기단은 만들어져서 소멸할 때까지 성질이 변하지 않는다.
② 기단은 온도와 습도 등의 성질이 비슷한 큰 공기 덩어리이다.
③ 공기 덩어리가 지표 위의 한 장소에 오래 머물러 있을 때 형성된다.
④ 대륙에서 만들어진 기단은 건조하고, 해양에서 만들어진 기단은 습하다.
⑤ 고위도에서 만들어진 기단은 차갑고, 저위도에서 만들어진 기단은 따뜻하다.

[12-13] 그림 (가)는 우리나라 부근의 기단을 나타낸 것이고, (나)는 여러 기단의 기온과 습도 분포를 나타낸 것이다.

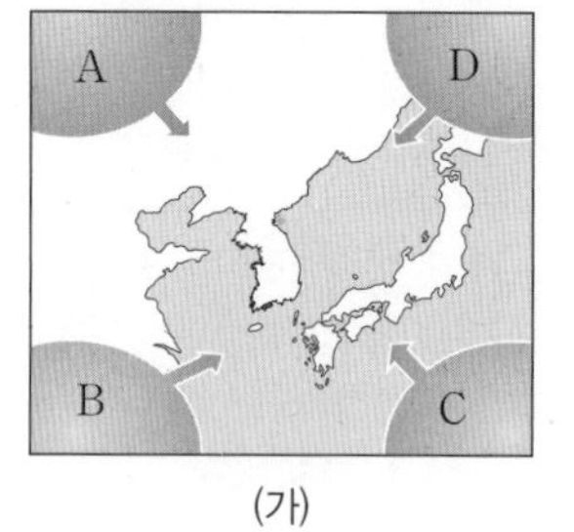

(가)

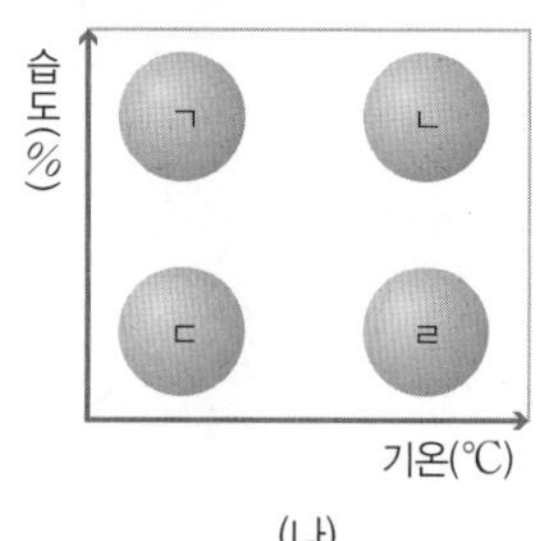

(나)

12 그림 (가)에서 우리나라의 겨울철에 영향을 미치는 기단을 찾고, 그 기단의 성질에 해당하는 것을 (나)에서 찾아 각각 기호를 쓰시오.

13 그림 (가)에서 우리나라의 봄철과 가을철에 영향을 미치는 기단을 찾고, 그 기단의 성질에 해당하는 것을 (나)에서 찾아 각각 기호를 쓰시오.

14 그림은 어떤 전선의 단면을 나타낸 것이다. 이 전선에 대한 설명으로 옳은 것은?

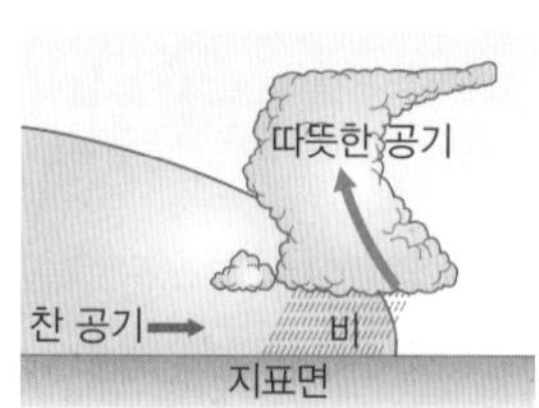

① 이슬비가 내린다.
② 이동 속도가 느리다.
③ 층운형 구름이 생긴다.
④ 전선 통과 후 기압이 높아진다.
⑤ 전선 통과 후 기온이 높아진다.

15 그림은 우리나라 부근에 위치한 온대 저기압의 수직 단면도이다.

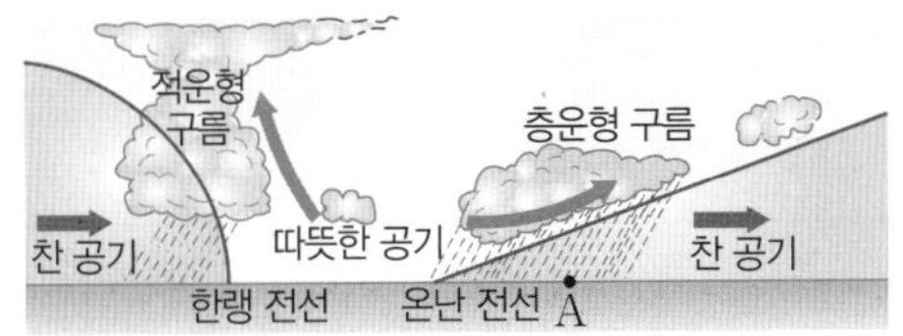

A 지점에서 나타날 것으로 예상되는 날씨의 변화를 보기에서 골라 순서대로 기호를 쓰시오.

보기
ㄱ. 맑고 따뜻한 날씨가 나타난다.
ㄴ. 이슬비가 오랫동안 내린 후 기압이 낮아진다.
ㄷ. 소나기가 짧은 시간 동안 내린 후 기온이 낮아진다.

16 우리나라 부근에서 돛단배가 바람을 뒤쪽에서 받아 그림과 같이 항해하고 있다. 이때 저기압 중심은 어느 방향에 있는가?

① 동쪽 ② 서쪽
③ 북동쪽 ④ 남동쪽
⑤ 북서쪽

17 그림은 어느 날 우리나라 부근의 일기도를 나타낸 것이다.

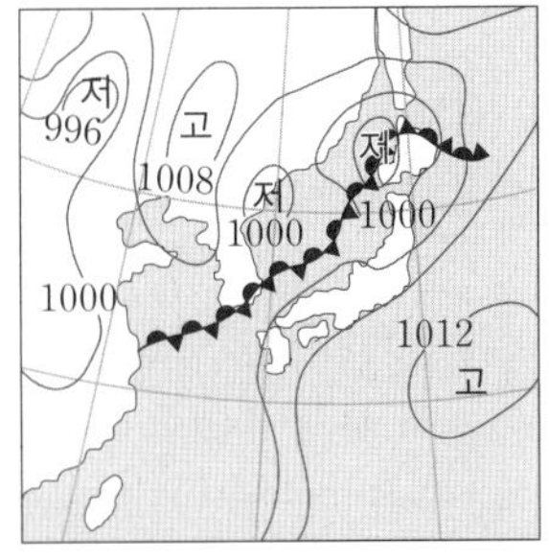

이 일기도에 해당하는 계절에 대한 설명으로 옳은 것은?

① 시베리아 기단의 영향을 받는다.
② 서고동저형 기압 배치가 나타난다.
③ 한파, 폭설 등의 기상 현상이 나타난다.
④ 우리나라 부근에 장마 전선이 형성된다.
⑤ 온난 건조한 기단의 영향을 주로 받는다.

18 우리나라 날씨의 특징에 대한 설명으로 옳지 않은 것은?

① 사계절의 변화가 뚜렷하다.
② 날씨가 대체로 동에서 서로 이동한다.
③ 봄, 가을철에는 이동성 고기압과 저기압이 우리나라를 자주 통과하여 날씨 변화가 심하다.
④ 여름철에는 북태평양 기단의 영향으로 고온 다습하고, 때로는 태풍의 영향을 받기도 한다.
⑤ 겨울철에는 서고동저형의 기압 배치가 나타나 북서 계절풍이 분다.

[19-21] 그림 (가)는 우리나라 주변의 일기도를, (나)는 우리나라에 영향을 주는 기단을 나타낸 것이다.

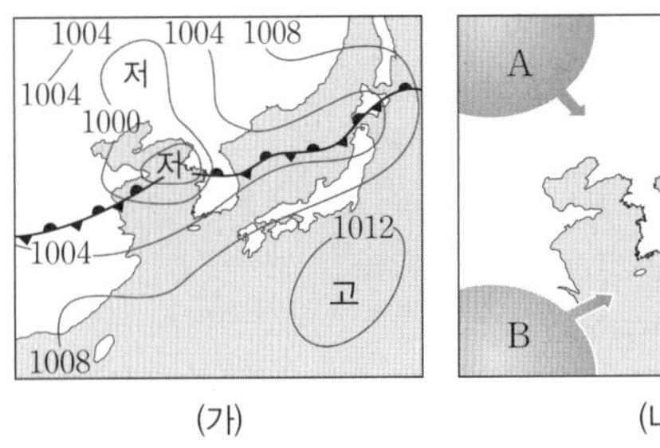

(가) (나)

19 (가)에 나타난 전선의 이름을 쓰시오.

20 (가)와 같은 일기도가 나타날 때 우리나라에 가장 큰 영향을 주는 기단을 (나)에서 두 가지 골라 기호를 쓰시오.

21 다음은 옛날부터 전해오는 날씨에 대한 속담과 관련된 글이다.

> 옛날 속담 중 '가을에는 서쪽이 밝아야 맑다.'라는 말이 있다. 이는 가을철 우리나라에 이동성 고기압과 저기압이 자주 통과하는데, 서쪽이 밝으면 이동성 고기압이 오는 것이므로 날씨가 맑기 때문이다.

이 글과 관련된 기단의 기호를 (나)에서 골라 쓰시오.

01 운동

★ 정답과 해설 067쪽

A 운동의 기록

1. (❶   ): 물체의 움직임을 일정한 시간 간격으로 한 장의 사진에 담아낸 것

(1) 물체 사이의 거리를 분석하여 속력 변화를 알 수 있다.

(2) 같은 시간 동안 이동 거리가 짧을수록 속력이 (❷   ), 이동 거리가 멀수록 속력이 (❸   ).

운동 방향 →

2. 속력: 단위 시간당 이동한 거리, 단위: m/s(미터 매 초), km/h(킬로미터 매 시)

$$속력(m/s)=\frac{이동\ 거리(m)}{걸린\ 시간(s)}$$

3. (❹   ): 물체의 전체 이동 거리를 걸린 시간으로 나누어 구한 속력

$$평균\ 속력(m/s)=\frac{전체\ 이동\ 거리(m)}{걸린\ 시간(s)}$$

B 등속 운동

1. (❺   ): 힘이 작용하지 않아 속력이 변하지 않고 일정한 운동

2. 등속 운동의 그래프

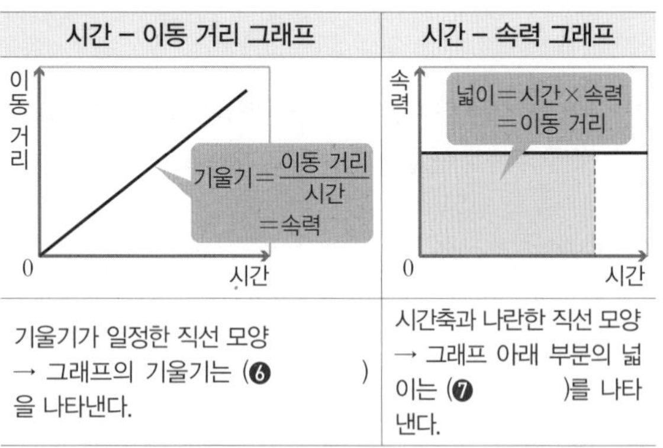

시간 – 이동 거리 그래프	시간 – 속력 그래프
기울기가 일정한 직선 모양 → 그래프의 기울기는 (❻) 을 나타낸다.	시간축과 나란한 직선 모양 → 그래프 아래 부분의 넓이는 (❼)를 나타낸다.

3. (❽   ) **운동의 예**: 공항의 수하물 컨베이어, 모노레일, 무빙워크, 스키장 리프트, 에스컬레이터 등

모노레일	무빙워크	스키장 리프트

C 자유 낙하 운동

1. (❾   ): 공기 저항이 없을 때 지표면 근처에서 정지해 있던 물체가 중력만을 받아 떨어지는 운동

(1) **물체에 작용하는 힘**: 힘(중력)의 크기는 물체의 (❿   )와 같고, 방향은 연직 아래 방향

(2) **물체의 운동 방향**: 중력의 방향, 연직 아래 방향

➡ 힘이 운동 방향과 같은 방향으로 작용하여 속력이 증가

2. 중력 가속도: 자유 낙하 운동을 하는 물체의 시간에 따른 속력 변화 정도(지구에서 약 9.8 m/s^2)

(1) **중력 가속도 상수**: 물체가 자유 낙하 할 때의 속력 변화량인 9.8

(2) **중력의 크기**

중력의 크기(N)=(⓫   )×질량(kg)

3. 자유 낙하 운동을 하는 물체의 속력

(1) 속력이 매초마다 9.8 m/s씩 일정하게 증가한다.

(2) 물체의 속력은 물체가 자유 낙하 운동을 한 시간에 (⓬   )한다.

4. 자유 낙하 운동을 하는 물체의 시간−속력 그래프: 기울기가 일정한 직선 모양

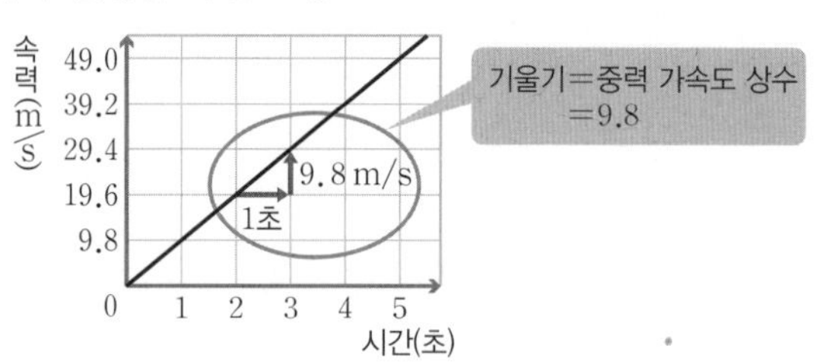

5. 질량이 다른 물체의 자유 낙하 운동: 자유 낙하 운동을 하는 물체는 질량과 관계없이 속력이 빨라지는 정도가 같다.

(1) **진공 중에서 물체의 자유 낙하 운동**

① 같은 높이에서 동시에 자유 낙하 운동을 시작한 모든 물체들은 지면에 동시에 도달한다.

② 진공 중에서 구슬과 깃털은 (⓭   ) 떨어진다.

(2) **공기 중에서 물체의 낙하 운동**

① 공기 저항이나 마찰이 있어 쇠구슬과 깃털의 속력이 증가하는 정도가 각각 다르기 때문에 동시에 떨어지지 않는다.

② 공기 저항을 크게 받는 깃털이 쇠구슬보다 (⓮   ) 떨어진다.

헷갈리는 내용 공략하기

01 운동

★ 정답과 해설 067쪽

B, C 등속 운동과 자유 낙하 운동 › 등속 운동과 자유 낙하 운동의 차이점 알아보기

[01-10] 다음 물음에 알맞은 운동을 보기에서 골라 쓰시오.

보기	
• 등속 운동	• 자유 낙하 운동

01 속력이 일정한 운동을 골라 쓰시오.

02 운동하는 동안 힘이 작용하지 않는 운동을 골라 쓰시오.

03 속력이 일정하게 빨라지는 운동을 골라 쓰시오.

04 시간에 따른 속력 그래프의 기울기가 직선 모양인 운동을 골라 쓰시오.

05 매초 속력이 9.8 m/s씩 증가하는 운동을 골라 쓰시오.

06 시간에 따라 이동 거리가 일정하게 증가하는 운동을 골라 쓰시오.

07 시간에 따른 이동 거리 그래프의 기울기가 일정한 직선 모양인 운동을 골라 쓰시오.

08 운동 방향으로 중력이 계속 작용하는 운동을 골라 쓰시오.

09 질량에 관계없이 속력 변화가 일정한 운동을 골라 쓰시오.

10 시간에 따른 속력 그래프가 시간축에 나란한 직선 모양인 운동을 골라 쓰시오.

[11-15] 다음 일상생활에서의 운동은 어떤 운동의 예인지 보기에서 골라 쓰시오.

보기	
• 등속 운동	• 자유 낙하 운동

11 스키장 리프트의 운동

12 번지 점프하는 사람의 운동

13 무빙워크를 타고 가는 사람의 운동

14 공항의 수하물 컨베이어 위 상자의 운동

15 높은 곳에서 뛰어 내린 스카이다이버의 운동

문제로 복습하기

Ⅲ. 운동과 에너지

01 운동

★ 정답과 해설 067쪽

A 운동의 기록

01 운동에 대한 설명으로 옳지 않은 것은?

① 운동하는 물체는 시간에 따라 위치가 변한다.
② 물체가 단위 시간 동안 이동한 거리를 속력이라고 한다.
③ 물체가 같은 시간 동안 이동한 거리가 멀수록 속력이 빠르다.
④ 물체가 같은 거리를 이동할 때에는 걸린 시간이 길수록 속력이 빠르다.
⑤ 다중 섬광 장치나 시간기록계를 이용하여 물체의 운동을 기록할 수 있다.

02 그림은 운동장에서 굴러가는 축구공의 운동을 0.5초 간격으로 나타낸 것이다.

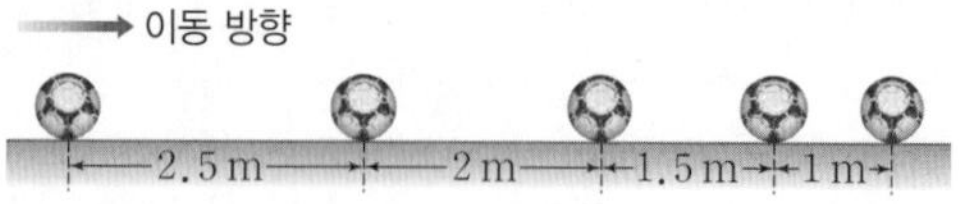

이에 대한 설명으로 옳은 것만을 보기에서 모두 고른 것은?

보기
ㄱ. 공의 속력이 점점 느려지고 있다.
ㄴ. 처음 0.5초 동안 공의 속력은 2.5 m/s이다.
ㄷ. 공과 공 사이의 간격이 점점 좁아지고 있다.

① ㄱ　② ㄴ　③ ㄱ, ㄷ
④ ㄴ, ㄷ　⑤ ㄱ, ㄴ, ㄷ

03 그림은 오른쪽으로 이동하는 자전거의 운동을 1초 간격으로 나타낸 것이다.

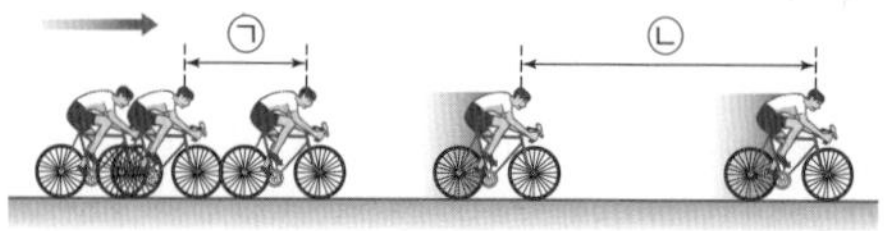

㉠ 구간과 ㉡ 구간 중 자전거의 속력이 더 빠른 구간을 쓰고, 그 까닭을 서술하시오.

04 속력에 대한 설명으로 옳은 것만을 보기에서 모두 고른 것은?

보기
ㄱ. 60 m/s는 1초 동안 60 m를 이동한다는 의미이다.
ㄴ. 80 km/h의 속력으로 160 km를 이동하면 2시간이 걸린다.
ㄷ. 같은 시간 동안 이동한 거리가 짧을수록 속력이 빠르다.
ㄹ. 같은 거리를 이동할 때 걸린 시간이 길수록 속력이 빠르다.

① ㄱ, ㄴ　② ㄱ, ㄷ　③ ㄱ, ㄹ
④ ㄴ, ㄹ　⑤ ㄷ, ㄹ

B 등속 운동

05 그림은 수평면 위에서 운동하는 물체의 모습을 일정한 시간 간격으로 나타낸 것이다.

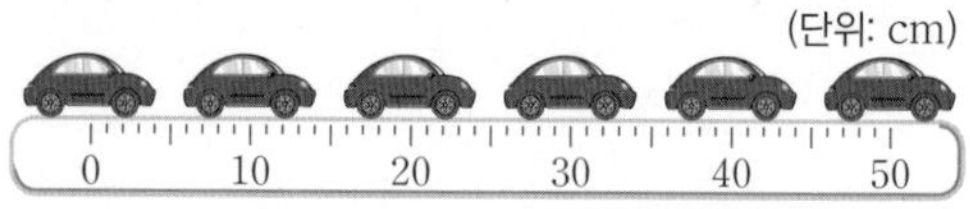

이 물체의 운동에 대한 설명으로 옳은 것은?

① 속력은 시간에 비례하여 증가한다.
② 이동 거리는 시간에 비례하여 증가한다.
③ 물체에 일정한 크기의 힘이 계속 작용한다.
④ 시간－속력 그래프는 기울어진 직선 모양이다.
⑤ 시간－이동 거리 그래프는 시간축에 나란한 직선 모양이다.

06 그림은 운동하는 어떤 물체의 시간에 따른 이동 거리를 나타낸 것이다. 이에 대한 설명으로 옳은 것은?

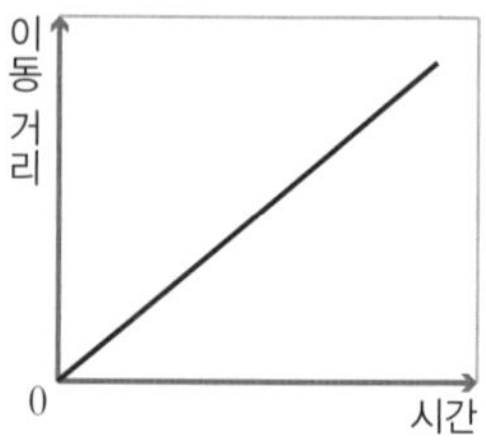

① 직선의 기울기는 이동 거리를 나타낸다.
② 이동 거리가 시간에 비례하여 감소한다.
③ 속력이 빠른 물체일수록 기울기가 커진다.
④ 같은 시간 동안 이동한 거리는 점점 감소한다.
⑤ 물체는 속력이 일정하게 증가하는 운동을 한다.

07 그림은 공항의 수하물을 운반하는 컨베이어의 운동을 나타낸 것이다. 컨베이어의 운동의 시간에 따른 이동 거리 그래프로 옳은 것은?

①

② 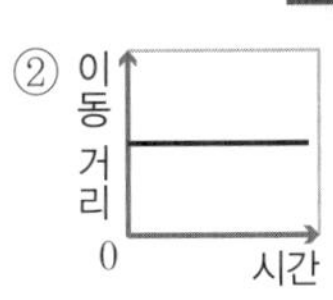

③ 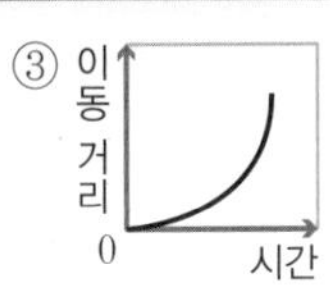

④

⑤ 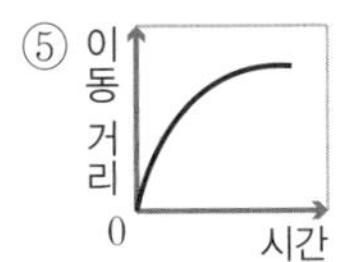

08 그림은 물체 A와 B의 이동 거리를 시간에 따라 나타낸 것이다. 이에 대한 설명으로 옳은 것은? (단, 처음 A와 B는 같은 위치에 있다.)

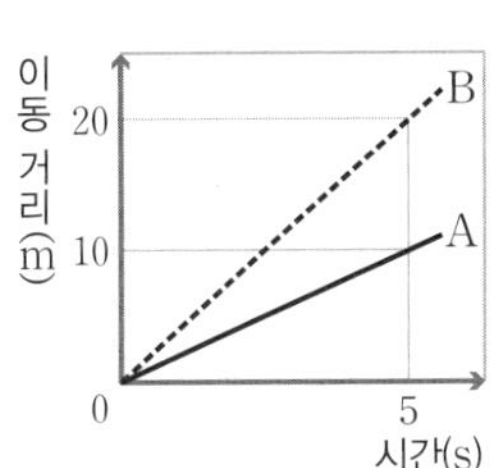

① A와 B의 속력은 같다.
② A는 속력이 일정한 운동이다.
③ B는 속력이 점점 증가하는 운동을 한다.
④ 5초 동안 A와 B가 이동한 거리는 같다.
⑤ 같은 거리를 가는 데 걸리는 시간은 B가 A보다 길다.

09 그림은 어떤 물체의 시간에 따른 이동 거리를 나타낸 그래프이다. 이 물체의 시간에 따른 속력 그래프로 옳은 것은?

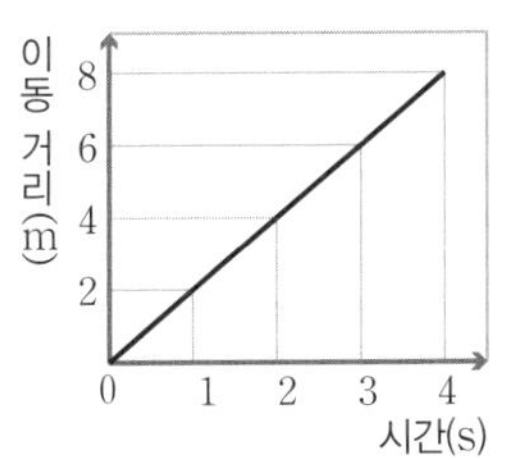

① 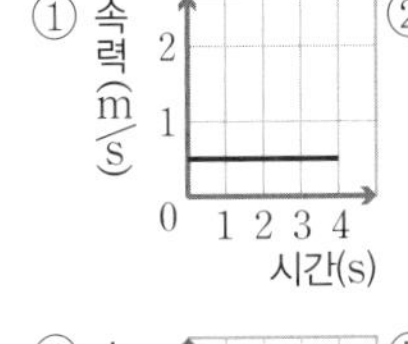

② 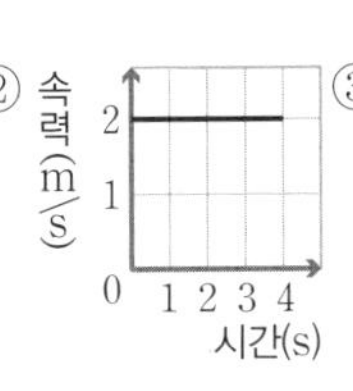

③ 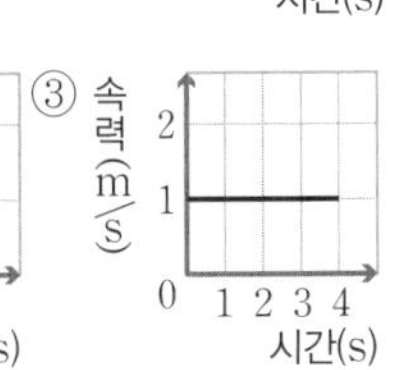

④ 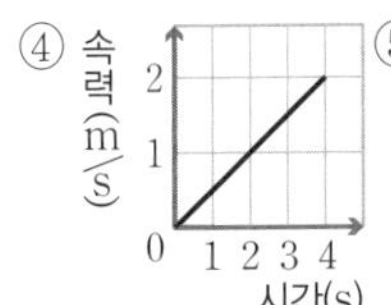

⑤ 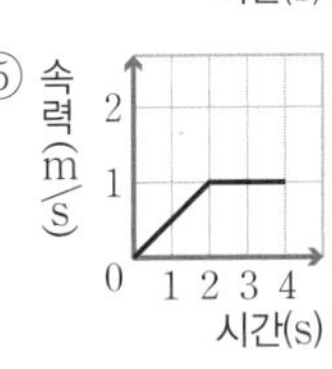

10 그림은 공의 운동을 0.2초 간격으로 나타낸 것이다.

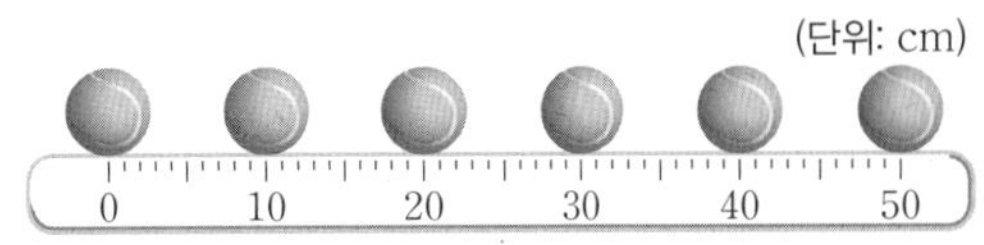

(1) 공이 어떤 운동을 하는지 쓰고, 그 까닭을 서술하시오.

(2) 공의 속력이 몇 m/s인지 구하고, 그 과정을 서술하시오.

(3) 이 공이 10초 동안 이동한 거리는 몇 m인지 구하고, 그 과정을 서술하시오.

C 자유 낙하 운동

11 그림과 같이 공을 높은 곳에서 자유 낙하 시킬 때 A~C 지점에서의 중력의 방향을 옳게 짝 지은 것은? (단, • 표시는 힘을 받지 않은 것을 뜻한다.)

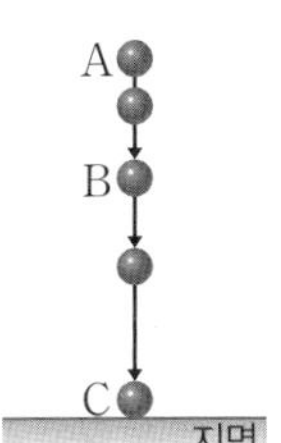

	A	B	C		A	B	C
①	↓	↓	↓	②	↓	•	•
③	•	↓	↓	④	•	↑	↑
⑤	↑	↑	↑				

12 그림은 공중에서 가만히 놓은 질량이 1 kg인 물체의 속력을 시간에 따라 나타낸 것이다. 이에 대한 설명으로 옳지 않은 것은? (단, 공기 저항은 무시한다.)

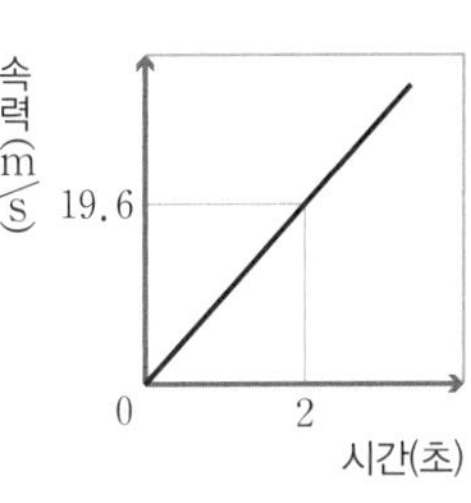

① 물체의 무게는 9.8 N이다.
② 물체에 작용하는 힘의 크기는 9.8 N이다.
③ 3초 후에 물체의 속력은 29.4 m/s가 된다.
④ 물체의 속력은 1초마다 9.8 m/s씩 빨라진다.
⑤ 질량이 2 kg인 물체의 속력은 1초마다 19.6 m/s씩 빨라진다.

[13-14] 그림은 질량이 15 g인 고무공과 질량이 3 g인 탁구공을 같은 높이에서 동시에 떨어뜨리는 모습을 나타낸 것이다. (단, 공기 저항은 무시한다.)

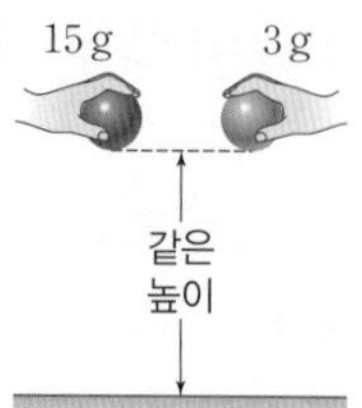

13 두 물체가 낙하하는 동안 같은 값을 나타내는 것을 보기에서 모두 고른 것은?

보기
ㄱ. 물체의 속력 변화
ㄴ. 물체에 작용하는 힘의 종류
ㄷ. 물체에 작용하는 힘의 크기

① ㄱ ② ㄷ ③ ㄱ, ㄴ
④ ㄴ, ㄷ ⑤ ㄱ, ㄴ, ㄷ

14 두 물체가 낙하하는 동안 두 물체의 속력 변화의 비(고무공 : 탁구공)는 얼마인가?

① 1 : 1 ② 1 : 3 ③ 1 : 9
④ 3 : 1 ⑤ 9 : 1

15 그림은 질량이 1 kg, 2 kg, 3 kg인 세 물체를 같은 높이에서 동시에 떨어뜨리는 모습을 나타낸 것이다.

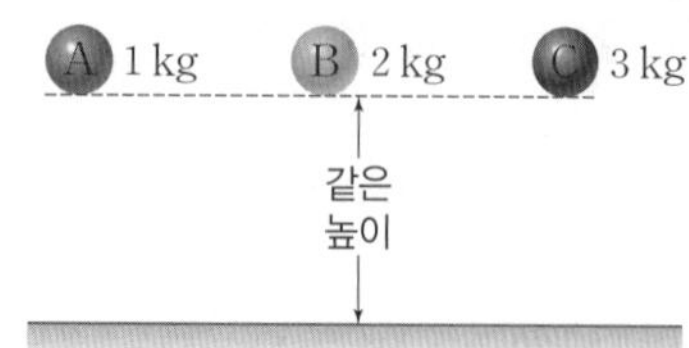

(가)물체에 작용하는 힘이 가장 큰 것과 (나)지면에 가장 먼저 떨어지는 것을 옳게 짝 지은 것은? (단, 공기 저항은 무시한다.)

	(가)	(나)		(가)	(나)
①	A	C	②	B	C
③	C	A	④	C	B
⑤	C	모두 동시에 떨어진다.			

16 그림은 가만히 떨어뜨린 공과 놀이공원의 자이로 드롭의 운동을 나타낸 것이다. 두 운동의 공통점으로 옳은 것은?

① 속력이 일정한 운동이다.
② 힘을 받지 않는 운동이다.
③ 시간에 따라 속력이 점점 빨리지는 운동이다.
④ 이동 거리가 시간에 비례하여 증가하는 운동이다.
⑤ 작용하는 힘의 방향과 운동 방향이 반대인 운동이다.

17 그림은 진공에서 구슬과 깃털이 동시에 낙하할 때 이를 일정한 시간 간격으로 촬영한 연속 사진이다. 이에 대한 설명으로 옳은 것만을 보기에서 모두 고른 것은?

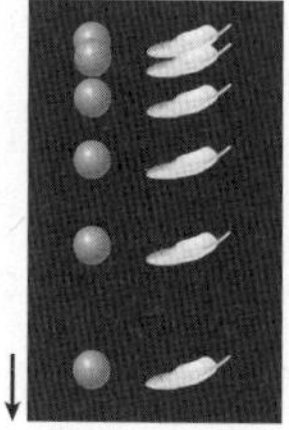

보기
ㄱ. 깃털에는 중력이 작용하지 않는다.
ㄴ. 깃털이 낙하하는 속력은 일정하다.
ㄷ. 구슬과 깃털의 속력 변화는 같다.
ㄹ. 구슬과 깃털은 동시에 바닥에 도달한다.

① ㄱ, ㄴ ② ㄱ, ㄷ ③ ㄱ, ㄹ
④ ㄴ, ㄷ ⑤ ㄷ, ㄹ

18 그림은 진공 중에서 질량이 20 g인 탁구공을 자유 낙하시켰을 때 시간에 따른 속력 변화를 나타낸 것이다.

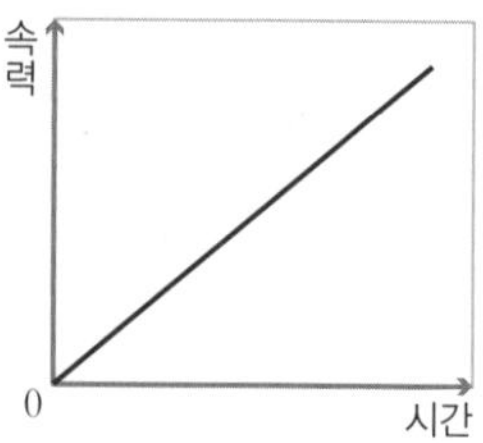

진공 중에서 질량이 2 g인 깃털을 가만히 놓았을 때 깃털의 운동에 대한 시간에 따른 속력 그래프를 그리고, 이렇게 그린 까닭을 서술하시오.

속력
0
시간

개념으로 복습하기

Ⅲ. 운동과 에너지

02 일과 에너지

★ 정답과 해설 068쪽

A 과학에서의 일

1. 과학에서의 일: 물체에 힘이 작용하여 물체가 (❶) 의 방향으로 이동할 때 일을 했다고 한다.

(1) **일의 양:** 물체에 작용한 힘의 크기와 물체가 (❷)으로 이동한 거리의 곱으로 구하며, 단위로 (❸)을 사용한다.

일(J)=힘(N)×이동 거리(m)

(2) **중력에 대해 한 일과 중력이 한 일**

중력에 대해 한 일	중력이 한 일
물체를 위로 들어 올릴 때에는 중력에 대해 일을 하는 것 (힘, 들어올린 높이)	물체가 중력을 받아 자유 낙하 할 때에는 중력이 물체에 일을 하는 것 (중력, 낙하한 거리)
• 일의 양은 (❹)와 물체를 들어 올린 높이를 곱하여 구한다.	• 일의 양은 물체에 작용하는 (❺)와 물체가 낙하한 거리를 곱하여 구한다.

(3) **물체에 힘을 작용하지만 한 일이 (❻)인 예:** 물체가 힘의 방향으로 이동한 거리가 0일 때

2. (❼): 일을 할 수 있는 능력

(1) **일과 에너지의 전환**

① 일과 에너지는 서로 전환될 수 있다.

② 에너지의 단위: 일의 단위와 같은 J(줄)을 사용한다.

▲ 추의 위치 에너지가 말뚝을 박는 일로 전환되는 예

(2) **일과 에너지의 관계**

일을 한 물체의 에너지 변화	일을 받은 물체의 에너지 변화
에너지 → 일을 함 → 에너지	에너지 → 일을 받음 → 에너지

한 물체가 다른 물체에 일을 하면 일을 한 물체의 에너지는 (❽)하고, 일을 받은 물체의 에너지는 (❾)한다.

B 일을 하여 생긴 에너지

1. 중력에 대해 한 일과 위치 에너지: 일정한 속력으로 물체를 들어 올릴 때 중력에 대해 한 일이 물체의 중력에 의한 (❿)가 된다.

(1) **중력에 의한 위치 에너지의 크기:** 질량이 m(kg)인 물체를 높이 h(m)만큼 들어 올릴 때 중력에 대해 한 일

• 중력에 대해 한 일(J)=물체의 무게(N)×들어 올린 높이(m) =9.8×질량×들어 올린 높이=중력에 의한 위치 에너지
• 중력에 의한 위치 에너지(J)=(⓫)

(2) **중력에 의한 위치 에너지와 질량 및 높이의 관계:** 중력에 의한 위치 에너지는 물체의 질량과 (⓬)에 비례한다.

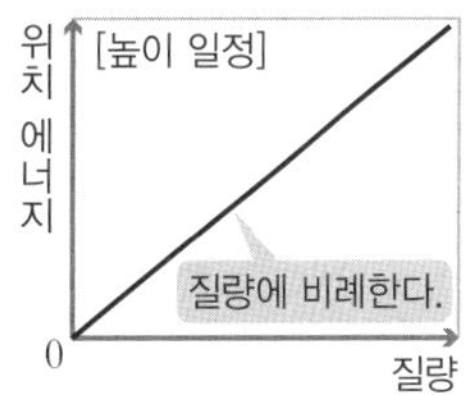

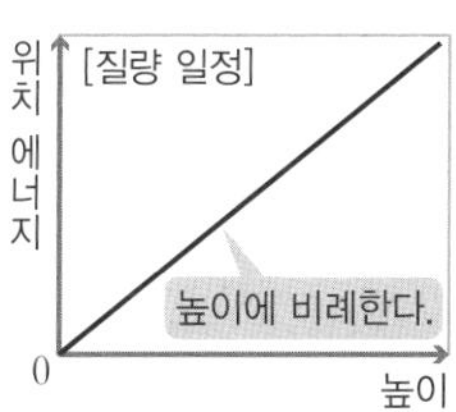

(3) **중력에 의한 위치 에너지의 기준면**

① 바닥을 기준면으로 하면 물체는 위치 에너지를 가진다.

② 책상 면을 기준면으로 하면 물체가 가지는 위치 에너지는 (⓭)이다.

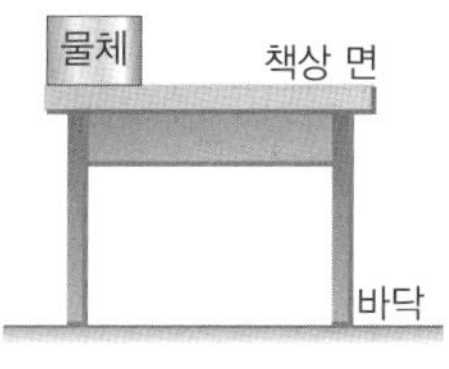

2. 중력이 한 일과 운동 에너지: 물체가 자유 낙하 할 때 중력이 물체에 한 일은 물체의 (⓮)가 된다.

(1) **운동 에너지의 크기:** 질량이 m(kg)인 물체가 속력 v(m/s)로 운동할 때 물체의 운동 에너지

• 중력이 물체에 한 일(J)=물체의 무게(kg)×낙하한 거리(m) =9.8×질량×낙하한 거리=운동 에너지
• 운동 에너지(J)=$\frac{1}{2}$×질량×속력^2=(⓯)

(2) **운동 에너지와 질량, 속력과의 관계:** 운동 에너지는 물체의 질량과 (⓰)에 비례한다.

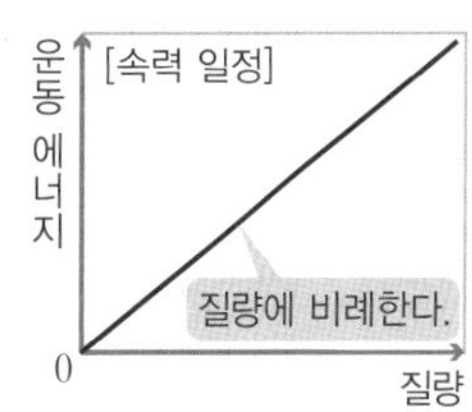

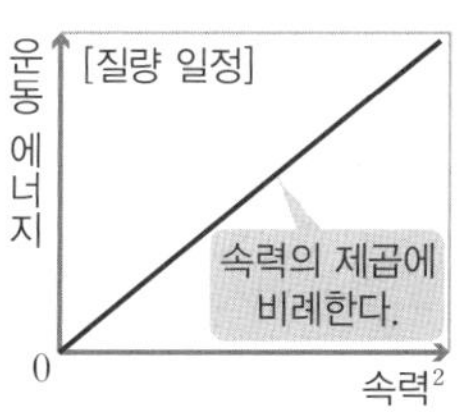

02 일과 에너지

✱ 정답과 해설 068쪽

B 일을 하여 생긴 에너지 > 중력에 대해 한 일과 중력이 한 일 구분하기

[01-07] 그림과 같이 질량이 10 kg인 물체를 천천히 0.5 m 높이만큼 들어 올렸다.

01 물체의 무게는 몇 N인지 구하시오.

02 물체를 들어 올리는 데 드는 힘은 몇 N인지 구하시오.

03 물체를 들어 올리는 데 한 일은 몇 J인지 구하시오.

04 사람이 중력에 대해 한 일은 몇 J인지 구하시오.

05 물체가 0.5 m 높이에서 가지는 중력에 의한 위치 에너지는 몇 J인지 구하시오.

06 물체를 들어 올리는 데 한 일(A)과 사람이 중력에 대해 한 일의 크기(B)를 비교하시오.

07 사람이 중력에 대해 한 일(B)과 0.5 m 높이에서 물체의 위치 에너지의 크기(C)를 비교하시오.

[08-15] 그림과 같이 질량이 2 kg인 물체를 지면으로부터 5 m 높이에서 가만히 놓았다.

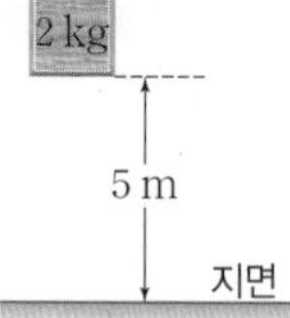

08 물체의 무게는 몇 N인지 구하시오.

09 물체에 작용하는 중력의 크기는 몇 N인지 구하시오.

10 물체가 지면에 도달할 때까지 중력이 물체에 한 일은 몇 J인지 구하시오.

11 물체가 낙하하는 동안 중력이 한 일은 어떤 에너지로 전환되는가?

12 물체가 지면에 도달하는 순간 운동 에너지는 몇 J인지 구하시오.

13 중력이 물체에 한 일의 양(A)과 물체가 지면에 도달하는 순간 운동 에너지의 크기(B)를 비교하시오.

14 물체를 20 m 높이에서 떨어뜨리면 지면에 도달하는 순간 운동 에너지는 처음의 몇 배가 되는지 구하시오.

15 물체를 20 m 높이에서 떨어뜨리면 지면에 도달하는 순간의 속력은 처음의 몇 배가 되는지 구하시오.

문제로 복습하기

02 일과 에너지

★ 정답과 해설 068쪽

A 과학에서의 일

01 일에 대한 설명으로 옳은 것만을 보기에서 모두 고른 것은?

보기
ㄱ. 일의 단위는 N을 사용한다. ㄴ. 일의 양은 작용한 힘과 힘의 방향으로 이동한 거리의 곱으로 구한다. ㄷ. 과학에서는 물체에 힘을 작용하여 힘의 방향으로 이동하는 경우에만 일을 했다고 한다.

① ㄱ ② ㄷ ③ ㄱ, ㄴ
④ ㄴ, ㄷ ⑤ ㄱ, ㄴ, ㄷ

02 그림은 무게가 40 N인 물체를 수평면 위에 놓고 용수철저울을 걸어 천천히 잡아당기는 모습을 나타낸 것이다.

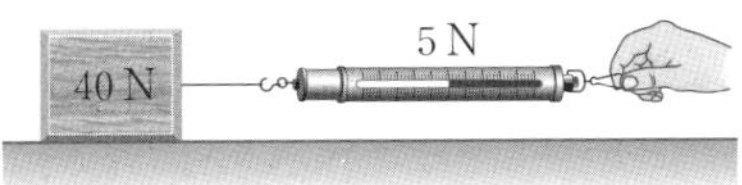

물체를 40 cm 이동시키는 동안 저울의 눈금이 5 N을 가리켰다면, 이때 한 일은 몇 J인가?

① 0.5 J ② 2 J ③ 5 J
④ 16 J ⑤ 40 J

03 그림은 지면에 놓여 있는 무게가 30 N인 물체를 들고 걸어가 3 m 떨어진 1 m 높이의 책상 위로 옮겨 놓는 모습을 나타낸 것이다.

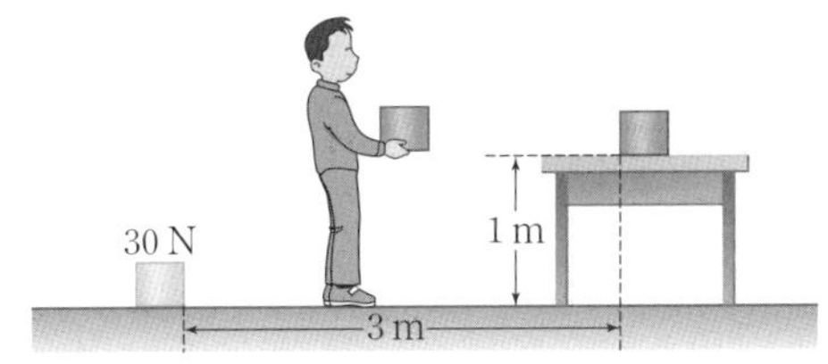

이때 사람이 물체에 한 일은 몇 J인가?

① 0 ② 15 J ③ 30 J
④ 90 J ⑤ 120 J

04 일과 에너지의 관계에 대한 설명으로 옳은 것은?

① 일과 에너지는 서로 전환될 수 없다.
② 에너지의 단위와 일의 단위는 다르다.
③ 에너지는 한 가지 형태만을 가지고 있다.
④ 사람이 물체에 일을 해 주면 물체의 에너지는 증가한다.
⑤ 중력이 물체에 일을 하는 경우에는 물체의 에너지 변화가 없다.

05 그림과 같이 질량이 10 kg인 물체를 2 m 높이에서 떨어뜨렸더니 말뚝이 10 cm 깊이로 박혔다. 이에 대한 설명으로 옳은 것만을 보기에서 모두 고른 것은? (단, 공기 저항은 무시한다.)

보기
ㄱ. 물체의 질량이 커지면 말뚝은 더 깊이 박힌다. ㄴ. 물체가 중력에 의해 떨어지면서 말뚝에 일을 하였다. ㄷ. 물체를 떨어뜨리는 높이에 관계없이 말뚝은 항상 10 cm 만큼 박힌다.

① ㄱ ② ㄷ ③ ㄱ, ㄴ
④ ㄴ, ㄷ ⑤ ㄱ, ㄴ, ㄷ

06 그림은 무거운 상자를 들고 계단을 올라가는 모습을 나타낸 것이다. 이때 사람이 상자에 한 일을 구하는 방법을 서술하시오. (단, 상자가 움직이는 방향을 수직 방향과 수평 방향으로 나누어 한 일을 구하시오.)

B 일을 하여 생긴 에너지

07 중력에 의한 위치 에너지에 대한 설명으로 옳지 않은 것은?

① 기준면에서의 위치 에너지는 0이다.
② 높은 곳에 있는 물체가 가지는 에너지이다.
③ 질량이 같다면 높이가 높을수록 위치 에너지가 크다.
④ 기준면에 놓인 물체를 들어 올릴 때 중력에 대해 한 일의 양과 같다.
⑤ 높이가 같다면 물체의 질량에 관계없이 위치 에너지의 크기는 같다.

[08-09] 그림과 같이 장치하고 추를 떨어뜨리면서 금속 막대의 이동 거리를 측정하였다.

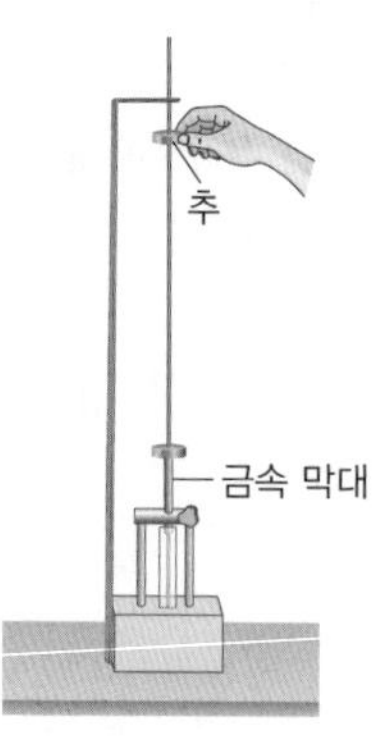

08 이 실험 장치를 이용하여 물체의 높이와 위치 에너지의 관계를 알아보려고 한다. 이때 물체의 높이와 함께 반드시 측정해야 하는 값으로 옳은 것은?

① 추의 질량
② 추의 무게
③ 추가 낙하한 거리
④ 금속 막대의 이동 거리
⑤ 금속 막대가 받는 마찰력의 크기

09 질량이 100 g인 추를 25 cm 높이에서 떨어뜨렸더니 금속 막대가 2 cm 이동하였다. 질량이 50 g인 추를 75 cm 높이에서 떨어뜨리면 금속 막대의 이동 거리는 몇 cm가 되는가?

① 1 cm ② 1.5 cm ③ 2 cm
④ 3 cm ⑤ 6 cm

10 그림과 같이 질량이 2 kg인 화분을 천천히 들어 올릴 때 화분에 한 일이 29.4 J이었다. 화분을 들어 올리기 위해 작용한 힘의 크기와 화분이 올라간 높이를 옳게 짝 지은 것은?

	힘의 크기	올라간 높이
①	2 N	1.5 m
②	5 N	2 m
③	9.8 N	2 m
④	19.6 N	1.5 m
⑤	29.4 N	2.5 m

11 그림은 물체 A~E가 서로 다른 위치에 있는 모습을 나타낸 것이다.

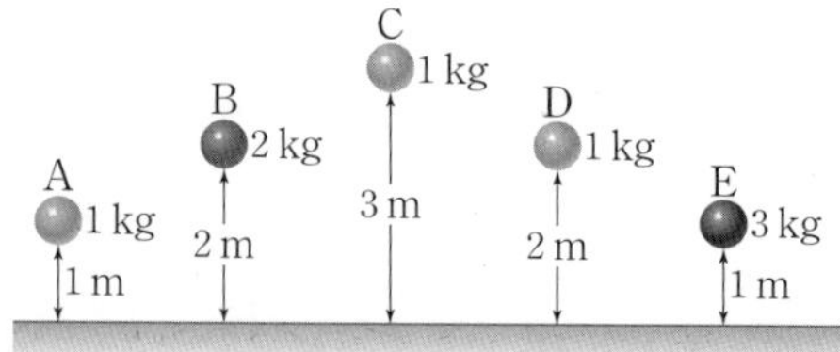

물체의 중력에 의한 위치 에너지가 같은 것끼리 옳게 짝 지은 것은?

① A, D ② A, E ③ B, D
④ C, D ⑤ C, E

12 그림은 옥상에 질량이 1 kg인 물체가 놓여 있는 모습을 나타낸 것이다.

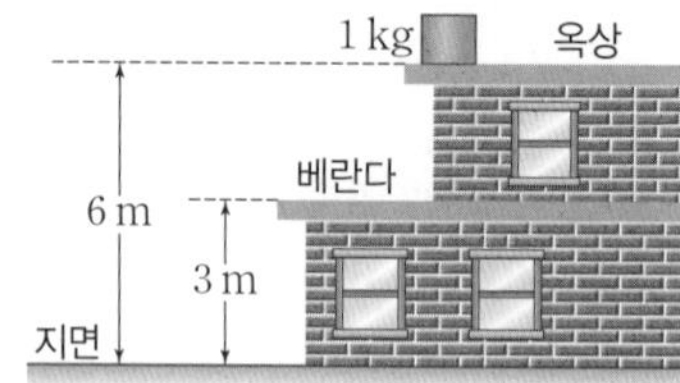

지면과 베란다를 기준면으로 할 때 각각 물체가 가지는 중력에 의한 위치 에너지의 크기를 옳게 짝 지은 것은?

	지면 기준	베란다 기준
①	0	29.4 J
②	29.4 J	58.8 J
③	58.8 J	0 J
④	58.8 J	29.4 J
⑤	58.8 J	58.8 J

13 그림과 같이 질량이 10 kg인 물체를 3 m 높이에서 가만히 놓아 지면으로 떨어뜨렸다. 지면에 도달하는 동안 중력이 물체에 한 일은 몇 J인가?

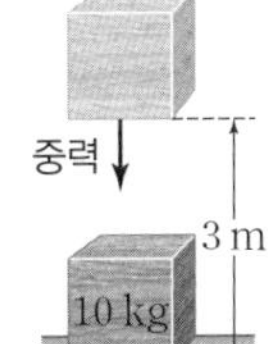

① 10 J ② 30 J
③ 98 J ④ 196 J
⑤ 294 J

14 운동 에너지(E_k), 질량(m), 속력(v)의 관계를 나타낸 그래프로 옳은 것만을 보기에서 모두 고른 것은?

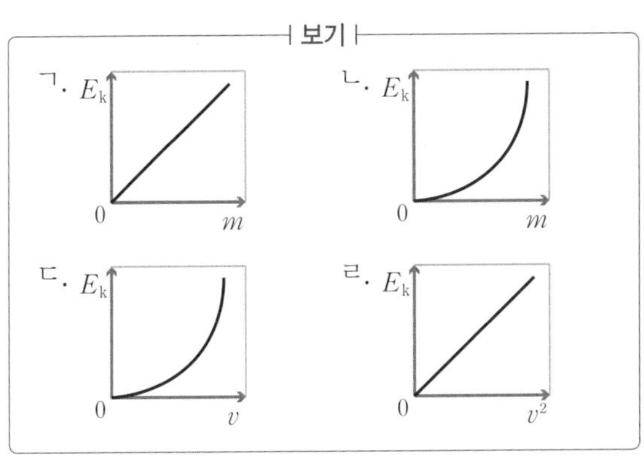

① ㄱ, ㄷ ② ㄱ, ㄹ ③ ㄴ, ㄷ
④ ㄴ, ㄹ ⑤ ㄱ, ㄷ, ㄹ

15 그림은 같은 수레를 속력을 다르게 하여 나무 도막과 충돌시킨 후 나무 도막의 이동 거리를 측정하는 실험 장치를 나타낸 것이다.

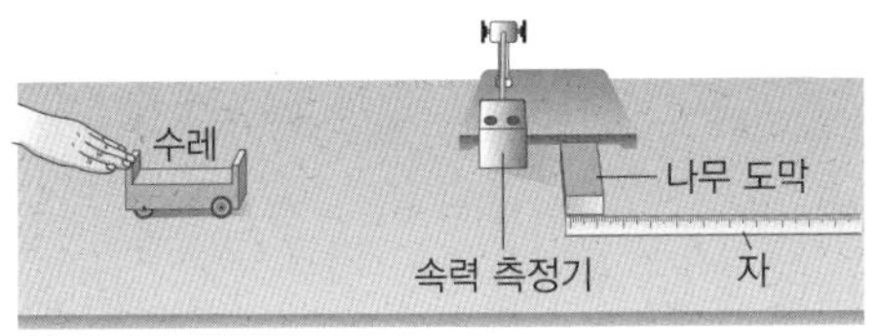

수레의 속력이 1 m/s일 때 나무 도막의 이동 거리가 4 cm이었다. 수레의 속력이 (가) 2 m/s, (나) 3 m/s일 때 나무 도막의 이동 거리를 옳게 짝 지은 것은? (단, 수레가 받는 마찰은 무시한다.)

	(가)	(나)		(가)	(나)
①	4 m	4 m	②	8 m	16 m
③	8 m	36 m	④	16 m	36 m
⑤	16 m	64 m			

16 그림은 질량이 500 g인 수레가 2 m/s의 속력으로 운동하고 있는 모습을 나타낸 것이다. 이 순간 수레의 운동 에너지는 몇 J인가?

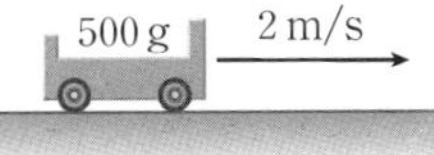

① 0.01 J ② 0.04 J ③ 1 J
④ 2 J ⑤ 10 J

17 그림은 질량이 4 kg인 물체를 2.5 m 높이에서 가만히 놓았을 때의 모습을 나타낸 것이다. 지면에 도달한 순간 이 물체의 속력은 몇 m/s인가? (단, 공기 저항은 무시한다.)

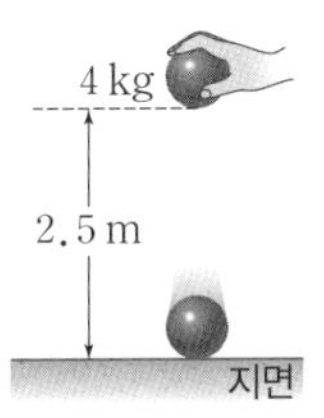

① 2 m/s ② 3 m/s ③ 4 m/s
④ 7 m/s ⑤ 14 m/s

18 마찰이 없는 수평면에 정지해 있는 물체에 8 N의 힘을 작용하여 2 m 밀었더니 물체의 속력이 4 m/s가 되었다. 같은 조건에서 이 물체에 16 N의 힘을 작용하여 4 m 밀었다면 물체의 속력은 몇 m/s가 되는가?

① 4 m/s ② 6 m/s ③ 8 m/s
④ 16 m/s ⑤ 32 m/s

19 그림은 질량이 5 kg인 상자를 1 m 높이까지 일정한 속력으로 들어 올리는 모습을 나타낸 것이다.

(1) 상자를 1 m 들어 올리는 데 한 일과 1 m 높이에서 상자가 가지는 중력에 의한 위치 에너지를 각각 구하시오. (단, 바닥면을 기준면으로 한다.)

(2) (1)에서 구한 값을 근거로 하여 일과 에너지의 관계를 서술하시오.

개념으로 복습하기

Ⅳ. 자극과 반응

01 감각 기관

★ 정답과 해설 070쪽

A 눈

1. 눈의 구조와 기능

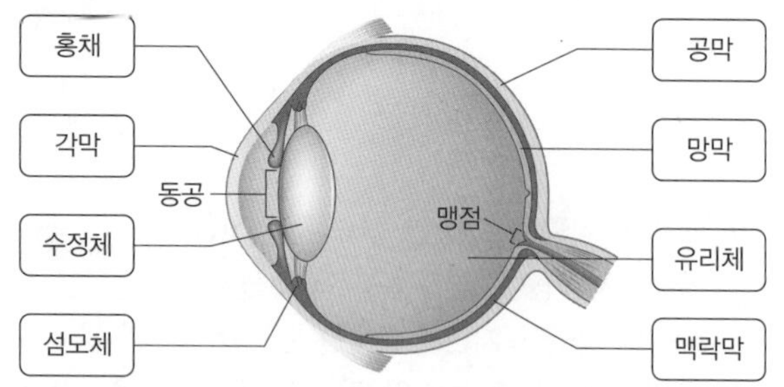

각막	빛을 통과시키는 가장 앞쪽에 있는 투명한 막이다.
(❶)	동공의 크기를 조절하여 빛의 양을 조절한다.
동공	홍채 사이에 뚫려 있는 빛이 들어가는 통로이다.
섬모체	(❷)의 두께를 조절한다.
수정체	빛을 굴절시켜 물체의 상이 망막에 맺히도록 한다.
공막	눈의 가장 바깥을 싸는 막으로 눈의 형태를 유지한다.
망막	• 물체의 상이 맺히는 곳으로 시각 세포가 있다. • 시각 세포가 많이 모여 있는 부분인 황반과 시각 세포가 없는 부분인 (❸)이 있다.
(❹)	검은색 색소가 있어 눈 속을 어둡게 한다.
유리체	눈 속을 채우고 있는 투명한 물질로 눈의 형태를 유지한다.

2. 시각의 성립 경로: 빛 ➡ 각막 ➡ 수정체 ➡ 유리체 ➡ (❺)의 시각 세포 ➡ 시각 신경 ➡ 뇌

3. 눈의 조절 작용

(1) **빛의 양 조절:** 홍채에 의해 동공의 크기가 변하면서 조절된다.

(2) **원근 조절:** 섬모체에 의해 수정체의 두께가 변하면서 조절된다.

B 귀

1. 귀의 구조와 기능

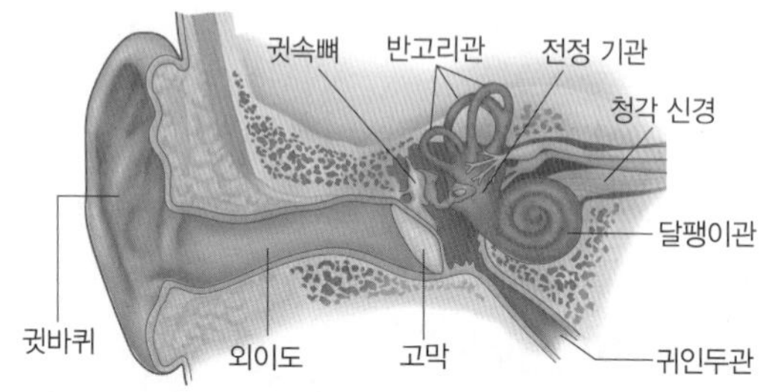

귓바퀴	소리를 모은다.
외이도	귓바퀴와 고막 사이의 통로이다.
고막	소리에 의해 진동하는 얇은 막이다.
귓속뼈	고막의 진동을 증폭한다.
(❻)	고막 안쪽과 바깥쪽 압력을 같게 조절한다.
(❼)	청각 세포가 있어 소리를 자극으로 받아들인다.
전정 기관	몸의 기울어짐을 감지한다.
반고리관	몸의 (❽)을 감지한다.

2. 청각의 성립 경로: 소리 ➡ 귓바퀴 ➡ 외이도 ➡ 고막 ➡ 귓속뼈 ➡ 달팽이관의 청각 세포 ➡ 청각 신경 ➡ 뇌

3. 평형 감각: 몸의 회전은 반고리관이, 몸의 기울어짐은 전정 기관이 감지한다.

C 코, 혀, 피부

1. 코

(1) **후각:** 코의 후각 세포에서 (❾) 상태의 화학 물질을 자극으로 감지하여 냄새를 느끼는 것이다.

(2) **특징:** 가장 민감하지만 피로해지기 쉽다.

(3) **후각의 성립 경로:** 기체 상태의 화학 물질 ➡ 후각 상피의 후각 세포 ➡ 후각 신경 ➡ 뇌

2. 혀

(1) **미각:** 혀의 맛세포에서 (❿) 상태의 화학 물질을 자극으로 감지하여 맛을 느끼는 것이다.

(2) **기본 맛:** 단맛, 짠맛, 신맛, 쓴맛, 감칠맛

(3) **미각의 성립 경로:** 액체 상태의 화학 물질 ➡ 맛봉오리의 맛세포 ➡ 미각 신경 ➡ 뇌

3. 피부

(1) **피부 감각:** 피부를 통해 부드러움, 딱딱함, 아픔, 차가움, 따뜻함 등을 느끼는 것이다.

(2) **감각점의 종류**

통점	압점	촉점	온점	냉점
통증	압력	접촉	따뜻함	차가움

(3) **감각점의 분포:** 몸의 부위마다 다르며, (⓫)이 가장 많다.

(4) **피부 감각의 성립 경로:** 자극 ➡ 피부의 감각점 ➡ 피부 감각 신경 ➡ 뇌

헷갈리는 내용 공략하기

01 감각 기관

★ 정답과 해설 070쪽

A 눈 › 눈의 기능 이해하기

[01-07] 다음 물음에 알맞은 눈의 구조를 보기에서 골라 쓰시오.

보기

망막	맥락막	공막
각막	수정체	홍채
동공	섬모체	유리체
황반	맹점	

01 눈의 가장 바깥을 싸고 있는 막을 골라 쓰시오.

02 빛을 굴절시키는 부분을 골라 쓰시오.

03 시각 신경이 모여 나가는 곳으로, 시각 세포가 없는 부분을 골라 쓰시오.

04 시각 세포가 분포하는 부분을 모두 골라 쓰시오.

05 눈 속을 어둡게 하는 부분을 골라 쓰시오.

06 빛의 양 조절에 관여하는 부분을 모두 골라 쓰시오.

07 원근 조절에 관여하는 부분을 모두 골라 쓰시오.

[08-12] 그림은 눈의 구조를 나타낸 것이다.

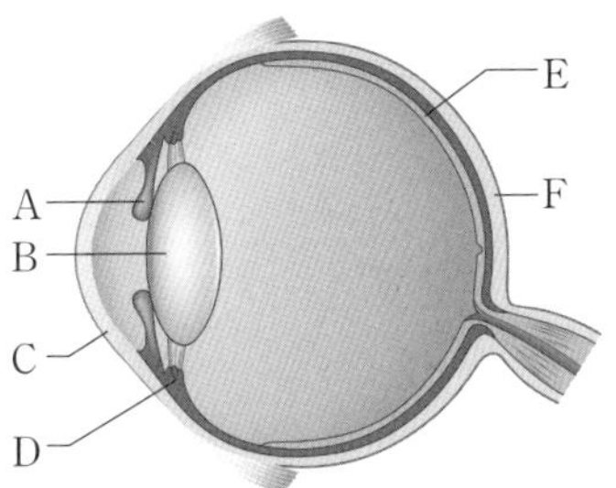

다음 물음에 알맞은 말을 보기에서 골라 쓰시오.

보기

망막	맥락막	공막
각막	수정체	홍채
동공	섬모체	유리체
이완	수축	

08 A에 의해 크기가 조절되는 부분을 골라 쓰시오.

09 B의 두께를 조절하는 부분을 골라 쓰시오.

10 물체의 상이 맺히는 부분을 골라 기호와 이름을 쓰시오.

11 밝은 곳에 있다가 어두운 곳으로 갔을 때 A는 어떻게 변하는지 골라 쓰시오.

12 가까운 곳을 보다가 먼 곳을 볼 때 D는 어떻게 변하는지 골라 쓰시오.

문제로 복습하기

Ⅳ. 자극과 반응

01 감각 기관

★ 정답과 해설 070쪽

A 눈

[01-02] 그림은 사람 눈의 구조를 나타낸 것이다.

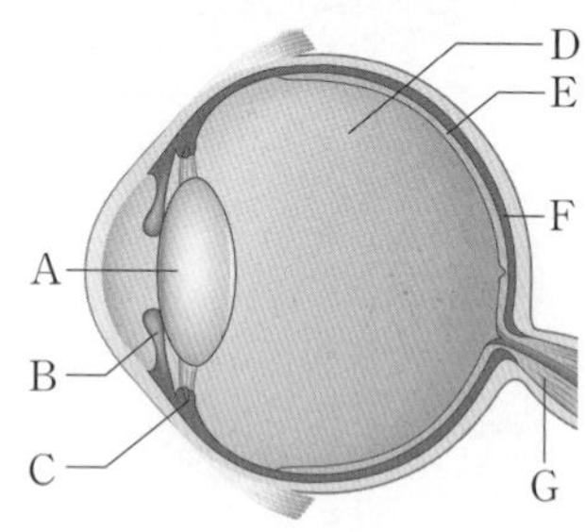

01 A~G에 대한 설명으로 옳은 것은?

① A는 눈으로 들어오는 빛의 양을 조절한다.
② B, C는 원근 조절에 관여한다.
③ D는 투명한 물질로 눈의 형태를 유지한다.
④ E는 시각 세포의 자극을 뇌로 전달한다.
⑤ F는 공막이고, G는 맥락막이다.

02 눈의 구조에서 빛을 굴절시키는 곳과 물체의 상이 맺히는 곳을 차례대로 옳게 짝 지은 것은?

① A, E ② B, F ③ C, F
④ D, G ⑤ A, D

03 다음 중 시각의 성립 경로로 옳은 것은?

① 빛 → 각막 → 유리체 → 수정체 → 망막의 시각 세포 → 시각 신경 → 뇌
② 빛 → 각막 → 수정체 → 유리체 → 망막의 시각 세포 → 시각 신경 → 뇌
③ 빛 → 수정체 → 유리체 → 망막 → 각막의 시각 세포 → 시각 신경 → 뇌
④ 빛 → 홍채 → 수정체 → 각막 → 망막의 시각 세포 → 시각 신경 → 뇌
⑤ 빛 → 망막 → 섬모체 → 수정체 → 각막의 시각 세포 → 시각 신경 → 뇌

04 눈이 (가)에서 (나)의 상태로 변화하는 경우는?

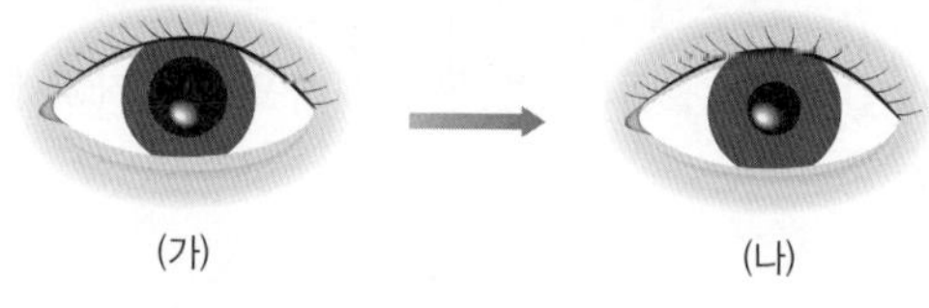

① 근시인 학생이 안경을 벗었다.
② 스마트폰 게임을 하다가 하늘을 보았다.
③ 먼 산을 보다가 옆 친구 얼굴을 보았다.
④ 밝은 곳에서 어두운 극장으로 들어갔다.
⑤ 저녁이 되어 어두워져서 방의 형광등을 켰다.

05 밝은 실내에서 책을 보다가 창문을 열고 캄캄한 밤하늘의 별을 보았다. 이때 눈에서 일어나는 변화를 옳게 짝지은 것은?

	홍채	동공	섬모체	수정체
①	축소	확대	이완	얇아진다.
②	확장	축소	이완	얇아진다.
③	축소	확대	수축	두꺼워진다.
④	확장	축소	수축	두꺼워진다.
⑤	축소	확대	이완	두꺼워진다.

06 그림은 눈의 조절 작용을 나타낸 것이다. A의 이름을 쓰고, A가 두꺼워지는 경우와 A가 두꺼워지는 과정을 서술하시오.

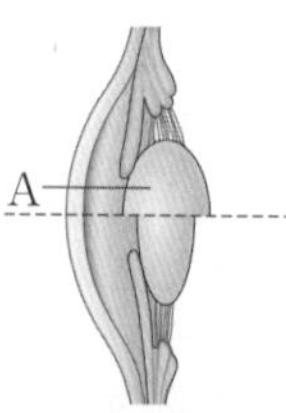

B 귀

[07-08] 그림은 사람 귀의 구조를 나타낸 것이다.

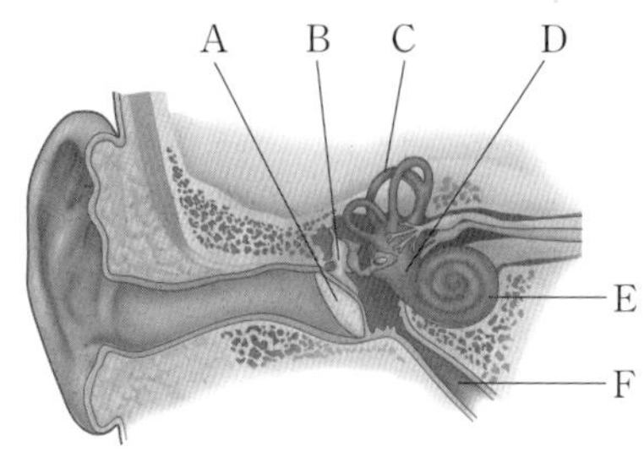

07 A~F 중 소리에 의해 처음 진동하는 부위는 어디인지 기호와 이름을 쓰시오.

08 A~F 중 고막의 안쪽과 바깥쪽의 압력을 같게 조절하여 고막이 파열되지 않도록 보호하는 부위의 기호와 이름을 쓰시오.

09 귀의 구조에서 고막의 진동을 증폭하는 작용을 하는 부위는?

① 귓속뼈 ② 달팽이관
③ 반고리관 ④ 전정 기관
⑤ 귀인두관

10 귀의 구조에 대한 설명으로 옳은 것은?

① 고막 – 압력을 조절한다.
② 반고리관 – 자극을 뇌에 전달한다.
③ 전정 기관 – 몸의 회전을 감지한다.
④ 귓속뼈 – 몸의 기울어짐을 감지한다.
⑤ 달팽이관 – 청각 세포가 있어 소리를 감지한다.

11 그림은 귀의 안쪽 구조를 나타낸 것이다.

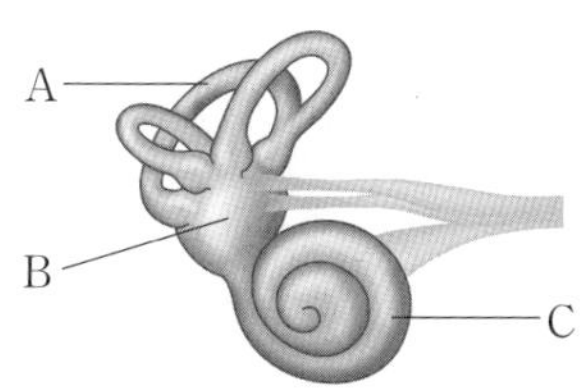

A~C가 담당하는 감각을 옳게 짝 지은 것은?

	A	B	C
①	청각	몸의 기울어짐	몸의 회전
②	몸의 회전	몸의 기울어짐	청각
③	몸의 기울어짐	청각	몸의 회전
④	몸의 기울어짐	몸의 회전	청각
⑤	몸의 회전	청각	몸의 기울어짐

12 그림은 귀의 구조를 나타낸 것이다.

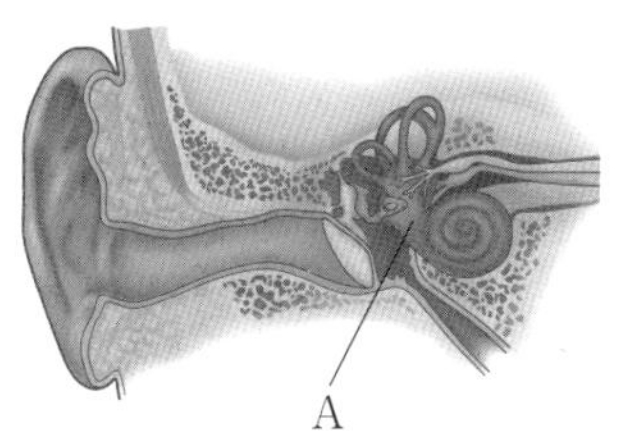

다음 중 A와 관련 있는 현상으로 옳은 것은?

① 높은 산에 올라갈 때나 비행기가 이륙할 때 귀가 먹먹해진다.
② 코가 막혔을 때, 힘을 주고 코를 세게 풀면 귀가 먹먹해진다.
③ 길을 걷다 돌부리에 걸려도 넘어지지 않고 바로 균형을 잡을 수 있다.
④ 빙글빙글 돌아가는 놀이 기구를 타고 난 이후에도 잠시 동안은 계속 어지럽다.
⑤ 눈을 감고 자동차를 타도 자동차가 좌·우로 움직이거나 회전하는 것을 느낄 수 있다.

13 그림은 귀의 구조를 나타낸 것이다. A~F 중 청각과 관련 있는 부분을 모두 골라 기호와 이름을 쓰고, 각 부분의 기능을 설명하시오.

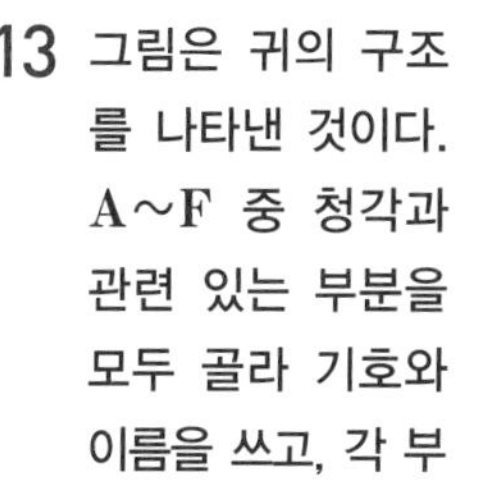

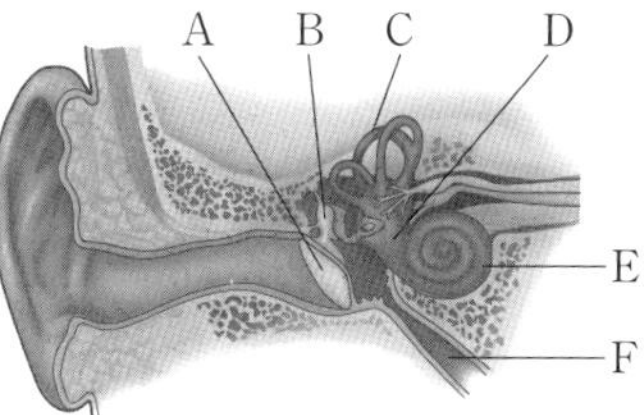

C 코, 혀, 피부

14 사람의 후각에 대한 설명으로 옳지 않은 것은?

① 사람의 감각 중 매우 민감하다.
② 기체 상태의 화학 물질이 자극원이다.
③ 사람의 감각 중 가장 쉽게 피로해진다.
④ 같은 자극이 계속 되면 감각을 느끼지 못한다.
⑤ 콧속 아랫부분에 있는 후각 상피에서 감각을 느낀다.

15 다음 설명에 해당하는 ㉠ 구조의 이름을 쓰시오.

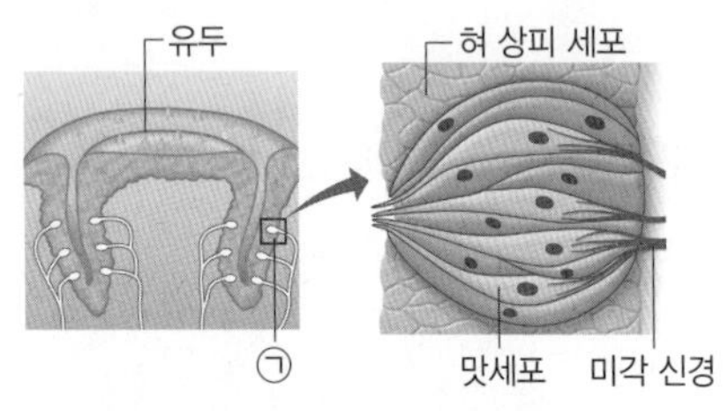

• 혀 표면에 있는 유두의 옆 부분에 위치한다.
• 맛세포가 모여 있어 맛을 느낀다.

16 혀의 맛세포에서는 매운맛과 떫은맛의 감각을 느끼지 못한다. ㉠, ㉡에 들어갈 알맞은 말을 쓰시오.

매운맛은 혀와 입속 피부의 (㉠)에서 느끼는 피부 감각이고, 떫은맛은 혀와 입속 피부의 (㉡)에서 느끼는 피부 감각이다.

17 피부에 분포하는 피부 감각점에 대한 설명으로 옳지 않은 것은?

① 피부 감각점은 온몸에 분포하고 있다.
② 몸의 부위에 따라 감각점의 수가 다르다.
③ 통점이 많은 부위는 통증에 더 민감하다.
④ 피부에는 촉점이 가장 많이 분포하고 있다.
⑤ 피부에는 촉점, 압점, 통점, 온점, 냉점 등의 감각점이 분포한다.

18 손가락 끝이 다른 부위에 비하여 예민한 까닭으로 옳은 것은?

① 피부가 얇기 때문에
② 피부가 약하기 때문에
③ 감각점이 크기 때문에
④ 감각점의 수가 많기 때문에
⑤ 중추 신경계와 접해 있기 때문에

19 다음은 미각에 대한 실험이다.

[실험 과정]
(가) 한 사람은 안대로 눈을 가리고 혀를 내민다.
(나) 다른 사람은 오렌지주스와 포도주스를 숟가락으로 떠서 눈을 가린 사람의 혀에 댄다.
(다) 어떤 맛이 느껴지는지 묻고 표에 기록한다.
(라) 안대로 눈을 가린 사람이 손으로 코를 막는다.
(마) 다른 사람은 주스의 맛보는 순서를 (나)와 다르게 하여 실험을 반복한 후 표에 기록한다.

[실험 결과]

구분	코를 막지 않음	코를 막음
오렌지주스	오렌지 맛	맛을 구분할 수 없다.
포도주스	포도 맛	맛을 구분할 수 없다.

이 실험에 대한 설명으로 옳은 것은?

① 음식의 맛을 느끼는 데 미각만 관여한다.
② 시각을 차단하면 기본 맛만 느낄 수 있다.
③ 이 실험을 통해 시각과 미각의 관계를 알 수 있다.
④ 신맛을 느끼는 세포는 혀 앞쪽에 집중적으로 분포해 있다.
⑤ 다양한 음식의 맛을 느끼기 위해서는 미각과 후각이 함께 작용해야 한다.

20 그림은 사람 코의 구조를 나타낸 것이다.

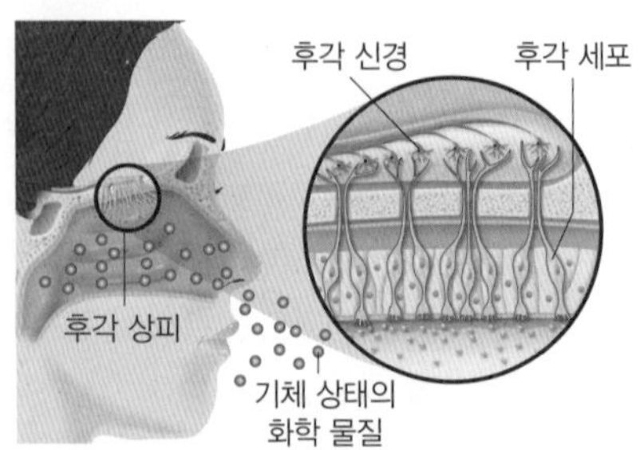

후각의 뜻을 쓰고, 후각이 다른 감각과 다른 점을 2가지 이상 서술하시오.

개념으로 복습하기

IV. 자극과 반응

02 신경계와 호르몬

★ 정답과 해설 071쪽

A 신경계

1. 뉴런: 신경계를 이루는 기본 단위가 되는 신경 세포이다.

(1) 뉴런의 구조

가지 돌기	감각 기관이나 다른 뉴런으로부터 자극을 받아들인다.
신경 세포체	핵과 대부분의 세포질이 모여 있는 부분이다.
(❶)	다른 뉴런이나 운동 기관으로 자극을 전달한다.

(2) 뉴런의 종류

(❷)	감각 기관에서 받아들인 자극을 연합 뉴런으로 전달한다.
연합 뉴런	감각 뉴런으로부터 전달받은 정보를 종합하고 판단하여 명령을 내린다.
(❸)	연합 뉴런의 명령을 팔, 다리 등의 운동 기관으로 전달한다.

(3) 뉴런을 통한 자극의 전달 경로: 자극 ➡ 감각 기관 ➡ 감각 뉴런 ➡ 연합 뉴런 ➡ 운동 뉴런 ➡ 운동 기관 ➡ 반응

2. 신경계

(1) (❹) 신경계

① 뇌와 척수로 이루어져 있다.

대뇌	복잡한 정신 활동 담당	간뇌	혈당량과 체온 조절
소뇌	몸의 균형 유지	중간뇌	눈의 운동 조절
연수	호흡 운동, 심장 박동 조절	(❺)	자극의 전달 통로, 무조건 반사의 중추

② 감각 기관에서 받아들인 정보를 통합하고 적절한 명령을 내린다.

(2) (❻) 신경계

① 감각 신경과 운동 신경으로 이루어져 있다.

② 중추 신경계로부터 뻗어 나와 온몸에 퍼져 있어 중추 신경계와 몸의 각 부분 사이에서 신호를 전달한다.

3. 의식적인 반응과 무조건 반사

(1) **의식적인 반응:** 자극에 대해 (❼)의 판단 과정을 거쳐 의식적으로 일어나는 반응이다.

> 의식적인 반응의 경로: 자극 ➡ 감각 기관 ➡ 감각 신경 ➡ 대뇌 ➡ 척수 ➡ 운동 신경 ➡ 운동 기관 ➡ 반응

(2) (❽): 대뇌의 판단 과정을 거치지 않아 무의식적으로 일어나는 반응이다.

> 무조건 반사의 경로: 자극 ➡ 감각 기관 ➡ 감각 신경 ➡ 척수(연수, 중간뇌) ➡ 운동 신경 ➡ 운동 기관 ➡ 반응

B 호르몬

1. 호르몬의 특성: 내분비샘에서 분비되어 혈관을 따라 이동하다가 표적 세포 또는 표적 기관에만 작용한다.

2. 호르몬의 종류와 기능

내분비샘	호르몬	기능
뇌하수체	생장 호르몬	뼈와 근육의 생장을 촉진한다.
	갑상샘 자극 호르몬	티록신의 분비를 촉진한다.
	항이뇨 호르몬	콩팥에서 물의 재흡수를 촉진한다.
갑상샘	(❾)	세포 호흡을 촉진한다.
이자	인슐린	혈당량을 낮춘다.
	글루카곤	혈당량을 높인다.
부신	아드레날린	심장 박동을 촉진, 혈당량과 혈압을 높인다.
난소	에스트로젠	여성의 2차 성징이 나타나게 한다.
정소	테스토스테론	남성의 2차 성징이 나타나게 한다.

3. 호르몬의 분비 이상: 호르몬의 양이 지나치게 많거나 적으면 몸에 이상이 생기게 된다.

C 항상성 유지

1. (❿): 몸 안팎의 환경이 변하더라도 몸 안의 상태(체온, 혈당량, 수분량 등)를 일정하게 유지하려는 성질이다. ➡ 신경과 호르몬에 의해 유지된다.

2. 혈당량 조절

혈당량이 낮을 때	간뇌 → 이자 → (⓫) 분비 → 간(글리코젠 → 포도당) → 혈당량 증가
혈당량이 높을 때	간뇌 → 이자 → (⓬) 분비 → 간(포도당 → 글리코젠), 세포(포도당 흡수 촉진) → 혈당량 감소

3. 체온 조절: 신경과 갑상샘의 (⓭)의 작용으로 조절한다.

추울 때	• 열 발생량 증가(티록신 분비 ➡ 세포 호흡 촉진) • 열 방출량 감소(피부의 혈관 수축, 땀 분비 감소)
더울 때	열 방출량 증가(피부의 혈관 확장, 땀 분비 증가)

4. 수분량 조절

수분량이 적을 때	(⓮) 분비 증가 → 콩팥에서 물의 재흡수 촉진 → 진한 오줌을 적은 양 배출
수분량이 많을 때	항이뇨 호르몬 분비 감소 → 콩팥에서 물의 재흡수 감소 → 묽은 오줌을 많은 양 배출

02 신경계와 호르몬

★ 정답과 해설 071쪽

C 항상성 유지 > 혈당량, 체온, 수분량 조절 과정 이해하기

[01-07] 다음은 혈당량 조절과 관련된 용어를 나열한 것이다. 다음 물음에 알맞은 말을 보기에서 골라 쓰시오.

보기

증가	감소	이자
인슐린	글루카곤	간뇌
포도당	글리코젠	간

01 혈당량을 낮추는 호르몬을 골라 쓰시오.

02 혈당량을 높이는 호르몬을 골라 쓰시오.

03 인슐린이 분비되면 증가하는 물질을 골라 쓰시오.

04 글루카곤이 분비되면 증가하는 물질을 골라 쓰시오.

05 인슐린과 글루카곤의 표적 기관을 골라 쓰시오.

06 인슐린이 분비되면 혈당량은 어떻게 변화하는지 골라 쓰시오.

07 글루카곤이 분비되면 혈당량은 어떻게 변화하는지 골라 쓰시오.

[08-14] 다음은 항상성 유지와 관련된 용어를 나열한 것이다. 다음 물음에 알맞은 말을 보기에서 골라 쓰시오.

보기

확장	수축	티록신
증가	감소	간뇌
열 발생량	열 방출량	항이뇨 호르몬

08 체온이 낮을 때 증가하는 것을 모두 골라 쓰시오.

09 체온이 높을 때 증가하는 것을 골라 쓰시오.

10 체온이 낮아지면 피부의 혈관은 어떻게 변화하는지 골라 쓰시오.

11 체온이 높아지면 피부의 혈관은 어떻게 변화하는지 골라 쓰시오.

12 수분량을 조절하는 호르몬을 골라 쓰시오.

13 몸속 수분량이 많아지면 오줌 생성량은 어떻게 변하는지 골라 쓰시오.

14 몸속 수분량이 적어지면 오줌 생성량은 어떻게 변하는지 골라 쓰시오.

문제로 복습하기

Ⅳ. 자극과 반응

02 신경계와 호르몬

★ 정답과 해설 071쪽

A 신경계

01 그림은 뉴런의 구조를 나타낸 것이다.

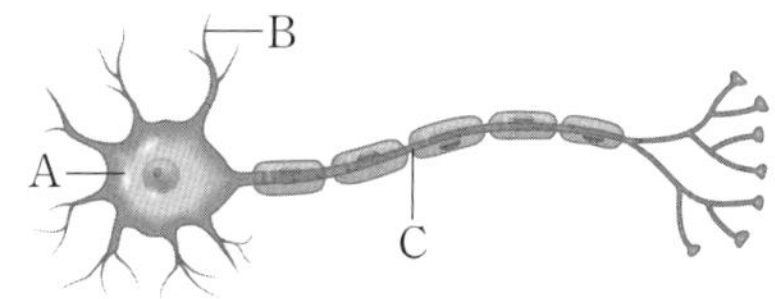

이에 대한 설명으로 옳은 것은?

① A로는 자극이 지나지 않는다.
② 신경계를 구성하는 신경 세포이다.
③ 자극은 C → A 방향으로 전달된다.
④ B는 다른 뉴런으로 자극을 전달한다.
⑤ B는 핵을 가지고 있어 다양한 생명 활동을 한다.

02 그림은 뉴런의 연결 상태를 나타낸 것이다.

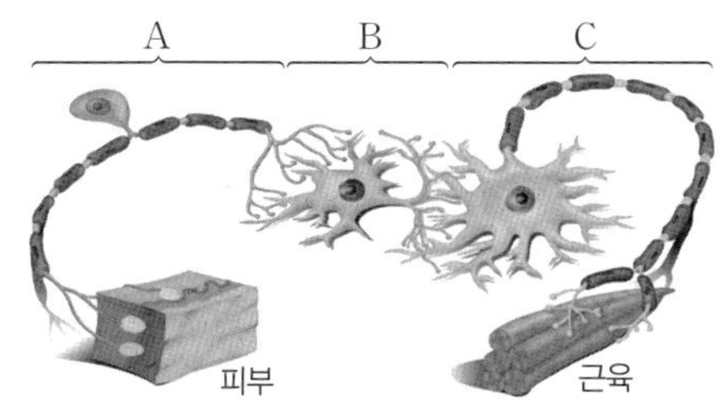

다음에서 설명하는 뉴런의 기호와 이름을 옳게 짝 지은 것은?

- 뇌와 척수에 있다.
- 전달받은 자극을 종합하여 적절한 명령을 내린다.

① A, 감각 뉴런　② A, 연합 뉴런
③ B, 감각 뉴런　④ B, 연합 뉴런
⑤ C, 운동 뉴런

03 신경계에 대한 설명으로 옳지 않은 것은?

① 중추 신경계와 말초 신경계로 구분된다.
② 척수는 척추에 들어 있으며 말초 신경계에 속한다.
③ 감각 신경과 운동 신경은 말초 신경계에 포함된다.
④ 내장 기관에 분포한 신경은 말초 신경계에 해당한다.
⑤ 뇌의 명령은 운동 신경을 통해 운동 기관에 전달된다.

04 그림은 사람의 뇌의 구조를 나타낸 것이다.

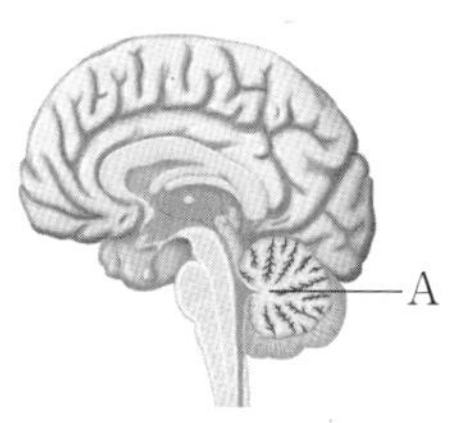

A 부분이 사고로 손상되었을 때 나타날 수 있는 증상은?

① 언어 장애　② 체온 조절 장애
③ 혈당량 조절 장애　④ 시각과 청각 장애
⑤ 자세 조절 및 균형 유지 장애

05 다음 중 뇌의 일부분인 연수의 기능으로 옳지 않은 것은?

① 생명 유지 활동의 중추이다.
② 심장 박동, 호흡 운동, 소화 운동 등을 조절한다.
③ 우리 몸의 체온 및 근육 운동을 조절하는 역할을 한다.
④ 갑작스런 위험으로부터 우리 몸을 보호하는 데 기여한다.
⑤ 재채기, 하품, 침 분비 등과 같은 무조건 반사의 중추이다.

06 우리 몸에서 나타나는 다음 행동과 관련된 내용으로 옳은 것은?

- 뜨거운 것에 손이 닿으면 재빨리 손을 뗀다.
- 압정을 밟았을 때 자신도 모르게 발을 든다.

① 척수가 관여하지 않는다.
② 대뇌가 중추가 되는 반응이다.
③ 연수가 중추가 되는 반응이다.
④ 의식적인 반응보다 반응이 빠르게 일어난다.
⑤ 감각 신경만 관여하고, 운동 신경은 관여하지 않는다.

07 그림과 같이 무릎뼈 아래를 고무망치로 쳤을 때 일어나는 반응과 반응의 중추를 차례대로 쓰시오.

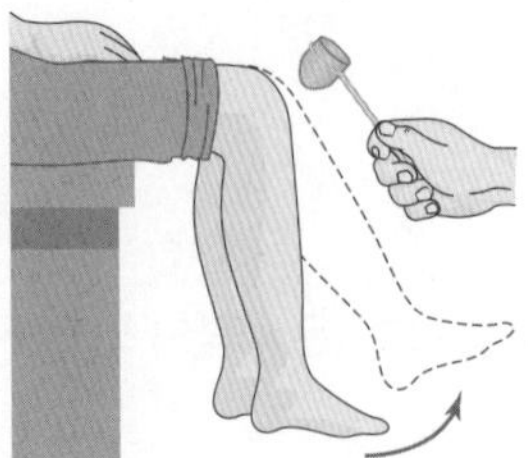

08 그림은 사람의 뇌 구조를 나타낸 것이다.
그림에서 보기의 기능을 담당하는 곳의 기호를 옳게 짝 지은 것은?

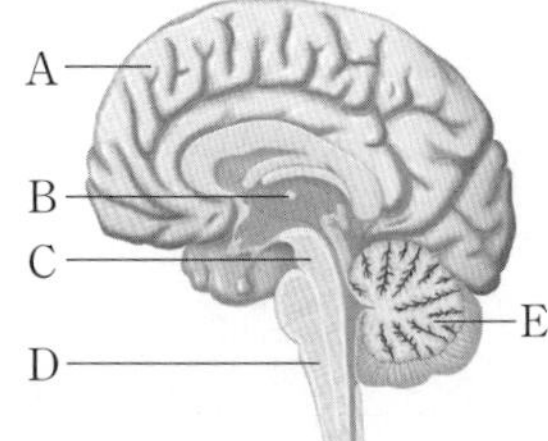

보기

ㄱ. 평균대 위를 넘어지지 않고 걸어갔다.
ㄴ. 날아오는 공을 보고 야구 방망이를 휘두른다.
ㄷ. 과학 시험을 잘 보기 위해 시험 공부를 열심히 하였다.
ㄹ. 응급실에 후송된 환자의 눈에 빛을 비추어 보았지만 반응이 없었다.

	ㄱ	ㄴ	ㄷ	ㄹ
①	A	E	C	D
②	A	C	B	D
③	E	A	A	C
④	D	A	B	D
⑤	B	E	C	D

09 그림은 자극에 대한 반응의 경로를 나타낸 것이다.

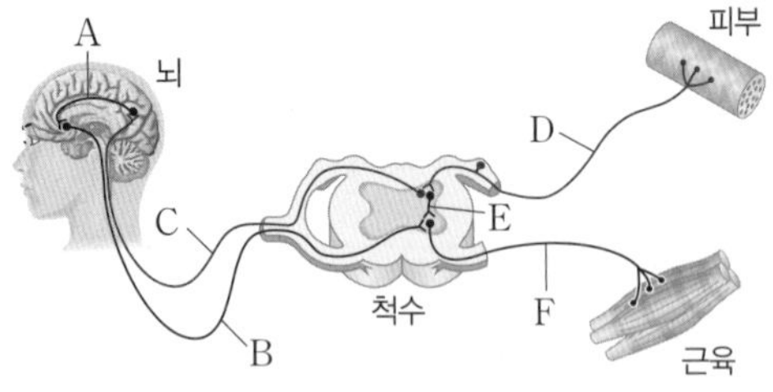

A~F 중 뜨거운 난로에 손이 닿았을 때 순간적으로 소을 떼는 반응의 경로를 주어진 용어를 모두 포함하여 순서대로 나열하시오.

근육　　반응　　자극　　피부

B 호르몬

10 호르몬에 대한 설명으로 옳은 것만을 보기에서 모두 고른 것은?

보기

ㄱ. 신경을 통해 이동한다.
ㄴ. 혈액으로 직접 분비된다.
ㄷ. 표적 세포나 기관에서 작용한다.
ㄹ. 과다증은 있으나 결핍증은 없다.

① ㄱ, ㄴ　② ㄱ, ㄷ　③ ㄱ, ㄹ　④ ㄴ, ㄷ　⑤ ㄴ, ㄹ

11 그림은 사람의 내분비샘을 나타낸 것이다.

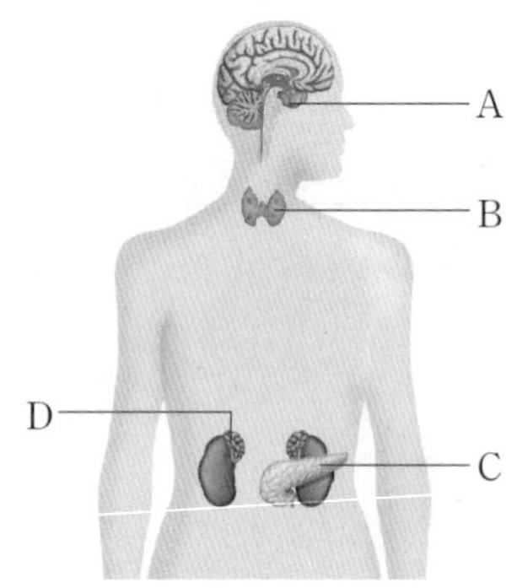

거인증이나 소인증과 가장 관련이 깊은 호르몬이 분비되는 내분비샘의 기호를 쓰시오.

12 다음 설명에 해당하는 호르몬과 이를 분비하는 내분비샘을 옳게 짝 지은 것은?

- 심장 박동을 촉진하고 혈압을 상승시킨다.
- 급격한 스트레스를 받았을 때 우리 몸을 흥분시켜 긴급한 상황에 대처하게 하므로, 스트레스 호르몬이라고도 한다.

① 인슐린 — 이자
② 티록신 — 갑상샘
③ 에스트로젠 — 난소
④ 아드레날린 — 부신
⑤ 생장 호르몬 — 뇌하수체

13 다음 중 여성의 2차 성징이 나타나게 하는 호르몬으로 옳은 것은?

① 티록신 ② 인슐린
③ 에스트로젠 ④ 생장 호르몬
⑤ 아드레날린

14 다음은 민석이가 갑상샘 호르몬에 대해 조사한 내용이다.

> 갑상샘은 호르몬을 분비하는 내분비샘이다. 이곳에서 분비되는 호르몬은 몸을 구성하는 세포에서 호흡이 활발하게 일어나도록 한다. 따라서 체온이 떨어지면 갑상샘에서 호르몬이 분비되어 세포에서의 호흡을 촉진함으로써 열이 나게 한다.

위 글로 미루어 볼 때 갑상샘에서 호르몬이 지나치게 많이 분비될 때 나타나는 현상으로 옳은 것은?

① 추위를 많이 탄다.
② 혈당량이 정상보다 높아진다.
③ 정신적으로나 육체적으로 나태해진다.
④ 체온이 급격히 떨어져 체중이 증가한다.
⑤ 호흡이 지나치게 활발해져 체중이 감소한다.

15 그림은 내분비샘을 나타낸 것이다.

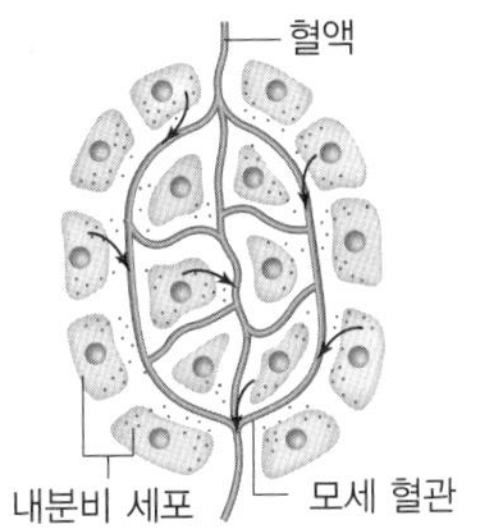

이 내분비샘에서 분비되는 물질을 무엇이라고 하는지 쓰고, 그 물질의 특징을 2가지 이상 서술하시오.

C 항상성 유지

16 단식 중인 사람의 몸에서 일어나는 현상으로 옳은 것은?

① 인슐린의 분비량이 증가한다.
② 글루카곤의 분비량이 증가한다.
③ 성호르몬의 분비량이 증가한다.
④ 아드레날린의 분비량이 감소한다.
⑤ 생장 호르몬의 분비량이 증가한다.

17 더운 여름날에 물을 너무 많이 마셔 몸속 수분량이 많아지게 되면 항이뇨 호르몬의 분비량은 어떻게 되는가?

① 감소한다. ② 증가한다.
③ 일정하지 않다. ④ 증가 후 감소한다.
⑤ 전혀 분비되지 않는다.

18 체온이 높을 때 우리 몸에서 일어나는 변화에 대한 설명으로 옳지 않은 것은?

① 열 방출이 증가할 것이다.
② 갑상샘에서 티록신의 분비를 억제할 것이다.
③ 간뇌에서 체온이 높다는 것을 인식할 것이다.
④ 세포 호흡이 억제되어 열 발생이 감소할 것이다.
⑤ 뇌하수체에서 갑상샘 자극 호르몬의 분비가 증가할 것이다.

19 그림은 혈당량이 조절되는 과정을 나타낸 것이다.

A, B에 해당하는 호르몬을 쓰고, B의 분비량이 적을 경우 어떤 질병에 걸릴 수 있는지 서술하시오.

01 생식

★ 정답과 해설 072쪽

A 세포 분열과 염색체

1. 세포 분열: 1개의 세포가 2개의 세포로 나누어지는 현상

(1) **세포 분열의 의의**: 생장, 재생, 번식, 생식세포 형성

(2) **세포가 분열하는 까닭**: 세포의 크기가 커지면 (❶)이 증가하는 비율보다 (❷)가 증가하는 비율이 커지면서 세포막을 통한 물질 교환 능력이 낮아지기 때문이다.

2. 염색체: 유전 물질이 꼬이고 뭉쳐져 만들어진 막대 모양의 구조 ➡ DNA+(❸)

(1) **상동 염색체와 염색 분체**

(❹)	체세포에 있는 모양과 크기가 같은 염색체의 쌍 ➡ 부모로부터 각각 하나씩 물려받아 유전자 구성이 같거나 다르다.
(❺)	염색체를 이루는 두 가닥 중 각각의 가닥 ➡ DNA가 복제된 것으로, 유전자 구성이 같다.

(2) **사람의 염색체 구성**

(❻)	성별에 관계없는 일반적인 특징을 결정하는 염색체
(❼)	성의 특징을 결정하는 염색체 ➡ 남자는 XY, 여자는 XX

B 체세포 분열

1. 체세포 분열: 몸을 구성하는 (❽)가 둘로 나누어지는 과정 ➡ $2n \rightarrow 2n$

2. 체세포 분열 과정

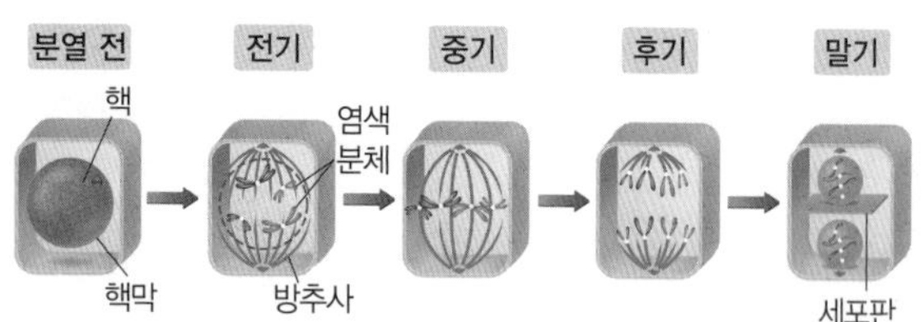

세포가 분열하기 전(간기)		핵막이 관찰되며, 유전 물질이 복제된다.
핵 분열	전기	핵막이 사라지고, 2개의 염색 분체로 이루어진 염색체가 나타난다.
	중기	염색체가 세포 중앙에 배열한다.
	후기	(❾)가 분리되어 세포 양쪽 끝으로 이동한다
	말기	(❿)이 나타나면서 2개의 핵이 생기고 세포질 분열이 일어난다. ➡ (⓫) 세포는 세포판 형성, (⓬) 세포는 세포막 함입

C 생식세포 형성 과정

1. 생식세포 형성 과정: 생물의 생식 기관에서 생식세포가 만들어지는 과정 ➡ 감수 분열($2n \rightarrow n$)

(1) **세포가 분열하기 전(간기)**: 핵막이 관찰되며, 유전 물질이 복제된다.

(2) **감수 1분열**

전기	핵막이 사라지고, 상동 염색체가 접합한 (⓭)가 나타난다.
중기	(⓮)가 세포 중앙에 배열한다.
후기	(⓯)가 나누어져 세포 양쪽 끝으로 이동한다.
말기	핵분열 후 세포질 분열이 일어난다.

(3) **감수 2분열**: 유전 물질의 복제 없이 일어난다.

전기	핵막이 사라지고, 2개의 염색 분체로 이루어진 염색체가 나타난다.
중기	염색체가 세포 중앙에 배열한다.
후기	(⓰)가 분리되어 세포 양쪽 끝으로 이동한다.
말기	핵막이 나타나며, 세포질 분열이 일어나 4개의 딸세포가 만들어진다.

2. 체세포 분열과 감수 분열의 비교

구분	분열 장소	분열 횟수	딸세포 수	염색체 수	분열 결과
체세포 분열	(⓱)	1회	(⓲)개	변화 없다.	생장, 재생
감수 분열	(⓳)	연속 2회	(⓴)개	절반으로 줄어든다.	(㉑) 형성

D 사람의 발생

1. 수정과 발생

(1) (㉒): 정자와 난자가 결합하는 현상

(2) (㉓): 수정란이 하나의 개체로 되기까지의 과정

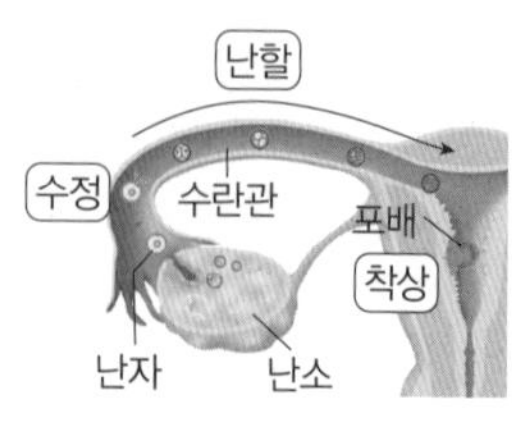

2. 임신과 출산

(1) (㉔): 수정이 이루어진 뒤 5~7일 후 수정란이 (㉕) 상태에서 자궁 안쪽 벽에 파묻힌다. ➡ 이때부터 임신이 되었다고 한다.

(2) **출산**: 수정된 지 약 (㉖)일 후 태아가 자궁의 수축 운동을 통하여 몸 밖으로 나오는 현상

01 생식

★ 정답과 해설 072쪽

B, C 체세포 분열과 감수 분열 > 각 분열 과정의 특징 비교하기

[01-05] 그림 (가)와 (나)는 체세포 분열 과정과 감수 분열 과정을 순서 없이 나타낸 것이다.

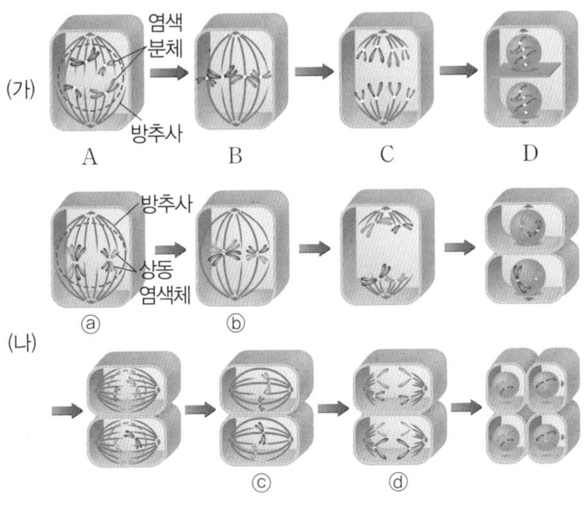

01 그림 (가)와 (나)에 각각 해당하는 세포 분열의 이름을 각각 쓰시오.

02 (가)에서 A~D 시기와 (나)에서 ⓐ~ⓓ 시기의 이름을 각각 쓰시오.

03 (가)의 A 시기와 달리 (나)의 ⓐ 시기에 나타나는 염색체의 이름을 쓰시오.

04 다음은 (가)와 (나) 분열 과정 중 후기에 대한 설명이다. ㉠~㉢에 들어갈 알맞은 말을 쓰시오.

> (가) 과정의 후기에는 (㉠)가 분리되어 세포 양쪽 끝으로 이동한다. (나) 과정 중 감수 1분열 후기에는 (㉡)가 분리되고, 감수 2분열 후기에는 (㉢)가 분리되어 세포 양쪽 끝으로 이동한다.

05 (가)와 (나) 분열 결과 염색체 수 변화를 각각 쓰시오.

[06-09] 그림 (가)와 (나)는 체세포 분열과 감수 분열 각 단계의 DNA(유전 물질)양 변화를 순서 없이 나타낸 것이다.

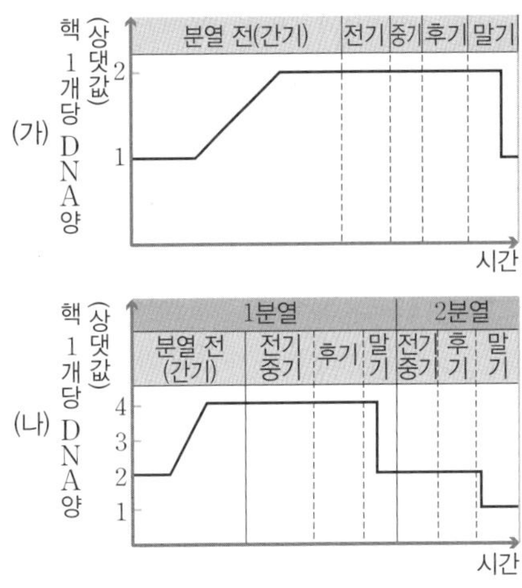

06 그림 (가)와 (나)에 해당하는 세포 분열의 이름을 각각 쓰시오.

07 그림 (가)와 (나)에서 세포 분열 전 시기인 간기에 DNA양이 2배가 된 까닭을 쓰시오.

08 다음은 (가) 분열 과정에서의 DNA양 변화에 대한 설명이다. ㉠, ㉡에 들어갈 알맞은 말을 쓰시오.

> (가) 분열 과정 중 (㉠)에 DNA양이 절반으로 줄어드는 까닭은 (㉡)가 분리되어 세포 양쪽 끝으로 이동하여 2개의 딸세포로 나누어지기 때문이다.

09 다음은 (나) 분열 과정에서의 DNA양 변화에 대한 설명이다. ㉠~㉢에 들어갈 알맞은 말을 쓰시오.

> (나) 분열 과정 중 1분열 (㉠)에 DNA양이 절반으로 줄어드는 까닭은 (㉡)가 분리되어 세포 양쪽 끝으로 이동하여 2개의 딸세포로 나누어지기 때문이고, 2분열 (㉠)에 DNA양이 절반으로 줄어드는 까닭은 (㉢)가 분리되어 세포 양쪽 끝으로 이동하여 2개의 딸세포로 나누어지기 때문이다.

문제로 복습하기

V. 생식과 유전

01 생식

★ 정답과 해설 072쪽

A 세포 분열과 염색체

01 다음 현상과 관계있는 세포 분열의 의의로 옳은 것은?

- 백혈구가 수명을 다하면 체내에서 파괴된다.
- 몸에 상처가 나면 시간이 지나면서 상처 부위가 아물게 된다.

① 세포의 수가 늘어날수록 개체가 생장한다.
② 단세포 생물은 세포 분열을 통해 번식한다.
③ 늙거나 손상된 세포가 젊은 세포로 교체된다.
④ 감수 분열을 통하여 생식세포가 만들어진다.
⑤ 세포 분열은 몸의 상태와 관계없이 항상 일어난다.

02 그림은 사람의 유전자와 염색체를 나타낸 것이다.

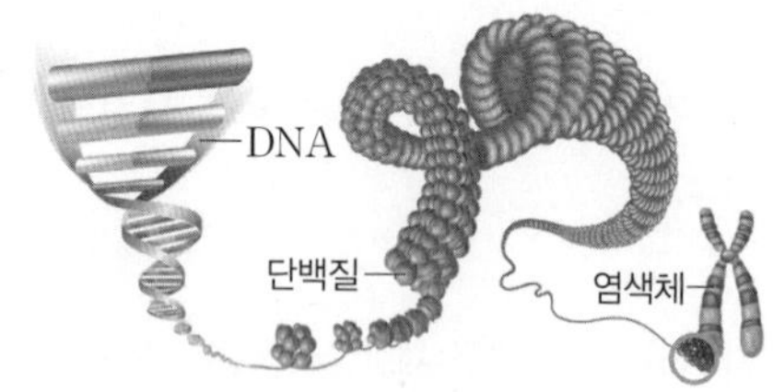

이에 대한 설명으로 옳지 않은 것은?

① DNA의 특정 영역을 유전자라고 한다.
② DNA는 생물의 유전 정보를 담고 있다.
③ DNA는 단백질을 감싼 후 꼬여서 염색체를 형성한다.
④ 염색체는 세포가 분열하지 않을 때 굵고 짧은 막대 모양이다.
⑤ DNA는 두 가닥이 나선 모양으로 꼬여 있는 2중 나선 구조를 이룬다.

03 그림은 어떤 사람의 염색체 구성을 나타낸 것이다.

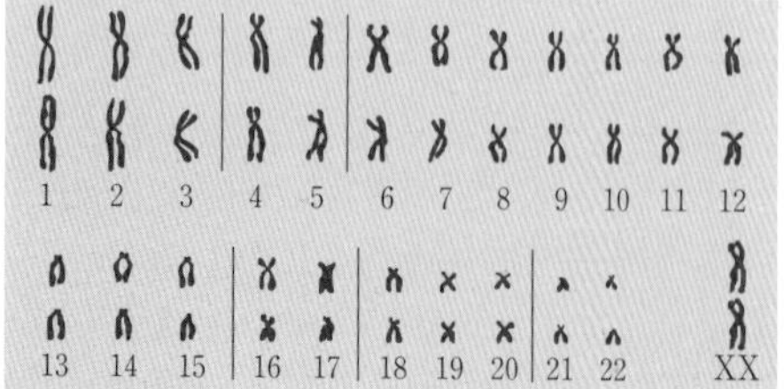

위 그림을 통해 알 수 있는 사실을 2가지만 서술하시오

B 체세포 분열

[04-07] 그림은 체세포 분열 과정을 순서 없이 나타낸 것이다.

(가)

(나)

(다)

(라)

(마)

04 (가) 시기에 대한 설명으로 옳은 것은?

① 후기이다.
② 핵막이 사라진다.
③ 방추사가 나타난다.
④ DNA가 복제된다.
⑤ 분열 과정 중 시간이 가장 짧다.

05 (라) 시기의 앞과 뒤에 해당하는 시기를 순서대로 옳게 짝 지은 것은?

① (가), (마) ② (나), (다) ③ (나), (마)
④ (다), (가) ⑤ (마), (다)

06 (가)~(마) 중 동물 세포와 식물 세포의 차이가 가장 뚜렷하게 나타나는 시기를 쓰시오.

07 위 그림에서 다음 설명에 해당하는 시기의 기호를 쓰시오.

- 세포 분열을 준비하는 시기이다.
- DNA가 복제되어 2배가 되는 시기이다.

08 그림은 식물 세포에서 일어나는 체세포 분열을 관찰한 것이다.

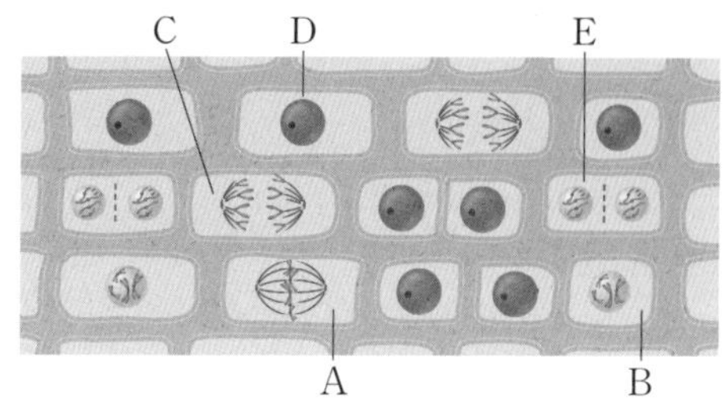

A~E 시기에 대한 설명으로 옳은 것은?

① A - 염색체 수와 모양을 관찰하기에 좋다.
② B - DNA가 복제된다.
③ C - 방추사가 나타난다.
④ D - 핵막이 사라지고 염색체가 나타난다.
⑤ E - 세포막이 함입되며 세포질이 분열된다.

[09-10] 다음 그림은 양파의 체세포 분열을 관찰하기 위한 실험 과정을 순서 없이 나타낸 것이다.

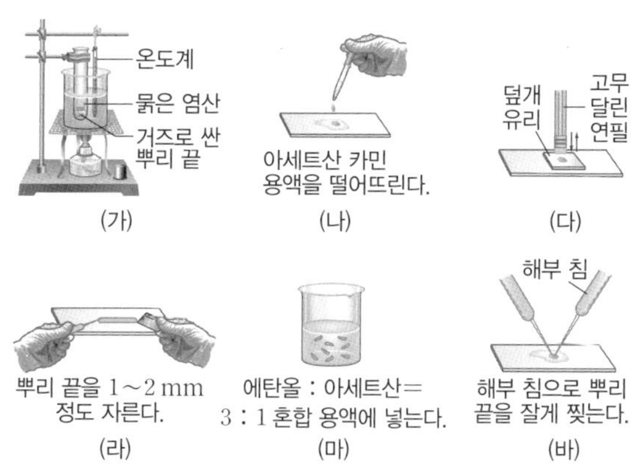

09 각 과정을 실시하는 까닭을 설명한 것으로 옳지 않은 것을 모두 고르면? (정답 2개)

① (가) - 세포가 분열하던 상태에서 고정하기 위해서
② (나) - 핵과 염색체를 염색하여 각 단계를 잘 관찰하기 위해서
③ (다) - 조직을 얇게 펴서 잘 관찰하기 위해서
④ (마) - 조직을 연하게 하기 위해서
⑤ (바) - 세포나 조직을 분리하기 위해서

10 체세포 분열을 관찰하기 위해 (라)와 같이 양파의 뿌리 끝을 사용하는 까닭을 서술하시오.

C 생식세포 형성 과정

11 생물체에서 감수 분열이 갖는 의미로 옳은 것만을 보기에서 모두 고른 것은?

보기
ㄱ. 생식세포가 형성된다.
ㄴ. 세포의 수를 증가시킨다.
ㄷ. 신체를 균형 있게 성장하게 해 준다.
ㄹ. 세대를 거듭해도 염색체 수를 일정하게 유지하도록 한다.

① ㄱ, ㄴ ② ㄱ, ㄹ
③ ㄴ, ㄷ ④ ㄱ, ㄴ, ㄹ
⑤ ㄴ, ㄷ, ㄹ

12 그림은 어떤 세포 분열 과정을 나타낸 것이다.

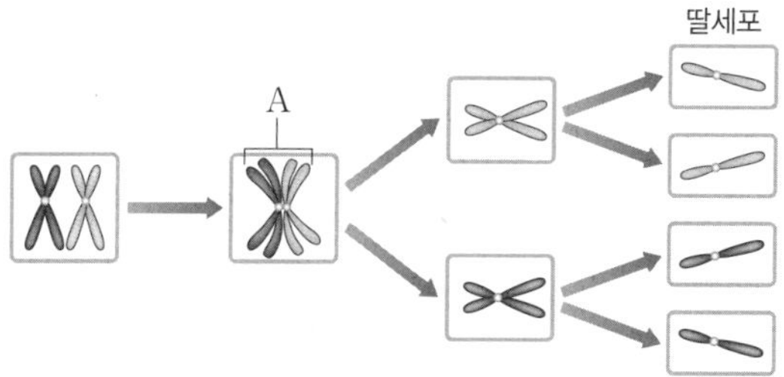

이에 대한 설명으로 옳은 것만을 보기에서 모두 고른 것은?

보기
ㄱ. A는 2가 염색체이다.
ㄴ. 4개의 딸세포 속 유전자 구성은 모두 같다.
ㄷ. 몸을 구성하는 체세포를 만드는 세포 분열이다.
ㄹ. 전기, 중기, 후기, 말기의 과정을 2번 연속 반복한다.

① ㄱ, ㄴ ② ㄱ, ㄹ
③ ㄴ, ㄷ ④ ㄱ, ㄴ, ㄹ
⑤ ㄱ, ㄴ, ㄷ, ㄹ

13 다음은 감수 1분열 전기와 후기에 대한 설명이다.

• 감수 1분열 전기: (   )가 서로 접합한다.
• 감수 1분열 후기: (   )가 분리되어 세포 양쪽 끝으로 이동한다.

(   )에 공통으로 들어갈 알맞은 말을 쓰시오.

14 그림은 어떤 생물의 세포 분열 과정 중 일부를 나타낸 것이다.

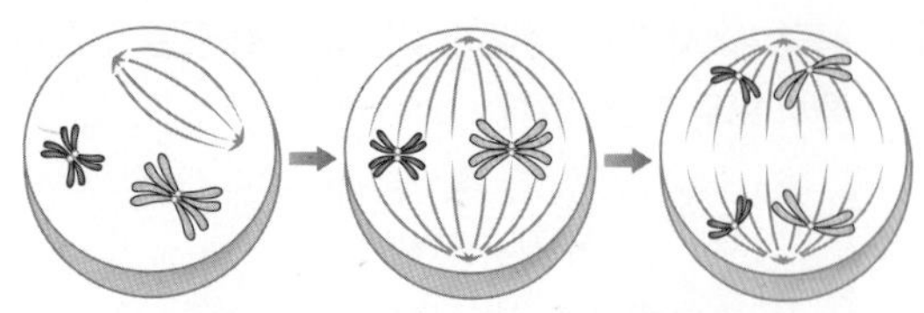

이 생물의 생식세포 속에 들어 있는 염색체 수는?

① 1개 ② 2개 ③ 4개 ④ 6개 ⑤ 8개

15 그림은 감수 분열 과정의 DNA 변화량을 나타낸 것으로, (나)와 (다) 시기는 후기이다.

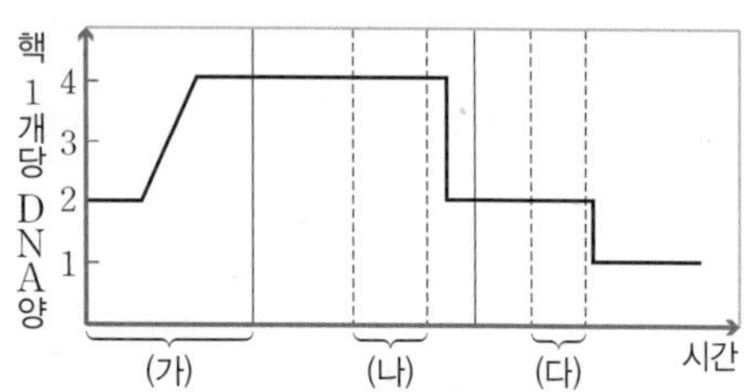

(가)~(다) 시기에 대한 설명으로 옳은 것은?

① (가) – 감수 1분열 전기이다.
② (가) – DNA가 복제된다.
③ (나) – 감수 2분열 후기이다.
④ (나) – 염색 분체가 분리되어 세포 양쪽 끝으로 이동한다.
⑤ (다) – 상동 염색체가 분리되어 세포 양쪽 끝으로 이동한다.

16 표는 감수 1분열과 감수 2분열의 특징을 정리한 것이다.

특징	감수 1분열	감수 2분열
분열 전후 염색체 수	$2n \rightarrow n$	$n \rightarrow n$
중기에 세포 중앙에 배열된 염색체의 모습	(㉠)	염색체가 세포 중앙에 배열
후기에 세포 양쪽 끝으로 이동하는 염색체의 모습	상동 염색체가 분리되어 세포 양쪽 끝으로 이동	(㉡)

㉠, ㉡에 해당하는 감수 분열의 특징을 각각 서술하시오.

D 사람의 발생

17 다음은 아기가 출산되기까지의 과정을 나타낸 것이다.

> (가) 태아가 자란다.
> (나) 수정이 일어난다.
> (다) 난자가 난소 밖으로 나온다.
> (라) 수정란이 포배 상태로 자궁 안쪽 벽에 착상된다.

(가)~(라)를 순서대로 옳게 나타낸 것은?

① (가) → (나) → (다) → (라)
② (가) → (나) → (라) → (다)
③ (나) → (가) → (다) → (라)
④ (다) → (나) → (라) → (가)
⑤ (라) → (다) → (나) → (가)

18 그림은 사람의 초기 발생 과정을 나타낸 것이다.

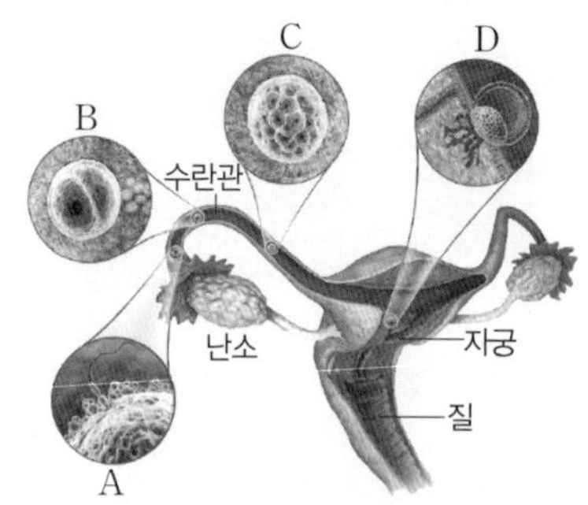

A~D 시기에 대한 설명으로 옳은 것은?

① A는 수란관 상단부에서 일어나는 발생 과정이다.
② B는 난할이 여러 번 연속으로 일어나 작은 세포들이 빽빽하게 모여 있다.
③ C는 포배 상태로, 착상이 일어난다.
④ D는 수정란이 포배 상태로 자궁 안쪽 벽에 파묻히는 과정이다.
⑤ B보다 C에 세포 수가 적다.

19 사람의 발생 과정에서 임신이 되었다고 말하는 시기는 언제인지 다음 용어를 모두 포함하여 서술하시오.

> 수정, 난할, 포배, 자궁

V. 생식과 유전

02 유전

★ 정답과 해설 073쪽

A 멘델 유전

1. 유전 용어

표현형	겉으로 나타나는 형질
(❶)	표현형을 결정하는 유전자를 알파벳으로 나타낸 것
(❷)	여러 세대를 자가 수분해도 계속 같은 형질이 나오는 개체
잡종	대립 형질이 다른 순종끼리 교배하여 나온 자손
우성	순종의 대립 형질끼리의 교배 시 잡종 1대에서 나타나는 형질
(❸)	순종의 대립 형질끼리의 교배 시 잡종 1대에서 나타나지 않는 형질

2. 멘델의 유전 연구: 완두를 유전 실험 재료로 이용 ➡ 완두는 구하기 쉽고, 재배하기 쉬우며, (❹)의 차이가 뚜렷하다. 한 세대가 짧고 자손의 수가 많다.

3. 멘델의 유전 원리

(1) **우열의 원리:** 순종의 대립 형질끼리 교배할 때 잡종 1대에서는 우성 형질만 나온다.

(2) (❺)**의 법칙:** 잡종 1대를 자가 수분시키면 잡종 2대에서 우성과 열성이 일정한 비율(우성 : 열성=3 : 1)로 분리되어 나온다.

어버이 / 잡종 1대 / 잡종 2대

RR 둥근 완두 → R 생식세포 → Rr 둥근 완두 ← r ← rr 주름진 완두

자가 수분 → 생식세포 R, r × 생식세포 R, r → RR, Rr, Rr, rr

우열의 원리 / 분리의 법칙

(3) (❻)**의 법칙:** 2가지 이상의 대립 형질이 함께 유전될 때 한 형질을 나타내는 대립유전자 쌍은 다른 형질을 나타내는 대립유전자 쌍에 영향을 주거나 영향을 받지 않고 독립적으로 유전된다.

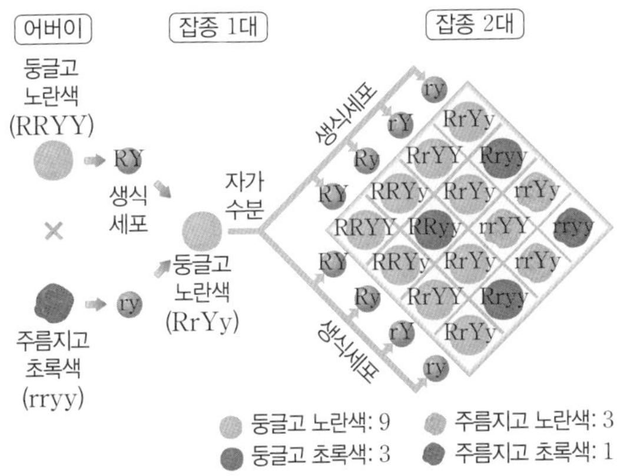

B 사람의 유전

1. 사람의 다양한 유전 형질

구분	이마 선	보조개	귓불	혀 말기	눈꺼풀
(❼)	V자형	있음	분리형	가능	쌍꺼풀
(❽)	일자형	없음	부착형	불가능	외까풀

2. 사람의 유전 연구

(1) (❾) **조사:** 한 집안의 유전 형질을 조사하는 것으로, 가계도에는 성별, 형질, 혈연 및 결혼 관계 등을 나타낸다.

(2) **쌍둥이 연구:** 1란성 쌍둥이와 2란성 쌍둥이의 형질을 비교함으로써 유전 형질이 유전과 (❿) 중 어느 쪽의 영향을 많이 받는지 조사한다.

(3) **통계 조사:** 많은 사람을 대상으로 조사하여 통계를 낸다.

3. 사람의 유전 현상

(1) (⓫) **유전:** 멘델의 (⓬)의 법칙에 따라 유전된다. 유전자가 상염색체에 위치하고 한 쌍의 대립유전자에 의해 형질이 결정된다. ➡ 남녀에 따라 형질이 나타나는 빈도에 차이가 없다. 예 미맹, 귓불, 혀 말기, 이마 선 모양, ABO식 혈액형

구분	미맹 유전		귓불 유전	
우열 관계	정상(T)>미맹(t)		분리형(E)>부착형(e)	
표현형	정상	미맹	분리형	부착형
유전자형	TT, Tt	tt	EE, Ee	ee

▲ 미맹 유전과 귓불 유전

우열 관계	A(⓭)B(⓮)O			
표현형	A형	B형	O형	AB형
유전자형	AA, (⓯)	BB, (⓰)	OO	AB

▲ ABO식 혈액형 유전

(2) **성염색체 유전**

① (⓱): 유전자가 X 염색체에 있어서 여자보다 남자에게 많이 나타나는 유전 예 적록 색맹

② 적록 색맹 유전

우열 관계	• 우성: 정상 대립유전자(X) • 열성: 적록 색맹 대립유전자(X′)			
표현형	정상		적록 색맹	
유전자형	남자	여자	남자	여자
	(⓲)	XX, XX′(보인자)	X′Y	(⓳)

02 유전

★ 정답과 해설 073쪽

B 사람의 유전 > 상염색체 유전과 성염색체 유전

[01-05] 그림은 어떤 집안의 귓불 유전에 대한 가계도를 나타낸 것이다.(단, 분리형 귓불이 부착형 귓불에 대해 우성이며, 관련된 유전자 기호는 E와 e이다.)

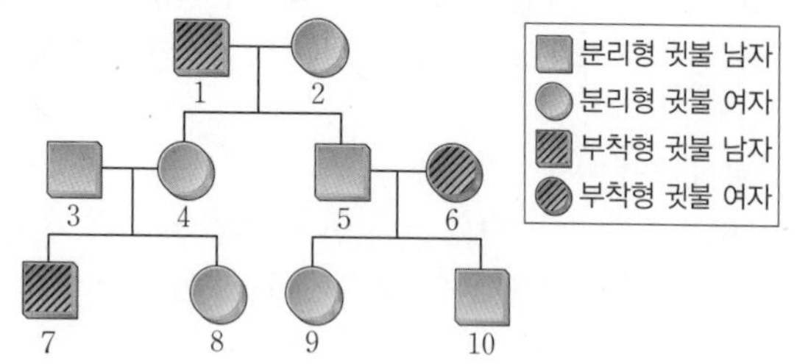

01 분리형 귓불과 부착형 귓불의 유전자형으로 가능한 것을 각각 모두 쓰시오.

02 5, 6, 9, 10의 유전자형을 각각 쓰시오.

03 귓불의 유전자형을 확실하게 알 수 없는 사람의 번호를 모두 쓰시오.

04 7의 귓불 유전자형을 갖는 사람이 9의 귓불 유전자형을 갖는 사람과 결혼하였을 때, 부착형 귓불을 가진 자녀가 태어날 확률을 쓰시오.

05 9가 10의 귓불 유전자형을 갖는 사람과 결혼하였을 때, 분리형 귓불을 가진 자녀가 태어날 확률을 쓰시오.

[06-11] 그림은 어떤 집안의 적록 색맹에 대한 가계도를 나타낸 것이다.

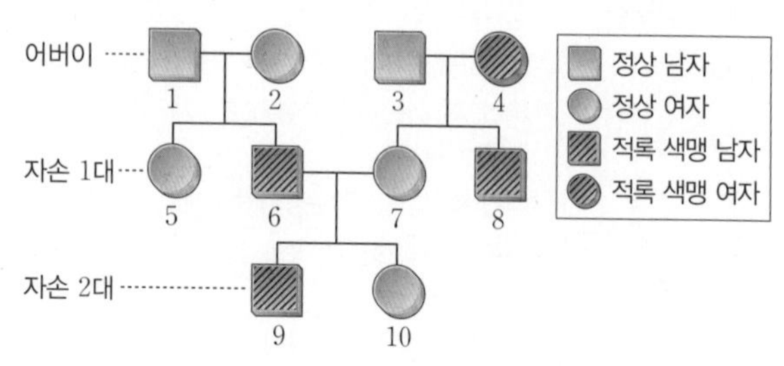

06 1과 2의 자녀를 보았을 때 적록 색맹 형질이 우성인지 열성인지 쓰시오.

07 적록 색맹에 대해 표현형이 정상인 남자와 여자의 유전자형을 각각 모두 쓰시오.

08 1과 2의 적록 색맹 유전자형을 각각 쓰시오.

09 9의 적록 색맹 유전자는 세대별로 누구에게서 유래된 것인지 쓰시오.

10 10이 적록 색맹인 남자와 결혼하였을 때, 둘 사이에서 적록 색맹에 대해 정상인 딸이 태어날 확률을 쓰시오.

11 10이 적록 색맹인 남자와 결혼하였을 때, 둘 사이에서 태어난 딸이 적록 색맹일 확률을 쓰시오.

문제로 복습하기

02 유전

★ 정답과 해설 074쪽

A 멘델 유전

01 순종의 유전자형으로만 옳게 짝 지은 것은?

① Y, r　② Rr, Yy
③ RR, Rr　④ RrYy, Ry
⑤ RRYY, rrYY

02 RrYY가 만들 수 있는 생식세포의 종류를 모두 옳게 나타낸 것은?

① R, r, Y　② Rr, YY
③ RY, rY　④ RrY
⑤ RrYY

03 유전 현상에 대한 설명으로 옳은 것만을 보기에서 모두 고른 것은?

보기
ㄱ. 순종은 잡종에 대해 우성이다.
ㄴ. 우성은 열성보다 항상 좋은 것이다.
ㄷ. 열성은 순종의 대립 형질을 교배했을 때 잡종 1대에서 나타나지 않는 형질이다.

① ㄱ　② ㄷ　③ ㄱ, ㄴ
④ ㄴ, ㄷ　⑤ ㄱ, ㄴ, ㄷ

04 멘델이 실험 재료로 사용한 완두가 유전 연구에 적합한 까닭을 3가지만 서술하시오.

05 우열의 원리에 대한 개념을 가장 잘 나타낸 것은?

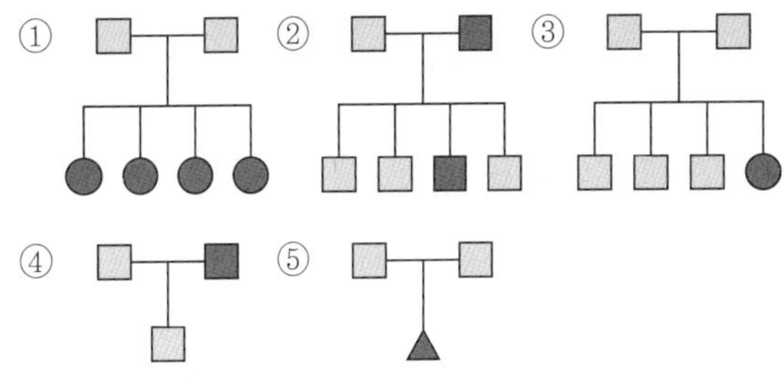

06 그림은 한 쌍의 대립 형질을 갖는 완두의 유전을 나타낸 것이다.

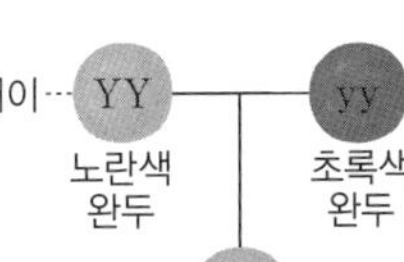

잡종 1대를 자가 수분할 때 나올 수 있는 잡종 2대의 유전자형 분리비로 옳은 것은?

① YY : yy=1 : 2
② YY : Yy=1 : 1
③ Yy : yy=1 : 1
④ YY : Yy : yy=1 : 1 : 1
⑤ YY : Yy : yy=1 : 2 : 1

07 그림은 완두의 모양에 대한 교배 실험 결과를 나타낸 것이다. 잡종 1대를 자가 수분하여 잡종 2대에서 400개의 완두를 얻었을 때 이론적으로 얻을 수 있는 주름진 완두의 개수를 쓰시오.

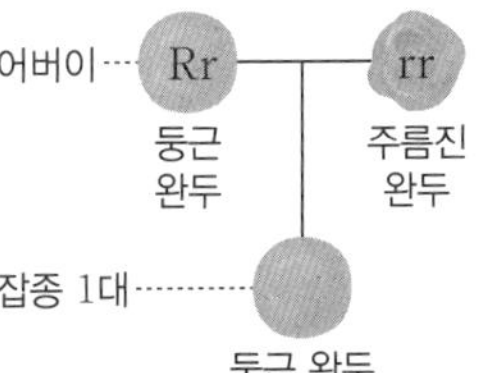

[08-10] 그림과 같이 순종의 둥글고 노란색인 완두와 주름지고 초록색인 완두를 교배하여 잡종 1대를 얻고, 이 잡종 1대를 자가 수분하여 잡종 2대를 얻었다.

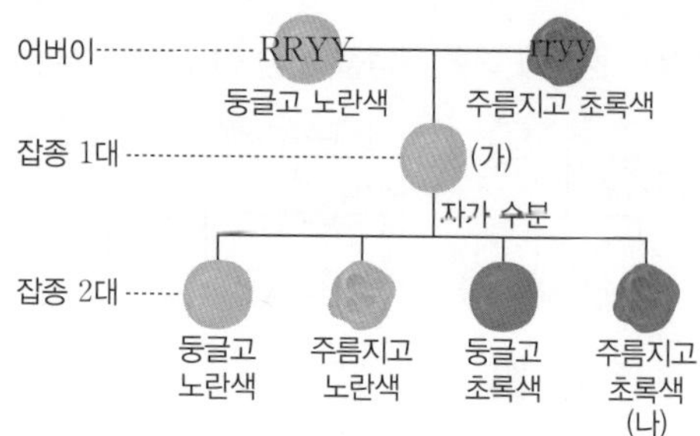

08 이에 대한 설명으로 옳지 <u>않은</u> 것은?

① 노란색이 초록색에 대해 우성이다.
② 초록색은 주름진 모양에 대해 우성이다.
③ 둥근 모양이 주름진 모양에 대해 우성이다.
④ 잡종 1대에서는 우열의 원리가 적용된다.
⑤ 잡종 2대에서는 독립의 법칙이 적용된다.

09 (가)와 (나)의 교배 시 얻을 수 있는 자손의 유전자 위치로 옳지 <u>않은</u> 것은?

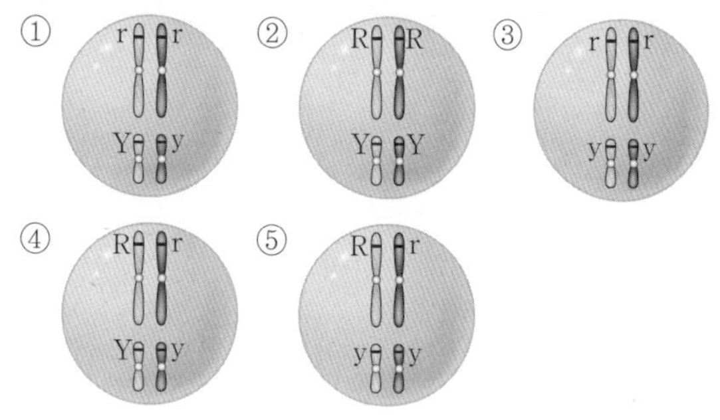

10 잡종 2대에서 완두를 160개 얻었을 때 둥글고 초록색인 완두의 이론적인 개수를 풀이 방법과 함께 서술하시오.

B 사람의 유전

11 다음은 사람의 가계도 조사에 대한 설명이다. ㉠과 ㉡에 들어갈 알맞은 말을 쓰시오.

> • 잡종 (㉠) 형질을 가진 부모 사이에서는 우성 형질이나 열성 형질인 자녀가 모두 태어날 수 있다.
> • 열성 형질을 가진 부모 사이에서는 (㉡) 형질을 가진 자녀만 태어날 수 있다.

12 그림은 1란성 쌍둥이와 2란성 쌍둥이를 순서 없이 나타낸 것이다.

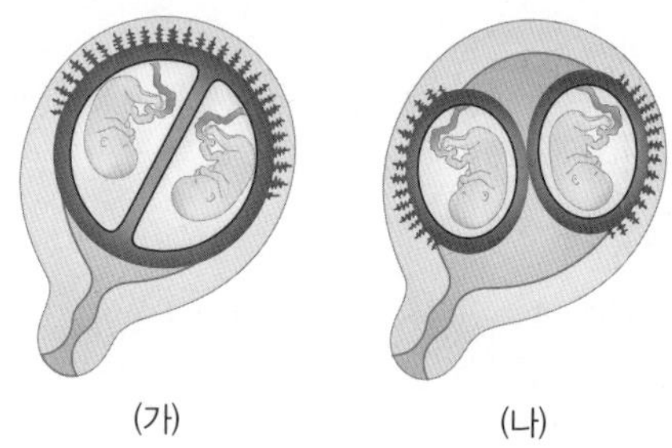

(가) (나)

(가)와 (나)에 대한 설명으로 옳은 것은?

① (가)는 유전자 구성이 다르다.
② (가)의 형질 차이는 환경의 영향에 의해 나타난 것이다.
③ (나)는 유전자 구성이 같다.
④ (나)는 난자 1개에 정자가 2개가 수정된 것이다.
⑤ (나)는 (가)보다 유전자와 환경과의 관계를 잘 알 수 있게 한다.

13 표는 과학이네 학급에서 PTC 용액을 이용하여 미맹 검사를 한 결과를 나타낸 것이다. 단, ○는 PTC 용액의 쓴맛을 느낄 수 있는 것이고, ×는 쓴맛을 느끼지 못하는 것이다.

학생	A	B	C	D
결과	○	○	×	○

각 학생들 부모의 PTC 용액 반응에 대한 가능성으로 옳지 <u>않은</u> 것은?

	아버지	어머니		아버지	어머니
① A	○	○	② A	×	○
③ B	○	×	④ C	○	○
⑤ D	×	×			

★ 정답과 해설 074쪽

14 쌍꺼풀이 있는 부모에게서 외까풀인 자녀가 태어났다. 이에 대한 설명으로 옳지 않은 것은? (단, 쌍꺼풀 유전과 관련된 유전자 기호는 D나 d를 사용한다.)

① 쌍꺼풀이 있는 형질이 우성이다.
② 부모의 쌍꺼풀 유전자형은 Dd이다.
③ 부모 모두 대립유전자 d를 가지고 있다.
④ 이 부모에게서는 외까풀인 자녀만 나올 수 있다.
⑤ 쌍꺼풀은 아들과 딸에 관계없이 같은 비율로 나타난다.

15 표는 (가)와 (나) 가족에서 부모의 혀 말기 유전의 유전자형을 나타낸 것이다.

(가)	(나)
Aa×Aa	Aa×aa

이에 대한 설명으로 옳은 것은?

① (가)의 자녀는 모두 혀를 말 수 있다.
② (나)의 자녀는 모두 혀를 말 수 있다.
③ (가)에서 혀를 말 수 있는 자녀가 태어날 확률은 $\frac{3}{4}$이다.
④ (나)에서 혀을 말 수 있는 자녀가 태어날 확률은 $\frac{1}{4}$이다.
⑤ (가)와 (나)에서 혀를 말 수 없는 자녀가 태어날 확률은 같다.

16 그림은 어떤 집안의 ABO식 혈액형 유전에 대한 가계도를 나타낸 것이다.

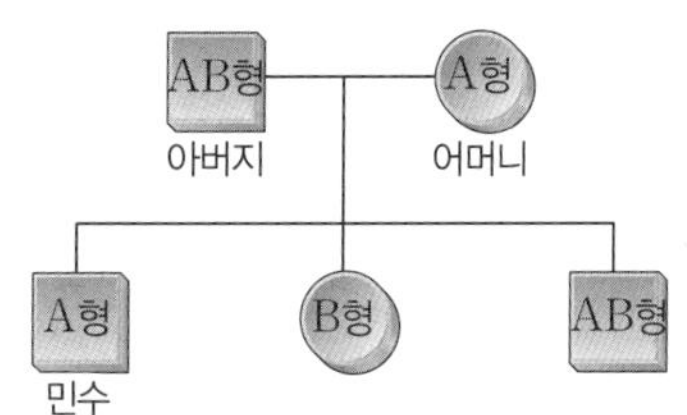

어머니와 민수의 ABO식 혈액형에 대한 유전자형을 옳게 짝 지은 것은?

	어머니	민수
①	AA	AO
②	AO	AO
③	AO	AO 또는 AA
④	AO 또는 AA	AO
⑤	AO 또는 AA	AO 또는 AA

17 그림은 어떤 가족의 귓불 유전에 대한 가계도를 나타낸 것이다.

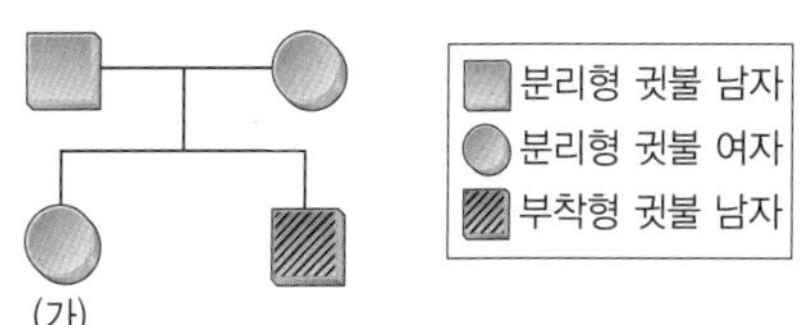

(가)의 귓불 유전에 대한 유전자형이 우성 순종일 확률을 쓰시오.(단, 귓불 유전과 관련된 유전자 기호는 E나 e를 사용한다.)

18 그림은 (가)와 (나) 두 집안의 적록 색맹 유전에 대한 가계도를 나타낸 것이다.

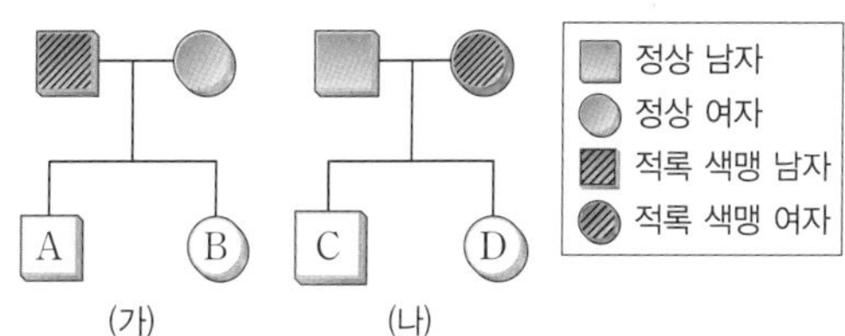

A~D 중 적록 색맹이 확실한 사람을 모두 고른 것은?

① A　② B　③ C
④ D　⑤ A, C

19 그림은 어떤 가족의 적록 색맹에 대한 가계도를 나타낸 것이다.

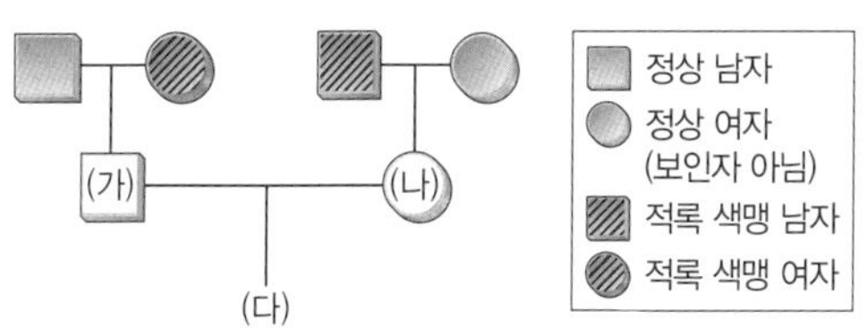

(가)와 (나) 사이에서 적록 색맹인 아들이 태어날 수 있는 확률을 구하는 방법을 포함하여 서술하시오.

01 역학적 에너지 전환과 보존

★ 정답과 해설 075쪽

A 역학적 에너지 전환

1. (❶) 에너지: 위치 에너지와 운동 에너지의 합

$$\text{역학적 에너지} = \text{위치 에너지} + \text{운동 에너지} = 9.8mh + \frac{1}{2}mv^2$$

2. 역학적 에너지 전환: 중력이 작용하여 운동하는 물체의 위치 에너지와 운동 에너지는 서로 전환된다.

(1) 자유 낙하 운동을 하는 물체

① (❷) 에너지가 (❸) 에너지로 전환된다.

② 위치 에너지는 감소하고, 운동 에너지는 증가한다.

③ **기준면:** 위치 에너지=0, 운동 에너지=(❹)

(2) 연직 위로 던져 올린 물체

① (❺) 에너지가 (❻) 에너지로 전환된다.

② 위치 에너지는 증가하고, 운동 에너지는 감소한다.

③ **최고점:** 위치 에너지=최대
운동 에너지=(❼)

④ 최고점에 도달 후 물체는 자유 낙하 운동을 한다.

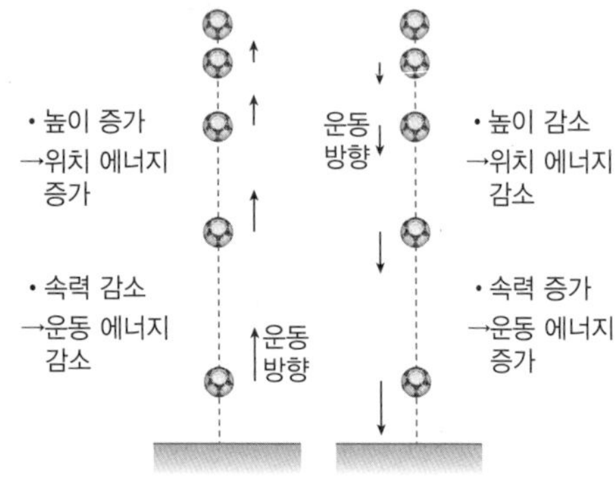

(3) 진자, 스케이트보드 선수, 롤러코스터의 운동

① **역학적 에너지의 전환:** 운동을 하는 동안 위치 에너지와 운동 에너지가 계속해서 변한다.

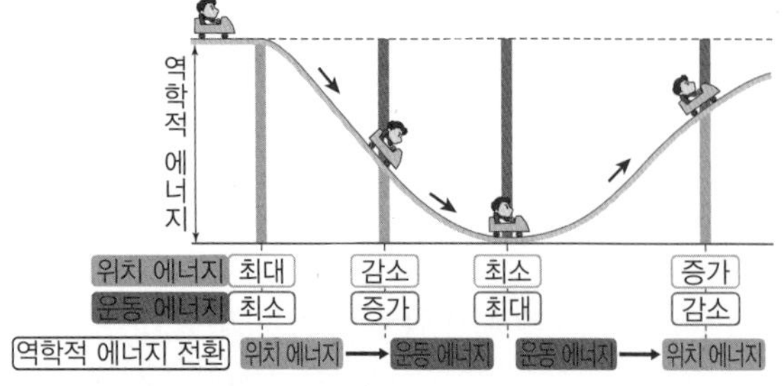

② **바닥면(기준면):** 위치 에너지=최소(기준면이면 0)
운동 에너지=최대

B 역학적 에너지 보존

1. (❽) 법칙: 공기 저항이나 마찰이 없을 때 운동하는 물체가 가진 위치 에너지와 운동 에너지의 합은 일정하게 보존된다.

(1) 올라갈 때: 위치 에너지는 증가, 운동 에너지는 감소
감소한 (❾) 에너지=증가한 (❿) 에너지

(2) 내려올 때: 위치 에너지는 감소, 운동 에너지는 증가
감소한 (⓫) 에너지=증가한 (⓬) 에너지

2. 역학적 에너지 보존

(1) 자유 낙하 하는 물체: 공기 저항이나 마찰이 없을 때 중력에 의해 떨어지는 물체가 가진 위치 에너지와 운동 에너지의 합이 일정하게 보존된다.

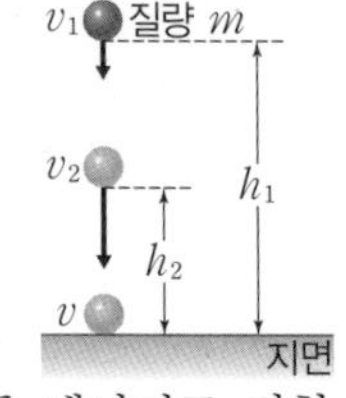

① 낙하 하는 동안 위치 에너지가 운동 에너지로 전환된다.

$$\text{감소한 위치 에너지} = \text{증가한 운동 에너지}$$
$$9.8mh_1 - 9.8mh_2 = \frac{1}{2}mv_2^2 - \frac{1}{2}mv_1^2$$

② 모든 지점에서 (⓭) 에너지는 일정하다.

$$9.8mh_1 + \frac{1}{2}mv_1^2 = 9.8mh_2 + \frac{1}{2}mv_2^2 = \text{일정}$$

③ 처음 위치 에너지=기준면에서 운동 에너지

$$9.8mh_1 = \frac{1}{2}mv^2$$

(2) 연직 위로 던져 올린 물체: 공기 저항이나 마찰이 없을 때 물체가 가진 위치 에너지와 운동 에너지의 합이 일정하게 보존된다.

① 운동 에너지가 위치 에너지로 전환된다.

감소한 운동 에너지=증가한 위치 에너지

② 모든 지점에서 (⓮) 에너지는 일정하다.

③ 기준면에서 운동 에너지=최고점에서 위치 에너지

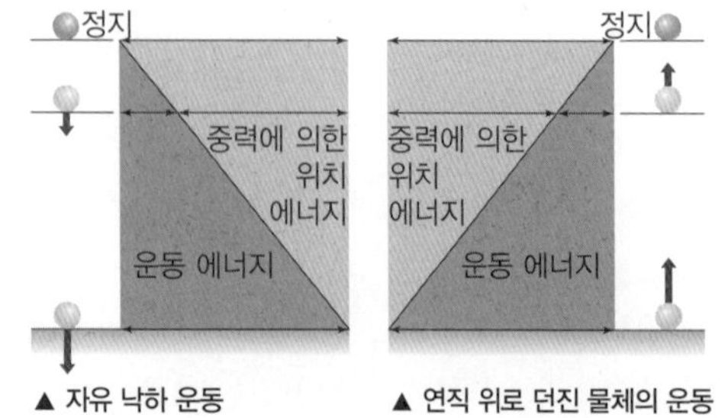

▲ 자유 낙하 운동 ▲ 연직 위로 던진 물체의 운동

헷갈리는 내용 공략하기

01 역학적 에너지 전환과 보존

★ 정답과 해설 075쪽

B 역학적 에너지 보존 › 역학적 에너지의 보존 이해하기

[01-08] 그림과 같이 기준면으로부터 높이가 4 m인 A 지점에서 질량이 1 kg인 물체가 자유 낙하 하였다. 다음 물음에 알맞은 말을 보기에서 골라 쓰시오.

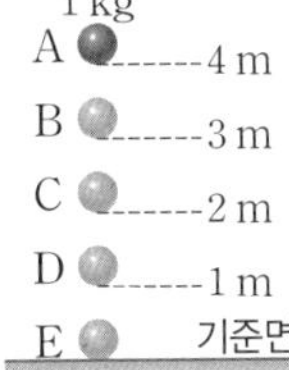

보기

A 지점	B 지점	C 지점
D 지점	E 지점	모두 같다
0 J	19.6 J	39.2 J

01 A 지점에서 물체의 위치 에너지

02 E 지점에서 물체의 운동 에너지

03 물체가 낙하하는 동안 감소한 위치 에너지

04 물체가 낙하하는 동안 증가한 운동 에너지

05 역학적 에너지가 가장 큰 지점

06 위치 에너지와 운동 에너지의 비가 3 : 1인 지점

07 위치 에너지와 운동 에너지가 같아지는 지점

08 위치 에너지와 운동 에너지의 비가 1 : 3인 지점

[09-15] 그림은 A 지점에서 출발한 롤러코스터가 E 지점까지 운동하는 모습을 나타낸 것이다.

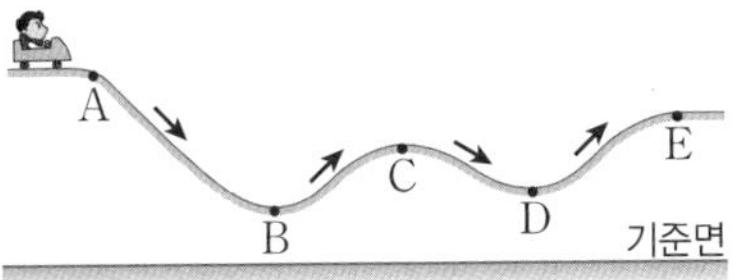

다음 물음에 알맞은 말을 보기에서 골라 쓰시오. (단, 공기 저항과 마찰은 무시한다.)

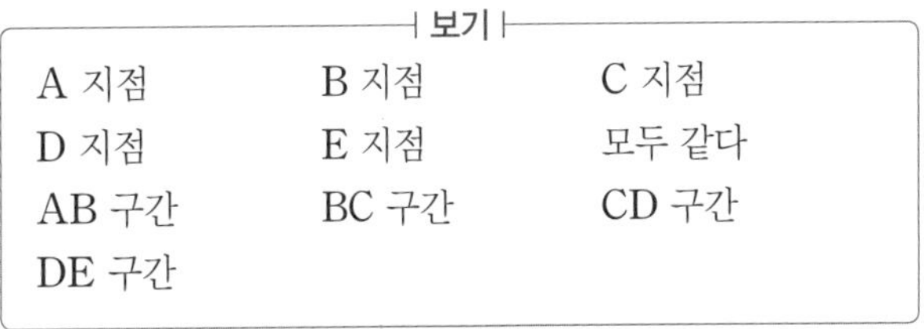

보기

A 지점	B 지점	C 지점
D 지점	E 지점	모두 같다
AB 구간	BC 구간	CD 구간
DE 구간		

09 위치 에너지가 가장 큰 지점

10 운동 에너지가 가장 큰 지점

11 위치 에너지가 감소하고 운동 에너지가 증가하는 구간

12 운동 에너지가 감소하고 위치 에너지가 증가하는 구간

13 위치 에너지가 운동 에너지로 전환되는 구간

14 운동 에너지가 위치 에너지로 전환되는 구간

15 역학적 에너지가 가장 큰 지점

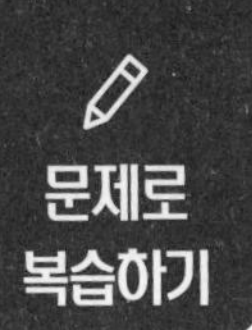

01 역학적 에너지 전환과 보존

★ 정답과 해설 075쪽

A 역학적 에너지 전환

01 그림과 같이 높은 곳에서 떨어뜨린 질량이 1 kg인 물체가 기준면으로부터 높이가 2 m인 지점을 지날 때 속력이 4 m/s이었다. 기준면으로부터 높이가 2 m인 지점에서 물체의 위치 에너지, 운동 에너지, 역학적 에너지를 순서대로 쓰시오. (단, 공기 저항은 무시한다.)

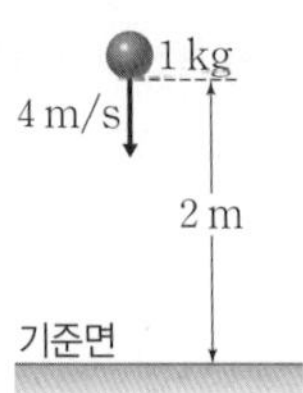

02 연직 위로 던져 올린 물체가 위로 올라갈 때와 최고점에 도달한 후 아래로 내려올 때 역학적 에너지 전환을 옳게 짝 지은 것은? (단, 공기 저항은 무시한다.)

	올라갈 때	내려갈 때
①	위치 에너지 → 열에너지	운동 에너지 → 열에너지
②	위치 에너지 → 운동 에너지	위치 에너지 → 운동 에너지
③	운동 에너지 → 위치 에너지	운동 에너지 → 위치 에너지
④	위치 에너지 → 운동 에너지	운동 에너지 → 위치 에너지
⑤	운동 에너지 → 위치 에너지	위치 에너지 → 운동 에너지

03 그림과 같이 오목한 경사면의 A 지점에서 가만히 놓은 쇠구슬이 같은 높이인 반대편의 C 지점까지 올라갔다.

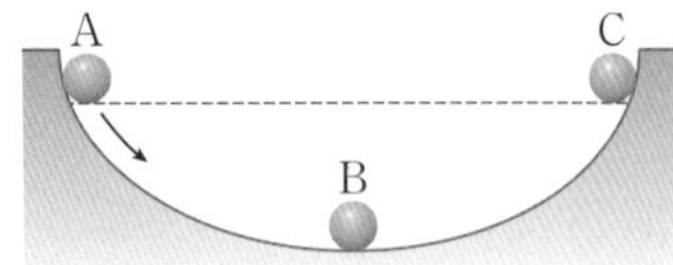

BC 구간에서 쇠구슬이 가진 역학적 에너지의 전환으로 옳은 것은? (단, 공기 저항과 마찰은 무시한다.)

① 위치 에너지 → 열에너지
② 운동 에너지 → 열에너지
③ 위치 에너지 → 운동 에너지
④ 운동 에너지 → 위치 에너지
⑤ 위치 에너지 → 역학적 에너지

04 그림은 A 지점과 B 지점 사이를 왕복하는 진자의 운동을 나타낸 것이다. 진자의 운동 에너지가 위치 에너지로 전환되는 구간을 모두 쓰시오. (단, 공기 저항과 마찰은 무시한다.)

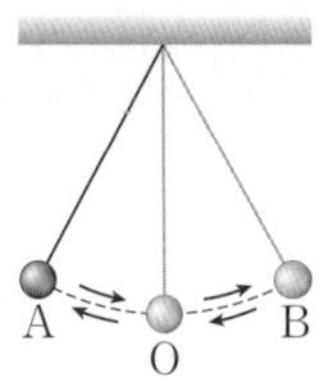

05 그림은 A 지점에서 출발한 롤러코스터의 운동을 나타낸 것이다.

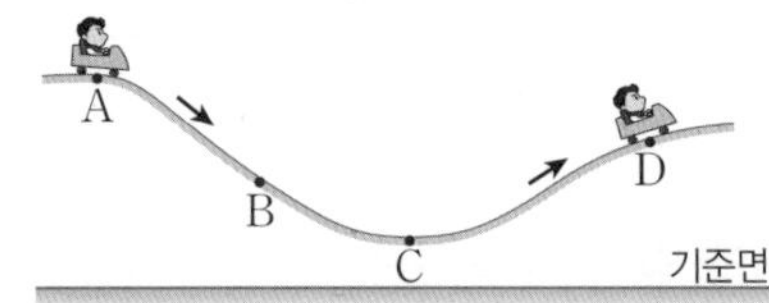

AD 구간에서 롤러코스터의 역학적 에너지에 대한 설명으로 옳지 않은 것은? (단, 공기 저항과 마찰은 무시한다.)

① A 지점에서 위치 에너지가 최대이다.
② C 지점에서 운동 에너지가 최대이다.
③ AC 구간에서 위치 에너지가 감소한다.
④ CD 구간에서 운동 에너지가 증가한다.
⑤ B 지점에서 역학적 에너지는 위치 에너지와 운동 에너지의 합이다.

06 그림은 연직 위로 던져 올린 공의 운동 모습을 일정한 시간 간격으로 나타낸 것이다. 공이 위로 올라가는 동안 위치 에너지와 운동 에너지의 크기 변화를 역학적 에너지 전환과 관련지어 서술하시오. (단, 공기 저항과 마찰은 무시한다.)

B 역학적 에너지 보존

07 공기 저항이나 마찰이 없을 때 물체가 가진 역학적 에너지에 대한 설명으로 옳은 것만을 보기에서 모두 고른 것은?

보기

ㄱ. 물체가 정지해 있을 때만 역학적 에너지가 일정하게 보존된다.

ㄴ. 물체가 위로 올라갈 때는 위치 에너지는 증가하고, 운동 에너지는 감소한다.

ㄷ. 물체가 아래로 내려올 때 감소한 운동 에너지는 증가한 위치 에너지와 같다.

① ㄱ　② ㄴ　③ ㄷ　④ ㄱ, ㄴ　⑤ ㄴ, ㄷ

08 그림은 A 지점에서 자유 낙하하는 물체의 운동을 일정한 시간 간격으로 나타낸 것이다. A~D 지점에서 물체의 역학적 에너지를 옳게 비교한 것은? (단, 공기 저항과 마찰은 무시한다.)

C

① A=B=C=D
② A>B>C>D
③ A>B>C>D
④ A=B=C<D
⑤ A=B<C<D

09 그림과 같이 지면으로부터 높이가 2 m인 지점에서 질량이 1 kg인 물체를 가만히 떨어뜨렸다. A 지점을 지나는 순간 물체의 속력이 3 m/s일 때 A 지점에서 물체의 위치 에너지는 몇 J인가? (단, 공기 저항은 무시한다.)

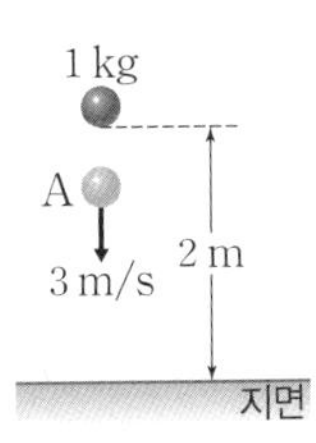

① 4.5 J　② 15.1 J　③ 19.6 J　④ 27.4 J　⑤ 49 J

10 그림과 같이 지면으로부터 2.5 m 높이에서 질량이 2 kg인 공을 가만히 낙하시켰다. 지면에 도달하는 순간 공의 속력은 몇 m/s인가? (단, 공기 저항은 무시한다.)

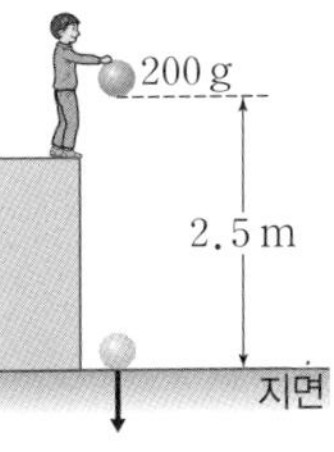

① 2.5 m/s　② 5 m/s　③ 7 m/s　④ 10 m/s　⑤ 50 m/s

11 그림과 같이 지면으로부터 10 m 높이에서 어떤 물체가 자유 낙하 하였다. 지면으로부터 높이가 6 m인 지점에서 이 물체의 위치 에너지와 운동 에너지의 비(E_p : E_k)는 얼마인가?

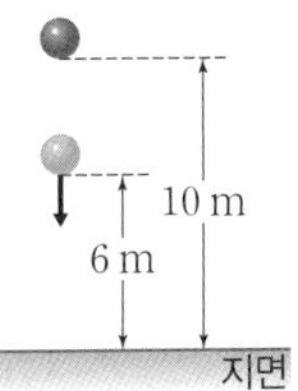

① 1 : 1　② 2 : 3　③ 3 : 2　④ 3 : 5　⑤ 5 : 3

12 표는 기준면으로부터 1 m 높이에서 어떤 물체가 자유 낙하 할 때 위치 에너지와 운동 에너지를 나타낸 것이다.

높이(m)	위치 에너지(J)	운동 에너지(J)
1	9.8	0
0.5	4.9	(㉠)
0.25	(㉡)	(㉢)
0	0	(㉣)

㉠~㉣에 들어갈 알맞은 값을 쓰시오.

13 그림과 같이 어떤 물체를 연직 위로 14 m/s의 속력으로 던져 올렸다. 이때 손을 떠난 지점을 기준면으로 공은 몇 m 높이까지 올라가는가? (단, 공기 저항은 무시한다.)

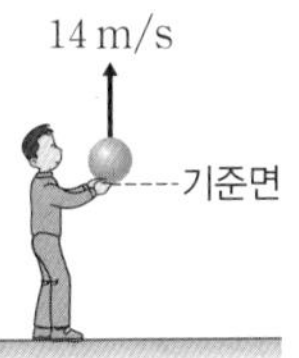

① 5 m　② 7 m　③ 10 m　④ 14 m　⑤ 28 m

14 어떤 물체를 연직 위로 던져 올렸을 때 기준면으로부터의 높이(h)와 운동 에너지(E_k)의 관계 그래프로 옳은 것은?

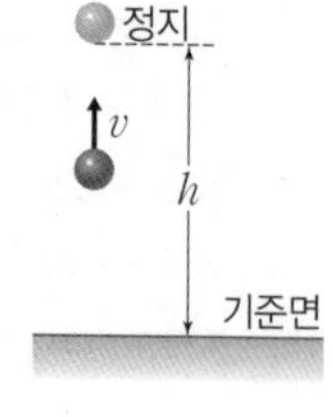
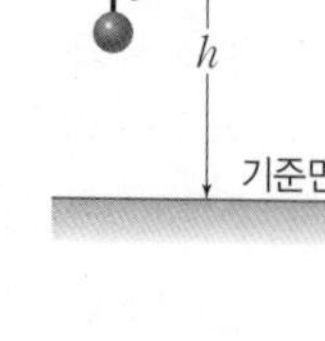

① E_k - h 그래프

② 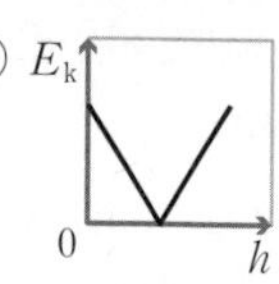

③ E_k - h 그래프

④ 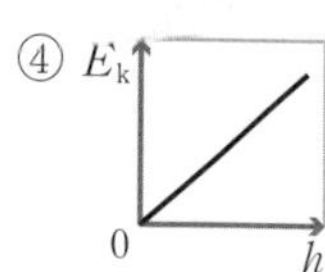

⑤ E_k - h 그래프

15 그림과 같이 지면으로부터 같은 높이에서 질량이 100 g인 공을 v의 속력으로 각각 A, B, C 방향으로 던졌다. 지면에 도달하는 순간 공의 속력을 옳게 비교한 것은? (단, 공기 저항은 무시한다.)

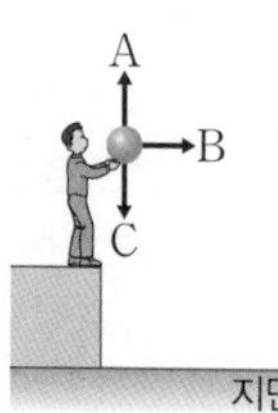

① A=B=C　② A>B>C　③ B>A>C
④ B>C>A　⑤ C>B>A

16 그림과 같이 질량이 1 kg인 물체가 낙하하여 A 지점과 B 지점을 지날 때의 속력이 각각 2 m/s와 4 m/s이었다. A 지점에서 B 지점으로 낙하 하는 동안 감소한 위치 에너지는 몇 J인가? (단, 공기 저항은 무시한다.)

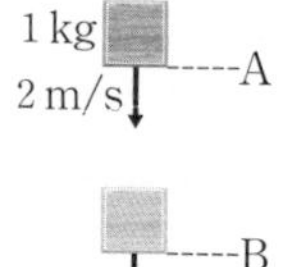

① 2 J　② 4 J　③ 6 J
④ 8 J　⑤ 10 J

17 그림은 비스듬히 던져 올린 공의 운동 모습이다.

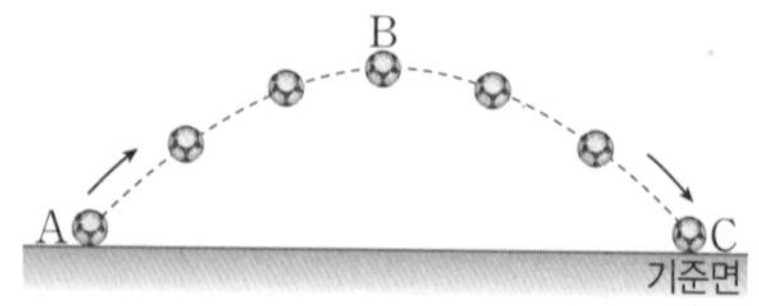

A~C 지점에서 공의 역학적 에너지를 옳게 비교한 것은? (단, 공기 저항은 무시한다.)

① A=B=C　② A>B>C　③ B>A>C
④ C>A>B　⑤ C>B>A

18 그림은 A 지점에서 정지해 있다가 움직이기 시작한 롤러코스터의 역학적 에너지를 막대그래프로 나타낸 것이다.

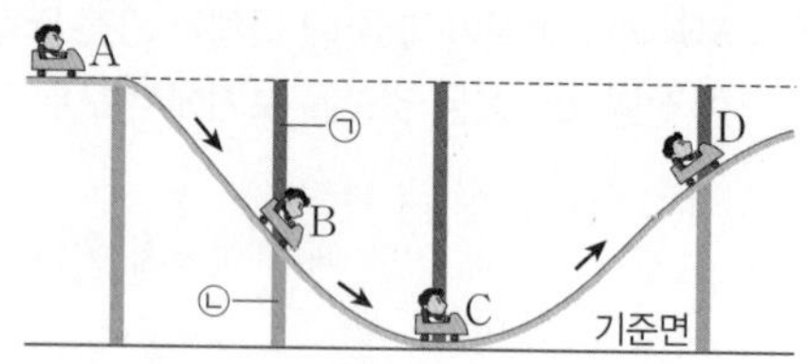

이에 대한 설명으로 옳지 않은 것은? (단, 공기 저항과 마찰은 무시한다.)

① ㉠은 운동 에너지를 나타낸다.
② ㉡은 위치 에너지를 나타낸다.
③ D 지점이 B 지점보다 역학적 에너지가 크다.
④ A 지점에서 역학적 에너지는 위치 에너지와 같다.
⑤ C 지점에서 역학적 에너지는 운동 에너지와 같다.

19 그림과 같이 기준면으로부터 높이가 5 m인 A 지점에서 질량이 200 g인 공을 연직 아래 방향으로 10 m/s의 속력으로 던졌다. 이에 대한 설명으로 옳은 것을 보기에서 모두 고른 것은? (단, 공기 저항은 무시한다.)

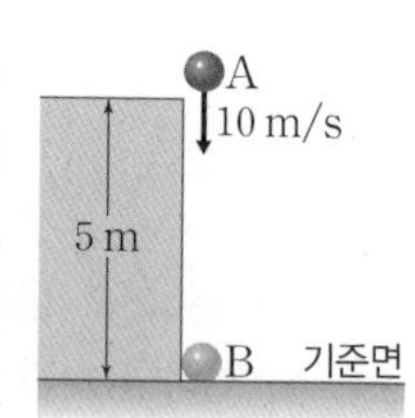

보기
ㄱ. A 지점에서 운동 에너지는 50 J이다.
ㄴ. A 지점에서 위치 에너지는 9.8 J이다.
ㄷ. B 지점에서 운동 에너지는 109.8 J이다.

① ㄱ　② ㄴ　③ ㄷ
④ ㄱ, ㄴ　⑤ ㄴ, ㄷ

20 그림과 같이 지면으로부터 같은 높이에서 공 A는 가만히 떨어뜨리고, 공 B와 C는 빗면에 가만히 놓았다.

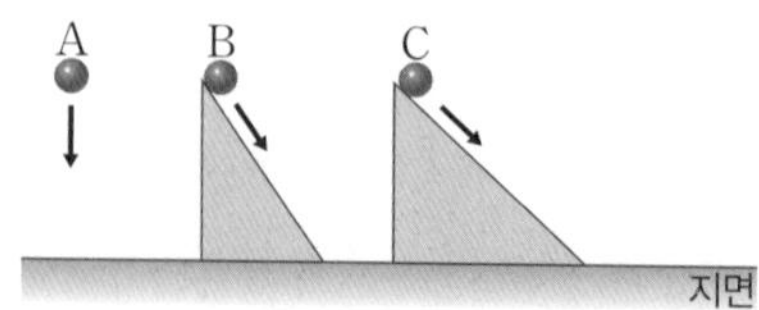

지면에 도달하는 순간 세 공 A~C의 속력을 등호나 부등호로 비교하고, 그 까닭을 서술하시오. (단, 공 A~C의 질량은 같고, 공기 저항과 마찰은 무시한다.)

02 전기 에너지의 발생과 전환

★ 정답과 해설 076쪽

A 전기 에너지의 발생과 소비 전력

1. (❶): 코일 주위에서 자석을 움직이거나 자석 주위에서 코일을 움직일 때 코일을 지나는 자기장이 변하여 코일에 전류가 흐르는 현상

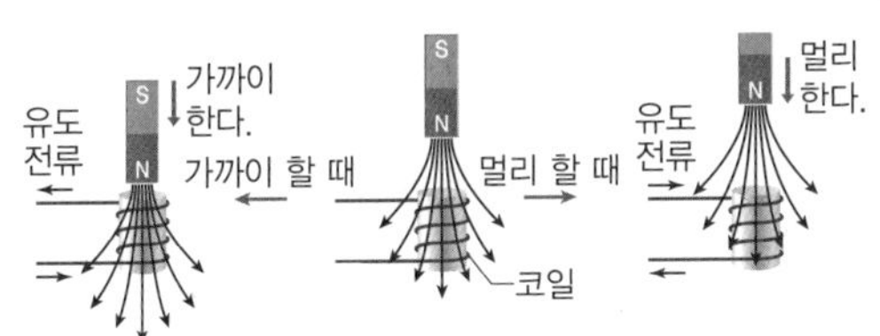

(1) **에너지 전환**: 역학적 에너지 → (❷) 에너지

(2) (❸) **전류**: 전자기 유도 현상에 의해 코일에 흐르는 전류

2. 발전: 발전기를 이용하여 전기 에너지를 만드는 과정

(1) (❹): 전자기 유도 현상을 이용하여 역학적 에너지를 전기 에너지로 전환하는 장치

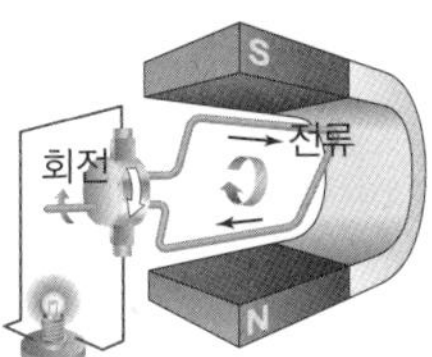

① 구조: 영구 자석과 그 속에서 회전할 수 있는 코일로 이루어져 있다.

② 원리: 코일이 회전하면 전자기 유도에 의해 코일에 전류가 흐르면서 전기가 만들어진다.

(2) **발전소에서의 발전**

① 수력 발전: 물의 (❺) 에너지 → 전기 에너지

② 화력 발전: 연료의 (❻) 에너지 → 전기 에너지

③ 원자력 발전: 원자의 핵에너지 → 전기 에너지

3. 소비 전력과 전력량

(1) (❼): 전기 기구가 1초 동안 소비하는 전기 에너지의 양

① 소비 전력(W)$=\dfrac{\text{전기 에너지(J)}}{\text{시간(s)}}$

② 단위: W(와트), kW(킬로와트) (1 kW=1000 W)

③ 1W: 전기 기구가 1초 동안 1 J의 전기 에너지를 소비할 때의 전력(1 W=1 J/s)

(2) (❽): 전기 기구가 일정 시간 동안 사용한 전기 에너지의 양

① 전력량(Wh)=전력(W)×시간(h)

② 단위: Wh(와트시), kWh(킬로와트시)

③ 1 Wh: 전기 기구가 1 W의 전력을 1시간 동안 사용하였을 때의 전력량

1 Wh=1 W×1h=1 J/s×3600s=3600 J

B 에너지의 전환과 보존

1. 에너지의 종류: 빛에너지, 열에너지, 전기 에너지, 소리 에너지, 화학 에너지, 핵에너지, 운동 에너지, 위치 에너지 등

2. 에너지의 전환

(1) **여러 가지 에너지의 전환**

현상	에너지 전환
연료의 연소	화학 에너지 → 빛에너지, 열에너지
광합성	빛에너지 → (❾) 에너지
건전지의 사용	화학 에너지 → 전기 에너지
모닥불	화학 에너지 → 빛에너지, 열에너지

(2) **전기 에너지의 전환**

가전제품	이용하는 에너지의 전환
LED 전등	전기 에너지 → 빛에너지
텔레비전	전기 에너지 → 빛에너지, 소리 에너지
전기난로	전기 에너지 → (❿)에너지
선풍기	전기 에너지 → (⓫) 에너지
스피커	전기 에너지 → 소리 에너지
배터리 충전기	전기 에너지 → 화학 에너지

(3) (⓬) **법칙**: 에너지는 한 형태에서 다른 형태로 전환될 수 있으며, 이 과정에서 에너지는 새로 생기거나 소멸되지 않고 전체 에너지의 양은 일정하게 보존된다.

예 선풍기: 전기 에너지 → 운동 에너지+소리 에너지+열에너지

3. 전기 에너지의 이용

(1) **효율적인 이용**: 전기 에너지를 이용하는 과정에서 버려지는 열에너지 등이 발생한다.

① 성능이 비슷하면 소비 전력이 더 작은 전기 기구를 선택한다.

② (⓭)을 줄이기 위해 사용하지 않는 가전제품의 플러그를 콘센트에서 뽑아 둔다.

(2) (⓮) **등급**: 가전제품이 에너지를 효율적으로 이용하는 정도를 1등급에서 5등급으로 구분하여 이를 표시한다.

➡ 1등급으로 갈수록 전기 에너지를 효율적으로 이용하는 가전제품이다.

02 전기 에너지의 발생과 전환

✦ 정답과 해설 076쪽

B 에너지의 전환과 보존 > 에너지의 전환 이해하기

[01-07] 여러 가지 현상에서 일어나는 에너지 전환에 대한 물음에 알맞은 말을 보기에서 골라 쓰시오.

보기

빛에너지	열에너지	전기 에너지
화학 에너지	소리 에너지	역학적 에너지

01 식물이 광합성을 할 때 빛에너지를 어떤 에너지로 전환하는가?

02 연료가 연소될 때 어떤 에너지가 빛에너지, 열에너지로 전환되는가?

03 건전지를 사용할 때 화학 에너지가 어떤 에너지로 전환되는가?

04 발전기에서 역학적 에너지가 어떤 에너지로 전환되는가?

05 모닥불이 타고 있을 때 어떤 에너지가 빛에너지, 열에너지로 전환되는가?

06 기타를 연주할 때 역학적 에너지가 어떤 에너지로 전환되는가?

07 손뼉을 칠 때 역학적 에너지가 열에너지와 어떤 에너지로 전환되는가?

[08-13] 전기 에너지를 전환하여 이용하는 여러 가지 가전제품들이다. 다음 물음에 알맞은 말을 보기에서 골라 쓰시오.

보기

선풍기	스피커	세탁기
오디오	전기난로	텔레비전
LED 전등	전기다리미	진공청소기
배터리 충전기		

08 전기 에너지를 주로 빛에너지로 전환하여 이용하는 가전제품을 1개 고르면?

09 전기 에너지를 주로 열에너지로 전환하여 이용하는 가전제품을 2개 고르면?

10 전기 에너지를 주로 운동 에너지로 전환하여 이용하는 가전제품을 3개 고르면?

11 전기 에너지를 주로 소리 에너지로 전환하여 이용하는 가전제품을 2개 고르면?

12 전기 에너지를 주로 화학 에너지로 전환하여 이용하는 가전제품을 1개 고르면?

13 전기 에너지를 주로 빛에너지와 소리 에너지로 전환하여 이용하는 가전제품을 1개 고르면?

02 전기 에너지의 발생과 전환

★ 정답과 해설 076쪽

A 전류의 발생과 소비 전력

01 그림은 회로에 전류가 흐르는지의 여부를 알 수 있는 검류계를 코일에 연결한 후 자석을 가까이 하거나 멀리 할 때의 모습을 나타낸 것이다. 코일에 전류가 흐르는 경우를 보기에서 모두 고른 것은?

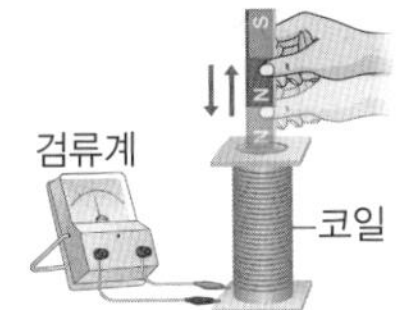

보기
- ㄱ. 코일에 자석을 가까이 할 때
- ㄴ. 코일에서 자석을 멀리 할 때
- ㄷ. 코일 밖에서 자석이 가만히 있을 때
- ㄹ. 코일 속에 자석을 넣고 가만히 있을 때

① ㄹ　② ㄱ, ㄴ　③ ㄱ, ㄷ
④ ㄴ, ㄹ　⑤ ㄱ, ㄴ, ㄷ

02 그림은 발전기의 작동 원리를 나타낸 것이다. 발전기에서 일어나는 에너지 전환으로 옳은 것은?

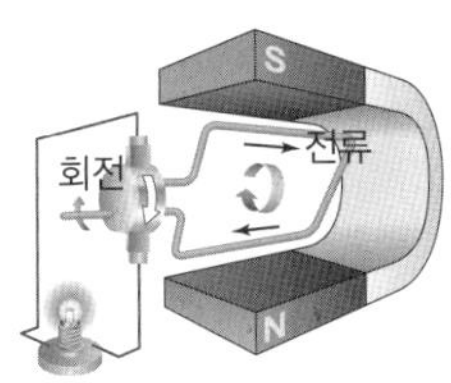

① 빛에너지 → 전기 에너지
② 전기 에너지 → 열에너지
③ 열에너지 → 역학적 에너지
④ 전기 에너지 → 역학적 에너지
⑤ 역학적 에너지 → 전기 에너지

03 발전기의 구조와 원리에 대한 설명이다.

> 발전기는 (㉠)과 그 속에서 회전할 수 있는 (㉡)로 이루어져 있으며, (㉡)이 회전하면 (㉢) 에너지가 전기 에너지로 전환되어 코일에 (㉣)가 흐르게 된다.

㉠~㉣에 들어갈 알맞은 말을 쓰시오.

04 다음과 같은 에너지 전환 과정으로 전기 에너지를 만드는 발전의 종류로 옳은 것은?

> 원자의 핵에너지 → 수증기의 역학적 에너지 → 전기 에너지

① 풍력 발전　② 수력 발전　③ 화력 발전
④ 태양광 발전　⑤ 원자력 발전

05 어떤 가전제품을 전원에 연결하였을 때 1분 동안 3600 J의 전기 에너지를 소비하였다. 이 가전제품의 소비 전력은 몇 W인가?

① 60 W　② 120 W　③ 360 W
④ 600 W　⑤ 3600 W

06 정격 전압이 220 V인 전기다리미를 220 V 전원에 연결하였더니 2분 동안 120000 J의 전기 에너지를 사용하였다. 이 전기다리미의 소비 전력은 몇 kW인가?

① 1 kW　② 2 kW　③ 12 kW
④ 22 kW　⑤ 120 kW

07 소비 전력이 15 W인 LED 전등과 소비 전력이 30 W인 형광등에 대한 설명으로 옳은 것만을 보기에서 모두 고른 것은?

보기
- ㄱ. LED 전등은 1분 동안 15 J의 전기 에너지를 소비한다.
- ㄴ. 형광등을 3시간 동안 사용했을 때의 전력량은 90 kWh이다.
- ㄷ. 같은 시간 동안 사용했을 때 소비한 전기 에너지는 형광등이 LED 전등의 2배이다.

① ㄱ　② ㄷ　③ ㄱ, ㄴ
④ ㄴ, ㄷ　⑤ ㄱ, ㄴ, ㄷ

08 220 V−250 W로 표시된 가전제품을 220 V 전원에 연결하여 30분 동안 사용했을 때의 전력량은 몇 Wh인가?

① 125 Wh ② 220 Wh ③ 250 Wh
④ 6600 Wh ⑤ 7500 Wh

09 220 V−100 W로 표시된 가전제품을 220 V 전원에 연결하여 2시간 동안 사용했을 때 소비한 전기 에너지는 몇 J인가?

① 200 J ② 440 J ③ 3600 J
④ 360000 J ⑤ 720000 J

10 소비 전력과 전력량에 대한 설명으로 옳은 것만을 보기에서 모두 고른 것은?

보기

ㄱ. 전력량의 단위로는 W(와트)나 kW(킬로와트) 등을 사용한다.
ㄴ. 소비 전력이 10 W인 가전제품은 1분 동안 10 J의 전기 에너지를 사용한다.
ㄷ. 소비 전력이 작은 가전제품일수록 같은 시간 동안 전기 에너지를 적게 소비한다.

① ㄱ ② ㄷ ③ ㄱ, ㄴ
④ ㄱ, ㄷ ⑤ ㄴ, ㄷ

11 다음은 어떤 전기다리미에 붙은 표시이다.

제품명	전기다리미
정격 전압	220 V
소비 전력	1400 W

(1) 위의 전기다리미가 1초마다 소비하는 전기 에너지는 몇 J인지 쓰시오.

(2) 위의 전기다리미를 정격 전압에 연결하여 매일 1시간씩 10일 동안 사용할 때의 전력량이 몇 kWh인지 풀이 과정과 함께 쓰시오.

B 에너지의 전환과 보존

12 다음 글이 설명하는 에너지의 종류로 옳은 것은?

• 전류가 흐를 때 공급되는 에너지이다.
• 가전제품이 이 에너지를 다른 형태의 에너지로 전환하여 이용한다.

① 열에너지 ② 빛에너지 ③ 소리 에너지
④ 전기 에너지 ⑤ 화학 에너지

13 그림과 같이 연료가 연소할 때의 에너지 전환으로 옳은 것은?

① 빛에너지 → 화학 에너지
② 열에너지 → 화학 에너지
③ 화학 에너지 → 운동 에너지
④ 화학 에너지 → 전기 에너지
⑤ 화학 에너지 → 빛에너지, 열에너지

14 여러 가지 가전제품을 전원에 연결하였을 때 우리가 이용하는 에너지 전환으로 옳은 것은?

① 스피커 : 전기 에너지 → 화학 에너지
② 세탁기 : 전기 에너지 → 소리 에너지
③ 전기주전자 : 전기 에너지 → 운동 에너지
④ 배터리 충전기 : 전기 에너지 → 소리 에너지
⑤ 텔레비전 : 전기 에너지 → 빛에너지, 소리 에너지

15 그림은 휴대 전화에서 일어나는 여러 가지 현상이다.

(가) 화면에 영상이 보인다.
(나) 오래 사용하면 따뜻해진다.
(다) 스피커에서 음악 소리가 나온다.
(라) 전화가 왔을 때 휴대 전화가 진동한다.

(가)~(라)는 각각 전기 에너지가 어떤 형태의 에너지로 전환되었는지 쓰시오.

★ 정답과 해설 076쪽

16 220 V−1800 W로 표시된 전기주전자를 220 V 전원에 연결하여 사용할 때의 설명으로 옳은 것만을 보기에서 모두 고른 것은?

보기

ㄱ. 1분 동안 1800 J의 전기 에너지를 소비한다.
ㄴ. 1분 동안 사용할 때 소비하는 전력량은 30 Wh이다
ㄷ. 전기 에너지를 주로 열에너지로 전환하여 이용한다.

① ㄱ ② ㄴ ③ ㄱ, ㄴ
④ ㄴ, ㄷ ⑤ ㄱ, ㄴ, ㄷ

17 다음 글의 ( ) 안에 들어갈 알맞은 말을 쓰시오.

에너지가 전환될 때 에너지가 새로 생기거나 소멸되지 않고 전체 에너지의 양이 일정하게 보존되는 것을 (　　　) 법칙이라고 한다.

18 그림과 같이 조명 장치를 켰을 때 전등에서 일어나는 에너지 전환 과정으로 옳은 것은?

① 빛에너지 → 전기 에너지
② 열에너지 → 전기 에너지
③ 전기 에너지 → 화학 에너지
④ 빛에너지 → 전기 에너지+열에너지
⑤ 전기 에너지 → 빛에너지+열에너지

19 그림은 전기 에너지의 효율적 사용을 위해 가전제품에 붙이는 에너지 소비 효율 등급 라벨이다. 에너지 효율이 가장 높은 가전제품의 등급으로 옳은 것은?

① 1등급 ② 2등급
③ 3등급 ④ 4등급
⑤ 5등급

20 가정에서 전기 에너지를 효율적으로 이용하는 방법으로 옳은 것만을 보기에서 모두 고른 것은?

보기

ㄱ. 형광등 대신 LED 전등을 사용한다.
ㄴ. 에너지 소비 효율 등급이 낮은 가전제품을 사용한다.
ㄷ. 사용하지 않는 가전제품도 플러그를 콘센트에 항상 연결해 두어 대기 전력을 줄인다.

① ㄱ ② ㄴ ③ ㄷ
④ ㄱ, ㄷ ⑤ ㄴ, ㄷ

21 텔레비전을 전원에 연결하여 사용할 때의 설명으로 옳은 것만을 보기에서 모두 고른 것은?

보기

ㄱ. 전기 에너지의 일부는 열에너지로 전환된다.
ㄴ. 전기 에너지를 빛에너지, 소리 에너지 등으로 전환하여 이용한다.
ㄷ. 전기 에너지가 다른 형태의 에너지로 전환될 때 전체 에너지의 양은 보존되지 않는다.

① ㄱ ② ㄴ ③ ㄱ, ㄴ
④ ㄴ, ㄷ ⑤ ㄱ, ㄴ, ㄷ

22 표는 여러 가지 현상들과 관련된 에너지 전환을 나타낸 것이다.

현상	에너지 전환
연료의 연소	화학 에너지 → (㉠), 빛에너지
광합성	빛 에너지 → (㉡)
건전지의 사용	화학 에너지 → (㉢)
모닥불	화학 에너지 → (㉣), 열에너지

(1) ㉠~㉣에 들어갈 알맞은 에너지의 종류를 쓰시오.

(2) 에너지 전환이 일어나는 또 다른 현상을 1가지만 서술하시오.

개념으로 복습하기

Ⅶ. 별과 우주

01 별

★ 정답과 해설 078쪽

A 별의 시차와 거리

1. (❶): 관측자의 위치 변화에 따라 가까운 물체의 위치가 먼 배경에 대해 다르게 보이는 각도

(1) 물체까지의 거리와 시차: 거리가 멀수록 시차는 작아진다. ➡ 시차 $\propto \frac{1}{\text{물체의 거리}}$

(2) 관측자의 위치 변화와 시차: 물체를 관측하는 관측자의 위치 변화가 클수록 시차는 커진다.

2. 연주 시차: 지구 공전 궤도의 양쪽 끝 A, B에서 별 S를 바라볼 때 생기는 시차 ∠ASB의 (❷)이 되는 p를 연주 시차라고 한다.

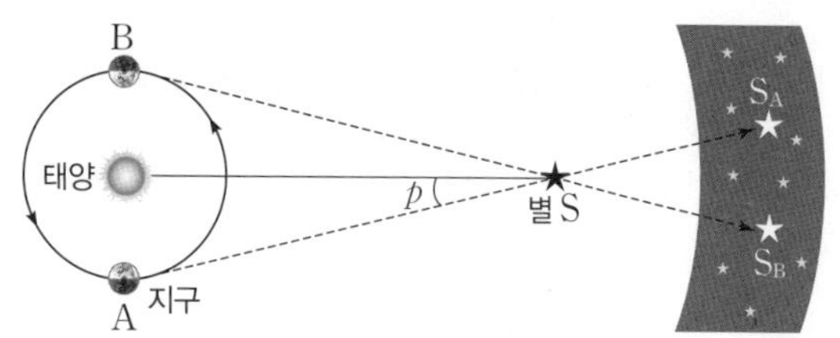

3. 별의 거리: 연주 시차와 별까지의 거리는 반비례한다.

별의 거리(pc)=(❸)

4. 별의 거리를 나타내는 단위

(1) 1 AU: 지구에서 태양까지의 평균 거리

(2) 1 LY(광년): 빛이 1년 동안 이동한 거리

(3) 1 pc(파섹): 연주 시차가 1″인 별까지의 거리

B 별의 밝기와 등급

1. 별의 거리와 밝기: 별의 밝기는 거리에 따라 다르게 나타난다. 즉, 같은 밝기의 별이라도 거리가 2배, 3배, …로 멀어지면 별의 밝기는 (❹)배, (❺)배, …로 어두워진다.

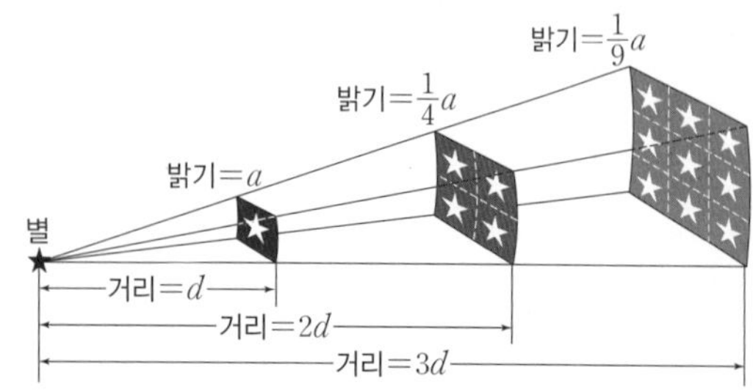

➡ 별의 밝기는 거리의 제곱에 (❻)한다.

2. 별의 밝기와 등급

(1) 별의 등급

① 별의 밝기는 등급으로 표시하는데, 등급이 (❼)수록 밝은 별이다.

② 맨눈으로 볼 수 있는 가장 어두운 별은 6등급의 별이다.

(2) 별의 등급과 밝기

① 1등급은 6등급보다 약 (❽)배 더 밝다.

② 1등급과 6등급은 5등급 차이가 나므로 1등급 간에는 약 (❾)배의 밝기 차이가 난다.

➡ 밝기 비$=2.5^{\text{등급 차}}$

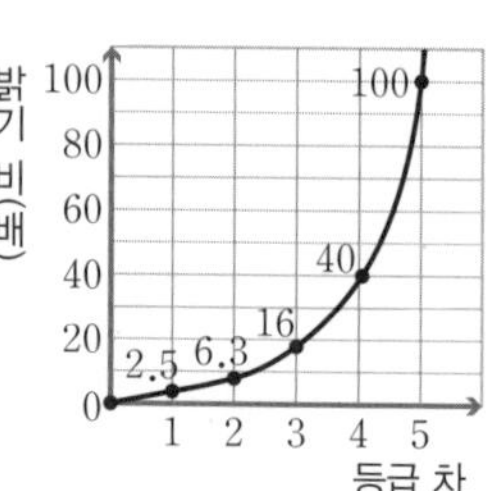

등급 차	2	3	4	5
밝기 비(배)	$2.5^2≒6.3$	$2.5^3≒16$	$2.5^4≒40$	$2.5^5≒100$

3. 겉보기 등급과 절대 등급

구분	겉보기 등급	절대 등급
정의	별까지의 거리를 생각하지 않고 우리 눈에 보이는 밝기에 따라 정한 등급	지구로부터 (❿)거리에 있다고 가정했을 때 밝기 등급
의미	겉보기 등급이 (⓫)수록 눈에 밝게 보인다.	절대 등급이 (⓬)수록 실제로 밝은 별이다.

4. 별의 등급과 거리 관계: (겉보기 등급－절대 등급) 값이 클수록 지구에서 멀리 있는 별이다.

구분	별의 거리
겉보기 등급<절대 등급	10 pc보다 가까이 있다.
겉보기 등급=절대 등급	10 pc 거리에 있다.
겉보기 등급>절대 등급	10 pc보다 멀리 있다.

C 별의 색과 표면 온도

1. 물체의 색과 온도: 용광로에서 갓 나온 쇳물은 흰색을 띠지만, 쇳물이 식어갈수록 노란색, 붉은색, 검붉은 색으로 점차 변해간다.

2. 별의 색: 별의 색은 (⓭)에 따라 다르게 나타난다.

(1) 표면 온도가 높은 별: (⓮)을 띤다.

(2) 표면 온도가 낮은 별: (⓯)을 띤다.

파란색	청백색	흰색	황백색	노란색	주황색	붉은색
(⓰)다. ←── 표면 온도 ──→ (⓱)다.						

헷갈리는 내용 공략하기

Ⅶ. 별과 우주

01 별

★ 정답과 해설 078쪽

B 별의 밝기와 등급 > 별의 밝기와 등급, 거리의 관계 이해하기

[01-08] 다음은 별의 등급 차에 따른 밝기 비를 나타낸 것이다. 물음에 답하시오.

등급 차	1	2	3	4	5
밝기 비(배)	2.5	6.3	16	40	100

1 등급 전구 100개
2 등급 전구 40개
3 등급 전구 16개
4 등급 전구 6.3개
5 등급 전구 2.5개
6 등급 전구 1개

01 같은 밝기의 별이 1개 있을 때와 16개가 있을 때 밝기는 약 몇 등급 차이가 나는지 쓰시오.

02 밝기가 4000배 차이가 나면 등급은 약 몇 등급 차이가 나는지 쓰시오.

03 −1등급인 별은 1등급인 별보다 밝기가 약 (   ) 배 더 (밝다 / 어둡다).

04 5등급인 별은 2등급인 별보다 밝기가 약 (   )배 더 (밝다 / 어둡다).

05 2등급보다 약 2.5배 어두운 별은 몇 등급인지 쓰시오.

06 3등급보다 약 40배 밝은 별은 몇 등급인지 쓰시오.

07 1등급보다 약 100배 어두운 별은 몇 등급인지 쓰시오.

08 4등급인 별이 16개 모여 있다면 약 몇 등급의 별 1개의 밝기와 같은지 쓰시오.

[09-15] 그림은 별빛이 퍼져 나가는 모습을 나타낸 것이다. 물음에 답하시오.

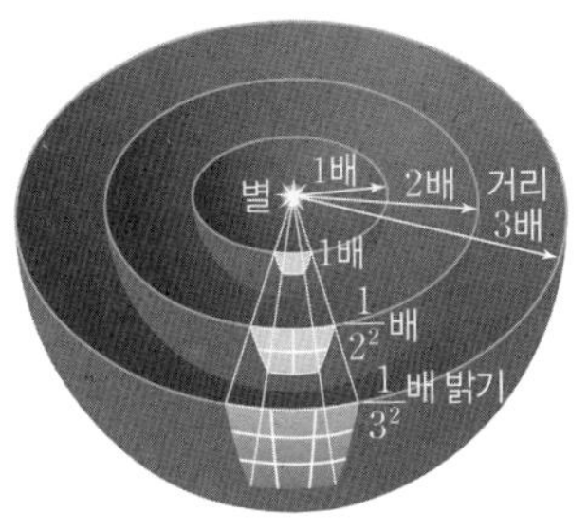

09 어떤 별의 거리가 3배 가까워지면 밝기는 어떻게 변하는지 쓰시오.

10 어떤 별의 거리가 4배 멀어지면 밝기는 어떻게 변하는지 쓰시오.

11 어떤 별의 거리가 10배 멀어지면 밝기는 (   )배 (밝아 / 어두워)진다.

12 겉보기 등급이 3등급인 별이 원래 거리의 $\frac{1}{2.5}$배로 되면 약 몇 등급의 별로 관측되는지 쓰시오.

13 겉보기 등급이 3등급인 별이 원래 거리의 6.3배로 되면 약 몇 등급의 별로 관측되는지 쓰시오.

14 겉보기 등급이 6등급인 별의 거리가 10배 가까워지면 약 몇 등급의 별로 관측되는지 쓰시오.

15 지구에서 본 태양의 겉보기 등급은 −26.8등급이다. 만약 왜소 행성인 명왕성에서 태양을 본다면 태양의 겉보기 등급은 얼마인지 쓰시오. (단, 지구~태양 거리는 1 AU이고, 명왕성~태양 거리는 40 AU라고 가정한다.)

01 별

★ 정답과 해설 078쪽

A 별의 시차와 거리

01 관측자 A, B로부터 8 m 거리에 있는 물체 P를 볼 때 시차 ∠APB는 θ_1이었다. 또, 관측자 A, B로부터 16 m 거리에 있는 물체 Q를 볼 때 시차 ∠AQB는 θ_2였다.

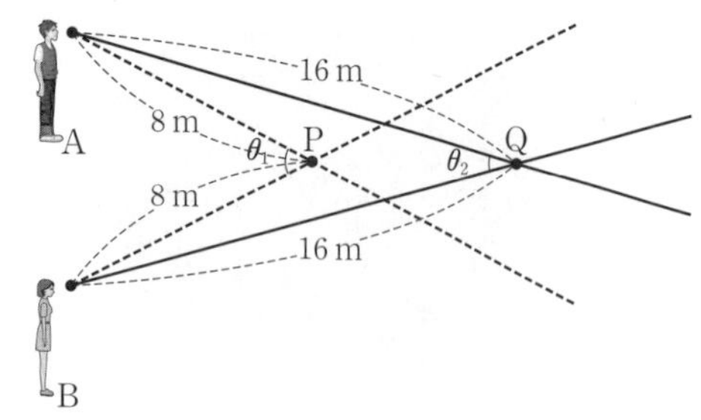

두 물체의 시차의 비(P : Q)를 쓰시오.

02 그림은 별의 시차를 나타낸 것이다.

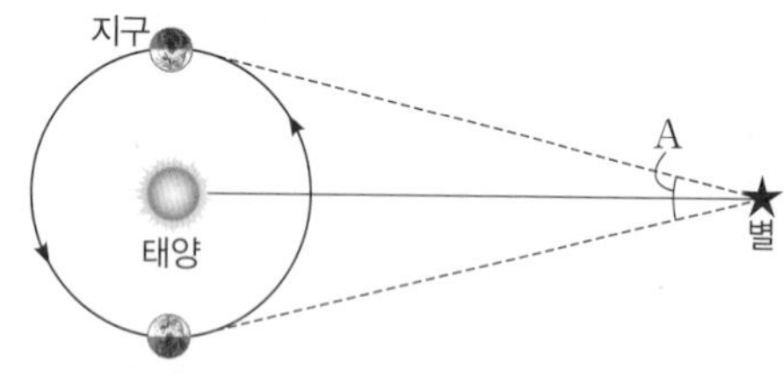

A가 0.1″일 때 지구에서 별까지의 거리는?

① 1 pc ② 5 pc ③ 10 pc
④ 20 pc ⑤ 100 pc

03 그림은 6개월 간격으로 별을 관측한 모습을 차례대로 나타낸 것이다.

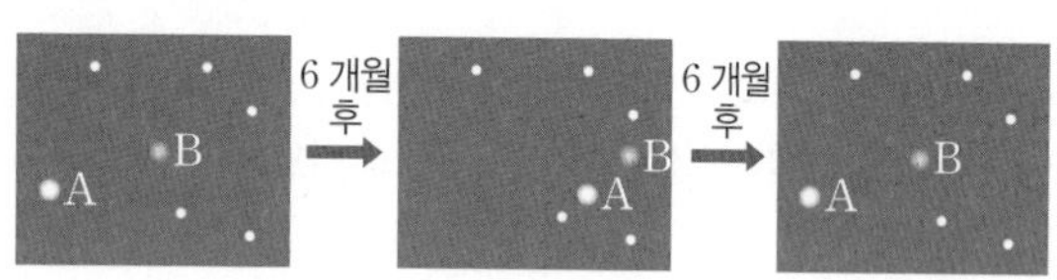

이에 대한 설명으로 옳은 것만을 보기에서 모두 고른 것은? (단, 별 A와 별 B의 실제 밝기는 같다.)

보기
ㄱ. 별 A는 배경별보다 멀리 있는 별이다.
ㄴ. 별 A는 별 B보다 밝게 관측된다.
ㄷ. 별 A는 별 B보다 지구에 가까이 있는 별이다.

① ㄱ ② ㄴ ③ ㄷ
④ ㄴ, ㄷ ⑤ ㄱ, ㄴ, ㄷ

04 그림은 지구로부터의 거리가 가까운 별 S를 관측한 모습을 나타낸 것이다.

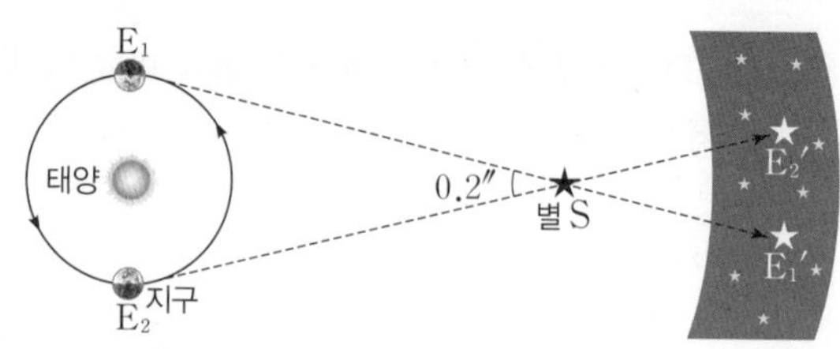

이에 대한 설명으로 옳지 않은 것은?

① 별 S의 연주 시차는 0.1″이다.
② 별 S까지의 거리는 10 pc이다.
③ 별의 연주 시차를 측정하는 데에는 6개월 이상이 걸린다.
④ 배경별보다 멀리 있는 별은 연주 시차를 측정하기 어렵다.
⑤ 별 S의 거리가 현재보다 2배 멀어진다면 $\angle E_1SE_2$는 0.4″로 나타날 것이다.

05 동일한 별을 관측할 때 만약 지구의 공전 궤도 반지름이 지금보다 커진다면, 별의 연주 시차는 어떻게 달라질지 쓰시오.

B 별의 밝기와 등급

06 별의 등급 차와 밝기 비 사이의 관계를 옳게 나타낸 것은?

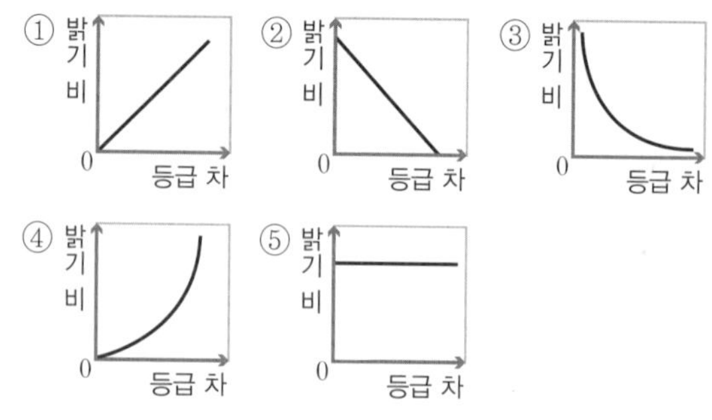

07 5등급인 별이 100개 모여 있는 성단이 있다면, 이 성단은 몇 등급의 별 1개와 같은 밝기로 보이겠는가?

① −5등급 ② −1등급 ③ 0등급
④ 1등급 ⑤ 10등급

08 그림은 별의 밝기와 거리의 관계를 나타낸 것이다.

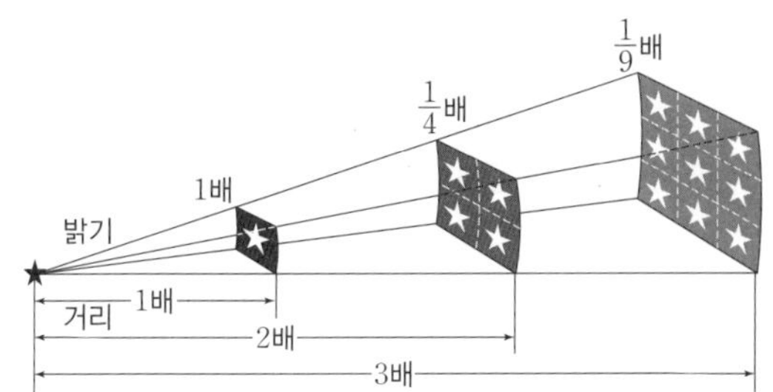

만일 어떤 별까지의 거리가 현재보다 10배 멀어진다면, 이 별의 겉보기 등급은 현재에 비해 어떻게 변하겠는가?

① 5등급이 커진다.
② 5등급이 작아진다.
③ 10등급이 커진다.
④ 10등급이 작아진다.
⑤ 100등급이 커진다.

09 그림은 별의 등급에 따른 밝기를 나타낸 것이다.

−4등급 별은 6등급 별보다 몇 배 더 밝은가?

① 1배 ② 10배 ③ 100배
④ 1000배 ⑤ 10000배

10 그림은 별의 등급에 따른 밝기를 전구의 개수에 비유하여 나타낸 것이다.
6등급의 밝기가 전구 1개의 밝기와 같다면 0등급은 전구 몇 개의 밝기에 해당하는가?

1 등급 전구 100개
2 등급 전구 40개
3 등급 전구 16개
4 등급 전구 6.3개
5 등급 전구 2.5개
6 등급 전구 1개

① 1개
② 50개
③ 100개
④ 150개
⑤ 250개

11 어떤 별의 겉보기 등급이 5등급이다. 이 별보다 2.5배 밝게 보이는 별의 겉보기 등급은?

① −6등급 ② −5등급
③ 1등급 ④ 4등급
⑤ 6등급

12 절대 등급에 대한 설명으로 옳은 것만을 보기에서 모두 고른 것은?

보기
ㄱ. 맨눈으로 보이는 별의 밝기이다.
ㄴ. 절대 등급이 작을수록 밝게 보인다.
ㄷ. 별의 실제 밝기를 비교할 때 이용한다.
ㄹ. 별이 10 pc의 거리에 있다고 가정했을 때의 밝기이다.

① ㄱ, ㄴ ② ㄱ, ㄷ ③ ㄴ, ㄷ
④ ㄴ, ㄹ ⑤ ㄷ, ㄹ

13 표는 여러 별들의 겉보기 등급과 절대 등급을 나타낸 것이다.

별	겉보기 등급	절대 등급
A	−26.5	4.8
B	0.6	−7.2
C	−1.5	1.4
D	2.1	−3.7
E	1.3	−8.7

10 pc보다 가까이 있는 별을 모두 고르면? (정답 2개)

① A ② B ③ C
④ D ⑤ E

14 금성은 가장 밝게 보일 때가 −4등급으로 관측된다. 이 때 금성은 겉보기 등급이 1등급인 별보다 몇 배나 밝게 보이겠는가?

① 2.5배 ② 5배 ③ 25배
④ 40배 ⑤ 100배

15 북극성은 맨눈으로 보면 2.1등급이다. 북극성의 거리가 지금보다 10배 가까워진다면, 몇 등급으로 보이겠는가?

① −2.9등급 ② 2.1등급 ③ 3.1등급
④ −7.9등급 ⑤ 7.1등급

16 그림은 별 A~D의 거리와 겉보기 등급을 나타낸 것이다.

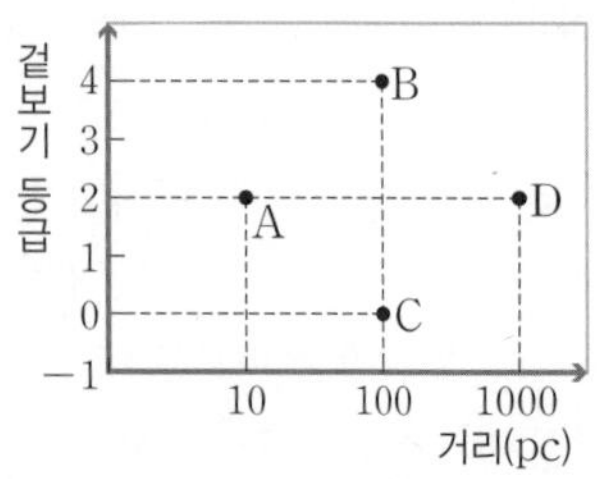

이에 대한 설명으로 옳은 것만을 보기에서 모두 고른 것은?

보기
ㄱ. 가장 밝게 보이는 별은 A이다. ㄴ. 연주 시차는 별 C가 D보다 크다. ㄷ. 실제 밝기가 가장 밝은 별은 B이다.

① ㄱ ② ㄴ ③ ㄷ
④ ㄴ, ㄷ ⑤ ㄱ, ㄴ, ㄷ

17 표는 몇 가지 별의 겉보기 등급과 절대 등급을 나타낸 것이다.

별	겉보기 등급	절대 등급
A	0.1	−6.8
B	0.6	−7.2
C	−1.5	1.4
D	2.1	−3.7
E	−0.1	−0.3

(1) 별 A는 별 D에 비해 몇 배나 밝게 보이는지 쓰시오.

(2) 표의 별들 중 밤하늘에서 가장 어둡게 보이는 별과 실제로 가장 어두운 별을 순서대로 쓰시오.

(3) 별 C는 별 D보다 실제로는 더 어두운 별이지만, 별 C가 별 D보다 더 밝게 보인다. 그 까닭을 서술하시오.

C 별의 색과 표면 온도

18 민진이는 어떤 별의 표면 온도를 알아보려고 한다. 이때 민진이가 별에 대해 조사해야 할 자료는?

① 별의 색 ② 별의 크기 ③ 별의 질량
④ 별의 밝기 ⑤ 연주 시차

19 표는 별 A~D의 색을 조사하여 나타낸 것이다.

별	A	B	C	D
색깔	흰색	노란색	파란색	붉은색

표면 온도가 높은 별부터 순서대로 옳게 나열한 것은?

① A−B−C−D ② C−A−B−D
③ C−B−D−A ④ D−A−C−B
⑤ D−B−C−A

20 그림 (가)는 전등의 밝기를 변화시키면서 색을 관찰하는 모습을 나타낸 것이고, (나)는 실험 결과이다.

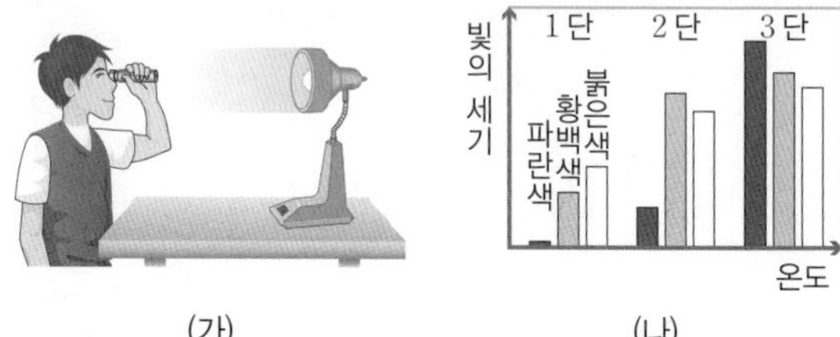

위 실험에 대한 설명으로 옳은 것은?

① 전등의 빛은 1단에서 3단으로 갈수록 어두워진다.
② 전등이 1단일 때 파란색의 빛을 가장 많이 방출한다.
③ 전등의 빛이 어두울수록 전구는 파란색을 띠게 된다.
④ 별은 표면 온도가 높을수록 파란색이 상대적으로 강해질 것이다.
⑤ 별의 표면 온도가 낮을수록 붉은색이 상대적으로 약해질 것이다.

21 표는 별 A와 별 B의 특성을 나타낸 것이다.

별	겉보기 등급	절대 등급	색깔
A	2	−7	흰색
B	1	−1	붉은색

(1) 별 A와 별 B 중 맨눈으로 보았을 때 더 밝게 보이는 별을 쓰시오.

(2) 별 A와 별 B 중 표면 온도가 더 낮은 별을 쓰시오.

(3) 별 A와 별 B 중 연주 시차가 더 작은 별을 쓰고, 그렇게 생각한 까닭을 서술하시오.

개념으로 복습하기

Ⅶ. 별과 우주

02 은하와 우주

✱ 정답과 해설 079쪽

A 우리은하

1. (❶): 지구에서 본 우리은하의 원반부 모습으로, 수많은 별들과 성간 물질이 모여 있는 것

(1) **은하수의 관측**

① 북반구와 남반구 어디에서나 관측된다.

② (❷)에 은하수가 더 넓고 뚜렷하게 보인다. ➡ 은하의 중심 방향인 (❸) 부근의 은하수는 다른 방향보다 폭이 넓고 뚜렷하게 보인다.

(2) **은하수의 중간중간이 검게 보이는 까닭**: 성간 물질이 뒤에서 오는 별빛을 가렸기 때문이다.

2. 우리은하: 태양계가 속한 은하 ➡ (❹) 은하

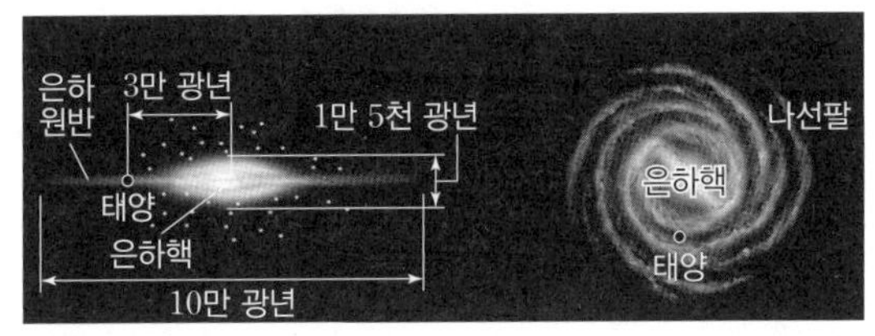

크기	지름이 약 (❺) 광년
태양계의 위치	은하 중심에서 약 (❻) 광년 떨어진 나선팔에 위치

B 우리은하를 구성하는 천체

1. 성단: 수많은 별들이 모여 무리를 이루고 있는 집단

구분	(❼) 성단	(❽) 성단
별의 분포	수십~수만 개의 별들이 엉성하게 모여 있다.	수만~수십만 개의 별들이 공 모양으로 빽빽하게 모여 있다.
나이	적다.	많다.
색깔	(❾)	붉은색
표면 온도	높다.	낮다.
분포 위치	대부분 우리은하의 나선팔	우리은하의 중심부와 은하 원반을 둘러싼 구형의 공간

2. 성운: 성간 물질이 다른 곳에 비해 많이 모여 구름처럼 보이는 천체

(1) **(❿) 성운**: 주변의 별빛을 반사하여 밝게 보이는 성운 ➡ 주로 파란색

(2) **(⓫) 성운**: 고온의 별로부터 에너지를 받아 스스로 빛을 내는 성운 ➡ 주로 붉은색

(3) **(⓬) 성운**: 성간 물질이 뒤에서 오는 별빛을 가려 어둡게 보이는 성운

C 외부 은하

1. 외부 은하: 우리은하 밖의 우주 공간에 흩어져 있는 은하

2. 은하의 분류: 허블은 외부 은하를 (⓭)에 따라 크게 4가지로 분류하였다.

타원 은하	정상 나선 은하	(⓮) 은하	(⓯) 은하
타원 모양의 은하	은하 중심에서 나선팔이 휘어져 나온 은하	막대 모양의 양 끝에서 나선팔이 휘어져 나온 은하	규칙적인 모양이 없는 은하

D 우주 팽창

1. (⓰)(대폭발) 우주론: 약 138억 년 전 하나의 작은 점에서 대폭발로 탄생한 우주가 팽창하여 현재의 우주를 이루었다는 이론

2. 우주 팽창

(1) 외부 은하들은 우리은하로부터 멀어지고 있으며, 멀리 있는 은하일수록 (⓱) 속도로 멀어진다.

(2) 우주 팽창의 중심은 없고, 우주는 모든 방향으로 균일하게 팽창하고 있다.

E 우주 탐사

1. 우주 탐사: 우주를 이해하고자 우주를 탐색하고 조사하는 활동

(1) **인공위성**: 지구 주위를 일정한 궤도에 따라 공전하도록 만든 장치

(2) **우주 탐사선**: 천체 주위를 돌면서 탐사하거나 천체의 표면에 착륙하여 탐사

(3) **우주 망원경**: 우주에 띄워 놓은 망원경

(4) **우주 (⓲)**: 우주에 머무르며 실험이나 천체 관측을 수행

2. 우주 탐사의 영향

긍정적인 영향	부정적인 영향
우주 탐사로 발달한 과학 기술은 다양한 산업 분야에 적용되어 일상생활에도 활용 예 가정용 정수기, 태양 전지 등	(⓳): 지구 주위를 빠른 속도로 돌면서 인공위성이나 탐사선에 치명적인 피해를 입힐 수 있음

헷갈리는 내용 공략하기

02 은하와 우주

★ 정답과 해설 079쪽

B 우리은하를 구성하는 천체 > 성단과 성운

[01-10] 보기는 성단과 성운의 종류를 나열한 것이다. 물음에 알맞은 말을 찾아 쓰시오.

보기
산개 성단 구상 성단 반사 성운
방출 성운 암흑 성운

01 수십~수만 개의 파란색 별들이 모여 있는 성단을 쓰시오.

02 별들이 일정한 모양 없이 비교적 엉성하게 모여 있는 성단을 쓰시오.

03 주로 우리은하의 나선팔에 있으며 대부분이 고온의 젊은 별들로 이루어진 성단을 쓰시오.

04 파란색의 부메랑성운이나 메로페성운이 속하는 성운을 쓰시오.

05 붉은색의 장미성운이 속하는 성운을 쓰시오.

06 검은색의 말머리성운이 속하는 성운을 쓰시오.

07 수만~수십만 개의 별들이 빽빽하게 모여 있는 성단을 쓰시오.

08 근처에 있는 별로부터 에너지를 받아 스스로 빛을 내어 붉은색을 띠는 성운을 쓰시오.

09 주변의 별빛을 반사하여 주로 파란색으로 보이는 성운을 쓰시오.

10 뒤에서 오는 별빛을 가려 검게 보이는 성운을 쓰시오.

C 외부 은하 > 은하의 분류

[11-18] 보기는 여러 가지 외부 은하의 모습을 나타낸 것이다. 물음에 해당하는 기호를 쓰시오.

보기

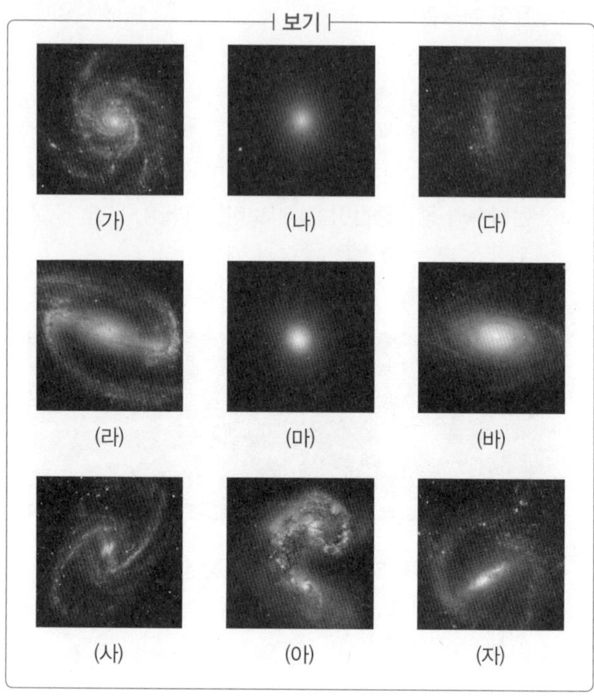
(가) (나) (다) (라) (마) (바) (사) (아) (자)

11 막대 나선 은하에 해당하는 것을 모두 쓰시오.

12 정상 나선 은하에 해당하는 것을 모두 쓰시오.

13 불규칙 은하에 해당하는 것을 모두 쓰시오.

14 타원 은하에 해당하는 것을 모두 쓰시오.

15 막대 모양의 구조와 나선팔을 가진 은하를 모두 쓰시오.

16 일정한 모양을 갖지 않는 은하를 모두 쓰시오.

17 막대 모양의 구조 없이 곧바로 은하 중심에서 나선팔이 휘어져 나온 은하를 모두 쓰시오.

18 우리은하와 같은 종류에 속하는 은하를 모두 쓰시오.

02 은하와 우주

★ 정답과 해설 079쪽

A 우리은하

01 우리은하에 대한 설명으로 옳은 것만을 보기에서 모두 고른 것은?

보기
ㄱ. 태양계는 우리은하의 중심부에 위치한다.
ㄴ. 은하수는 밤하늘에서 띠 모양으로 보인다.
ㄷ. 은하수는 궁수자리 방향이 가장 어둡게 보인다.
ㄹ. 우리은하의 중심 부근에는 막대 구조가 발달해 있다.

① ㄱ, ㄴ ② ㄱ, ㄷ ③ ㄴ, ㄷ
④ ㄴ, ㄹ ⑤ ㄷ, ㄹ

02 그림은 은하수가 보이는 원리를 나타낸 것이다.

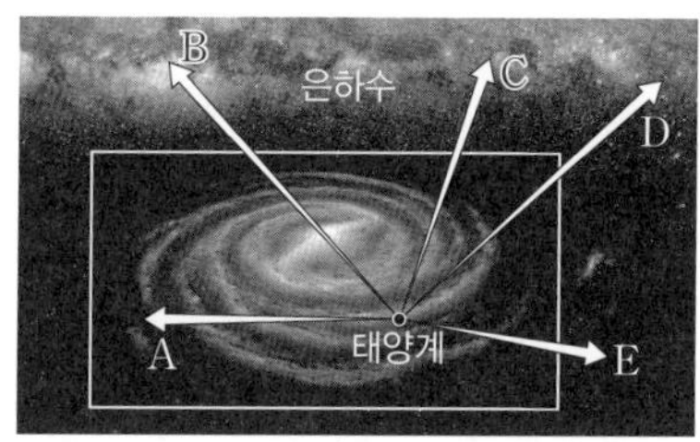

A~E 중 은하수가 가장 뚜렷하게 관측되는 방향은?

① A ② B ③ C
④ D ⑤ E

03 우리나라에서 관측할 때 (가)은하수가 가장 잘 관측되는 계절과 (나)우리은하의 중심 방향에 있는 별자리를 옳게 짝 지은 것은?

	(가)	(나)
①	봄	백조자리
②	여름	궁수자리
③	가을	독수리자리
④	겨울	오리온자리
⑤	겨울	큰개자리

04 그림은 우리은하를 옆에서 본 모습을 나타낸 것이다.

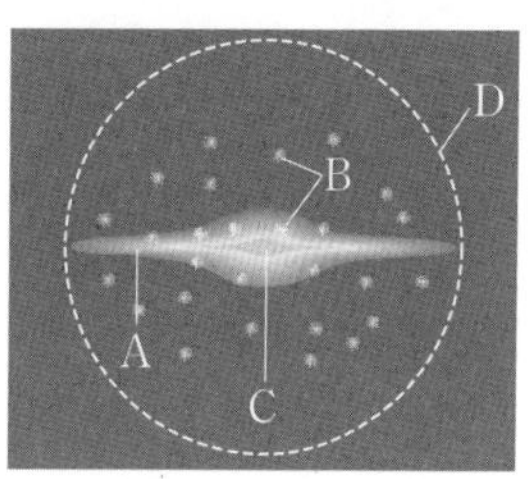

이에 대한 설명으로 옳은 것만을 보기에서 모두 고른 것은?

보기
ㄱ. A에는 태양계가 위치하고 있다.
ㄴ. B에는 산개 성단이 주로 분포하고 있다.
ㄷ. C는 은하의 중심으로 태양계에서 볼 때 궁수자리 방향이다.
ㄹ. D는 우리은하의 원반을 둘러싼 헤일로이다.

① ㄱ, ㄴ ② ㄱ, ㄷ ③ ㄴ, ㄹ
④ ㄱ, ㄷ, ㄹ ⑤ ㄴ, ㄷ, ㄹ

05 은하수에는 어두운 부분이 중간중간 나타난다. 이와 같이 어두운 부분이 나타나는 까닭을 서술하시오.

B 우리은하를 구성하는 천체

06 그림은 우리 조상들이 좀생이 별이라고 불렀던 황소자리의 플레이아데스 성단이다. 이와 같은 종류의 성단에 대한 설명으로 옳은 것만을 보기에서 모두 고른 것은?

보기
ㄱ. 구상 성단이다.
ㄴ. 비교적 젊은 별들로 구성되어 있다.
ㄷ. 현재까지 1000여 개가 발견되었다.
ㄹ. 모두 우리은하의 중심부에 분포한다.

① ㄱ, ㄴ ② ㄱ, ㄹ ③ ㄴ, ㄷ
④ ㄱ, ㄴ, ㄷ ⑤ ㄴ, ㄷ, ㄹ

07 성운을 이루고 있는 물질들은 주로 무엇인가?

① 별　② 은하　③ 얼음
④ 가스와 티끌　⑤ 이산화 탄소

08 그림과 같이 향 연기를 담아 둔 비커 앞에 셀로판 종이를 놓고 손전등으로 비추면, 향 연기가 셀로판 종이와 같은 색으로 보인다.

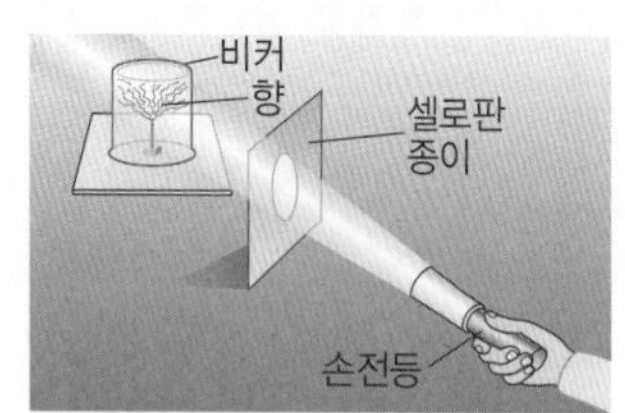

이 실험과 같은 원리로 관측되는 천체는?

① 반사 성운　② 방출 성운　③ 암흑 성운
④ 산개 성단　⑤ 구상 성단

09 그림은 어떤 성운의 모습을 나타낸 것이다.

이 성운이 어둡게 보이는 까닭은?

① 성간 물질이 전혀 없기 때문이다.
② 중심에 블랙홀이 존재하기 때문이다.
③ 성간 물질이 구름에 의해 가려졌기 때문이다.
④ 성간 물질이 태양의 반대 방향에 위치하기 때문이다.
⑤ 성간 물질이 뒤쪽에서 오는 별빛을 가렸기 때문이다.

10 다음 중 우리은하 내에서 볼 수 없는 천체는?

① 별　② 구상 성단　③ 방출 성운
④ 반사 성운　⑤ 마젤란은하

11 그림은 두 종류의 성단을 나타낸 것이다.

(가)　(나)

이에 대한 설명으로 옳은 것만을 보기에서 모두 고르시오.

보기
ㄱ. (가)는 주로 우리은하의 나선팔에 분포한다.
ㄴ. (가)는 (나)보다 고온의 별들로 구성되어 있다.
ㄷ. 성단을 구성하는 별의 나이는 (가)가 (나)보다 많다.

C 외부 은하

12 외부 은하에 대한 설명으로 옳은 것만을 보기에서 모두 고른 것은?

보기
ㄱ. 외부 은하는 크기에 따라 네 가지 종류로 구분한다.
ㄴ. 외부 은하들은 서로 무리를 이루고 있는 것도 있다.
ㄷ. 외부 은하 중 불규칙 은하의 수가 가장 많고, 타원 은하의 수가 가장 적다.

① ㄱ　② ㄴ　③ ㄱ, ㄷ
④ ㄴ, ㄷ　⑤ ㄱ, ㄴ, ㄷ

13 나선 은하에 해당하는 것만을 보기에서 모두 고르시오.

보기

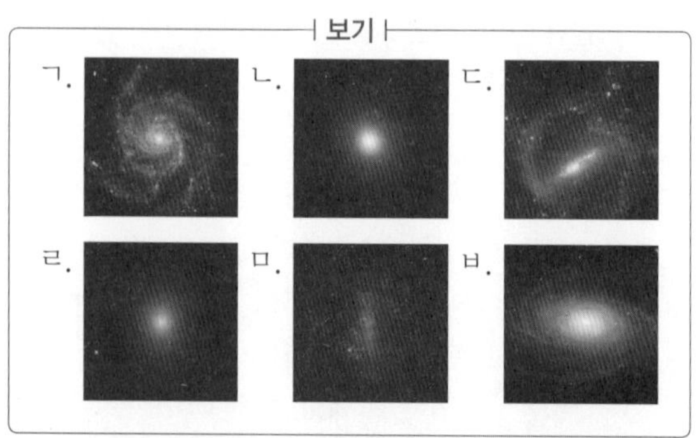

14 그림은 고무 찰흙을 이용하여 만든 우리은하의 모형을 나타낸 것이다. 이때 깃발은 태양계의 위치를 표시한 것이다.

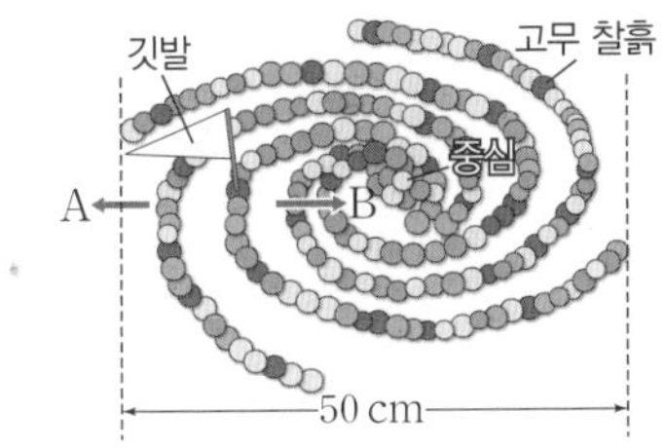

이 모형에 대한 설명으로 옳지 않은 것은?

① 고무 찰흙은 별, 성단, 성운 등을 나타낸다.
② 우리은하를 비스듬하게 위에서 본 모습이다.
③ 중심 쪽에 고무 찰흙을 막대 모양으로 쌓아야 한다.
④ 중심 쪽은 주변부보다 고무 찰흙을 두껍게 쌓아야 한다.
⑤ 깃발에서 보면 A 방향이 B 방향보다 고무 찰흙이 두껍게 보인다.

15 다음은 허블이 외부 은하를 분류한 기준을 나타낸 것이다.

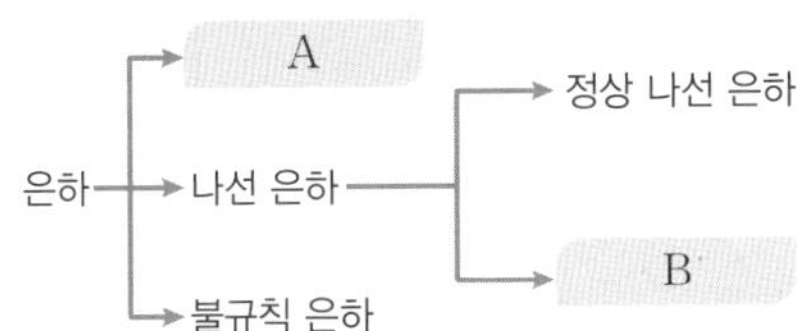

허블이 이와 같이 은하를 분류한 기준을 쓰고, A와 B에 해당하는 은하의 종류를 쓰시오.

D 우주의 팽창

16 그림은 풍선에 붙인 동전을 은하라고 가정하고 풍선을 불어보는 실험을 나타낸 것이다.

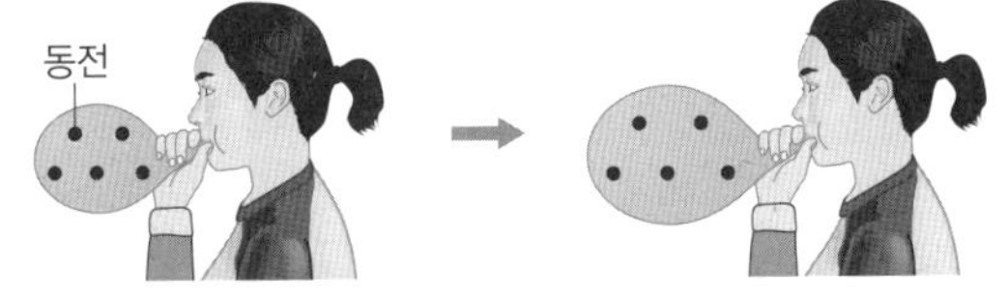

이 실험에 대한 설명으로 옳지 않은 것은?

① 우주의 크기는 계속 팽창한다.
② 우주의 밀도는 계속 증가한다.
③ 우주의 총 질량은 일정하게 유지된다.
④ 은하 사이의 거리는 계속 멀어지고 있다.
⑤ 멀리 있는 은하일수록 멀어지는 속도가 빠르다.

17 빅뱅 우주론에 대한 설명으로 옳은 것만을 보기에서 모두 고르시오.

보기
ㄱ. 우주의 크기는 점차 팽창하고 있다.
ㄴ. 우주 초기는 지금보다 저온·저밀도 상태였다.
ㄷ. 우주의 팽창으로 인해 은하와 은하 사이의 거리는 대체로 멀어지고 있다.

18 지금으로부터 약 138억 년 전 한 점이었던 우주는 폭발에 의해 계속 팽창하고 있다고 한다.

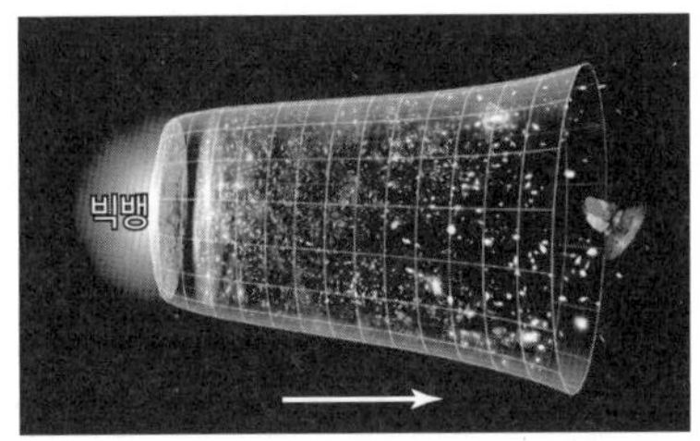

이것으로 보아 우주의 총 질량, 밀도, 온도는 어떻게 변할지 서술하시오.

E 우주 탐사

19 다음 글에서 설명하는 우주 탐사 장비는 무엇인가?

지구 둘레를 돌면서 천체를 관측하는 장비로, 지구 대기의 영향을 받지 않아 멀리 떨어진 천체 사진을 선명하게 얻을 수 있다.

① 로켓 ② 탐사 로봇
③ 우주 망원경 ④ 우주 왕복선
⑤ 우주 탐사선

20 지상에 망원경을 설치하는 것보다 허블 우주 망원경과 같이 우주 망원경을 설치할 때의 장점을 서술하시오.

내 생에 최대의 자랑은 한 번도 실패하지 않았다는 것이 아니라
넘어질 때마다 다시 일어섰던 것이다.

-골드스미스-

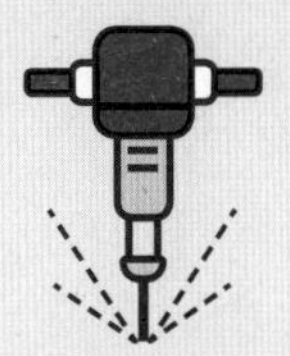

집중

찾기 게임

같은 그림 2개를 한번 찾아보세요.

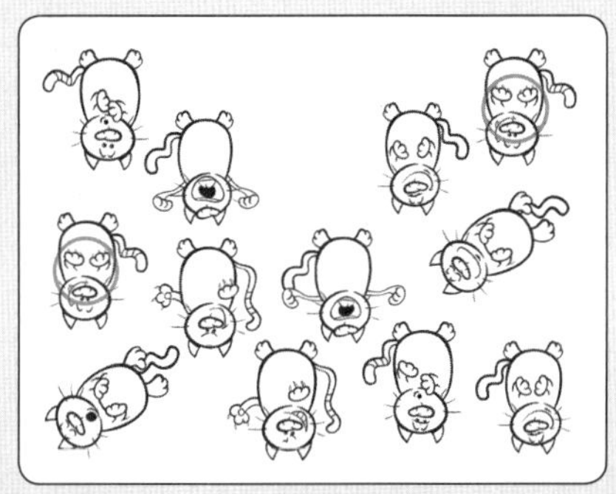

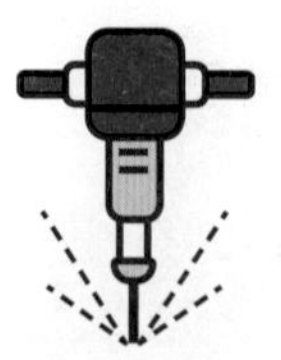

집중 오목 게임

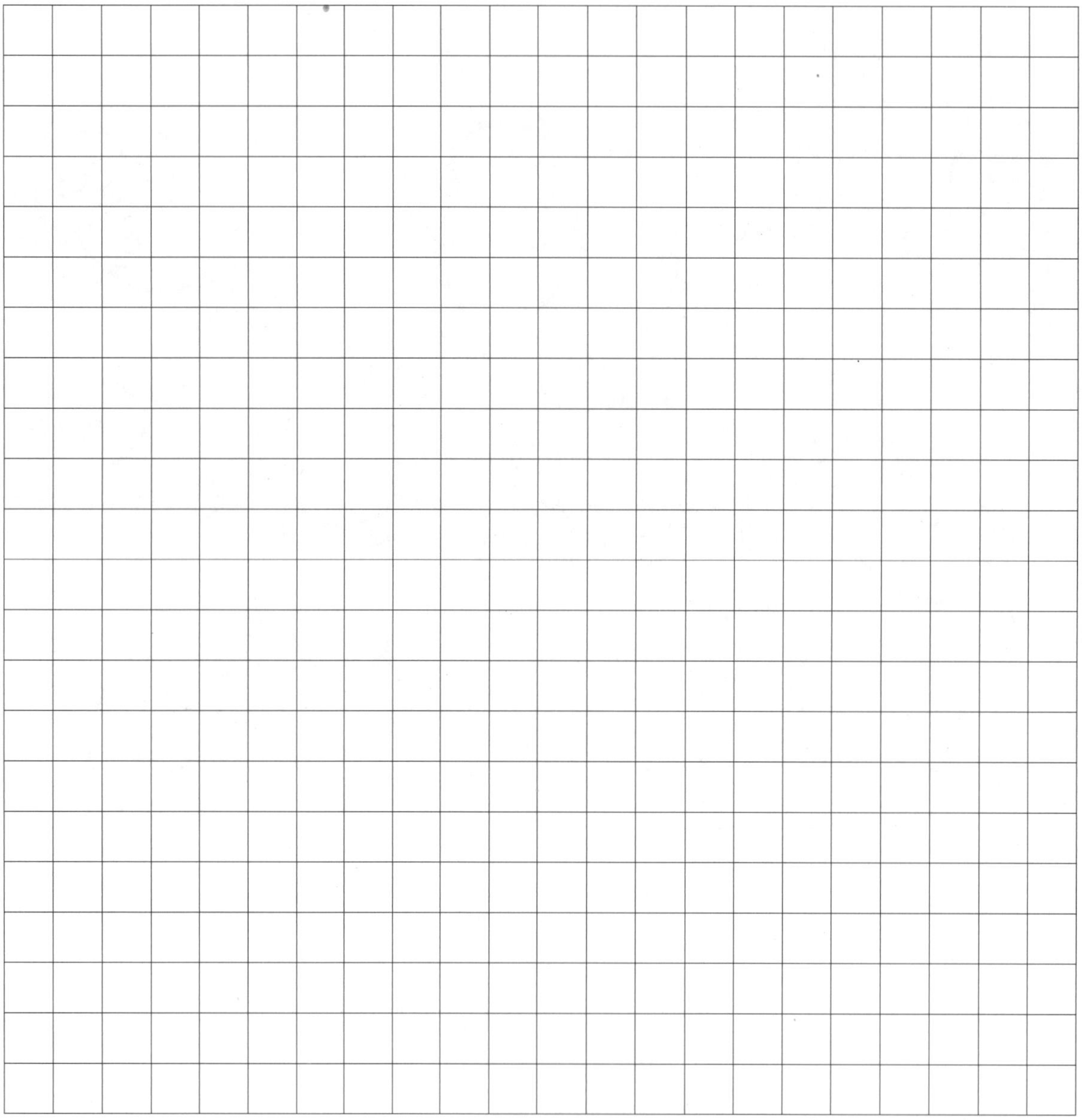

개념을 쉽게 풀어 주는 기본서

개념풀 특강

중학 과학 3

발 행 인 권준구
발 행 처 (주)지학사 (등록번호 : 1957.3.18 제 13-11호) 04056 서울시 마포구 신촌로6길 5
발 행 일 2019년 11월 15일 [초판 1쇄] 2024년 12월 31일 [초판 5쇄]
구입 문의 TEL 02-330-5300 | FAX 02-325-8010 구입 후에는 철회되지 않으며, 잘못된 제품은 구입처에서 교환해 드립니다.
내용 문의 www.jihak.co.kr 전화번호는 홈페이지 〈고객센터 → 담당자 안내〉에 있습니다.

발 행 인 권준구
발 행 처 (주)지학사 (등록번호 : 1957.3.18 제 13-11호) 04056 서울시 마포구 신촌로6길 5
발 행 일 2019년 11월 15일 [초판 1쇄] 2024년 12월 31일 [초판 5쇄]
구입 문의 TEL 02-330-5300 | FAX 02-325-8010 구입 후에는 철회되지 않으며, 잘못된 제품은 구입처에서 교환해 드립니다.
내용 문의 www.jihak.co.kr 전화번호는 홈페이지 〈고객센터 → 담당자 안내〉에 있습니다.

개념을 쉽게 풀어 주는 기본서

개념풀

중학 과학 3

의구심이 남지 않는 친절한 풀이 교재

Book ③ 정답과 해설

틀린 문제에 대한 개념을 바로 잡을 수 있는 **친절한 문제 풀이** •

중요한 문제의 자료를 꼼꼼하게 분석해 놓은 **자세한 문제 분석** •

개념풀 특강

중학 과학 3

Book ❸ 정답과 해설

진도책 정답과 해설

I 화학 반응의 규칙과 에너지 변화

01 물질 변화와 화학 반응식

개념 다지기 1단계

진도책 011쪽, 013쪽

01 ㄴ, ㄹ **02** (1) 물 (2) 물 (3) 화 (4) 물 (5) 물 (6) 화 (7) 물 (8) 화 (9) 화 (10) 화
03 (1) (가) 물리 변화, (나) 화학 변화 (2) ㄱ, ㄴ
04 (1) 수소(H_2), 산소(O_2) (2) 물(H_2O)
05 (1) ㄴ (2) ㄷ (3) ㄱ
06 (1) 왼쪽, 오른쪽 (2) + (3) 계수 (4) 1 (5) 원자
07 ㄱ, ㄹ

01 물질의 고유한 성질이 변하지 않으면 물리 변화, 물질의 성질이 변하면 화학 변화이다. ㄴ, ㄹ은 물리 변화, ㄱ, ㄷ은 화학 변화이다.

02 물질의 고유한 성질이 변하지 않으면서 모양이나 상태가 변하면 물리 변화, 물질의 성질이 변하여 새로운 물질이 생성되면 화학 변화이다.

03 (1) (가) 분자의 배열만 달라질 뿐 분자의 종류는 변하지 않으므로 물리 변화이다.
(나) 분자를 이루는 원자의 배열이 달라져서 분자의 종류가 변하므로 화학 변화이다.
(2) 화학 변화가 일어나는 동안 원자의 개수와 종류는 변하지 않지만 원자 배열이 달라져 분자의 종류가 변하므로 물질의 성질이 변한다.

04 반응물은 화학 반응이 일어나기 전의 물질이므로 수소와 산소가 이에 해당하고, 생성물은 화학 반응이 일어난 후에 새롭게 만들어진 물질이므로 물이 이에 해당한다.

05 ㄱ. 수소와 염소가 반응하여 염화 수소가 만들어지는 반응이다.
ㄴ. 수소와 산소가 반응하여 물이 만들어지는 반응이다.
ㄷ. 메테인과 산소가 반응하여 이산화 탄소와 물이 만들어지는 반응이다.

06 (1) 화살표를 기준으로 반응물은 왼쪽, 생성물은 오른쪽에 쓴다.
(2) 물질이 여러 개일 때는 +로 연결한다.
(3) 화학식 앞에 쓰는 숫자를 계수라고 한다.
(4) 계수가 1일 때는 생략할 수 있다.
(5) 반응 전후에 원자의 종류와 개수는 같다.

07 화학 반응식에서 반응물과 생성물의 질량, 반응물과 생성물을 이루는 원자의 크기는 알 수 없다.

공략 확인 문제

진도책 014쪽

01 ③ **02** ④

01 긴 마그네슘 리본은 마그네슘의 성질과 같다.
ㄱ. 마그네슘 리본을 자르는 것은 모양만 변한 것이므로 마그네슘의 성질이 그대로 유지된다.
ㄷ. 마그네슘 리본을 구부리는 것은 모양만 변한 것이므로 마그네슘의 성질이 그대로 유지된다.

오답 분석

ㄴ. 마그네슘 리본을 태우면 공기 중의 산소와 결합하여 산화 마그네슘이 만들어지므로 마그네슘과 성질이 다르다.

02 마그네슘 리본을 태우면 공기 중의 산소와 반응하여 산화 마그네슘이 된다. 따라서 마그네슘 리본을 태워 재가 되는 과정은 마그네슘의 성질이 변하므로 화학 변화에 해당한다.

실력 올리기 2단계

진도책 015~018쪽

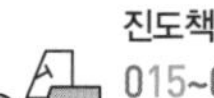

01 ③ **02** ④ **03** ⑤ **04** ⑤ **05** ⑤ **06** ③ **07** ②
08 ⑤ **09** ④ **10** ① **11** 해설 참조 **12** ③ **13** ⑤
14 ④ **15** ⑤ **16** ③ **17** ④ **18** ⑤ **19** ④ **20** ①
21 ③ **22** ③ **23** ⑤

01 물리 변화는 물질의 고유한 성질은 변하지 않으면서 모양이나 상태가 변하는 현상이다.
③ 향수 분자가 공기 중으로 확산하는 동안 향수 분자의 성질이 변하지 않으므로 물리 변화에 해당한다.

오답 분석

① 쇠못이 녹스는 것은 화학 변화이다.
② 단풍이 붉게 물드는 것은 화학 변화이다.
④ 김치가 익어서 신맛이 나는 것은 화학 변화이다.
⑤ 사과를 깎아 놓으면 갈색으로 변하는 것은 화학 변화이다.

02 설탕이 물에 녹아 설탕물이 되는 과정에서 물과 설탕의 분자 배열만 달라질 뿐 각 분자를 이루는 원자의 배열은 변하지 않는다. 따라서 물과 설탕의 성질은 그대로 유지되므로 이와 같은 물질 변화는 물리 변화에 해당한다.

03 (가)는 물이 끓는 현상으로 물질의 상태가 변할 뿐 물질의 성질은 그대로 유지되는 물리 변화이다.
(나)는 종이가 타는 현상으로 물질을 이루는 원자들의 배열이 달라지면서 새로운 물질이 만들어지는 화학 변화이다.

04 물질을 구성하는 원자의 배열이 달라지면 물질의 성질이 변하므로 이는 화학 변화에 해당한다.
⑤ 달걀 껍데기에 식초를 부으면 이산화 탄소가 발생하면서 거품이 생기므로 화학 변화이다.

오답 분석

① 종이를 접는 것은 모양 변화이므로 물리 변화이다.
② 유리컵이 깨지는 것은 모양 변화이므로 물리 변화이다.
③ 아이스크림이 녹는 것은 상태 변화이므로 물리 변화이다.
④ 물에 설탕을 넣고 저어서 설탕을 녹이는 것은 용해이므로 물리 변화이다.

05 암모니아가 물에 녹아 암모니아수가 되는 반응은 물리 변화에 해당한다.

06 (가) 설탕을 녹이는 과정은 상태 변화이므로 물리 변화에 해당한다.
(나) 설탕이 갈색으로 변하는 캐러멜화 과정과 베이킹 소다에 포함된 탄산수소 나트륨을 가열하여 이산화 탄소가 생성되는 과정은 화학 변화에 해당한다.
(다) 굳히는 과정은 상태 변화이므로 물리 변화에 해당한다.

07 (가) 물이 수증기로 변하는(기화) 과정은 상태 변화에 해당하므로 물리 변화이다.
(나) 물의 전기 분해 과정은 물이 수소와 산소로 나누어지는 화학 변화이다.

08 (가)는 물리 변화, (나)는 화학 변화이다.
⑤ 달걀을 삶으면 달걀 속에 포함된 단백질의 성질이 변하여 단단해지므로 화학 변화이다.

오답 분석

① 나무가 타는 것은 화학 변화이다.
② 철이 녹스는 것은 화학 변화이다.
③ 젖은 빨래가 마르는 것은 물리 변화이다.
④ 음료수 캔이 찌그러지는 것은 물리 변화이다.

09 (나)에서 물 분자가 수소와 산소 분자로 변하므로 반응 후 물 분자의 성질은 반응 전과 다르다.

이 문제에 적용되는 개념

물리 변화와 화학 변화 비교하기 (본교재 011쪽)

구분		물리 변화	화학 변화
입자 모형		물 분자 / 수증기 ← 물 분자 / 물	→ 산소 분자, 수소 분자 / 수소+산소
물질의 성질		변하지 않음	변함
분자	종류	변하지 않음	변함
	배열	변함	–
원자	종류와 개수	변하지 않음	변하지 않음
	배열	변하지 않음	변함

10 마그네슘 리본을 자르는 과정은 물리 변화이므로 자른 마그네슘 리본은 마그네슘과 성질이 같다. 마그네슘 리본을 연소시키는 과정은 화학 변화이므로 마그네슘 리본이 타고 남은 재는 마그네슘과 성질이 다르다.

자료 분석

마그네슘 변화 관찰하기

구분	긴 마그네슘 리본	자른 마그네슘 리본	마그네슘 리본이 타고 남은 재
색깔	은백색	은백색	흰색
전류 흐름	흐름	흐름	흐르지 않음
묽은 염산 반응	기체 발생	기체 발생	변화 없음

11 **모범 답안** (가), (나), (다), 상태 변화와 모양 변화가 일어나는 동안 물질의 성질이 변하지 않았기 때문이다.
해설 (가)와 (나)는 물질의 상태 변화가 일어난 것이고, (다)는 모양을 변화시킨 것이므로 물리 변화에 해당한다.

채점 기준	배점
물리 변화가 일어난 것을 모두 고르고, 그 까닭을 옳게 서술한 경우	100 %
물리 변화가 일어난 것만 모두 고른 경우	50 %

12 화학 반응이 일어날 때 원자의 종류와 개수는 변하지 않지만, 원자의 배열이 달라져 새로운 물질이 생성된다.

13 화학 반응식의 계수비는 각 물질의 분자 수의 비와 같다.

14 이 문제에 적용되는 개념

화학 반응식을 나타내는 방법 (본교재 012쪽)

단계	내용
[1단계] 반응물과 생성물의 이름으로 화학 반응 표현하기	• 반응물은 화살표의 왼쪽, 생성물은 화살표의 오른쪽에 쓴다. • 반응물이나 생성물이 여러 가지인 경우에는 +로 연결한다. 메테인+산소 ⟶ 이산화탄소+물 (반응물) (생성물)
[2단계] 반응물과 생성물을 화학식으로 표현하기	• 각 물질별 화학식 메테인: CH_4, 산소: O_2 이산화탄소: CO_2, 물: H_2O $CH_4+O_2 \longrightarrow CO_2+H_2O$
[3단계] 반응 전후에 원자의 종류와 개수 맞추기	• 화살표 양쪽에 있는 원자의 종류와 개수가 같아지도록 화학식 앞의 계수를 맞춘다. • 계수는 가장 간단한 정수비로 나타내며, 계수가 1일 때는 생략한다. $CH_4+2O_2 \longrightarrow CO_2+2H_2O$
[4단계] 반응 전후에 원자의 종류와 개수가 같은지 확인하기	원자의 종류: 탄소 / 수소 / 산소 반응 전: 1 / 4 / 4 반응 후: 1 / 4 / 4 $CH_4+2O_2 \longrightarrow CO_2+2H_2O$

15 화학 반응식의 화살표 양쪽에 있는 물질의 원자의 종류와 개수가 같아지도록 화학식 앞의 계수를 맞춘다.

16 메테인의 연소 반응에서 반응 전후의 원자의 종류와 개수를 맞춘 화학 반응식은 $CH_4+2O_2 \longrightarrow 2H_2O+CO_2$ 이다.

17 수소 2분자와 산소 1분자가 반응하여 수증기 2분자가 생성되는 화학 반응식이다.
④ 반응 전 총 분자의 개수는 3개이고, 반응 후 분자의 개수는 2개이므로 반응 전후의 총 분자의 개수는 일정하지 않다.

18 화학식 앞의 계수는 분자의 개수를 나타낸다.

오답 분석

① 반응물의 총 원자의 개수는 6개이다.
② 생성물의 총 분자의 개수는 2개이다.
③ X원자 1개당 Y원자 2개가 반응한다.
④ 반응에 참여한 원자는 X, Y 2종류이다.

19 (가) 과산화 수소($2H_2O_2$) ⟶ 물($2H_2O$)+산소(O_2)
(나) 탄산 칼슘($CaCO_3$)+염산($2HCl$) ⟶ 염화 칼슘($CaCl_2$)+물(H_2O)+이산화 탄소(CO_2)

20 ①은 탄소와 산소가 반응하여 이산화 탄소가 생성되는 과정을 나타낸 화학 반응식이다.

오답 분석

② $2H_2O \longrightarrow 2H_2+O_2$
③ $N_2+3H_2 \longrightarrow 2NH_3$
④ $2Mg+O_2 \longrightarrow 2MgO$
⑤ $CH_4+2O_2 \longrightarrow 2H_2O+CO_2$

21 A원자 2개가 결합하여 만들어진 A분자 1개는 A_2로 표현한다. B원자 2개가 결합하여 만들어진 B분자 3개는 $3B_2$로 표현한다. A원자 1개와 B원자 3개가 결합하여 만들어진 분자는 AB_3로, AB_3 2분자는 $2AB_3$로 표현한다.

22 화학 변화 전후의 원자의 종류와 개수는 변하지 않는다. 반응 전후의 탄소 원자는 6개, 수소 원자는 12개, 산소 원자는 18개이다.

23 화학 반응식으로 반응물과 생성물의 종류, 반응물과 생성물을 이루는 원자의 종류와 개수, 분자 수의 비를 알 수 있고, 원자의 크기, 모양, 질량, 반응물과 생성물의 질량은 알 수 없다.

만점 도전하기 3단계

진도책 019쪽

01 ① **02** ⑤ **03** ④ **04** $2NaN_3 \longrightarrow 2Na+3N_2$

01 ㄱ. 탄산음료의 뚜껑을 열면 음료에 녹아 있던 이산화 탄소가 빠져나온다. 이러한 용해도 감소 현상은 물리 변화에 해당한다.
ㄴ. 잉크를 물에 떨어뜨리면 잉크 분자가 물 분자 사이로 퍼져 나간다. 이러한 확산 현상은 물리 변화에 해당한다.
ㄷ. 흰색 설탕을 오래 가열하면 설탕의 성분이 변하여 색깔이 달라진다. 이러한 색깔 변화는 화학 변화에 해당한다.
ㄹ. 탄산 칼슘으로 이루어진 달걀 껍데기에 아세트산으로 이루어진 식초를 떨어뜨리면 이산화 탄소가 발생한다. 이러한 기체 발생은 화학 변화에 해당한다.

02 화학 변화가 일어나는 동안 물질을 이루는 원자들의 배열이 달라지면서 새로운 분자가 만들어지므로 성질이 변한다. 그러나 화학 변화가 일어나는 동안 원자가 없어지거나 새로 생기지 않으므로 원자의 개수와 종류는 변하지 않는다.

03 이 문제에 적용되는 개념

화학 반응식을 통해 알 수 있는 것 (본교재 013쪽)

	반응물	생성물
화학 반응식	$CH_4+2O_2 \longrightarrow CO_2+2H_2O$	
반응 모형	메테인 + 산소	→ 이산화 탄소 + 물
물질의 종류	메테인, 산소	이산화 탄소, 물
분자의 종류와 개수	메테인 분자 1개, 산소 분자 2개	이산화 탄소 분자 1개, 물 분자 2개
원자의 종류와 개수	수소 원자 4개, 탄소 원자 1개, 산소 원자 4개	수소 원자 4개, 탄소 원자 1개, 산소 원자 4개
계수비 =분자 수의 비	메테인 : 산소 : 이산화 탄소 : 물의 계수비 =1 : 2 : 1 : 2=분자 수의 비	
질량 관계	수소 원자 4개×1 =4 탄소 원자 1개×12 =12 산소 원자 4개×16 =64	수소 원자 4개×1 =4 탄소 원자 1개×12 =12 산소 원자 4개×16 =64

04 아자이드화 나트륨(NaN_3)은 나트륨(Na)과 질소(N_2)로 분해된다.

02 화학 반응의 규칙

개념 다지기 1단계

진도책 021쪽, 023쪽

01 (1) ○ (2) × (3) × (4) ○ 02 ㄷ, ㄹ
03 ㄱ, ㅁ, ㅂ 04 (1) 일정 성분비 법칙 (2) 기체 반응 법칙

01 (1) 질량 보존 법칙은 반응 전 물질(반응물)의 총 질량과 반응 후 물질(생성물)의 총 질량이 같음을 설명하는 법칙이다.
(4) 질량 보존 법칙이 성립하는 까닭은 반응 전후에 물질을 이루는 원자의 종류와 개수가 변하기 않기 때문이다.

오답 분석

(2) 질량 보존 법칙은 물리 변화와 화학 변화 모두 성립한다.
(3) 앙금 생성 반응에서도 질량 보존 법칙은 성립한다.

02 ㄷ. 기체가 발생하는 반응으로 열린 용기에서 반응시키면 반응 결과 발생한 수소가 공기 중으로 빠져나가므로 반응 전보다 반응 후 질량이 감소한다.
ㄹ. 나무의 연소 반응으로 열린 용기에서 반응시키면 반응 결과 발생한 이산화 탄소와 수증기가 공기 중으로 빠져나가므로 반응 전보다 반응 후 질량이 감소한다.

오답 분석

ㄱ. 앙금 생성 반응으로 용기의 밀폐 여부에 관계없이 반응 전후 질량이 일정하다.
ㄴ. 금속의 연소 반응으로 열린 용기에서 반응시키면 반응 과정에서 철이 공기 중의 산소와 결합하므로 반응 전보다 반응 후 질량이 증가한다.

03 일정 성분비 법칙은 화합물에서만 성립한다. 소금물, 암모니아, 이산화 탄소는 혼합물이며, 혼합물은 구성하는 성분 물질의 비율이 일정하지 않으므로 일정 성분비 법칙이 성립하지 않는다.

04 (1) 일정 성분비 법칙은 화합물의 성분 원소 사이에 질량비가 일정함을 설명한다.
(2) 기체 반응 법칙은 반응 전후에 기체 물질의 부피비가 일정함을 설명한다.

공략 확인 문제

진도책 024~025쪽

01 ② 02 ② 03 ① 04 ④ 05 ②

01 화학 반응 전후에 질량이 보존되는데 (다)에서 질량이 감소한 것은 반응 결과 발생한 기체가 빠져나갔기 때문이다. 따라서 발생한 기체의 질량은 반응 후 감소한 질량에 해당한다.

02 탄산 칼슘과 묽은 염산이 반응하면 이산화 탄소가 생성되는데 뚜껑이 닫힌 상태에서는 반응이 일어나는 동안 질량 변화가 없고, 뚜껑을 열면 빠져나간 이산화 탄소의 질량만큼 질량이 감소한다.

03 산화 구리(Ⅱ)를 구성하는 구리와 산소의 질량비가 4 : 1이므로 구리 가루 4 g이 모두 반응하기 위해 필요한 산소의 질량은 1 g이다.

04 구리 : 산소 : 산화 구리(Ⅱ)의 질량비가 4 : 1 : 5이므로 산화 구리(Ⅱ) 5 g을 만들기 위해서 구리 4 g이 필요하다.

05 한 화합물을 구성하는 성분 원소의 질량비는 항상 일정하다.
ㄷ. 구리와 반응하는 산소의 질량비는 항상 4 : 1로 일정하게 결합하여 산화 구리(Ⅱ)를 생성한다.

오답 분석

ㄱ. 구리의 질량이 커질수록 구리와 결합하는 산소의 질량도 일정하게 커진다.
ㄴ. 구리의 질량이 커질수록 생성되는 산화 구리(Ⅱ)의 질량도 일정하게 커진다.

실력 올리기 2단계

진도책 026~028쪽

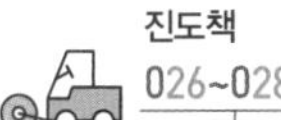

01 ③ 02 ② 03 ② 04 ③ 05 ③ 06 해설 참조
07 ④ 08 ④ 09 ⑤ 10 ① 11 ⑤ 12 ④ 13 ④
14 ⑤ 15 ① 16 ① 17 ④

01 질량 보존 법칙은 화학 반응 전후 물질의 총 질량이 변하지 않음을 설명하는 법칙이다.

오답 분석

① 질량 보존 법칙은 물리 변화와 화학 변화 모두에 적용된다.
② 질량 보존 법칙은 기체 발생 반응에서도 성립한다.
④ 앙금 생성 반응에서도 질량은 보존되므로 생성물의 총 질량은 반응물의 총 질량과 같다.
⑤ 반응 전후 원자의 종류와 개수가 같으므로 질량 보존 법칙이 성립한다.

02 앙금 생성 반응이며, 반응이 일어나는 동안 질량이 보존된다.

오답 분석

① 앙금 생성 반응이므로 기체가 발생하지 않는다.
③ $NaCl + AgNO_3 \longrightarrow AgCl \downarrow$ (흰색 앙금) $+ NaNO_3$
④ 전체 이온 중 염화 이온과 은 이온이 결합하여 앙금을 만들므로 이온의 개수는 감소한다.
⑤ 전체 원자의 개수는 변하지 않는다.

03 ㄷ. 탄산 나트륨과 염화 칼슘을 반응시키면 염화 나트륨과 흰색 앙금인 탄산 칼슘이 생성되므로 반응 전후 물질의 총 질량은 일정하다.
ㄹ. 아이오딘화 칼륨과 질산 납을 반응시키면 질산 칼륨과 노란색 앙금인 아이오딘화 납이 생성되므로 반응 전후 물질의 총 질량은 일정하다.

오답 분석

ㄱ. 과산화 수소를 분해하면 물과 산소가 생성되므로 열린 공간에서 반응시키면 반응 결과 발생한 산소가 공기 중으로 빠져나가므로 반응 전보다 반응 후 물질의 총 질량이 감소한다.
ㄴ. 마그네슘과 묽은 염산을 반응시키면 염화 마그네슘과 수소가 생성되므로 열린 공간에서 반응시키면 반응 결과 발생한 수소가 공기 중으로 빠져나가므로 반응 전보다 반응 후 물질의 총 질량이 감소한다.

04 탄산 칼슘과 묽은 염산이 반응하면 염화 칼슘과 물, 이산화 탄소가 생성되며, 반응하는 동안 물질을 구성하는 원자가 없어지거나 새로 생기지 않으므로 화학 반응 전후 삼각 플라스크 안의 질량은 일정하다.
①, ② 반응 결과 발생한 이산화 탄소로 풍선이 부풀어 오른다.
④ 부풀어 오른 풍선을 제거하면 이산화 탄소가 공기 중으로 빠져나가므로 총 질량이 감소한다.
⑤ 반응 결과 생성된 물은 푸른색 염화 코발트 종이를 붉게 변화시킨다.

05 ㄱ. 나무를 연소시키면 이산화 탄소가 발생한다.
ㄴ. 강철솜을 연소시키면 산소와 결합하여 연소 후 질량이 증가한다.

오답 분석

ㄷ. 두 반응 모두 질량 보존 법칙이 성립한다.

06 **모범 답안** 강철 솜을 열린 용기에서 연소시키면 공기 중의 산소와 결합하므로 질량이 증가하고, 나무를 열린 용기에서 연소시키면 반응 결과 발생한 이산화 탄소와 수증기가 공기 중으로 빠져나가므로 질량이 감소한다.

채점 기준	배점
열린 용기에서 강철 솜과 나무를 연소시킬 때의 질량 변화와 그 까닭을 모두 옳게 서술한 경우	100 %
열린 용기에서 강철 솜과 나무를 연소시킬 때의 질량 변화만 옳게 서술한 경우	30 %

07 일정 성분비 법칙은 생성물이 화합물일 때만 성립한다.
ㄱ, ㄴ, ㄹ. 화합물(물, 암모니아, 산화 마그네슘)을 생성하는 반응이다.

오답 분석

ㄷ. 혼합물(암모니아수)을 생성하는 반응이다.

08 이산화 탄소를 이루는 탄소와 산소의 원자의 개수비는 1 : 2이므로, 질량비는 탄소:산소$=(1\times12):(2\times16)=12:32=3:8$이다.

09 $2Cu+O_2 \longrightarrow 2CuO$
ㄴ. 구리와 산소가 반응하여 생성된 물질은 산화 구리(Ⅱ)(CuO)이다.
ㄷ. 산화 구리(Ⅱ)를 이루는 구리 : 산소의 질량비는 4 : 1이므로 구리 10 g이 완전히 반응하기 위해 필요한 산소는 2.5 g이다.

자료 분석

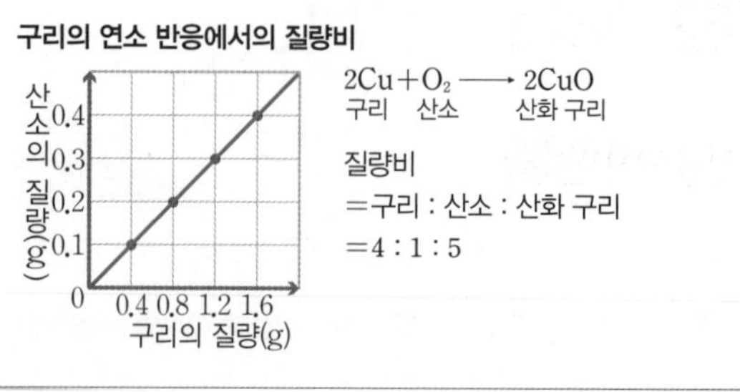

오답 분석

ㄱ. 구리와 산소는 4 : 1의 질량비로 반응한다.

10 수소와 산소가 반응하여 물을 만드는 반응은 일정 성분비 법칙이 성립한다. 실험 Ⅱ에서 수소와 산소가 1 : 8의 질량비로 반응함을 알 수 있다. 따라서 실험 Ⅲ에서 수소 2 g과 산소 8 g을 완전히 반응시키면 수소 2 g 중 1 g이 반응하고 산소는 8 g이 모두 반응하여 물 9 g이 생성되므로, ㉠ 반응 후 남은 기체는 수소 1 g이다.

자료 분석

물의 합성 반응에서의 질량비

반응한 질량(g)		생성된 물의 질량(g)
수소	산소	
1	8	9
2	16	18
3	24	27
4	32	36

$2H_2+O_2 \longrightarrow 2H_2O$
수소 산소 물
질량비=수소 : 산소 : 물=1 : 8 : 9

11 물을 이루는 수소와 산소의 질량비가 1 : 8이므로 수소 2 g은 산소 16 g과 반응한다. 그런데 반응 후 산소가 2 g 남았으므로 반응 전 산소의 질량은 18 g이다.

12 수소와 산소는 1 : 8의 질량비로 반응한다.
④ 수소 4 g과 산소 35 g이 완전히 반응하면 수소 4 g과 산소 32 g이 반응하여 물 36 g이 생성된다.

오답 분석

① 수소 3 g과 산소 20 g이 완전히 반응하면 수소 2.5 g과 산소 20 g이 반응하여 물 22.5 g이 생성된다.
② 수소 3 g과 산소 40 g이 완전히 반응하면 수소 3 g과 산소 24 g이 반응하여 물 27 g이 생성된다.
③ 수소 4 g과 산소 25 g이 완전히 반응하면 수소 3.125 g과 산소 25 g이 반응하여 물 28.125 g이 생성된다.
⑤ 수소 5 g과 산소 30 g이 완전히 반응하면 수소 3.75 g과 산소 30 g이 반응하여 물 33.75 g이 생성된다.

13 암모니아 생성 반응은 기체 반응 법칙이 성립한다.
ㄱ. 질소 1분자와 수소 3분자가 반응하여 암모니아 2분자가 생성된다.
ㄷ. 반응 전후 물질을 이루는 원자의 종류와 개수는 변하지 않는다.

오답 분석

ㄴ. 반응이 일어나는 동안 원자의 배열이 달라져 새로운 분자가 생성된다. 그러므로 반응 전후의 분자의 종류와 개수는 변한다.

14 ㄱ. 반응물과 생성물이 모두 기체이므로 기체 반응 법칙이 성립한다.
ㄴ. 일산화 탄소 : 산소의 부피비는 2 : 1이므로 일산화 탄소 4 L가 완전히 반응하기 위해서 산소 2 L가 필요하다.
ㄷ. 반응물과 생성물의 부피비는 분자 수의 비와 같다.

자료 분석

기체의 부피비와 분자 수의 비 및 부피비의 관계

	일산화 탄소 2부피		산소 1부피		이산화 탄소 2부피
계수비	2	:	1	:	2
분자 수비	2	:	1	:	2
부피비	2	:	1	:	2

15 수소와 염소가 반응하여 염화 수소를 만드는 반응은 기체 반응 법칙이 성립한다. 실험 Ⅱ에서 수소와 염소가 1 : 1의 부피비로 반응함을 알 수 있다. 실험 Ⅲ에서 수소 3 L 중 2 L와 염소 2 L가 반응하므로 남는 기체는 (가) 수소 1 L이다. 실험 Ⅳ에서 반응 후 남은 기체가 수소 1 L이므로, 수소 4 L 중 3 L만 반응에 참여한 것을 알 수 있고, 반응한 수소와 염소의 부피비는 1 : 1이므로 반응한 염소의 부피는 (나) 3 L이다. 그 결과 실험 Ⅳ에서 수소 3 L와 염소 3 L가 반응하여 염화 수소 6 L가 생성된다.

16 반응물과 생성물의 부피비는 분자 수의 비와 같다. 수소 분자(H_2)와 염소 분자(Cl_2)가 1 : 1의 분자 수의 비로 반응하여 염화 수소(HCl)를 만든다.

17 반응하는 기체들 사이의 부피비를 화학 반응식의 계수비로부터 알 수 있는 경우는 반응하는 물질이 모두 기체인 경우에만 가능하다.

오답 분석

ㄱ. 탄소는 고체이므로 알 수 없다.

만점 도전하기 3단계

진도책 029쪽

01 ④ 02 ④ 03 ④ 04 ②

01 ㄱ. (가)에서 구리는 산소와 결합하여 산화 구리(Ⅱ)가 생성된다. (나)에서 숯가루를 이루는 탄소는 산소와 결합하여 이산화 탄소가 된다.
ㄷ. 모든 변화는 질량 보존 법칙이 성립한다.

오답 분석

ㄴ. 구리는 결합한 산소의 질량만큼 질량이 증가하고, 탄소는 결합한 산소의 질량보다 생성되어 날아간 이산화 탄소의 질량이 더 크므로 숯가루를 가열할수록 질량은 감소한다.

02 산화 철을 이루는 철과 산소의 질량비는 5 : 2이므로 산화 철 35 g에 포함된 철은 25 g, 산소는 10 g이다. 산화 마그네슘을 이루는 마그네슘과 산소의 질량비는 3 : 2이므로 산화 마그네슘 35 g에 포함된 마그네슘은 21 g, 산소는 14 g이다.

03 이 문제에 적용되는 개념

물 분자와 과산화 수소 분자에서 수소와 산소의 질량비

(본교재 022쪽)

원자 1개의 상대적 질량: 수소=1, 산소=16

분자 모형 및 이름	물	과산화 수소
구성 원자	수소, 산소	수소, 산소
원자의 개수비 (수소 : 산소)	2 : 1	2 : 2=1 : 1
질량비 (수소 : 산소)	2×1 : 1×16 =2 : 16=1 : 8	1×1 : 1×16 =1 : 16

➡ 같은 종류의 원소로 이루어진 화합물이라도 구성하는 원자 수의 비가 다르면 다른 종류의 화합물이므로 구성 원소의 질량비도 다르다.

ㄱ. (가)를 구성하는 탄소와 산소의 질량비는 12 : 16 =3 : 4이다.
ㄷ. (나)에서 탄소와 산소의 질량비가 3 : 8이므로 같은 질량의 탄소와 산소가 완전히 반응하면 탄소가 남는다.

오답 분석

ㄴ. 같은 원소로 이루어져 있더라도 원소들의 질량비가 다르면 다른 물질이다.

04 실험 Ⅰ에서 반응에 참여한 기체의 부피비는 A : B : C =2 : 1 : 2이다. 기체의 부피비와 화학 반응식의 분자 수의 비가 같다.
ㄱ. 수소 : 염소 : 염화 수소의 분자 수의 비는 1 : 1 : 2이다.
ㄴ. 질소 : 수소 : 암모니아의 분자 수의 비는 1 : 3 : 2이다.
ㄷ. 일산화 탄소 : 산소 : 이산화 탄소의 분자 수의 비는 2 : 1 : 2이다.

03 화학 반응에서의 에너지 출입

개념 다지기 1단계 진도책 031쪽

01 (1) 방출 (2) 높아진다 (3) 흡열 (4) 낮아진다
02 ㄱ, ㄴ, ㄷ 03 ㄱ, ㄴ 04 방출, 높아지기

01 발열 반응이 일어나면 물질 주변은 물질로부터 에너지를 받으므로 온도가 높아진다. 흡열 반응은 주변의 열에너지를 흡수하므로 주변의 에너지가 낮아져 주변의 온도가 낮아진다.

02 ㄱ. 물질이 연소하면 열과 빛이 발생한다.
ㄴ. 금속이 산소와 결합하여 녹이 슬 때 열이 발생한다.
ㄷ. 금속과 산이 반응하면 수소 기체가 발생하면서 열이 발생한다.

03 ㄱ. 광합성은 식물의 엽록체에서 빛에너지를 흡수하여 영양분을 만드는 과정이다.
ㄴ. 물이 수소와 산소로 나누어지기 위해서는 전기와 같은 강한 에너지를 흡수해야 한다.
ㄷ. 산과 염기가 반응하면 열이 발생한다.

04 염화 칼슘이 물에 녹으면 주변으로 에너지를 방출하여 주변의 온도가 높아지므로 눈이 빨리 녹는다.

공략 확인 문제 진도책 032~033쪽

01 ② 02 해설 참조 03 ⑤ 04 해설 참조

01 부직포 봉투의 미세한 구멍으로 공기 중의 산소가 들어가므로 철 가루 혼합물을 흔들면 철 가루가 산소와 결합하여 산화 철을 생성한다.

02 **모범 답안** 철 가루가 산소와 반응하면 에너지를 방출한다.
해설 철 가루가 공기 중의 산소와 결합하여 산화 철을 만들면서 열에너지를 방출한다.

채점 기준	배점
에너지 방출과 관련된 내용으로 옳게 서술한 경우	100 %
철 가루가 산소와 반응하기 때문이라고만 쓴 경우	50 %

03 수산화 바륨과 염화 암모늄의 반응은 흡열 반응이다. 연소, 산의 용해, 탄산 칼슘과 산의 반응, 산과 염기의 반응은 모두 발열 반응이다.

04 **모범 답안** 질산 암모늄이 물에 녹으면서 에너지를 흡수한다.
해설 질산 암모늄의 용해 과정은 흡열 반응이다.

채점 기준	배점
에너지 흡수와 관련된 내용으로 옳게 서술한 경우	100 %
질산 암모늄이 물에 녹기 때문이라고만 쓴 경우	50 %

실력 올리기 2단계 진도책 034~035쪽

01 ① 02 ① 03 ④ 04 ⑤ 05 ④ 06 ③ 07 ⑤

01 화학 반응이 일어나는 동안 에너지를 방출하는 반응을 발열 반응이라고 한다. 발열 반응이 일어나는 동안 주위의 온도가 높아진다.

이 문제에 적용되는 개념

발열 반응(본교재 030쪽)

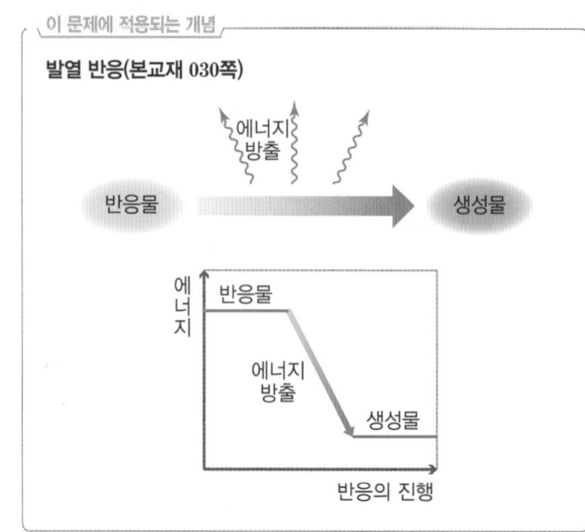

02 아연과 묽은 염산의 반응은 열이 발생하는 발열 반응이다. ②, ③, ④, ⑤는 모두 흡열 반응이다.

자료 분석

발열 반응의 예

▲ 연소 반응 ▲ 금속이 녹스는 반응 ▲ 금속과 산의 반응
▲ 산과 염기의 반응 ▲ 발열 용기: 산화 칼슘과 물의 반응 ▲ 발열 도시락: 산화 칼슘과 물의 반응

03 주어진 반응식은 발열 반응을 나타낸 식이다. 식물의 광합성 과정은 흡열 반응에 해당한다. ① 연소 반응, ② 금속의 부식, ③ 금속과 산의 반응, ⑤ 산과 염기의 반응은 모두 발열 반응이다.

04 (가) 염화 수소+마그네슘 ⟶ 염화 마그네슘+수소
(나) 염화 수소+수산화 나트륨 ⟶ 염화 나트륨+물

오답 분석

① (나)에서만 물이 생성된다.
② (가)에서만 기체가 발생한다.
③ (가)와 (나) 모두 화학 변화이다.
④ (가)와 (나) 모두 발열 반응이므로 주변의 온도가 높아진다.

05 수산화 바륨과 염화 암모늄의 반응이 일어나는 동안 물이 방출하는 열에너지를 흡수한다.
ㄱ. 물이 얼면서 주변으로 열에너지를 방출한다.

이 문제에 적용되는 개념

흡열 반응(본교재 030쪽)

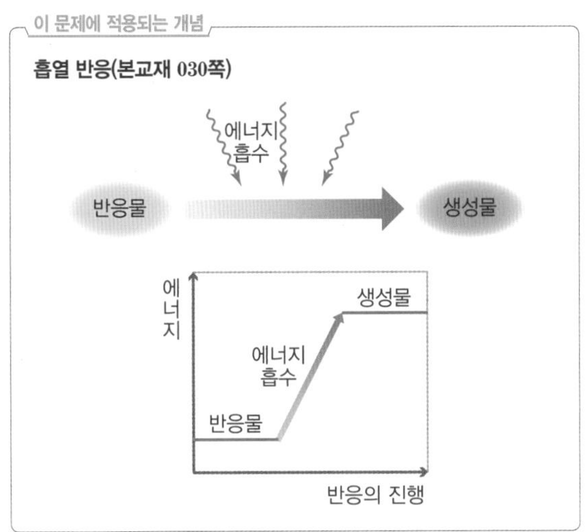

06 물의 전기 분해 과정은 흡열 반응이다. 소금이 얼음물에 녹으면 얼음물의 온도가 더 내려간다. ① 연소 반응, ② 금속의 부식 반응, ④ 탄산 칼슘과 산의 반응, ⑤ 산과 염기의 반응은 발열 반응이다.

자료 분석

흡열 반응의 예

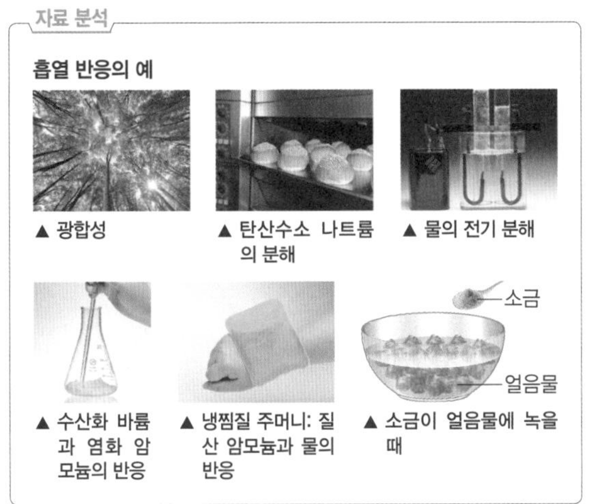

▲ 광합성 ▲ 탄산수소 나트륨의 분해 ▲ 물의 전기 분해

▲ 수산화 바륨과 염화 암모늄의 반응 ▲ 냉찜질 주머니: 질산 암모늄과 물의 반응 ▲ 소금이 얼음물에 녹을 때

07 철 가루가 산소와 결합하면서 열에너지가 밖으로 방출된다. 이에 따라 주변의 온도가 높아진다.

만점 도전하기 3단계 진도책 035쪽

01 ③ 02 ③

01 휴대용 발열 용기와 조리용 발열 팩은 발열 반응을 이용한 것이다. 발열 반응은 에너지를 방출한다.

02 탄산수소 나트륨은 열을 흡수하여 탄산 나트륨, 물, 이산화 탄소로 분해된다. 이때 발생한 이산화 탄소에 의해 빵이 부푼다. 탄산수소 나트륨이 분해될 때 에너지를 흡수하므로 반응 후 생성물의 에너지가 반응물보다 크다.

진도책 036쪽~039쪽

대단원 완성하기

01 ⑤ 02 ④ 03 ① 04 ④ 05 ③ 06 ⑤ 07 ⑤
08 ③ 09 ⑤ 10 ⑤ 11 ⑤ 12 ④ 13 ③ 14 ④
15 ⑤ 16 ④ 17 ① 18~23 해설 참조

01 물리 변화하는 동안 물질의 고유한 성질은 변하지 않는다.
ㄱ. 금속의 부식, ㄴ. 발효는 화학 변화이다. ㄷ, ㄹ. 물질의 상태 변화는 물리 변화이다.

02 설탕의 캐러멜화 과정, 사과의 갈변 현상, 탄산 칼슘과 산의 반응은 모두 화학 변화이다. 화학 변화가 일어나는 동안 원자의 배열이 변하여 새로운 분자가 생성되고 물질의 성질이 달라진다. 그러나 원자의 종류와 수는 변하지 않는다.

03 (가)는 물의 상태 변화이므로 물리 변화에 해당하고, (나)는 물의 분해로 화학 변화에 해당한다.

이 문제에 적용되는 개념

물리 변화와 화학 변화의 비교(본교재 010쪽)

	물리 변화	화학 변화
정의	물질의 고유한 성질은 변하지 않으면서 모양이나 상태가 변하는 현상	어떤 물질이 전혀 다른 성질의 새로운 물질로 변하는 현상
특징	• 물질을 구성하는 분자의 종류가 달라지지 않으므로 물질의 성질이 변하지 않는다. • 물질의 겉모양이 달라질 때, 분자의 배열만 달라진다. • 예: 상태 변화, 모양 변화, 용해, 확산, 혼합 등	• 물질을 구성하는 분자의 종류가 달라지므로 물질의 성질이 변한다. • 물질을 구성하는 원자의 배열이 달라진다. • 예: 연소, 부식, 앙금 생성, 발효, 부패, 광합성, 호흡 등

04 (가)는 메테인의 연소 과정으로 화학 변화에 해당한다.
(나)는 고체 상태인 드라이아이스가 기체 상태인 이산화 탄소로 상태 변화하는 과정으로 물리 변화에 해당한다. ④ 상태 변화에서는 물질의 성질이 변하지 않는다.

자료 분석

메테인의 연소와 드라이아이스의 승화

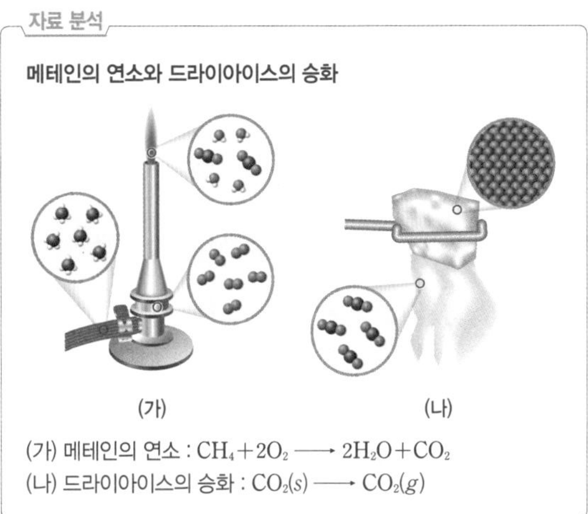

(가) 메테인의 연소 : $CH_4 + 2O_2 \longrightarrow 2H_2O + CO_2$
(나) 드라이아이스의 승화 : $CO_2(s) \longrightarrow CO_2(g)$

05 메탄올이 산소와 반응하여 이산화 탄소와 물이 생성되는 반응이다.
③ 분자의 수는 화학 반응식의 계수를 통해 알 수 있다. 반응 전 분자 수는 메탄올 2개, 산소 3개로 총 5개였으나 반응 후 이산화 탄소 2개, 물 4개로 총 6개로 변한다.

06 반응 전후 원자의 종류와 수는 변하지 않는다. 반응 전 탄소가 2개이므로 반응 후에도 탄소가 2개가 되도록 이산화 탄소의 계수를 2로 조정한다. 반응 전 수소의 개수가 6개이므로 반응 후에도 수소가 6개가 되도록 물의 계수를 3으로 조정한다. 반응 후 산소의 개수가 총 7개이고, 반응 전 에탄올에 산소 1개가 포함되어 있으므로 반응 전 산소 분자의 개수는 총 3개이다.

07 탄산 칼슘과 묽은 염산이 반응하여 이산화 탄소 기체와 물, 염화 칼슘이 생성된다.
ㄱ. 반응 전후 질량은 일정하다.
ㄴ. 발생하는 이산화 탄소 기체에 의해 풍선이 부푼다.
ㄷ. 탄산 칼슘과 묽은 염산의 반응은 화학 변화에 해당한다.

자료 분석

묽은 염산과 탄산 칼슘의 반응

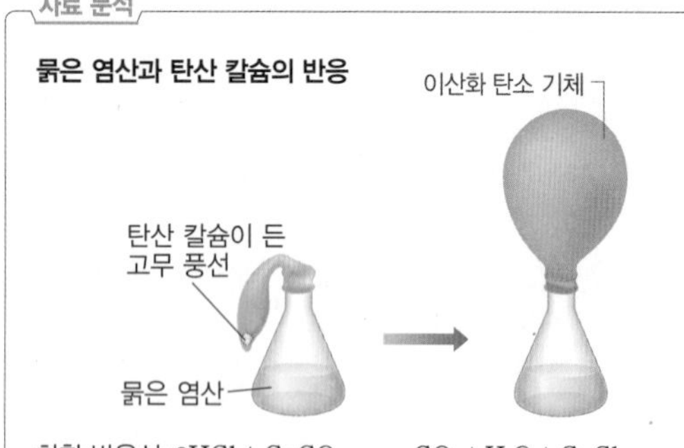

화학 반응식: $2HCl + CaCO_3 \longrightarrow CO_2 + H_2O + CaCl_2$
➡ 묽은 염산과 탄산 칼슘이 반응하여 이산화 탄소 기체가 발생하므로 풍선이 부푼다.

08 (가)에서 구리와 공기 중의 산소가 결합하므로 질량이 증가한다. (나)에서 숯가루의 탄소가 공기 중의 산소와 결합하고 이산화 탄소가 되어 공기 중으로 날아가므로 질량이 감소한다.

자료 분석

구리와 숯의 연소

구리 가루 / 산소 결합 / 도가니 (가)
숯가루 / 산소 결합 / 이산화 탄소 발생 / 도가니 (나)

(가) 구리의 연소: $2Cu + O_2 \longrightarrow 2CuO$
➡ 구리는 결합하는 산소의 질량만큼 연소하는 동안 질량이 증가한다.
(나) 숯의 연소: $C + O_2 \longrightarrow CO_2$
➡ 숯은 결합한 산소보다 생성되어 공기 중으로 날아가는 이산화 탄소의 질량이 더 크므로 연소하는 동안 질량이 점점 감소한다.

09 앙금 생성 반응은 기체와 결합하거나 기체가 발생하는 반응이 아니므로 열린 공간에서 반응해도 질량이 변하지 않는다.
오답 분석
① 금속의 연소 반응은 결합한 산소 질량만큼 반응 후 질량이 증가한다.
②, ③ 분해 반응 후 기체가 발생하므로 질량이 감소한다.
④ 금속과 산의 반응은 반응 후 발생한 수소의 질량만큼 질량이 감소한다.

10 일정 성분비 법칙은 화합물에서 성립한다. 화합물은 2가지 이상의 원소들이 결합하여 만들어진 순물질이다. ㄴ과 ㄷ은 혼합물이다.

11 산화 철을 이루는 철과 산소의 질량비는 5 : 2이므로 산화 철 14 g에 포함된 철은 10 g, 산소는 4 g이다.

12 ㄱ. 금속과 산소가 결합하면 산화 금속이 되며, 금속에 결합한 산소의 질량만큼 질량이 증가한다.
ㄴ. 금속 2.0 g이 산소와 반응하여 2.5 g이 되므로 반응에 참여한 산소는 0.5 g이다. 따라서 금속과 산소는 4 : 1의 질량비로 결합한다.
ㄷ. 금속 1.0 g보다 2.0 g이 완전히 반응하는 데 걸리는 시간이 길다.

13 ③ 산화 구리(Ⅱ)를 이루는 구리와 산소의 질량비는 일정하다.
오답 분석
①, ②, ④ 구리의 질량이 증가하면 구리와 반응하는 산소의 질량도 증가하며, 반응하는 구리와 산소의 총 질량도 증가한다. 질량 보존 법칙에 의해 생성물인 산화 구리(Ⅱ)의 질량 또한 커진다.
⑤ 구리와 산소가 반응하는 데 걸리는 시간이 길어진다.

14 그림의 장치는 물을 수소와 산소로 분해하는 장치이다.
ㄱ. 화학 반응식은 $2H_2O \longrightarrow 2H_2 + O_2$이다.
ㄴ. 기체의 부피비는 화학 반응식의 계수비와 같다.
ㄷ. (−)극에서 수소가 발생하는데, 수소에 불을 가까이 대면 '펑' 소리를 내며 탄다.

15 실험 Ⅲ에서 기체 A와 B가 2 : 1의 부피비로 완전히 반응한 것을 알 수 있다. 기체 A와 B가 2 : 1의 부피비로 반응하므로 실험 Ⅰ에서 기체 B가 3 L 남고, 실험 Ⅱ에서 기체 B가 1.5 L 남는다.

16 일산화 탄소 : 산소 : 이산화 탄소의 부피비는 2 : 1 : 2이므로 일산화 탄소 4 L와 산소 2 L가 반응하여 이산화 탄소 4 L가 생성된다.

17 반응물의 에너지가 생성물의 에너지보다 높으므로 발열 반응이다. 쇠못을 식초에 담그면 열이 발생한다.

18 **모범 답안** 물리 변화, 설탕이 물에 녹는 동안 설탕과 물의 성질이 변하지 않기 때문이다.
해설 변화가 일어나는 동안 물질의 고유한 성질 변화의 여부로 물리 변화와 화학 변화로 구분한다.

채점 기준	배점
변화의 종류와 그 까닭을 모두 옳게 서술한 경우	100 %
변화의 종류나 그 까닭 중 하나만 옳게 서술한 경우	50 %

19 **모범 답안** $O_2 \rightarrow 3O_2$, 화학 반응 전후의 원자의 종류와 개수가 같아야 하기 때문이다.
해설 반응 전후의 원자의 종류와 개수가 같으므로 화학식의 계수를 조정하여 화학 반응식을 완성한다.

채점 기준	배점
잘못된 부분을 찾아 고치고, 그 까닭을 옳게 서술한 경우	100 %
잘못된 부분만 찾아 고치거나 그 까닭만 옳게 서술한 경우	50 %

20 **모범 답안** 질량이 일정하다, 반응이 일어나는 동안 원자의 배열만 변할 뿐 원자의 종류와 개수가 변하지 않기 때문이다.
해설 물리 변화와 화학 변화가 일어나는 동안 원자가 새로 생기거나 없어지지 않으므로 질량이 보존된다.

채점 기준	배점
질량이 보존됨을 밝히고, 그 까닭을 옳게 서술한 경우	100 %
질량이 보존됨만 밝힌 경우	30 %

21 **모범 답안** 오른쪽, 강철 솜에 산소가 결합하기 때문이다.
해설 반응 전 강철 솜에 결합한 산소의 질량만큼 무거워지지만 반응 전 강철 솜의 질량과 함께 반응에 참여한 산소의 질량까지 고려하면 질량 보존 법칙이 성립한다.

채점 기준	배점
막대 저울이 기우는 방향과 그 까닭을 모두 옳게 서술한 경우	100 %
막대 저울이 기우는 방향만 옳게 쓴 경우	30 %

22 **모범 답안** 성질이 다르다, 한 화합물을 구성하는 원자의 비율이 다르기 때문이다.
해설 한 화합물을 이루는 원자의 개수 비율이 다르면 전혀 다른 성질의 새로운 물질이 된다.

채점 기준	배점
두 화합물의 성질이 다름을 밝히고, 그 까닭을 옳게 서술한 경우	100 %
두 화합물의 성질이 다름만 밝힌 경우	30 %

23 **모범 답안** 나무판이 삼각 플라스크에 달라붙는다, 수산화 바륨과 염화 암모늄이 반응하면서 주위의 에너지를 흡수하여 물이 얼기 때문이다.
해설 물은 에너지를 빼앗기므로 온도가 낮아져 얼음으로 변한다.

채점 기준	배점
나무판에서 일어나는 변화와 그 까닭을 모두 옳게 서술한 경우	100 %
나무판에서 일어나는 변화와 그 까닭 중 하나만 옳게 서술한 경우	50 %

Ⅱ 기권과 날씨

01 기권과 구름

개념 다지기 1단계

진도책 043쪽, 045쪽

01 (1) ○ (2) × (3) × (4) ○ **02** (1) × (2) ○
03 70 % **04** 온실 효과
05 (1) ○ (2) ○ (3) ×
06 (1) A=B>C>D (2) A>B=C>D (3) C>A>D>B
07 (1) 단열 팽창 (2) 상승 (3) 적운, 층운
08 (1) A (2) B (3) B

01 (2) 성층권은 오존층이 존재하며, 오존이 태양의 자외선을 흡수하므로 높이 올라갈수록 기온이 높아진다. 따라서 성층권은 대류 현상이 일어나지 않는 안정한 층이다.
(3) 중간권은 공기의 대류 현상이 일어나지만, 기상 현상은 나타나지 않는다.

02 (1) 복사 평형에 도달하면 흡수하는 복사 에너지양과 방출하는 복사 에너지양이 같다.

03 지구가 받는 태양 복사 에너지 중 30 %는 대기와 지표면에서 반사되고 나머지 70 %는 흡수된다. 이때 지구는 흡수한 태양 복사 에너지(70 %)와 같은 양의 지구 복사 에너지를 방출한다.

04 지구는 대기의 온실 효과로 대기가 없을 때보다 높은 온도에서 복사 평형을 이룬다.

05 (3) 포화 수증기량은 현재 수증기량과는 관련이 없고 기온과 관련이 있다. 즉, 기온이 높아질수록 포화 수증기량이 많아진다.

06 포화 수증기량은 기온이 높을수록, 이슬점은 현재 수증기량이 많을수록, 상대 습도는 포화 수증기량에 대한 현재 수증기량의 비율이 클수록 높다.

07 (2) 공기가 상승하면 단열 팽창에 의해 구름이 형성된다.

08 (2), (3) 얼음 알갱이의 크기가 성장하는 구간은 얼음 알갱이와 물방울이 공존하는 B 구간이다.

공략 확인 문제

진도책 046쪽

01 (1) × (2) × (3) ○ (4) ○ (5) ○
02 (1) 수축 (2) 상승 (3) 팽창 (4) 하강

01 ⑴, ⑵ 가압 장치를 누르면 외부의 공기가 페트병 내부로 들어오면서 단열 압축이 일어나 페트병 내부의 온도가 상승한다.
⑸ 향 연기는 수증기의 응결이 잘 일어나도록 도와주는 역할을 한다.

02 피스톤을 밀 때 단열 압축이 일어나 부피가 수축하여 온도가 상승하고, 피스톤을 잡아당길 때 단열 팽창이 일어나 부피가 팽창하여 온도가 하강한다.

실력 올리기 2단계

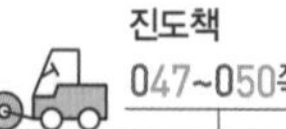

진도책 047~050쪽

01 ③ 02 ④ 03 ① 04 ⑤ 05 B, 성층권 06 ③
07 ② 08 (나)-(가)-(다) 09 ① 10 ④
11 ㄱ, ㄷ 12 ② 13 A: 50 %, B: 70 %
14 ㄷ, ㄹ, ㅁ 15 ③ 16 ④ 17 ② 18 ⑤ 19 ⑤
20 ① 21 ③ 22 ③ 23 ③ 24 ㄷ 25 ⑤ 26 ③
27 해설 참조 28 해설 참조

01 대기는 지표면에서 높이 약 1000 km까지 분포하는데, 대기로 둘러싸인 이 구간을 기권 또는 대기권이라고 한다.

02 지구의 대기와 물은 지구 표면을 풍화나 침식하는 데 중요한 역할을 한다.

03 기권은 높이에 따른 기온 변화를 기준으로 대류권, 성층권, 중간권, 열권의 4개 층으로 구분한다.

04 ⑤ 지표가 방출하는 에너지가 높이 올라갈수록 점차 적게 도달하므로 대류권에서는 높이 올라갈수록 기온이 낮아진다.

오답 분석

① 오존층이 존재하고 있기 때문에 높이 올라갈수록 기온이 상승하는 층은 성층권이다.
②, ③ 높이 올라갈수록 기체의 양이 급격히 줄어들기 때문에 위로 갈수록 기압과 밀도가 감소한다.

05 자료 분석

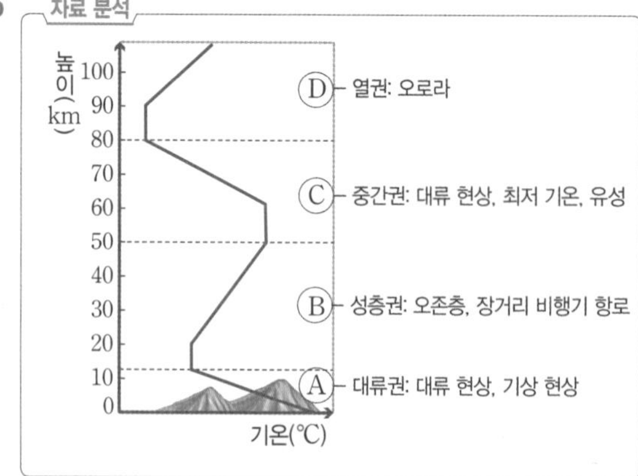

성층권은 높이 올라갈수록 기온이 상승하므로 대류 현상이 일어나지 않아 기층이 안정되어 있다.

06 ③ C층은 중간권으로, 높이 올라갈수록 기온이 하강하므로 공기의 대류 현상이 일어난다. 그러나 공기가 희박하고 수증기가 거의 없어 기상 현상은 나타나지 않는다.

오답 분석

① 오존층이 분포하는 층은 B이다.
② 중간권은 대류 현상이 일어나므로 기층이 불안정하다.
④ 극지방 상공에 오로라가 나타나는 층은 D이다.
⑤ 구름, 비, 눈 등의 기상 현상이 나타나는 층은 A이다.

07 열권은 공기가 희박하고 태양열에 의해 직접 가열되므로 위로 올라갈수록 기온이 높아진다.

08 자료 분석

(가) 오존층

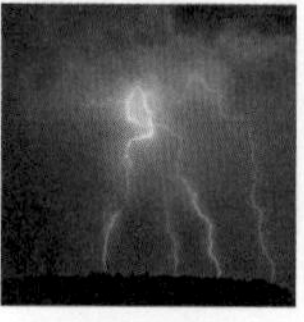

(나) 번개

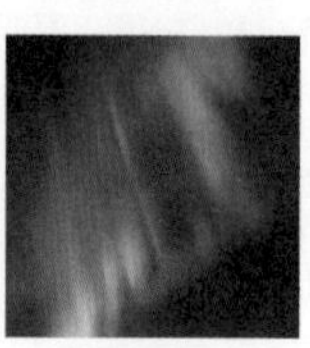

(다) 오로라

(가) 오존층: 지표로부터 높이 약 20~30 km에 오존이 밀집되어 있는 층으로, 태양으로부터 오는 자외선을 흡수한다.
(나) 번개: 구름과 지면 사이의 기전력에 의해 나타나는 기상 현상이다.
(다) 오로라: 태양으로부터 날아오는 대전 입자들이 지구 대기와 충돌하면서 빛을 내는 현상으로 열권에서 관측된다.

오존층은 성층권, 번개는 대류권, 오로라는 열권에서 관측할 수 있는 현상이다.

09 ①은 복사 평형, ②는 구름의 생성 원리, ③은 해륙풍의 발생 원인, ④는 이슬점 측정, ⑤는 공기 중 산소의 부피비를 측정하기 위한 실험 장치이다.

10 자료 분석

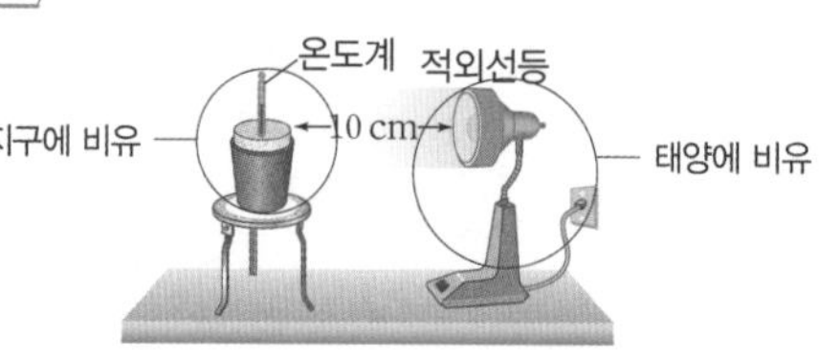

• 온도가 상승하는 구간: 흡수하는 에너지양>방출하는 에너지양
• 온도가 일정한 구간: 흡수하는 에너지양=방출하는 에너지양

처음에는 흡수하는 에너지양이 방출하는 에너지양보다 많으므로 온도가 상승하지만 어느 정도 시간이 지나면 흡수하는 에너지양과 방출하는 에너지양이 같아 더 이상 온도가 상승하지 않고 일정하게 유지된다.

11 온도가 상승하는 동안은 컵이 흡수하는 에너지양이 방출하는 에너지양보다 많다.

12 지구의 연평균 기온이 거의 일정하게 유지되는 것으로 보아 지구는 복사 평형을 이루고 있음을 알 수 있다.

13 지구가 흡수하는 복사 에너지는 70 %(대기와 구름의 흡수 20 %+지표면의 흡수 50 %)이고, 지구가 방출하는 복사 에너지는 70 %이다.

14 온실 기체의 종류에는 수증기, 이산화 탄소, 메테인 등이 있으며, 산소나 질소는 온실 효과를 일으키지 못한다.

15 수증기를 제외한 온실 기체 중에서 이산화 탄소의 농도가 가장 높다. 화석 연료를 많이 사용하면 대기 중에 온실 기체의 양이 증가한다.

16 ④ 컵에 담아둔 물이 점점 줄어드는 것은 물이 증발하기 때문이다.

오답 분석

① 높은 하늘에 구름이 생기는 것은 응결 현상이다.
② 새벽에 풀잎에 이슬이 맺히는 것은 응결 현상이다.
③ 이른 아침에 강가에 안개가 끼는 것은 응결 현상이다.
⑤ 샤워를 한 후 욕실 거울 표면이 뿌옇게 흐려지는 것은 응결 현상이다.

17 물의 증발이 잘 일어나는 조건은 기온이 높고, 상대 습도가 낮으며, 바람이 강하게 불 때이다.

18 공기 속에 포함될 수 있는 수증기의 양에는 한계가 있으므로 (가)에서 물은 어느 정도 줄어들다가 더 이상 줄어들지 않고 포화 상태가 된다.

19 

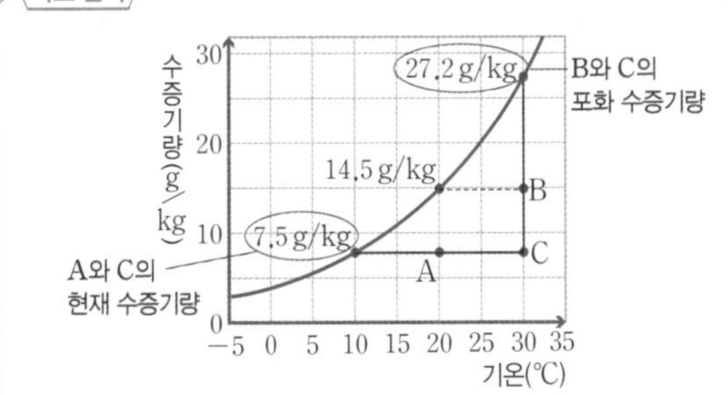

- A와 C 공기: 현재 수증기량이 같으므로 이슬점이 10 ℃로 같다.
- B와 C 공기: 온도가 같으므로 포화 수증기량이 27.2 g/kg으로 같다.
- 불포화 상태의 공기를 포화시키기 위해서는 수증기를 첨가하거나 온도를 낮춰주면 된다.

C 공기의 현재 수증기량이 7.5 g/kg이므로 27.2−7.5=19.7 g/kg의 수증기를 더 공급하면 포화 상태가 된다.

20 현재 공기 1 kg 속에는 $16.2\text{ g}\times\frac{50}{100}=8.1\text{ g}$의 수증기가 포함되어 있으므로 이 공기의 이슬점은 8 ℃이다.

21 이슬점은 공기 중의 수증기량에 의해 결정되며 기온과는 관계가 없다.

22 ③ 흐린 날이나 비 오는 날은 대기 중에 수증기량이 많기 때문에 상대 습도가 높으며, 상대 습도의 일변화도 작다.

오답 분석

① 맑은 날은 상대 습도가 낮다.
② 흐린 날은 이슬점이 높다.
④ 맑은 날은 기온과 상대 습도의 변화가 대체로 반대이다.
⑤ 흐린 날은 대기 중에 수증기량이 많기 때문에 맑은 날보다 상대 습도가 높다.

23 ③ 실험 장치의 밸브를 열어 주면 공기의 압력 감소 → 단열 팽창 → 온도 하강 → 포화 수증기량 감소 → 수증기 응결 순으로 일어나 뿌옇게 흐려진다.

오답 분석

① 공기의 압력은 감소한다.
② 공기의 부피는 늘어난다.
④ 온도가 내려가므로 포화 수증기량은 감소한다.
⑤ 실험 장치 내부는 포화에 이르러 뿌옇게 흐려진다.

24 구름은 모양에 따라 (가)적운형 구름과 (나)층운형 구름으로 나눈다. 공기의 상승 운동이 활발하면 수직으로 발달하는 적운형 구름이 만들어진다.

25 고기압 중심부에는 하강 기류가 생겨 공기가 흩어지며, 공기가 상승하는 곳은 저기압 중심이다.

26 그림과 같은 구름에서 눈은 얼음 알갱이에 수증기가 달라붙어 만들어진다.

27 **모범 답안** 공기가 상승하면 주변의 기압이 낮아지므로 부피가 팽창한다. 그 결과 온도가 낮아져 마침내 이슬점에 도달하면 수증기가 응결하여 구름이 만들어진다.
해설 공기가 주변으로부터 열을 공급받지 않은 상태에서 부피가 팽창하면 공기의 온도가 하강하여 구름이 형성된다.

채점 기준	배점
주어진 용어를 모두 이용하여 옳게 서술한 경우	100 %
주어진 용어 중 일부만 이용하여 옳게 서술한 경우	50 %

28 **모범 답안** 구름 속 크고 작은 물방울들이 서로 충돌하여 커지면 비가 된다.
해설 열대나 저위도 지방의 구름은 얼음 알갱이 없이 모두 물방울로 구성되어 있다. 이 물방울들끼리 서로 충돌하여 크기가 커지면 떨어지면서 비가 된다.

채점 기준	배점
모범 답안과 같이 서술한 경우	100 %
물방울이 커져서라고만 서술한 경우	50 %

만점 도전하기 3단계 진도책 051쪽

01 ③ 02 ② 03 해설 참조
04 포화 수증기량: 27.2 g/kg, 이슬점: 20 ℃ 05 ①
06 ② 07 100만 개

01 지표 부근에서 높이 올라갈수록 공기가 점차 희박해진다. 지구 전체 공기의 약 75 %가 대류권에 존재한다.

02 기상 현상은 A(대류권), 오존층은 B(성층권), 유성은 C(중간권), 오로라는 D(열권)층의 특징이다.

03 **모범 답안** D, 대기 중 온실 기체의 양이 많아지면 지표로 재방출하는 에너지의 양이 많아져 지구 온난화가 일어나기 때문이다.

해설 온실 기체는 태양 복사 에너지는 투과시키고, 지구가 방출하는 복사 에너지는 흡수한 후 지표와 대기로 재방출함으로써 지구의 온도를 상승시킨다.

채점 기준	배점
모범 답안과 같이 서술한 경우	100 %
에너지의 출입 과정만 옳게 고른 경우	30 %

04 A 공기는 현재 기온이 30 ℃이므로 포화 수증기량이 27.2 g/kg이다. 또 현재 수증기량이 14.7 g/kg이므로 20 ℃로 냉각시키면 수증기의 응결이 일어난다.

05 A 공기 1 kg 속에 현재 포함되어 있는 수증기량은 14.7 g이고, 10 ℃에서는 7.6 g/kg의 수증기가 포함될 수 있다. 따라서 A 공기 1 kg을 10 ℃로 냉각시킬 때 응결되는 수증기의 양은 14.7 g−7.6 g=7.1 g이다.

06 펌프를 열면 공기의 부피가 팽창하면서 온도가 내려간다. 그 결과 수증기의 응결이 일어나 물방울이 생기므로 페트병 내부는 뿌옇게 흐려진다.

07 빗방울의 평균 크기는 구름 입자의 약 100배이므로, 부피는 약 100만 배 차이가 난다. 따라서 구름 입자 100만 개 이상이 모여야 하나의 빗방울이 된다.

02 기압과 날씨

개념 다지기 1단계

진도책 053쪽, 055쪽

01 (1) ○ (2) ○ (3) ×
02 (1) ○ (2) ○ (3) × (4) × (5) ○ (6) ○
03 A: 가열, B: 냉각, C: ←
04 (1) 낮 (2) 해풍 (3) 밤 (4) 육풍
05 (1) ○ (2) ○ (3) × (4) ×
06 (1) ㉠ (2) ㉣ (3) ㉡ (4) ㉢
07 ㉠ 급하다, ㉡ 느리다, ㉢ 적운형
08 (1) 겨울 (2) 시베리아 기단

01 (3) 모래는 물보다 비열이 작으므로 물보다 빨리 가열되고 빨리 냉각된다. 이러한 성질은 기압의 증거와는 관련이 없다.

02 (3) 토리첼리 실험에서 유리관을 기울여도 수은 기둥의 높이는 변화가 없다.
(4) 토리첼리 실험에서 가는 유리관을 사용해도 수은 기둥의 높이는 변화가 없다.

03 따뜻한 지표면 위의 공기는 가열되어 상승하므로 기압이 낮아지고, 찬 지표면 위의 공기는 냉각되어 하강하므로 기압이 높아진다. 따라서 지표 부근의 바람은 B에서 A로 분다.

04 해안 지역에서는 바다와 육지의 가열 속도 차이로 인해 낮에는 해풍이 불고, 밤에는 육풍이 분다. 이때 바람은 불어오는 쪽의 이름을 붙인다.

05 (3) 기단은 다른 지역으로 이동하면 이동해 간 지표면의 성질을 닮아 변한다.
(4) 대륙에서 발생한 기단은 건조하다.

06 고위도에서 발원하는 시베리아 기단과 오호츠크해 기단은 한랭하고, 저위도에서 발원하는 북태평양 기단과 양쯔강 기단은 온난하다. 또한 해양성 기단인 오호츠크해 기단과 북태평양 기단은 습하고, 대륙성 기단인 시베리아 기단과 양쯔강 기단은 건조하다.

07 한랭 전선은 찬 공기가 따뜻한 공기 밑을 파고들 때, 온난 전선은 따뜻한 공기가 찬 공기를 타고 오를 때 형성된다.

08 서고동저형 기압 배치가 나타나므로 겨울철의 일기도이다.

공략 확인 문제

진도책 056쪽

01 (1) 모래 (2) 물 → 모래 (3) 모래 (4) 모래 → 물 (5) 해륙풍
02 (1) × (2) ○

01 (1), (2) 적외선등을 켰을 때 모래는 물보다 더 빨리 가열되어 향 연기는 물에서 모래 쪽으로 이동한다.

(3), (4) 적외선등을 껐을 때 모래는 물보다 더 빨리 냉각되어 향 연기는 모래에서 물 쪽으로 이동한다.
(5) 이 실험은 육지와 바다의 가열과 냉각 속도 차이에 의해 발생하는 해륙풍의 생성 원리를 알아보기 위한 것이다.

02 더운물 위의 공기는 가열되어 상승하여 저기압이 형성되고, 얼음물 위의 공기는 냉각되어 하강하여 고기압이 형성된다.

실력 올리기 2단계

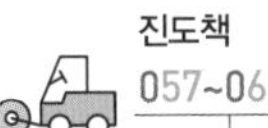

진도책 057~060쪽

01 ④ 02 ③ 03 해설 참조 04 ⑤ 05 ① 06 ④
07 ⑤ 08 ② 09 ③ 10 ④ 11 ③ 12 ③ 13 ①
14 ③ 15 ⑤ 16 C, 북태평양 기단 17 ④ 18 ①
19 ③ 20 ④ 21 ② 22 ④ 23 해설 참조 24 ①
25 ③

01 기압은 아래, 위, 옆 등 사방에서 작용한다.

02 병따개는 지렛대의 원리를 이용한 도구이다.

03 **모범 답안** 캔 내부의 압력이 외부의 압력보다 작아졌기 때문이다.
해설 캔을 가열하면 수증기가 캔 속의 공기를 밖으로 밀어낸다. 이때 캔을 냉각시키면 캔 속의 수증기가 응결하여 압력이 낮아진다.

채점 기준	배점
모범 답안과 같이 서술한 경우	100 %
압력의 변화 때문이라고만 서술한 경우	30 %

04 ⑤ 뜨거운 밥을 넣은 그릇의 뚜껑을 닫아두면 식은 후 뚜껑이 잘 열리지 않는다. 그 까닭은 밥이 식으면서 그릇 안의 압력이 낮아졌기 때문이다.
오답 분석
① 물을 가열하면 끓는 것은 상태 변화 때문이다.
② 맑은 날 새벽 풀잎에 이슬이 맺히는 것은 새벽에 기온이 내려가 포화 수증기량이 감소하기 때문이다.
③ 물이 항상 높은 곳에서 낮은 곳으로 흐르는 것은 중력 때문이다.
④ 풍선에 공기를 넣으면 질량이 조금 증가하는 것은 공기도 질량을 가지기 때문이다.

05 1기압일 때 수은 기둥의 높이는 76 cm이고, 기압이 높아지면 수은 기둥의 높이도 높아진다.

06 수은 기둥의 높이는 대기압의 크기에 비례하며, 기압이 같다면 유리관의 굵기나 기울어진 정도와 상관없이 일정하다.

이 문제에 적용되는 개념

수은 기둥의 높이(본교재 052쪽)

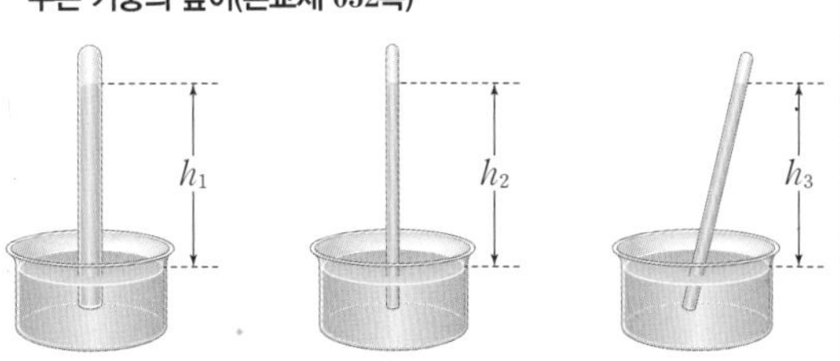

- 동일한 기압에서는 유리관의 기울기나 유리관의 굵기에 관계없이 수은 기둥의 높이는 변하지 않는다.
- 고기압이 접근하면 수은 기둥의 높이가 높아지고, 저기압이 접근하면 수은 기둥의 높이가 낮아진다.
- 해발 고도가 높은 지역일수록 수은 기둥의 높이가 낮아진다.

07 공기는 지구의 중력에 의해 대부분 지표 부근에 많이 모여 있으므로, 높이 올라갈수록 기압이 급격히 감소하다가 높은 고도에서는 기압의 감소율이 작아진다.

08 공기는 기압이 높은 곳에서 낮은 곳으로 이동한다. 따라서 바람은 고기압에서 저기압 쪽으로 분다.

09 자료 분석

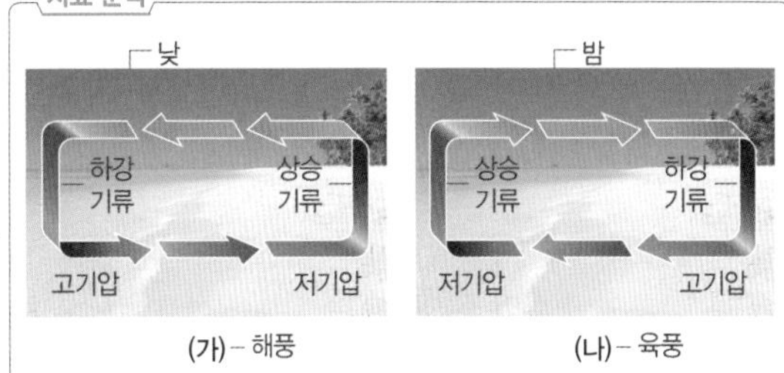

(가) – 해풍 (나) – 육풍

- 바람은 불어오는 쪽의 이름을 붙인다.
- 육지는 바다보다 빨리 가열되고 빨리 냉각된다.
- 가열된 쪽 지표면에 저기압이 형성되고, 냉각된 쪽 지표면에 고기압이 형성된다.

(가)에서 육지는 가열되어 공기가 상승하고 있다. 따라서 지표면의 온도는 육지가 바다보다 높다.

10 낮에는 육지가 바다에 비해 빨리 가열되어 저기압이 되고, 밤에는 육지가 바다에 비해 빨리 냉각되어 고기압이 된다.

11 얼음물 위의 기압이 더운물 위의 기압보다 높으므로 향 연기는 얼음물에서 더운물 쪽으로 이동한다.

12 (가)는 해풍, (나)는 육풍이다. (가)일 때 가열된 육지에서 공기가 상승한다. (나)일 때 바람은 기압이 높은 육지에서 기압이 낮은 바다 쪽으로 분다.

13 해륙풍과 계절풍은 모두 육지(대륙)와 바다(해양)의 가열 속도 차이 때문에 생기는 바람으로 생성 원리가 같다. 그러나 바람의 규모와 주기는 계절풍이 더 크다.

14 기단이 저위도 지방으로 이동하면 기온이 높아지고, 해양을 통과하면 습도가 높아진다.

15 봄철에 우리나라 날씨에 가장 큰 영향을 주는 기단은 양쯔강 기단(B)이다.

16 자료 분석

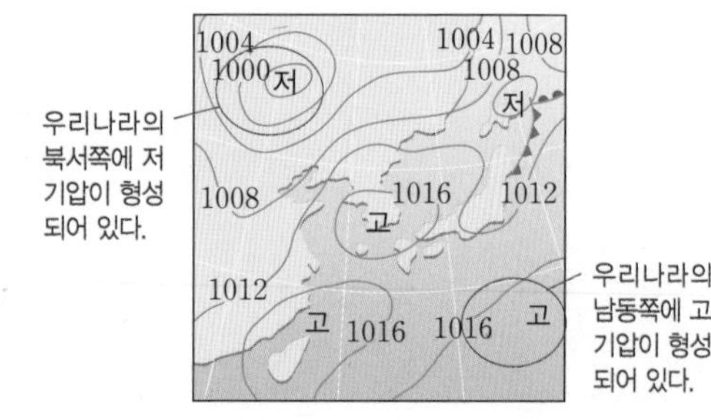

- 계절별 일기도를 파악할 때 가장 먼저 기압 배치와 전선 등을 파악한다. ➡ 위의 일기도는 남고북저형 기압 배치가 나타나므로 여름철의 일기도이다.
- 여름철에는 남고북저형의 기압 배치가 나타나고, 겨울철에는 서고동저형의 기압 배치가 나타난다.

그림은 남고북저형의 기압 배치로 보아 여름철의 일기도임을 알 수 있다. 여름철에 우리나라 날씨에 가장 큰 영향을 주는 기단은 북태평양 기단(C)이다.

17 찬물과 따뜻한 물이 만나면 밀도가 큰 찬물이 따뜻한 물 아래쪽으로 움직인다. 이와 마찬가지로 따뜻한 기단과 찬 기단이 만나면 전선면은 찬 기단 쪽으로 기울어질 것이다.

18 (가)는 찬 공기, (나)는 따뜻한 공기이며, 찬 공기가 따뜻한 공기 쪽으로 이동하면서 전선을 형성하므로 그림의 전선은 한랭 전선이다.

19 ③ 한랭 전선의 이동 속도가 온난 전선의 이동 속도보다 빠르므로, 두 전선이 겹쳐지게 되어 폐색 전선을 형성한다.

오답 분석

①, ② 한 장소에 오랫동안 머물러 있어 우리나라의 장마철에 자주 나타나는 전선은 정체 전선(▲▼▲▼)이다.
④ 따뜻한 공기가 찬 공기 위로 올라가면서 생긴 전선은 온난 전선(●●●)이다.
⑤ 찬 공기가 따뜻한 공기 밑으로 파고들면서 생긴 전선은 한랭 전선(▲▲▲)이다.

20 자료 분석

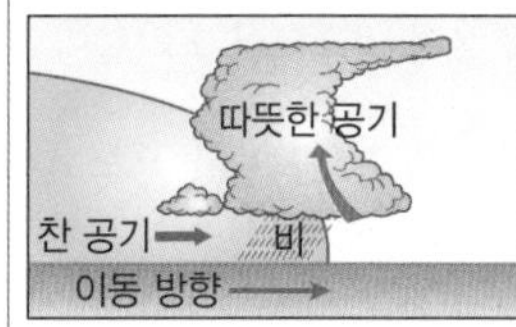

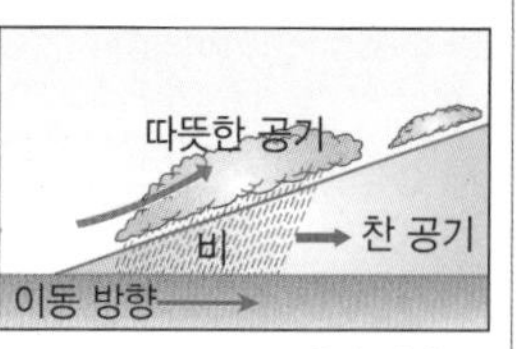

(가) – 한랭 전선 (나) – 온난 전선

- (가)는 적운형 구름, (나)는 층운형 구름이 형성되어 있으므로 (가)는 한랭 전선, (나)는 온난 전선이다.
- 전선면은 항상 찬 공기 쪽으로 발달한다.
- 강수 현상은 대부분 찬 공기 쪽으로 나타난다.

④ 한랭 전선은 온난 전선에 비해 이동 속도가 빠르다.

오답 분석

① (가)는 한랭 전선이고, (나)는 온난 전선이다.
②, ③ 한랭 전선 뒤쪽에는 적운형 구름이, 온난 전선 앞쪽에는 층운형 구름이 형성된다. 적운형 구름에 의해 소나기가 내리고, 층운형 구름에 의해 이슬비가 내린다.
⑤ 한랭 전선이 통과한 후 기온은 낮아지고, 온난 전선은 통과 후 기온이 높아진다.

21 온난 전선은 따뜻한 공기가 찬 공기 위로 타고 올라가 형성되고, 한랭 전선은 찬 공기가 따뜻한 공기 밑으로 파고들어 형성된다.

22 자료 분석

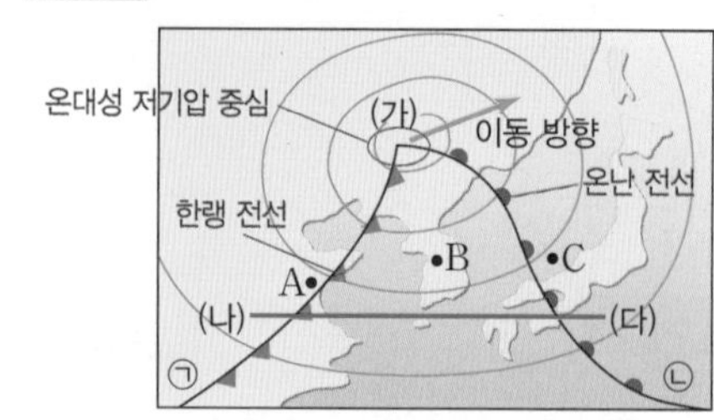

- A: 한랭 전선 뒤쪽 ➡ 북서풍, 소나기, 서늘한 날씨
- B: 온난 전선과 한랭 전선 사이 ➡ 맑고 따뜻한 날씨, 남서풍
- C: 온난 전선 앞쪽 ➡ 남동풍, 이슬비, 서늘한 날씨

④ B 지역은 온난 전선이 통과한 후이므로 A나 C 지역에 비해 기온이 높다.

오답 분석

① (가)는 온대 저기압 중심이다.
② ㉠은 한랭 전선, ㉡은 온난 전선이다.
③ A 지역에서는 적운형 구름이 발달한다.
⑤ C 지역에서는 지속적으로 이슬비가 내린다.

23 **모범 답안** 15시에서 18시 사이에 풍향과 풍속이 바뀌고 기온이 크게 낮아졌으므로, 한랭 전선이 통과하였음을 알 수 있다.

채점 기준	배점
전선의 종류와 시간 모두 옳게 서술한 경우	100 %
전선의 종류와 시간 중 1가지에 대해서만 옳게 서술한 경우	50 %

24 자료 분석

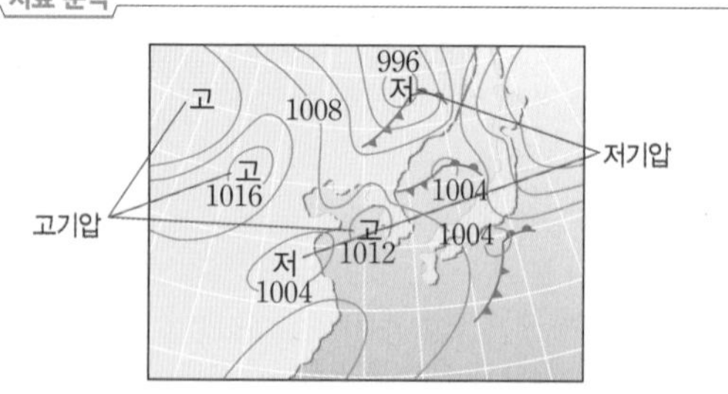

- 서고동저형이나 남고북저형의 기압 배치가 아니라 저기압과 고기압이 경향성 없이 나타나므로 이동성 고기압과 저기압이 통과하는 봄이나 가을의 일기도임을 알 수 있다.
- 이동성 고기압과 저기압이 교대로 통과하면 날씨 변화가 심하다.

이동성 고기압과 저기압이 자주 통과하여 날씨의 변화가 심한 계절은 봄·가을이다. 열대야는 여름철에 밤사이의 기온이 25 ℃ 이하로 떨어지지 않는 현상이다.

25 서고동저형의 기압 배치와 삼한사온은 겨울철 날씨의 특징이다.

진도책 061쪽

만점 도전하기 3단계

01 ① 02 ② 03 ㉠ 남서풍, ㉡ 북서풍, ㉢ 이슬비, ㉣ 소나기, ㉤ 높아진다 04 ② 05 ③

01 자료 분석

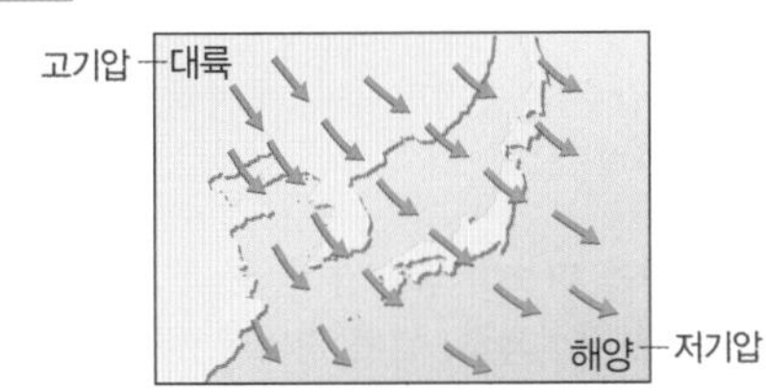

• 대륙에서 해양 쪽으로 바람이 부는 것은 대륙 쪽에 고기압, 해양 쪽에 저기압이 형성되어 있기 때문이다.
• 대륙 쪽에 고기압, 해양 쪽에 저기압이 형성되는 것은 대륙 쪽이 더 냉각되어 대륙 쪽의 공기가 지면 쪽으로 하강하고, 상대적으로 해양 쪽의 온도가 더 높아 해양 쪽의 공기가 상승하기 때문이다.

그림은 겨울철에 대륙에서 해양 쪽으로 부는 북서 계절풍이다. 이때 기온은 해양 쪽이 높고, 기압은 대륙 쪽이 높다.

02 북반구의 고기압에서 바람은 시계 방향으로 불어 나가고, 중심에 하강 기류가 나타난다.

03 온대 저기압이 통과하는 동안 풍향은 남동풍 → 남서풍 → 북서풍 순으로 변한다. 온난 전선 앞쪽에서는 이슬비가, 한랭 전선 뒤쪽에서는 소나기가 내린다.

04 자료 분석

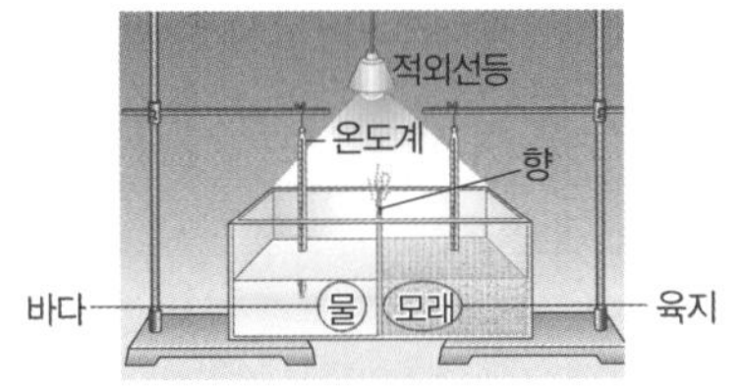

• 해륙풍이 부는 원리를 알아보기 위한 실험 장치이다.
• 물은 바다, 모래는 육지에 비유된다.
• 모래는 물보다 더 빨리 가열되고 더 빨리 냉각된다.
• 더 많이 냉각되어 온도가 낮은 곳에 고기압, 온도가 높은 곳에 저기압이 형성되며, 고기압에서 저기압으로 바람이 분다.

모래는 물보다 더 빨리 가열되고 더 빨리 냉각된다.

05 난방 지수가 100에 가까운 것은 날씨가 매우 춥다는 것을, 불조심 지수가 100에 가까운 것은 건조하다는 것을 의미하므로 겨울철이다.
③ 겨울철에는 서고동저형 기압 배치를 보인다.

오답 분석

①, ② 서고동저형이나 남고북저형의 기압 배치가 아니라 이동성 고기압이 통과하고 있으므로 봄철이나 가을철의 일기도이다.
④ 정체 전선이 우리나라에 있으므로 초여름의 일기도이다.
⑤ 남고북저형의 기압 배치이므로 여름철의 일기도이다.

진도책 062쪽~065쪽

대단원 완성하기

01 ⑤ 02 ㄱ, ㄴ, ㄷ 03 오존층 04 ④ 05 ④
06 ④ 07 ③ 08 50 % 09 ④ 10 ④ 11 ①
12 ② 13 ② 14 ④ 15 ③, ④ 16 ② 17 ④
18 봄·가을, B 19 ④ 20 해설 참조 21 해설 참조
22 해설 참조 23 해설 참조 24 해설 참조
25 해설 참조 26 해설 참조

01 ⑤ 구름, 비, 눈 등의 기상 현상은 수증기가 물이나 얼음으로 상태 변화하여 대기 중에서 합쳐져서 나타나는 현상이다. 달에는 수증기뿐만 아니라 대기가 없으므로 기상 현상이 나타나지 않는다.

오답 분석

① 햇빛은 대기가 없어도 도달한다.
②, ④ 대기가 없으므로 밤낮의 온도 차가 크고, 태양의 자외선이 그대로 들어온다.

02 열권(D)은 공기가 매우 희박하므로 낮에는 온도가 매우 높으나 밤에는 온도가 매우 낮아져 밤낮의 기온 차가 크다.

03 성층권에 있는 오존층은 자외선을 흡수하여 지구상의 생명체를 보호한다.

04 자료 분석

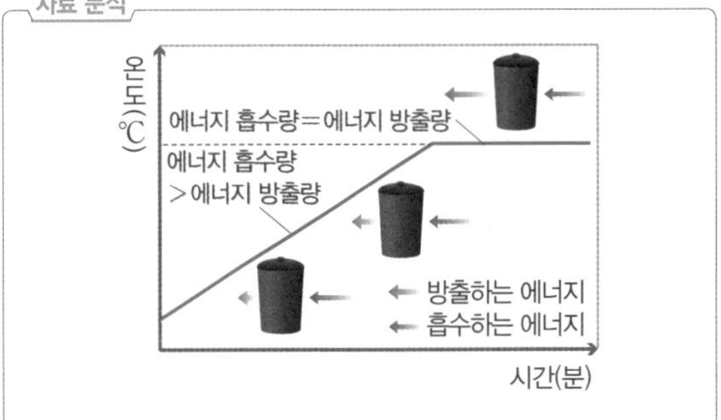

④ 알루미늄 컵의 외부를 감싸주면 보온 효과가 일어나서 더 높은 온도에서 복사 평형을 이루게 된다. 이는 지구 대기에 의한 온실 효과로 인해 지구의 평균 기온이 상승하는 것과 같은 원리이다.

오답 분석

① 알루미늄 컵의 뚜껑을 열고 실험하면 복사 평형 온도가 더 낮아진다.
② 적외선등의 빛을 더 약하게 조정하면 복사 평형 온도가 더 낮아진다.
③ 복사 평형 온도는 같은 재질일 때 물체의 크기와 상관없다. 따라서 알루미늄 컵의 크기를 더 큰 컵으로 실험해도 복사 평형 온도는 같다.
⑤ 적외선등과 알루미늄 컵 사이의 거리를 멀게 하면 복사 평형 온도가 더 낮아진다.

05 지구와 태양 사이의 거리가 가까워지면 지구로 들어오는 태양 복사 에너지양이 증가하고 지구가 방출하는 지구 복사 에너지양도 증가한다. 따라서 지금보다 더 높은 온도에서 복사 평형을 이루므로 지구의 평균 기온은 상승한다.

06 지구 온난화로 인해 빙하가 녹고 바닷물의 부피가 팽창하여 해수면이 점차 높아지고 있다. 이로 인해 저지대가 침수되기도 한다.

07 ③ B 공기는 포화 수증기량 곡선상에 있으므로 상대 습도가 100 %이다.

오답 분석

① A 공기는 포화 수증기량 곡선상에 있으므로 포화 상태이다.
② A 공기의 이슬점은 25 ℃이고, C 공기의 이슬점은 20 ℃로 서로 다르다.
④ C 공기의 포화 수증기량은 20 g/kg이고, D 공기의 포화 수증기량은 약 27 g/kg이다.
⑤ D 공기는 C 공기와 현재 수증기량은 같지만, 포화 수증기량이 C 공기보다 많으므로 상대 습도는 D 공기가 C 공기보다 낮다.

08 현재 공기 중의 실제 수증기량은 이슬점에서의 포화 수증기량인 10.0 g/kg이다. 따라서 상대 습도는 $\frac{10.0\text{ g/kg}}{20.0\text{ g/kg}}\times 100=50$ %이다.

09 이슬점은 수증기의 응결이 일어나기 시작할 때의 온도이다. 따라서 이 실험에서 컵의 표면에 물방울이 맺히기 시작하는 순간의 물의 온도가 실험실 공기의 이슬점이다.

10 자료 분석

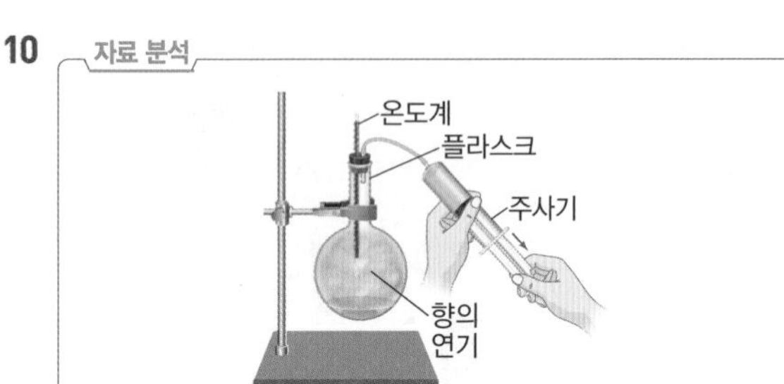

• 주사기의 피스톤을 잡아당길 때: 플라스크 내부의 공기는 단열 팽창 → 온도 하강 → 포화 수증기량 감소 → 상대 습도 증가 → 수증기 응결

플라스크 내부의 온도는 낮아져 포화 수증기량은 감소하므로 상대 습도는 증가한다. 또한 수증기의 응결이 일어나 뿌옇게 흐려지므로 플라스크 속의 수증기량은 감소한다.

11 공기가 단열 팽창하면서 기온이 내려가서 수증기가 응결하여 물방울로 변해 공기 중에 떠 있는 것이 구름이다.
① 휴대용 버너에서 뷰테인 가스로 음식을 요리할 때도 뷰테인의 단열 팽창에 의해 가스통이 차가워지면서 표면에 물방울이 맺힌다.

오답 분석

② 추운 날 버스에 올라타니 안경이 뿌옇게 흐려지는 것은 수증기의 냉각에 의해 응결된 것이다.
③ 뜨거운 목욕탕 천장에 물방울이 맺히는 것은 수증기의 첨가로 인해 포화 상태가 되었기 때문이다.
④ 비가 오는 날 빨래가 잘 마르지 않아 선풍기를 틀면 빨래가 빨리 마르는 것은 증발된 수증기를 다른 곳으로 이동시키기 때문이다.
⑤ 냉장고에 있던 차가운 음료수병을 꺼냈더니 병 표면에 물방울이 맺히는 것은 수증기의 냉각에 의한 현상이다.

12 고위도나 중위도 지방의 구름 속에서 생성되는 눈은 얼음 알갱이(빙정)에 수증기가 달라붙어 커진 것이다.

13 낮에 하늘이 파란색으로 보이는 것은 대기가 햇빛 중 파란색의 빛을 많이 산란하기 때문이다.

14 높이 올라 갈수록 공기의 양이 희박해지므로 기압은 급격하게 감소한다.

15 ③, ④ 그림은 따뜻한 공기가 찬 공기를 타고 오르면서 이동하는 온난 전선으로, 넓은 지역에 이슬비가 오랫동안 내리며, 한랭 전선에 비해 이동 속도가 느리다.

오답 분석

① 온난 전선이다.
② 층운형 구름이 발달한다.
⑤ 전선이 지나고 나면 따뜻해진다.

16 일기도상에 동서 방향으로 정체 전선(━▲━▼━▲━▼━)이 형성되어 있으므로 장마철의 일기도이다. 따라서 우산이 많이 팔릴 것으로 예상할 수 있다.

17 남서쪽에 한랭 전선, 남동쪽에 온난 전선을 동반하는 것은 온대 저기압이다. 온대 저기압이 이동하면서 한랭 전선과 온난 전선이 겹쳐져서 폐색 전선이 만들어진다.

18 이동성 고기압과 저기압이 교대로 지나가는 계절은 봄·가을이며, 이때 우리나라는 양쯔강 기단(B)의 영향을 많이 받는다.

19 ㄱ은 여름, ㄴ은 겨울, ㄷ은 봄, ㄹ은 초여름 날씨의 특징이다.

20 **모범 답안** 성층권은 위로 올라갈수록 기온이 상승하므로 공기의 대류 현상이 일어나지 않기 때문이다.
해설 공기의 온도가 높을수록 부피 팽창에 의해 밀도가 감소하기 때문에 하층의 공기 온도가 상층의 공기 온도보다 높을 때 대류 현상이 일어난다.

채점 기준	배점
기온 변화와 대류 현상을 언급하여 서술한 경우	100 %
기층이 안정하기 때문이라고만 서술한 경우	50 %

21 **모범 답안** 해수면 상승 및 저지대 침수, 재배 작물의 변화, 폭염, 폭설, 폭우 등 기상 이변, 삼림 지역의 감소, 물 부족 현상 등이 나타난다.

채점 기준	배점
지구 온난화로 인한 피해 현상을 2가지 이상 옳게 서술한 경우	100 %
지구 온난화로 인한 피해 현상을 1가지만 옳게 서술한 경우	50 %

22 **모범 답안** 수성에는 대기가 거의 없지만, 금성은 주로 이산화 탄소로 이루어진 대기가 있어 온실 효과가 일어나기 때문이다.

채점 기준	배점
대기의 존재와 온실 효과로 옳게 서술한 경우	100 %
대기가 있다고만 서술한 경우	50 %

23 **모범 답안** 플라스크 내부 공기의 온도가 높아져 포화 수증기량이 증가하기 때문이다.

채점 기준	배점
온도와 포화 수증기량의 관계로 옳게 서술한 경우	100 %
온도의 변화로만 서술한 경우	50 %

24 **모범 답안** 수증기가 얼음 알갱이에 달라붙어 얼음 알갱이가 커지면 무거워져 떨어지게 되는데, 이것이 그대로 떨어지면 눈이 되고, 떨어지다가 녹으면 비가 된다.

채점 기준	배점
수증기가 얼음 알갱이에 달라붙어 무거워져 떨어진다고 서술한 경우	100 %
얼음 알갱이가 커져서 떨어지기 때문이라고만 서술한 경우	50 %

25 **모범 답안** 수은면에 작용하는 대기압과 수은 기둥의 압력이 같아지기 때문이다.
해설 토리첼리 실험에서 기압이 높아지면 수은 기둥의 높이는 높아지고, 기압이 낮아지면 수은 기둥의 높이는 낮아진다.

채점 기준	배점
모범 답안과 같이 서술한 경우	100 %
대기압이 작용하기 때문이라고만 서술한 경우	50 %

26 **모범 답안** B, 황사는 봄철의 대표적인 날씨로, 봄철에는 온난 건조한 양쯔강 기단의 영향을 받는다.

채점 기준	배점
기호와 이름, 성질을 모두 옳게 서술한 경우	100 %
기호와 이름, 성질 중 일부만 옳게 서술한 경우	50 %

III 운동과 에너지

01 운동

개념 다지기 1단계

진도책 069쪽, 071쪽

01 ㉠ 일정하다, ㉡ 느린, ㉢ 빠른, ㉣ 속력
02 (1) 6 m/s (2) 10 m/s (3) 80 km/h
03 (1) ○ (2) × (3) ○ (4) ×
04 ㄱ, ㄹ, ㅁ
05 (1) ○ (2) ○ (3) ○ (4) × (5) ×
06 ㉠ 중력 가속도, ㉡ 9.8, ㉢ 중력 가속도 상수, ㉣ 질량
07 (1) 9.8 m/s (2) 중력 가속도 상수
08 (1) 중력 (2) 동시에 떨어진다. (3) ㄱ

01 다중 섬광 사진은 물체의 움직임을 일정한 시간 간격으로 한 장의 사진에 담아낸 것으로, 물체 사이의 거리를 분석하여 물체의 속력 변화를 알 수 있다.

02 속력은 이동 거리를 걸린 시간으로 나누어 구한다.
(1) $\frac{120\text{ m}}{20\text{ s}}=6\text{ m/s}$
(2) $\frac{800\text{ m}}{80\text{ s}}=10\text{ m/s}$
(3) $\frac{400\text{ km}}{5\text{ h}}=80\text{ km/h}$

03 (2) 시간-이동 거리 그래프에서 직선의 기울기는 속력을 나타낸다.
(4) 시간-속력 그래프에서 직선 아래 부분의 넓이는 이동 거리를 나타낸다.

04 일상생활에서 등속 운동을 하는 예로는 무빙워크, 에스컬레이터, 스키장 리프트의 운동 등이 있다. 자이로드롭과 엘리베이터는 속력이 변하는 운동을 한다.

05 (4) 자유 낙하 운동을 하는 물체의 운동 방향은 중력의 방향과 같은 연직 아래 방향이다.
(5) 물체에는 낙하하는 순간뿐만 아니라 낙하하는 동안에도 계속 같은 크기의 힘이 작용한다.

06 중력 가속도 상수는 물체가 자유 낙하 할 때의 속력 변화량인 9.8을 뜻한다. 지표면 근처에서 물체에 작용하는 중력의 크기인 무게는 물체의 질량과 중력 가속도 상수의 곱으로 구한다.

07 (1) 자유 낙하 운동을 하는 물체의 속력은 1초마다 9.8 m/s씩 일정하게 증가한다.
(2) 시간-속력 그래프에서 직선의 기울기는 중력 가속도 상수를 나타낸다.

08 (1) 진공 중에서 떨어지는 물체는 중력만 받는다.
(2) 진공 중에서는 물체가 질량에 관계없이 동시에 떨어진다.
(3) 공기 중에서 떨어지는 물체는 공기 저항력을 받으므로 깃털이 가장 늦게 떨어진다.

공략 확인 문제 진도책 072쪽

01 진공 중, 중력
02 (1) 9.8 m/s (2) 9.8 m/s
03 (1) ○ (2) ○ (3) × (4) × (5) × (6) ○ (7) ×

01 진공 중과 같이 공기 저항이 없는 경우 낙하하는 물체에는 중력만 작용하므로 물체의 질량에 관계없이 동시에 떨어진다.

02 진공 중에서는 물체의 질량에 관계없이 1초마다 속력 변화가 9.8 m/s로 같다.
(1) 질량이 2 g인 깃털의 1초마다 속력 변화는 9.8 m/s이다.
(2) 질량이 20 g인 쇠구슬의 1초마다 속력 변화는 9.8 m/s이다.

03 (3) 질량에 관계없이 시간에 따른 속력 변화는 같다.
(4) 물체의 모양에 관계없이 시간에 따른 속력 변화는 같다.
(5) 공기 중에서 같은 실험을 하면 공기 저항을 적게 받는 물체가 먼저 떨어진다.
(7) 질량이 다른 두 물체를 같은 높이에서 동시에 떨어뜨리면 질량에 관계없이 동시에 바닥에 도달한다.

실력 올리기 2단계 진도책 073~076쪽

01 ④ **02** ③ **03** ④ **04** 해설 참조 **05** ④ **06** ④
07 ④ **08** ⑤ **09** ③ **10** ⑤ **11** ② **12** 해설 참조
13 ③ **14** ③ **15** ②, ③ **16** ③ **17** ①
18 해설 참조 **19** ① **20** ③ **21** ① **22** ③ **23** ①
24 해설 참조

01 나비의 이동 거리가 넓어지다가 좁아진다. 나비와 나비 사이의 시간 간격은 같으므로 나비의 속력은 빨라지다가 느려진다.

02 자동차와 자동차 사이의 시간 간격은 같으므로 거리가 길수록 속력이 빠르다. 따라서 CD 구간에서 속력이 가장 빠르며, 이 구간에서 속력은 $\frac{0.2\ \text{m}}{0.1\ \text{s}}=2\ \text{m/s}$이다.

03 속력은 이동 거리에 비례하고, 걸린 시간에 반비례하므로 같은 거리를 이동한 시간이 짧을수록 속력이 빠르다.

04 **모범 답안** (가)는 속력이 점점 느려지는 운동을 하고, (나)는 속력이 빨라졌다가 느려지는 운동을 한다. 물체와 물체 사이의 시간 간격이 일정하므로 물체 사이의 거리가 멀수록 속력이 빠른 것이기 때문이다.
해설 물체와 물체 사이의 시간 간격이 같으므로 거리가 멀수록 속력이 빠른 것이다.

채점 기준	배점
(가)와 (나)의 운동을 쓰고, 그 까닭을 옳게 서술한 경우	100 %
(가)와 (나)의 운동만 옳게 서술한 경우	50 %

05 ㄱ. 등속 운동은 속력이 일정한 운동이다.
ㄷ. 같은 시간 동안 이동한 거리가 일정하다.
오답 분석
ㄴ. 운동 방향으로 힘이 작용하지 않는다.

06 ㄱ. 물체와 물체 사이의 거리가 일정하므로 (가)와 (나) 모두 등속 운동을 한다.
ㄷ. 물체 사이의 거리가 멀수록 속력이 빠르므로 속력은 (나)의 물체가 (가)의 물체보다 빠르다.
오답 분석
ㄴ. (나)의 물체의 속력은 시간에 관계없이 일정하다.

이 문제에 적용되는 개념

다중 섬광 사진(본교재 068쪽)

어두운 곳에서 사진기의 조리개를 열어 두고 정해진 시간 간격으로 플래시를 터뜨려 물체의 움직임을 연속으로 촬영한 사진이다.

07 **자료 분석**

등속 운동에서 시간-이동 거리 그래프

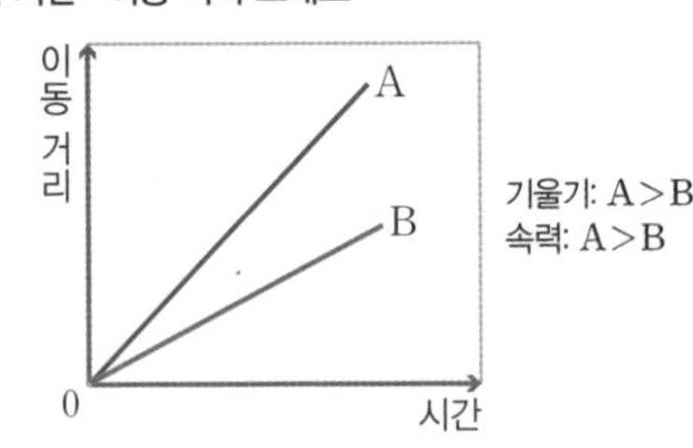

기울기: A>B
속력: A>B

- 시간-이동 거리 그래프가 기울어진 직선 모양이고, 직선의 기울기는 속력을 나타낸다.
- 속력이 빠를수록 기울기가 크고, 속력이 느릴수록 기울기가 작다.

④ 시간-이동 거리 그래프에서 기울기는 속력을 나타낸다. A의 기울기가 일정하므로 A는 속력이 일정하다.
오답 분석
① A, B 모두 시간-이동 거리 그래프의 기울기가 일정하므로 모두 등속 운동을 한다.
② A의 기울기가 B보다 크므로 A의 속력이 B보다 빠르다.
③ 그래프에서 A의 이동 거리는 시간에 비례한다.
⑤ 그래프에서 같은 시간 동안 이동한 거리는 A가 B보다 크다.

08 속력은 단위 시간 동안 이동한 거리, 즉 속력$=\frac{\text{이동 거리}}{\text{걸린 시간}}$이다. 따라서 A의 속력은 $\frac{16\ \text{m}}{4\ \text{s}}=4\ \text{m/s}$이고, B의 속력은 $\frac{8\ \text{m}}{4\ \text{s}}=2\ \text{m/s}$이다.

09

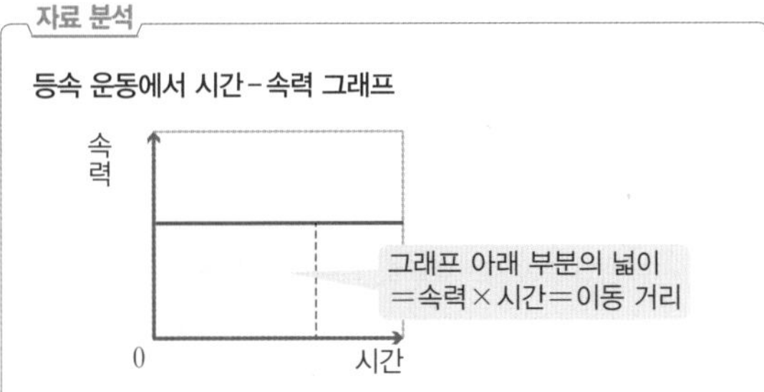

- 그래프 아래 부분의 넓이는 시간과 속력의 곱이므로 물체의 이동 거리를 나타낸다.
- 시간이 지날수록 그래프 아래 부분의 넓이가 일정하게 증가하므로 이동 거리도 일정하게 증가한다.

시간－속력 그래프에서 속력이 시간축에 나란하므로 속력이 일정한 운동이다. 즉, 시간이 지나도 속력이 변하지 않는 운동이다.

10 선수는 0.5초 동안 1.2 m를 이동하므로 선수의 속력은 $\frac{1.2\ \text{m}}{0.5\ \text{s}}=2.4\ \text{m/s}$이다. 따라서 2초 동안의 이동 거리는 $2.4\ \text{m/s}\times 2\ \text{s}=4.8\ \text{m}$이다.

11 시간－속력 그래프에서 직선 아래 부분의 넓이는 이동 거리를 나타낸다. 따라서 150 km를 가는 데 걸리는 시간은 고속 열차가 30분이고, 버스는 1시간 30분이다. 따라서 고속 열차가 도착한 후 1시간 후에 버스가 도착한다.

12 **모범 답안** (1) 50 m, 그래프에서 직선 아래 부분의 넓이가 이동 거리를 나타내기 때문이다.

(2)

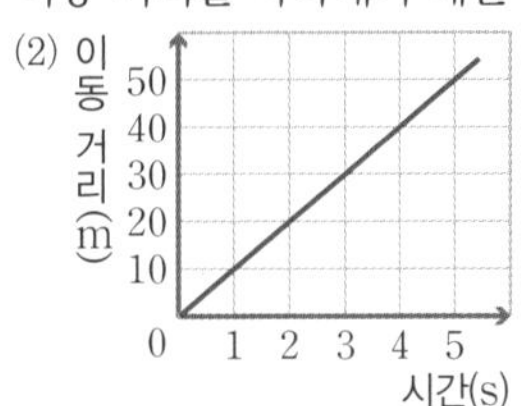

해설 등속 운동에서 시간－속력 그래프는 시간축에 나란한 직선이고, 시간－이동 거리 그래프는 기울어진 직선 모양이다.

	채점 기준	배점
(1)	이동 거리를 구하고, 그렇게 구한 까닭을 옳게 서술한 경우	50 %
	이동 거리만 옳게 구한 경우	25 %
(2)	시간－이동 거리 그래프를 옳게 나타낸 경우	50 %

13 ③ 질량이 클수록 작용하는 중력도 커지므로 속력 변화는 같다.

오답 분석

① 중력 가속도 상수는 9.8이며, 이는 자유 낙하 운동을 하는 물체의 속력이 1초마다 9.8 m/s씩 증가하는 것을 뜻한다.
② 중력 가속도는 자유 낙하 운동을 하는 물체의 시간에 따른 속력 변화 정도로, 그 크기는 약 $9.8\ \text{m/s}^2$이다.
④ 자유 낙하 운동을 하는 물체에는 지구의 중력이 작용하므로 질량에 관계없이 모두 1초에 약 9.8 m/s씩 속력이 빨라진다.
⑤ 공기 저항이나 마찰이 없을 때 정지해 있던 물체가 중력만을 받아 떨어지는 운동이 자유 낙하 운동이다.

14 ㄱ. 자유 낙하 운동을 하는 동안 공에는 일정한 크기의 중력이 운동 방향과 같은 방향으로 작용하므로 공의 속력이 점점 빨라진다.
ㄴ. 공에는 중력이 작용하므로 공에 작용하는 힘의 방향과 공의 운동 방향은 같다.

오답 분석

ㄷ. 공이 떨어지는 동안 공에 작용하는 힘의 크기는 일정하다.

15 자유 낙하 운동에서 속력은 시간에 비례하여 증가하고, 이동 거리는 시간에 따라 점점 증가한다.

이 문제에 적용되는 개념

자유 낙하 운동의 그래프(본교재 069쪽)

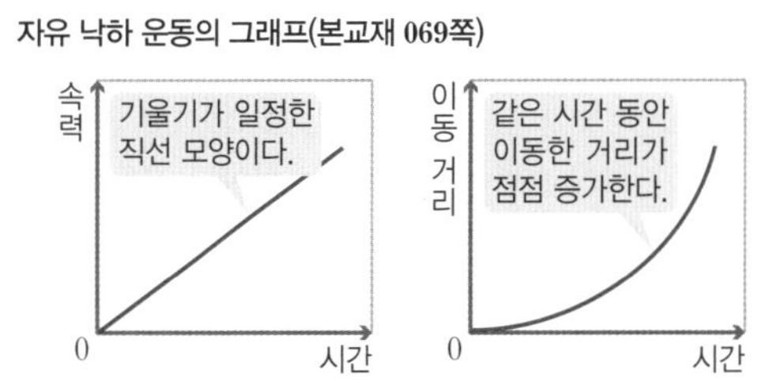

▲ 시간－속력 거리 그래프 ▲ 시간－이동 거리 그래프

- 자유 낙하 운동에서 속력은 시간에 비례하여 증가한다.
- 자유 낙하 운동에서 시간에 따른 물체의 이동 거리는 시간의 제곱에 비례한다.

16 ㄱ. 자유 낙하 운동을 하는 물체는 속력이 일정하게 증가하는 운동을 한다.
ㄴ. 자유 낙하 운동을 하는 물체의 경우 질량이 클수록 더 큰 힘이 작용하지만 시간에 따른 속력 변화는 질량에 관계없이 일정하다.

오답 분석

ㄷ. 물체의 질량에 따라 작용하는 힘의 크기는 달라진다. 즉, 작용하는 힘의 크기는 9.8×질량과 같다.

17 자유 낙하 운동을 하는 물체는 질량에 관계없이 시간에 따라 속력이 증가하는 정도가 같다. 따라서 야구공과 축구공의 시간－속력 그래프에서 기울기는 같다.

18 **모범 답안** (1) 공에는 달의 중력만 작용하므로 두 공은 동시에 떨어진다.
(2) 달에서는 지구에서보다 작용하는 힘이 작으므로 더 천천히 떨어진다.
해설 달 표면으로부터 같은 높이에서 무거운 쇠공과 가벼운 고무공을 동시에 떨어뜨리면 공기 저항이 없고 달의 중력만 작용하므로 두 공은 달 표면에 동시에 떨어질 것이다. 이때 지구에서보다 작은 힘이 작용하므로 더 천천히 떨어진다.

채점 기준		배점
(1)	먼저 떨어지는 것을 쓰고, 그 까닭을 옳게 서술한 경우	50 %
	먼저 떨어지는 것만 쓴 경우	25 %
(2)	차이점을 쓰고, 그 까닭을 옳게 서술한 경우	50 %
	차이점만 쓴 경우	25 %

19 ① 그래프에서 물체의 속력은 매초 $\frac{19.6}{2}=9.8$(m/s)씩 일정하게 증가한다.
오답 분석
② 물체의 속력은 매초 9.8 m/s씩 증가하므로 3초일 때 속력은 29.4 m/s이다.
③ 자유 낙하 하는 물체에는 중력이 작용하므로 물체는 운동 방향으로 힘을 계속 받는다.
④, ⑤ 낙하하는 동안 물체에는 물체의 무게만큼의 힘이 계속 작용한다. 따라서 물체에 작용하는 힘의 크기는 $9.8\times2=19.6$(N)이다.

20 두 물체가 자유 낙하 운동을 할 때 물체의 질량에 관계없이 두 물체의 속력 변화는 같다. 따라서 질량이 2 kg인 물체의 2초 후의 속력이 19.6 m/s이면 질량이 4 kg인 물체의 2초 후의 속력도 19.6 m/s이다.

21 자유 낙하 운동을 하는 물체는 물체의 질량에 관계없이 속력 변화가 같다. 따라서 깃털, 탁구공, 골프공은 모두 동시에 떨어진다.

22 ㄱ. 물체에 작용하는 중력은 질량에 비례한다.
ㄴ. 질량이 1 kg인 물체에 작용하는 중력의 크기는 $9.8\times1=9.8$(N)이다.
오답 분석
ㄷ. 물체에 작용하는 중력은 달에서보다 지구에서 더 크므로 같은 높이에서 자유 낙하 운동을 하면 지구에서 낙하하는 물체가 더 빨리 바닥에 도달한다. 따라서 바닥에 도달하는 데 걸리는 시간은 달에서가 더 길다.

23 (가)는 등속 운동, (나)는 속력이 일정하게 증가하는 운동의 그래프이다. 무빙워크, 컨베이어, 스키장 리프트, 에스컬레이터 등은 등속 운동을 하며, 스카이다이빙, 번지점프 등은 속력이 일정하게 증가하는 운동을 한다.

24 **모범 답안** (가)는 쇠구슬과 깃털이 공기 저항이 없는 진공 중에서 낙하하기 때문에 동시에 떨어지고, (나)는 쇠구슬과 깃털이 공기 저항이 있는 공기 중에서 낙하하기 때문에 동시에 떨어지지 않는다.
해설 진공 중에서는 중력만 작용하지만 공기 중에서는 중력과 공기 저항이 동시에 작용한다.

채점 기준	배점
주어진 용어를 모두 사용하여 (가), (나) 모두 옳게 서술한 경우	100 %
주어진 용어를 모두 사용하여 (가), (나) 중 하나만 옳게 서술한 경우	50 %

이 문제에 적용되는 개념

진공 중과 공기 중에서 낙하 운동을 하는 물체의 속력 변화
(본교재 071쪽)

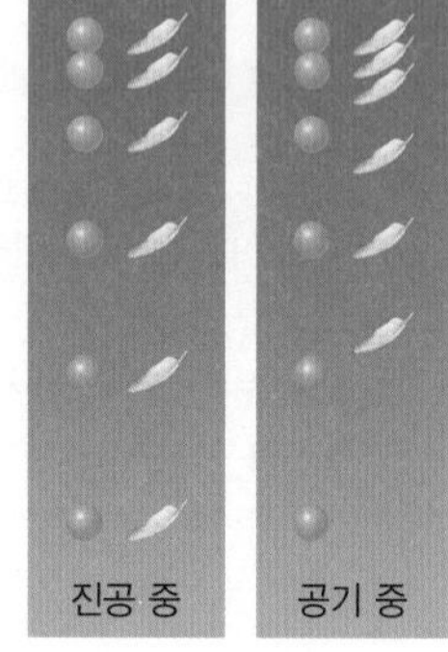

• 진공 중에서 낙하 운동: 쇠구슬과 깃털에는 중력만 작용하므로 물체의 종류나 무게에 관계없이 속력이 1초마다 9.8 m/s씩 동일하게 증가한다. 따라서 쇠구슬과 깃털은 동시에 떨어진다.
• 공기 중에서 낙하 운동: 쇠구슬과 깃털에는 중력과 중력의 반대 방향으로 공기 저항력이 작용하고, 이 두 힘의 합력에 의해 쇠구슬과 깃털의 속력이 증가한다. 공기와의 접촉 면적이 큰 깃털이 쇠구슬보다 공기 저항력을 크게 받기 때문에 깃털이 쇠구슬보다 늦게 떨어진다.

만점 도전하기 3단계

진도책 077쪽

01 ④ 02 ⑤ 03 ① 04 ③ 05 ③ 06 ③

01 속력을 비교하기 위해서는 같은 단위로 환산하여 비교한다.
① $\frac{15\text{ m}}{1\text{ s}}=15\text{ m/s}$
② $\frac{1200\text{ m}}{300\text{ s}}=4\text{ m/s}$
③ $\frac{180\text{ m}}{60\text{ s}}=3\text{ m/s}$
④ $\frac{108000\text{ m}}{3600\text{ s}}=30\text{ m/s}$
⑤ $\frac{100\text{ m}}{10\text{ s}}=10\text{ m/s}$

02 ㄱ, ㄷ. A와 C 구간은 이동 거리가 시간에 따라 일정하게 증가하므로 속력이 일정한 구간이다.
ㄴ. 이동 거리−시간 그래프의 기울기가 클수록 속력이 빠르므로 속력은 C>A이다. B 구간은 기울기가 0이므로 물체가 정지해 있는 구간이다. 따라서 속력은 C>A>B 순이다.

이 문제에 적용되는 개념

등속 운동에서 시간－이동 거리 그래프(본교재 069쪽)

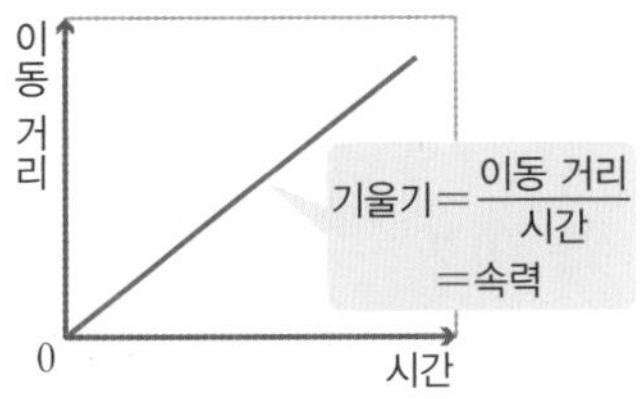

• 등속 운동에서 이동 거리는 시간에 비례한다. 즉, 시간에 따라 이동 거리가 일정하게 증가한다.
• 시간에 따라 이동 거리의 변화가 없는 경우는 물체가 정지해 있는 경우이다.

03 우주 정거장에서 물체를 가만히 밀었을 때 밀고 난 후 물체에는 어떤 힘도 작용하지 않으므로 물체는 등속 운동을 한다.

04 자유 낙하 하는 질량이 2 kg인 물체가 받는 힘의 크기는 9.8×2＝19.6(N)이고, 속력 변화는 질량에 관계없이 매초 9.8 m/s이다.

05 ㄱ, ㄴ. 구간 거리의 비는 속력의 비와 같으므로 구간 거리가 일정하게 커지는 것은 속력이 일정하게 증가하는 것을 뜻한다.

오답 분석

ㄷ. 속력이 증가하는 운동의 이동 거리는 시간에 따라 급격하게 증가한다.

이 문제에 적용되는 개념

자유 낙하 운동의 시간－속력 그래프(본교재 070쪽)

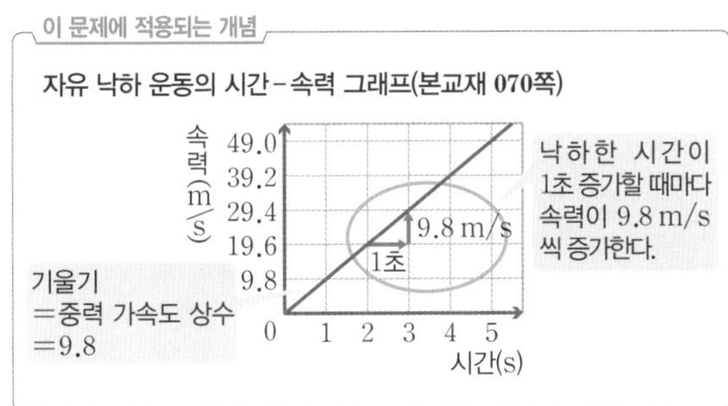

06 ㄱ, ㄴ. 공에 작용하는 힘은 지구에서보다 달에서가 더 작다. 따라서 공의 속력 변화는 지구에서보다 작다.

오답 분석

ㄷ. 공이 지면에 도달하는 데 걸리는 시간은 지구에서보다 더 길다.

이 문제에 적용되는 개념

지구와 달에서의 자유 낙하 운동

• 자유 낙하 하는 물체에는 중력만 작용한다.
• 달에서는 공기 저항이 없으므로 중력만 작용한다.
• 달에서의 중력＝$\frac{1}{6}$×지구에서의 중력
• 달에서는 지구에서보다 느리게 떨어진다.

02 일과 에너지

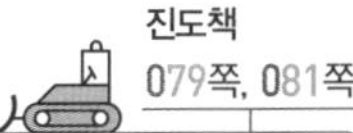

개념 다지기 1단계

진도책 079쪽, 081쪽

01 (1) 0 (2) 0 (3) 0 (4) 40 J (5) 6 J
02 ㉠ 무게, ㉡ 무게, ㉢ 중력, ㉣ 낙하한 거리
03 ㉠ 일, ㉡ 에너지, ㉢ 일, ㉣ 에너지, ㉤ 에너지, ㉥ 일
04 (1) ○ (2) ○ (3) ○ (4) ×

05 (1) 위쪽 (2) 19.6 (3) 5 (4) 98 (5) 98
06 (1) ㉠ (2) ㉠ (3) ㉠ (4) ㉠
07 (1) × (2) × (3) ○ (4) ○
08 (1) (중력에 의한) 위치 에너지 (2) 운동 에너지 (3) (중력에 의한) 위치 에너지와 운동 에너지

01 물체에 힘을 작용하여 물체가 힘의 방향으로 이동할 때 일을 하는 것이다.
(1), (2) 힘의 방향으로 이동 거리가 0이면 한 일의 양은 0이다.
(3) 힘의 방향과 이동 방향이 수직이면 한 일의 양은 0이다.
(4) 한 일의 양＝20 N×2 m＝40 J
(5) 한 일의 양＝2 N×3 m＝6 J

02 물체를 들어 올릴 때는 물체의 무게만큼의 힘이 필요하므로 한 일의 양은 물체의 무게와 들어 올린 높이의 곱으로 구하고, 자유 낙하 할 때 한 일의 양은 중력의 크기와 낙하한 거리의 곱으로 구한다.

03 추를 들어 올리는 일은 추의 에너지로, 추가 가진 에너지는 일로 전환된다. 따라서 높은 곳으로 들어 올린 추를 이용하여 말뚝을 박을 수 있다.

04 (4) 에너지와 일은 서로 전환될 수 있다.

05 (1), (2) 물체를 일정한 속력으로 들어 올릴 때 작용한 힘의 방향은 위쪽이고, 힘의 크기는 물체의 무게와 같으므로 9.8×2＝19.6(N)이다.
(3), (4) 물체의 이동 거리는 5 m이고, 중력에 대해 한 일＝무게×들어 올린 높이(이동 거리)＝19.6 N×5 m＝98 J이다.
(5) 물체는 물체에 한 일만큼 위치 에너지를 가지므로 물체의 위치 에너지는 98 J이다.

06 위치 에너지는 질량과 높이에 비례하고, 운동 에너지는 질량과 속력의 제곱에 비례한다.

07 (1) 중력에 대해 한 일은 중력에 의한 위치 에너지로 전환되므로 중력에 대해 한 일과 중력에 의한 위치 에너지는 같다.
(2) 물체가 자유 낙하 할 때 중력이 한 일은 운동 에너지로 전환되므로 중력이 한 일과 운동 에너지는 같다.

08 (1) 높은 곳에 있는 물체는 중력에 의한 위치 에너지를 가진다.
(2) 운동하는 물체는 운동 에너지를 가진다.
(3) 높은 곳에서 운동하는 물체는 중력에 의한 위치 에너지와 운동 에너지를 모두 가진다.

공략 확인 문제 진도책 082쪽

01 (1) 98 J (2) 16 J (3) 98 J
02 (1) 4 m/s (2) 4 kg
03 (1) ○ (2) × (3) ○ (4) ○ (5) ×

01 (1) 중력이 한 일$=(9.8\times2)$ N$\times$5 m$=$98 J
(2) 운동 에너지$=\frac{1}{2}\times2$ kg$\times(4$ m/s$)^2=16$ J
(3) 중력이 한 일이 운동 에너지로 전환되므로 물체의 운동 에너지는 98 J이다.

02 (1) $\frac{1}{2}\times4$ kg$\times v^2=32$ J에서 물체의 속력은 $v=4$ m/s이다.
(2) $\frac{1}{2}\times m\times(5$ m/s$)^2=50$ J에서 물체의 질량은 $m=4$ kg이다.

03 (2) 운동 에너지는 속력의 제곱에 비례하므로 속력이 2배가 되면 운동 에너지는 4배가 된다.
(5) 물체가 자유 낙하 운동을 하는 것은 중력이 물체에 일을 하는 것이다.

실력 올리기 2단계 진도책 083~086쪽

01 ③ 02 ④ 03 ④ 04 ③ 05 ② 06 해설 참조
07 ④ 08 해설 참조 09 ④ 10 ③ 11 ⑤ 12 ⑤
13 ④ 14 ② 15 ③ 16 ⑤ 17 해설 참조 18 ⑤
19 (1) 원통형 나무 도막의 이동 거리 (2) 해설 참조
20 ④ 21 ④ 22 해설 참조 23 ⑤ 24 해설 참조
25 ④

01 일의 양은 힘과 힘의 방향으로 이동한 거리의 곱과 같다. 따라서 물체에 힘이 작용하더라도 물체가 힘의 방향으로 이동한 거리가 0이면 힘이 물체에 한 일의 양은 0이다.

02 물체에 힘이 작용하고, 물체가 힘의 방향으로 이동할 때 과학에서는 일을 한다고 한다.
④ 역기를 들고 가만히 서 있을 때에는 힘(중력)은 작용하지만 이동 거리가 0이므로 과학에서의 일을 한 경우가 아니다.

오답 분석
①, ② 힘이 물체에 일을 한 경우이다.
③, ⑤ 중력에 대해 일을 한 경우이다.

03 나무 도막에 한 일의 양$=$나무 도막에 작용한 힘$\times$이동 거리$=10$ N$\times2$ m$=20$ J이다.

이 문제에 적용되는 개념

힘이 한 일(본교재 078쪽)

- 일의 양: 물체에 작용한 힘의 크기와 물체가 힘의 방향으로 이동한 거리의 곱으로 구한다.

일의 양(J)$=$힘(N)$\times$이동 거리(m)

- 일의 단위: J(줄)

04 중력에 대해 한 일의 양$=$중력의 크기$\times$들어 올린 높이이므로 30 J$=$중력의 크기$\times$2 m에서 중력의 크기는 15 N이다.

05 자료 분석

상자를 들고 걸어갈 때

↑ 힘의 방향
→ 이동 방향

- 상자에 힘이 위 방향으로 작용하지만 상자는 힘의 방향과 수직인 수평 방향으로 이동한다.
- 상자에 작용한 힘의 방향과 상자의 이동 방향이 수직이다.
- 상자가 힘의 방향으로 이동한 거리는 0이다.
- 힘이 상자에 한 일의 양은 0이다.

② 상자를 들고 있으므로 상자에는 위 방향으로 힘이 작용한다.

오답 분석
①, ④, ⑤ 상자를 들고 이동하는 경우 상자에 작용하는 힘의 방향과 상자의 이동 방향은 수직이다. 이때 상자가 힘의 방향으로 이동한 거리는 0이므로 한 일의 양도 0이다.
③ 역기를 들고 있을 때 힘의 방향으로 이동한 거리가 0이므로 한 일의 양은 0이다.

06 **모범 답안** (가) 작용한 힘이 0이므로 한 일의 양은 0이다. (나) 이동 거리가 0이므로 한 일의 양은 0이다. (다) 힘의 방향과 이동 방향이 수직이므로 한 일의 양은 0이다.
해설 과학에서는 작용한 힘과 힘의 방향으로 이동한 거리의 곱이 한 일이다. 우주 공간에서 등속 운동하는 우주선에 작용하는 힘은 0이다.

채점 기준	배점
한 일의 양을 옳게 구하고, 그렇게 구한 까닭을 모두 옳게 서술한 경우	100 %
한 일의 양만 옳게 구한 경우	50 %

07 장난감 자동차에 한 일은 장난감 자동차의 운동 에너지로 전환된다. 따라서 장난감 자동차에 해 준 일의 양이 20 N×10 m=200 J이라면 장난감 자동차가 가지는 운동 에너지도 200 J이다.

08 **모범 답안** 10 N×0.5 m=5 J, 과학에서의 일은 물체에 작용한 힘과 물체가 힘의 방향으로 이동한 거리의 곱이기 때문이다.

채점 기준	배점
한 일의 양을 옳게 구하고, 그렇게 구한 까닭을 옳게 서술한 경우	100 %
한 일의 양만 옳게 구한 경우	50 %

09 ㄱ, ㄷ. 돌이 떨어지면서 돌이 가진 에너지가 말뚝을 박는 일을 하므로 돌의 에너지는 감소한다.

오답 분석

ㄴ. 에너지가 일로 전환되는 경우이다.

10 ㄱ. 에너지는 일로 전환될 수 있다.
ㄹ. 에너지는 일을 할 수 있는 능력을 뜻한다.

오답 분석

ㄴ. 일은 에너지로 전환될 수 있다.
ㄷ. 에너지의 단위로 J(줄)을 사용한다.

11 ㄱ, ㄴ. 물체가 가지는 중력에 의한 위치 에너지는 물체를 들어 올릴 때 한 일의 양과 같고, 물체가 지면까지 낙하하면서 한 일의 양을 나타낸다.
ㄷ. 중력에 의한 위치 에너지는 물체가 낙하하는 동안 중력이 물체에 한 일로 전환된다.
ㄹ. 중력이 물체에 한 일은 물체의 운동 에너지로 전환된다.

12 물체에 중력에 대해 일을 하면 그 일의 양만큼 물체의 중력에 의한 위치 에너지가 증가한다. 따라서 물체가 중력에 대해 한 일은 중력에 의한 위치 에너지 증가량과 같은 78.4 J이다.

이 문제에 적용되는 개념

중력에 대해 한 일과 중력에 의한 위치 에너지(본교재 078쪽)

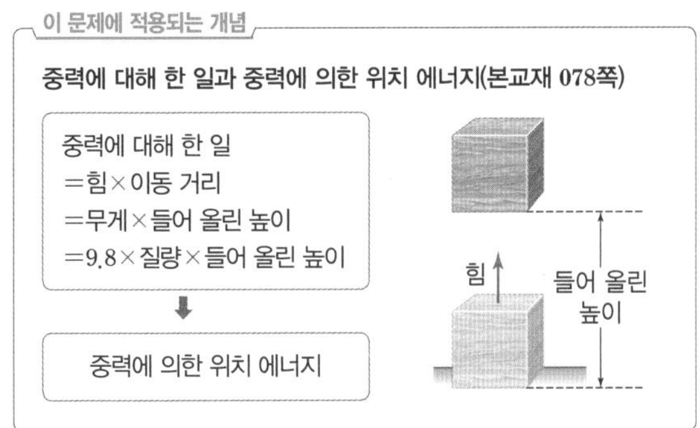

13 중력에 의한 위치 에너지=9.8×질량×높이이므로 78.4 J =(9.8×4) N×h에서 들어 올린 높이는 h=2 m이다.

14 중력에 의한 위치 에너지는 물체의 높이와 질량에 비례하므로 높이×질량 값이 클수록 위치 에너지도 크다.

15 중력에 의한 위치 에너지의 크기는 물체의 질량과 높이에 비례한다.

16 중력에 의한 위치 에너지는 기준면으로부터의 높이와 질량에 비례한다. 따라서 B에 있는 물체는 A에 있는 물체보다 질량이 2배, 높이도 2배이므로 위치 에너지는 4배이다.

17 **모범 답안** 중력에 의한 위치 에너지의 크기는 달에서가 지구에서보다 작다. 달에서의 중력이 지구에서보다 작아 달에서 중력에 대해 한 일이 지구에서 중력에 대해 한 일보다 작기 때문이다.

채점 기준	배점
중력에 대해 한 일과 관련지어 중력에 의한 위치 에너지의 크기를 옳게 서술한 경우	100 %
달에서의 중력에 의한 위치 에너지가 지구에서보다 작다고만 서술한 경우	50 %

18 ⑤ 중력에 대해 한 일은 물체의 중력에 의한 위치 에너지로 전환되므로 중력에 대해 한 일과 중력에 의한 위치 에너지는 같다.

오답 분석

① 물체를 들어 올리는 것은 중력에 대해 일을 한 것이다.
② 물체를 들어 올리는 힘이 한 일은 물체의 무게와 들어 올린 높이의 곱으로 구한다. 따라서 한 일의 양 =(9.8×20) N×2 m=392 J이다.
③ 물체를 들어 올릴 때 한 일은 물체의 중력에 의한 위치 에너지로 전환되므로 물체가 가지는 에너지는 392 J이다.
④ 물체를 들어 올리는 데 드는 힘의 크기는 물체의 무게와 같으므로 (20×9.8) N=196 N이다.

19 (1) 추의 위치 에너지가 나무를 박는 일로 전환된다. 따라서 원통형 나무 도막의 이동 거리를 측정하면 위치 에너지의 크기를 알 수 있다.
(2) **모범 답안** 추의 질량은 일정하게 하고, 추의 높이를 변화시켜 떨어뜨리면서 원통형 나무의 이동 거리를 측정한다.

채점 기준	배점
실험 방법을 옳게 서술한 경우	100 %
추의 질량을 언급하지 않고 추의 높이를 변화시킨다고만 서술한 경우	50 %

20 중력이 물체에 한 일의 양=중력의 크기×이동 거리
=(9.8×4) N×2.5 m=98 J

21 중력이 물체에 한 일은 물체의 운동 에너지로 전환된다. 따라서 지면에 도달한 순간 물체의 운동 에너지는 98 J이다.

22 (1) **모범 답안** 세 수레의 속력을 일정하게 하기 위해서이다.
해설 세 수레를 긴 막대기로 동시에 밀면 세 수레의 속력이 같아진다.
(2) **모범 답안** 수레의 질량과 운동 에너지의 관계, 속력은 같고 질량이 다른 세 수레가 나무 도막을 밀고 간 거리를 측정하면 나무 도막에 한 일을 측정할 수 있고, 나무 도막에 한 일은 수레의 운동 에너지에 비례하기 때문이다.

	채점 기준	배점
(1)	동시에 민 까닭을 옳게 서술한 경우	50 %
(2)	알 수 있는 것과 까닭을 모두 옳게 서술한 경우	50 %
	알 수 있는 것만 옳게 서술한 경우	25 %

23 중력에 의한 위치 에너지는 기준면에서 일정한 높이에 있는 물체가 가지는 에너지이다. ㄱ, ㄹ, ㅁ은 지면을 기준면으로 할 때 중력에 의한 위치 에너지를 가진다.

오답 분석

ㄴ. 레일 위를 굴러가는 볼링공은 운동 에너지를 가진다.
ㄷ. 운동장에 놓여 있는 축구공은 에너지를 가지지 않는다.

24 **모범 답안** 자유 낙하 운동에서 쇠구슬의 운동 에너지는 중력이 쇠구슬에 한 일과 같다. 즉, 0.49 m만큼 자유 낙하 할 때 중력이 쇠구슬에 한 일과 A점에서 쇠구슬의 운동 에너지가 같으므로 중력이 한 일=운동 에너지로부터 쇠구슬의 속력을 구할 수 있다.

채점 기준	배점
중력이 한 일과 운동 에너지가 같다는 것을 이용하여 옳게 서술한 경우	100 %
일이 에너지로 전환되었기 때문이라고만 서술한 경우	40 %

25 널뛰기, 수영장에서 미끄럼틀 타기는 중력에 의한 위치 에너지를 이용한 예이며, 연날리기, 방망이로 공치기는 운동 에너지를 이용한 예이다.

이 문제에 적용되는 개념

중력에 의한 위치 에너지와 운동 에너지를 가지는 예(본교재 080쪽)
- 위치 에너지만 가지는 경우: 일정한 높이에 있는 물체
- 운동 에너지만 가지는 경우: 속력이 있는 물체
- 위치 에너지와 운동 에너지를 모두 가지는 경우: 일정한 높이에서 속력이 있는 물체

만점 도전하기 3단계

진도책 087쪽

01 ⑤ 02 ③ 03 ④ 04 ⑤ 05 ⑤ 06 ③

01 힘-이동 거리 그래프에서 직선 아래 부분의 넓이는 한 일의 양을 나타낸다. 따라서 80 N의 힘으로 4 m 들어 올리면 이때 한 일의 양은 320 J이므로 에너지 증가량도 320 J이다.

이 문제에 적용되는 개념

힘-이동 거리 그래프(본교재 078쪽)
- 물체에 작용한 힘의 크기가 일정한 경우: 그래프 아래 직사각형의 넓이는 한 일의 양을 나타낸다.
- 물체에 작용한 힘의 크기가 변하는 경우: 그래프 아래 부분의 넓이는 한 일의 양을 나타낸다.

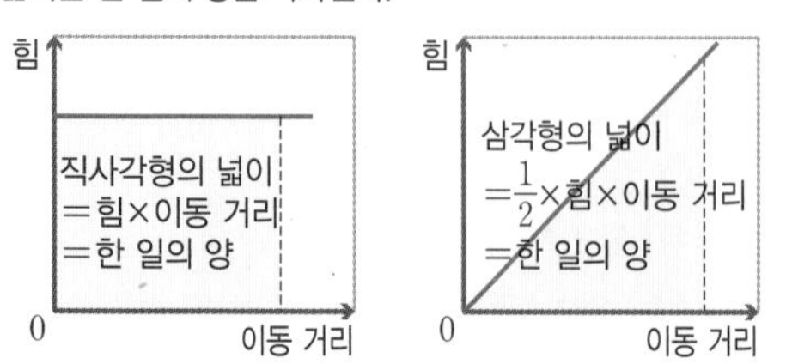

02 사람이 수레에 해 준 일의 양은 물체의 운동 에너지의 증가량과 같다. 처음 수레의 운동 에너지$=\frac{1}{2}\times2\times3^2=9$(J)이고, 나중 수레의 운동 에너지$=\frac{1}{2}\times2\times9^2=81$(J)이므로 사람이 수레에 한 일의 양은 72 J이다.

이 문제에 적용되는 개념

수레에 해 준 일과 운동 에너지(본교재 078쪽)

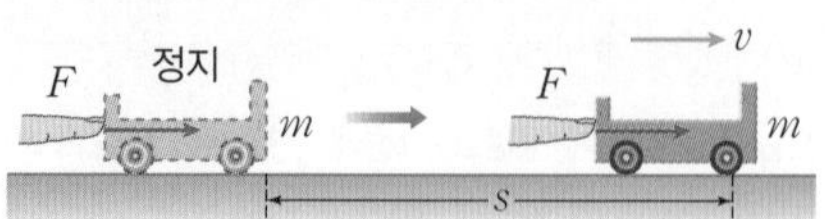

질량이 m인 물체가 정지해 있을 때 물체에 일정한 크기의 힘 F를 작용하여 일정한 시간 동안 거리 s만큼 이동하였다면 이때 물체에 해 준 일은 운동 에너지로 전환된다.

03 높이가 일정할 때 중력에 의한 위치 에너지는 물체의 질량에 비례한다. 0.2 m 높이에서 A의 위치 에너지가 B의 2배이므로 질량도 A가 B의 2배이다.

04 물체가 자유 낙하 할 때 중력이 한 일은 물체의 운동 에너지로 전환된다. A에서 B까지 중력이 한 일$=(9.8\times2)$N$\times19.6$ m$=384.16$ J이다. 따라서 B에서 물체의 운동 에너지는 384.16 J이다.

이 문제에 적용되는 개념

중력이 한 일과 에너지(본교재 078쪽)

중력이 한 일=힘×이동 거리
=추의 무게×낙하한 거리
=9.8×추의 질량×낙하한 거리

⬇

추의 운동 에너지

중력
낙하한 거리

05 B에서의 운동 에너지는 384.16 J이므로
384.16 J$=\frac{1}{2}\times2$ kg$\times$속력^{2}에서 속력$=19.6$ m/s이다.

06 중력이 물체에 한 일은 물체의 운동 에너지로 전환된다. 중력이 물체에 한 일은 물체가 낙하한 거리에 비례하고, 물체가 낙하한 거리는 물체의 운동 에너지에 비례한다. 따라서 속력이 2배가 되면 운동 에너지는 4배가 되므로 낙하한 거리도 4배가 되어야 한다.

진도책 088쪽~091쪽

대단원 완성하기

01 ③ 02 ③ 03 ① 04 ③ 05 ①, ⑤ 06 ②
07 ① 08 ③ 09 ② 10 ⑤ 11 ③ 12 ⑤ 13 ③
14 ③ 15 ② 16 ⑤ 17 ② 18 ③ 19 ②
20 해설 참조 21 해설 참조 22 해설 참조
23 (1) 100 J (2) 해설 참조 24 (1) 98 J (2) 해설 참조

01 A 역과 B 역 사이의 거리는 216 km이고, 걸린 시간은 3시간이므로 속력은 $\frac{216\text{ km}}{3\text{ h}}=72\text{ km/h}$이다.

02 자료 분석

다중 섬광 사진

속력이 빠른 경우

속력이 느린 경우

연속 사진의 경우 물체 사이의 시간 간격은 같다. 따라서 물체 사이의 거리가 멀면 속력이 빠르고, 물체 사이의 거리가 가까우면 속력이 느리다.

ㄱ. 물체 사이의 거리를 측정하여 시간으로 나누면 속력을 구할 수 있다.
ㄴ. 시간 간격을 짧게 하면 물체 사이의 거리는 가까워진다.

오답 분석

ㄷ. 물체의 속력이 빠르면 물체 사이의 거리는 멀어진다.

03 ① 물체와 물체 사이의 시간 간격이 같으므로 이동 거리가 가장 긴 C 구간의 속력이 가장 빠르다.

오답 분석

②, ③ 이동 거리가 가장 짧은 B 구간의 속력이 가장 느리다.
④ C 구간의 이동 거리가 가장 길다.
⑤ 물체와 물체 사이의 거리가 짧으면 속력이 느리고, 길면 속력이 빠르므로 물체의 속력은 느려지다가 빨라졌다.

04 시간－이동 거리 그래프에서 직선의 기울기는 속력을 나타낸다. A의 기울기는 B의 2배이므로 속력의 비(A : B)는 2 : 1이다.

05 등속 운동에서 이동 거리는 시간에 비례하고, 속력은 시간에 관계없이 일정하다.

06 ② 공을 높은 곳에서 가만히 놓으면 공에는 중력이 계속 작용하므로 떨어지는 동안 속력이 일정하게 증가한다.

오답 분석

①, ④, ⑤ 공에는 항상 중력이 아래 방향으로 작용한다.
③ 공에 작용하는 힘의 방향과 공의 운동 방향이 같기 때문에 공의 속력은 일정하게 증가한다.

07 자유 낙하 운동을 하는 물체는 속력이 일정하게 증가한다. 따라서 시간－속력 그래프는 기울어진 직선 모양이다.

08 ㄱ, ㄹ. 등속 운동은 1초 동안 움직인 거리가 일정하며, 시간－속력 그래프는 시간축에 나란한 직선 모양이다.
ㄴ, ㄷ. 자유 낙하 운동은 1초마다 속력이 9.8 m/s 증가하며, 운동 방향으로 힘이 계속 작용한다.

09 ㄴ. (가)는 등속 운동, (나)는 속력이 일정하게 증가하는 운동의 그래프이다. 등속 운동의 경우 이동 거리는 시간에 비례한다.

오답 분석

ㄱ. (가)의 물체는 등속 운동을 한다.
ㄷ. (나)의 물체는 속력이 일정하게 증가하는 운동을 한다.

10 ⑤ 물체가 힘의 방향으로 이동하였으므로 물체에 한 일의 양은 0이 아니다.

오답 분석

①, ② 물체에 힘을 작용하여 물체가 힘의 방향으로 이동하였으므로 과학에서의 일을 한 것이다.
③ 과학에서의 일은 힘과 이동 거리의 곱으로 구한다.
④ 중력의 방향은 물체의 운동 방향과 수직이므로 중력이 물체에 한 일의 양은 0이다.

11 용수철저울의 눈금이 10 N이라면 필통을 들어 올리는 데 든 힘이 10N이다. 따라서 필통에 한 일의 양=10 N×2 m=20 J이다.

12 ㄱ, ㄴ. 일과 에너지는 서로 전환될 수 있으며, 일과 에너지의 단위로 J(줄)을 사용한다.
ㄷ. 물체를 높은 곳으로 들어 올리는 일을 하면 물체의 중력에 의한 위치 에너지가 커진다.

13 물체가 가지는 중력에 의한 위치 에너지는 물체의 질량과 높이에 비례한다. (질량×높이)의 값은 A는 5×1=5, B는 3×2=6, C는 1×3=3이다.

14 일의 양=힘의 크기×이동 거리이므로
50 J=25 N×이동 거리에서 이동 거리=2 m이다.

이 문제에 적용되는 개념

중력에 대해 한 일(본교재 080쪽)
중력에 대해 한 일
=중력의 크기×올라간 높이
=9.8mh

들어 올리는 힘
중력 =9.8m
들어 올린 높이(h)
m

15 자료 분석

기준면에 따른 중력에 의한 위치 에너지

- 기준면이 옥상일 때: 기준면으로부터의 높이가 0이다. ➡ 중력에 의한 위치 에너지는 0이다.
- 기준면이 베란다일 때: 기준면으로부터의 높이가 2 m이다. ➡ 중력에 의한 위치 에너지는 98 J이다.
- 기준면이 지면일 때: 기준면으로부터의 높이가 5 m이다. ➡ 중력에 의한 위치 에너지는 245 J이다.

5 kg 옥상
2 m
베란다
3 m
지면

② 지면을 기준면으로 하면 물체의 높이는 5m이므로 물체가 가지는 위치 에너지=(9.8×5) N×5 m=245 J이다.

오답 분석

① 옥상을 기준면으로 하면 물체의 높이가 0이므로 위치 에너지는 0이다.
③ 베란다를 기준면으로 하면 물체의 높이가 2 m이므로 위치 에너지$=(9.8\times5)$ N$\times$2 m$=$196 J이다.
④ 물체의 위치 에너지는 기준면에 따라 달라진다.
⑤ 물체를 옥상에서 베란다로 내려놓으면 높이가 2 m 감소하므로 위치 에너지$=(9.8\times5)$ N$\times$2 m$=$98 J 감소한다.

16 달에서 중력의 크기는 지구에서의 $\frac{1}{6}$배이므로 달에서 지구에서와 같은 양의 일을 하였다면 달에서 물체가 올라간 높이는 지구에서의 6배인 15 m이다.

17 ㄱ. 운동 에너지는 물체의 질량에 비례한다.
ㄷ. 중력이 물체에 한 일은 물체의 운동 에너지로 전환된다.

오답 분석

ㄴ. 운동 에너지는 물체의 속력의 제곱에 비례한다.
ㄹ. 물체의 속력이 처음의 2배가 되면 물체의 운동 에너지는 4배가 된다.

18 물체가 1 m 낙하했을 때의 운동 에너지$=9.8\times3\times1=29.4$(J)이고, 2 m 낙하했을 때의 운동 에너지$=9.8\times3\times2=58.8$(J)이다.

19 A와 B의 운동 에너지 비는 A : B$=(2\times2^2):(4\times1^2)=8:4=2:1$이므로 A의 운동 에너지는 B의 2배이다.

20 (1) **모범 답안** 장난감 자동차가 (가)에서는 속력이 일정한 운동을 하고, (나)에서는 속력이 점점 빨라지는 운동을 한다.

채점 기준	배점
(가), (나) 모두 옳게 서술한 경우	100 %
(가), (나) 중 1가지만 옳게 서술한 경우	50 %

(2) **모범 답안** (가)는 장난감 자동차 사이의 거리가 일정하므로 속력이 일정한 운동이고, (나)는 장난감 자동차 사이의 거리가 점점 멀어지므로 속력이 점점 빨라지는 운동이다.

채점 기준	배점
(가), (나) 모두 그 까닭을 모두 옳게 서술한 경우	100 %
(가), (나) 중 1가지만 옳게 서술한 경우	50 %

21 (1) **모범 답안** 등속 운동, 이동 거리가 시간에 비례하여 증가하기 때문이다.

채점 기준	배점
물체의 운동을 쓰고, 그 까닭을 옳게 서술한 경우	100 %
물체의 운동만 옳게 쓴 경우	50 %

(2) **모범 답안** $\frac{10\text{ m}}{1\text{ s}}=10\text{ m/s}$, 시간-이동 거리 그래프에서 직선의 기울기가 속력을 나타내기 때문이다.

채점 기준	배점
물체의 속력을 쓰고, 그렇게 계산한 까닭을 옳게 서술한 경우	100 %
물체의 속력만 옳게 구한 경우	50 %

22 **모범 답안** 실로 연결된 두 물체는 동시에 떨어진다. 이로부터 낙하하는 물체는 질량에 관계없이 속력 변화가 같음을 알 수 있다.

채점 기준	배점
물체가 어떻게 떨어지는지 쓰고, 알 수 있는 사실을 옳게 서술한 경우	100 %
알 수 있는 사실만 옳게 서술한 경우	70 %
물체가 어떻게 떨어지는지만 옳게 서술한 경우	30 %

23 (1) 100 N$\times$1 m$=$100 J
(2) **모범 답안** 영희가 상자에 일을 하였으므로 영희의 에너지는 100 J만큼 감소하고, 상자의 에너지는 100 J만큼 증가하였다.

채점 기준	배점
영희와 상자의 에너지 증감을 모두 옳게 서술한 경우	100 %
영희의 에너지 감소만 옳게 서술한 경우	30 %
상자의 에너지 증가만 옳게 서술한 경우	30 %

24 (1) (9.8×2) N$\times$5 m$=$98 J
(2) **모범 답안** 196 J, 물체가 자유 낙하 할 때 중력이 일을 하고, 중력이 한 일은 물체의 운동 에너지로 전환되기 때문이다.

채점 기준	배점
운동 에너지를 구하고, 그렇게 구한 까닭을 모두 옳게 서술한 경우	100 %
운동 에너지를 구한 까닭만 옳게 서술한 경우	70 %
운동 에너지만 옳게 구한 경우	30 %

Ⅳ 자극과 반응

01 감각 기관

개념 다지기 1단계

진도책 095쪽, 097쪽

01 A: 홍채, B: 수정체, C: 각막, D: 섬모체, E: 망막, F: 공막
02 (1) 동공 (2) 홍채 (3) 맹점 (4) 수정체 (5) 유리체
03 ㉠ 수정체, ㉡ 망막, ㉢ 시각 신경
04 (1) ㉠ 홍채, ㉡ 확장, ㉢ 축소, ㉣ 감소
(2) ㉠ 섬모체, ㉡ 수축, ㉢ 두꺼워져
05 (1) D, 달팽이관 (2) C, 전정 기관 (3) E, 귀인두관
06 (1) ㉢ (2) ㉡ (3) ㉠
07 (1) × (2) ○ (3) ×
08 (1) 액체, 기체 (2) 피부 감각 (3) 통점

01 눈은 빛을 감지하는 감각 기관으로 수정체가 빛을 굴절시켜 망막에 상이 맺히게 한다.

02 (1) 동공을 통해 눈으로 빛이 들어온다.
(2) 동공의 크기를 조절하는 부분은 홍채이다.
(3) 맹점에는 시각 세포가 없다.
(4) 수정체는 볼록 렌즈와 같이 빛을 굴절시켜 망막에 상이 맺히도록 한다.
(5) 유리체는 눈 속을 채우고 있는 투명한 물질이다.

03 물체에서 반사된 빛이 눈의 각막을 지나 수정체에서 굴절되고 유리체를 통과하여 망막에 상이 맺히면, 망막에 있는 시각 세포에서 자극으로 받아들여 시각 신경을 통해 뇌로 전달한다.

04 (1) 명암 조절은 홍채에 의해 일어난다. 홍채가 확장하면 동공이 축소되어 눈으로 들어오는 빛의 양이 감소한다.
(2) 원근 조절은 섬모체에 의해 일어난다. 섬모체가 수축하면 수정체가 두꺼워진다.

05 A는 귓속뼈, B는 반고리관, C는 전정 기관, D는 달팽이관, E는 귀인두관, F는 고막이다.
(1) 청각 세포는 달팽이관에 있다.
(2) 전정 기관에서 몸의 기울어짐을 감지한다.
(3) 귀인두관은 고막 안쪽과 바깥쪽의 압력을 조절한다.

06 귓바퀴는 소리(음파)를 모으고, 귓속뼈는 고막의 진동을 증폭하는 작은 뼈이며, 고막은 소리에 의해 진동하는 얇은 막이다.

07 (1) 기체 상태의 화학 물질은 후각 상피의 후각 세포에서 감지한다.
(2) 냉점은 온도가 차가워지는 변화를 감지한다.
(3) 피부의 감각점은 몸 전체에 고르게 분포하는 것이 아니라 부위에 따라 다르게 분포한다.

08 (1) 미각은 액체 상태의 화학 물질을, 후각은 기체 상태의 화학 물질을 자극으로 받아들여 각각 맛과 냄새를 느끼는 것이다.
(3) 통점이 가장 많이 분포하기 때문에 통증에 가장 예민하다.

공략 확인 문제

진도책 098쪽

01 (1) ○ (2) × (3) ○ (4) × (5) × 02 ③

01 (2) 손전등을 비추면 동공의 크기가 작아진다.
(4) 밝은 곳에서는 홍채가 확장하여 동공이 작아지므로 눈으로 들어오는 빛의 양이 줄어든다.
(5) 어두운 곳에서는 홍채가 축소하여 동공이 커진다.

02 밝은 곳에 있다가 어두운 곳으로 들어가면 홍채는 축소되고, 동공은 커진다.

실력 올리기 2단계

진도책 099~102쪽

01 ④ 02 ③ 03 ⑤ 04 ④ 05 ③ 06 ③ 07 ④
08 ⑤ 09 해설 참조 10 ③ 11 ④ 12 해설 참조
13 ⑤ 14 A, 반고리관 15 C, D 16 ③
17 ③ 18 ④ 19 ㉠ 기체, ㉡ 후각 상피, ㉢ 후각 신경
20 B, 맛봉오리 21 ④ 22 단맛, 짠맛, 신맛, 쓴맛, 감칠맛 23 ② 24 ① 25 해설 참조

01 자료 분석

망막에는 시각 세포가 분포하며 물체의 상이 맺힌다.

02 가까운 곳을 볼 때는 섬모체가 수축하면서 수정체가 두꺼워지고, 먼 곳을 볼 때는 섬모체가 이완하면서 수정체가 얇아진다.

03 맥락막은 눈의 내부를 어둡게 하는 역할을 한다.
빛을 굴절시키는 볼록 렌즈와 같은 역할을 하는 것은 수정체이다.

04 맹점은 시각 신경이 모여 나가는 부분으로 이곳에 상이 맺히면 볼 수 없다.

05 망막에는 시각 세포가 없어서 상이 맺혀도 볼 수 없는 부분이 있다. 이 부분을 맹점이라고 한다. 맹점에서 시각 신경이 모여서 뇌로 향한다.

06 빛이 눈의 각막을 지나 수정체를 통과하면서 굴절하고 유리체를 통과하여 망막에 상이 맺히면, 망막의 시각 세포에서 빛을 자극으로 받아들이고 이 자극은 시각 신경을 통해 뇌로 전달된다.

07 자료 분석

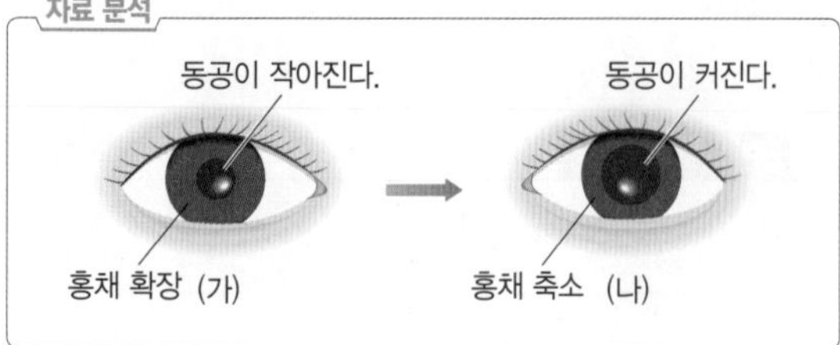

(가)에서 (나)로 변하는 것은 홍채가 축소하여 동공이 커지는 경우로 어두운 곳에서 나타나는 현상이다.
④ 갑자기 정전이 되어 주위가 깜깜해지면 동공이 커지면서 더 많은 빛이 들어오게 한다.

오답 분석

① 오랫동안 한 곳을 응시하고 있으면 동공의 크기가 변하지 않는다.
② 여러 시간 동안 컴퓨터를 하면 빛의 양이 변하지 않으므로 동공의 크기가 변하지 않는다.
③ 가까운 거리에서 책을 오랫동안 보는 경우 수정체가 두꺼워진 상태에서 변화 없이 유지된다.
⑤ 어두운 실내에 있다가 밝은 운동장으로 뛰어나가면 홍채가 확장되면서 동공이 작아진다.

08 이 문제에 적용되는 개념

눈과 물체 사이의 거리에 따른 수정체의 두께 조절(본교재 095쪽)

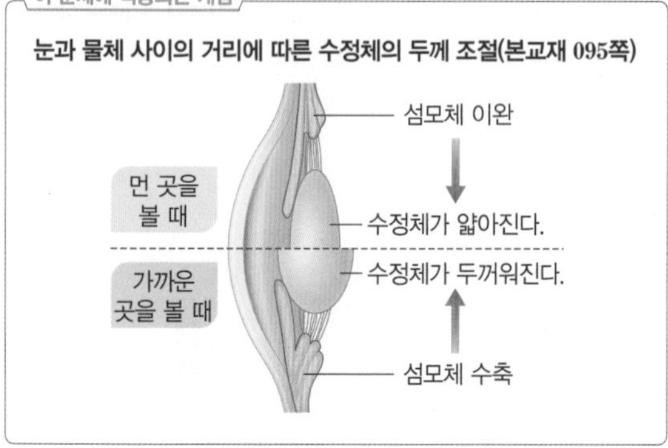

09 **모범 답안** 섬모체가 이완되어 수정체가 얇아진다.
해설 가까운 곳을 보다가 창밖의 먼 곳을 보는 상황이다. 가까운 곳을 볼 때는 수정체가 두꺼워진 상태인데, 먼 곳을 보면 수정체가 얇아진다.

채점 기준	배점
섬모체와 수정체의 변화를 모두 정확하게 서술한 경우	100 %
둘 중 하나만 정확하게 서술한 경우	50 %

10 ③ 고막은 소리에 의해 진동하는 얇은 막이다.

오답 분석

① 반고리관은 몸의 회전을 감지한다.
② 달팽이관은 청각 세포가 있어 소리를 자극으로 받아들인다.
④ 외이도는 귓바퀴와 고막 사이의 통로이다.
⑤ 전정 기관은 몸의 기울어짐을 감지한다.

11 자료 분석

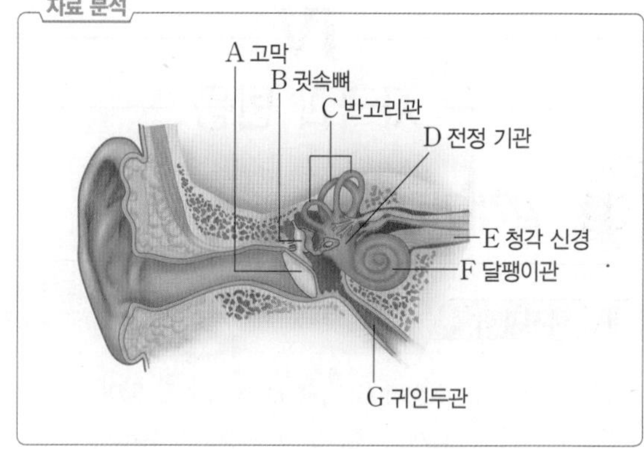

청각의 성립 경로는 '소리(음파) → 귓바퀴 → 외이도 → 고막 → 귓속뼈 → 달팽이관의 청각 세포 → 청각 신경 → 뇌'이다.

12 **모범 답안** B, 귓속뼈, 사람이 느끼는 소리가 실제보다 큰 까닭은 귓속뼈에서 소리에 의한 고막의 진동을 증폭하기 때문이다.
해설 귓속뼈는 고막의 진동을 증폭하여 달팽이관으로 전달한다.

채점 기준	배점
귀 부위의 기호와 이름, 까닭을 모두 정확하게 서술한 경우	100 %
귀 부위의 기호와 이름이나 까닭 중 하나만 정확하게 서술한 경우	50 %

13 귀인두관은 고막 안쪽과 바깥쪽의 압력을 같게 조절한다.

14 사람 귀의 구조에서 회전 감각과 관계있는 부위는 A 반고리관이다. B 전정 기관은 몸의 기울어짐을 감지하고, C 달팽이관은 청각 세포가 있어 소리를 자극으로 받아들인다.

15 A는 고막, B는 귓속뼈, C는 반고리관, D는 전정 기관, E는 달팽이관이다. A, B, E는 청각과 관련이 있고, C, D는 평형 감각과 관계있다.

16 후각 세포는 후각 상피에 분포되어 있고, 후각 상피는 콧속 윗부분에 있다. 후각 세포에서 받아들인 자극은 후각 신경을 거쳐 뇌로 전달된다.

17 후각은 기체 상태의 화학 물질을 자극으로 받아들여 냄새를 느끼는 것이다. 후각은 매우 민감한 감각이며, 쉽게 피로해져서 같은 냄새를 오래 맡으면 나중에는 그 냄새를 잘 느끼지 못한다.

18 감각 기관에 같은 자극이 계속적으로 주어지면, 감각 기관이 자극을 느끼지 못하게 되는 것은 감각 기관이 피로해져서 일어나는 현상이다. 감각 중 후각이 가장 쉽게 피로해진다.

19 후각이 성립되는 경로는 '기체 상태의 화학 물질 → 후각 상피의 후각 세포 → 후각 신경 → 뇌'이다.
후각 상피의 후각 세포가 기체 상태의 화학 물질을 자극으로 받아들이고, 후각 세포의 흥분이 후각 신경을 통해 뇌로 전달되면 냄새를 느낄 수 있다.

20 혀의 표면에는 작은 돌기인 유두가 많이 있고, 유두의 옆 부분에 여러 개의 맛봉오리가 있다. 맛봉오리에는 맛을 감지하는 많은 수의 맛세포가 있다.

21 혀에서 느낄 수 있는 기본 맛은 단맛, 쓴맛, 신맛, 짠맛, 감칠맛이다. 매운맛과 떫은맛은 피부 감각이다.

22 단맛, 짠맛, 신맛, 쓴맛, 감칠맛이 사람이 느끼는 다섯 가지 기본 맛이다. 그 외의 매운맛은 혀와 입속 피부의 통점에서 통각을 느끼는 것이고, 떫은맛은 혀와 입속 피부의 압점에서 느끼는 압각이다.

23 일정 부피 안에 ● 표시가 가장 많으므로 ● 표시는 가장 많은 감각점인 통점이다. 감각점은 통점>압점>촉점>냉점>온점의 순서로 많이 분포한다.

24 자료 분석

신체 부위	손끝	팔뚝	손등	손바닥
최소 거리(cm)	0.5	2	1.5	1
예민한 순서	1	4	3	2

이쑤시개가 두 개로 느껴지는 거리가 가까울수록 피부 감각이 예민하다. 따라서 손끝이 가장 예민한 곳이다.

25 **모범 답안** 피부 감각점 중 통점과 관련이 있다. 미리 통점을 자극하여 다른 요인에 의한 통증을 느끼는 동안 주사로 인해서 느끼게 되는 통증은 잘 느껴지지 않도록 하기 위해서이다.

채점 기준	배점
모범 답안과 같이 서술한 경우	100 %
통증을 느끼지 못하게 하기 위해서라고 서술한 경우	50 %

만점 도전하기 3단계

진도책 103쪽

01 ③ 02 ① 03 ④ 04 ④ 05 ③ 06 ②

01 가까운 곳을 볼 때는 섬모체가 수축하여 수정체가 두꺼워지고(A), 먼 곳을 볼 때는 섬모체가 이완하여 수정체가 얇아진다(B).

02 자료 분석

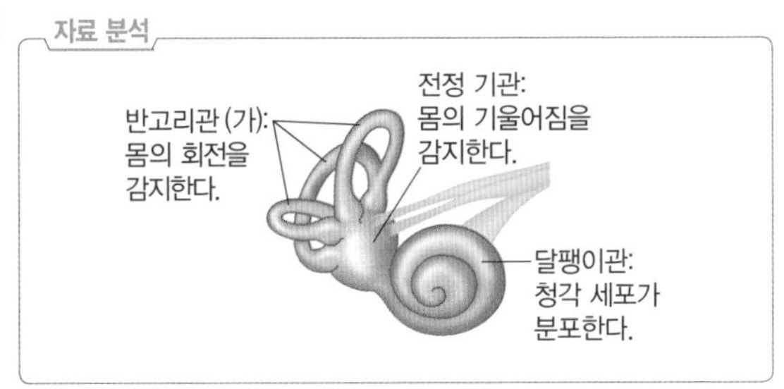

반고리관은 몸이 어느 방향으로 회전하더라도 이를 감지할 수 있다.

03 후각 상피는 콧속 윗부분에 점액으로 덮인 부분이다.

04 음식의 맛은 미각만으로 확인할 수 없다. 미각과 후각이 합쳐져 다양한 맛을 느끼게 된다.

05 이 문제에 적용되는 개념

피부의 감각점(본교재 097쪽)

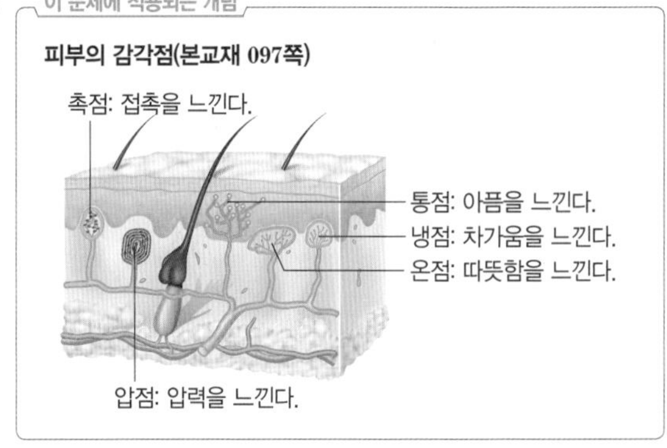

A는 아픔, 압력, 접촉, 차가움, 따뜻함 등을 느끼는 감각점이다.
감각점에서 받아들인 자극은 피부 감각 신경을 통해 뇌로 전달된다.

06 ㄱ. 감각점의 수는 통점>압점>촉점>냉점>온점 순이다.
ㄹ. 감각점의 수가 많을수록 예민하다.

오답 분석

ㄴ. 매운맛은 통각이다.
ㄷ. 온점과 냉점은 상대적인 온도 변화를 느낀다.

02 신경계와 호르몬

개념 다지기 1단계

진도책 105쪽, 107쪽

01 (1) ○ (2) ○ (3) × (4) ○ (5) ×
02 (1) A: 감각 뉴런, B: 연합 뉴런, C: 운동 뉴런
(2) A → B → C
03 (1) B, 간뇌 (2) D, 중간뇌 (3) A, 대뇌
04 (1) 뇌, 말초 신경계 (2) 대뇌 (3) 무조건 반사
05 (1) ○ (2) ○ (3) × (4) × 06 ㄴ, ㄹ
07 갑상샘 자극 호르몬 08 C, 이자
09 (1) 항상성 (2) 간뇌 (3) 인슐린 (4) 티록신
10 (1) ㄴ (2) ㄷ (3) ㄱ

01 (1) 뉴런은 신경계의 기본 단위인 신경 세포로, 신경 세포체, 가지 돌기, 축삭 돌기로 이루어져 있다.
(3) 신경 세포체는 핵과 대부분의 세포질이 모여 있는 부분이다.
(5) 감각 뉴런은 감각 기관에서 받은 자극을 연합 뉴런으로 전달한다.

02 (1) 감각 뉴런은 감각 기관에서 받아들인 자극을 연합 뉴런으로 전달한다. 운동 뉴런은 근육과 같은 운동 기관에 연결되어 있다.
(2) 자극은 감각 뉴런 → 연합 뉴런 → 운동 뉴런의 방향으로 전달된다.

03 (1) 간뇌는 혈당량과 체온 조절 등 우리 몸의 상태를 일정하게 유지하는 데 중요한 역할을 한다.
(2) 중간뇌는 안구 운동과 동공과 홍채의 변화를 조절한다.
(3) 대뇌는 여러 가지 자극을 해석하고 명령을 내리며, 복잡한 정신 활동을 담당한다.

04 뇌와 척수는 중추 신경계를 구성하고, 말초 신경계는 중추 신경계에서 나와 온몸에 퍼져 있으며, 감각 신경과 운동 신경으로 구성된다.

05 (1) 신경을 통한 조절 작용은 호르몬에 비해 빠르고 즉각적인 반응을 일으킨다.
(2) 호르몬은 내분비샘에서 만들어져 혈관으로 분비된다.
(3) 호르몬은 신경에 비해 신호 전달 속도가 느리고, 효과의 지속성이 길다.
(4) 우리 몸의 항상성은 호르몬과 신경의 상호 작용으로 유지된다.

06 호르몬은 혈액으로 직접 분비되어 혈관을 따라 이동한다. 표적 세포나 기관에서 작용하고, 과다증과 결핍증이 있다.

07 뇌하수체에서 분비되어 갑상샘을 자극하여 티록신의 분비를 촉진하는 호르몬은 갑상샘 자극 호르몬이다.

08 A는 뇌하수체, B는 갑상샘, C는 이자, D는 난소, E는 정소이다. 혈당량 조절에 관여하는 호르몬인 인슐린과 글루카곤은 이자(C)에서 분비된다.

09 (1) 우리 몸이 외부 환경이나 내부 상태가 변하더라도 체온, 혈당량 등 몸 안의 상태를 일정하게 유지하려는 성질을 항상성이라고 한다.
(2) 간뇌는 체온과 혈당량을 조절하는 중추이다.
(3) 혈당량이 높을 때 이자에서 인슐린이 분비되어 혈당량을 낮춘다.
(4) 티록신은 세포 호흡을 촉진하는 호르몬이다.

10 (1) 항이뇨 호르몬은 수분량 조절에 관여한다.
(2) 이자의 글루카곤과 인슐린은 혈당량 유지에 관여한다.
(3) 갑상샘에서 분비되는 티록신은 체온 조절에 관여한다.

공략 확인 문제

진도책 108쪽

01 ㉠ 대뇌, ㉡ 운동 신경 **02** (1) × (2) ○

01 감각 기관에서 받아들인 자극이 감각 신경을 통해 대뇌로 전달되면 대뇌에서 판단한 다음, 운동 신경을 통해 명령을 전달하여 운동 기관이 반응하게 된다.

02 (1) 자극의 종류가 달라지면 반응에 걸리는 시간도 달라진다.
(2) 의식적인 반응은 감각 기관에서 받아들인 자극이 대뇌로 전달되어 반응이 일어난다.

실력 올리기 2단계

진도책 109~112쪽

01 ② **02** ③ **03** ③ **04** ② **05** ③ **06** 해설 참조 **07** ① **08** ④ **09** ④ **10** ③ **11** ② **12** 자극 → 감각 기관 → 감각 신경 → 척수 → 운동 신경 → 운동 기관 → 반응 **13** ⑤ **14** ⑤ **15** ④ **16** ③ **17** ⑤ **18** ② **19** ② **20** ②, ③ **21** 해설 참조 **22** ② **23** ① **24** ④ **25** ③ **26** 해설 참조 **27** ⑤

01 자료 분석

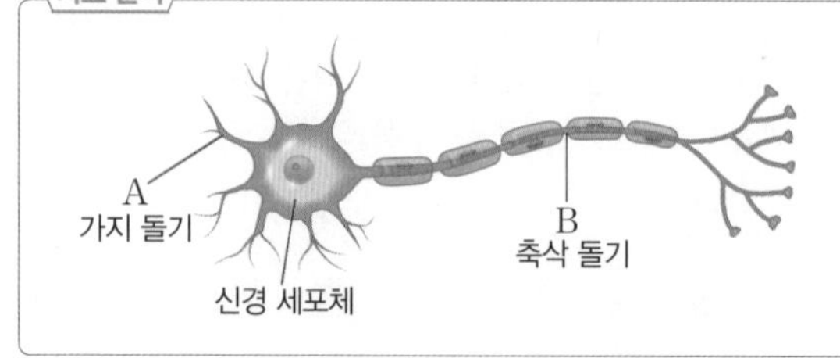

핵을 갖는 것은 신경 세포체이다.

02 운동 뉴런은 연합 뉴런에서 명령을 받아서 운동 기관에 전달한다.

03 연수는 호흡 운동, 심장 박동, 소화 운동 등 생명 유지에 필수적인 중추이며, 침과 눈물 분비, 재채기와 같은 반사 운동의 중추이기도 하다.

04 A는 대뇌, B는 간뇌, C는 중간뇌, D는 소뇌, E는 연수이다.

05 ㄱ, ㄷ. 중추 신경계는 뇌와 척수로 구성되어 있으며, 감각 기관에서 받아들인 자극을 통합하여 판단하고 명령을 내린다.

오답 분석

ㄴ. 내장 기관을 비롯한 온몸에 퍼져 있는 신경계는 중추 신경계로부터 뻗어 나온 말초 신경계이다.

06 **모범 답안** 대뇌, 기억 상실증은 기억을 담당하는 곳이 손상되어 나타나는 증상인데, 기억이나 추리, 판단과 같은 복잡한 정신 활동의 중추는 대뇌이기 때문이다.
해설 대뇌는 기억, 추리, 감정 등 복잡한 정신 활동을 담당하고, 여러 가지 자극을 해석하고 명령을 내린다.

채점 기준	배점
모범 답안과 같이 서술한 경우	100 %
대뇌의 기능에 대해 제대로 서술한 경우	80 %
대뇌에 이상이 생긴 것만 서술한 경우	30 %

07 말초 신경계는 중추 신경계에서 뻗어 나와 온몸에 퍼져 있는 신경계로 감각 신경과 운동 신경으로 이루어져 있다. 감각 신경은 외부로부터 받아들인 자극을 중추 신경계로 전달하고, 운동 신경은 중추 신경계에서 내린 명령을 운동 기관에 전달한다. 말초 신경계를 이루는 신경 중에 자율 신경은 대뇌의 직접적인 명령 없이 자율적으로 내장 기관의 작용을 조절한다. 체온 및 혈당량의 조절은 간뇌의 기능에 해당된다.

08 이 문제에 적용되는 개념

교감 신경과 부교감 신경의 비교(본교재 104쪽)

구분	교감 신경	부교감 신경
심장 박동	촉진	억제
호흡	촉진	억제
동공	확대	축소
소화	억제	촉진

긴장 상태를 의미하기 때문에 자율 신경 중 교감 신경이 작용하여 심장 박동은 촉진되고 동공은 확대되며, 호흡 운동은 촉진되고 소화 운동은 억제된다.

09 떨어지는 자를 눈으로 보고 잡는 의식적인 반응에는 대뇌가 관여한다.

10 ① ㄱ은 눈에서 받아들인 자극을 대뇌에서 판단한 다음, 근육에 명령을 내려 일어나는 의식적인 반응이다.
② ㄱ은 대뇌를 중추로 하여 일어나고, ㄴ은 연수를 중추로 하여 일어난다.
③ ㄱ은 대뇌가 중추가 되어 일어나는 의식적인 반응이고, ㄴ과 ㄷ은 모두 연수가 조절하는 무조건 반사(무의식적인 반응)에 해당한다.
④ 대뇌가 관여하는 의식적인 반응보다 대뇌가 관여하지 않는 무조건 반사가 더 짧은 경로를 가지기 때문에 의식적인 반응인 ㄱ보다 무조건 반사인 ㄴ이나 ㄷ의 반응 속도가 더 빠를 것이다.
⑤ ㄷ에서 재채기를 하는 것은 대뇌와 관계없이 일어나는 무의식적인 반응인 무조건 반사이다.

11 ② 이외에 나머지는 무조건 반사이다. 날아오는 물체를 보고 대뇌에서 피하라고 명령해서 피하는 것은 의식적인 반응에 속한다.

12 무릎 반사의 자극에 대한 반응 경로는 자극 → 감각 기관 → 감각 신경 → 척수 → 운동 신경 → 운동 기관 → 반응이다.
무릎 반사는 무조건 반사에 해당하는 척수 반사이다.

13 무조건 반사는 대뇌의 판단 과정을 거치지 않아 매우 빠르게 반응이 일어나므로 갑작스러운 위험 상황으로부터 우리 몸을 보호할 수 있다.

14 동공 반사는 중간뇌가 조절한다.

15 호르몬은 내분비샘에서 만들어져 혈액으로 분비된 다음, 혈관을 통해 온몸으로 이동하여 특정 세포나 기관에 작용한다.
호르몬은 결핍증, 과다증이 있고 종류에 따라 표적 기관이 다르다.

16 신경은 뉴런을 통해 신호를 전달하기 때문에 전달 속도가 빠르지만 좁은 범위에서 일시적인 반응을 나타내며, 호르몬은 혈액을 통해 신호를 전달하기 때문에 전달 속도가 느리지만 넓은 범위에서 지속적인 반응을 나타낸다.

17 뇌하수체에서는 생장 호르몬과 갑상샘 자극 호르몬, 항이뇨 호르몬이 분비된다. 부신에서는 아드레날린이 분비되고, 갑상샘에서는 티록신이 분비되며, 이자에서는 인슐린과 글루카곤이 분비된다.

18 혈당량이 낮을 때 이자에서 분비되어 혈당량을 높이는 호르몬은 글루카곤이다.

19 티록신은 세포 호흡을 촉진하는 호르몬으로, 과다하게 분비되면 세포 호흡이 평소보다 과도하게 진행되어 체중은 감소하고 신경이 날카로워질 수 있다.

20 자료 분석

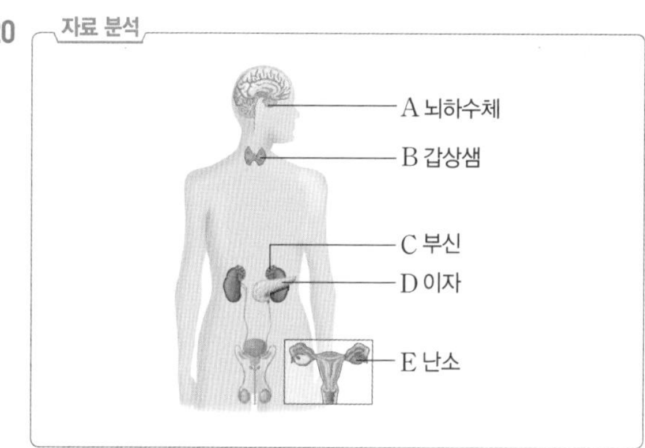

② 갑상샘에서는 티록신이 분비되며 티록신이 결핍되면 갑상샘 기능 저하증에 걸릴 수 있다.
③ 부신에서는 아드레날린이 분비된다.

오답 분석

① 뇌하수체(A)에서 분비되는 항이뇨 호르몬은 세포 호흡을 촉진하는 것이 아니라 콩팥에서 물의 재흡수를 촉진한다.
④ 거인증, 소인증과 관련 있는 호르몬인 생장 호르몬을 분비하는 기관은 뇌하수체(A)이다.
⑤ 난소(E)에서는 여성의 2차 성징이 나타나게 하는 에스트로젠이 분비되며, 호르몬에 의해 난소와 정소가 만들어지는 것은 아니다.

21 **모범 답안** 말단 비대증, 성인이 된 이후에도 뇌하수체에서 생장 호르몬이 과다하게 분비되기 때문이다.
해설 성장기에 생장 호르몬이 과다하게 분비되면 거인증이 나타나고 성장기 이후에 생장 호르몬이 과다하게 분비되면 말단 비대증이 나타난다.

채점 기준	배점
모범 답안과 같이 서술한 경우	100 %
질병의 이름과 호르몬의 명칭만 쓴 경우	50 %
질병의 이름만 정확하게 쓴 경우	30 %

22 항상성은 몸 안팎의 환경 변화에 관계없이 몸 안의 상태를 일정하게 유지하려는 성질이다.

23 인슐린은 이자에서 분비되고, 혈당량을 낮춘다.

24 호르몬 A는 혈당량을 감소시키는 인슐린이고, 호르몬 B는 혈당량을 높이는 글루카곤이다.
ㄱ. 글루카곤은 간에 저장된 글리코젠을 포도당으로 분해한다.
ㄴ. 인슐린이 부족하면 혈당량이 감소하지 못하여 오줌에 포도당이 섞여 나오는 당뇨병에 걸릴 수 있다.

25 추울 때 체온이 낮아지면 뇌하수체에서 갑상샘 자극 호르몬 분비가 증가하여 갑상샘에서 티록신의 분비가 증가하고 세포 호흡을 촉진시켜 열 발생량이 증가한다.

26 **모범 답안** (가)는 갑상샘이고, ㉠은 티록신이다. 티록신의 분비량이 감소하면 세포 호흡이 억제되어 체온이 낮아진다.
해설 티록신은 세포 호흡을 촉진하는 기능을 하는 호르몬으로, 갑상샘에서 분비된다.

채점 기준	배점
모범 답안과 같이 서술한 경우	100 %
㉠의 분비량이 감소했을 때의 변화만 정확하게 서술한 경우	50 %
내분비샘 (가)와 호르몬 ㉠만 정확하게 쓴 경우	30 %

27 몸속 수분량이 감소하면 뇌하수체에서 항이뇨 호르몬의 분비가 촉진되어 콩팥에서 물의 재흡수가 증가하고, 그 결과 오줌의 양이 감소한다.

만점 도전하기 3단계

진도책 113쪽

01 ④ 02 ④ 03 ③ 04 ③ 05 ⑤

01 ㄴ. 말초 신경계는 온몸에 퍼져 있어 중추 신경계와 온몸을 연결한다.
ㄷ. 중추 신경계에서 자극을 판단하여 적절한 명령을 내리고, 중추 신경계의 명령이 말초 신경계를 통해 운동 기관으로 전달된다.
오답 분석
ㄱ. 말초 신경계는 뇌와 척수로부터 뻗어 나온 감각 신경과 운동 신경으로 이루어져 있다.

02 ④ 의식적인 반응은 대뇌가 중추가 되어 일어나는 반응이다. ①, ②, ③, ⑤는 무조건 반사에 대한 설명이다.

03 뇌하수체에서 분비되어 생장을 촉진하는 생장 호르몬에 대한 설명이다. 성장기 이후에도 생장 호르몬이 과다하게 분비되면 손, 발, 턱이 커지는 말단 비대증이 나타난다.

04 이 문제에 적용되는 개념

혈당량 조절(본교재 106쪽)

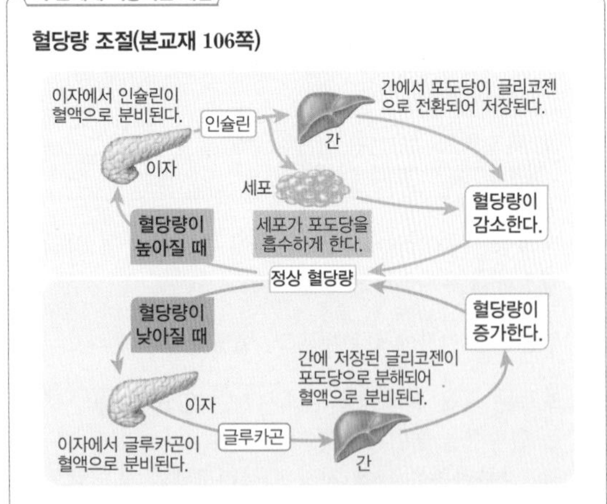

이자에서 인슐린과 글루카곤이 분비되어 간에서 작용한다. 인슐린의 분비량이 증가하면 혈당량은 감소한다.

05 A 구간에서는 체온이 낮아지는 과정이 일어난다.
ㄱ. 체온이 낮아지기 위해서는 근육의 떨림이 감소해 열 발생량을 줄여야 한다.
ㄴ. 티록신의 분비량이 감소해야 한다.
ㄷ. 땀의 생성과 분비가 증가해 기화열에 의해 열 방출이 일어나도록 한다.
ㄹ. 피부의 모세 혈관이 확장하여 열 방출량을 늘려야 한다.

진도책 114쪽~117쪽

대단원 완성하기

01 ③ 02 ② 03 ⑤ 04 ④ 05 D 06 ② 07 ⑤
08 ④ 09 ② 10 ⑤ 11 ⑤ 12 ③ 13 B, (라)
14 ③ 15 ④ 16 ② 17 ⑤ 18 ④ 19 ㄱ, ㄴ, ㄷ
20 ㉠ 간뇌, ㉡ 뇌하수체, ㉢ 티록신 21 해설 참조
22 해설 참조 23 해설 참조 24 해설 참조
25 해설 참조

01 기체 상태의 화학 물질은 콧속 후각 상피의 후각 세포에서, 액체 상태의 화학 물질은 혀의 맛봉오리의 맛세포에서 느낀다. 빛은 망막의 시각 세포에서, 소리는 달팽이관의 청각 세포에서 느낀다. 몸의 회전은 반고리관, 몸의 기울어짐은 전정 기관의 평형 감각 세포에서 감지한다. 각각의 적합 자극과 그에 맞는 감각 기관이 존재한다.

02 이 문제에 적용되는 개념

밝기에 따른 동공의 크기 조절(본교재 095쪽)

• 어두울 때

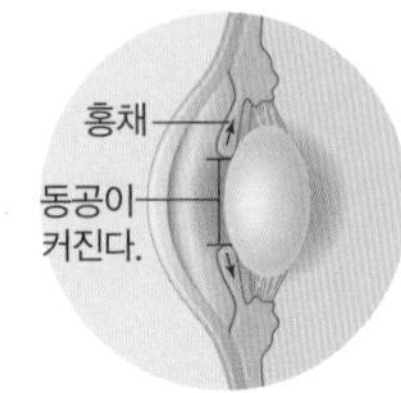

홍채의 면적이 줄어들면서 동공이 커져 눈으로 들어오는 빛의 양이 늘어난다.

• 밝을 때

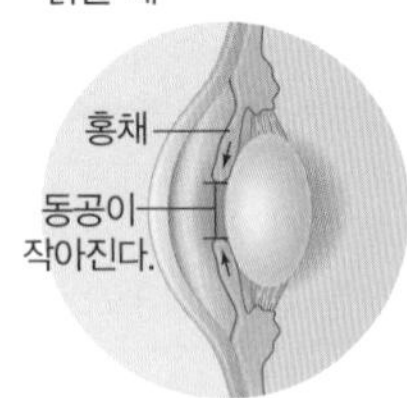

홍채의 면적이 늘어나면서 동공이 작아져 눈으로 들어오는 빛의 양이 줄어든다.

작아져 있던 동공이 상황의 변화가 생기자 홍채가 축소하면서 동공이 확대되었다. 이것은 적은 양의 빛을 최대한 받아들이기 위한 것이다. 따라서 주변이 어둡게 바뀌었다는 것을 추측할 수 있다.

03 홍채의 면적이 줄어들었다 늘어났다 하면서 동공이 커졌다 작아졌다 한다. 이로 인해 눈으로 들어오는 빛의 양이 조절된다.

04 귓바퀴는 소리를 모으고, 귓속뼈는 고막의 진동을 증폭하는 역할을 하며, 전정 기관은 몸의 기울어짐을 감지하고, 달팽이관은 청각 세포가 있어 소리를 자극으로 받아들인다.

05 소리는 귓바퀴를 통해 모여 외이도를 지나 고막을 진동시킨다. 이 진동은 귓속뼈에서 증폭되어 달팽이관으로 전달되고, 달팽이관의 청각 세포가 자극으로 받아들인 후 청각 신경을 통해 뇌로 전달된다.

06 후각은 매우 민감한 감각이지만 쉽게 피로해지는 특징이 있다. 따라서 같은 냄새를 계속 맡게 되면 후각 세포가 피로해지면서 얼마 후에는 냄새를 느끼지 못하게 된다.

07 매운맛, 떫은맛은 피부 감각이다. 매운맛은 통점에서 느끼는 피부 감각이고, 떫은맛은 압점에서 느끼는 피부 감각이다.

08 롤러코스터를 타고 내려왔을 때 어지러운 것은 평형 감각과 관계있다.

09 A는 감각 기관의 자극을 받아들이는 감각 뉴런이다. B는 감각 뉴런과 운동 뉴런을 연결하는 연합 뉴런이고, C는 연합 뉴런의 명령을 운동 기관에 전달하는 운동 뉴런이다.

10 말초 신경계 중 자율 신경은 대뇌의 직접적인 명령을 받지 않고 자율적으로 내장 기관의 운동을 조절한다.

11 자료 분석

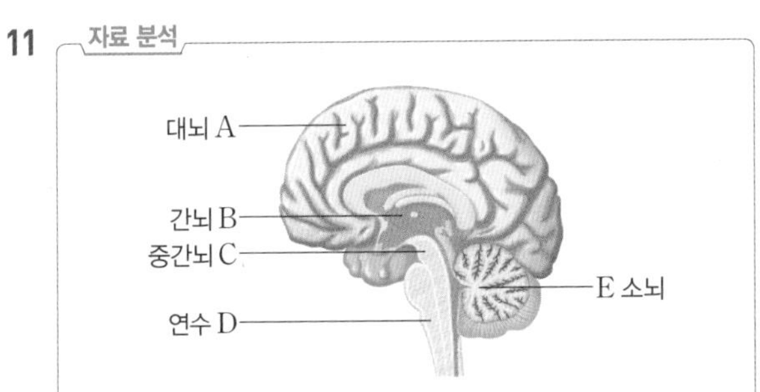

⑤ E는 소뇌이며, 대뇌와 함께 근육 운동을 조절하고, 몸의 균형 유지에 관여한다. 뇌와 말초 신경 사이에서 신호를 전달하는 통로는 척수이다.

오답 분석

① A는 대뇌이며, 기억, 추리, 사고, 의지 등과 같은 복잡한 정신 활동의 중추로서 자극의 감각과 판단 및 명령을 내리는 기능을 한다.
② B는 간뇌이며, 체온 및 혈당량 유지를 조절하는 기능을 한다.
③ C는 중간뇌이며, 눈의 운동 및 홍채의 수축과 이완 조절에 관여한다.
④ D는 연수이며, 심장 박동, 호흡, 소화 운동 등의 생명 유지 역할을 하고 재채기, 하품, 침 분비와 같은 무조건 반사의 중추이다. 또한, 연수는 좌우 신경의 교차가 일어나는 부분이다.

12 ③ 체온을 조절하는 중추는 간뇌이다.

오답 분석

① 대뇌는 뇌의 대부분을 차지하며, 운동, 감각, 언어, 기억 및 복잡한 정신 활동을 담당한다.
② 소뇌는 몸의 균형 유지와 근육의 운동을 담당한다.
④ 중간뇌는 주로 눈의 조절을 담당한다.
⑤ 연수는 생명을 유지하게 하는 중추로 호흡, 심장 박동수, 혈압 등을 조절한다.

13 평균대를 걷다가 쓰러지는 것은 기울기와 관련된 것으로, 전정 기관이 관여하며, 이는 몸의 균형을 유지하는 중추인 소뇌가 담당한다. 왼쪽 그림에서 전정 기관은 B, 오른쪽 그림에서 소뇌는 (라)이다.

14 손으로 점자책을 읽어갈 때에는 자극이 피부에서 감각 신경을 통해 대뇌로 전달된 후 명령이 운동 신경을 통해 전달되어 근육이 반응한다.

15 호르몬은 혈액을 통해 신호를 전달하기 때문에 전달 속도가 느리지만, 넓은 범위에서 지속적인 반응을 나타낸다.

16 A는 뇌하수체, B는 갑상샘, C는 부신, D는 이자, E는 정소이다.
② 갑상샘에서 티록신이 분비되어 세포 호흡을 촉진한다.

오답 분석

① 혈당량을 낮추는 인슐린은 이자(D)에서 분비된다.
③ 남성의 2차 성징이 나타나게 하는 테스토스테론은 정소(E)에서 분비된다.
④ 오줌의 양을 줄이는 항이뇨 호르몬은 뇌하수체(A)에서 분비된다.
⑤ 생장을 촉진하는 생장 호르몬은 뇌하수체(A)에서 분비된다.

17 부신에서 분비되는 아드레날린은 혈당량 증가와 심장 박동 촉진에 관여하는 호르몬이다.

18 이 문제에 적용되는 개념

호르몬 관련 질병(본교재 106쪽)

호르몬의 분비 이상		질병
생장 호르몬	과다	말단 비대증, 거인증
	결핍	소인증
티록신	과다	갑상샘 기능 항진증
	결핍	갑상샘 기능 저하증
인슐린	결핍	당뇨병

티록신이 지나치게 적게 분비되면 세포 호흡이 활발하지 못해 어른은 몸이 붓고 신체 기능이 저하되고, 어린이의 경우 키가 작고 지능이 낮아지는 갑상샘 기능 저하증이 나타난다.

19 혈당량이 높으면 인슐린의 분비가 촉진되고, 글루카곤의 분비가 억제된다. 또한, 간에서 포도당이 글리코젠으로 합성되어 저장되면서 혈당량을 감소시킨다.

20 체온이 낮아지면 간뇌에서 이를 감지해 뇌하수체에서 갑상샘 자극 호르몬이 분비되어 티록신의 분비를 촉진한다. 티록신이 세포 호흡을 촉진함으로써 체온이 상승하게 된다.

21 **모범 답안** B, 섬모체가 수축하여 수정체가 두꺼워져서 가까운 곳을 잘 볼 수 있게 해 준다.

채점 기준	배점
모범 답안과 같이 서술한 경우	100 %
섬모체가 수축한다고만 서술하거나 수정체가 두꺼워진다고만 서술한 경우	40 %

22 **모범 답안** 소리가 귓바퀴에서 모여 외이도를 지나 F(고막)를 진동시키고 이 진동은 A(귓속뼈)에서 증폭되어 C(달팽이관)로 전달된다. C(달팽이관)의 청각 세포가 진동을 자극으로 받아들이고 이 자극은 청각 신경을 통해 뇌로 전달된다.
해설 A는 귓속뼈, B는 반고리관, C는 달팽이관, D는 귀인두관, E는 전정 기관, F는 고막이다.
반고리관, 귀인두관, 전정 기관은 청각의 성립 경로와는 관계가 없다.

채점 기준	배점
각 부위의 기호와 이름, 청각의 성립 경로를 모두 정확하게 서술한 경우	100 %
청각의 성립 경로만 정확하게 서술한 경우	50 %
각 부위의 기호와 이름만 정확하게 쓴 경우	30 %

23 **모범 답안** 오른손은 따뜻하다고 느끼고, 왼손은 차갑다고 느낀다.
해설 오른손은 20 ℃의 물에 담갔다가 30 ℃의 물에 담갔고, 왼손은 40 ℃의 물에 담갔다가 30 ℃의 물에 담갔다. 따라서 오른손은 상대적으로 온도가 높아졌다고 느끼게 되며, 왼손은 상대적으로 온도가 낮아졌다고 느낄 것이다.

채점 기준	배점
모범 답안과 같이 서술한 경우	100 %
양 손이 다르게 느낀다고만 서술한 경우	50 %

24 (1) A: 대뇌, B: 간뇌, C: 소뇌, D: 중간뇌, E: 연수
(2) **모범 답안** D는 중간뇌로, 안구 운동과 동공 반사에 관여한다. 이 부분에 이상이 생기면 동공 반사가 일어나지 않는다.

채점 기준	배점
중간뇌의 기능과 이상이 생겼을 때 나타나는 증상을 정확하게 서술한 경우	100 %
중간뇌의 기능과 이상이 생겼을 때 나타나는 증상 중 하나만 정확하게 서술한 경우	50 %

25 이 문제에 적용되는 개념

혈당량 조절(본교재 106쪽)
- 혈당량이 낮아질 때: 간뇌 → 이자 → 글루카곤 분비 → 간(글리코젠 → 포도당) → 혈당량 증가 → 정상 혈당량
- 혈당량이 높아질 때: 간뇌 → 이자 → 인슐린 분비 → 간(포도당 → 글리코젠), 세포(포도당 흡수 촉진) → 혈당량 감소 → 정상 혈당량

(1) A: 인슐린, B: 글루카곤
(2) **모범 답안** 혈당량이 높아졌을 때에는 이자에서 인슐린이 분비되어 간에서 포도당이 글리코젠으로 전환되어 혈당량을 낮춘다. 혈당량이 낮아졌을 때에는 이자에서 글루카곤이 분비되어 간에서 글리코젠을 포도당으로 전환하여 혈당량을 높인다.

채점 기준	배점
모범 답안과 같이 서술한 경우	100 %
혈당량이 높아졌거나 낮아졌을 때 중 하나만 정확하게 서술한 경우	50 %
인슐린과 글루카곤이 혈당량을 조절한다고만 쓴 경우	20 %

V 생식과 유전

01 생식

개념 다지기 1단계

진도책 121쪽, 123쪽

01 (1) ㉠ 24, ㉡ 8, ㉢ 3 (2) 낮아지므로
02 (1) ○ (2) × (3) ○
03 (1) 전기 (2) 중기 (3) 말기 (4) 후기
04 (1) ㄱ (2) ㄹ (3) ㄴ (4) ㄷ
05 (1) 난할 (2) 수정 (3) 발생
06 A, 수란관

01 세포가 커지면 표면적이 증가하는 비율보다 부피가 증가하는 비율이 커지면서 $\frac{표면적}{부피}$이 줄어들게 된다. 그 결과 물질 교환 능력이 낮아지면서 생명 유지에 어려움이 생긴다. 그러므로 세포가 어느 정도 커지면 분열한다.

02 (1) 염색체는 유전 물질이 꼬이고 뭉쳐져 만들어진 막대 모양의 구조로, DNA와 단백질로 이루어져 있다.
(2) 상동 염색체는 부모로부터 하나씩 물려받아 유전자 구성이 같거나 다르다.
(3) 염색 분체는 염색체를 이루는 두 가닥 중 각각의 가닥으로, 유전자 구성이 같다.

03 체세포 분열의 핵분열은 염색체의 모양과 움직임에 따라 전기, 중기, 후기, 말기로 구분되며, 말기에는 세포질 분열이 일어난다.

04 (1) 감수 1분열 중기에 2가 염색체가 세포 중앙에 배열한다.
(2), (3) 상동 염색체가 분리되어 세포 양쪽 끝으로 이동하는 시기는 감수 1분열 후기이며, 염색 분체가 분리되어 세포 양쪽 끝으로 이동하는 시기는 감수 2분열 후기이다.
(4) 염색체 수가 모세포의 절반으로 감소한 딸세포가 2개 형성되는 시기는 감수 1분열 말기이다.

05 (1) 난할은 체세포 분열 과정으로, 세포의 크기가 커지는 시기 없이 계속 분열한다.
(2), (3) 정자와 난자가 수정하여 만들어진 수정란이 하나의 개체로 되기까지의 과정을 발생이라고 한다.

06 수란관(A)은 정자와 난자의 수정이 일어나는 장소이며, 난할이 일어나기 시작하는 부분이다.

공략 확인 문제 진도책 124쪽

01 체세포 분열 **02** 고정 **03** 에탄올과 아세트산 혼합액 → 묽은 염산 → 아세트산 카민 용액 **04** 핵과 염색체

01 생장점이 있는 뿌리의 끝부분에서 체세포 분열이 관찰된다.

02 에탄올과 아세트산 혼합액을 이용하여 세포 분열이 멈춘 상태로 고정시킬 수 있으므로 에탄올과 아세트산 혼합액을 고정액이라고도 한다.

03 양파 뿌리를 이용한 체세포 분열 관찰 실험에서는 에탄올과 아세트산 혼합액, 묽은 염산, 아세트산 카민 용액 순으로 사용한다.

04 아세트산 카민 용액은 핵과 염색체를 붉게 염색하여 잘 관찰할 수 있도록 하기 위해 사용한다.

실력 올리기 2단계

진도책 125~128쪽

01 ⑤ 02 ③ 03 ① 04 ⑤ 05 ② 06 해설 참조
07 ③ 08 ⑤ 09 해설 참조 10 ④ 11 ⑤ 12 ①
13 ⑤ 14 ㉠ 2번, ㉡ 4개 15 ④ 16 ②, ④
17 ③ 18 ④ 19 ⑤ 20 ③ 21 해설 참조 22 ③
23 해설 참조 24 ④ 25 ①

01 성인도 체세포 분열을 통해 세포 재생 등을 위한 세포 분열이 일어난다.

02 이 문제에 적용되는 개념

세포가 분열하는 까닭(본교재 120쪽)
세포의 크기가 커지면 표면적이 증가하는 비율보다 부피가 증가하는 비율이 커지면서 세포막을 통한 물질 교환 능력이 낮아진다.
⇨ 세포는 어느 정도 커지면 세포 분열을 하여 세포 수를 늘린다.

물질 교환 능력은 표면적의 넓이가 아닌 $\frac{\text{표면적}}{\text{부피}}$의 값에 의해 결정된다. 그러므로 세포의 크기가 커질수록 물질 교환 능력이 낮아진다.

03 생물은 체세포 분열을 통해 체세포의 수를 증가시킴으로써 크기가 커지는 생장을 한다. 몸을 구성하는 체세포의 크기는 지름이 평균 10 μm로 비슷하다. 코끼리나 생쥐는 개체의 크기가 차이 나지만 세포의 크기는 비슷하기 때문에 코끼리와 생쥐의 크기가 차이 나는 원인은 세포의 크기가 아니라 세포의 수이다.

04 염색체는 세포가 분열하기 전에는 핵 속에 실 모양으로 풀어져 있다가 핵분열 시 응축되어 막대 모양이 된다.

05 (가)는 남자, (나)는 여자의 염색체이다. 1~22번은 상염색체로, 성별에 관계없는 특징을 결정하고, X 염색체와 Y 염색체는 성염색체로, 성의 특징을 결정한다. (나)의 상동 염색체는 23쌍이다.

06 **모범 답안** 상동 염색체, 부모로부터 각각 하나씩 물려받았기 때문이다.

채점 기준	배점
상동 염색체를 쓰고, 까닭을 옳게 서술한 경우	100 %
상동 염색체만 쓴 경우	30 %

07 체세포 분열은 분열 전 시기인 간기(나) → 전기(마) → 중기(다) → 후기(라) → 말기(가) 순으로 일어난다.

08 체세포 분열 과정 중 (가)는 말기, (나)는 분열 전 시기인 간기, (다)는 중기, (라)는 후기, (마)는 전기이다.
⑤ 전기(마)에 핵막이 사라지고, 2개의 염색 분체로 이루어진 막대 모양의 염색체가 나타난다.

오답 분석
① 분열 전 시기인 간기(나)에 DNA가 복제된다.
② 전기(마)에 방추사가 나타난다.
③ 말기(가)에 세포질 분열이 일어난다.
④ 말기(가)에 딸핵이 형성된다.

09 **모범 답안** 중기, 염색체가 세포 중앙에 배열한다. 염색체의 수와 모양을 관찰하기에 가장 좋다. 등
해설 체세포 분열 중기는 염색체가 세포의 중앙에 배열하며, 염색체에 방추사가 붙어 있는 상태이다.

채점 기준	배점
중기를 쓰고, 특징 2가지를 모두 옳게 서술한 경우	100 %
특징 1가지만 옳게 서술한 경우	40 %
중기만 쓴 경우	20 %

10 양파 뿌리 끝 세포를 관찰하는 실험 과정은 고정(라) → 해리(가) → 염색(나) → 분리(마) → 압착(다) 순이다.

11 ⑤ (라)는 고정 과정으로, 세포를 살아 있는 상태로 멈추게 하여 세포 분열의 각 단계를 관찰하기 쉽게 한다.

오답 분석
①, ② (가)는 세포벽을 녹이는 등 조직을 연하게 하는 과정이다.
③ (나)는 핵과 염색체를 붉게 염색하는 과정이다.

12 ① 세포질 분열은 동물 세포와 식물 세포에서 모두 관찰된다. 동물 세포는 세포질 함입, 식물 세포는 세포판 형성으로 인해 세포질이 분열된다.

오답 분석
② 세포질 분열은 핵분열 말기에 일어난다.
③ 제시된 그림은 동물 세포의 세포질 분열로, 세포판이 형성되지 않는다.
④ 체세포 분열과 감수 분열의 말기에 관찰된다.
⑤ 세포질이 바깥쪽에서 안쪽으로 분열된다.

13 ⑤ 감수 분열 결과 염색체 수가 반으로 줄어든 생식세포가 생성되므로 세대를 거듭해도 생물의 염색체 수가 일정하게 유지된다.

오답 분석
①, ④ 체세포 분열은 동물의 경우 온몸, 식물의 경우 생장점과 형성층에서 일어난다.
② 감수 분열 결과 생식세포가 형성된다.
③ 체세포 분열 결과 염색체 수는 변화 없다.

14 감수 분열은 세포 분열이 2회에 걸쳐 연속적으로 일어난다. 감수 분열 결과 하나의 모세포에서 염색체 수가 반으로 줄어든 4개의 딸세포가 형성된다.

15 자료 분석

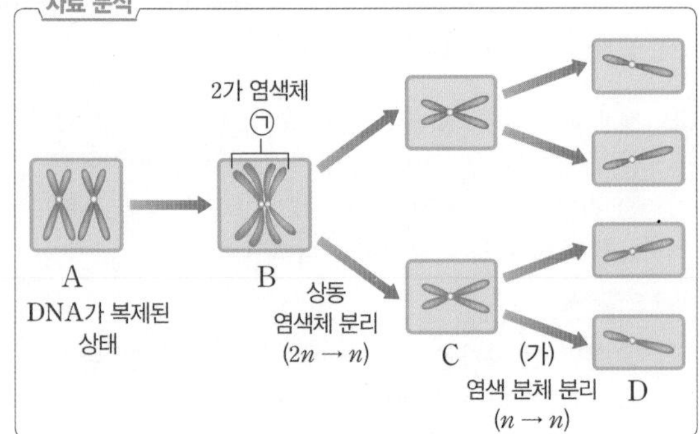

④ 감수 분열은 감수 1분열과 2분열 각각 전기, 중기, 후기, 말기의 과정을 거친다.

오답 분석

① D의 염색체 수는 A의 염색체 수의 절반이다.
② 감수 분열 결과 생식세포가 형성된다.
③ 염색체 수는 B에서 C로 진행되는 시기에 반으로 감소한다.
⑤ 감수 분열 결과 만들어진 4개의 딸세포는 어떤 상동 염색체로부터 유래되었는지에 따라 유전자가 다르다.

16 2가 염색체는 감수 1분열 전기와 중기에 관찰되며, 상동 염색체 2개가 접합해서 만들어진 것으로, 4개의 염색 분체가 접합되어 있기 때문에 4분 염색체라고도 한다.

17 ㄴ. (가) 시기는 염색 분체가 분리되는 시기로, 염색체 수에 변화 없다.
ㄹ. (가) 시기를 거쳐도 염색체 수에 변화가 없으므로 C와 D는 염색체 수가 같다.

오답 분석

ㄱ. (가) 시기는 감수 2분열 과정이다.
ㄷ. B에서 C로 진행되는 시기에 상동 염색체가 분리되며, 염색체 수가 반으로 감소한다.

18 n쌍의 상동 염색체를 갖는 세포는 2^n개의 생식세포를 만들 수 있다. 3쌍의 상동 염색체를 갖는 세포는 $2^3=8$개의 생식세포를 만든다.

19 감수 분열 결과 염색체 수가 모세포의 반으로 줄어든 생식세포가 형성되므로 세대를 거듭해도 생물의 염색체 수가 일정하게 유지된다.

20 난세포는 식물의 밑씨에서 생성되는 생식세포이다. 체세포에는 모양과 크기가 같은 상동 염색체가 있지만, 생식세포에는 상동 염색체가 없다.

21 **모범 답안** (가) 체세포 분열 중기, (나) 감수 1분열 중기, (가)는 상동 염색체가 각각 세포 중앙에 배열하지만, (나)는 상동 염색체가 서로 접합한 상태로 세포 중앙에 배열한다.
해설 체세포 분열 중기의 세포에는 상동 염색체가 있고, 감수 1분열 중기의 세포에는 상동 염색체가 접합해 있다.

채점 기준	배점
(가)와 (나) 시기와 두 시기의 차이점을 옳게 서술한 경우	100 %
(가)와 (나) 시기만 옳게 쓴 경우	40 %

22 체세포 분열(가) 결과 모세포와 염색체 수가 같은 딸세포가 2개 만들어진다. 감수 분열(나) 결과 염색체 수가 모세포의 절반인 딸세포가 4개 만들어진다.

23 **모범 답안** 난할, 세포의 크기가 커지는 시기 없이 세포 분열이 일어난다. 난할이 일어날수록 세포의 크기가 계속 작아진다. 딸세포는 모세포와 염색체 수가 같다. 등

채점 기준	배점
난할을 쓰고, 특징 2가지를 모두 옳게 서술한 경우	100 %
특징 1가지만 옳게 서술한 경우	40 %
난할만 쓴 경우	20 %

24 ㄴ, ㄷ. 수정란이 자궁 안쪽 벽에 파묻히는 현상을 착상이라고 하며, 이때부터 임신이 되었다고 한다.

오답 분석

ㄱ. 수정란은 수정된 지 5~7일 후 포배 상태로 착상된다.

25 태아의 출산 예정일은 수정된 지 약 266일 후이다.

만점 도전하기 3단계

진도책 129쪽

01 ③ 02 ④ 03 ② 04 ② 05 ①, ② 06 ④

01 (가)에서 X 염색체는 어머니로부터 물려받고, Y 염색체는 아버지로부터 물려받는다.
(나)는 어머니와 아버지로부터 X 염색체를 각각 1개씩 물려받는다.

02 체세포 분열 중 핵분열 과정은 염색체의 모양과 움직임을 기준으로 전기, 중기, 후기, 말기로 구분한다.

03 (가)는 말기, (나)는 분열 전 시기인 간기, (다)는 중기, (라)는 후기, (마)는 전기이다. 식물 세포의 체세포 분열 말기인 (가) 시기에는 세포판이 형성되어 세포질 분열이 일어난다.

04 이 문제에 적용되는 개념

체세포 분열 과정에서의 DNA양(본교재 121쪽)
세포 분열이 일어나기 전인 간기에 DNA가 복제되어 2배가 된다. 그러나 후기에 염색 분체가 분리되어 각각 딸세포로 이동하기 때문에 딸세포의 DNA 상대량은 모세포와 같아진다.

② (가)는 세포가 분열하기 전 시기인 간기이다. DNA 상대량이 증가하는 것은 DNA가 복제되기 때문이다.

오답 분석

① 핵막이 사라지는 시기는 전기이다.
③ 염색 분체는 전기부터 관찰된다.
④ 세포질 분열은 핵분열이 진행된 후에 일어난다.
⑤ 염색체가 세포 중앙에 배열하는 시기는 중기이다.

05 ①, ② 그림은 1개의 모세포에서 4개의 딸세포를 만드는 과정인 감수 분열로, (가)에서 염색체 수가 반으로 줄어들며, 감수 2분열 결과 4개의 생식세포가 형성된다.

오답 분석

③ 분열 결과 형성된 4개의 딸세포는 염색체 수가 모세포의 절반이다.
④ 생장점과 형성층에서는 체세포 분열이 일어난다.
⑤ 감수 분열 결과 생식세포가 형성되고, 체세포 분열 결과 생장이 일어난다.

06 난소에서 수란관으로 배란된 난자는 수란관 상단부에서 정자와 만나 수정이 이루어진다. 수정란은 난할이 진행되면서 자궁 쪽으로 이동한 후 자궁 안쪽 벽에 착상된다.

02 유전

개념 다지기 1단계

진도책 131쪽, 133쪽

01 (1) ○ (2) × (3) × (4) ×
02 (1) 순 (2) 순 (3) 잡 (4) 순 (5) 잡 (6) 순
03 3 : 1 **04** 9 : 3 : 3 : 1
05 (1) × (2) × **06** (1) 분리 (2) 한(1) (3) 같다
07 ㉠ AA, AO, ㉡ BB, BO, ㉢ OO, ㉣ AB
08 ㉠ X, ㉡ 반성

01 (2) 우성은 알파벳의 대문자 첫 글자를 사용하고, 열성은 우성 기호의 소문자를 사용한다.
(3) 보라색 꽃과 흰색 꽃을 교배했을 때 다음 세대에 보라색 꽃만 나타나면 보라색 꽃은 우성이고 흰색 꽃은 열성이다.
(4) 우성은 순종의 대립 형질끼리 교배했을 때 잡종 1대에서 나타나는 형질이다.

02 순종은 여러 세대를 자가 수분해도 계속 같은 형질이 나오는 개체이며, 잡종은 대립 형질이 다른 순종끼리 교배하여 나온 자손이다.

03 노란색 완두(YY)와 초록색 완두(yy)를 교배하였을 때 잡종 1대에서 노란색 완두(Yy)만 나왔다. 잡종 1대인 노란색 완두의 유전자형은 Yy이고, 잡종 1대를 자가 수분시키면 Yy × Yy → YY, 2Yy, yy이다. 그러므로 잡종 2대에서 노란색 완두와 초록색 완두의 분리비는 3 : 1이다.

04 잡종 1대의 유전자형은 RrYy이므로 잡종 1대를 자가 수분시키면 잡종 2대에서 둥글고 노란색 완두(가) : 둥글고 초록색 완두(나) : 주름지고 노란색 완두(다) : 주름지고 초록색 완두(라)= 9 : 3 : 3 : 1의 분리비로 나온다.

05 (1) 우성 형질인 어버이 사이에서는 열성 형질인 자녀가 나올 수도 있고, 나오지 않을 수도 있다.
(2) 열성 형질은 순종이기 때문에 열성 형질인 어버이 사이에서는 항상 열성 형질인 자녀만 나온다.

06 (1), (2) 상염색체 유전은 멘델의 분리의 법칙에 따라 유전되며, 한 쌍의 대립유전자에 의해 결정된다.
(3) 상염색체 유전은 유전자가 상염색체에 위치하기 때문에 남녀에 따라 형질이 나타나는 빈도에 차이가 없다.

07 ABO식 혈액형 유전에서 유전자의 우열 관계는 A=B>O이다.

08 적록 색맹은 여자의 경우 X′가 2개(X′X′) 있어야 나타나지만, 남자의 경우 1개(X′Y)만 있어도 나타난다.

공략 확인 문제

진도책 134쪽

01 ③ **02** 1대: 2, 2대: 5 **03** 아들 **04** 아버지

01 부모가 적록 색맹에 대해 정상인데 아들이 적록 색맹이므로 어머니인 5는 보인자(XX′)이다.

02 5와 6은 정상인데 7은 적록 색맹(X′Y)이므로 7의 적록 색맹 대립유전자는 보인자인 5로부터 물려받은 것이다. 5의 적록 색맹 유전자형은 XX′로, 적록 색맹인 어머니 2로부터 적록 색맹 대립유전자를 물려받았다.

03 아들의 X 염색체는 어머니로부터 물려받으므로 어머니가 적록 색맹일 경우 아들은 반드시 적록 색맹이다.

04 적록 색맹 대립유전자는 X 염색체에 있고, 아버지의 X 염색체는 딸에게 전달되므로 미진이의 아버지는 적록 색맹이다. 미진이의 어머니와 할머니는 적록 색맹이거나 보인자이며, 오빠는 정상이거나 적록 색맹이다.

실력 올리기 2단계

진도책 135~138쪽

01 ② **02** ③ **03** ③ **04** ② **05** ⑤ **06** 해설 참조
07 ③ **08** ④ **09** ② **10** ① **11** ③ **12** ① **13** ④
14 해설 참조 **15** 둥글고 노란색 완두 : 둥글고 초록색 완두 : 주름지고 노란색 완두 : 주름지고 초록색 완두=1 : 1 : 1 : 1 **16** ③ **17** ④ **18** ② **19** ② **20** ③
21 ④ **22** ⑤ **23** 해설 참조 **24** 4, 7

01 순종은 여러 세대를 자가 수분해도 계속 같은 형질이 나오는 개체이며, 잡종은 대립 형질이 다른 순종끼리 교배하여 나온 자손이다.

02 어떤 형질의 유전자형이 RR인 개체에서 만들어지는 생식세포는 R이며, Rryy인 개체에서 만들어지는 생식세포는 Ry, ry이고, RRyy인 개체에서 만들어지는 생식세포는 Ry이다.

03 완두가 유전 연구에 적합한 까닭은 대립 형질의 차이가 뚜렷하고, 자가 수분과 타가 수분으로 모두 번식이 가능하며, 한 세대가 짧고 자손의 수가 많기 때문이다.

04 어버이에서 만들어지는 생식세포의 종류는 각각 R와 r이다. 따라서 잡종 1대의 유전자형은 Rr만 나올 수 있다.

05 잡종 2대의 표현형 분리비는 둥근 완두 : 주름진 완두=3 : 1이다. 따라서 잡종 2대에서 둥근 완두의 비율은 $100\times\frac{3}{4}=75(\%)$이다.

06 **모범 답안** 잡종 2대에서 유전자형의 분리비는 RR : Rr : rr =1 : 2 : 1이고, 순종의 둥근 완두는 RR로 전체의 $\frac{1}{4}$이다. 따라서 순종의 둥근 완두는 이론적으로 $1000\times\frac{1}{4}=250$(개)가 나온다.

채점 기준	배점
순종의 둥근 완두의 이론적 개수를 풀이 과정과 함께 옳게 서술한 경우	100 %
순종의 둥근 완두의 이론적 개수만 옳게 쓴 경우	30 %

07 잡종 1대의 유전자형은 Yy이며, 대립유전자 Y와 y는 상동 염색체의 같은 위치에 있다.

08 잡종 1대의 유전자형은 Yy이며, 잡종 1대를 자가 수분시키면 Yy×Yy → YY, 2Yy, yy로 잡종 2대의 유전자형 분리비는 1 : 2 : 1이다. 따라서 이론적으로 잡종 1대와 유전자형이 같은 완두의 개수는 $\frac{2}{4}\times120=60$(개)이다.

09 잡종이면서 우성인 것의 유전자형은 Tt이다. Tt인 개체가 나오려면 부모의 생식세포에 각각 대립유전자 T와 t가 있어야 한다.

어버이	잡종 1대
Tt×Tt	TT, 2Tt, tt
Tt×tt	Tt, tt
TT×tt	모두 Tt
TT×TT	모두 TT

10 자료 분석

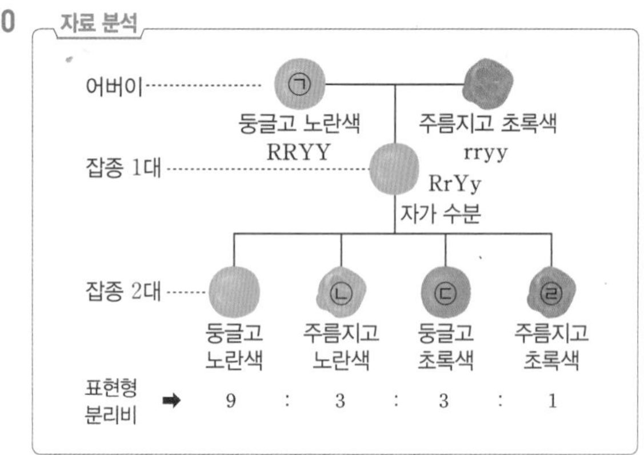

잡종 1대의 유전자형은 RrYy이므로 잡종 1대를 자가 수분시키면 잡종 2대의 표현형 분리비는 둥글고 노란색 완두 : 주름지고 노란색 완두 : 둥글고 초록색 완두 : 주름지고 초록색 완두=9 : 3 : 3 : 1이다. 잡종 2대에서 640개의 완두를 얻었을 때 주름지고 초록색인 완두가 나올 이론적인 개수는 $640\times\frac{1}{16}=40$(개)이다.

11 ㉡의 표현형은 주름지고 노란색이므로 유전자형은 rrYY, rrYy가 가능하며, ㉢의 표현형은 둥글고 초록색이므로 유전자형은 RRyy, Rryy가 가능하다.

12 ㉠은 순종의 둥글고 노란색인 완두이므로 유전자형이 RRYY이고, ㉣은 주름지고 초록색인 완두이므로 유전자형이 rryy이다. ㉠과 ㉣을 교배했을 때 잡종 1대에서 나올 수 있는 유전자형은 RrYy로, 표현형은 한 가지이다.

13 ㉠의 유전자형은 RrYy로, 같은 형질의 대립유전자는 상동 염색체의 같은 위치에 있다.

14 **모범 답안** 잡종 1대의 유전자형은 RrYy로, 잡종 2대에서 RrYy인 완두의 비율은 $\frac{4}{16}=\frac{1}{4}$이다. 따라서 $320\times\frac{1}{4}=80$(개)이다.

채점 기준	배점
이론적 개수와 풀이 과정을 모두 포함하여 옳게 서술한 경우	100 %
이론적 개수만 쓴 경우	30 %

15 잡종 1대인 둥글고 노란색 완두의 유전자형은 RrYy이고, 주름지고 초록색 완두의 유전자형은 rryy이다. RrYy는 RY, Ry, rY, ry로 네 종류의 생식세포를 만들고, rryy는 ry로 한 종류의 생식세포를 만든다. 따라서 RrYy와 rryy를 교배시켰을 때 자손에서 RrYy(둥·노), Rryy(둥·초), rrYy(주·노), rryy(주·초)가 1 : 1 : 1 : 1의 분리비로 나온다.

16 사람은 한 세대가 길며, 자손의 수가 적고, 유전 형질이 복잡하며, 자유로운 교배가 불가능하기 때문에 유전 연구가 어렵다.

17 사람의 유전 연구 방법에는 가계도 조사, 쌍둥이 연구, 통계 조사, DNA 분석, 염색체 조사 등이 있다.
한 집안의 유전 형질을 조사하는 것으로, 가계도에 성별, 형질, 혈연 및 결혼 관계 등을 나타내는 것은 가계도 조사이다.

18 1란성 쌍둥이를 나타낸 것으로, 1란성 쌍둥이는 유전자 구성이 같으므로 성별이 항상 같다. 두 아이의 일부 형질 차이는 환경에 의한 것이다.

19 자료 분석

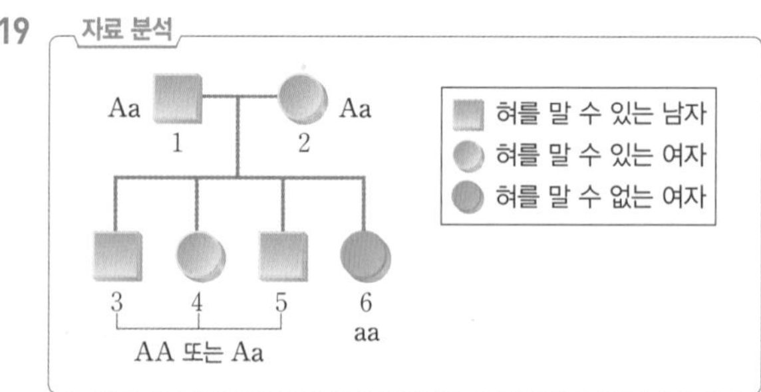

혀를 말 수 있는 1과 2 사이에서 혀를 말 수 없는 6이 태어났기 때문에 1과 2의 혀 말기 유전자형은 둘 다 Aa이다. 1과 2 사이에서 태어나는 혀를 말 수 있는 자녀는 유전자형으로 AA나 Aa가 모두 가능하기 때문에 3, 4, 5의 유전자형을 정확하게 알 수 없다.

20 유전자형이 Aa와 aa인 부모 사이에서는 유전자형이 Aa와 aa인 자손이 1 : 1로 나타난다.

21 (가)와 O형인 배우자 사이에서 A형과 B형인 자녀가 태어났으므로 (가)는 대립유전자 A와 B를 모두 가져야 한다. 그러므로 (가)는 AB형이다.
(나)와 B형인 배우자 사이에서 O형과 AB형인 자녀가 태어났으므로 (나)는 대립유전자 A와 O를 가져야 한다. 그러므로 (나)는 A형이다.

22 적록 색맹 유전자형은 (가)의 어머니가 X′X′이고, 아버지는 X′Y이다. X′X′×X′Y → X′X′, X′Y이므로 (가)가 적록 색맹일 확률은 100 %이다.

23 **모범 답안** (가)의 유전자형은 X′Y이고, (나)의 유전자형은 XX′이다. X′Y×XX′ → XX′, X′X′, XY, X′Y가 가능하므로 (가)와 (나) 사이에서 태어난 아들이 적록 색맹일 확률은 $100\times\frac{1}{2}=50(\%)$이다.

해설 (가)는 적록 색맹 남자이므로 유전자형은 X′Y이며, (나)는 정상이지만 아버지가 적록 색맹이고, 어머니가 정상이므로 유전자형은 XX′이다. 이론적으로 (가)와 (나) 사이에 태어난 아들 중 절반은 적록 색맹이며, 절반은 정상이다.

채점 기준	배점
확률을 풀이 과정을 포함하여 옳게 서술한 경우	100 %
확률만 옳게 쓴 경우	30 %

24 자료 분석

1 XY, 2 XX′, 3 XY, 4 X′X′
5 XX 또는 XX′, 6 X′Y, 7 XX′, 8 X′Y
9 X′Y, 10 XX′

정상 남자 / 정상 여자 / 적록 색맹 남자 / 적록 색맹 여자

9의 적록 색맹 대립유전자인 X′는 어머니(7)에게서 물려받은 것이다. 어머니(7)의 적록 색맹 대립유전자는 9의 외할머니인 4에게서 물려받은 것이다.

만점 도전하기 3단계

진도책 139쪽

01 ④ 02 ② 03 ③ 04 ① 05 ① 06 ④

01 멘델은 유전자를 기호로 표시하기는 하였지만 감수 분열 과정은 염색체의 개념이 도입된 이후에 알려지게 되었다.

02 잡종인 우성을 자가 수분시킬 때 자손에게서 열성이 일정한 비율로 분리되어 나오는 것이 표현된 것은 ②이다.

오답 분석

①은 우열의 원리를 나타낸 것이다.

03 키가 작고 초록색 완두(ttyy)가 나오려면 키가 작은 대립유전자 t와 초록색 대립유전자 y가 부모 모두에게 있어야 한다.
③ TtYy×Ttyy → TTYy, TTyy, TtYy, Ttyy, ttYy, ttyy

오답 분석

① TTYy×ttyy → TtYy, Ttyy
② TTYy×ttYY → TtYY, TtYy
④ TtYY×TtYY → TTYY, TtYY, ttYY
⑤ TTyy×ttYY → TtYy

04 이 문제에 적용되는 개념

가계도 구성원의 유전자형 찾기(본교재 132쪽)
① 열성 형질의 유전자형을 쓴다.
② 열성인 사람의 부모와 자녀가 우성이면 그 유전자형이 잡종이다.
③ 우성인 사람의 부모와 자녀 중 열성이 없으면 우성인 사람의 유전자형이 순종인지 잡종인지 정확하게 알 수 없다.

부착형 귓불 형질이 열성이기 때문에 6과 7은 유전자형이 ee이다. 또한 부착형 귓불인 사람의 우성인 부모나 자녀는 유전자형이 Ee이다. 부모나 자녀 중에 열성 형질을 가지는 사람이 없는 경우(2, 8)는 유전자형이 EE인지 Ee인지 정확하게 알 수 없다.

05 부모의 ABO식 혈액형 유전자형이 둘 다 AB일 경우 자녀의 ABO식 혈액형 유전자형은 AA, AB, BB가 가능하다.

오답 분석

② O형×AB형 → AO, BO
③ B형(BB일 경우)×O형 → BO
B형(BO일 경우)×O형 → BO, OO
④ A형(AA일 경우)×B형(BB일 경우) → AB
A형(AO일 경우)×B형(BB일 경우) → AB, BO
A형(AA일 경우)×B형(BO일 경우) → AB, AO
A형(AO일 경우)×B형(BO일 경우) → AO, BO, AB, OO
⑤ A형(AA일 경우)×AB형 → AA, AB
A형(AO일 경우)×AB형 → AA, AO, BO, AB

06 ABO식 혈액형 유전은 AA × BO → AB, AO이며, 적록 색맹 유전은 XY×XX′ → XX, XX′, XY, X′Y이므로 자손 2대에서 AB형이면서 적록 색맹인 아들이 태어날 확률은 $\frac{1}{2}\times\frac{1}{4}=\frac{1}{8}$이다.

진도책 140쪽~143쪽

대단원 완성하기

01 ④, ⑤ 02 (가) → (마) → (다) → (라) → (나)
03 ④ 04 ③ 05 ② 06 ③ 07 ④ 08 ② 09 ④
10 ③ 11 ④ 12 ② 13 Aa : aa=1 : 1 14 ⑤
15 ③ 16 (나) 17 ① 18 해설 참조 19 해설 참조
20 해설 참조 21 해설 참조 22 해설 참조
23 해설 참조 24 해설 참조

01 자료 분석

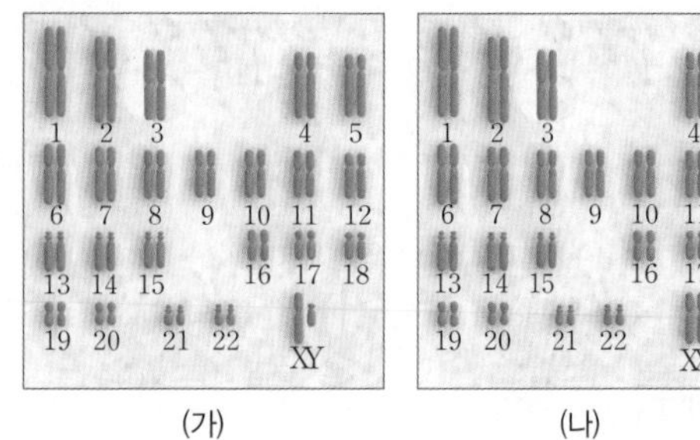

- 염색체 수는 46개 (상동 염색체는 23쌍)
- 성염색체 구성이 XY이므로 남자의 염색체이다.

- 염색체 수는 46개 (상동 염색체는 23쌍)
- 성염색체 구성이 XX이므로 여자의 염색체이다.

④, ⑤ (가)는 X 염색체와 Y 염색체를 1개씩 가지고 있으므로 남자의 염색체이며, (나)는 2개의 X 염색체를 가지고 있으므로 여자의 염색체이다. 사람의 염색체는 총 23쌍으로, 부모로부터 각각 23개씩 물려받는다.

오답 분석

① X 염색체와 Y 염색체는 성염색체이다.
② (가)와 (나)는 각각 22쌍의 상염색체와 1쌍의 성염색체를 가진다.
③ (가)와 (나)는 모두 체세포의 염색체를 나타낸 것이다. 사람의 생식세포 염색체 수는 23개이다.

02 (가)는 세포 분열 전 시기인 간기, (나)는 말기, (다)는 중기, (라)는 후기, (마)는 전기이다.

03 (라)는 후기로, 염색 분체가 분리되어 세포 양쪽 끝으로 이동하는 시기이다. DNA의 복제는 세포 분열 전 시기인 간기에 일어난다.

04 ㄴ. (가)는 염색 과정으로, 아세트산 카민 용액에 의해 핵과 염색체가 염색된다.
ㄹ. (마)는 압착 과정으로, 세포들을 잘 펴지게 하기 위해 고무 달린 연필로 두드린다.

오답 분석

ㄱ. 실험 과정은 고정(라) → 해리(나) → 염색(가) → 분리(다) → 압착(마) 순이다.
ㄷ. (라)에서 에탄올과 아세트산 혼합액에 재료를 넣는 것은 세포를 분열하던 상태에서 고정하여 각 단계를 잘 관찰하기 위해서이다.

05 제시된 동물의 염색체 수가 8개이므로 체세포의 염색체 수는 8개이다. 생식세포인 난자와 정자는 체세포 염색체 수의 절반에 해당하는 염색체 수를 가지므로 난자와 정자의 염색체 수는 각각 4개이다.

06 생식세포가 형성되는 감수 분열 과정을 나타낸 것으로, 감수 분열은 동물의 생식 기관인 정소나 난소, 식물의 생식 기관인 꽃밥이나 밑씨에서 일어난다.

07 (가)는 DNA가 복제되기 전 단계이고, (나)는 DNA가 복제되어 2개의 염색 분체로 이루어진 염색체가 나타난 단계이다. (다)는 상동 염색체가 접합해서 2가 염색체가 형성된 단계이며, (라)는 상동 염색체가 분리된 단계이고, (마)는 염색 분체가 분리된 단계이다. 상동 염색체가 분리되는 시기에 염색체 수가 반으로 줄어든다.

08 자료 분석

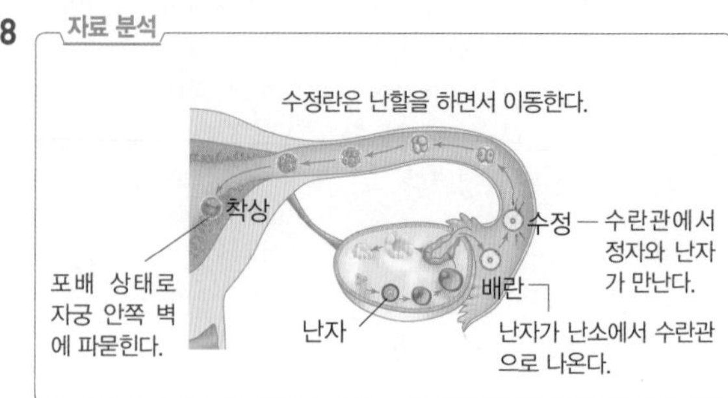

수정이 이루어진 뒤 5~7일 후 수정란이 포배 상태에서 자궁 안쪽 벽에 파묻힌다. 이때 임신이 되었다고 한다.

09 ④ 둥근 모양 완두끼리의 교배 시 잡종 1대에 둥근 모양과 주름진 모양의 완두가 나왔다면 어버이인 둥근 모양 완두는 잡종이다.

오답 분석

① 큰 키 완두끼리의 교배 시 잡종 1대에 모두 큰 키 완두만 나왔다면 어버이인 큰 키 완두는 모두 순종이거나 한쪽은 순종, 다른 쪽은 잡종이다.
② 초록색 완두끼리의 교배 시 잡종 1대에 초록색 완두만 나왔다면 어버이인 초록색 완두는 순종이다.
③ 노란색 완두와 초록색 완두의 교배 시 잡종 1대에서 노란색 완두와 초록색 완두가 모두 나왔다면 어버이인 노란색 완두는 잡종, 초록색 완두는 순종이다.
⑤ 둥근 모양 완두와 주름진 모양 완두의 교배 시 잡종 1대에서 둥근 모양 완두만 나왔다면 어버이인 둥근 모양 완두와 주름진 모양 완두는 모두 순종이다.

10 (가)의 유전자형은 RrYy이며, (나)의 유전자형은 RRYY, RRYy, RrYY, RrYy로 4가지이다.

11 혀 말기 유전은 멘델의 분리의 법칙을 따르며, 유전자가 상염색체에 위치하므로 성별에 관계없이 같은 비율로 나타난다.

12 유전자형이 Aa인 1과 2의 자녀 중 혀를 말 수 있는 4와 5는 유전자형이 AA 또는 Aa이다.

13 Aa×aa → Aa, aa로, Aa : aa=1 : 1의 분리비로 나온다.

14 ABO식 혈액형은 A, B, O의 3가지 대립유전자에 의해 결정되며, ABO식 혈액형 유전자는 상염색체에 있어 성별과 관계없다.

15 (가)의 부모 중 A형의 유전자형은 AA이기 때문에 (가)의 유전자형도 AA이다. (나)의 부모는 ABO식 혈액형 유전자형이 한 사람은 BB, 다른 사람은 OO이므로 (나)의 유전자형은 BO이다. 따라서 AA×BO → AB, AO로, 두 종류의 혈액형이 나올 수 있다.

16 정상인 여자의 부모나 자녀 중에 적록 색맹이 있으면 그 여자의 유전자형은 보인자인 XX′이지만, 그렇지 않은 경우 유전자형을 정확하게 알 수 없다.

17 딸이 적록 색맹($X'X'$)이면 아버지는 반드시 적록 색맹이다.

18 **모범 답안** 핵막이 사라진다. 2개의 염색 분체로 이루어진 염색체가 나타난다. 등

채점 기준	배점
2가지 모두 옳게 서술한 경우	100 %
1가지만 옳게 서술한 경우	50 %

19 **모범 답안** 동물 세포, 세포막이 밖에서 안으로 함입되기 때문이다.

채점 기준	배점
동물 세포를 쓰고, 까닭을 옳게 서술한 경우	100 %
동물 세포라고만 쓴 경우	40 %

20 **모범 답안** (가) 모세포와 염색체 수가 같은 딸세포가 형성된다. (나) 염색체 수가 모세포의 절반인 딸세포가 형성된다.
해설 (가)는 체세포 분열 과정, (나)는 감수 분열 과정이다.

채점 기준	배점
(가)와 (나) 분열 결과 형성된 딸세포의 염색체 수를 모세포와 비교하여 각각 옳게 서술한 경우	100 %
(가)와 (나) 분열 결과 형성된 딸세포의 염색체 수 중 한 가지만 옳게 서술한 경우	50 %

21 **모범 답안** 수정란이 난할을 하면서 자궁으로 이동하여 포배 상태로 자궁 안쪽 벽에 착상된다.

채점 기준	배점
제시된 용어를 모두 포함하여 옳게 서술한 경우	100 %
제시된 용어 중 2가지만 포함하여 옳게 서술한 경우	60 %

22 **모범 답안** 둥근 완두를 열성인 주름진 완두와 교배한다. 잡종 1대에서 둥근 완두만 나오면 둥근 완두는 순종이고, 둥근 완두와 주름진 완두가 1 : 1로 나오면 둥근 완두는 잡종이기 때문이다.

채점 기준	배점
실험을 설계하고, 까닭을 옳게 서술한 경우	100 %
실험만 옳게 설계한 경우	50 %

23 **모범 답안** 잡종 2대에서 모양과 색깔 형질만 따로 비교하면 우성 : 열성=둥근 완두 : 주름진 완두=노란색 완두 : 초록색 완두=3 : 1로 나타난다. 즉, 두 쌍 이상의 대립 형질이 유전되는 경우 각각의 형질이 다른 형질의 유전에 영향을 주거나 받지 않고 독립적으로 유전되는 것이 독립의 법칙이다.

채점 기준	배점
독립의 법칙에 대해 예를 들어 옳게 서술한 경우	100 %
독립의 법칙에 대해 예를 들지 않고 옳게 서술한 경우	50 %

24 **모범 답안** (가)는 정상이므로 유전자형이 TT 또는 Tt인데, (가)와 배우자 사이에 미맹인 자녀가 태어났기 때문에 (가)의 유전자형은 Tt이다.

채점 기준	배점
모범 답안과 같이 서술한 경우	100 %
미맹인 자녀가 있기 때문이라고만 서술한 경우	70 %

VI 에너지 전환과 보존

01 역학적 에너지 전환과 보존

개념 다지기 1단계

진도책 147쪽, 149쪽

01 (1) × (2) ○ (3) × (4) ○
02 ㉠ 감소, ㉡ 증가, ㉢ 위치, ㉣ 운동
03 (1) ○ (2) × (3) ○ (4) ×
04 (1) 위치 (2) 운동 (3) 운동 (4) 위치
05 (1) ○ (2) ○ (3) ○ (4) × (5) × (6) ○
06 ㉠ 19.6, ㉡ 19.6, ㉢ 0.5, ㉣ 9.8, ㉤ 19.6, ㉥ 0, ㉦ 19.6, ㉧ 19.6
07 (1) 19.6 J (2) 19.6 J (3) 1 m
08 (1) ○ (2) × (3) × (4) ○
09 (1) A<B<C (2) A>B>C (3) A=B=C
10 (1) AB 구간, CD 구간 (2) BC 구간 (3) A=B=C=D

01 (1) 중력이 물체의 운동 방향과 같은 방향으로 작용한다.
(3) 자유 낙하 운동을 하는 동안 위치 에너지가 감소하고, 운동 에너지가 증가한다.

02 자유 낙하 운동을 하는 동안 높이가 낮아지므로 위치 에너지는 감소하고, 속력이 빨라지므로 운동 에너지는 증가한다.

03 (2) 중력이 물체의 운동 방향과 반대 방향으로 작용하므로 높이가 높아질수록 속력이 감소한다.
(4) 최고점에서 위치 에너지는 최대, 운동 에너지는 0이다.

04 롤러코스터가 아래로 내려오는 동안 위치 에너지가 운동 에너지로 전환되고, 위로 올라가는 동안 운동 에너지가 위치 에너지로 전환된다.

05 (4) 낙하 거리에 비례하여 운동 에너지가 증가한다.
(5) 감소한 위치 에너지는 증가한 운동 에너지와 같다.

06 1 m 높이에서 물체의 위치 에너지는 (9.8×2) N$\times$1 m $=19.6$ J이므로 모든 지점에서 역학적 에너지는 19.6 J이다.

07 (1) A 지점에서 물체의 위치 에너지는 (9.8×1) N$\times$2 m $=19.6$ J이다.
(2) 역학적 에너지는 보존되므로 A 지점에서 위치 에너지 =B 지점에서 운동 에너지=19.6 J이다.
(3) 위치 에너지와 운동 에너지의 비가 1 : 1인 높이를 h라고 하면 역학적 에너지 보존에 의해 h에서의 운동 에너지는 감소한 위치 에너지와 같다. h에서의 위치 에너지 : 운동 에너지$=9.8m : 9.8m\times(2-h)=1 : 1$이므로 $h=2-h$에서 $h=1$(m)이다.

08 (2) 올라가는 동안 감소한 운동 에너지는 증가한 위치 에너지와 같다.
(3) 최고점에서의 위치 에너지는 기준면에서의 운동 에너지와 같다.

09 (1) 기준면으로부터 높은 곳에 위치할수록 위치 에너지가 크므로 위치 에너지의 크기는 A<B<C이다.
(2) 기준면으로부터 낮은 곳에 위치할수록 운동 에너지가 크므로 운동 에너지의 크기는 A>B>C이다.
(3) 역학적 에너지가 보존되므로 모든 지점에서 역학적 에너지는 같다. 즉, A=B=C이다.

10 (1) 아래로 내려올 때 위치 에너지가 운동 에너지로 전환된다.
(2) 위로 올라갈 때 운동 에너지가 위치 에너지로 전환된다.
(3) 역학적 에너지가 보존되므로 모든 지점에서 역학적 에너지는 같다.

공략 확인 문제 진도책 150쪽

01 위치 에너지 → 운동 에너지
02 위치 에너지: O>A>B, 운동 에너지: O<A<B, 역학적 에너지: O=A=B
03 (1) ○ (2) × (3) ○ (4) ○ (5) ×

01 물체가 자유 낙하 하는 동안 위치 에너지가 운동 에너지로 전환된다.

02 물체가 자유 낙하 하는 동안 감소한 위치 에너지는 증가한 운동 에너지와 같으므로 모든 지점에서 역학적 에너지는 일정하게 보존된다.

03 (2) 위치 에너지가 운동 에너지로 전환된다.
(5) 낙하하는 동안 역학적 에너지는 모든 지점에서 같다.

실력 올리기 2단계 진도책 151~154쪽

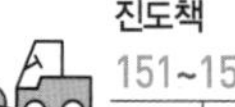

01 역학적 **02** ⑤ **03** ③ **04** 해설 참조 **05** ②
06 ③, ④ **07** ①, ④ **08** ② **09** ① **10** ④
11 ② **12** ③ **13** ③ **14** ④ **15** ② **16** ③
17 (1) 29.4 J (2) 해설 참조 **18** ④ **19** ③ **20** ④
21 ③ **22** ① **23** ④ **24** ⑤ **25** ① **26** ①
27 해설 참조

01 역학적 에너지는 물체가 가진 위치 에너지와 운동 에너지의 합이며, 서로 전환될 수 있다.

02 역학적 에너지는 위치 에너지와 운동 에너지의 합이므로 $(9.8\times2)\ \mathrm{N}\times5\ \mathrm{m}+\frac{1}{2}\times2\ \mathrm{kg}\times(10\ \mathrm{m/s})^2=198\ \mathrm{J}$이다.

03 공이 자유 낙하 할 때 공의 위치 에너지가 운동 에너지로 전환되므로 아래로 내려올수록 위치 에너지는 감소하고, 운동 에너지는 증가한다.

04 **모범 답안** (1) 중력이 물방울의 낙하 방향과 같은 방향으로 작용하기 때문이다.
(2) 물방울이 낙하하는 동안 위치 에너지가 운동 에너지로 전환된다.
해설 물방울의 운동 방향과 같은 방향으로 중력이 작용하며, 물방울이 낙하하는 동안 위치 에너지는 감소하고, 운동 에너지는 증가한다.

	채점 기준	배점
(1)	중력의 방향과 관련지어 옳게 서술한 경우	50 %
	힘의 종류만 옳게 서술한 경우	25 %
(2)	역학적 에너지 전환을 옳게 서술한 경우	50 %
	역학적 에너지의 크기 변화만 서술한 경우	25 %

05 ㄷ. 공이 올라가는 동안 운동 에너지가 위치 에너지로 전환된다.
ㄹ. 공이 내려오는 동안 위치 에너지가 운동 에너지로 전환된다.
오답 분석
ㄱ. B 지점에서 공의 높이가 가장 높으므로 위치 에너지가 최대이다.
ㄴ. B 지점에서 공의 속력이 0이므로 운동 에너지는 0이다.

06 쇠구슬이 위로 올라갈 때 운동 에너지가 위치 에너지로 전환된다.

07 롤러코스터가 아래로 내려갈 때는 위치 에너지가 운동 에너지로 전환되어 속력이 점점 빨라진다.

08 ㄱ. AB 구간에서 높이가 낮아지고 속력이 빨라진다.
ㄷ. BC 구간에서 운동 에너지가 위치 에너지로 전환되므로 운동 에너지는 감소하고, 위치 에너지는 증가한다.
오답 분석
ㄴ. AB 구간에서 위치 에너지가 운동 에너지로 전환되므로 위치 에너지는 감소하고, 운동 에너지는 증가한다.
ㄹ. BC 구간에서 운동 에너지가 위치 에너지로 전환된다.

09 ① 2 m 높이에서 위치 에너지는 $(9.8\times0.5)\ \mathrm{N}\times2\ \mathrm{m}=9.8\ \mathrm{J}$이므로 모든 지점에서 역학적 에너지는 9.8 J이고, 지면에서 운동 에너지도 9.8 J이다.
오답 분석
② 2 m 높이에서 공의 속력이 0이므로 운동 에너지도 0이다.
③ 2 m 높이에서 공의 역학적 에너지는 위치 에너지와 같으므로 9.8 J이다.
④ 역학적 에너지는 위치 에너지와 운동 에너지의 합이고, 자유 낙하 하는 동안 공의 역학적 에너지는 보존되므로 모든 지점에서 역학적 에너지는 일정하다.
⑤ 역학적 에너지는 보존되므로 자유 낙하 하는 동안 공의 위치 에너지가 모두 운동 에너지로 전환된다.

10 물체가 낙하할 때 위치 에너지가 운동 에너지로 전환되므로 지면에서의 운동 에너지는 5 m 높이에서의 위치 에너지와 같다. 따라서 지면에서의 운동 에너지=5 m 높이에서의 위치 에너지=(9.8×2) N×5 m=98 J이다.

11 물체가 자유 낙하 하는 동안 역학적 에너지가 보존되므로 모든 지점에서 역학적 에너지는 일정하다.

12 물체가 낙하할 때 위치 에너지가 모두 운동 에너지로 전환되므로 $(9.8\times1)\ \mathrm{N}\times4.9\ \mathrm{m}=\frac{1}{2}\times1\ \mathrm{kg}\times v^2$에서 물체의 속력은 $v=9.8\ \mathrm{m/s}$이다.

13 물체가 낙하할 때 위치 에너지가 모두 운동 에너지로 전환되므로 $(9.8\times0.1)\ \mathrm{N}\times h=\frac{1}{2}\times0.1\ \mathrm{kg}\times(14\ \mathrm{m/s})^2$에서 지면으로부터의 높이는 $h=10\ \mathrm{m}$이다.

14 공이 낙하할 때 위치 에너지가 운동 에너지로 전환되므로 2 m 낙하한 지점에서의 운동 에너지는 공이 2 m 낙하하는 동안 감소한 위치 에너지와 같다. 즉, 2 m 낙하한 지점에서의 운동 에너지=감소한 위치 에너지=(9.8×1) N×2 m=19.6 J이다.

15 자료 분석

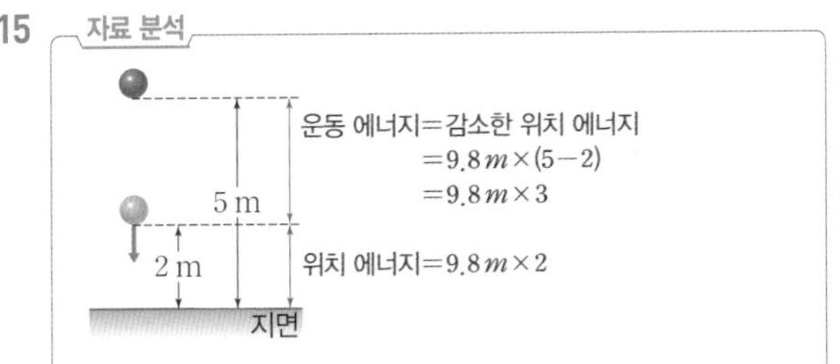

높이 2 m인 지점에서 공의 운동 에너지는 감소한 위치 에너지와 같다. 높이 2 m인 지점에서의 위치 에너지 : 운동 에너지=$9.8m\times2$: $9.8m\times(5-2)$=2 : 3이다.

16 위치 에너지와 운동 에너지의 비가 1 : 1인 높이를 h라고 하면 h에서의 운동 에너지는 감소한 위치 에너지와 같다. h에서의 위치 에너지 : 운동 에너지=$9.8mh$: $9.8m\times(5-h)$=1 : 1이므로 $h=5-h$에서 $h=2.5$(m)이다.

17 (1) 물체가 자유 낙하 하는 동안 역학적 에너지가 보존되므로 모든 지점에서 역학적 에너지가 같다. A 지점에서 물체의 위치 에너지는 (9.8×1) N×3 m= 29.4 J이므로 모든 지점에서 역학적 에너지는 29.4 J이다.

(2) **모범 답안** 역학적 에너지가 보존되므로 모든 지점에서 물체의 역학적 에너지는 같다.

채점 기준	배점
역학적 에너지 보존과 관련지어 역학적 에너지가 같다고 옳게 서술한 경우	100 %
역학적 에너지 보존만 옳게 서술한 경우	50 %

18 물체를 던져 올릴 때 운동 에너지가 최고점에서 모두 위치 에너지로 전환되므로 $9.8mh=\frac{1}{2}m\times19.6^2$에서 공이 올라간 높이는 $h=19.6$(m)이다.

19 공이 올라가는 동안 운동 에너지가 위치 에너지로 전환되므로 운동 에너지는 점점 감소하고, 위치 에너지는 점점 증가하며, 모든 지점에서 역학적 에너지는 일정하다.

20 ④ 물체가 위로 올라가는 동안 운동 에너지가 위치 에너지로 전환되므로 증가한 위치 에너지의 양만큼 운동 에너지가 감소한다.

오답 분석

① 물체의 속력이 점점 감소한다.
② 가장 높은 지점에서 물체의 속력은 0이다.
③ 물체의 운동 방향과 반대 방향으로 중력이 작용한다.
⑤ 물체가 올라간 높이에 비례하여 위치 에너지가 증가한다.

21 역학적 에너지가 보존되므로 지면에서 공의 운동 에너지는 $(9.8\times2)\ \mathrm{N}\times1\ \mathrm{m}+\frac{1}{2}\times2\ \mathrm{kg}\times(5\ \mathrm{m/s})^2=44.6\ \mathrm{J}$이다.

22 자료 분석

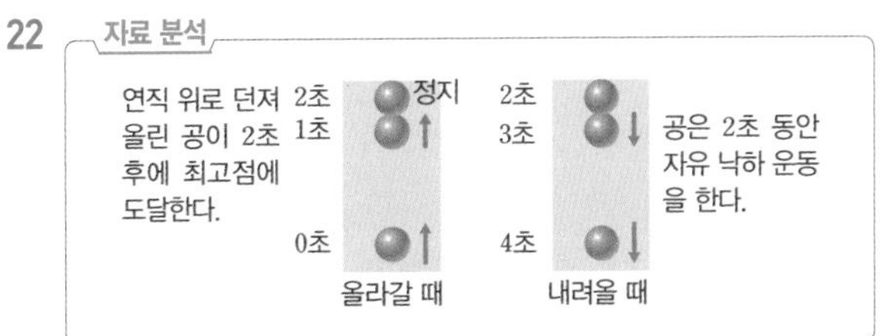

① 역학적 에너지가 보존되므로 2초 후에 공의 역학적 에너지는 0이 아니다.

오답 분석

② 2초 후에 최고점에 도달하므로 2초 후부터 공은 자유 낙하 운동을 한다.
③ 처음 순간과 4초 후에 공의 높이가 같으므로 4초 후에 공의 위치 에너지는 처음과 같다.
④ 1초 후와 3초 후에 공의 높이가 같고, 공의 높이가 같으면 공의 위치 에너지가 같다. 역학적 에너지가 보존되므로 공의 운동 에너지도 같다.
⑤ 역학적 에너지가 보존되므로 1초 후와 4초 후에 공의 역학적 에너지는 같다.

23 역학적 에너지는 처음 위치에서의 위치 에너지와 운동 에너지의 합과 같고, 모든 지점에서 역학적 에너지가 보존된다. 지면에서 위치 에너지가 0이므로 지면에 도달하는 순간 공의 운동 에너지는 $(9.8\times0.5)\ \mathrm{N}\times4\ \mathrm{m}+\frac{1}{2}\times0.5\ \mathrm{kg}\times(4\ \mathrm{m/s})^2=23.6\ \mathrm{J}$이다.

24 ⑤ 공이 올라갈 때는 운동 에너지가 위치 에너지로 전환되고, 내려올 때는 위치 에너지가 운동 에너지로 전환된다. 따라서 AB 구간에서 증가한 위치 에너지는 DE 구간에서 증가한 운동 에너지와 같다.

오답 분석

① C 지점에서 공의 속력이 최소이므로 운동 에너지도 최소이다.
② 운동하는 동안 역학적 에너지는 항상 일정하다.
③ AC 구간에서 운동 에너지가 위치 에너지로 전환된다.
④ CE 구간에서 위치 에너지가 운동 에너지로 전환된다.

25 쇠구슬이 내려올 때는 위치 에너지가 운동 에너지로 전환되고, 올라갈 때는 운동 에너지가 위치 에너지로 전환된다. 역학적 에너지가 보존되므로 모든 지점에서 역학적 에너지는 같다.

26 ㄱ. AB 구간에서는 롤러코스터의 위치 에너지가 운동 에너지로 전환되므로 위치 에너지가 감소한다.

오답 분석

ㄴ. 모든 지점에서 역학적 에너지는 같다.
ㄷ. 운동 에너지는 AB 구간에서 증가하다가 BC 구간에서 감소한다.

27 **모범 답안** 스케이트보드 선수의 역학적 에너지는 모든 지점에서 같다. A 지점에서 힘을 주어 출발하여 운동 에너지를 가지면 더 높은 지점까지 올라갈 수 있다.

해설 공기 저항과 모든 마찰을 무시할 때 스케이트보드 선수의 역학적 에너지가 보존되므로 모든 지점에서 역학적 에너지는 같다. A 지점과 D 지점의 역학적 에너지가 같기 위해서는 두 지점의 위치 에너지 차에 해당하는 만큼의 운동 에너지를 A 지점에서 가져야 한다.

채점 기준	배점
역학적 에너지가 모든 지점에서 같다고 쓰고, 더 높은 지점까지 올라갈 수 있는 방법을 옳게 서술한 경우	100 %
1가지만 옳게 서술한 경우	50 %

만점 도전하기 3단계

진도책 155쪽

01 ⑤ 02 ① 03 ② 04 ⑤ 05 ② 06 ④

01 ⑤ 공이 자유 낙하 하는 동안 위치 에너지가 운동 에너지로 전환된다.

오답 분석

① A 지점에서 위치 에너지가 가장 크다.
② 공에는 중력이 작용하므로 낙하하는 동안 속력이 점점 빨라진다.
③ 공의 높이가 A 지점이 B 지점보다 높으므로 위치 에너지는 A 지점이 B 지점보다 크다.
④ 공의 속력이 C 지점이 B 지점보다 빠르므로 운동 에너지는 C 지점이 B 지점보다 크다.

02 위치 에너지와 운동 에너지의 비가 1 : 3인 지점의 높이를 h라고 할 때 h에서의 운동 에너지는 감소한 위치 에너지와 같다. h에서의 위치 에너지 : 운동 에너지$=9.8mh : 9.8m\times(4-h)=1:3$이므로 $3h=4-h$에서 $h=1$(m)이다.

03 ㄴ. A의 역학적 에너지는 처음 위치에서의 위치 에너지와 같고, B의 역학적 에너지는 처음 위치에서의 위치 에너지와 운동 에너지의 합과 같다. 두 공의 역학적 에너지는 각각 보존되므로 기준면에서의 운동 에너지는 B가 A보다 크고, 공의 속력도 B가 A보다 빠르다.

오답 분석

ㄱ. 공기 저항을 무시할 때 자유 낙하 하는 공의 역학적 에너지는 보존되므로 B의 역학적 에너지도 보존된다.
ㄷ. 공의 역학적 에너지는 각각 보존되므로 기준면에 도달하는 순간 운동 에너지는 B가 A보다 크다.

04 자료 분석

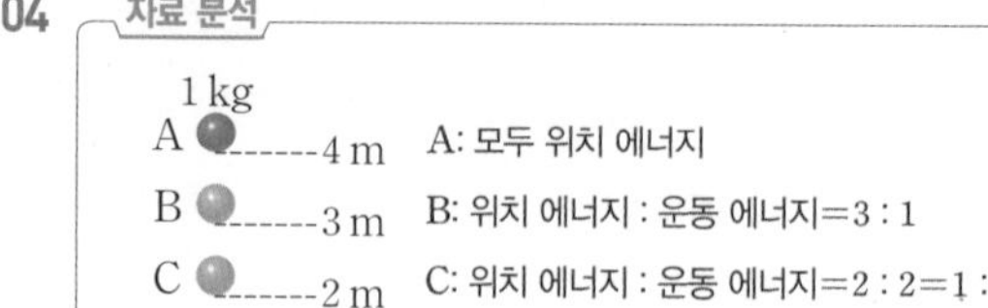

⑤ 역학적 에너지는 보존되므로 E 지점에서의 역학적 에너지는 A 지점에서의 위치 에너지와 같은 39.2 J이다.

오답 분석

① A 지점에서의 위치 에너지$=(9.8\times1)$ N$\times4$ m$=39.2$ J
② 물체가 자유 낙하 할 때 위치 에너지가 감소한 만큼 운동 에너지가 증가한다. B 지점의 높이는 낙하한 높이의 3배이므로 B 지점에서의 위치 에너지는 운동 에너지의 3배이다.
③ C 지점의 높이와 낙하한 높이가 같으므로 C 지점에서는 위치 에너지와 운동 에너지가 같다.
④ D 지점의 높이는 낙하한 높이의 $\frac{1}{3}$배이므로 D 지점에서 위치 에너지와 운동 에너지의 비는 1 : 3이다.

05 ② C 지점이 A 지점보다 낮으므로 C 지점에서 쇠구슬은 위치 에너지와 운동 에너지를 가진다.

오답 분석

① 역학적 에너지가 보존되므로 A 지점에서 놓은 쇠구슬은 반대편의 같은 높이까지 올라간다. 따라서 A 지점과 E 지점의 높이는 같다.
③ 쇠구슬의 위치 에너지가 B 지점에서 가장 작으므로 B 지점에서 쇠구슬의 운동 에너지가 가장 크다.
④ 역학적 에너지가 보존되므로 B와 D 지점에서 쇠구슬의 역학적 에너지는 같다.
⑤ DE 구간에서 쇠구슬이 올라가므로 운동 에너지가 위치 에너지로 전환된다.

06 ④ 역학적 에너지가 보존되므로 BC 구간에서 역학적 에너지는 감소하지 않는다.

오답 분석

① B 지점에서의 운동 에너지는 A 지점에서의 위치 에너지와 같으므로 (9.8×1) N$\times2$ m$=19.6$ J이다.
② A 지점에서의 역학적 에너지는 A 지점에서의 위치 에너지와 같으므로 19.6 J이다.
③ AB 구간에서 증가한 운동 에너지는 A 지점에서의 위치 에너지와 같으므로 19.6 J이다.
⑤ A 지점에서의 위치 에너지는 19.6 J이고, C 지점에서의 위치 에너지는 9.8 J이다. A 지점에서의 위치 에너지가 C 지점에서의 위치 에너지의 2배이므로 C 지점에서 위치 에너지와 운동 에너지는 모두 9.8 J로 같다.

02 전기 에너지의 발생과 전환

개념 다지기 1단계 진도책 157쪽, 159쪽

01 (1) ○ (2) × (3) ×
02 (1) 수력 (2) 풍력 (3) 화력 (4) 원자력
03 (1) ○ (2) × (3) × (4) ○
04 (1) 220 V (2) 50 J (3) 100 Wh
05 (1) ○ (2) × (3) × (4) ×
06 (1) ㉡ (2) ㉢ (3) ㉤ (4) ㉠ (5) ㉣
07 ㉠ 화학, ㉡ 화학, ㉢ 전기, ㉣ 전기, ㉤ 화학, ㉥ 소리, ㉦ 역학적
08 (1) ㉡ (2) ㉠ (3) ㉤ (4) ㉣ (5) ㉢
09 (1) × (2) × (3) ○ (4) × (5) ○ (6) ○ (7) ×
10 ㉠ 운동 에너지, ㉡ 소리 에너지, ㉢ 열에너지

01 (2) 코일 주위에서 자석을 움직이면 역학적 에너지가 전기 에너지로 전환된다.
(3) 코일 속에 자석을 넣고 가만히 있으면 코일에 전류가 흐르지 않는다.

02 발전소에서는 물, 바람, 수증기 등이 가진 역학적 에너지로 발전기를 돌려 전기 에너지를 만든다.

03 (2) 소비 전력의 단위로는 W(와트), kW(킬로와트) 등을 사용한다. Wh(와트시), kWh(킬로와트시) 등은 전력량의 단위이다.
(3) 전기 기구가 1초 동안 1 J의 전기 에너지를 소비할 때의 전력은 1 W이고, 1 W는 1 J/s에 해당한다.

04 (1) 가전제품이 정상적으로 작동하기 위해 필요한 전압을 정격 전압이라고 하며, 220 V이다.
(2) 가전제품이 1초 동안 소비하는 전기 에너지의 양이 소비 전력이며, 50 J이다.
(3) 가전제품을 2시간 동안 사용했을 때의 전력량 $=50\ W \times 2\ h = 100\ Wh$이다.

05 (2) 에너지는 한 형태에서 다른 형태로 바뀔 수 있다.
(3) 에너지가 전환될 때 에너지가 새로 생기거나 소멸되지 않는다.
(4) 에너지가 전환될 때 전체 에너지의 양이 일정하게 보존되는 것을 에너지 보존 법칙이라고 한다.

06 일을 할 수 있는 능력을 에너지라고 하며, 에너지는 다양한 형태로 존재한다.

07 에너지는 한 형태에서 다른 형태로 전환될 수 있다.

08 가전제품은 전기 에너지를 다른 형태의 에너지로 전환하여 이용한다.

09 (1) 전기 에너지의 단위로는 J(줄)을 사용한다.
(2) 전지에는 전기 에너지를 화학 에너지의 형태로 저장한다.
(4) 전기 에너지는 여러 가지 가전제품에서 다른 형태의 에너지로 비교적 쉽게 전환할 수 있다.
(7) 대기전력을 줄이기 위해서는 사용하지 않는 가전제품의 플러그를 콘센트에서 뽑아 둔다.

10 진공청소기는 전기 에너지를 주로 운동 에너지로 전환하여 사용하지만, 이 과정에서 소리 에너지와 열에너지 등이 발생한다.
전기 에너지 → 운동 에너지 + 소리 에너지 + 열에너지

실력 올리기 2단계  진도책 160~162쪽

01 ④ 02 해설 참조 03 ④ 04 ① 05 ⑤
06 해설 참조 07 ② 08 ③ 09 ② 10 ③ 11 ②
12 ④ 13 ㉠ 빛에너지, ㉡ 열에너지, ㉢ 운동 에너지, ㉣ 소리 에너지, ㉤ 화학 에너지 14 ④ 15 해설 참조
16 ① 17 ① 18 ② 19 ②

01 ㄱ, ㄴ. 코일 주위에서 자석을 움직이면 자석의 역학적 에너지가 전기 에너지로 전환되므로 코일에 전류가 흐르게 되고, 발광 다이오드에 불이 켜진다.
오답 분석
ㄷ. 역학적 에너지가 전기 에너지로 전환된다.

02 **모범 답안** 자석을 코일에 가까이 하거나 멀리 하면 발광 다이오드에 불이 켜진다. 또는 코일을 자석에 가까이 하거나 멀리 하면 발광 다이오드에 불이 켜진다.
해설 코일 주위에 자석이 정지해 있으면 자석의 역학적 에너지가 전기 에너지로 전환되지 않으므로 코일에 전류가 흐르지 않는다. 코일에 자석을 가까이 하거나 멀리 하면 자석의 역학적 에너지가 전기 에너지로 전환되어 코일에 전류가 흐르게 된다.

채점 기준	배점
자석이나 코일의 움직임과 관련지어 발광 다이오드에 불이 켜지게 하는 방법을 옳게 서술한 경우	100 %
코일의 언급 없이 자석을 움직인다고만 서술한 경우	50 %

03 ㄱ. 손잡이를 돌리면 손잡이에 연결된 자석 속의 코일이 회전한다.
ㄴ. 코일이 회전하는 동안 코일의 역학적 에너지가 전기 에너지로 전환되어 코일에 전류가 흐르게 된다.
오답 분석
ㄷ. 손발전기에서 역학적 에너지가 전기 에너지로 전환된다.

04 막대자석이 코일 속을 지나는 동안 막대자석의 역학적 에너지가 전기 에너지로 전환된다. 막대자석의 감소한 역학적 에너지가 $1.5\ J-(0.5\ J+0.8\ J)=0.2\ J$이므로 코일에 흐르는 전류가 가지는 전기 에너지도 0.2 J이다.

05 수력 발전소에서는 물의 역학적 에너지로, 풍력 발전소에서는 바람의 역학적 에너지로 발전기를 돌려 전기 에너지를 만든다.

06 **모범 답안** 연료의 화학 에너지가 수증기의 역학적 에너지로 전환된 후 터빈의 역학적 에너지로 전환되고, 이때 발전기에서 터빈의 역학적 에너지를 전기 에너지로 전환한다.
해설 연료를 태울 때 나오는 열에너지로 보일러의 물을 가열하여 고온의 수증기를 만든 후 발전기 속의 터빈을 회전시킨다. 이때 발전기에서 역학적 에너지가 전기 에너지로 전환된다.

채점 기준	배점
연료, 수증기, 발전기와 관련지어 에너지 전환을 옳게 서술한 경우	100 %
발전기에서의 에너지 전환만 옳게 서술한 경우	50 %

07 전기 기구가 1초 동안 소비하는 전기 에너지의 양을 소비 전력이라고 한다. 따라서 소비 전력 $=\frac{200\text{ J}}{10\text{ s}}=20\text{ W}$이다.

08 정격 전압은 가전제품을 정상적으로 작동하기 위해 필요한 전압이고, 소비 전력은 정격 전압을 걸어 주었을 때 가전제품이 1초 동안 소비하는 전기 에너지의 양이다. $1500\text{ W}=1500\text{ J/s}$이므로 에어컨은 1초 동안 1500 J의 전기 에너지를 소비한다.

09 전력량은 전기 기구가 일정 시간 동안 사용한 전기 에너지의 양이다. 따라서 전력량 $=60\text{ W}\times 5\text{ h/일}\times 30\text{일}=9000\text{ Wh}$이다.

10 전기 기구가 일정 시간 동안 사용한 전기 에너지의 양을 전력량이라고 한다.

11 ㄴ. 정격 전압은 가전제품을 정상적으로 작동하기 위해 필요한 전압이다. 따라서 LED 전등이 정상적으로 작동하기 위해 필요한 전압은 220 V이다.
오답 분석
ㄱ. LED 전등의 소비 전력이 15 W이므로 전등은 1초마다 15 J의 전기 에너지를 소비한다.
ㄷ. 220 V 전원에 연결하여 2시간 동안 사용할 때의 전력량 $=15\text{ W}\times 2\text{ h}=30\text{ Wh}$이다.

12 전기난로, 전기주전자, 전기밥솥, 전기다리미 등은 전기 에너지를 주로 열에너지로 전환하여 이용하는 가전제품이다.

13 전기 에너지는 각종 가전제품에서 다양한 다른 형태의 에너지로 전환하여 이용할 수 있다.

이 문제에 적용되는 개념

전기 에너지의 전환과 예

에너지 전환	가전제품
전기 에너지 → 빛에너지	형광등, LED 전등
전기 에너지 → 열에너지	전기난로, 전기다리미
전기 에너지 → 운동 에너지	선풍기, 세탁기
전기 에너지 → 소리 에너지	스피커, 오디오
전기 에너지 → 화학 에너지	배터리 충전기

14 자료 분석

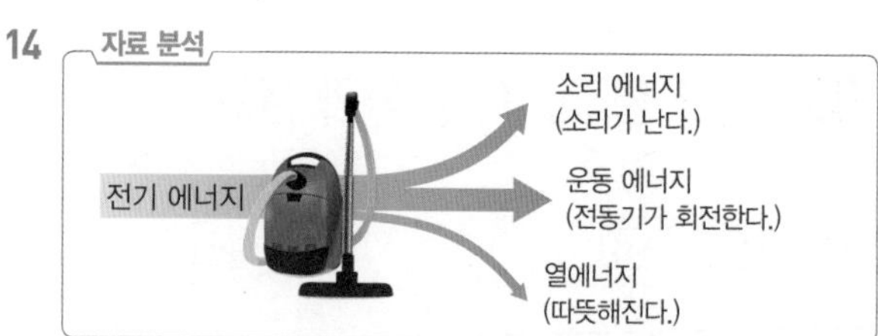

진공청소기를 사용할 때 전기 에너지를 운동 에너지로 전환하여 이용하며, 이 과정에서 전기 에너지가 소리 에너지와 열에너지 등으로도 전환된다.
전기 에너지 → 운동 에너지＋소리 에너지＋열에너지

15 **모범 답안** 역학적 에너지의 일부가 열에너지, 소리 에너지 등으로 전환되어 공의 역학적 에너지가 점점 감소하기 때문이다.
해설 공기 저항과 바닥과의 마찰에 의해 공의 역학적 에너지의 일부가 열에너지, 소리 에너지 등 다른 에너지로 전환되므로 공의 역학적 에너지가 점점 감소한다. 그러나 공의 역학적 에너지가 다른 형태의 에너지로 전환되는 과정에서 전체 에너지의 양은 일정하게 보존된다.

채점 기준	배점
역학적 에너지의 전환과 관련지어 역학적 에너지가 보존되지 않는 까닭을 옳게 서술한 경우	100 %
역학적 에너지가 보존되지 않는다고만 서술한 경우	50 %

16 ㄱ. 에너지는 한 형태에서 다른 형태로 전환될 수 있다.
오답 분석
ㄴ. 에너지가 전환될 때 전체 에너지의 양은 일정하게 보존된다.
ㄷ. 에너지가 전환될 때 에너지가 새로 생기거나 소멸되지 않는다.

17 ㄱ. 다른 형태의 에너지와 달리 전기 에너지는 전선을 이용하여 먼 곳까지 전달할 수 있다.
ㄴ. 전기 에너지는 전지에 저장할 수 있다.
오답 분석
ㄷ. 전기 에너지는 다른 형태의 에너지로 비교적 쉽게 전환할 수 있다.
ㄹ. 전기 에너지는 이용하려는 에너지로 전환할 때 열에너지가 발생한다.

18 ㄴ. (나)의 에너지 소비 효율 등급은 제품이 에너지를 효율적으로 이용하는 정도를 1등급에서 5등급으로 구분하여 표시한다.
오답 분석
ㄱ. (가)의 에너지 절약 마크는 대기전력이 작아서 에너지 절약 효과가 큰 가전제품에 표시한다.
ㄷ. (나)는 1등급으로 갈수록 전기 에너지를 효율적으로 이용하는 가전제품이다.

19 전기 에너지를 절약하기 위해서는 절전형 조명을 사용하고, 사용하지 않는 조명은 꺼 둔다.

진도책

만점 도전하기 3단계

진도책 163쪽

01 ① 02 ② 03 ①, ② 04 ①

01 ㄱ. (가)와 같이 코일에 자석을 가까이 하거나 멀리 할 때 자석의 역학적 에너지가 전기 에너지로 전환되므로 발광 다이오드에 불이 켜진다.
ㄴ. (나)와 같이 코일 근처에서 자석이 가만히 있을 때는 자석의 역학적 에너지가 변하지 않으므로 코일에 전류가 흐르지 않는다.

오답 분석

ㄷ. (나)는 자석의 역학적 에너지가 변하지 않는다.
ㄹ. (가)는 자석의 역학적 에너지가 전기 에너지로 전환된다.

02 자료 분석

1초 동안 같은 양의 빛에너지를 방출한다.
→ 두 전등의 밝기가 같다.

	A	B
빛에너지	(15 J)	(15 J)
열에너지	(5 J)	(13 J)
전기 에너지	(20 J)	(28 J)
	1초 동안 소비하는 전기 에너지의 양이 20 J이므로 소비 전력이 20 W이다.	1초 동안 소비하는 전기 에너지의 양이 28 J이므로 소비 전력이 28 W이다.

② A가 1초 동안 소비하는 전기 에너지의 양은 15 J+5 J =20 J이므로 A의 소비 전력은 20 J/s=20 W이다.

오답 분석

① 두 전등은 1초 동안 같은 양의 빛에너지를 방출하므로 밝기가 같다.
③ A의 소비 전력은 20 W이고, B의 소비 전력은 28 W이므로 B의 소비 전력이 A보다 크다.
④ B에서 발생하는 열에너지는 28 J−15 J=13 J이다.
⑤ A의 소비 전력은 20 J/s=20 W이므로 A는 1초마다 20 J의 전기 에너지를 소비한다.

03 ① A의 소비 전력이 50 W=50 J/s이므로 A는 1초마다 50 J의 전기 에너지를 소비한다.
② 소비 전력이 10 W인 C를 10시간 동안 사용할 때의 전력량=10 W×10 h=100 Wh이다.

오답 분석

③ 전력량은 가전제품이 일정 시간 동안 사용한 전기 에너지의 양이다.
④ 소비 전력이 큰 가전제품일수록 같은 시간 동안 더 많은 전기 에너지를 소비하므로 B가 전기 에너지를 가장 많이 소비한다.
⑤ 소비 전력은 가전제품이 1초 동안 소비하는 전기 에너지의 양이다.

04 ㄱ. 선풍기에서는 전기 에너지가 다른 형태의 에너지로 전환되며, 전환되는 에너지의 총량은 소비되는 전기 에너지의 양과 같다. 전기 에너지 → 운동 에너지+소리 에너지+열에너지이므로 ㉠은 운동 에너지이다.

오답 분석

ㄴ. 전기 에너지가 다른 형태의 에너지로 전환될 때 에너지가 새로 생기거나 소멸되지 않는다.
ㄷ. ㉠, 소리 에너지, 열에너지를 합한 양은 소비되는 전기 에너지의 양과 같다.

진도책 164쪽~167쪽

대단원 완성하기

01 ③ 02 ① 03 ②, ③ 04 ③ 05 ① 06 ③
07 ① 08 4.9 m 09 ④ 10 ⑤ 11 ③ 12 ①
13 발전기 14 ① 15 ② 16 ④ 17 3 kWh
18 ③ 19 ② 20 ③ 21 ⑤ 22 해설 참조
23 해설 참조 24 해설 참조 25 해설 참조
26 (1) 4 kWh (2) 해설 참조

01 ㄷ. 운동하는 물체의 높이가 높아지면 운동 에너지는 감소하고, 위치 에너지는 증가하므로 운동 에너지가 위치 에너지로 전환된다.

오답 분석

ㄱ. 역학적 에너지는 물체가 가진 위치 에너지와 운동 에너지의 합이다.
ㄴ. 물체가 자유 낙하 하면 위치 에너지가 운동 에너지로 전환되고, 역학적 에너지는 일정하다.

02 ㄱ. 공이 올라가는 동안 운동 에너지가 위치 에너지로 전환된다.

오답 분석

ㄴ. 위치 에너지는 증가하고, 운동 에너지는 감소한다.
ㄷ. 최고점에 도달하는 순간 공의 속력이 0이 되므로 운동 에너지도 0이 된다.

03 진자가 아래로 내려올 때 위치 에너지가 운동 에너지로 전환되므로 높이가 낮아지면서 속력은 빨라진다.

04 ③ 롤러코스터가 아래로 내려올 때는 위치 에너지가 운동 에너지로 전환되어 운동 에너지가 증가한다.

오답 분석

① 위로 올라가는 동안 운동 에너지가 감소한다.
② 위로 올라가는 동안 위치 에너지가 증가한다.
④ 아래로 내려오는 동안 위치 에너지가 운동 에너지로 전환된다.
⑤ 운동 에너지가 위치 에너지로 전환되는 동안 속력이 점점 느려진다.

05 물체가 낙하할 때 위치 에너지가 운동 에너지로 전환되므로 물체가 낙하하는 동안 낙하 거리에 비례하여 위치 에너

지가 감소하며, 감소한 위치 에너지만큼 운동 에너지가 증가한다. 따라서 운동 에너지는 물체의 낙하 거리에 비례한다.

06 자료 분석

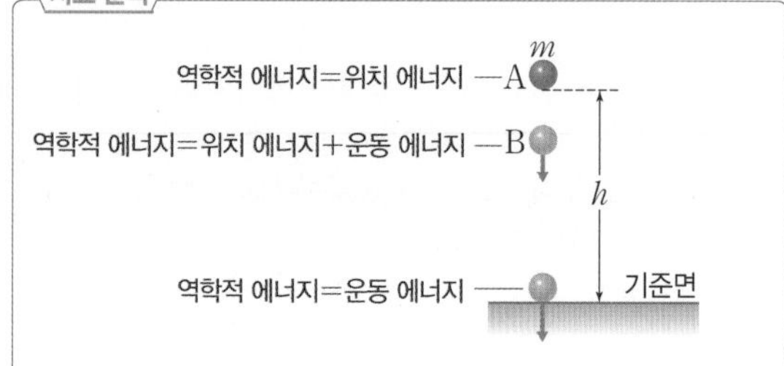

물체의 역학적 에너지는 위치 에너지와 운동 에너지의 합이고, 물체가 자유 낙하 할 때 역학적 에너지가 보존되므로 모든 지점에서 역학적 에너지는 같다.
기준면에서 운동 에너지
=A 지점에서 위치 에너지
=B 지점에서 운동 에너지+위치 에너지
=기준면에서 역학적 에너지
=A 지점에서 역학적 에너지

07 높이 1m인 지점에서 물체의 운동 에너지는 감소한 위치 에너지와 같다. 높이 1m인 지점에서 위치 에너지 : 운동 에너지$=9.8m\times1 : 9.8m\times(2-1)=1 : 1$이다.

08 물체의 운동 에너지가 모두 최고점에서 위치 에너지로 전환되므로 $9.8mh=\frac{1}{2}m\times9.8^2$에서 공이 올라간 높이는 $h=4.9$(m)이다.

09 물체의 운동 에너지가 최고점에서 모두 위치 에너지로 전환되므로 $(9.8\times0.2)\ \text{N}\times2.5\ \text{m}=\frac{1}{2}\times0.2\ \text{kg}\times v^2$에서 공의 속력은 $v=7$ m/s이다.

10 ⑤ A 지점에서의 운동 에너지는 B 지점에서의 위치 에너지와 운동 에너지의 합과 같다.

오답 분석

① 최고점인 B 지점에서 물체의 속력이 0이 아니라 최소이므로 B 지점에서 운동 에너지도 최소이다.
② B 지점이 최고점이므로 위치 에너지가 최대이다.
③ 역학적 에너지가 보존되므로 B와 C 지점에서 역학적 에너지는 같다.
④ A와 C 지점에서 속력이 가장 빠르므로 운동 에너지가 최대이다.

11 자료 분석

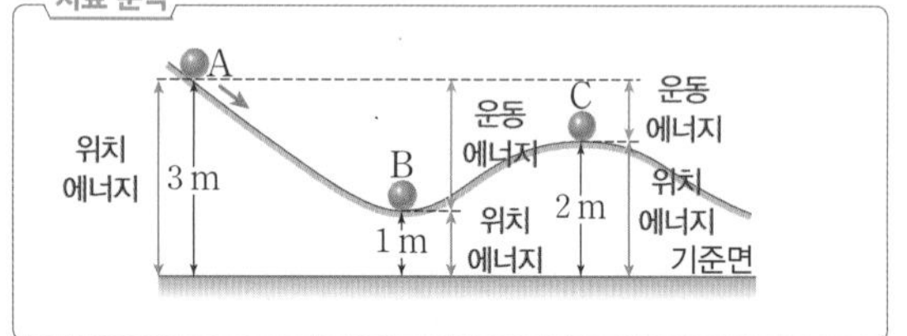

감소한 위치 에너지만큼 운동 에너지가 증가하므로 B 지점과 C 지점에서 운동 에너지의 비는 $9.8m\times(3-1) : 9.8m\times(3-2)=2 : 1$이다.

12 ㄱ. 코일에 자석을 가까이 하거나 멀리 하면 자석의 역학적 에너지가 전기 에너지로 전환되어 코일에 전류가 흐른다.

오답 분석

ㄴ. 코일에서 자석을 멀리 할 때 발광 다이오드에 불이 켜진다.
ㄷ. 코일 속에 자석을 넣고 가만히 있으면 전류가 흐르지 않는다.

13 역학적 에너지를 전기 에너지로 전환하는 장치를 발전기라고 한다.

14 화력 발전소에서는 연료를 태워 연료의 화학 에너지를 열에너지로 전환한 후 물을 가열하여 수증기의 역학적 에너지로 전환시킨다. 이 수증기의 역학적 에너지로 발전기를 돌리면 전기 에너지가 만들어진다.

15 ㄴ. 소비 전력은 전기 기구가 1초 동안 소비하는 전기 에너지의 양이다.

오답 분석

ㄱ. 소비 전력의 단위로는 W(와트), kW(킬로와트) 등을 사용한다. Wh(와트시), kWh(킬로와트시) 등은 전력량의 단위이다.
ㄷ. 전기 기구가 1초 동안 1 J의 전기 에너지를 소비할 때의 전력은 1 W이다.

16 전기 기구가 1초 동안 소비하는 전기 에너지의 양을 소비 전력이라고 한다. 따라서 소비 전력$=\frac{720000\ \text{J}}{3600\ \text{s}}=200$ W이다.

17 220 V−50 W인 가전제품을 220 V에 연결할 때의 소비 전력이 50 W이므로 전력량=50 W×2 h/일×30일 =3000 Wh=3 kWh이다.

18 화학 에너지는 화학 결합에 의해 물질 속에 저장된 에너지이다. 연료가 연소할 때, 모닥불이 탈 때, 건전지를 사용할 때 화학 에너지가 다른 형태의 에너지로 전환된다.

19 전기난로, 전기밥솥, 전기다리미, 전기주전자 등은 전기 에너지를 주로 열에너지로 전환하여 이용하는 가전제품이다.

20 휴대 전화나 노트북 등의 전지에는 전기 에너지가 화학 에너지의 형태로 저장된다.

21 에너지 소비 효율 등급은 제품이 에너지를 효율적으로 이용하는 정도를 1등급에서 5등급으로 구분하여 이를 표시한다. 1등급으로 갈수록 전기 에너지를 효율적으로 이용하는 가전제품이다.

22 (1) **모범 답안** 최고점까지 올라가는 동안 공의 운동 에너지가 위치 에너지로 전환된다.
(2) **모범 답안** 최고점에서 기준면까지 내려오는 동안 공의 위치 에너지가 운동 에너지로 전환된다.

해설 위로 올라가는 동안 운동 에너지가 위치 에너지로 전환되며, 아래로 내려오는 동안 위치 에너지가 운동 에너지로 전환된다. 최고점에서 공의 위치 에너지는 최대이고, 운동 에너지는 0이다.

	채점 기준	배점
(1)	역학적 에너지 전환을 옳게 서술한 경우	100 %
	역학적 에너지의 크기 변화만 서술한 경우	50 %
(2)	역학적 에너지 전환을 옳게 서술한 경우	100 %
	역학적 에너지의 크기 변화만 서술한 경우	50 %

23 (1) **모범 답안** 진자가 아래로 내려가므로 위치 에너지가 운동 에너지로 전환된다.
(2) **모범 답안** 진자가 위로 올라가므로 운동 에너지가 위치 에너지로 전환된다.
해설 AO 구간과 BO 구간에서는 진자가 아래로 내려가므로 속력이 점점 빨라지면서 위치 에너지가 운동 에너지로 전환되고, OA 구간과 OB 구간에서는 진자가 위로 올라가므로 속력이 점점 느려지면서 운동 에너지가 위치 에너지로 전환된다.

	채점 기준	배점
(1)	역학적 에너지 전환을 옳게 서술한 경우	100 %
	역학적 에너지의 크기 변화만 서술한 경우	50 %
(2)	역학적 에너지 전환을 옳게 서술한 경우	100 %
	역학적 에너지의 크기 변화만 서술한 경우	50 %

24 **모범 답안** 두 공의 처음 역학적 에너지가 같고, 역학적 에너지가 보존되므로 지면에서 두 공의 역학적 에너지가 같다. 따라서 지면에서 두 공의 위치 에너지가 0이므로 두 공의 운동 에너지가 같다.
해설 공의 역학적 에너지는 위치 에너지와 운동 에너지의 합이고, 운동 에너지는 운동 방향에 관계없이 질량과 속력의 제곱에 비례한다.

채점 기준	배점
역학적 에너지 보존과 관련지어 지면에서 두 공의 운동 에너지가 같다고 옳게 서술한 경우	100 %
두 공의 운동 에너지가 같다고만 서술한 경우	50 %

25 **모범 답안** 간이 발전기를 흔들면 역학적 에너지가 전기 에너지로 전환되기 때문이다.

채점 기준	배점
불이 켜지는 까닭을 에너지 전환과 관련지어 옳게 서술한 경우	100 %
에너지 전환만 옳게 서술한 경우	50 %

26 (1) 전력량 $=500\ \text{W}\times 8\ \text{h}=4000\ \text{Wh}=4\ \text{kWh}$
(2) **모범 답안** 전기난로에서 전기 에너지가 열에너지로 전환된다.

채점 기준	배점
전기난로에서 일어나는 에너지 전환을 옳게 서술한 경우	100 %
열에너지의 발생만 서술한 경우	50 %

Ⅶ 별과 우주

01 별

개념 다지기 1단계

진도책 171쪽, 173쪽

01 (1) × (2) ○ (3) × (4) ○ **02** ㉠ 시차, ㉡ 반비례
03 별의 거리 **04** (1) × (2) × (3) ○ (4) ○ (5) ○
05 (1) 연주 시차 (2) 100 pc (3) 작아진다.
06 20 pc **07** ㉠ 2, ㉡ 3.26, ㉢ 6.52
08 (1) ㉢ (2) ㉠ (3) ㉡

09 ㉠ 4, ㉡ $\frac{1}{4}$ **10** (1) ○ (2) ○ (3) × (4) ○ (5) × (6) ×
11 (1) D (2) A (3) C (4) A (5) 3개
12 민타카, 안타레스

01 (1) 관측자와 가까이 있는 물체일수록 시차가 크다.
(3) 시차가 생기는 까닭은 관측자의 위치가 변하고 관측하는 물체까지의 거리가 주변 배경보다 가깝기 때문이다.

02 관측자의 위치가 바뀌면 물체가 보이는 방향이 달라지는데, 이때 생기는 각도 차이를 시차라고 한다. 시차는 물체까지의 거리에 반비례한다.

03 별의 연주 시차는 별의 거리에 반비례하므로, 연주 시차를 알면 별까지의 거리를 구할 수 있다.

04 (1) 연주 시차는 6개월 간격으로 별을 관측했을 때 배경별을 기준으로 이동한 각(시차)의 절반이다.
(2) 연주 시차는 지구에서 먼 별일수록 작고, 가까운 별일수록 크다.
(5) 연주 시차를 측정하는 데에는 최소한 6개월이 걸리며, 별의 연주 시차는 지구가 공전한다는 확실한 증거이다.

05 (1) 지구가 태양 주위를 공전하기 때문에 가까운 별 S가 보이는 방향이 배경별에 대해 상대적으로 달라져 보이는 각도를 별 S의 시차라고 한다. p는 시차 값의 $\frac{1}{2}$에 해당하므로 연주 시차이다.
(2) 연주 시차 p가 0.01″라면 별 S까지의 거리는 $\frac{1}{0.01''}=100\ \text{pc}$이 된다.
(3) 연주 시차와 별의 거리는 반비례하므로 별 S까지의 거리가 멀어진다면 연주 시차는 작아진다.

06 별 E가 6개월 동안 이동한 각도(시차)가 0.1″이므로 연주 시차는 0.05″이다. 따라서 별 E까지의 거리는 20 pc이다.

07 연주 시차가 0.5″인 별까지의 거리는 $\frac{1}{0.5''}=2\ \text{pc}$이다. 또, 1 pc ≒ 3.26광년이므로, 이 별까지의 거리는 $3.26\times 2=6.52$광년이다.

08 (1) 연주 시차가 1″인 별까지의 거리를 1 pc이라고 한다.
➡ 1 pc≒3.26 광년≒3.0×10^{13} km
(2) 1 광년(LY)은 빛이 1년 동안 이동한 거리이다.
➡ 1 광년≒9.5×10^{12} km
(3) 1 AU(천문단위)는 지구에서 태양까지의 평균 거리이다.
➡ 1 AU≒1.5×10^{8} km

이 문제에 적용되는 개념

별의 거리 단위(본교재 170쪽)
- 거리를 나타내는 단위: AU, 광년, pc
- 거리 단위의 크기 비교: 1 AU<1광년<1 pc

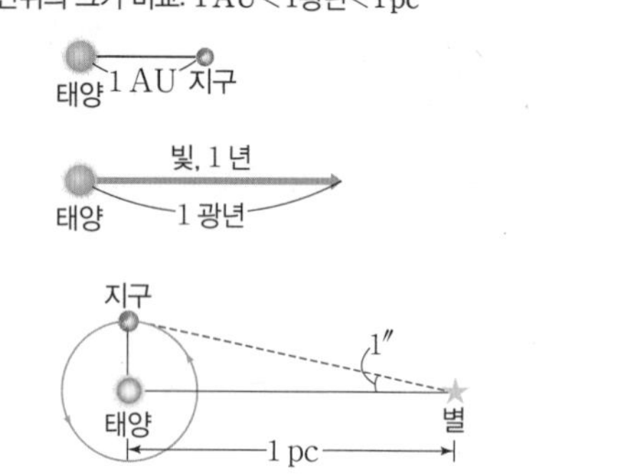

09 별의 밝기는 거리의 제곱에 반비례한다.

10 (3) 1등급은 5등급보다 2.5^4≒40배 밝다.
(5) 지구로부터 10 pc의 거리에 두었다고 가정했을 때 별의 밝기 등급을 절대 등급이라고 한다.
(6) 겉보기 등급과 절대 등급이 같은 별은 10 pc의 거리에 있다.

11 (겉보기 등급－절대 등급) 값이 클수록 지구로부터 멀리 있는 별이고, 이 값이 0보다 작으면 10 pc 이내의 거리에 위치한 별이다.

12 별의 색이 파란색－청백색－흰색－황백색－노란색－주황색－붉은색으로 갈수록 표면 온도가 낮은 별이다.

공략 확인 문제 진도책 174쪽

01 눈에서 가까운 위치에 있을 때 **02** (1) × (2) ○
03 눈: 지구, 연필: 가까운 별, 막대 자: 배경별 **04** ①

01 관측자와 연필 사이의 거리가 가까울수록 연필의 시차도 커진다.

02 (1) 시차는 관측자와 물체 사이의 거리가 가까울수록 커지고, 멀어질수록 작아진다.
(2) 눈과 연필 사이의 거리가 10 cm이면 시차는 30°보다 더 커질 것이다.

03 막대 자는 관측자의 눈으로부터 멀리 위치하므로 배경별에 비유된다.

04 시차(θ)는 물체까지의 거리(r)에 반비례한다.

실력 올리기 2단계 진도책 175~178쪽

01 ② **02** ③ **03** 10 pc, 32.6광년 **04** ⑤ **05** ④
06 ⑤ **07** 해설 참조 **08** ① **09** 커진다. **10** ④
11 ④ **12** ⑤ **13** ① **14** ③ **15** ④ **16** ③ **17** ⑤
18 ④ **19** ⑤ **20** ③ **21** ② **22** ① **23** ㄱ, ㄴ
24 해설 참조 **25** ① **26** D **27** C

01 멀리 있는 별일수록 연주 시차는 작아진다. 즉, 연주 시차는 별까지의 거리에 반비례한다.

02 ㄱ. 별 S의 연주 시차인 p는 지구가 공전 궤도를 기준으로 서로 반대 방향인 A, B에 왔을 때 측정한 각의 절반이다.
ㄴ. 별의 연주 시차는 별까지의 거리가 멀수록 작아진다.
오답 분석
ㄷ. 지구에서 가장 가까운 별인 프록시마 센타우리의 연주 시차도 0.76″이므로, 태양을 제외한 모든 별의 연주 시차는 1″보다 작다.

이 문제에 적용되는 개념

연주 시차(본교재 170쪽)

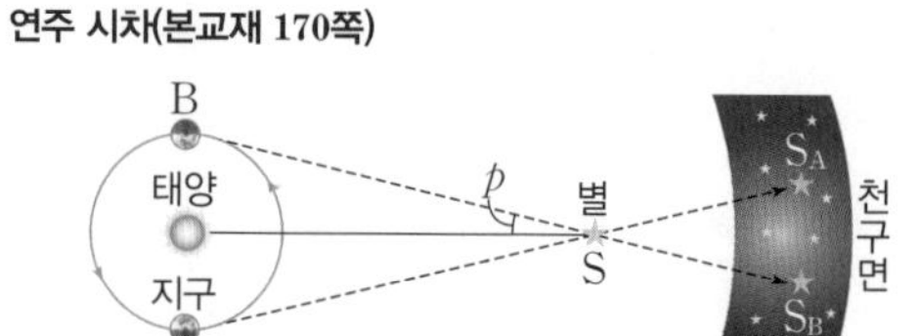

- 별 S의 연주 시차: 시차(∠ASB)의 $\frac{1}{2}$인 p이다.
- 지구가 A, B에 왔을 때 연주 시차를 측정할 수 있으므로, 연주 시차를 측정하는 데에는 최소 6개월이 걸린다.
- 지구가 공전하지 않는다면 연주 시차가 나타나지 않으므로, 연주 시차는 지구 공전의 확실한 증거이다.

03 별의 거리(pc)$=\dfrac{1}{\text{연주 시차}(″)}=\dfrac{1}{0.1″}=10$ pc이고, 1 pc은 약 3.26광년이므로 10 pc은 32.6광년이다.

04 별의 거리는 연주 시차에 반비례하므로 ⑤와 같은 그래프로 나타난다.

05 연주 시차는 별까지의 거리에 반비례한다. 연주 시차가 작을수록 지구에서 멀리 있는 별이고, 클수록 가까이 있는 별이다.

06 A, B, C 세 별까지의 거리는 다음과 같다.
- A: $\dfrac{1}{0.2″}=5$ pc
- B: 2 pc
- C: 3.26광년≒1 pc

07 **모범 답안** p는 연주 시차이고, 별 S가 현재의 위치에서 점점 가까워진다면 연주 시차인 p 값은 점점 커진다.
해설 지구가 공전하기 때문에 지구에서 가까운 별은 먼 별에 대해 연주 시차가 생긴다. 이때 연주 시차의 크기는 별까지의 거리에 반비례한다.

채점 기준	배점
p의 의미와 변화를 모두 옳게 서술한 경우	100 %
p의 의미와 변화 중 1가지만 옳게 서술한 경우	50 %

08 ㄱ. 1광년은 빛이 1년 동안 이동한 거리이다.

오답 분석

ㄴ. 10 pc은 연주 시차가 0.1″인 별까지의 거리이다.
ㄷ. 광년은 빛을 이용해 측정한 거리 단위이다.

09 공전 궤도 반지름이 커지면 연주 시차도 커진다. 그러므로 지구보다 공전 궤도 반지름이 큰 토성에서 이 별의 연주 시차를 관측하면 값이 커진다.

10 ④ 별의 시차는 지구의 공전에 의해 가까운 별을 관측하는 지구의 위치가 달라져서 생기는 현상이다.

오답 분석

① 가까운 별 S는 6개월 동안 0.1″ 움직였으므로 연주 시차는 0.05″이다.
② 별 S는 배경별보다 가까이 있는 별이다.
③ 연주 시차는 지구의 공전 때문에 나타나는 현상이다.
⑤ 배경별보다 멀리 있는 별은 연주 시차가 너무 작아서 측정하기 어렵다.

11 별의 거리는 연주 시차에 반비례한다. 별 S_1과 S_2의 연주 시차의 비가 10 : 1이므로 별까지의 거리 비는 1 : 10이다.

12 별의 밝기는 거리의 제곱에 반비례하므로 거리에 따른 별 S의 밝기 비는 $A:B:C=\frac{1}{1^2}:\frac{1}{2^2}:\frac{1}{3^2}=\frac{1}{1}:\frac{1}{4}:\frac{1}{9}$ $=36:9:4$이다.

13 별의 밝기는 거리의 제곱에 반비례하므로, 거리가 10배 멀어지면 별의 밝기는 100배 어두워진다. 따라서 이 별의 겉보기 등급은 5등급이 커진다.

14 ㄱ. 전등에서 나온 빛은 퍼져 나가므로 거리가 더 먼 (나)가 (가)보다 빛을 받는 면적이 넓다.
ㄴ. 전등에서 나오는 빛의 양은 일정하므로 하나의 모눈이 받는 빛의 양은 빛을 받는 면적이 좁은 (가)가 (나)보다 많다.

오답 분석

ㄷ. 거리가 2배 멀어지면 빛이 퍼지는 면적은 2^2배가 되므로, (가)의 밝기는 (나)에 비해 4배 밝다.

15 등급이 3등급 차이가 나면 밝기로는 $2.5^3 \fallingdotseq 16$배의 차이가 난다.

16 절대 등급은 별을 10 pc의 거리에 두었다고 가정했을 때의 밝기이므로, 별의 실제 밝기를 비교할 수 있다. 또, 겉보기 등급은 별의 거리를 고려하지 않고 우리 눈에 보이는 밝기를 나타낸 것이다.

오답 분석

⑤ 별의 절대 등급이 같을 때, 거리가 먼 별일수록 어둡게 보이므로 겉보기 등급이 크다.

17 자료 분석

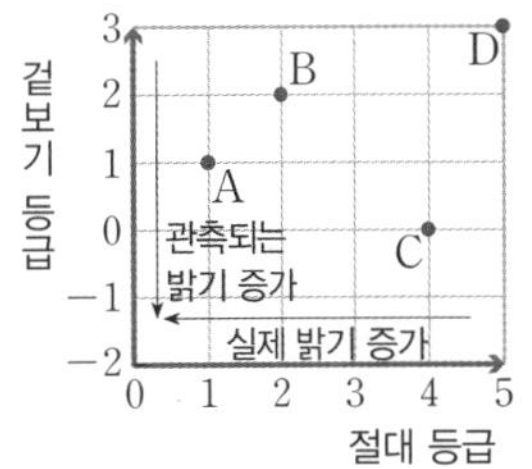

- A는 절대 등급이 1등급으로 가장 작으므로 실제로 가장 밝은 별이다.
- A와 B는 겉보기 등급과 절대 등급이 같으므로 10 pc의 거리에 있다. 따라서 A와 B의 연주 시차는 0.1″이다.
- C는 겉보기 등급이 0등급으로 가장 작으므로 우리 눈에 가장 밝게 보인다.
- 지구로부터의 거리는 C<D<A=B이다.

가장 가까이 있는 별은 (겉보기 등급−절대 등급) 값이 가장 작은 C이다.

18 별의 거리가 현재보다 멀어지면 현재보다 어둡게 보이므로 등급이 커진다. 반면에 현재보다 가까워지면 현재보다 밝게 보이므로 등급이 작아진다. 그림에서 겉보기 등급이 0.8등급인 알타이르를 10 pc의 거리로 가져가면 현재보다 어두워지므로, 절대 등급은 0.8등급보다 커진다.

19 별 A는 별 B보다 절대 등급이 $1.5-(-3.5)=5$등급 작으므로 실제로 약 100배 더 밝은 별이다.

20 실제 밝기가 같아서 절대 등급이 같다 하더라도 지구로부터의 거리가 서로 다르면 눈에 보이는 밝기인 겉보기 등급은 달라진다. 즉, 별 B와 별 C의 실제 밝기는 같지만, 겉보기 등급이 더 작은 별 B는 별 C보다 지구에 더 가까이 있기 때문에 밝게 보인다.

오답 분석

①, ②, ④, ⑤ 별 B와 별 C는 색, 크기, 표면 온도 등이 다를 수도 있다. 그러나 절대 등급이 같고 겉보기 등급이 다르면 두 별까지의 거리는 항상 다르다.

21 자료 분석

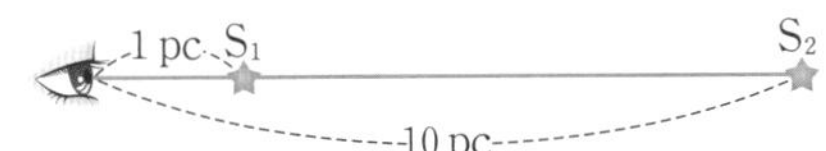

- 별 S_1을 10 pc의 거리로 가져가면 ➡ 현재보다 거리가 10배 멀어진다.
- 별의 거리가 10배 멀어지면 ➡ 별의 밝기는 거리의 제곱에 반비례하므로, 밝기는 $\frac{1}{10^2}=\frac{1}{100}$배로 어두워진다.
- 밝기가 $\frac{1}{100}$배로 되면 5등급이 커지므로 ➡ S_1의 절대 등급은 겉보기 등급보다 5등급이 크다.
- S_2는 10 pc의 거리에 있어 겉보기 등급과 절대 등급이 같으므로 ➡ S_1의 절대 등급은 S_2보다 5등급이 크다.

별 S_1을 10 pc의 거리로 가져가면 거리가 10배 멀어지므로 밝기는 $\frac{1}{10^2}=\frac{1}{100}$배로 어두워진다. 밝기가 $\frac{1}{100}$배로 되면 5등급이 커진다.

22 별의 색과 표면 온도는 다음과 같다.

별의 색	표면 온도
파란색	30000 ℃ 이상
청백색	10000～30000 ℃
흰색	7500～10000 ℃
황백색	6000～7500 ℃
노란색	5000～6000 ℃
주황색	3500～5000 ℃
붉은색	3500 ℃ 이하

23 별 A는 별 B보다 거리는 가깝지만 겉보기 등급이 서로 같으므로 절대 등급은 별 A가 별 B보다 더 크다. 또한, 파란색을 띠는 별 A는 노란색을 띠는 별 B보다 표면 온도가 높다.

24 **모범 답안** 별의 표면 온도가 다르기 때문이다.
해설 별은 표면 온도에 따라 색이 다르게 보인다. 이때 표면 온도가 낮을수록 붉은색을 띠고, 표면 온도가 높을수록 파란색을 띤다.

채점 기준	배점
모범 답안과 같이 서술한 경우	100 %
표면 온도 이외의 내용을 서술한 경우	0 %

25 별은 표면 온도가 높을수록 파란색을 띠므로 A, B가 C보다 표면 온도가 높다.

26 실제 밝은 별일수록 절대 등급이 작으며, 표면 온도가 낮은 별일수록 붉은색을 띤다.

27 별의 표면 온도는 별의 색과 관련이 있으며, 태양은 노란색 별이므로 C와 표면 온도가 비슷하다.

만점 도전하기 3단계

진도책 179쪽

01 ③ **02** ④ **03** ③ **04** −21.8등급 **05** ①
06 ⑤ **07** ④

01 ③ 별 B의 연주 시차는 0.04″이므로, 별 B까지의 거리는 $\frac{1}{0.04''}$=25 pc이다.

오답 분석

① 별 B의 시차가 0.06″+0.02″=0.08″이므로, 연주 시차는 0.04″이다.
② 별 A는 지구로부터 멀리 떨어져 있어 시차가 나타나지 않으므로 거리를 알 수 없다.
④ 별 A는 별 B보다 지구에서 멀리 떨어져 있는 별이다.
⑤ 별 B의 위치가 달라진 것은 지구의 공전 때문이다.

02 32.6광년은 10 pc과 거리가 같으며, 10 pc 거리에 있을 때의 밝기가 절대 등급이므로 이 별의 절대 등급은 −2등급이다. 즉, 32.6광년 거리에 있을 때는 절대 등급과 겉보기 등급이 같다. 또, −2등급보다 100배 어두운 별의 등급은 3등급이므로 이 별의 겉보기 등급은 3등급이다.

03 1등급 간의 밝기 비는 약 2.5배이므로 0.7등급보다 2.5배 밝은 별은 1등급이 작은 −0.3등급의 별이다.

오답 분석

② 0.7등급보다 1등급이 작은 별은 −0.7등급이라고 생각하기 쉽지만 0.7−1=−0.3등급이다.

04 별의 밝기는 별까지의 거리의 제곱에 반비례한다. 토성에서 태양을 관측하면 지구에서 관측했을 때보다 100배 어둡게 보이므로 5등급이 커진다.

05 10 pc보다 멀리 있는 별은 겉보기 등급이 절대 등급보다 크다. 연주 시차가 0.05″이면 거리는 $\frac{1}{0.05''}$=20 pc이고, 1 pc≒3.26광년이므로, 10광년은 $\frac{10}{3.26}$≒3(pc)이다. 따라서 ㄱ만 겉보기 등급이 절대 등급보다 크다.

이 문제에 적용되는 개념

별의 등급과 거리(본교재 172쪽)

구분	별까지 거리
겉보기 등급<절대 등급	10 pc보다 가까이 있다.
겉보기 등급=절대 등급	10 pc 거리에 있다.
겉보기 등급>절대 등급	10 pc보다 멀리 있다.

06 ⑤ 색이 파란색에서 붉은색으로 갈수록 표면 온도가 낮다. 따라서 표면 온도가 가장 높은 별은 색이 파란색인 (가)이다.

오답 분석

① (겉보기 등급−절대 등급)의 값이 가장 큰 (가)가 지구에서 가장 멀리 있다.
② 겉보기 등급이 가장 작은 (나)가 우리 눈에 가장 밝게 보인다.
③ 겉보기 등급과 절대 등급이 같은 (다)는 10 pc 거리에 있다.
④ (나)와 (라)는 색이 같으므로 표면 온도가 비슷하다.

07 ㄴ. 별의 표면 온도는 별의 색으로 판단하는데, B는 붉은색이므로 노란색인 태양보다 표면 온도가 낮다.
ㄹ. C는 파란색, D는 붉은색이므로 표면 온도는 C가 D보다 높다.

오답 분석

ㄱ, ㄷ. 주어진 자료로 겉보기 밝기와 지구로부터의 거리는 알 수 없다.

02 은하와 우주

개념 다지기 1단계

진도책 181쪽, 183쪽

01 (1) ○ (2) ○ (3) × (4) × (5) ○
02 (1) ○ (2) ○ (3) × (4) ○ (5) ×
03 ㉠ 성단, ㉡ 성운 04 (1) 구 (2) 산 (3) 산 (4) 구
05 (1) ㉡ (2) ㉠ (3) ㉢

06 (1) × (2) × (3) ○ (4) ×
07 (1) × (2) ○ (3) ○ (4) × (5) ○
08 (1) 멀어지고 있다 (2) 빨라진다 (3) 팽창
09 (1) × (2) × (3) ○

01 (3) 은하수는 남반구와 북반구 어디에서나 관측된다.
(4) 우리나라에서 관측할 때 은하수는 겨울철보다 여름철에 폭이 넓고 선명하게 보인다.
(5) 은하수는 관측 방향에 따라 폭과 밝기가 변하는데, 우리은하의 중심 방향이 특히 폭이 넓고 밝게 보인다.

02 (3) 우리은하 중심부의 두께는 약 1.5만 광년이다.
(5) 구상 성단은 주로 은하의 중심부와 원반 주변의 공간(헤일로)에 위치하고, 산개 성단은 주로 우리은하의 나선팔에 분포한다.

03 성단은 많은 별들이 모여 무리를 이루고 있는 집단으로, 별들이 모여 있는 모습에 따라 산개 성단, 구상 성단으로 구분한다. 한편, 성운은 성간 물질이 다른 곳에 비해 많이 모여 구름처럼 보이는 천체로, 빛을 내는 방법에 따라 방출 성운, 반사 성운, 암흑 성운으로 구분한다.

04 성단은 수십~수만 개의 별들이 엉성하게 모여 있는 산개 성단과, 수만~수십만 개의 별들이 공 모양으로 빽빽하게 모여 있는 구상 성단으로 구분한다.

05 성운은 성간 물질이 다른 곳에 비해 많이 모여 구름처럼 보이는 것이다. 이때 성운은 빛을 내는 방법에 따라 방출 성운, 반사 성운, 암흑 성운으로 구분한다.

06 (1) 허블의 은하 분류 기준은 은하의 모양이다.
(2) 우리은하는 막대 나선 은하에 속한다.
(4) 외부 은하는 우리은하 밖에 있는 은하로, 주로 10만 광년 밖에 분포한다.

07 (1) 팽창하는 우주에 중심은 없다.
(2) 우주가 팽창함에 따라 은하들 사이의 거리는 멀어진다.
(3) 지금으로부터 약 138억 년 전에 우주는 한 점에서 대폭발로 탄생한 후 계속 팽창하여 현재의 우주가 만들어졌다는 이론을 빅뱅(대폭발) 우주론이라고 한다.
(4) 우주는 팽창하고 있으므로 과거의 우주는 현재보다 훨씬 작았다.
(5) 팽창하는 우주의 총 질량은 변하지 않는다. 그런데 우주가 팽창함에 따라 부피가 늘어나므로 밀도는 작아진다. 또, 팽창하면서 에너지를 소모하므로 온도는 낮아진다.

08 (1) 관측되는 대부분의 외부 은하는 우리은하와의 거리가 멀어지고 있다.
(2), (3) 멀리 있는 은하일수록 멀어지는 속도가 빨라지는 사실을 확인함으로써 우주가 팽창하고 있음을 알게 되었다.

09 (1) 인류 최초의 인공위성은 스푸트니크 1호이다.
(2) 직접 천체까지 날아가 그 주위를 돌거나 천체 표면에 착륙하여 탐사하는 것은 우주 탐사선이다.

공략 확인 문제

진도책 184쪽

01 (1) ○ (2) ○ (3) × (4) × (5) ○ (6) ○
02 ⑤ 03 ㄴ

01 (3) 우주가 팽창할수록 은하들 사이의 거리는 점점 멀어지며, 가까이 있는 은하보다 멀리 있는 은하가 멀어지는 속도가 더 빠르다. B를 기준으로 했을 때 C가 A보다 멀리 위치하므로 멀어지는 속도는 C가 A보다 빠르다.
(4) 풍선이 커지면 붙임딱지 사이의 거리는 모두 멀어지지만 붙임딱지 자체가 커지는 것은 아니다. 이는 우주가 팽창함에 따라 은하와 은하 사이의 거리는 멀어지지만 은하 자체가 커지는 것은 아니라는 것을 나타낸다.

02 풍선이 팽창할 때 특정한 점을 중심으로 팽창할 것으로 생각하기 쉽지만 팽창의 중심은 없다.

03 모든 은하들은 서로 멀어지고 있으며, 우리은하에서 먼 은하일수록 더 빨리 멀어진다. 이로부터 팽창하는 우주의 중심은 없다는 것을 알 수 있다.

실력 올리기 2단계

진도책 185~188쪽

01 ④ 02 ④ 03 해설 참조 04 ② 05 ③
06 ㄱ, ㄴ, ㄷ, ㄹ, ㅁ 07 ①
08 ㄱ-ㄷ-ㄹ-ㅁ-ㄴ 09 ② 10 ① 11 해설 참조
12 ⑤ 13 ② 14 강식, 유선 15 ㉠ 불규칙, ㉡ 타원, ㉢ 막대 나선 16 막대 나선 은하 17 ② 18 ④
19 ③ 20 ③ 21 (1) C (2) 해설 참조 22 ②
23 ② 24 ① 25 (가) 긍정적 영향, (나) 부정적 영향
26 ㄱ, ㄷ, ㄹ

01 ㄴ, ㄷ. 은하수는 하늘을 한 바퀴 휘감고 있어서 남반구와 북반구 어디에서나 보이며, 우리나라의 경우 여름철에 특히 잘 보인다.

오답 분석

ㄱ. 우리은하의 중심 방향인 궁수자리 방향에서 은하수의 폭이 넓고 밝게 보인다.

이 문제에 적용되는 개념

은하수의 관측(본교재 180쪽)
은하수는 여름철에 가장 잘 보이는데, 이것은 북반구에서의 계절이 여름철인 밤하늘에서 우리은하의 중심 방향을 보기 때문이다. 반면, 북반구에서의 계절이 겨울철인 밤하늘에서는 우리은하 중심의 반대 방향을 보기 때문에 은하수가 희미하게 보인다.

02 태양계는 은하 중심으로부터 약 3만 광년 떨어진 나선팔 A에 위치하며, 그림은 우리은하를 위에서 본 모습을 나타낸 것이다. 우리은하는 막대 나선 은하이고, 우리은하의 지름은 약 10만 광년이다.

03 **모범 답안** 우리나라의 여름철 밤에는 별들이 많이 모여 있는 우리은하의 중심 방향을 보기 때문이다.

채점 기준	배점
모범 답안과 같이 서술한 경우	100 %
우리은하의 중심 방향에 별들이 많이 모여 있기 때문이라고만 서술한 경우	50 %

04 자료 분석

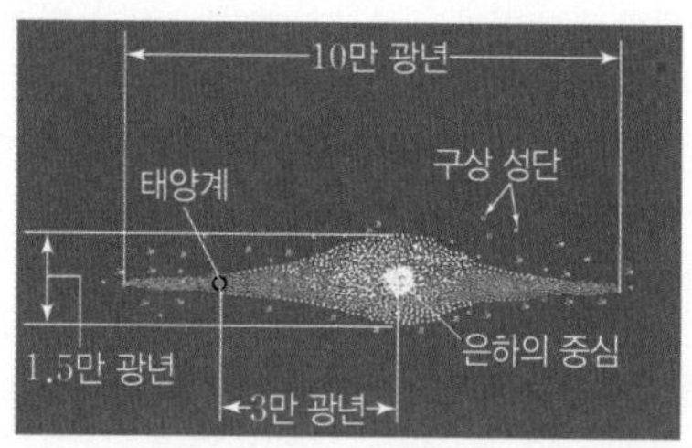

- 우리은하의 중심부: 궁수자리 방향은 나이가 많고 붉은 별들이 모여 볼록하고 부풀어 오른 모양을 하고 있으며, 중심부를 막대 모양의 구조가 가로지르고 있다.
- 우리은하의 원반부: 막대 구조의 양끝에서 나선팔이 하나씩 뻗어 있고, 나선팔 중간쯤에서 가지가 갈라지는 구조이다. 나선팔에는 주로 젊고 푸른 별들과 기체와 티끌로 이루어진 성간 물질이 분포하고 있다.

우리은하의 중심부는 주변보다 별이 많이 모여 있으며, 우리은하의 지름은 약 10만 광년이고, 두께는 약 1.5만 광년이다. 태양계는 우리은하의 중심에서 약 3만 광년 떨어진 나선팔에 위치한다.

05 구상 성단은 주로 우리은하 중심부(C)와 은하 원반을 둘러싼 구형의 공간(A, 헤일로)에 분포한다. 산개 성단은 주로 우리은하의 나선팔(B)에 분포한다.

06 우리은하 안에는 태양계를 비롯하여 별, 성단, 성운, 가스와 티끌로 이루어진 성간 물질 등이 포함되어 있다. 안드로메다은하는 우리은하 밖의 외부 은하이다.

07 태양계는 우리은하 중심에서 약 3만 광년 떨어져 있으므로, 은하 중심에서 지구까지 빛이 오는 데는 약 3만 년이 걸린다.

08 천체들의 규모를 비교하면 행성(지구) < 태양계 < 성단이나 성운 < 우리은하 < 우주 순이다.

09 (가)의 구상 성단은 수만~수십 만 개의 별이 구형으로 빽빽하게 모여 있는 것이고, (나)의 산개 성단은 수십~수만 개의 별이 엉성하게 모여 있는 것이다.

이 문제에 적용되는 개념

구상 성단과 산개 성단의 비교(본교재 180쪽)

구분	구상 성단	산개 성단
분포 모습	수만~수십만 개의 별들이 공 모양으로 빽빽하게 모여 있다.	수십~수만 개의 별들이 엉성하게 모여 있다.
별의 색	붉은색	파란색
나이	오래 전에 생성	상대적으로 최근에 생성
분포 위치	우리은하 중심부와 원반 주변에 분포	주로 나선팔에 분포
발견된 수	150여 개	1000여 개
예	오메가 센타우리 성단	플레이아데스 성단

10 산개 성단의 별들은 비교적 최근에 생성되어 표면 온도가 높아 파란색을 띠지만, 구상 성단에 속한 별들은 생성된 지 오래되어 에너지를 많이 소모하였으므로 표면 온도가 낮아 붉은색을 띤다.

11 **모범 답안** (가)를 구성하는 별은 대부분 붉은색을 띠고 있으므로 표면 온도가 낮고, (나)를 구성하는 별은 대부분 파란색을 띠고 있으므로 표면 온도가 높다.

채점 기준	배점
별들의 표면 온도를 별의 색을 이용해 서술한 경우	100 %
별의 색에 대한 언급 없이 표면 온도만 서술한 경우	50 %

12 ⑤ 그림의 성운은 암흑 성운이다. 암흑 성운은 가스나 티끌 등의 성간 물질이 멀리서 오는 별빛을 차단하여 어둡게 보인다.

오답 분석

① 반사 성운은 밝은 색을 띠며 주로 파란색이다.
②, ③ 성운은 구름처럼 보이지만 태양계 밖에 있는 천체로, 가스나 티끌 등이 많이 모인 것이다.
④ 별들이 팽창할 때 가스나 티끌이 퍼져 나가면 행성상 성운이 생긴다.

13 방출 성운은 주변에 있는 고온의 별로부터 에너지를 받아 붉은색의 빛을 발하며, 태양계 밖에 있다.

14 구상 성단은 산개 성단보다 생성된 지 오래되어 표면 온도가 낮으므로 붉은색을 띤다. 성단과 성운은 모두 우리은하 내의 천체들이다.

15 외부 은하는 모양에 따라 나선 은하, 타원 은하, 불규칙 은하로 분류한다. 또, 나선 은하는 중심부에 막대 모양의 구조가 있는지의 여부에 따라 정상 나선 은하와 막대 나선 은하로 구분한다.

이 문제에 적용되는 개념

외부 은하의 분류(본교재 182쪽)

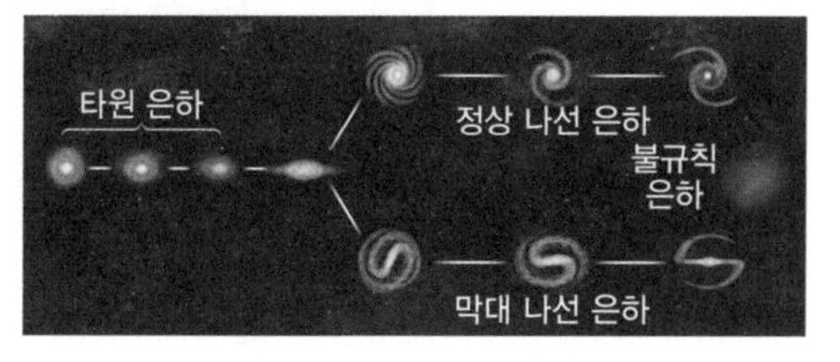

16 우리은하는 은하핵을 가로지르는 막대 구조가 있고, 그 끝에서 나선팔이 뻗어 나오는 막대 나선 은하에 속한다.

17 ㄱ, ㄷ. 막대 나선 은하는 은하 중심부를 가로지르는 막대 모양의 구조가 있고, 막대 구조의 양 끝에서 나선팔이 뻗어 나온 모습이다.

오답 분석

ㄴ. 강한 전파를 방출하는 은하는 전파 은하이다.
ㄹ. 우리은하는 막대 나선 은하이지만, 안드로메다은하는 정상 나선 은하이다.

더 알아보기

안드로메다은하
- 정상 나선 은하이다.
- 우리은하에서 약 250만 광년 거리에 있다.
- 지름이 20만 광년이나 되는 큰 은하로, 맨눈으로도 볼 수 있다.

18 타원 은하는 나선팔이 없고 성간 물질이 거의 없으며, 납작한 정도에 따라 세분한다. ①은 불규칙 은하, ②는 정상 나선 은하, ③은 막대 나선 은하, ④는 타원 은하, ⑤는 행성상 성운이다.

19 외부 은하는 은하의 모양에 따라 구분하는데, 외부 은하 중 가장 많은 것은 나선 은하이고, 가장 적은 것은 불규칙 은하이다.

오답 분석

ㄷ. 우리은하에서 보면 대부분의 외부 은하들은 계속 멀어지고 있다.

20 우주는 수많은 은하로 이루어져 있으며, 은하들은 대체적으로 모든 방향에 골고루 분포한다. 빅뱅(대폭발) 우주론은 물질과 에너지가 모인 한 점에서 대폭발이 시작되었으며 지금까지 우주가 팽창하고 있다고 설명한다. 우주는 팽창하기 때문에 점점 크기가 커지고, 은하들 사이의 거리는 점점 멀어진다.

21 (2) **모범 답안** 이 실험에서 풍선은 우주, 붙임딱지는 은하를 의미한다. 따라서 이 실험과 같이 우주가 팽창하면서 은하 사이의 거리는 멀어진다.

채점 기준	배점
은하 사이의 거리를 이 실험과 연관지어 옳게 서술한 경우	100 %
은하 사이의 거리에 대해서만 옳게 서술한 경우	50 %

22 지금으로부터 약 138억 년 전에 우주가 한 점에서 대폭발로 시작한 후 계속 팽창하여 현재의 우주가 탄생했다는 이론을 빅뱅(대폭발) 우주론이라고 한다. 따라서 우주의 나이는 약 138억 년이라고 볼 수 있다.

오답 분석

ㄴ. 우주는 현재도 빠른 속도로 계속 팽창하고 있다.
ㄹ. 팽창하는 우주에 특별한 중심은 없다.

23 우주가 팽창하면 멀리 있는 외부 은하일수록 더 빠른 속도로 멀어진다.

24 대부분의 외부 은하들은 우리은하로부터 멀어지고, 멀리 있는 은하일수록 멀어지는 속도가 빠르므로 우주는 팽창하고 있음을 알 수 있다.

25 인공위성, 우주 망원경, 우주 탐사선 등을 이용하여 우주를 탐사하는 것은 우주 탐사의 긍정적인 영향이고, 지구 궤도에 버려진 우주 쓰레기 등은 우주 탐사의 부정적인 영향이다.

26 가정용 정수기, 휴대용 진공청소기, 화재 경보기, 자동차 에어백 등은 우주 개발 과정에서 얻어진 첨단 기술을 이용한 사례이다.

만점 도전하기 3단계

진도책 189쪽

01 ⑤ **02** ② **03** ② **04** ④ **05** (1) A 은하 (2) 해설 참조 **06** ③

01 우리은하의 중심부에는 별들이 많이 분포한다. 따라서 태양계가 우리은하의 중심에 위치한다면 지금과 같은 띠 모양의 은하수가 보이지 않고 하늘 전체에 별들이 많이 분포할 것이다.

02 ㄱ, ㄷ. (가)는 구상 성단이고, (나)는 산개 성단이다. 구상 성단은 산개 성단보다 성단을 구성하는 별의 수가 많고, 나이가 많은 별이 많이 포함되어 있다.

오답 분석

ㄴ. 현재까지 구상 성단은 150여 개가 발견되었고, 산개 성단은 1000여 개가 발견되었다.
ㄹ. 구상 성단을 이루는 붉은색의 별들은 표면 온도가 낮고, 산개 성단을 이루는 파란색의 별들은 표면 온도가 높다.

03 우주가 팽창할수록 은하들 사이의 거리는 점점 멀어지며, 가까이 있는 은하보다 멀리 있는 은하일수록 멀어지는 속도가 더 빠르다.

04 우주의 총 질량은 항상 일정하며, 우주가 팽창하면서 에너지가 소모되므로 우주의 온도는 내려간다.

05 (1) 우주가 팽창할 때 공간 자체가 팽창하므로 어떤 은하를 기준으로 보든지 그 은하로부터 멀리 떨어진 은하일수록 더 빠른 속도로 멀어진다.
(2) **모범 답안** 멀리 있는 은하일수록 빨리 멀어지므로, 우주가 팽창하고 있음을 알 수 있다.
해설 A 은하에서 볼 때 멀리 있는 C 은하의 이동 속도가 가까이 있는 B 은하의 이동 속도보다 빠르다. 이러한 현상은 우주가 팽창하고 있기 때문에 나타나는 것이다.

채점 기준	배점
모범 답안과 같이 서술한 경우	100 %
멀리 있는 은하일수록 빨리 멀어진다라고만 서술한 경우	50 %

06 스푸트니크 1호는 1957년, 아폴로 11호는 1969년, 허블 우주 망원경은 1990년대의 우주 탐사 활동이다.

진도책 190쪽~193쪽

대단원 완성하기

01 ⑤ 02 ④ 03 ② 04 ④ 05 ⑤ 06 ① 07 ①
08 (가) 시리우스, (나) 베텔게우스 09 ④ 10 B
11 ① 12 ④ 13 ② 14 ③ 15 ③ 16 ③ 17 ③
18 ③ 19 해설 참조 20 해설 참조 21 해설 참조
22 해설 참조 23 (1) (가) 방출 성운, (나) 암흑 성운
(2) 해설 참조 24 해설 참조

01 ⑤ 연주 시차가 1″인 별까지의 거리는 1 pc으로, 이것은 약 3.26광년에 해당한다.

오답 분석

① 별의 연주 시차는 지구의 공전 때문에 생기는 것으로, 지구 공전의 증거가 된다.
②, ④ 연주 시차는 별까지의 거리에 반비례하므로, 가까운 별일수록 연주 시차가 크다.
③ 연주 시차를 측정하려면 지구가 태양을 사이에 두고 반대편에 와야 하므로 연주 시차를 측정하려면 최소한 6개월이 걸린다.

02 연주 시차는 별의 거리에 반비례하므로, 지구로부터 멀리 떨어진 별일수록 연주 시차가 작다.

03 ㄴ. 단위 면적당 도달하는 에너지의 양(별의 밝기)은 거리의 제곱에 반비례한다.

오답 분석

ㄱ, ㄷ. 별의 밝기는 거리의 제곱에 반비례하므로 거리가 10배 멀어지면 밝기는 100배 어두워진다.

04 별은 방출하는 에너지양이 적을수록 어둡게 보이지만, 방출하는 에너지양이 같을 경우 지구와의 거리가 가까울수록 밝게 보이고 멀수록 어둡게 보인다.

05 ㄱ. 실험에서 손전등은 별을 의미하며, 별의 밝기는 별까지의 거리와 별의 실제 밝기에 따라 달라진다.
ㄴ. 같은 거리에 밝기가 다른 두 손전등을 놓고 밝기를 비교하면, 실제 밝기를 비교할 수 있다.
ㄷ. 실제 밝기가 같더라도 거리가 다르면 관측되는 밝기가 달라진다.

06 겉보기 등급이 클수록 우리 눈에 어둡게 보이고, 절대 등급이 클수록 실제 밝기가 어둡다.

07 별 S의 거리는 $\frac{1}{1''}$=1 pc이다. 10 pc과 비교할 때 거리가 $\frac{1}{10}$배이므로 밝기는 100배 밝아져 5등급이 작아져 겉보기 등급은 −2등급이 된다.

08 표면 온도가 높을수록 파란색이나 청백색 빛이 강하고, 표면 온도가 낮을수록 붉은색 빛이 강하다.

09 세 별의 물리량을 비교하면 다음 표와 같다.

별	태양	(가)	(나)
색	노란색	붉은색	파란색
표면 온도	약 5500 K	3500 K	30000 K 이상

10 궁수자리는 별이 많이 분포하는 우리은하 중심 방향에 있기 때문에 궁수자리 방향에서 은하수의 폭이 넓고 밝게 보인다.

11 ①은 반사 성운, ②는 암흑 성운, ③은 방출 성운, ④는 구상 성단, ⑤는 행성상 성운이다.

12 우리은하는 지름이 약 10만 광년이고, 중심부의 폭은 약 1.5만 광년이다. 우리은하 속에는 태양과 같은 별이 약 2천억 개 포함되어 있다.

13 우리은하는 옆에서 보면 중심부가 볼록한 원반 모양이다. 이때 태양계는 은하 중심에서 약 3만 광년 떨어진 나선팔에 위치한다.

14 ③ 성운은 다른 부분에 비해 가스나 티끌 등의 성간 물질이 많이 모여 구름처럼 보인다.

오답 분석

① 성단이나 성운 등은 모두 우리은하 속에도 포함되어 있다.
② 반사 성운은 가스와 티끌이 별빛을 반사시켜 밝게 보이는 반면, 암흑 성운은 가스와 티끌이 밀집되어 뒤쪽에서 오는 별빛을 차단시키기 때문에 어둡게 보인다.
④ 성단은 대체로 같은 시기에 생성된 별들이 모여 있어 별들의 구성 성분이나 나이가 비슷하다.
⑤ 성운은 우리은하를 구성하는 천체이기는 하나 태양계 밖에 위치하므로 지구의 대기와 무관하다.

15 ㄱ. A는 타원 은하, B는 정상 나선 은하, C는 막대 나선 은하, D는 불규칙 은하이다.
ㄴ. 정상 나선 은하와 막대 나선 은하는 중심부에 막대 구조의 존재 유무로 구분한다.

오답 분석

ㄷ. 우리은하는 막대 나선 은하이므로 C에 해당한다. D는 불규칙 은하이다.

16 은하들은 우주가 팽창함에 따라 서로 멀어지고 있으며, 멀리 떨어져 있는 은하일수록 더 빨리 멀어진다. 팽창하는 우주에는 중심이 없으며, 우주 공간 자체가 팽창한다.

17 우주 탐사선은 천체에 접근하여 탐사하므로 천체를 자세하게 관측할 수 있지만 비용이 많이 들고, 지구에서 천체까지 이동하는 데 시간이 오래 걸린다.

18 우주 공간에 있는 기체나 티끌, 태양풍 등의 영향으로 인공위성의 속력이 떨어지고 궤도가 낮아지기 때문에 인공위성의 수명은 영구적이지 않다.

19 **모범 답안** (나)는 (가)보다 시차가 더 크다.
해설 팔을 구부리면 연필과 눈의 거리가 가까워져서 먼 배경에 대해 연필이 더 많이 이동한다. 연필이 더 많이 이동하면 시차가 커지므로, 팔을 뻗었을 때보다 팔을 구부릴 때 시차가 더 커진다.

채점 기준	배점
시차가 더 큰 경우를 옳게 서술한 경우	100 %
그 외의 경우	0 %

20 **모범 답안** 별 (가), 별의 색이 파란색에서 붉은색으로 갈수록 표면 온도가 낮으며, 절대 등급이 작을수록 실제 밝기가 밝기 때문이다.

채점 기준	배점
해당 별과 까닭을 모두 옳게 서술한 경우	100 %
해당 별과 까닭 중 1가지만 옳게 서술한 경우	50 %

21 **모범 답안** 리겔, 청백색과 붉은색 별 중 청백색 별의 표면 온도가 더 높기 때문이다.

채점 기준	배점
표면 온도가 높은 별과 그 까닭을 모두 옳게 서술한 경우	100 %
표면 온도가 높은 별과 그 까닭 중 1가지만 옳게 서술한 경우	50 %

22 **모범 답안** ㉠ 많은 별들이 모여 있기 때문이야, ㉡ 우리은하의 중심 방향으로, 우리은하의 중심 방향에는 별이 많기 때문이야

채점 기준	배점
㉠, ㉡을 모두 옳게 서술한 경우	100 %
㉠, ㉡ 중 1가지만 옳게 서술한 경우	50 %

23 (2) **모범 답안** (가)는 성간 물질이 고온의 별로부터 에너지를 받아 스스로 빛을 내는 천체이고, (나)는 성간 물질이 뒤에서 오는 별빛을 차단하여 어둡게 보이는 천체이다.

채점 기준	배점
(가)와 (나)의 관측 원리를 모두 옳게 서술한 경우	100 %
(가)와 (나) 중 1가지의 관측 원리만 옳게 서술한 경우	50 %

24 **모범 답안** (가) 일정한 모양이 있는가?, (나) 나선팔이 있는가?, (다) 중심에 막대 구조가 있는가?
해설 외부 은하는 모양에 따라 분류하므로, 분류 기준으로 은하의 모양을 제시해야 한다.

채점 기준	배점
분류 기준 3가지를 모두 옳게 서술한 경우	100 %
분류 기준 2가지만 옳게 서술한 경우	60 %
분류 기준 1가지만 옳게 서술한 경우	30 %

VIII 과학 기술과 인류 문명

01 과학 기술과 인류 문명

개념 다지기 1단계

진도책 195쪽, 197쪽

01 (1) ㉢ (2) ㉡ (3) ㉠
02 (가) 현미경 (나) 망원경
03 (1) 의료 (2) 교통 (3) 인쇄 (4) 농업
04 (가) 나노 기술 (나) 정보 통신 기술
05 ㉠ 탄성력, ㉡ 밀도, ㉢ 비열
06 (1) × (2) ○ (3) × (4) ○
07 ㄱ, ㄴ, ㄷ, ㄹ
08 ㉠ 문제, ㉡ 목표, ㉢ 정보, ㉣ 아이디어

03 인쇄술의 발달로 책을 빠르게 만들 수 있게 되었고, 많은 사람이 책에서 대량의 지식을 얻을 수 있게 되었다. 암모니아 합성 기술을 이용하여 개발된 질소 비료는 식량을 증대하는 데 큰 역할을 하였다.

04 나노 기술은 물질을 원자나 분자 수준에서 조작하고 분석하는 과학 기술로 반도체 소자나 차세대 디스플레이 장치의 개발 등에 활용된다. 정보 통신 기술은 컴퓨터 과학 기술을 바탕으로 한 인터넷, 정보 통신 등의 과학 기술이다.

06 (1) 경제성은 고려해야 할 요소이다.
(3) 전기 자동차 역시 공학적 설계를 적용할 수 있다.

07 공학적 설계를 할 때 고려해야 할 요소에는 경제성, 안전성, 편리성, 환경적 요인, 외향적 요인이 있다.

실력 올리기 2단계

진도책 198~200쪽

01 ② 02 ① 03 ③ 04 ③ 05 해설 참조 06 ④
07 해설 참조 08 ① 09 ③ 10 ④ 11 ③

01 인류는 망원경으로 천체를 관측하여 태양 중심설의 증거를 발견하면서 경험 중심의 과학적 사고를 중요시하게 되었다. 즉 관측, 관찰, 실험 등의 방법으로 여러 과학적 사실이 발견되어 합리적이고 실험적인 방법이 중요시되었다.

오답 분석

① 지식과 정보가 빠르게 확산되었다. - 인쇄술의 발달
③ 자연 현상을 이해하고 그 변화를 예측할 수 있게 하였다. - 만유인력 법칙과 운동 법칙
④ 어디서든지 정보를 찾고 필요한 작업을 할 수 있게 되었다. - 정보 통신 기술의 발달
⑤ 생물체를 작은 세포들이 모여서 이루어진 존재로 인식하게 되었다. - 현미경으로 세포 발견

02 항해술의 발달로 사람들이 먼 대륙으로 이동하면서 교역이 활발해지고 새로운 작물이 도입되어 인류의 생활이 크게 향상되었다.

오답 분석

② 교통수단이 매우 발달하였다. - 증기 기관
③ 제품을 대량으로 생산할 수 있게 되었다. - 증기 기관
④ 전 세계의 정보를 서로 공유할 수 있게 되었다. - 인터넷
⑤ 대량의 지식과 정보를 쉽게 접할 수 있게 되었다. - 인쇄술

03 암모니아를 합성하는 기술을 이용하여 개발된 질소 비료는 식량을 늘리는 데 큰 역할을 하였다.

오답 분석

ㄴ. 항생제와 백신의 개발로 인류의 평균 수명이 늘어났다.

04 스마트 기기를 이용하면 어디서든 다양한 자료를 검색할 수 있으며, 은행을 가지 않고도 은행 업무를 볼 수 있다. 또한, 외부에서도 집 안의 냉방 장치를 가동할 수 있으며, 집 안에서 택시를 호출하여 원하는 시간과 장소에서 택시를 이용할 수 있다.

05 **모범 답안** 컴퓨터의 발명과 인터넷 기술의 개발 및 보급으로 이전보다 인류 문명의 발달 속도는 훨씬 빨라졌다.

채점 기준	배점
과학 기술이 인류 문명 발달에 미친 영향을 옳게 서술한 경우	100 %
과학 기술 발달만 옳게 서술한 경우	40 %

06 과학 기술이 발달하면서 환경 오염, 에너지 부족 등의 문제가 나타나고, 사생활 침해, 개인 정보 유출과 같은 사회적 문제가 발생하기도 한다.

07 **모범 답안** 재난 현장이나 사람이 접근하기 어려운 장소에서 사람을 대신하여 인명 구조 활동을 할 수 있다. 그 외에도 영화 촬영이나 고속도로 감시용 드론 등이 있다.

채점 기준	배점
장점과 예를 모두 옳게 서술한 경우	100 %
장점이나 예 중 하나만 옳게 서술한 경우	50 %

08 사용자의 다양한 취향을 고려하여 모양과 색상을 다양하게 만든다. 스피커를 사용하기보다는 이어폰을 사용하여 주위에 방해가 되지 않도록 한다.

오답 분석

ㄴ. 사용자의 다양한 취향을 고려하여 모양과 색상을 다양하게 만들어야 한다.
ㄷ. 주위에 소리가 크게 들릴 만큼 스피커를 만들면 타인에게 피해를 주게 되므로 가능하면 자신만 들을 수 있을 정도의 스피커 소리가 좋다.

09 공학적 설계 과정에서 고려해야 하는 요소는 경제성, 안전성, 편리성, 환경적 요인, 외형적 요인 등이 있다.

10 일반적으로 공학적 설계 과정은 다음과 같다.
문제를 발견하고 목표 정하기 → 정보를 수집하고, 아이디어 구상하기 → 적합한 아이디어를 선정하여 구체화하기 → 제품을 제작하여 성능을 시험하고, 문제점 보완하기

11 제품의 크기를 줄이고 대량 생산이 가능하게 하여 가격을 낮추어 경제적으로 부담이 없도록 하였다. 사용 주기를 짧게 하는 것은 경제성을 고려한 것이 아니다.

만점 도전하기 3단계

진도책 200쪽

01 ⑤ 02 ③, ④ 03 ③ 04 ② 05 ④

01 현미경으로 세포를 발견하여 생물체를 보는 관점이 달라졌으며, 만유인력 법칙과 운동 법칙의 발견으로 자연 현상을 이해하고 그 변화를 예측할 수 있게 되었고, 관측, 관찰, 실험 등의 방법으로 여러 과학적 사실이 발견되어 합리적이고 실험적인 방법이 중요시되었다.

02 그래핀을 이용하여 떨어뜨려도 깨지지 않는 단단한 컴퓨터를 만들 수 있다. 또한, 그래핀은 휘거나 구부려도 전기가 통하므로 이를 활용하여 접거나 말아서 간편하게 휴대할 수 있는 컴퓨터를 만들 수 있다.

이 문제에 적용되는 개념

그래핀
그래핀은 육각형 구조의 빈 공간이 완충 역할을 하기 때문에 강도는 강철보다 100배 강하고, 면적의 20 %를 늘려도 끄떡없을 정도로 신축성이 좋다. 열전도율도 금속인 구리의 10배가 넘고, 빛의 98 %를 통과시킬 정도로 투명하다.

현재까지는 물속에서도 사용 가능한 컴퓨터나 전기가 없어도 사용할 수 있는 컴퓨터는 개발되지 않았다.

03 지동설은 지구가 우주의 중심이라고 믿고 있던 지구 중심의 우주관에서 벗어나게 되었고, 과학적으로 우주관에 접근할 수 있게 되었다. 또한, 현미경으로 생물체가 세포라는 작은 단위로 이루어져 있다는 것을 알게 되어 생물체를 보는 관점이 변화되었다.

오답 분석

ㄷ. 만유인력 법칙과 운동 법칙의 발견으로 인류는 자연 현상을 이해하고 그 변화를 예측할 수 있게 되었다.

04 인터넷과 스마트 기기가 개발되어 인류는 전 세계를 연결하는 통신망을 이용해 많은 정보를 공유할 수 있게 되었다. 최근에는 스마트 기기를 이용하여 어디서든 정보를 검색하거나 영상을 보는 것이 가능해졌다.

05 전기 자동차를 만들 때는 경제성, 안전성, 편리성을 비롯하여 환경적 요인, 외형적 요인 등 여러 가지 조건을 고려해야 한다. 특히 외형적 요인은 주요 소비자층의 취향을 분석하여 설계해야 한다.

복습책 정답과 해설

I 화학 반응의 규칙과 에너지 변화

01 물질 변화와 화학 반응식

개념으로 복습하기 복습책 003쪽

❶ 물리 변화 ❷ 분자 ❸ 배열 ❹ 화학 변화
❺ 원자 ❻ 화학 반응 ❼ 화학 반응식
❽ 반응물 ❾ 생성물 ❿ 계수

헷갈리는 내용 공략하기 복습책 004쪽

01 ㄱ, ㄷ, ㄹ, ㅂ, ㅇ, ㅊ 02 ㄴ, ㅁ, ㅅ, ㅈ 03 ㄴ, ㅁ, ㅅ, ㅈ 04 ㄱ, ㄷ, ㄹ, ㅂ, ㅇ, ㅊ 05 ㄱ, ㄴ, ㄷ, ㄹ, ㅁ, ㅂ, ㅅ, ㅇ, ㅈ, ㅊ 06 ㄱ, ㄴ, ㅅ, ㅇ 07 ㄷ, ㄹ, ㅁ, ㅂ, ㅈ, ㅊ 08 ㄱ, ㄴ, ㅅ, ㅇ 09 ㄷ, ㄹ, ㅁ, ㅂ, ㅈ, ㅊ

문제로 복습하기 복습책 005쪽~007쪽

01 ② 02 ③ 03 ③ 04 ③ 05 ② 06 ② 07 ③
08 ⑤ 09 ④ 10 ③ 11 ② 12 ③ 13 해설 참조
14 ② 15 ③ 16 ③ 17 ② 18 ⑤ 19 ④
20 $2H_2O_2 \longrightarrow 2H_2O+O_2$

01 젖은 빨래가 마르는 것은 액체 상태의 물이 기체 상태의 수증기로 변하는 것으로, 상태 변화이다. 음료수 캔이 찌그러지는 것은 모양이 변하는 것이다. 상태 변화와 모양 변화는 모두 물리 변화에 해당한다.
오답 분석
① 물리 변화는 물질의 성질이 변하지 않는다.
③ 물리 변화에 해당한다.
④ 물질의 질량은 변하지 않는다.
⑤ 물질을 이루는 원자의 배열이 변하면 물질의 성질이 변한다.

02 철이 녹스는 현상은 화학 변화에 해당한다. ③ 아이스크림이 녹는 것은 상태 변화이므로 물리 변화에 해당한다.

03 물리 변화할 때 분자의 종류와 개수가 변하지 않으므로 분자를 이루는 원자의 종류와 개수는 변하지 않는다.

04 ㄱ. 양초가 타면서 물과 이산화 탄소가 발생한다. 따라서 양초가 타는 현상은 화학 변화에 해당한다.
ㄴ. 양초가 녹아 촛농이 되는 동안 양초의 상태가 고체에서 액체로 변한다.
오답 분석
ㄷ. 액체 상태인 촛농이 다시 굳어 고체가 되는 동안 양초의 성분은 변하지 않는다.

05 A. 철은 자석에 끌리는 특성이 있다.
B. 황은 자석에 끌리지 않는다.
C. 황과 철의 혼합물에서 철 가루만 자석에 끌린다.
D. 황화 철은 철과 다른 물질이며, 자석에 끌리지 않는다.

06 물리 변화가 일어날 때 분자의 배열만 변할 뿐 분자의 종류가 변하지 않으므로 물질의 성질은 그대로 유지된다. 화학 변화가 일어날 때 원자의 배열이 변하여 새로운 분자가 만들어지므로 물질의 성질이 변하며, 이때 원자의 종류와 수는 변하지 않는다.

07 물리 변화가 일어나는 동안 물질의 성질은 유지된다. 설탕과 물을 섞는 동안 물과 설탕의 성질이 변하지 않는다.

08 화학 변화가 일어나도 원자의 종류와 개수가 변하지 않으므로 질량이 일정하다.

09 화학 변화가 일어나도 원자의 종류와 개수가 변하지 않으므로 질량이 변하지 않는다.

10 ㄱ. 강철 솜의 주성분은 철이므로 막대자석에 달라 붙는다.
ㄴ. 강철 솜이 연소하여 산화 철이 된다. 분자의 종류가 변하므로 화학 변화에 해당한다.
오답 분석
ㄷ. 연소한 강철 솜은 산화 철이며, 이것은 막대자석에 붙지 않는다.

11 철과 황을 섞는 동안 물질의 성질이 변하지 않으므로 물리 변화에 해당한다. 철과 황을 가열하여 황화 철이 생성되는 동안 물질의 성질이 변하므로 화학 변화에 해당한다.

12 탄산 칼슘과 묽은 염산이 반응하면 염화 칼슘, 물, 이산화 탄소가 생성된다.
오답 분석
① 에탄올의 연소 반응은 빛과 열이 발생한다.
② 황화 철과 염산이 반응하면 달걀 썩은 냄새가 나는 황화 수소가 발생한다.
④ 껍질을 벗긴 사과는 공기 중의 산소와 반응하여 갈색으로 변한다.
⑤ 상처에 과산화 수소를 바르면 과산화 수소가 물과 산소로 나뉘어진다.

13 **모범 답안** (나)와 (다), 달걀이나 채소가 익는 동안 물질의 성질이 변하기 때문이다.
해설 달걀이나 채소 속에 들어 있는 영양소가 열을 받아 성질이 변하므로 단단해지거나 색이 변한다.

채점 기준	배점
화학 변화를 모두 고르고, 그 까닭을 옳게 서술한 경우	100 %
화학 변화만 모두 고르거나 그 까닭만 옳게 서술한 경우	50 %

14 화학 반응식을 통해 반응물과 생성물의 종류, 분자의 개수, 원자의 종류, 원자의 개수, 반응이 일어나는 방향 등을 알 수 있다. ② 반응의 속도는 알 수 없다.

15 마그네슘을 태우면 공기 중의 산소와 반응하여 산화 마그네슘이 만들어진다.
오답 분석
① 물의 생성 반응
② 산화 구리의 분해 반응
④ 과산화 수소의 분해 반응
⑤ 산화 철의 생성 반응

16 수소와 염소가 반응하여 염화 수소가 생성되는 반응의 화학 반응식이다. ③ 수소와 염소 분자가 반응하여 염화 수소 분자가 되었으므로 반응 전후 분자의 종류가 변한다.

17 탄산수소 나트륨이 열에 의해 분해되는 반응의 화학 반응식은 $2NaHCO_3 \longrightarrow Na_2CO_3+CO_2+H_2O$이다.

18 질소 분자(N_2) 1개와 수소 분자(H_2) 3개가 반응하여 암모니아 분자(NH_3) 2개가 생성된다.

19 ㄴ. 반응 전후 원자의 종류와 수가 같다.
ㄷ. 화학 반응식의 계수비는 반응하는 기체의 부피비와 같다.
오답 분석
ㄱ. 반응 전 분자 수는 3이었으나 반응 후 분자 수는 2이므로 반응 전후 분자의 총 개수가 다르다.

20 과산화 수소(H_2O_2)는 물(H_2O)과 산소(O_2)로 분해된다.

채점 기준	배점
화학 반응식을 옳게 나타낸 경우	100 %
반응물, 생성물을 옳게 나타내었지만 계수비를 맞추지 못한 경우	40 %

02 화학 반응의 규칙

개념으로 복습하기 복습책 008쪽

❶ 질량 ❷ 닫힌 ❸ 열린 ❹ 질량 보존 법칙
❺ 배열 ❻ 일정 성분비 법칙 ❼ 화합물
❽ 기체 반응 법칙 ❾ 분자 ❿ 계수비
⓫ 기체

헷갈리는 내용 공략하기 복습책 009쪽

01 ㄴ 02 ㄱ 03 ㄷ 04 ㄴ 05 ㄱ
06 ㄷ 07 ㄱ 08 ㄷ 09 ㄴ 10 ㄱ
11 ㄷ 12 ㄴ

문제로 복습하기 복습책 010쪽~012쪽

01 ③ 02 ④ 03 ③ 04 ㄱ, ㄴ, ㄷ, ㄹ, ㅁ, ㅂ 05 ④
06 해설 참조 07 ③ 08 ③ 09 ② 10 ⑤ 11 ②
12 해설 참조 13 ② 14 ① 15 ② 16 ④ 17 ③
18 ② 19 해설 참조

01 변화가 일어나기 전과 후에 질량이 일정한 것은 질량 보존 법칙과 관련이 있다.

02 ㄱ. 나무가 연소하면 나무가 공기 중의 산소와 결합하여 이산화 탄소와 수증기가 생성된다. 이때, 나무와 결합하는 산소의 질량에 비해 생성되어 공기 중으로 날아가는 이산화 탄소와 수증기의 질량이 더 크므로 연소가 일어나는 동안 전체 질량이 감소한다.
ㄴ. 강철 솜이 연소하면 공기 중의 산소와 결합하여 산소의 질량만큼 전체 질량이 증가한다.
ㄷ. 메탄올이 연소하면 공기 중의 산소와 결합하여 이산화 탄소와 수증기가 생성된다.
ㄹ. 아연과 염산이 반응하면 발생하는 수소 기체의 질량만큼 전체 질량이 감소한다.

03 그림의 장치에서 과산화 수소는 물과 산소로 분해된다. 따라서 과산화 수소의 총 질량은 생성된 물과 산소의 질량을 합한 것과 같다.

04 물리 변화와 화학 변화 모두에서 질량 보존 법칙이 성립한다. 변화가 일어나는 동안 물질을 이루는 원자의 종류와 수가 변하지 않기 때문이다.

05 강철 솜을 가열하면 공기 중의 산소와 결합하여 산화 철이 된다.
ㄱ. 반응 전 산소와 철의 총 질량과 반응 후 산화 철의 질량이 같다.
ㄷ. 강철 솜이 연소하면서 열과 빛을 낸다.
오답 분석
ㄴ. 결합한 산소의 질량만큼 전체 질량이 증가하므로 막대 저울이 오른쪽으로 기운다.

06 **모범 답안** 종이가 타는 동안 반응하거나 생성된 기체의 질량을 고려하면 반응 전후의 질량은 보존된다.
해설 종이가 타면서 공기 중의 산소와 결합하고 이산화 탄소와 수증기가 발생하여 공기 중으로 날아간다. 더해진 산소의 질량보다 날아간 이산화 탄소와 수증기의 질량이 더 크므로 전체 질량이 감소한 것처럼 관측되나 반응에 참여한 물질의 총 질량을 비교하면 전체 질량은 일정하다.

채점 기준	배점
기체의 질량을 고려하면 질량이 보존된다는 의미로 옳게 서술한 경우	100 %
기체의 질량을 고려한다는 의미만 포함되거나 질량이 보존된다는 의미만 옳게 서술한 경우	50 %

07 산화 마그네슘을 이루는 산소와 마그네슘의 질량비는 일정하다.
오답 분석
① 마그네슘의 질량이 커지면 마그네슘과 결합하는 산소의 질량도 커지므로 산화 마그네슘의 질량도 커진다.
② 마그네슘의 질량이 커지면 마그네슘과 결합하는 산소의 질량도 커진다.
④ 마그네슘의 질량이 커지면 마그네슘과 결합하는 산소의 질량도 커지므로 마그네슘과 산소 질량의 합도 커진다.
⑤ 마그네슘의 질량이 커지면 마그네슘이 완전히 반응하는 데 걸리는 시간이 길어진다.

08 마그네슘+산소 ⟶ 산화 마그네슘
마그네슘의 질량+산소의 질량=산화 마그네슘의 질량
마그네슘 3 g과 산소가 반응하여 산화 마그네슘 5 g이 생성되므로 반응에 참여한 산소의 질량은 2 g이다.

09 마그네슘과 산소가 반응하여 산화 마그네슘이 될 때 질량비는 마그네슘 : 산소 : 산화 마그네슘=3 : 2 : 5이다. 마그네슘 15 g이 모두 반응하기 위해서는 산소 10 g이 필요하고 산화 마그네슘 25 g이 생성된다.

10 볼트 2개당 너트 3개를 조립하여 화합물 모형을 만들므로 볼트 : 너트의 질량비는 5×2 : 2×3=5 : 3이다.

11 산화 구리를 이루는 구리와 산소의 질량비가 일정하다. 따라서 구리의 질량이 일정하게 증가하면 구리와 반응하는 산소의 질량도 일정한 비율로 증가한다.

12 **모범 답안** ㄴ, 설탕물을 이루는 성분 물질의 비율이 일정하지 않기 때문이다.
해설 설탕물은 혼합물이며, 설탕물을 이루는 설탕과 물의 비율이 일정하지 않다. 일정 성분비 법칙은 화합물에서만 적용된다.

채점 기준	배점
해당하는 물질을 고르고, 그 까닭을 옳게 서술한 경우	100 %
해당하는 물질을 골랐지만 그 까닭을 서술하지 못한 경우	30 %

13 기체 반응 법칙은 반응하는 물질이 모두 기체일 때 확인할 수 있다. 질소와 수소가 반응하여 암모니아를 만드는 반응에서 모든 물질이 기체 상태이므로 기체 반응 법칙을 확인할 수 있다.
오답 분석
① 탄소는 고체 상태이다.
③ 과산화 수소는 액체 상태이다.
④ 철은 고체 상태이다.
⑤ 앙금 생성 반응에서 염화 나트륨과 질산 은은 수용액 상태이다.

14 일산화 탄소 : 산소 : 이산화 탄소의 부피비는 2 : 1 : 2이다. 일산화 탄소 10 L가 산소 5 L와 반응하면 이산화 탄소 10 L가 생성되고 산소 5 L가 남는다.

15 온도와 압력이 일정할 때 기체의 종류와 관계없이 같은 부피 속에 같은 수의 분자가 들어 있다. 또한 기체의 부피비는 분자 수의 비와 같다. 따라서 일산화 탄소 : 산소 : 이산화 탄소의 부피비가 2 : 1 : 2이므로 분자 수의 비도 2 : 1 : 2이다.

16 일산화 탄소와 산소가 반응하여 이산화 탄소를 만들 때, 일산화 탄소 : 산소 : 이산화 탄소의 부피비는 2 : 1 : 2이다.

17 기체는 종류가 달라도 같은 온도와 같은 압력에서 같은 부피 속에 같은 수의 분자가 들어 있기 때문에 기체 반응 법칙이 성립한다.

18 기체 A와 기체 B가 반응하여 기체 C가 생성될 때 기체들 사이에 일정한 부피비가 성립한다. 이 반응에서 기체 A : 기체 B : 기체 C의 부피비는 2 : 1 : 2이다.
오답 분석
ㄱ. 기체 A 20 L가 모두 반응하면 기체 C는 20 L 생성된다.
ㄴ. 실험 Ⅰ에서 기체 B가 남고, 실험 Ⅱ에서 기체 A가 남는다.

19 **모범 답안** 2 L, 화학 반응식의 계수비는 기체의 부피비와 같기 때문이다.
해설 화학 반응식의 계수비=반응하는 기체의 부피비=반응하는 기체의 분자 수비

채점 기준	배점
암모니아의 부피를 구하고, 그 까닭을 옳게 서술한 경우	100 %
암모니아의 부피를 구했지만, 그 까닭을 서술하지 못한 경우	30 %

03 화학 반응에서의 에너지 출입

개념으로 복습하기 복습책 013쪽

❶ 발열 반응 ❷ 높아진다 ❸ 방출 ❹ 흡열 반응
❺ 낮아진다 ❻ 흡수 ❼ 발열 반응
❽ 흡열 반응

헷갈리는 내용 공략하기 복습책 014쪽

01 ㄱ, ㄴ, ㅂ, ㅅ, ㅈ, ㅊ, ㅍ **02** ㄷ, ㄹ, ㅁ, ㅇ, ㅋ, ㅌ **03** ㄱ, ㄴ, ㅂ, ㅅ, ㅈ, ㅊ, ㅍ **04** ㄷ, ㄹ, ㅁ, ㅇ, ㅋ, ㅌ **05** ㄱ, ㄴ, ㄷ, ㅂ, ㅅ, ㅇ, ㅈ **06** ㄹ, ㅁ, ㅊ, ㅋ, ㅌ **07** ㄱ, ㄴ, ㄷ, ㅂ, ㅅ, ㅇ, ㅈ **08** ㄹ, ㅁ, ㅊ, ㅋ, ㅌ

문제로 복습하기 복습책 015쪽~017쪽

01 ⑤ **02** ① **03** ① **04** ③ **05** ① **06** ③ **07** ⑤
08 해설 참조 **09** ⑤ **10** ④ **11** ① **12** ⑤ **13** ①
14 ① **15** 해설 참조 **16** ④ **17** ③

01 화학 반응이 일어날 때 주위로 에너지를 방출하는 반응을 발열 반응이라고 한다. 발열 반응이 일어나면 주위의 온도가 상승한다.

02 나무가 타면서 에너지를 주위로 방출한다.
오답 분석
ㄱ. 나무가 타는 현상은 화학 변화이다.
ㄷ. 나무의 연소 반응은 발열 반응이다.

03 연료의 연소 반응, 산과 염기의 반응은 모두 발열 반응이다. 쇠못을 식초에 담그면 열이 발생한다.
오답 분석
② 식물의 광합성 작용은 흡열 반응이다.
③ 소금이 얼음물에 녹으면 얼음물의 온도가 더 내려간다.
④ 질산 암모늄의 용해 과정은 흡열 반응이다.
⑤ 베이킹파우더의 주성분은 탄산수소 나트륨이며, 이것이 분해되기 위해서는 열에너지를 흡수해야 한다.

04 묽은 염산과 마그네슘 조각이 반응하면 수소 기체가 발생하고, 염화 마그네슘이 생성된다. 금속과 산의 반응은 발열 반응이므로 주위의 온도가 상승한다.
오답 분석
ㄷ. 발열 반응은 주위로 에너지를 방출한다.

05 황산 칼슘과 물의 반응은 발열 반응이며, 발열 반응이 일어나면 주위의 온도가 상승한다.

06 반응물이 생성물로 변하면서 에너지를 방출하는 반응은 발열 반응이다. ③ 식물은 빛에너지를 흡수하여 양분을 생성한다.

07 ㄱ. 수소의 연소 반응은 발열 반응이다.
ㄴ. 연료 전지에서 수소와 산소가 결합하여 물이 생성된다.
ㄷ. 수소의 연소 반응으로 발생하는 에너지가 자동차의 동력으로 전환된다.

08 **모범 답안** 염화 칼슘이 물에 녹으면서 에너지를 방출하여 주변의 온도가 높아지기 때문이다.
해설 염화 칼슘이 물에 녹는 반응은 발열 반응이므로 눈이 빨리 녹는다.

채점 기준	배점
에너지 출입과 주변의 온도 변화의 관계를 옳게 서술한 경우	100 %
에너지 출입과 주변의 온도 변화 중 한 가지만 옳게 서술한 경우	50 %

09 화학 반응이 일어나는 동안 에너지를 흡수하는 반응을 흡열 반응이라고 한다. 흡열 반응이 일어나는 동안 주위의 온도가 낮아진다.

10 흡열 반응은 주변의 에너지를 흡수하여 주변의 온도를 낮춘다.
오답 분석
ㄴ. 흡열 반응은 반응물이 생성물보다 에너지가 낮아서 반응물이 생성물로 변하기 위해 필요한 만큼의 에너지를 흡수한다.

11 (가)는 에너지를 방출하는 화학 반응이고, (나)는 에너지를 흡수하는 화학 반응이다.

12 반응물이 생성물로 변하기 위해 에너지를 흡수하는 반응은 흡열 반응이다. ⑤ 철 가루가 들어 있는 손난로를 흔들면 에너지가 방출되어 따뜻해진다.

13 (가)는 산 염기 반응으로 발열 반응이므로 주위 온도가 올라가고, (나)는 흡열 반응이므로 주위 온도가 내려간다.

14 수산화 바륨과 염화 암모늄을 섞으면 흡열 반응이 일어난다.
오답 분석
ㄱ. 염기와 산의 반응은 발열 반응이다.
ㄷ. 산과 금속의 반응은 발열 반응이다.

15 **모범 답안** (가)는 물질이 상태 변화할 때 흡수하는 에너지를 이용한 것이고, (나)는 물질이 화학 반응을 할 때 흡수하는 에너지를 이용한 것이다.

채점 기준	배점
(가)와 (나)의 차이를 에너지 출입과 관련지어 옳게 서술한 경우	100 %
(가)와 (나) 중에서 한 가지만 에너지 출입과 관련지어 옳게 서술한 경우	50 %

16 (가)는 발열 반응, (나)는 흡열 반응이다.
오답 분석
ㄴ. 흡열 반응의 반응물은 생성물보다 에너지가 낮아서 반응물이 생성물로 변하는 동안 필요한 만큼의 에너지를 주위로부터 흡수한다.

17 ㄱ. 음료수와 계란은 에너지를 잃어 시원해진다.
ㄴ. 수산화 바륨과 염화 암모늄의 반응은 주위의 에너지를 흡수한다.
ㄷ. 스타이로폼 상자는 단열 효과가 뛰어나다.

Ⅱ 기권과 날씨

01 기권과 구름

개념으로 복습하기 복습책 018쪽

❶ 기온 변화 ❷ 상승 ❸ 오로라 ❹ 대류 ❺ 수증기 ❻ 오존층 ❼ 하강 ❽ 대류 ❾ 기상 ❿ 복사 평형 ⓫ 온실 효과 ⓬ 지구 온난화 ⓭ 포화 수증기량 ⓮ 이슬점 ⓯ 높다 ⓰ 수증기 ⓱ 물방울

헷갈리는 내용 공략하기 복습책 019쪽

01 증발, 응결 02 포화, 포화 수증기량 03 포화 04 이슬점 05 높다 06 B 07 C 08 B 09 A, B 10 이슬점 11 포화 수증기량 12 10 ℃ 13 14.7 g 14 152 g 15 ○ 16 × 17 ○

문제로 복습하기 복습책 020쪽~022쪽

01 ④ 02 ⑤ 03 해설 참조 04 ① 05 ① 06 ㄱ, ㄷ 07 ⑤ 08 ③ 09 ⑤ 10 20 ℃ 11 54 % 12 355 g 13 ③ 14 ③ 15 해설 참조 16 ④ 17 ③ 18 ① 19 ㄴ 20 ⑤ 21 ④

01 지표면에서 높이 올라갈수록 대기는 점차 희박해지므로 밀도는 작아진다.

02 전리층이 있어 무선 통신에 이용되는 층은 열권(D)이다.

03 **모범 답안** C층(중간권)에는 공기가 희박하여 수증기가 거의 없기 때문이다.

채점 기준	배점
모범 답안과 같이 서술한 경우	100 %
그 외의 경우	0 %

04 오존층이 없다면 태양에서 오는 자외선을 흡수하지 못하므로 중간권 계면까지 기온이 계속 내려가다가, 열권에서는 공기가 희박하여 기온이 올라갈 것이다.

05 높이 약 20~30 km 사이에 오존층이 있어서 태양에서 오는 자외선을 흡수하기 때문에 성층권에서는 높이 올라갈수록 기온이 상승한다.

06 컵속 공기의 온도는 높아지다가 어느 정도 시간이 지나면 더 이상 상승하지 않는다. 컵의 뚜껑을 열고 실험을 하면 더 낮은 온도에서 복사 평형이 이루어진다.

07 태양 복사(A)와 지구 복사(C)의 양이 같다고 생각하기 쉬우나 A를 100 %라고 할 때 B는 30 %, C와 D는 각각 70 %임을 알아 두어야 한다.

08 그림은 밖으로 나가는 물 분자 수가 들어오는 물 분자 수보다 많으므로 증발의 모형이다.

오답 분석

① 늦은 가을날 아침에 서리가 내리는 것은 승화 현상이다.

② 공기가 하늘 높이 상승하여 구름이 생성되는 것은 응결 현상이다.

④ 추운 겨울 아침에 숨을 쉬면 하얀 입김이 나오는 것은 응결 현상이다.

⑤ 탁자 위에 올려놓은 찬 음료수 컵의 표면에 물방울이 맺히는 것은 응결 현상이다.

09 5 ℃로 냉각시킬 때, 수증기량이 가장 많은 B의 응결량이 가장 많다.

10 50 kg의 공기 속에 수증기가 735 g이 포함되어 있으므로 1 kg의 공기 속에는 14.7 g의 수증기가 들어 있다. 따라서 이슬점은 20 ℃이다.

11 상대 습도$=\dfrac{14.7\text{ g/kg}}{27.2\text{ g/kg}}\times 100\,\% \fallingdotseq 54\,\%$

12 $(14.7\text{ g/kg}-7.6\text{ g/kg})\times 50\text{ kg}=355\text{ g}$

13 포화 수증기량은 온도가 높을수록 많고, 이슬점은 현재 수증기량이 많을수록 높다.

14 맑은 날보다 비 오는 날에 상대 습도가 더 높다.

15 **모범 답안** 맑은 날은 현재 수증기량이 거의 변하지 않는데, 기온이 높아지면 포화 수증기량은 증가하므로 상대 습도는 낮아진다.

채점 기준	배점
모범 답안과 같이 서술한 경우	100 %
포화 수증기량이 증가하기 때문이라고만 서술한 경우	50 %

16 A가 B보다 온도가 높으므로 포화 수증기량이 더 많다.

17 공기가 냉각되면 무거워지므로 하강하게 되어 구름이 생기지 않는다.

18 상승 기류가 강하면 수직으로 발달한 구름(적운형 구름)이 만들어지고, 상승 기류가 약하면 수평으로 발달한 구름(층운형 구름)이 만들어진다.

19 간이 가압 장치의 뚜껑을 열면 단열 팽창으로 기온이 낮아져 포화 수증기량이 감소하며, 상대 습도는 증가한다.

20 (가)는 고위도나 중위도 지방에서의 강수 현상을, (나)는 열대나 저위도 지방에서의 강수 현상을 설명하는 구름의 모습이다.

21 눈은 얼음 알갱이에 수증기가 달라붙어 성장한 것으로, 눈이 형성되는 곳의 수증기량이나 기온에 따라 다양한 모양의 눈 결정이 만들어진다.

02 기압과 날씨

개념으로 복습하기 복습책 023쪽

❶ 토리첼리 ❷ 낮아진다 ❸ 76 ❹ 10 ❺ 낮아진다
❻ 낮 ❼ 밤 ❽ < ❾ > ❿ >
⓫ < ⓬ 북태평양 ⓭ 시베리아 ⓮ 전선면 ⓯ 전선
⓰ 적운 ⓱ 층운 ⓲ 빠르다 ⓳ 느리다 ⓴ 맑다
㉑ 북서 ㉒ 남동 ㉓ 여름 ㉔ 겨울

헷갈리는 내용 공략하기 복습책 024쪽

01 기압 02 ○ 03 ○ 04 × 05 ○
06 ㉠ 모든, ㉡ 1013, ㉢ 100, ㉣ 1 07 수은 08 진공
09 높아, 낮아 10 ㄷ > ㄱ > ㄴ 11 낮아진다
12 낮아 13 바람 14 A 15 B 16 A
17 B 18 B 19 A 20 A 21 B

문제로 복습하기 복습책 025쪽~027쪽

01 ⑤ 02 ⑤ 03 ㄱ, ㄷ 04 1013 hPa 05 ⑤ 06 ③
07 ② 08 해설 참조 09 ㄱ, ㄹ 10 ⑤ 11 ①
12 A, ㄷ 13 B, ㄹ 14 ④ 15 ㄴ－ㄱ－ㄷ 16 ③ 17 ④
18 ② 19 정체 전선(장마 전선) 20 C, D 21 B

01 높은 산에서는 기압이 낮아 물의 끓는점이 낮아지므로 밥이 설익으며, 하늘로 높이 올라간 풍선은 주변의 기압이 낮기 때문에 팽창하여 터진다.

02 화살을 당겨 활을 쏠 수 있는 것은 탄성력의 작용 때문이다.

03 깡통이 찌그러지는 것은 깡통 내부의 기압이 외부의 기압보다 작기 때문이다. 즉, 기압이 사방으로 작용하기 때문에 깡통이 찌그러진다.

04 1기압＝약 76 cmHg＝약 1013 hPa이다.

05 기압이 낮을수록 수은 기둥의 높이는 낮아진다. 높은 산 위는 평지보다 기압이 낮으며, 달에는 공기가 없으므로 수은 기둥이 수조의 수은면까지 내려온다.

06 A는 고기압, B는 저기압에 비유된다.

07 찬 지표면 위에서는 바람이 불어 나가므로 하강 기류가 생긴다. 그 결과 구름이 흩어져 날씨가 맑다.

08 **모범 답안** 물 → 모래, 모래가 물보다 빨리 가열되어 모래 위의 공기가 상승하기 때문이다.

채점 기준	배점
향의 연기 방향을 옳게 쓰고, 그 까닭을 옳게 서술한 경우	100 %
향의 연기 방향만 옳게 쓴 경우	30 %

09 낮에 부는 해풍과 여름철에 부는 남동 계절풍은 육지가 바다보다 빨리 가열되어 발생한다.
오답 분석
ㄴ. 육풍은 전등을 껐을 때 부는 바람과 원리가 같다.
ㄷ. 북서 계절풍은 육지가 바다보다 고기압일 때 부는 바람이다.

10 ⑤ (가)는 해풍, (나)는 육풍으로, 모두 바다와 육지의 불균등 가열 때문에 발생한다.
오답 분석
① (가)는 해풍, (나)는 육풍이다.
② (가)에서 바다 쪽의 기온이 육지 쪽보다 낮다.
③ (나)에서 바다 쪽의 기압이 육지 쪽보다 낮다.
④ 밀물과 썰물은 달과 태양의 인력에 의해 생긴다.

11 기단은 생성된 후 계속 이동하면서 이동 지역의 지표면 성질에 따라 그 성질이 변한다.

12 우리나라의 겨울철에 영향을 주는 기단은 시베리아 기단으로, 한랭 건조한 기단이다.

13 우리나라의 봄철과 가을철에 영향을 주는 기단은 양쯔강 기단으로, 온난 건조한 기단이다.

14 ④ 한랭 전선에서는 적운형 구름이 생겨 소나기가 내리며, 전선 통과 후 기온은 낮아지고 기압은 높아진다.
오답 분석
① 소나기가 내린다.
② 이동 속도가 빠르다.
③ 적운형 구름이 생긴다.
⑤ 전선 통과 후 기온이 낮아진다.

15 A 지역은 온난 전선 앞쪽으로 현재 이슬비가 내리지만 온난 전선이 통과한 후 맑은 날씨가 되며, 한랭 전선이 통과한 후에는 기온이 낮아진다.

16 북반구에서는 바람이 저기압 중심 쪽으로 시계 반대 방향으로 휘어져 불어 들어가므로, 바람을 등지고 섰을 때 왼손 앞쪽이 저기압 중심이다.

17 그림은 우리나라 초여름의 일기도로, 오호츠크해 기단과 북태평양 기단이 정체 전선을 형성한다.

18 우리나라는 날씨가 대체로 서에서 동으로 이동한다.

19 우리나라의 중부 지방에 동서 방향으로 걸쳐 있는 전선은 정체 전선이다. 정체 전선은 두 기단의 세력이 비슷하여 한 곳에 오래 머무르므로 정체 전선 주변에서는 장마 현상이 나타난다.

20 초여름에 장마 전선을 만드는 기단은 북태평양 기단(C)과 오호츠크해 기단(D)이다.

21 우리나라는 봄철과 가을철에 양쯔강 기단의 영향을 받으며, 봄철과 가을철에는 이동성 고기압과 저기압이 자주 통과하여 날씨 변화가 심하다.

III 운동과 에너지

01 운동

개념으로 복습하기 복습책 028쪽

❶ 다중 섬광 사진 ❷ 느리고 ❸ 빠르다 ❹ 평균 속력
❺ 등속 운동 ❻ 속력 ❼ 이동 거리 ❽ 등속
❾ 자유 낙하 운동 ❿ 무게 ⓫ 9.8 ⓬ 비례
⓭ 동시에 ⓮ 천천히

헷갈리는 내용 공략하기 복습책 029쪽

01 등속 운동 02 등속 운동 03 자유 낙하 운동
04 자유 낙하 운동 05 자유 낙하 운동 06 등속 운동
07 등속 운동 08 자유 낙하 운동 09 자유 낙하 운동
10 등속 운동 11 등속 운동 12 자유 낙하 운동
13 등속 운동 14 등속 운동 15 자유 낙하 운동

문제로 복습하기 복습책 030쪽~032쪽

01 ④ 02 ③ 03 해설 참조 04 ① 05 ② 06 ③
07 ① 08 ② 09 ② 10 해설 참조 11 ① 12 ⑤
13 ③ 14 ① 15 ⑤ 16 ③ 17 ⑤ 18 해설 참조

01 시간에 따라 물체의 위치가 변할 때 그 물체는 운동을 한다고 한다. 물체의 빠르기는 같은 시간 동안 이동한 거리가 클수록 빠르고, 같은 거리를 이동할 때에는 걸린 시간이 짧을수록 빠르다.

02 축구공이 굴러가는 동안 축구공 사이의 간격이 점점 좁아지므로 축구공의 속력은 점점 감소하고 있다. 처음 0.1초 동안 공의 속력은 $\frac{2.5\text{ m}}{0.5\text{ s}}=5\text{ m/s}$이다.

03 **모범 답안** ㉡, 같은 시간 동안 이동 거리가 멀수록 속력이 빠르므로 자전거의 속력은 ㉠보다 ㉡에서 더 빠르다.

채점 기준	배점
속력이 빠른 구간을 옳게 쓰고, 그 까닭을 옳게 서술한 경우	100 %
속력이 빠른 구간만 옳게 쓴 경우	50 %

04 속력은 단위 시간 동안 이동한 거리이다. 따라서 60 m/s는 1초 동안 60 m를 이동한다는 의미이며, 80 km/h의 속력으로 160 km를 이동하는 데 걸리는 시간은 2시간이다.
오답 분석
ㄷ. 같은 시간 동안 이동한 거리가 짧을수록 속력이 느리다.
ㄹ. 같은 거리를 이동할 때 걸린 시간이 길수록 속력이 느리다.

05 물체 사이의 간격이 일정하므로 물체는 등속 운동을 한다. 등속 운동 하는 물체의 이동 거리는 시간에 비례하여 증가한다.

06 시간－이동 거리 그래프가 기울기가 일정한 직선 모양이면 등속 운동이다. 그래프에서 직선의 기울기는 속력을 의미하므로 속력이 빠를수록 기울기는 커진다.

07 컨베이어는 등속 운동을 한다. 등속 운동하는 물체의 이동 거리는 시간에 비례한다.

08 A, B의 이동 거리는 시간에 따라 일정하게 증가한다. 따라서 A, B는 모두 속력이 일정한 운동, 즉 등속 운동을 한다.
오답 분석
① A의 속력은 B보다 느리다.
③ B는 속력이 일정한 운동을 한다.
④ 5초 동안 A가 이동한 거리가 B보다 짧다.
⑤ 같은 거리를 가는 데 걸리는 시간은 B가 A보다 짧다.

09 이동 거리가 시간에 따라 일정하게 증가하므로 물체는 등속 운동을 한다. 시간－이동 거리 그래프에서 물체의 속력은 2 m/s이고, 등속 운동하는 물체의 시간－속력 그래프는 시간축에 나란한 직선 모양이 된다.

10 (1) **모범 답안** 등속 운동, 같은 시간 동안 이동 거리가 일정하기 때문이다.
(2) **모범 답안** 0.5 m/s, 0.5 m를 가는 데 걸린 시간이 1초이므로 속력$=\frac{0.5\text{ m}}{1\text{ s}}=0.5\text{ m/s}$이다.
(3) **모범 답안** 5 m, 0.5 m/s의 속력으로 10초 동안 이동하였으므로 10초 동안 이동한 거리$=0.5\text{ m/s}\times 10\text{ s}=5\text{ m}$이다.

	채점 기준	배점
(1)	공의 운동을 옳게 쓰고, 그 까닭을 옳게 서술한 경우	30 %
	공의 운동만 옳게 서술한 경우	10 %
(2)	공의 속력을 옳게 구하고, 그 과정을 옳게 서술한 경우	30 %
	공의 속력만 옳게 구한 경우	10 %
(3)	공의 이동 거리를 옳게 구하고, 그 과정을 옳게 서술한 경우	40 %
	공의 이동 거리만 옳게 구한 경우	20 %

11 자유 낙하 운동을 하는 물체는 항상 연직 아래 방향으로 중력을 받는다.

12 자유 낙하 운동을 하는 물체는 물체의 질량에 관계없이 속력이 1초마다 9.8 m/s씩 증가한다.

13 같은 높이에서 자유 낙하 운동을 하는 물체는 중력만을 받아 떨어진다. 이때 물체의 질량에 관계없이 물체의 속력 변화는 같다. 그러나 물체에 작용하는 중력의 크기는 물체의 질량에 비례한다.
오답 분석
ㄷ. 물체에 작용하는 힘의 크기는 고무공이 탁구공보다 크다.

14 같은 높이에서 자유 낙하 운동을 하는 물체의 속력 변화는 질량에 관계없이 같다. 즉, 질량이 15 g인 고무공과 질량이 3 g인 탁구공의 속력 변화는 같다.

15 각 물체에 작용하는 힘은 다음과 같다.
A: $9.8 \times 1 = 9.8$(N), B: $9.8 \times 2 = 19.6$(N), C: $9.8 \times 3 = 29.4$(N) 이때 자유 낙하 하는 물체는 질량에 관계없이 지면에 동시에 도달한다.

16 가만히 떨어뜨린 공의 운동과 자이로 드롭의 운동은 모두 자유 낙하 운동이다. 자유 낙하 운동은 시간에 따라 속력이 일정하게 증가하는 운동이다.
오답 분석
④ 이동 거리가 시간에 따라 급격하게 증가하는 운동이다.
⑤ 작용하는 힘의 방향과 운동 방향이 같은 운동이다.

17 물체가 낙하할수록 물체와 물체 사이의 거리가 점점 멀어지는 것으로 보아 연직 아래 방향으로 중력이 작용하여 물체의 속력이 점점 빨라진다는 것을 알 수 있다.
오답 분석
ㄱ. 깃털에도 중력이 작용한다.
ㄴ. 깃털 사이의 간격이 점점 넓어지므로 깃털이 낙하하는 속력은 점점 빨라진다.

18 **모범 답안** 진공 중에서 자유 낙하 운동을 하는 물체는 질량에 관계없이 속력 변화가 같다. 따라서 질량이 20 g인 탁구공이나 질량이 2 g인 깃털의 속력 변화는 같다.

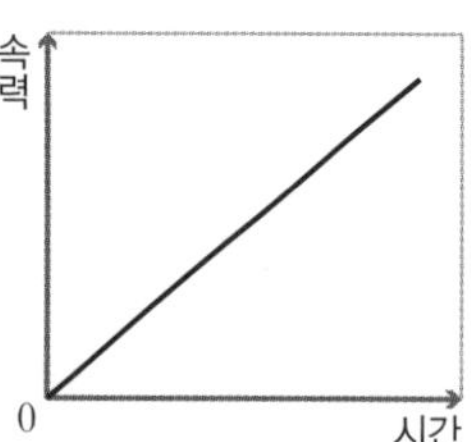

채점 기준	배점
그래프를 옳게 그리고, 질량과 자유 낙하 운동의 속력 변화 관계를 옳게 서술한 경우	100 %
그래프만 옳게 그리고, 까닭을 옳게 서술하지 못한 경우	50 %

02 일과 에너지

개념으로 복습하기 복습책 033쪽

❶ 힘 ❷ 힘의 방향 ❸ J(줄) ❹ 물체의 무게
❺ 중력의 크기 ❻ 0 ❼ 에너지 ❽ 감소
❾ 증가 ❿ 위치 에너지 ⓫ $9.8mh$ ⓬ 높이
⓭ 0 ⓮ 운동 에너지 ⓯ $\frac{1}{2}mv^2$
⓰ 속력의 제곱

헷갈리는 내용 공략하기 복습책 034쪽

01 98 N **02** 98 N **03** 49 J **04** 49 J **05** 49 J
06 A=B **07** B=C **08** 19.6 N **09** 19.6 N **10** 98 J
11 운동 에너지 **12** 98 J **13** A=B **14** 4배 **15** 2배

문제로 복습하기 복습책 035쪽~037쪽

01 ④ **02** ② **03** ③ **04** ④ **05** ③ **06** 해설 참조
07 ⑤ **08** ④ **09** ④ **10** ④ **11** ⑤ **12** ④ **13** ⑤
14 ⑤ **15** ④ **16** ③ **17** ④ **18** ③ **19** (1) 49 J, 49 J
(2) 해설 참조

01 과학에서는 물체에 힘을 작용하여 힘의 방향으로 이동하는 경우에만 일을 했다고 하며, 일의 양은 작용한 힘과 힘의 방향으로 이동한 거리의 곱으로 구한다.
오답 분석
ㄱ. 일의 단위는 에너지의 단위와 같은 J(줄)을 사용한다.

02 물체에 5 N의 힘을 작용하여 물체를 힘의 방향으로 40 cm 이동시켰으므로 한 일$=5\text{ N}\times0.4\text{ m}=2\text{ J}$이다.

03 물체를 1 m 높이만큼 들어 올리는 일$=30\text{ N}\times1\text{ m}=30\text{ J}$이고, 물체를 들고 3 m 이동하는 동안에는 물체에 작용하는 힘의 방향과 물체가 이동한 방향이 수직이므로 힘이 물체에 한 일은 0이다. 따라서 사람이 한 전체 일$=30\text{ J}+0=30\text{ J}$이다.

04 물체에 일을 해 주면 물체의 에너지는 증가하고, 물체가 일을 하면 물체의 에너지는 감소한다.
오답 분석
⑤ 중력이 물체에 한 일은 물체의 운동 에너지로 전환된다.

05 물체가 중력에 의해 떨어지면 물체의 에너지가 말뚝을 박는 일로 전환된다. 이때 물체의 질량이 클수록, 높이가 높을수록 물체의 에너지가 커진다.
오답 분석
ㄷ. 물체의 에너지는 높이가 높을수록 커지므로 물체가 떨어지는 높이가 높을수록 말뚝이 박히는 깊이는 10 cm보다 커진다.

06 **모범 답안** 상자에 한 일은 상자의 무게와 상자를 들고 올라간 높이의 곱으로 구한다. 이때 상자를 들고 수평 방향으로 이동한 경우는 힘의 방향과 이동 방향이 수직이므로 한 일은 0이다.

채점 기준	배점
상자에 한 일을 수직 방향과 수평 방향으로 나누어 옳게 서술한 경우	100 %
상자에 한 일을 수직 방향에 대해서만 옳게 구한 경우	40 %
상자에 한 일을 수평 방향에 대해서만 옳게 구한 경우	40 %

07 중력에 의한 위치 에너지는 높은 곳에 있는 물체가 가지는 에너지로, 물체의 무게와 지면으로부터의 높이의 곱으로 구한다. 따라서 위치 에너지의 크기는 물체의 질량과 높이에 각각 비례한다.

08 물체의 위치 에너지가 금속 막대를 이동시키는 일을 한다. 따라서 위치 에너지가 클수록 한 일이 많아지므로 금속 막

대의 이동 거리도 길어진다. 물체의 높이와 위치 에너지의 관계를 알아보기 위해서는 추의 높이를 변화시키면서 금속 막대의 이동 거리를 측정해야 한다.

오답 분석

⑤ 추가 한 일=금속 막대가 받는 마찰력의 크기×금속 막대의 이동 거리이다. 이때 금속 막대가 받는 마찰력의 크기는 일정하므로, 위치 에너지의 크기를 알아보기 위해서는 금속 막대의 이동 거리를 측정해야 한다.

09 중력에 의한 위치 에너지는 질량과 높이에 각각 비례한다. 따라서 질량이 $\frac{1}{2}$배, 높이가 3배가 되면 위치 에너지는 1.5배가 되므로 금속 막대의 이동 거리도 1.5배가 된다.

10 질량이 2 kg인 화분에 작용하는 중력의 크기는 9.8×2=19.6(N)이므로 화분을 들어 올리는 데 필요한 힘의 크기도 19.6 N이다. 이때 한 일이 29.4 J이라면 '29.4 J=19.6 N×들어 올린 높이'에서 들어 올린 높이=1.5 m이다.

11 중력에 의한 위치 에너지는 질량과 높이에 각각 비례하므로 질량×높이에도 비례한다. 따라서 C와 E는 중력에 의한 위치 에너지가 서로 같다.

12 지면을 기준면으로 한 물체의 높이는 6 m이고 베란다를 기준면으로 한 물체의 높이는 3 m이다. 물체의 위치 에너지는 각각 9.8×1×6=58.8(J), 9.8×1×3=29.4(J)이다.

13 한 일=힘의 크기×이동 거리이므로 중력이 한 일은 물체에 작용한 중력의 크기와 물체가 낙하한 거리를 곱하여 구할 수 있다. 중력의 크기=9.8×10=98(N)이므로 한 일=9.8 N×3 m=294 J이다.

14 운동 에너지의 크기는 물체의 질량에 비례하고, 속력의 제곱에 비례한다.

15 물체의 질량이 일정할 때 운동 에너지의 크기는 속력의 제곱에 비례한다. 나무 도막의 이동 거리는 운동 에너지의 크기에 비례하므로, 나무 도막의 이동 거리도 속력의 제곱에 비례한다.

16 수레의 운동 에너지=$\frac{1}{2}\times 0.5\times 2^2=1$(J)이다.

17 운동 에너지=$\frac{1}{2}$×질량×(속력)^{2}이므로 지면에 도달한 순간의 속력을 v라고 하면 98 J=$\frac{1}{2}$×4 kg×v^2에서 지면에 도달한 순간의 속력 v=7 m/s이다.

18 물체에 해 준 일은 운동 에너지로 전환된다. 해 준 일이 처음의 4배이면 운동 에너지도 처음의 4배가 된다. 운동 에너지는 물체의 속력^{2}에 비례하므로 같은 물체라면 속력은 처음의 2배가 된다.

19 (1) 상자를 1 m 들어 올리는 데 한 일=(9.8×5) N×1=49 J이고, 중력에 의한 위치 에너지의 크기=(9.8×5) N×1=49 J이다.

(2) **모범 답안** 물체를 들어 올릴 때 중력에 대해 한 일과 물체의 중력에 의한 위치 에너지는 49 J로 같다. 이것은 중력에 대해 한 일이 중력에 의한 위치 에너지로 전환되기 때문이다.

채점 기준	배점
(1)의 자료를 근거로 일과 에너지의 관계를 옳게 서술한 경우	100 %
일과 에너지의 관계만 옳게 서술한 경우	50 %

IV 자극과 반응

01 감각 기관

개념으로 복습하기

복습책 038쪽

❶ 홍채 ❷ 수정체 ❸ 맹점 ❹ 맥락막 ❺ 망막
❻ 귀인두관 ❼ 달팽이관 ❽ 회전 ❾ 기체 ❿ 액체
⓫ 통점

헷갈리는 내용 공략하기

복습책 039쪽

01 공막 02 수정체 03 맹점 04 망막, 황반 05 맥락막 06 홍채, 동공 07 수정체, 섬모체 08 동공 09 섬모체 10 E, 망막 11 수축 12 이완

문제로 복습하기

복습책 040쪽~042쪽

01 ③ 02 ① 03 ② 04 ⑤ 05 ① 06 해설 참조
07 A, 고막 08 F, 귀인두관 09 ① 10 ⑤ 11 ②
12 ③ 13 해설 참조 14 ⑤ 15 맛봉오리 16 ㉠ 통점, ㉡ 압점 17 ④ 18 ④ 19 ⑤ 20 해설 참조

01 A는 수정체, B는 홍채, C는 섬모체, D는 유리체, E는 망막, F는 맥락막, G는 시각 신경이다. 유리체(D)는 눈 속을 채우고 있는 투명한 물질로, 눈의 형태를 유지한다.

오답 분석
① A는 빛을 굴절시켜 물체의 상이 망막에 맺히게 한다.
② B는 빛의 양 조절, C는 원근 조절에 관여한다.
④ E는 망막으로 시각 세포가 있으며 물체의 상이 맺힌다.

02 빛을 굴절시키는 곳은 수정체(A)이고 상이 맺히는 곳은 망막(E)이다.

03 시각의 성립 경로는 '빛 → 각막 → 수정체 → 유리체 → 망막의 시각 세포 → 시각 신경 → 뇌'이다.

04 주변이 밝아져 눈으로 들어오는 빛의 양을 줄이기 위해 홍채가 확장하면서 동공의 크기가 작아진 경우이다.

05 어두운 곳에서 볼 때 홍채가 축소되어 동공이 확대되고, 먼 곳을 볼 때 섬모체는 이완되어 수정체가 얇아진다.

06 **모범 답안** A는 수정체이다. 수정체는 가까운 곳을 볼 때 두꺼워진다. 섬모체가 수축하여 수정체가 두꺼워진다.

채점 기준	배점
모범 답안과 같이 A의 이름과 두꺼워지는 경우와 섬모체의 작용을 모두 정확하게 서술한 경우	100 %
2가지만 정확하게 서술한 경우	60 %
1가지만 정확하게 서술한 경우	30 %

07 소리가 귓바퀴와 외이도를 통해 들어와서 처음 지나는 부위는 고막이다. 따라서 고막이 손상되면 잘 들리지 않는다.

08 귀인두관은 고막의 안쪽과 바깥쪽의 압력을 같게 조절한다.

09 고막의 진동을 증폭하는 부위는 귓속뼈이다.

10 달팽이관은 청각 세포가 있어 소리(음파)를 감지한다.

오답 분석
① 고막은 소리에 의해 진동하는 얇은 막이다.
② 반고리관은 몸의 회전을 감지한다.
③ 전정 기관은 몸의 기울어짐을 감지한다.
④ 귓속뼈는 고막의 진동을 증폭한다.

11 A는 반고리관, B는 전정 기관, C는 달팽이관이다. 반고리관은 몸의 회전, 전정 기관은 몸의 기울어짐, 달팽이관은 청각 세포에서 소리의 진동을 자극으로 받아들이는 역할을 한다.

12 A는 전정 기관이다. 전정 기관은 몸의 기울어짐을 감지하는 기능을 담당하고 있다. 따라서 전정 기관과 관련이 있는 현상으로는 몸이 기울어졌을 때, 이를 감지하여 다시 균형을 잡으려는 현상이 적합하다.

13 **모범 답안** A 고막, B 귓속뼈, E 달팽이관이 청각과 관련 있는 기관이다. 고막은 소리(음파)에 의해 진동하고, 귓속뼈는 고막의 진동을 증폭하며, 달팽이관은 청각 세포가 있어 소리(음파)를 자극으로 받아들인다.

채점 기준	배점
모범 답안과 같이 서술한 경우	100 %
청각과 관련된 부분의 기능만 정확하게 서술한 경우	50 %
청각과 관련된 부분의 기호와 이름만 정확하게 서술한 경우	30 %

14 콧속 윗부분에는 후각 세포가 분포하고 있는 후각 상피가 있어 기체 상태의 화학 물질을 자극으로 받아들인다.

15 혀 표면에 있으며 유두의 옆 부분에 맛세포가 모여 있는 곳은 맛봉오리이다.

16 매운맛은 혀와 입속 피부의 통점에서 느끼는 통각이며, 떫은맛은 혀와 입속 피부의 압점에서 느끼는 압각이다.

17 피부에는 통점이 가장 많이 분포한다.

18 손가락 끝이나 혀 끝은 다른 부위보다 감각점의 수가 더 많으므로 더 예민하다.

19 음식의 맛을 느끼는 데는 미각뿐 아니라 후각도 관여함을 알 수 있다.

20 **모범 답안** 후각은 기체 상태의 화학 물질을 감지하는 감각이다. 후각은 다른 감각에 비해 민감하다. 후각은 쉽게 피로해진다. 등

채점 기준	배점
후각의 뜻과 후각의 특징을 2가지 이상 정확하게 서술한 경우	100 %
후각의 뜻과 후각의 특징 1가지를 정확하게 서술한 경우	70 %
후각의 뜻과 후각의 특징 중 1가지만 정확하게 서술한 경우	30 %

02 신경계와 호르몬

개념으로 복습하기 복습책 043쪽

❶ 축삭 돌기 ❷ 감각 뉴런 ❸ 운동 뉴런 ❹ 중추 ❺ 척수 ❻ 말초 ❼ 대뇌 ❽ 무조건 반사 ❾ 티록신 ❿ 항상성 ⓫ 글루카곤 ⓬ 인슐린 ⓭ 티록신 ⓮ 항이뇨 호르몬

헷갈리는 내용 공략하기 복습책 044쪽

01 인슐린 02 글루카곤 03 글리코젠 04 포도당 05 간 06 감소 07 증가 08 티록신, 열 발생량 09 열 방출량 10 수축 11 확장 12 항이뇨 호르몬 13 증가 14 감소

문제로 복습하기 복습책 045쪽~047쪽

01 ② 02 ④ 03 ② 04 ⑤ 05 ③ 06 ④ 07 무조건 반사, 척수 08 ③ 09 해설 참조 10 ④ 11 A 12 ④ 13 ③ 14 ⑤ 15 해설 참조 16 ② 17 ① 18 ⑤ 19 해설 참조

01 뉴런은 신경계를 구성하는 신경 세포이다.
오답 분석
①, ③ A는 신경 세포체로 핵과 대부분의 세포질이 모여 있는 부분으로 다양한 생명 활동을 한다. 자극은 B → A → C의 방향으로 전달된다.
④ B는 가지 돌기로, 자극을 받아들이고 C는 축삭 돌기로, 자극을 전달한다.

02 A는 감각 뉴런, B는 연합 뉴런, C는 운동 뉴런이다. 연합 뉴런은 중추 신경계인 뇌와 척수를 구성하며, 감각 뉴런과 운동 뉴런을 연결한다.

03 중추 신경계는 뇌와 척수로 이루어져 있고, 말초 신경계는 감각 신경과 운동 신경으로 이루어져 있다.

04 A는 소뇌로, 몸의 자세와 균형을 유지한다. 소뇌가 손상되면 자세 조절과 균형 유지가 안 된다.

05 우리 몸의 체온을 조절하는 것은 간뇌의 기능에 해당하며, 근육 운동을 조절하는 것은 소뇌의 기능에 해당한다.

06 뜨거운 물체가 닿았을 때 손을 재빨리 떼는 것과 압정을 밟았을 때 자신도 모르게 발을 드는 것은 척수가 중추인 무조건 반사의 예이다. 이 반응은 자극이 대뇌에 도달하기 전에 척수의 명령이 운동 기관에 전달되어 빠르게 일어난다.

07 무릎 반사는 척수가 조절하는 무조건 반사이다.

08 ㄱ. 균형 유지를 담당하는 곳은 소뇌(E)이다.
ㄴ. 의식적인 반응은 대뇌(A)가 중추이다.
ㄷ. 문제를 푸는 등의 복잡한 정신 활동은 대뇌(A)가 담당한다.
ㄹ. 동공 반사의 중추는 중간뇌(C)이다.

09 **모범 답안** 자극 → 피부 → D → E → F → 근육 → 반응
해설 뜨거운 난로에 손이 닿았을 때 순간적으로 손을 떼는 반응은 척수가 중추인 무조건 반사이다. 무조건 반사는 의식적인 반응보다 반응 속도가 빨라 위기 상황에서 빠르게 몸을 보호할 수 있게 해 준다.

채점 기준	배점
모범 답안과 같이 쓴 경우	100 %
주어진 단어 중 하나 이상이 빠졌으나 D → E → F의 순서가 맞은 경우	60 %

10 호르몬은 내분비샘에서 만들어져 혈액으로 직접 분비되며 표적 세포나 기관에서 작용을 일으킨다.
오답 분석
ㄱ. 호르몬은 신경이 아니라 혈관을 통해 이동한다.
ㄹ. 호르몬은 과다증과 결핍증이 모두 있다.

11 거인증이나 소인증은 생장 호르몬의 분비 이상으로 나타나는데, 생장 호르몬은 뇌하수체에서 분비된다.

12 아드레날린은 부신에서 분비된다.

13 에스트로젠은 난소에서 분비되는 호르몬으로 여성의 2차 성징이 나타나게 한다.

14 갑상샘에서 분비되는 호르몬은 티록신으로, 세포 호흡을 촉진한다. 티록신이 과다하게 분비되어 세포 호흡이 지나치게 활발해지면 체중이 줄어든다.

15 **모범 답안** 호르몬, 표적 세포나 표적 기관에서만 작용한다. 적은 양으로 큰 효과를 나타낸다. 혈관을 따라 이동한다. 과다증과 결핍증이 있다. 등
해설 내분비샘에서 분비되는 물질은 호르몬이다.

채점 기준	배점
호르몬과 그 특징을 2가지 이상 정확하게 서술한 경우	100 %
호르몬과 그 특징 1가지를 정확하게 서술한 경우	70 %
호르몬이라고만 정확하게 쓴 경우	30 %

16 단식을 하면 혈당량이 감소하므로, 우리 몸에서는 혈당량을 증가시키기 위한 조절 작용이 일어난다. 이자에서 글루카곤이 분비되어 간에 저장된 글리코젠을 포도당으로 분해하여 혈당량을 증가시킨다.

17 몸에 수분이 필요 이상으로 많아지면 묽은 오줌을 다량으로 방출하게 된다. 항이뇨 호르몬은 콩팥에서 물의 재흡수를 촉진하므로, 항이뇨 호르몬 분비가 감소함으로써 몸속 수분량을 줄여 준다.

18 뇌하수체에서 갑상샘 자극 호르몬의 분비를 억제해야 한다.

19 **모범 답안** A는 글루카곤, B는 인슐린이다. 인슐린은 혈당량을 감소시키는 호르몬이므로, B가 부족하면 오줌에 포도당이 섞여 나오는 당뇨병에 걸릴 수 있다.

채점 기준	배점
모범 답안과 같이 서술한 경우	100 %
B가 부족할 때 걸리는 질병만 옳게 쓴 경우	50 %
A, B 호르몬의 종류만 옳게 쓴 경우	30 %

V 생식과 유전

01 생식

개념으로 복습하기 복습책 048쪽

❶ 표면적 ❷ 부피 ❸ 단백질 ❹ 상동 염색체
❺ 염색 분체 ❻ 상염색체 ❼ 성염색체 ❽ 체세포
❾ 염색 분체 ❿ 핵막 ⓫ 식물 ⓬ 동물
⓭ 2가 염색체 ⓮ 2가 염색체 ⓯ 상동 염색체 ⓰ 염색 분체
⓱ 온몸 ⓲ 2 ⓳ 생식 기관 ⓴ 4
㉑ 생식세포 ㉒ 수정 ㉓ 발생 ㉔ 착상
㉕ 포배 ㉖ 266

헷갈리는 내용 공략하기 복습책 049쪽

01 (가) 체세포 분열, (나) 감수 분열 **02** A: 전기, B: 중기, C: 후기, D: 말기, ⓐ 감수 1분열 전기, ⓑ 감수 1분열 중기, ⓒ 감수 2분열 중기, ⓓ 감수 2분열 후기 **03** 2가 염색체 **04** ㉠ 염색 분체, ㉡ 상동 염색체, ㉢ 염색 분체 **05** (가) 변화 없다. (나) 절반으로 줄어든다. **06** (가) 체세포 분열, (나) 감수 분열 **07** 세포 분열을 준비하는 과정에서 DNA(유전 물질)가 복제되었기 때문이다. **08** ㉠ 말기, ㉡ 염색 분체 **09** ㉠ 말기, ㉡ 상동 염색체, ㉢ 염색 분체

문제로 복습하기 복습책 050쪽~052쪽

01 ③ **02** ④ **03** 해설 참조 **04** ⑤ **05** ① **06** (마)
07 (다) **08** ① **09** ①, ④ **10** 해설 참조 **11** ②
12 ② **13** 상동 염색체 **14** ② **15** ② **16** 해설 참조
17 ④ **18** ④ **19** 해설 참조

01 체세포 분열을 통해 생물의 생장 및 손상된 부위에 재생이 일어나며, 단세포 생물은 번식을 할 수 있다. 생물은 감수 분열을 통해 생식세포를 형성한다.

02 염색체는 평상시에는 핵 속에 가는 실처럼 풀어져 있지만 세포 분열 시에는 응축되어 굵고 짧은 막대 모양이 된다.

03 **모범 답안** 여자의 염색체이다. 사람의 염색체 수는 46개이다. 사람의 상염색체 수는 44개이며, 성염색체 수는 2개이다. 등

채점 기준	배점
2가지를 모두 옳게 서술한 경우	100 %
1가지만 옳게 서술한 경우	50 %

04 ⑤ (가)는 중기이며 분열 과정 중 시간이 가장 짧다.
오답 분석
②, ③ 핵막이 사라지고 방추사가 나타나는 시기는 전기(나)이다.
④ 세포 분열이 시작되기 전인 간기(다)에 DNA가 복제된다.

05 (가)는 중기, (나)는 전기, (다)는 세포 분열 전 시기인 간기, (라)는 후기, (마)는 말기이다.
후기(라)의 앞 시기는 중기(가)이고, 뒤 시기는 말기(마)이다.

06 식물 세포와 동물 세포의 차이가 나타나는 세포질 분열은 말기(마)에 일어난다.

07 (다)는 세포 분열을 준비하는 시기로, 간기라고 하며, DNA가 복제된다.

08 ① A는 중기로, 염색체가 세포 중앙에 배열하여 염색체의 수와 모양을 관찰하기에 좋다.
오답 분석
② B는 전기로, 핵막이 사라지고 2개의 염색 분체로 이루어진 염색체가 나타난다.
③ C는 후기로, 염색 분체가 분리되어 세포 양쪽 끝으로 이동한다.
④ D는 세포 분열 전 시기인 간기로, DNA가 복제된다.
⑤ E는 말기로, 식물 세포의 세포질 분열이 일어나 세포판이 형성된다.

09 (가)는 조직을 연하게 하기 위한 해리 과정이다.
(마)는 세포가 분열하던 상태에서 고정하기 위한 과정이다.

10 **모범 답안** 양파의 뿌리 끝에 체세포 분열이 일어나는 생장점이 있기 때문이다.

채점 기준	배점
'체세포 분열'과 '생장점'을 모두 포함하여 까닭을 옳게 서술한 경우	100 %
체세포 분열이 일어나는 곳이기 때문이라고만 서술한 경우	50 %

11 ㄱ. 감수 분열 결과 생식세포가 형성된다.
ㄹ. 감수 분열 결과 모세포의 염색체 수의 절반을 가지는 생식세포가 형성되므로 세대를 거듭해도 염색체 수가 일정하게 유지된다.
오답 분석
ㄴ, ㄷ. 체세포 분열 결과 세포의 수가 증가하고, 생장을 하거나 손상된 부위가 재생된다.

12 ㄱ. A는 2개의 상동 염색체가 접합한 2가 염색체이다.
ㄹ. 감수 분열은 2회 연속 분열이 일어난다.
오답 분석
ㄴ. 감수 2분열에서 염색 분체가 분리되어 형성된 딸세포 2개씩은 유전자 구성이 같다.
ㄷ. 몸을 구성하는 체세포를 만드는 세포 분열은 체세포 분열이다.

13 감수 1분열 전기에 상동 염색체가 접합하여 2가 염색체를 형성한다.
감수 1분열 후기에는 상동 염색체가 분리되어 세포 양쪽 끝으로 이동한다.

14 감수 분열이 일어날 때 2가 염색체가 나타난다. 모세포에는 4개의 염색체가 들어 있으므로 이 생물의 생식세포 속에 들어 있는 염색체 수는 2개이다.

15 ② (가) 시기에 DNA양이 2배가 되므로 DNA가 복제된 것이다.
오답 분석
① (가)는 세포 분열 전 DNA가 복제되는 시기이다.
③ (나)는 감수 1분열 후기이다.
④, ⑤ (나) 시기에 상동 염색체가 분리되어 세포 양쪽 끝으로 이동하며, (다) 시기에 염색 분체가 분리되어 세포 양쪽 끝으로 이동한다.

16 **모범 답안** ㉠ 2가 염색체가 세포 중앙에 배열
㉡ 염색 분체가 분리되어 세포 양쪽 끝으로 이동

채점 기준	배점
2가지를 모두 옳게 서술한 경우	100 %
1가지만 옳게 서술한 경우	50 %

17 아기가 출산되기까지의 과정: 배란이 이루어진 후 수정이 되고 착상된 다음 자궁 속에서 태아가 자라고, 일정 시기 이후에 출산된다.

18 ④ D는 착상 과정으로, 수정란이 포배 상태로 자궁 안쪽 벽에 파묻히는 과정이다.
오답 분석
① A는 수란관 상단부에서 일어나는 수정 과정이다.
② B는 2세포배이다.
③ C에서 난할을 더 거치고 포배 상태로 착상된다.
⑤ B보다 C의 세포 수가 더 많다.

19 **모범 답안** 수정이 이루어진 뒤 수정란이 난할을 거쳐 포배 상태에서 자궁 안쪽 벽에 파묻히면 임신이 되었다고 한다.

채점 기준	배점
4가지 용어를 모두 포함하여 옳게 서술한 경우	100 %
2가지 용어만 포함하여 옳게 서술한 경우	50 %

02 유전

개념으로 복습하기 복습책 053쪽

❶ 유전자형 ❷ 순종 ❸ 열성 ❹ 대립 형질 ❺ 분리
❻ 독립 ❼ 우성 ❽ 열성 ❾ 가계도 ❿ 환경
⓫ 상염색체 ⓬ 분리 ⓭ = ⓮ > ⓯ AO
⓰ BO ⓱ 반성유전 ⓲ XY ⓳ X′X′

헷갈리는 내용 공략하기 복습책 054쪽

01 분리형 귓불: EE, Ee, 부착형 귓불: ee **02** 5: Ee, 6: ee, 9: Ee, 10: Ee **03** 2, 8 **04** 50 %$\left(=\frac{1}{2}\right)$ **05** 75 %$\left(=\frac{3}{4}\right)$ **06** 열성
07 정상 남자: XY, 정상 여자: XX, XX′ **08** 1: XY, 2: XX′
09 어버이대에서는 4, 자손 1대에서는 7로부터 유래되었다.
10 25 %$\left(=\frac{1}{4}\right)$ **11** 50 %$\left(=\frac{1}{2}\right)$

문제로 복습하기 복습책 055쪽~057쪽

01 ⑤ 02 ③ 03 ② 04 해설 참조 05 ④ 06 ⑤
07 100개 08 ② 09 ② 10 해설 참조 11 ㉠ 우성, ㉡ 열성
12 ② 13 ⑤ 14 ④ 15 ③ 16 ③ 17 $\frac{1}{3}$ 18 ③
19 해설 참조

01 순종은 여러 세대를 자가 수분해도 계속 같은 형질이 나오는 개체이다.

02 생식세포는 감수 분열에 의해서 상동 염색체가 분리되기 때문에 같은 기호는 분리되어야 한다.

03 ㄷ. 열성은 순종의 대립 형질끼리의 교배 시 잡종 1대에서 나타나지 않는 형질이다.

오답 분석

ㄱ. 순종은 여러 세대를 자가 수분해도 계속 같은 형질이 나오는 개체로, 잡종에 대해 우열의 관계가 아니다.
ㄴ. 우성은 순종의 대립 형질끼리의 교배 시 잡종 1대에 나타나는 형질이다.

04 **모범 답안** 구하기 쉽다. 재배하기 쉽다. 대립 형질의 차이가 뚜렷하다. 자가 수분과 타가 수분으로 모두 번식이 가능하다. 한 세대가 짧다. 자손의 수가 많다. 등

채점 기준	배점
3가지를 모두 옳게 서술한 경우	100 %
2가지만 옳게 서술한 경우	60 %
1가지만 옳게 서술한 경우	30 %

05 우열의 원리란 순종의 대립 형질끼리 교배할 때 잡종 1대에서는 우성 형질만 나오는 것이다.

06 잡종 1대의 유전자형은 Yy이므로 잡종 1대를 자가 수분하면 잡종 2대의 유전자형 분리비는 YY : Yy : yy=1 : 2 : 1이다.

07 잡종 1대의 유전자형은 Rr로, 자가 수분하면 잡종 2대의 유전자형은 RR, Rr, Rr, rr이 가능하다. 그러므로 잡종 2대에서 이론적으로 얻을 수 있는 주름진 완두의 개수는 $\frac{1}{4}\times400=100$(개)이다.

08 색깔과 모양은 서로 대립 형질이 아니므로 우열의 관계를 따질 수 없다.

09 (가)의 유전자형은 RrYy이며, (나)의 유전자형은 rryy이므로 RrYy×rryy → RrYy, Rryy, rrYy, rryy이다. 대립유전자는 상동 염색체의 같은 위치에 있다.

10 **모범 답안** 잡종 2대의 표현형 분리비는 둥글고 노란색 완두 : 주름지고 노란색 완두 : 둥글고 초록색 완두 : 주름지고 초록색 완두 = 9 : 3 : 3 : 1이다. 그러므로 $\frac{3}{16}\times160=30$으로 둥글고 초록색인 완두의 이론적인 개수는 30개이다.

채점 기준	배점
개수를 포함하여 풀이 방법을 옳게 서술한 경우	100 %
개수만 옳게 쓴 경우	40 %

11 잡종 우성 형질을 가진 부모 사이에서는 우성 형질과 열성 형질을 가진 자녀가 모두 태어날 수 있으며, 열성 형질을 가진 부모 사이에서는 열성 형질을 가진 자녀만 태어날 수 있다.

12 ② (가)는 1란성 쌍둥이, (나)는 2란성 쌍둥이이다. (가)는 유전자 구성이 같기 때문에 형질의 차이는 환경의 영향이다.

오답 분석

①, ③ (가)는 유전자 구성이 같고, (나)는 유전자 구성이 다르다.
④ (나)는 2개의 난자에 정자가 각각 수정된 것이다.
⑤ (나)보다 (가)를 통해 유전자와 환경과의 관계를 잘 알 수 있다.

13 미맹이 정상 형질에 대해 열성이기 때문에 정상의 유전자형은 TT나 Tt일 수 있지만, 미맹은 tt이다. D의 부모 모두 tt라면 D는 '×'이어야 한다.

14 부모가 모두 쌍꺼풀 유전에 대한 유전자형이 잡종이기 때문에 멘델의 분리의 법칙에 따라 쌍꺼풀인 자녀와 외까풀인 자녀가 3 : 1의 분리비로 나오게 된다.

15 (가) Aa × Aa → AA, Aa, Aa, aa
(나) Aa × aa → Aa, aa
③ (가)에서 혀를 말 수 있는 자녀가 태어날 확률은 $\frac{3}{4}$이다.

오답 분석

①, ② (가)와 (나)에서 모두 혀를 말 수 있는 자녀와 혀를 말 수 없는 자녀가 태어날 수 있다.
④ (나)에서 혀를 말 수 있는 자녀가 태어날 확률은 $\frac{1}{2}$이다.
⑤ (가)에서 혀를 말 수 없는 자녀가 태어날 확률은 $\frac{1}{4}$이며, (나)에서 혀를 말 수 없는 자녀가 태어날 확률은 $\frac{1}{2}$이다.

16 자녀들 중에 B형이 나온 것으로 보아 어머니의 ABO식 혈액형에 대한 유전자형은 AO이다.

17 분리형 귓불을 가진 부모로부터 부착형 귓불을 가진 자녀가 태어났으므로 부모의 귓불 유전자형은 둘 다 Ee이다. Ee×Ee → EE, Ee, Ee, ee이므로 (가)의 귓불 유전에 대한 유전자형이 우성 순종일 확률은 $\frac{1}{3}$이다.

18 A의 어머니가 보인자라고 하더라도 A가 적록 색맹일 확률은 50 %이다. B는 아버지로부터 적록 색맹 대립유전자를 물려받지만 어머니가 정상 대립유전자를 물려줄 수 있으므로 적록 색맹이 확실하지 않다. C는 어머니로부터 X 염색체를 물려받으므로 100 % 적록 색맹이다. D는 아버지로부터 정상 대립유전자를 물려받으므로 보인자이다.

19 **모범 답안** 적록 색맹에 대한 (가)의 유전자형은 X′Y, (나)의 유전자형은 XX′이다. X′Y×XX′ → XX′, X′X′, XY, X′Y이므로 적록 색맹인 아들이 태어날 확률은 $\frac{1}{4}$로, $100\times\frac{1}{4}=25$(%)이다.

채점 기준	배점
확률과 구하는 방법을 모두 포함하여 옳게 서술한 경우	100 %
확률만 옳게 쓴 경우	40 %

VI 에너지 전환과 보존

01 역학적 에너지 전환과 보존

개념으로 복습하기 복습책 058쪽

❶ 역학적 ❷ 위치 ❸ 운동 ❹ 최대 ❺ 운동
❻ 위치 ❼ 0 ❽ 역학적 에너지 보존 ❾ 운동
❿ 위치 ⓫ 위치 ⓬ 운동 ⓭ 역학적 ⓮ 역학적

헷갈리는 내용 공략하기 복습책 059쪽

01 39.2 J **02** 39.2 J **03** 39.2 J **04** 39.2 J **05** 모두 같다 **06** B 지점 **07** C 지점 **08** D 지점 **09** A 지점 **10** B 지점 **11** AB 구간, CD 구간 **12** BC 구간, DE 구간 **13** AB 구간, CD 구간 **14** BC 구간, DE 구간 **15** 모두 같다

문제로 복습하기 복습책 060쪽~062쪽

01 19.6 J, 8 J, 27.6 J **02** ⑤ **03** ④ **04** OA 구간, OB 구간 **05** ④ **06** 해설 참조 **07** ② **08** ① **09** ② **10** ③ **11** ③ **12** ㉠ 4.9 ㉡ 2.45 ㉢ 7.35 ㉣ 9.8 **13** ③ **14** ⑤ **15** ① **16** ③ **17** ① **18** ③ **19** ② **20** 해설 참조

01 물체의 역학적 에너지는 위치 에너지와 운동 에너지의 합이므로 $9.8mh+\frac{1}{2}mv^2=(9.8\times1)\ \mathrm{N}\times2\ \mathrm{m}+\frac{1}{2}\times1\ \mathrm{kg}\times(4\ \mathrm{m/s})^2=19.6\ \mathrm{J}+8\ \mathrm{J}=27.6\ \mathrm{J}$이다.

02 물체의 역학적 에너지는 위치 에너지와 운동 에너지의 합이다. 물체가 올라갈 때는 운동 에너지가 위치 에너지로 전환되고, 내려올 때는 위치 에너지가 운동 에너지로 전환된다.

03 쇠구슬의 역학적 에너지는 위치 에너지와 운동 에너지의 합이다. BC 구간에서는 쇠구슬이 위로 올라가므로 운동 에너지가 위치 에너지로 전환된다.

04 높이가 가장 높은 A 지점과 B 지점에서 위치 에너지가 최대이고 운동 에너지는 0이며, 높이가 가장 낮은 O 지점에서 운동 에너지가 최대이고 위치 에너지는 최소이다. AO 구간과 BO 구간에서 위치 에너지가 운동 에너지로 전환되고, OA 구간과 OB 구간에서 운동 에너지가 위치 에너지로 전환된다.

05 내려올 때는 롤러코스터의 위치 에너지가 운동 에너지로 전환되므로 위치 에너지는 감소하고 운동 에너지가 증가한다. 올라갈 때는 운동 에너지가 위치 에너지로 전환되므로 운동 에너지는 감소하고 위치 에너지가 증가한다.

06 **모범 답안** 공의 운동 에너지가 위치 에너지로 전환되므로 운동 에너지는 감소하고, 위치 에너지는 증가한다.
해설 공의 역학적 에너지는 위치 에너지와 운동 에너지의 합이다. 공이 위로 올라가는 동안 운동 에너지가 위치 에너지로 전환되므로 운동 에너지는 점점 감소하고, 위치 에너지는 점점 증가한다.

채점 기준	배점
역학적 에너지 전환과 관련지어 위치 에너지와 운동 에너지 크기 변화를 모두 옳게 서술한 경우	100 %
위치 에너지와 운동 에너지의 크기 변화만 옳게 서술한 경우	50 %

07 공기 저항이나 마찰이 없을 때 역학적 에너지가 보존되며, 물체가 가진 위치 에너지와 운동 에너지의 합이 모든 지점에서 일정하다.
오답 분석
ㄱ. 물체가 정지해 있거나 운동을 할 때나 항상 역학적 에너지는 일정하게 보존된다.
ㄷ. 물체가 아래로 내려올 때 감소한 위치 에너지는 증가한 운동 에너지와 같다.

08 물체가 자유 낙하 할 때 위치 에너지가 감소하는 만큼 운동 에너지가 증가하여 역학적 에너지는 일정하게 보존된다. 그러므로 모든 지점에서 물체의 역학적 에너지는 같다.

09 (처음 위치 에너지)=(A 지점에서 위치 에너지)+(A 지점에서 운동 에너지)이므로 $9.8mh_1=9.8mh_2+\frac{1}{2}mv_2^2$이다.
A 지점에서 물체의 위치에너지는

$$\begin{aligned}9.8mh_2&=9.8mh_1-\frac{1}{2}mv_2^2\\&=(9.8\times1)\ \mathrm{N}\times2\ \mathrm{m}-\frac{1}{2}\times1\ \mathrm{kg}\times(3\ \mathrm{m/s})^2\\&=19.6\ \mathrm{J}-4.5\ \mathrm{J}=15.1\ \mathrm{J}\end{aligned}$$

10 지면에 도달하는 순간 공의 위치 에너지가 운동 에너지로 모두 전환되므로 $\frac{1}{2}mv^2=9.8mh$이다.
$v^2=2\times9.8\times2.5=49$에서 속력은 $v=7(\mathrm{m/s})$이다.

11 높이 6 m인 지점에서 물체의 운동 에너지는 감소한 위치 에너지와 같다. 높이 6 m인 지점에서 위치 에너지 : 운동 에너지=$9.8\times6 : 9.8\times(10-6)=3 : 2$이다.

12 1 m 높이에서 물체의 위치 에너지는 9.8 J이다. 물체의 역학적 에너지가 보존되므로 모든 지점에서 역학적 에너지는 9.8 J이다. 각 지점에서 위치 에너지는 높이에 비례한다.

13 물체의 운동 에너지가 최고점에서 모두 위치 에너지로 전환되므로 $9.8mh=\frac{1}{2}mv^2$이다.
공이 올라간 높이는 $h=\frac{v^2}{2\times9.8}=\frac{14^2}{2\times9.8}=10(\mathrm{m})$이다.

14 운동 에너지가 위치 에너지로 전환되므로 물체가 위로 올라가는 동안 기준면으로부터의 높이에 비례하여 위치 에너지가 증가하고, 증가한 위치 에너지만큼 운동 에너지는

감소한다. 최고점에서 운동 에너지는 0이고, 지면에서 운동 에너지는 최대이다.

15 역학적 에너지가 보존되므로 (처음 위치 에너지)+(처음 운동 에너지)=(나중 위치 에너지)+(나중 운동 에너지)이다. 같은 속력으로 A, B, C 세 방향으로 던진 각 공의 역학적 에너지는 모두 같고, 지면에서 공의 위치 에너지는 0이므로 지면에 도달하는 순간 공의 운동 에너지도 모두 같다.

16 감소한 위치 에너지는 증가한 운동 에너지와 같다. 증가한 운동 에너지는 $\frac{1}{2}mv_2^2-\frac{1}{2}mv_1^2=\frac{1}{2}\times1\,\text{kg}\times(4\text{m/s})^2-\frac{1}{2}\times1\,\text{kg}\times(2\,\text{m/s})^2=8\,\text{J}-2\,\text{J}=6\,\text{J}$이므로 감소한 위치 에너지도 6 J이다.

17 공이 올라갈 때는 운동 에너지가 위치 에너지로 전환되고, 내려올 때는 위치 에너지가 운동 에너지로 전환되므로 모든 지점에서 역학적 에너지는 같다.

18 역학적 에너지는 위치 에너지와 운동 에너지의 합이고, 공기 저항과 마찰을 무시하면 모든 지점에서 역학적 에너지는 같다.

19 역학적 에너지가 보존되고 B 지점에서 위치 에너지가 0이므로 $9.8mh_1+\frac{1}{2}mv_1^2=\frac{1}{2}mv_2^2$이다.

A 지점에서 위치 에너지는 $9.8mh_1=(9.8\times0.2)\text{N}\times5\,\text{m}=9.8\,\text{J}$이고, 운동 에너지는

$\frac{1}{2}mv_1^2=\frac{1}{2}\times0.2\,\text{kg}\times(10\,\text{m/s})^2=10\,\text{J}$이므로 B 지점에서 운동 에너지는 $\frac{1}{2}mv_2^2=9.8\,\text{J}+10\,\text{J}=19.8\,\text{J}$이다.

오답 분석

ㄱ. A 지점에서 운동 에너지는 10 J이다.

ㄷ. B 지점에서 운동 에너지는 19.8 J이다.

20 **모범 답안** A=B=C, 공 A, B, C의 처음 역학적 에너지가 모두 같으므로 지면에 도달하는 순간 역학적 에너지가 모두 같다. 지면에서 위치 에너지가 0이므로 운동 에너지도 모두 같고, 질량이 같으므로 속력이 모두 같다.

채점 기준	배점
속력이 같다고 비교하고, 그 까닭을 옳게 서술한 경우	100 %
속력이 같다고만 비교한 경우	50 %

02 전기 에너지의 발생과 전환

개념으로 복습하기 복습책 063쪽

❶ 전자기 유도 ❷ 전기 ❸ 유도 ❹ 발전기 ❺ 역학적 ❻ 화학 ❼ 소비 전력 ❽ 전력량 ❾ 화학 ❿ 열 ⓫ 운동 ⓬ 에너지 보존 ⓭ 대기전력 ⓮ 에너지 소비 효율

헷갈리는 내용 공략하기 복습책 064쪽

01 화학 에너지 02 화학 에너지 03 전기 에너지 04 전기 에너지 05 화학 에너지 06 소리 에너지 07 소리 에너지 08 LED 전등 09 전기난로, 전기다리미 10 선풍기, 세탁기, 진공청소기 11 스피커, 오디오 12 배터리 충전기 13 텔레비전

문제로 복습하기 복습책 065쪽~067쪽

01 ② 02 ⑤ 03 ㉠ 자석(영구자석) ㉡ 코일 ㉢ 역학적 ㉣ 전류 04 ⑤ 05 ① 06 ① 07 ② 08 ① 09 ⑤ 10 ② 11 (1) 1400 J (2) 해설 참조 12 ④ 13 ⑤ 14 ⑤ 15 (가) 빛에너지 (나) 열에너지 (다) 소리 에너지 (라) 운동 에너지 16 ④ 17 에너지 보존 18 ⑤ 19 ① 20 ① 21 ③ 22 (1) ㉠ 열에너지 ㉡ 화학 에너지 ㉢ 전기 에너지 ㉣ 빛에너지 (2) 해설 참조

01 코일에 자석을 가까이 하거나 멀리 할 때 자석의 역학적 에너지가 전기 에너지로 전환된다. 코일 밖이나 코일 속에서 가만히 있을 때는 자석의 역학적 에너지가 변하지 않으므로 코일에 전류가 흐르지 않는다.

02 자석 사이에서 코일이 회전할 때 코일의 역학적 에너지가 전기 에너지로 전환된다.

03 자석 사이에서 코일이 회전할 때 코일의 역학적 에너지가 전기 에너지로 전환되어 코일에 전류가 흐르게 된다.

04 원자력 발전소에서는 원자의 핵에너지를 수증기의 역학적 에너지로 전환하여 발전기의 터빈을 회전시키며, 이때 발전기에서 역학적 에너지가 전기 에너지로 전환된다.

05 전기 기구가 1초 동안 소비하는 전기 에너지의 양을 소비 전력이라고 하며, 1분(min)=60초(s)이다.

소비 전력$=\frac{\text{전기 에너지}}{\text{시간}}=\frac{3600\,\text{J}}{60\,\text{s}}=60\,\text{W}$이다.

06 정격 전압은 가전제품을 정상적으로 작동하기 위해 필요한 전압이고, 소비 전력은 정격 전압을 걸어 주었을 때 가전제품이 1초 동안 소비하는 전기 에너지의 양이다.

소비 전력$=\frac{\text{전기 에너지}}{\text{시간}}=\frac{120000\,\text{J}}{120\,\text{s}}=1000\,\text{W}=1\,\text{kW}$

07 소비 전력이 15 W인 LED 전등은 1초 동안 15 J의 전기 에너지를 소비하므로, 1분 동안 소비한 전기 에너지는 15 W×60 s=15 J/s×60 s=900 J이다. 형광등을 3시간 동안 사용했을 때의 전력량은 30 W×3 h=90 Wh이다.

08 전력량은 전기 기구가 일정 시간 동안 사용한 전기 에너지의 양이고, 30분(min)=0.5시간(h)이다. 전력량=전력×시간=250 W×0.5 h=125 Wh이다.

09 전력량=전력×시간=100 W×2 h=200 Wh이다.
1 W=1 J/s이므로
1 Wh=1 W×1 h=1 J/s×3600 s=3600 J이고,
200 Wh=200 J/s×3600 s=720000 J이다.

10 소비 전력은 정격 전압을 걸어 주었을 때 전기 기구가 1초 동안 소비하는 전기 에너지의 양이다. 전기 기구가 일정 시간 동안 사용한 전기 에너지의 양은 전력량이라고 한다.
오답 분석
ㄱ. 전력량의 단위로는 Wh(와트시)나 kWh(킬로와트시) 등을 사용한다.
ㄴ. 소비 전력이 10 W인 가전제품은 1초 동안 10 J의 전기 에너지를 사용한다.

11 (1) 220 V－1400 W인 전기다리미를 220 V에 연결할 때의 소비 전력이 1400 W이므로 1초 동안 1400J의 전기 에너지를 소비한다.
(2) **모범 답안** 전력량=전력×시간=1400 W×1 h/일×10일=14000 Wh=14 kWh

채점 기준		배점
(1)	전기 에너지의 크기를 옳게 쓴 경우	50 %
(2)	전력량을 구하는 풀이 과정과 답을 옳게 서술한 경우	50 %
	답만 옳게 서술한 경우	20 %

12 전기 에너지는 전류가 흐를 때 공급되는 에너지이며, 여러 가지 가전제품은 전기 에너지를 다른 형태의 에너지로 전환하여 이용한다.

13 에너지는 여러 가지 형태로 존재하며, 한 형태에서 다른 형태로 전환될 수 있다. 화학 결합에 의해 연료 속에 저장된 에너지를 화학 에너지라고 한다.

14 전기 에너지를 스피커는 소리 에너지로, 세탁기는 운동 에너지로, 전기주전자는 열에너지로, 배터리 충전기는 화학 에너지로 전환하여 이용한다.

15 휴대 전화에서 전기 에너지가 다른 형태의 에너지로 전환된다. 전기 에너지 → 빛에너지＋열에너지＋소리 에너지＋운동 에너지

16 220 V－1800 W인 전기주전자를 220 V에 연결할 때의 소비 전력이 1800 W이므로 1초 동안 1800 J의 전기 에너지를 소비한다. 전력량=전력×시간=1800 W×$\frac{1}{60}$ h=30 Wh이다. 전기난로, 전기주전자, 전기밥솥, 전기다리미 등은 전기 에너지를 주로 열에너지로 전환하여 이용하는 가전제품이다.

17 에너지는 한 형태에서 다른 형태로 전환될 수 있으며, 이 과정에서 에너지가 새로 생기거나 소멸되지 않고 전체 에너지의 양은 일정하게 보존된다. 이것을 에너지 보존 법칙이라고 한다.

18 조명 장치를 켰을 때 전등에서 전기 에너지를 빛에너지로 전환하여 이용하며, 이 과정에서 전기 에너지가 열에너지로도 전환된다.

19 에너지 소비 효율 등급은 제품이 에너지를 효율적으로 이용하는 정도를 1등급에서 5등급으로 구분하여 표시한다. 1등급으로 갈수록 전기 에너지를 효율적으로 이용하는 가전제품이다.

20 형광등은 전기 에너지를 빛에너지뿐만 아니라 열에너지로 많이 전환하여 LED 전등에 비해 에너지 효율이 낮다.
오답 분석
ㄴ. 에너지 소비 효율 등급이 높은 가전제품을 사용한다.
ㄷ. 사용하지 않는 가전제품은 플러그를 콘센트에서 뽑아 두어 소모되는 대기전력을 줄인다.

21 에너지는 한 형태에서 다른 형태로 전환될 수 있으며, 이 과정에서 에너지는 새로 생기거나 소멸되지 않고 전체 에너지의 양은 일정하게 보존된다.
오답 분석
ㄷ. 전기 에너지가 다른 형태의 에너지로 전환될 때 전체 에너지의 양은 일정하게 보존된다.

22 (1) 연료의 연소에서는 화학 에너지가 열에너지와 빛에너지로, 광합성에서는 빛에너지가 화학 에너지로, 건전지의 사용에서는 화학 에너지가 전기 에너지로, 모닥불에서는 화학 에너지가 빛에너지와 열에너지로 전환된다.
(2) **모범 답안** 발전기에서 역학적 에너지가 전기 에너지로 전환된다. 마이크는 소리 에너지를 전기 에너지로 전환한다. 기타를 칠 때 역학적 에너지가 소리 에너지로 전환된다. 선풍기에서 전기 에너지가 운동 에너지로 전환된다.

채점 기준		배점
(1)	에너지 종류를 4개 모두 옳게 쓴 경우	50 %
	에너지 종류를 2~3개만 옳게 쓴 경우	25 %
(2)	다른 현상 1가지를 옳게 서술한 경우	50 %

Ⅶ 별과 우주

01 별

개념으로 복습하기 복습책 068쪽

❶ 시차 ❷ $\frac{1}{2}$ ❸ $\frac{1}{\text{연주 시차}('')}$ ❹ $\frac{1}{2^2}$
❺ $\frac{1}{3^2}$ ❻ 반비례 ❼ 작을 ❽ 100 ❾ 2.5
❿ 10 pc ⓫ 작을 ⓬ 작을 ⓭ 표면 온도
⓮ 파란색 ⓯ 붉은색 ⓰ 높 ⓱ 낮

헷갈리는 내용 공략하기 복습책 069쪽

01 3등급 **02** 9등급 **03** 6.3, 밝다 **04** 16, 어둡다 **05** 3등급 **06** −1등급 **07** 6등급 **08** 1등급 **09** 9배 밝아진다. **10** 16배 어두워진다. **11** 100, 어두워 **12** 1등급 **13** 7등급 **14** 1등급 **15** −18.8등급

문제로 복습하기 복습책 070쪽~072쪽

01 2 : 1 **02** ④ **03** ④ **04** ⑤ **05** 커진다.
06 ④ **07** ③ **08** ① **09** ⑤ **10** ⑤ **11** ④
12 ⑤ **13** ①, ③ **14** ⑤ **15** ① **16** ②
17 (1) 약 6.3배 (2) D, C (3) 해설 참조 **18** ①
19 ② **20** ④ **21** (1) 별 B (2) 별 B (3) 해설 참조

01 시차는 물체의 거리에 반비례하므로 $\theta_1 : \theta_2 = \frac{1}{8} : \frac{1}{16} = 2 : 1$이다.

02 별까지의 거리(pc)$=\frac{1}{\text{연주 시차}('')}$로 나타낼 수 있는데, 이 별의 연주 시차가 0.05″이므로 거리는 20 pc이다.

03 ㄴ. 별 A와 별 B는 실제 밝기가 같다고 했는데, 지구로부터의 거리는 별 A가 별 B보다 가까우므로 별 A가 별 B보다 밝게 관측된다.
ㄷ. 별 A가 별 B보다 배경별을 기준으로 이동한 각거리가 크므로, 즉 별 A가 별 B보다 연주 시차가 크므로 지구와의 거리는 별 A가 별 B보다 더 가깝다.
오답 분석
ㄱ. 별 A는 배경별을 기준으로 6개월 동안 이동한 각거리인 시차가 크므로 배경별보다 가까이 있는 별이다.

04 ⑤ 시차는 별의 거리에 반비례하므로 별의 거리가 2배 멀어지면 시차는 절반이 된다.
오답 분석
① 별 S의 시차가 0.2″이므로, 연주 시차는 이 값의 절반인 0.1″이다.
② 별의 거리(pc)$=\frac{1}{\text{연주 시차}}=\frac{1}{0.1''}=10$ pc이다.
③ 지구가 E_1에서 E_2까지 공전하는 데는 6개월이 걸리므로 연주 시차를 측정하는 데에는 6개월 이상이 걸린다.
④ 연주 시차는 아주 작은 값이므로 지구에서 배경별보다 멀리 떨어진 별은 연주 시차를 측정하기 어렵다.

05 공전 궤도 반지름이 지금보다 더 커지면 지구−별−태양이 이루는 각도도 커질 것이다.

06 1등급 차는 2.5배의 밝기 차가 나므로, 밝기 비$\propto 2.5^{\text{등급 차}}$이다. 따라서 ④와 같은 그래프로 나타난다.

07 5등급인 별이 100개 모이면 밝기는 100배 밝아지므로 5등급이 작아진다.

08 별의 밝기는 거리의 제곱에 반비례하므로, 거리가 10배 멀어지면 밝기는 100배 어두워진다. 따라서 5등급이 커진다.

09 6등급과 −4등급은 10등급 차이가 난다. 5등급 차이의 밝기는 100배 차이가 나므로 10등급 차이는 밝기가 100×100=10000배 차이가 난다.

10 1등급이 작아질 때마다 밝기는 2.5배가 밝아진다. 1등급의 밝기가 전구 100개의 밝기와 같으므로 0등급의 밝기는 전구 250개의 밝기에 해당한다.

11 별의 겉보기 등급이 1등급 작아지면 2.5배 밝게 보인다. 따라서 5등급보다 1등급이 작은 별은 4등급이다.

12 ㄷ, ㄹ. 절대 등급은 지구로부터 10 pc(=32.6광년) 거리에 있다고 가정할 때의 별의 밝기 등급이므로, 별의 실제 밝기를 비교할 때 이용한다.
오답 분석
ㄱ. 맨눈으로 보이는 별의 밝기 등급은 겉보기 등급이다.
ㄴ. 절대 등급이 작을수록 실제로 밝지만, 거리에 따라 눈에 보이는 밝기가 달라진다.

13 겉보기 등급이 절대 등급보다 작은 별은 10 pc보다 가까이 있다.

14 −4등급과 1등급은 5등급 차이가 나며, $2.5^5=100$배 밝기 차이가 난다.

15 거리가 10배 가까워진다면 별의 밝기는 100배 밝아질 것이다. 별의 밝기가 100배 차이가 나면 등급은 5등급 차이가 나므로 2.1−5=−2.9등급으로 보인다.

16 ㄴ. 연주 시차와 거리는 반비례하므로 별 C의 연주 시차가 D보다 10배 크다.
오답 분석
ㄱ. 가장 밝게 보이는 별은 겉보기 등급이 가장 작은 별이므로 C이다.
ㄷ. 실제 가장 밝은 별은 절대 등급이 가장 작은 별이므로 D이다. 별 A~D의 절대 등급은 다음 표와 같다.

별	겉보기 등급	거리(pc)	절대 등급
A	2	10	2
B	4	100	−1
C	0	100	−5
D	2	1000	−8

17 (1) 별의 겉보기 등급이 작을수록 밝게 관측이 되며, 밝기비$=2.5^{\text{등급 차}}$이다. 별 A의 겉보기 등급은 0.1, 별 D의 겉보기 등급은 2.1이므로 별 A가 별 D보다 $2.5^2 \fallingdotseq 6.3$배 밝게 보인다.
(2) 가장 어둡게 보이는 별은 겉보기 등급이 가장 큰 별 D이고, 실제로 가장 어두운 별은 절대 등급이 가장 큰 별 C이다.
(3) **모범 답안** 별 C는 별 D보다 지구로부터의 거리가 가깝기 때문이다.

채점 기준	배점
모범 답안과 같이 서술한 경우	100 %
별 C가 별 D보다 겉보기 등급이 더 작기 때문이라고 서술한 경우	50 %

18 별은 표면 온도에 따라 색이 다르게 나타난다.

19 별의 색은 표면 온도에 따라 다른데, 파란색-청백색-흰색-황백색-노란색-주황색-붉은색으로 갈수록 표면 온도가 낮아진다.

20 ④ 전등은 온도가 높을수록 파란색, 낮을수록 붉은색 빛을 많이 방출한다. 마찬가지로 별도 표면 온도가 높을수록 파란색, 낮을수록 붉은색 빛이 강해진다.
오답 분석
① 전등의 빛은 1단에서 3단으로 갈수록 밝아진다.
② 전등이 1단일 때 붉은색의 빛을 가장 많이 방출한다.
③ 전등의 빛이 밝을수록 전구는 파란색을 띠게 된다.

21 (1) 겉보기 등급이 작은 별 B가 별 A보다 맨눈으로 보았을 때 더 밝게 보인다.
(2) 별의 표면 온도는 파란색-청백색-흰색-황백색-노란색-주황색-붉은색 순으로 갈수록 낮아진다. 따라서 붉은색인 별 B는 흰색인 별 A보다 표면 온도가 더 낮다.
(3) **모범 답안** 별 A, (겉보기 등급-절대 등급) 값이 클수록 지구로부터의 거리가 멀고, 연주 시차도 작아지기 때문이다.

채점 기준	배점
별과 까닭을 모두 옳게 서술한 경우	100 %
별과 까닭 중 1가지만 옳게 서술한 경우	50 %

02 은하와 우주

개념으로 복습하기

복습책 073쪽

❶ 은하수 ❷ 여름철 ❸ 궁수자리 ❹ 막대 나선
❺ 10만 ❻ 3만 ❼ 산개 ❽ 구상
❾ 파란색 ❿ 반사 ⓫ 방출 ⓬ 암흑
⓭ 모양 ⓮ 막대 나선 ⓯ 불규칙 ⓰ 빅뱅
⓱ 빠른 ⓲ 정거장 ⓳ 우주 쓰레기

헷갈리는 내용 공략하기

복습책 074쪽

01 산개 성단 **02** 산개 성단 **03** 산개 성단 **04** 반사 성운
05 방출 성운 **06** 암흑 성운 **07** 구상 성단 **08** 방출 성운
09 반사 성운 **10** 암흑 성운 **11** (라), (사), (자)
12 (가), (바) **13** (다), (아) **14** (나), (마) **15** (라), (사), (자)
16 (다), (아) **17** (가), (바) **18** (라), (사), (자)

문제로 복습하기

복습책 075쪽~077쪽

01 ④ **02** ② **03** ② **04** ④ **05** 해설 참조
06 ③ **07** ④ **08** ① **09** ⑤ **10** ⑤
11 ㄷ **12** ② **13** ㄱ, ㄷ, ㅂ **14** ⑤
15 은하의 모양, A: 타원 은하, B: 막대 나선 은하 **16** ②
17 ㄱ, ㄷ **18** 해설 참조 **19** ③ **20** 해설 참조

01 ㄴ. 은하수는 우리은하의 원반부로, 밤하늘에서 띠 모양으로 보인다.
ㄹ. 우리은하는 형태상 중심 부근에 막대 구조가 발달한 막대 나선 은하이다.
오답 분석
ㄱ. 태양계는 우리은하의 중심에서 약 3만 광년 떨어진 나선팔에 위치한다.
ㄷ. 궁수자리 방향이 우리은하의 중심 방향이므로 궁수자리 부근의 은하수는 다른 방향보다 폭이 넓고 뚜렷하게 보인다.

02 태양계에서 우리은하의 중심 방향(B)을 바라볼 때 은하수의 폭이 가장 넓고 뚜렷하게 보인다.

03 우리나라에서는 우리은하의 중심 방향(궁수자리 방향)을 볼 수 있는 여름철에 은하수의 폭이 가장 넓고 밝게 보인다. 반면, 은하수의 가장자리를 향하는 겨울철에는 은하수가 희미하게 보인다.

04 산개 성단은 주로 나선팔에 분포하며, 은하 중심부와 헤일로에 분포하는 성단은 구상 성단이다.

05 **모범 답안** 성간 물질이 뒤에서 오는 별빛을 가리기 때문이다.

채점 기준	배점
모범 답안과 같이 서술한 경우	100 %
암흑 성운이 분포하기 때문이라고 서술한 경우	50 %

06 그림은 산개 성단으로 비교적 젊은 별들로 구성되어 있으며, 고온의 파란색 별이 많다. 또한, 주로 우리은하의 나선팔에 분포한다.

07 성운은 가스나 작은 티끌 등이 다른 곳에 비해 많이 모여 구름처럼 보이는 것이다.

08 셀로판 종이를 통과한 빛이 향 연기에 의해 반사되어 향 연기가 셀로판 종이와 같은 색으로 보이는 것처럼, 반사 성운도 주변의 별빛을 반사하여 밝게 보인다.

09 ⑤ 그림은 말머리성운으로, 성간 물질이 뒤쪽에서 오는 별빛을 가려 어둡게 보이는 성운이다.

오답 분석

① 암흑 성운은 먼지와 가스, 티끌 등과 같은 성간 물질로 이루어져 있다.

② 암흑 성운은 블랙홀과는 관련이 없다.

④ 밤에 보이기 때문에 지구에서 보면 태양의 반대 방향에 위치하긴 하지만, 이 때문에 암흑 성운이 검게 보이는 것은 아니다.

10 마젤란은하는 우리은하 바깥에 있는 외부 은하이다.

11 (가) 구상 성단은 우리은하의 중심부나 원반 주위를 둘러싸고 있는 구형의 공간에 분포하며, (나) 산개 성단에 비해 저온의 별들로 구성되어 있다.

12 외부 은하는 모양에 따라 네 가지 종류로 구분한다. 외부 은하의 수는 나선 은하(정상 나선 은하와 막대 나선 은하) 75 %, 타원 은하 20 %, 불규칙 은하 5 % 정도이다.

13 ㄱ과 ㅂ은 정상 나선 은하, ㄷ은 막대 나선 은하, ㄴ과 ㄹ은 타원 은하, ㅁ은 불규칙 은하이다.

14 우리은하의 중심 방향에 별이 많으므로, 태양계에서 보면 B 방향이 A 방향보다 두껍게 보인다.

15 허블은 외부 은하를 관측했을 때의 모양에 따라 타원 은하, 나선 은하(정상 나선 은하, 막대 나선 은하)와 불규칙 은하로 분류하였다.

16 은하 사이의 거리가 계속 멀어지고 있으므로 우주의 밀도는 감소하고 있다.

17 우주는 고온·고밀도의 한 점에서 대폭발이 일어나 크기가 점차 팽창하였으므로 초기에는 지금보다 고온·고밀도 상태였다.

18 **모범 답안** 우주의 총 질량은 변화가 없고, 밀도와 온도는 낮아질 것이다.

채점 기준	배점
총 질량, 밀도, 온도 변화를 모두 옳게 서술한 경우	100 %
총 질량, 밀도, 온도 변화 중 2가지만 옳게 서술한 경우	50 %

19 우주 망원경은 지구 대기권 밖 우주에 띄워 놓은 망원경으로, 지상의 망원경보다 훨씬 선명하게 천체를 관측할 수 있으며 태양계 밖 우주 탐사에 큰 역할을 하고 있다.

20 **모범 답안** 우주 망원경은 대기의 영향을 받지 않으므로 선명한 상을 얻을 수 있다.

채점 기준	배점
우주 망원경의 장점을 옳게 서술한 경우	100 %
지상 망원경보다 더 많은 별빛을 모을 수 있다라고 서술한 경우	70 %